개념 해결의 법칙

머리말

Introduction

이 책은 기초 실력을 다지고 교과서 수준을 마스터하려는 학생들에게 적합한 교재입니다.
수학을 처음으로 시작하는 학생이나 수학에 기초가 닦여 있지 않은 학생은
나도 수학을 잘 할 수 있다! 는 자신감을 가지고 다음과 같은 방법으로 학습하기를 바랍니다.

첫째, 쉬운 문제부터 풀어나가자.
어려운 문제와 씨름하는 것이 수학을 잘하는 길은 아닙니다.

둘째, 기본 원리를 확실하게 익히자.
무작정 문제만 많이 푼다고 해서 실력이 느는 것은 아닙니다.

셋째, 반복 연습을 통해 개념을 익히자.
문제 풀이에 대한 연습 없이는 수학을 정복할 수 없습니다.

수학은 투자하는 시간에 비례해서 실력이 향상된다.

수학은 단계적인 학문이기 때문에 빠른 시간 안에 성적을 끌어올리기는 쉽지 않습니다.
비록 거북이 걸음이라 할지라도 꾸준하게 노력하는 사람만이 수학에서 승리할 수 있습니다.
개념 해결의 법칙은 쉽고 빠르게 기본 실력을 다지는데 그 목표를 두었습니다.
이 책을 사용하는 학생 모두가 수학에 자신감을 갖게 되기를 바랍니다.

구성과 특징
Structure

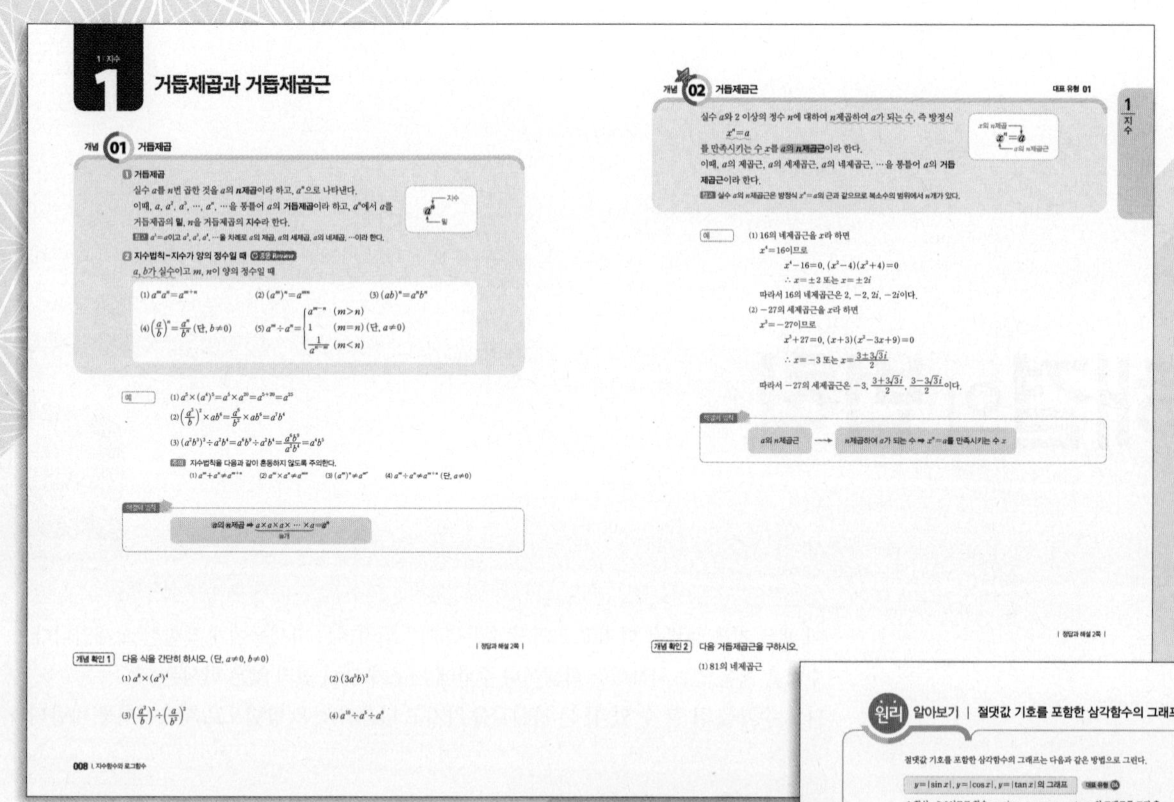

개념 정리

충분한 설명과 예로 개념을 이해, 적용할 수 있도록 하였습니다.
또한 해결의 법칙 을 통해 중요 내용은 다시 한번 정리하였습니다.

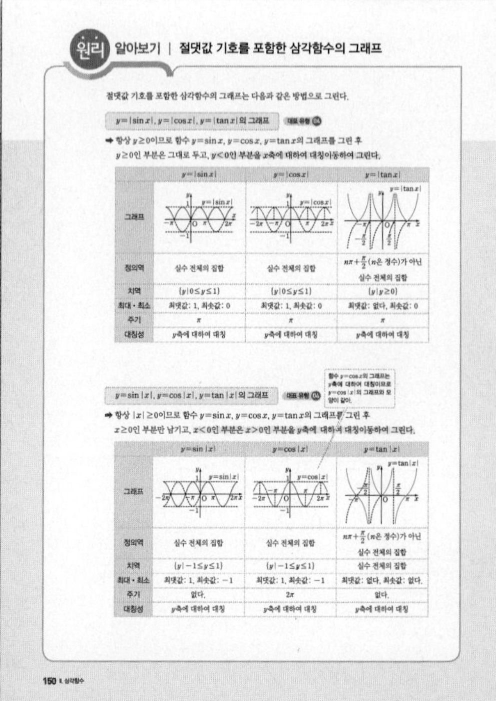

원리 알아보기

조금 어려운 개념이나 보충 설명이 필요한 개념을 원리 알아보기로 별도 구성하였습니다.

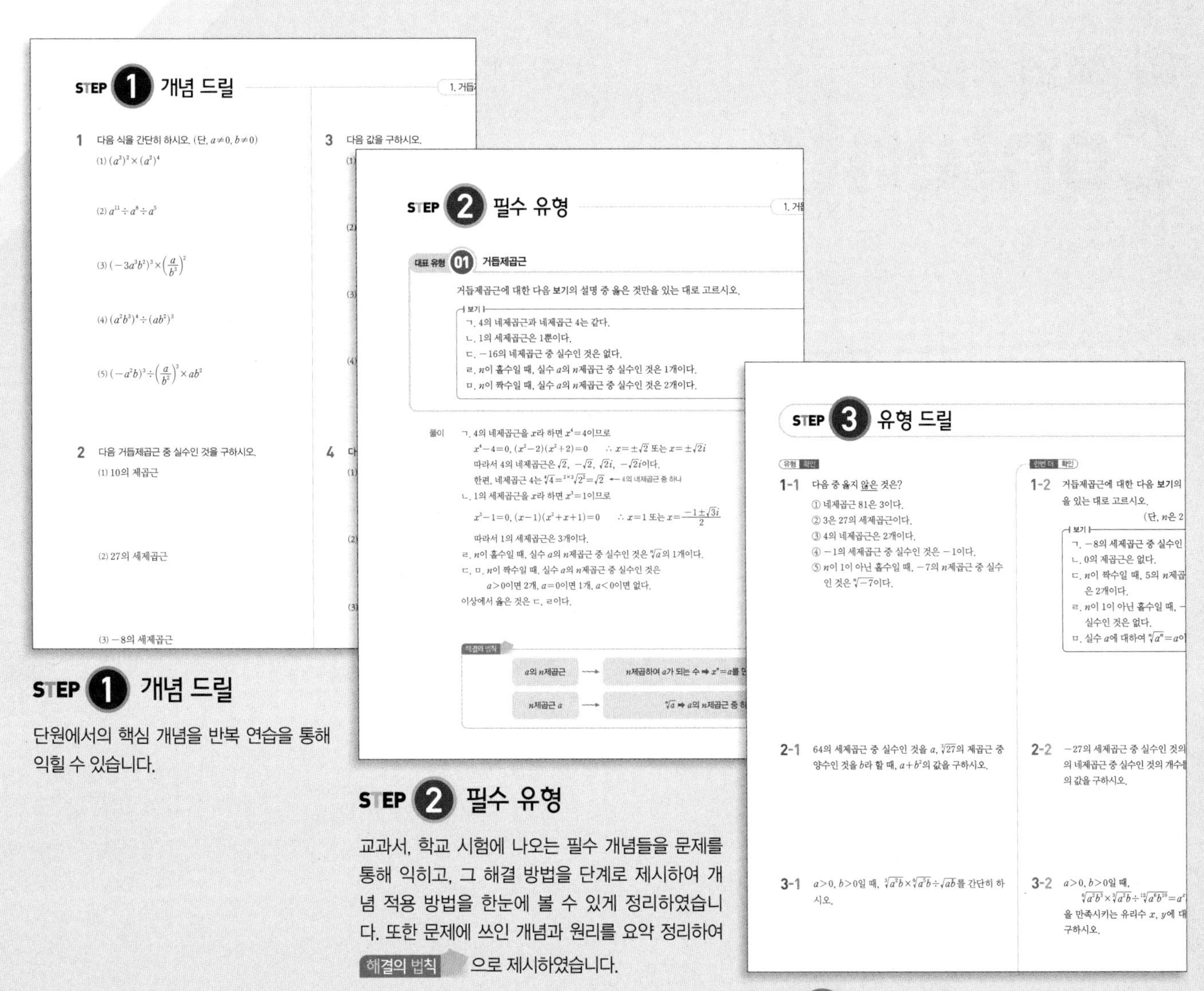

STEP 1 개념 드릴

단원에서의 핵심 개념을 반복 연습을 통해 익힐 수 있습니다.

STEP 2 필수 유형

교과서, 학교 시험에 나오는 필수 개념들을 문제를 통해 익히고, 그 해결 방법을 단계로 제시하여 개념 적용 방법을 한눈에 볼 수 있게 정리하였습니다. 또한 문제에 쓰인 개념과 원리를 요약 정리하여 해결의 법칙 으로 제시하였습니다.

STEP 3 유형 드릴

필수 유형에서 학습한 개념과 유사한 문제들로 구성하였습니다. '한번 더 확인'을 통해 비슷한 유형의 문제를 다시 풀어 보면서 개념을 한번 더 다질 수 있습니다.

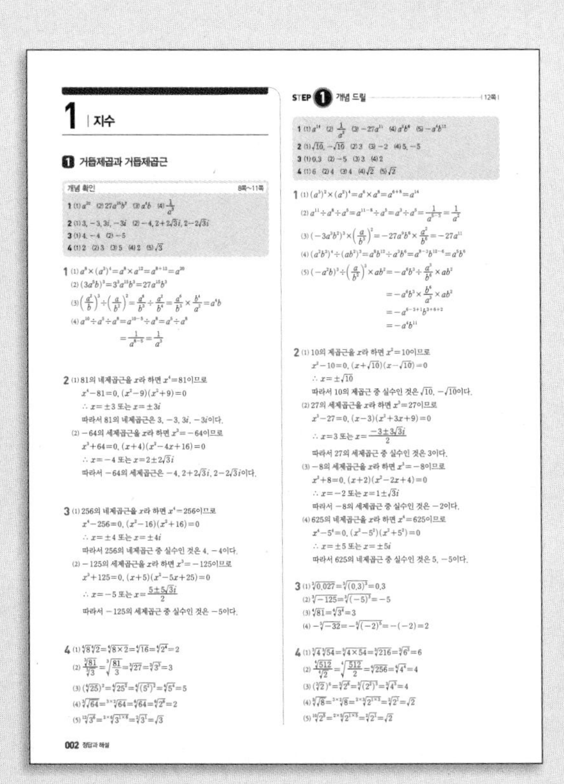

정답과 해설

자세하고 친절한 해설!

해결 전략 문제를 접근할 수 있는 실마리를 제공하였습니다.

다른 풀이 일반적인 풀이 방법도 중요하지만 다른 원리나 개념으로도 풀 수 있음을 제시하였습니다.

LECTURE 풀이를 이해하는 데 도움이 되는 내용, 풀이 과정에서 범할 수 있는 실수들, 주의할 내용들을 짚어줍니다.

이 책의 차례

Contents

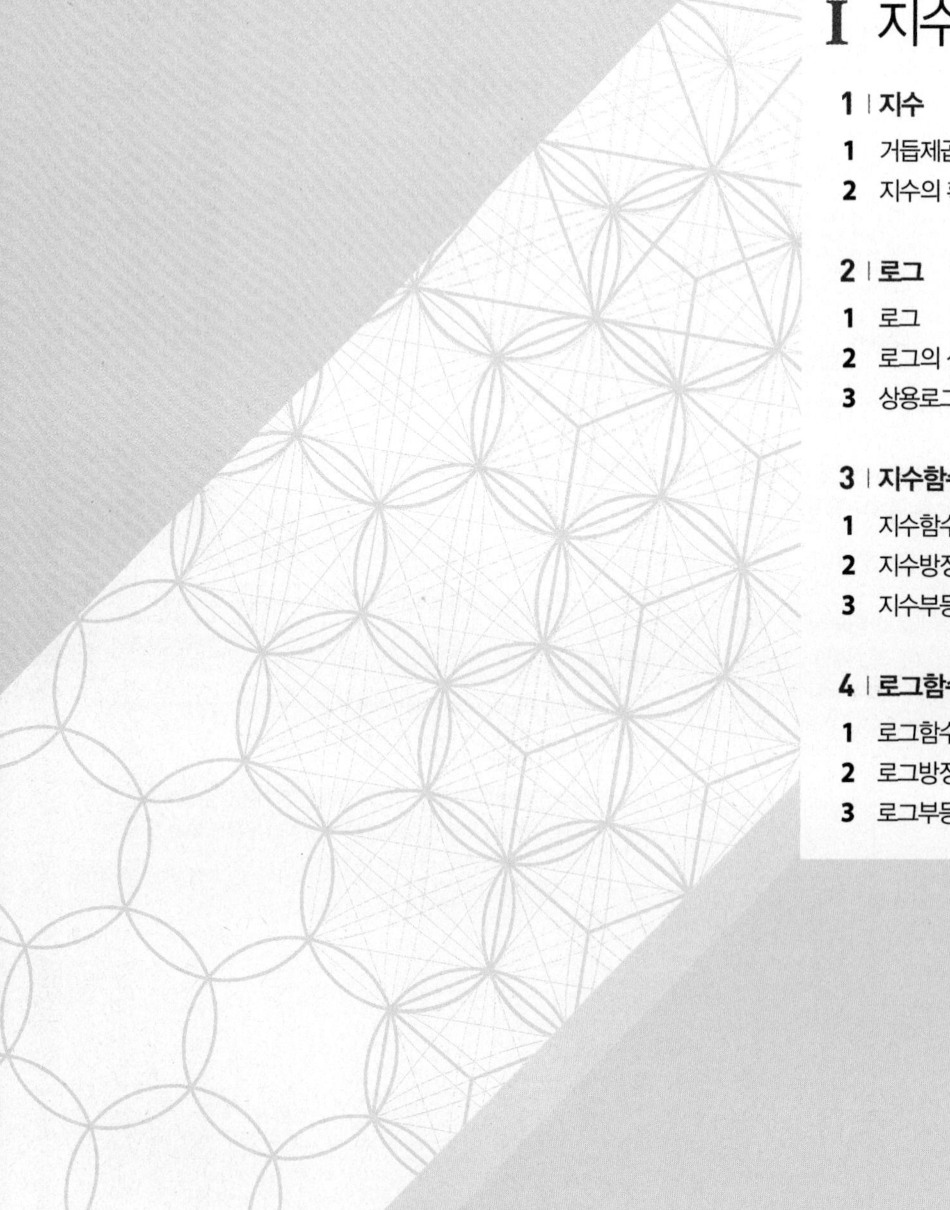

I 지수함수와 로그함수

1 | 지수

1 거듭제곱과 거듭제곱근 008
2 지수의 확장 015

2 | 로그

1 로그 032
2 로그의 성질 037
3 상용로그 047

3 | 지수함수

1 지수함수와 그 그래프 060
2 지수방정식 070
3 지수부등식 075

4 | 로그함수

1 로그함수와 그 그래프 086
2 로그방정식 098
3 로그부등식 103

Ⅱ 삼각함수

5 | 삼각함수

1 일반각 116
2 호도법 123
3 삼각함수 129

6 | 삼각함수의 그래프

1 삼각함수의 그래프 144
2 삼각함수의 성질 156
3 삼각방정식과 삼각부등식 164

7 | 사인법칙과 코사인법칙

1 사인법칙 176
2 코사인법칙 182
3 삼각형의 넓이 188

Ⅲ 수열

8 | 등차수열

1 등차수열 198
2 등차수열의 합 208

9 | 등비수열

1 등비수열 220
2 등비수열의 합 230

10 | 수열의 합

1 합의 기호 $\sum$와 그 성질 242
2 여러 가지 수열의 합 247

11 | 수학적 귀납법

1 수학적 귀납법 262

1 지수

(지구인들은 들어라!!!)
야야, 자막에 가려서 얼굴이 안보이잖아.
우리는 지구를 정복하기 위해 1,200,000,000,000,000,000,000,000,000,000,000,000,000,000 m 떨어진 오징오징별에서 왔다.
도대체 0이 몇 개야?
짧고 쉬운 방법이 없을까?
지수를 사용하면 간단히 나타낼 수 있어.
12×10^{41} m

개념 미리보기

1 거듭제곱과 거듭제곱근

개념 01 거듭제곱

a의 n제곱 ➡ $\underbrace{a\times a\times a\times \cdots \times a}_{n\text{개}}=a^n$

개념 02 거듭제곱근

a의 n제곱근 ⟶ n제곱하여 a가 되는 수 ➡ $x^n=a$를 만족시키는 수 x

개념 03 실수 a의 n제곱근 중 실수인 것

	$a>0$	$a=0$	$a<0$
n이 짝수	$\sqrt[n]{a},\ -\sqrt[n]{a}$	0	없다.
n이 홀수	$\sqrt[n]{a}$	0	$\sqrt[n]{a}$

개념 04 거듭제곱근의 성질

$a>0$, $b>0$이고 m, n이 2 이상의 정수일 때

❶ $\sqrt[n]{a}\sqrt[n]{b}=\sqrt[n]{ab}$

❷ $\dfrac{\sqrt[n]{a}}{\sqrt[n]{b}}=\sqrt[n]{\dfrac{a}{b}}$

❸ $(\sqrt[n]{a})^m=\sqrt[n]{a^m}$

❹ $\sqrt[m]{\sqrt[n]{a}}=\sqrt[mn]{a}$

❺ $\sqrt[np]{a^{mp}}=\sqrt[n]{a^m}$ (단, p는 양의 정수)

2 지수의 확장

개념 01 지수법칙 - 지수가 정수일 때

지수가 0 또는 음의 정수일 때 ➡ $\boldsymbol{a^0=1,\ a^{-n}=\dfrac{1}{a^n}}$ $(a\neq 0)$

개념 02 지수법칙 - 지수가 유리수일 때

지수가 유리수일 때 ➡ $\boldsymbol{a^{\frac{m}{n}}=\sqrt[n]{a^m},\ a^{\frac{1}{n}}=\sqrt[n]{a}}$ $(a>0)$

개념 03 지수법칙 - 지수가 실수일 때

$a>0$, $b>0$이고 x, y가 실수일 때

❶ $a^xa^y=a^{x+y}$

❷ $a^x\div a^y=a^{x-y}$

❸ $(a^x)^y=a^{xy}$

❹ $(ab)^x=a^xb^x$

이때, (밑)>0인 경우에만 성립해.

1 거듭제곱과 거듭제곱근

개념 01 거듭제곱

1 거듭제곱

실수 a를 n번 곱한 것을 a의 **n제곱**이라 하고, a^n으로 나타낸다.

이때, a, a^2, a^3, $\cdots$, a^n, $\cdots$을 통틀어 a의 **거듭제곱**이라 하고, a^n에서 a를 거듭제곱의 **밑**, n을 거듭제곱의 **지수**라 한다.

참고 $a^1=a$이고 a^2, a^3, a^4, $\cdots$을 차례로 a의 제곱, a의 세제곱, a의 네제곱, $\cdots$이라 한다.

2 지수법칙-지수가 양의 정수일 때 중등 Review

a, b가 실수이고 m, n이 양의 정수일 때

(1) $a^m a^n = a^{m+n}$　　(2) $(a^m)^n = a^{mn}$　　(3) $(ab)^n = a^n b^n$

(4) $\left(\dfrac{a}{b}\right)^n = \dfrac{a^n}{b^n}$ (단, $b\neq0$)　　(5) $a^m \div a^n = \begin{cases} a^{m-n} & (m>n) \\ 1 & (m=n) \\ \dfrac{1}{a^{n-m}} & (m<n) \end{cases}$ (단, $a\neq0$)

예

(1) $a^5\times(a^4)^5=a^5\times a^{20}=a^{5+20}=a^{25}$

(2) $\left(\dfrac{a^3}{b}\right)^2\times ab^6=\dfrac{a^6}{b^2}\times ab^6=a^7b^4$

(3) $(a^2b^3)^3\div a^2b^4=a^6b^9\div a^2b^4=\dfrac{a^6b^9}{a^2b^4}=a^4b^5$

주의 지수법칙을 다음과 같이 혼동하지 않도록 주의한다.

(1) $a^m+a^n\neq a^{m+n}$　(2) $a^m\times a^n\neq a^{mn}$　(3) $(a^m)^n\neq a^{m^n}$　(4) $a^m\div a^n\neq a^{m\div n}$ (단, $a\neq0$)

해결의 법칙

a의 n제곱 ➡ $\underbrace{a\times a\times a\times\cdots\times a}_{n\text{개}}=a^n$

| 정답과 해설 2쪽 |

개념 확인 1 다음 식을 간단히 하시오. (단, $a\neq0$, $b\neq0$)

(1) $a^8\times(a^3)^4$　　(2) $(3a^5b)^3$

(3) $\left(\dfrac{a^2}{b}\right)^3\div\left(\dfrac{a}{b^2}\right)^2$　　(4) $a^{10}\div a^5\div a^8$

개념 02 거듭제곱근

실수 a와 2 이상의 정수 n에 대하여 n제곱하여 a가 되는 수, 즉 방정식

$$x^n=a$$

를 만족시키는 수 x를 **a의 n제곱근**이라 한다.

이때, a의 제곱근, a의 세제곱근, a의 네제곱근, $\cdots$을 통틀어 a의 **거듭제곱근**이라 한다.

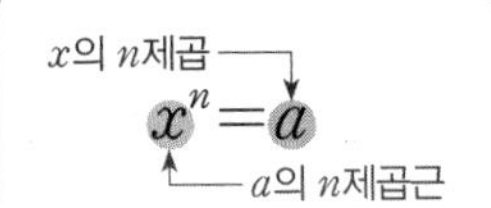

참고 실수 a의 n제곱근은 방정식 $x^n=a$의 근과 같으므로 복소수의 범위에서 n개가 있다.

예 (1) 16의 네제곱근을 x라 하면

$x^4=16$이므로

$x^4-16=0$, $(x^2-4)(x^2+4)=0$

$\therefore x=\pm2$ 또는 $x=\pm2i$

따라서 16의 네제곱근은 2, -2, $2i$, $-2i$이다.

(2) -27의 세제곱근을 x라 하면

$x^3=-27$이므로

$x^3+27=0$, $(x+3)(x^2-3x+9)=0$

$\therefore x=-3$ 또는 $x=\dfrac{3\pm3\sqrt{3}i}{2}$

따라서 -27의 세제곱근은 -3, $\dfrac{3+3\sqrt{3}i}{2}$, $\dfrac{3-3\sqrt{3}i}{2}$이다.

해결의 법칙

a의 n제곱근 → n제곱하여 a가 되는 수 ➡ $x^n=a$를 만족시키는 수 x

| 정답과 해설 2쪽 |

개념 확인 2 다음 거듭제곱근을 구하시오.

(1) 81의 네제곱근

(2) -64의 세제곱근

개념 03 실수 a의 n제곱근 중 실수인 것

대표 유형 01

실수 a의 n제곱근 중 실수인 것은 다음과 같다.

(1) **n이 짝수일 때**

① $a>0$이면 2개가 있다. ➡ $\sqrt[n]{a}$, $-\sqrt[n]{a}$

② $a=0$이면 0뿐이다. ➡ $\sqrt[n]{0}=0$

③ $a<0$이면 없다.

(2) **n이 홀수일 때**

오직 하나뿐이다. ➡ $\sqrt[n]{a}$

참고 (1) $\sqrt[n]{a}$는 'n제곱근 a'라 읽는다. (2) $\sqrt[2]{a}$는 2를 생략하여 $\sqrt{a}$로 나타낸다.

설명 실수 a의 n제곱근 중 실수인 것을 함수 $y=x^n$의 그래프를 이용하여 구해 보자.

n이 2 이상의 정수일 때, 실수 a의 n제곱근은 방정식 $x^n=a$를 만족시키는 x의 값이므로 실수 a의 n제곱근 중 실수인 것은 함수 $y=x^n$의 그래프와 직선 $y=a$의 교점의 x좌표와 같다.

(1) **n이 짝수일 때**

함수 $y=x^n$의 그래프는 $(-x)^n=x^n$이므로 y축에 대하여 대칭이다. 이때,

① $a>0$이면 교점이 2개 ➡ $\sqrt[n]{a}$, $-\sqrt[n]{a}$

② $a=0$이면 교점이 1개 ➡ $\sqrt[n]{0}=0$

③ $a<0$이면 교점이 없다.

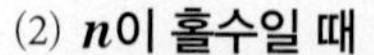

➡ a의 n제곱근 중 실수인 것은 없다.

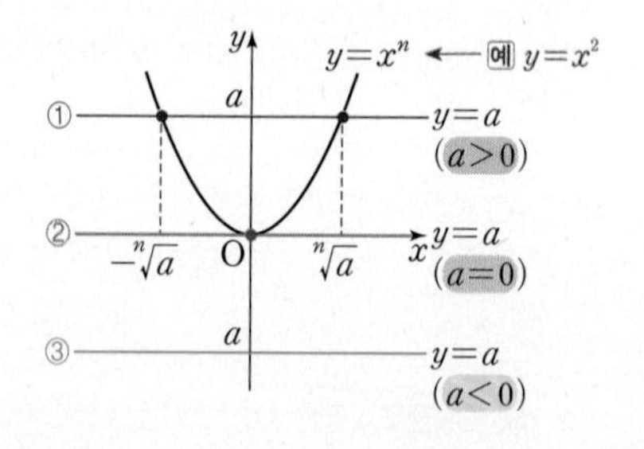

(2) **n이 홀수일 때**

함수 $y=x^n$의 그래프는 $(-x)^n=-x^n$이므로 원점에 대하여 대칭이다.

이때, a의 값에 관계없이 교점이 항상 1개

➡ a의 n제곱근 중 실수인 것은 오직 1개

➡ $a>0$이면 $\sqrt[n]{a}$, $a=0$이면 0, $a<0$이면 $\sqrt[n]{a}$

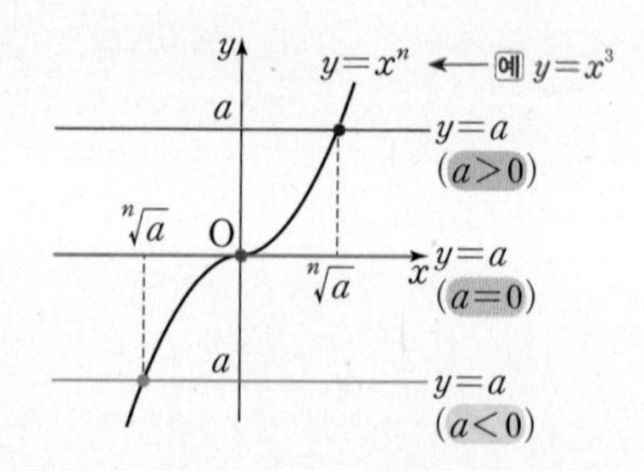

해결의 법칙

실수 a의 n제곱근 중 실수인 것

	$a>0$	$a=0$	$a<0$
n이 짝수	$\sqrt[n]{a}$, $-\sqrt[n]{a}$	0	없다.
n이 홀수	$\sqrt[n]{a}$	0	$\sqrt[n]{a}$

| 정답과 해설 2쪽 |

개념 확인 3 다음 거듭제곱근 중 실수인 것을 구하시오.

(1) 256의 네제곱근

(2) -125의 세제곱근

개념 04 거듭제곱근의 성질

대표 유형 02

$a>0$, $b>0$이고 m, n이 2 이상의 정수일 때

(1) $\sqrt[n]{a}\sqrt[n]{b}=\sqrt[n]{ab}$ (2) $\dfrac{\sqrt[n]{a}}{\sqrt[n]{b}}=\sqrt[n]{\dfrac{a}{b}}$ (3) $(\sqrt[n]{a})^m=\sqrt[n]{a^m}$

(4) $\sqrt[m]{\sqrt[n]{a}}=\sqrt[mn]{a}$ (5) $\sqrt[np]{a^{mp}}=\sqrt[n]{a^m}$ (단, p는 양의 정수)

증명 $a>0$, $b>0$이고 n이 2 이상의 정수일 때, 거듭제곱근의 정의에 의하여 $(\sqrt[n]{a})^n=a$, $(\sqrt[n]{b})^n=b$가 성립한다.

이때, 이 성질과 지수법칙을 이용하면 다음과 같이 거듭제곱근의 성질을 증명할 수 있다.

지수법칙 $(ab)^n=a^nb^n$

(1) $(\sqrt[n]{a}\sqrt[n]{b})^n=(\sqrt[n]{a})^n(\sqrt[n]{b})^n=ab$

이때, $a>0$, $b>0$에서 $\sqrt[n]{a}>0$, $\sqrt[n]{b}>0$이므로 $\sqrt[n]{a}\sqrt[n]{b}>0$

따라서 $\sqrt[n]{a}\sqrt[n]{b}$는 ab의 양의 n제곱근이므로

$\sqrt[n]{a}\sqrt[n]{b}=\sqrt[n]{ab}$

증명의 포인트는 $\sqrt[n]{a}\sqrt[n]{b}$가 ab의 양의 n제곱근임을 보이는 거야. 나머지 성질들도 증명의 포인트는 같아.

지수법칙 $\left(\dfrac{a}{b}\right)^n=\dfrac{a^n}{b^n}$

(2) $\left(\dfrac{\sqrt[n]{a}}{\sqrt[n]{b}}\right)^n=\dfrac{(\sqrt[n]{a})^n}{(\sqrt[n]{b})^n}=\dfrac{a}{b}$

이때, $a>0$, $b>0$에서 $\sqrt[n]{a}>0$, $\sqrt[n]{b}>0$이므로 $\dfrac{\sqrt[n]{a}}{\sqrt[n]{b}}>0$

따라서 $\dfrac{\sqrt[n]{a}}{\sqrt[n]{b}}$는 $\dfrac{a}{b}$의 양의 n제곱근이므로

$\dfrac{\sqrt[n]{a}}{\sqrt[n]{b}}=\sqrt[n]{\dfrac{a}{b}}$

지수법칙 $(a^m)^n=a^{mn}$

(3) $\{(\sqrt[n]{a})^m\}^n=(\sqrt[n]{a})^{mn}=\{(\sqrt[n]{a})^n\}^m=a^m$

이때, $a>0$에서 $\sqrt[n]{a}>0$이므로 $(\sqrt[n]{a})^m>0$

따라서 $(\sqrt[n]{a})^m$은 a^m의 양의 n제곱근이므로

$(\sqrt[n]{a})^m=\sqrt[n]{a^m}$

거듭제곱근의 성질 (4), (5)도 마찬가지 방법으로 증명할 수 있다.

주의 2 이상의 정수 n에 대하여 $\sqrt[n]{a}\sqrt[n]{b}=\sqrt[n]{ab}$가 성립하려면 a, b는 반드시 $a>0$, $b>0$이어야 한다.
단, n이 홀수일 때는 a, b의 부호에 관계없이 $\sqrt[n]{a}\sqrt[n]{b}=\sqrt[n]{ab}$가 항상 성립한다.

➡ $\sqrt[3]{-2}\sqrt[3]{-4}=(-\sqrt[3]{2})(-\sqrt[3]{4})=\sqrt[3]{2}\sqrt[3]{4}=\sqrt[3]{8}=\sqrt[3]{2^3}=2$
$\sqrt[3]{(-2)(-4)}=\sqrt[3]{8}=\sqrt[3]{2^3}=2$] 항상 성립!

| 정답과 해설 2쪽 |

개념 확인 4 다음 식을 간단히 하시오.

(1) $\sqrt[4]{8}\sqrt[4]{2}$

(2) $\dfrac{\sqrt[3]{81}}{\sqrt[3]{3}}$

(3) $(\sqrt[4]{25})^2$

(4) $\sqrt[3]{\sqrt{64}}$

(5) $\sqrt[12]{3^6}$

STEP 1 개념 드릴

1 다음 식을 간단히 하시오. (단, $a\neq0$, $b\neq0$)

(1) $(a^3)^2\times(a^2)^4$

(2) $a^{11}\div a^8\div a^5$

(3) $(-3a^3b^2)^3\times\left(\dfrac{a}{b^3}\right)^2$

(4) $(a^2b^3)^4\div(ab^2)^3$

(5) $(-a^2b)^3\div\left(\dfrac{a}{b^2}\right)^3\times ab^2$

2 다음 거듭제곱근 중 실수인 것을 구하시오.

(1) 10의 제곱근

(2) 27의 세제곱근

(3) -8의 세제곱근

(4) 625의 네제곱근

3 다음 값을 구하시오.

(1) $\sqrt[3]{0.027}$

(2) $\sqrt[3]{-125}$

(3) $\sqrt[4]{81}$

(4) $-\sqrt[5]{-32}$

4 다음 식을 간단히 하시오.

(1) $\sqrt[3]{4}\sqrt[3]{54}$

(2) $\dfrac{\sqrt[4]{512}}{\sqrt[4]{2}}$

(3) $(\sqrt[3]{2})^6$

(4) $\sqrt[3]{\sqrt{8}}$

(5) $\sqrt[10]{2^5}$

대표 유형 01 거듭제곱근

개념 02, 03

거듭제곱근에 대한 다음 **보기**의 설명 중 옳은 것만을 있는 대로 고르시오. (단, n은 2 이상의 정수이다.)

보기
ㄱ. 4의 네제곱근과 네제곱근 4는 같다.
ㄴ. 1의 세제곱근은 1뿐이다.
ㄷ. -16의 네제곱근 중 실수인 것은 없다.
ㄹ. n이 홀수일 때, 실수 a의 n제곱근 중 실수인 것은 1개이다.
ㅁ. n이 짝수일 때, 실수 a의 n제곱근 중 실수인 것은 2개이다.

풀이 ㄱ. 4의 네제곱근을 x라 하면 $x^4=4$이므로

$x^4-4=0$, $(x^2-2)(x^2+2)=0$ $\quad\therefore x=\pm\sqrt{2}$ 또는 $x=\pm\sqrt{2}i$

따라서 4의 네제곱근은 $\sqrt{2}$, $-\sqrt{2}$, $\sqrt{2}i$, $-\sqrt{2}i$이다.

한편, 네제곱근 4는 $\sqrt[4]{4}=\sqrt[2\times2]{2^2}=\sqrt{2}$ ← 4의 네제곱근 중 하나

ㄴ. 1의 세제곱근을 x라 하면 $x^3=1$이므로

$x^3-1=0$, $(x-1)(x^2+x+1)=0$ $\quad\therefore x=1$ 또는 $x=\dfrac{-1\pm\sqrt{3}i}{2}$

따라서 1의 세제곱근은 3개이다.

ㄷ, ㅁ. n이 짝수일 때, 실수 a의 n제곱근 중 실수인 것은

$a>0$이면 2개, $a=0$이면 1개, $a<0$이면 없다.

ㄹ. n이 홀수일 때, 실수 a의 n제곱근 중 실수인 것은 $\sqrt[n]{a}$의 1개이다.

이상에서 옳은 것은 ㄷ, ㄹ이다.

답 ㄷ, ㄹ

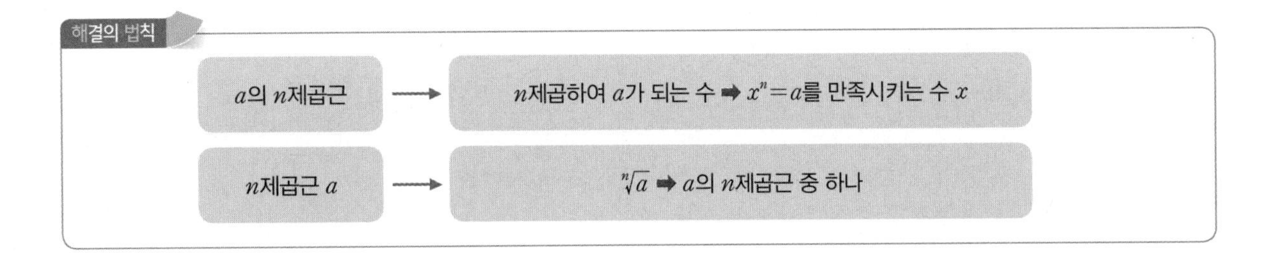

| 정답과 해설 3쪽 |

01-1 다음 중 옳은 것은? (단, n은 2 이상의 정수이다.)

① 64의 세제곱근은 $\sqrt[3]{64}$ 뿐이다.
② -27의 세제곱근 중 실수인 것은 없다.
③ 8의 네제곱근 중 실수인 것은 $\sqrt[4]{8}$뿐이다.
④ n이 홀수일 때, 3의 n제곱근 중 실수인 것은 1개이다.
⑤ n이 짝수일 때, -4의 n제곱근 중 실수인 것은 2개이다.

대표 유형 02 거듭제곱근의 계산

개념 04

다음 식을 간단히 하시오. (단, $a>0$, $b>0$)

(1) $\sqrt[3]{4}\sqrt[3]{2}+\sqrt[4]{4^2}$

(2) $\sqrt[5]{\frac{\sqrt{3}}{\sqrt[4]{3}}}\times\sqrt{\frac{\sqrt[10]{3}}{\sqrt[5]{3}}}$

(3) $\sqrt[4]{\sqrt[3]{a^4}}\times\sqrt{\sqrt[3]{a^4}}$

(4) $\sqrt[4]{ab^3}\times\sqrt{ab}\div\sqrt[4]{a^3b}$

풀이

(1) $\sqrt[3]{4}\sqrt[3]{2}+\sqrt[4]{4^2}=\sqrt[3]{4\times2}+\sqrt[4]{(2^2)^2}=\sqrt[3]{2^3}+\sqrt[4]{2^4}=2+2=4$

(2) $\sqrt[5]{\frac{\sqrt{3}}{\sqrt[4]{3}}}\times\sqrt{\frac{\sqrt[10]{3}}{\sqrt[5]{3}}}=\frac{\sqrt[5]{\sqrt{3}}}{\sqrt[5]{\sqrt[4]{3}}}\times\frac{\sqrt{\sqrt[10]{3}}}{\sqrt{\sqrt[5]{3}}}=\frac{\sqrt[10]{3}}{\sqrt[20]{3}}\times\frac{\sqrt[20]{3}}{\sqrt[10]{3}}=1$

$\sqrt{3}$은 $\sqrt[2]{3}$에서 2가 생략된 것임을 기억해.

(3) $\sqrt[4]{\sqrt[3]{a^4}}\times\sqrt{\sqrt[3]{a^4}}=\sqrt[12]{a^4}\times\sqrt[6]{a^4}=\sqrt[3]{a}\times\sqrt[3]{a^2}=\sqrt[3]{a\times a^2}=\sqrt[3]{a^3}=a$

(4) $\sqrt[4]{ab^3}\times\sqrt{ab}\div\sqrt[4]{a^3b}=\sqrt[4]{ab^3}\times\sqrt[4]{a^2b^2}\div\sqrt[4]{a^3b}=\sqrt[4]{\frac{ab^3\times a^2b^2}{a^3b}}=\sqrt[4]{b^4}=b$

답 (1) 4 (2) 1 (3) a (4) b

해결의 법칙

근호가 여러 개인 거듭제곱근의 계산 → $\sqrt[m]{\sqrt[n]{\ }}$ 를 $\sqrt[mn]{\ }$ 로 변형하기 (단, m, n은 2 이상의 정수)

| 정답과 해설 3쪽 |

02-1 다음 식을 간단히 하시오. (단, $a>0$, $b>0$)

(1) $\sqrt[3]{3}\sqrt[3]{9}+\sqrt[4]{4}\sqrt[4]{64}$

(2) $\sqrt[5]{\sqrt[3]{32}}\times\sqrt{\sqrt[3]{16}}$

(3) $\sqrt[3]{\frac{\sqrt{a}}{\sqrt[4]{a}}}\times\sqrt{\frac{\sqrt[6]{a}}{\sqrt[4]{a}}}$

(4) $\sqrt[6]{ab^4}\times\sqrt{ab^4}\div\sqrt[3]{a^2b^5}$

02-2 $\sqrt[k]{9}\times\sqrt[4]{243}\div\sqrt[3]{81}=\sqrt[6]{3}$을 만족시키는 자연수 k의 값을 구하시오.

지수의 확장

개념 01 지수법칙-지수가 정수일 때

대표 유형 01

1 0 또는 음의 정수인 지수의 정의

$a\neq0$이고 n이 양의 정수일 때

(1) $a^0=1$ (2) $a^{-n}=\dfrac{1}{a^n}$

참고 분모가 0인 수를 다루지 않는 것과 마찬가지로 0^0, 0^{-1}, 0^{-2} 등은 정의하지 않는다.

2 지수법칙-지수가 정수일 때

$a\neq0$, $b\neq0$이고 m, n이 정수일 때

(1) $a^m a^n=a^{m+n}$ (2) $a^m\div a^n=a^{m-n}$

(3) $(a^m)^n=a^{mn}$ (4) $(ab)^m=a^m b^m$

(2) $a^m\div a^n=a^{m-n}$은 m, n의 대소에 관계없이 성립해.

설명 1 지금까지는 지수가 양의 정수인 경우에만 지수법칙을 생각하였다.

이제 지수가 0 또는 음의 정수인 경우에도 지수법칙이 성립하도록 지수의 범위를 정수까지 확장하여 보자.

$a\neq0$이고 m, n이 양의 정수일 때, 지수법칙

$a^m a^n=a^{m+n}$ ······ ㉠

이 성립한다.

(1) $m=0$일 때, ㉠이 성립한다고 하면 $a^0 a^n=a^{0+n}=a^n$이므로 $a^0=1$

(2) $m=-n$(n은 양의 정수)일 때, ㉠이 성립한다고 하면

$a^{-n}a^n=a^{-n+n}=a^0=1$이므로 $a^{-n}=\dfrac{1}{a^n}$

2 (2) 지수가 양의 정수일 때, 지수법칙 $a^m\div a^n=a^{m-n}$은 $m>n$인 경우에만 의미를 가진다.

여기서 $a^0=1$, $a^{-n}=\dfrac{1}{a^n}$을 정의하면

(i) $m=n$일 때, $a^m\div a^n=1=a^0=a^{m-n}$

(ii) $m<n$일 때, $a^m\div a^n=\dfrac{1}{a^{n-m}}=\dfrac{1}{a^{-(m-n)}}=a^{m-n}$

이므로 m, n의 대소에 관계없이 임의의 정수 m, n에 대하여 $a^m\div a^n=a^{m-n}$으로 나타낼 수 있다.

해결의 법칙

지수가 0 또는 음의 정수일 때 ➡ $\boldsymbol{a^0=1,\ a^{-n}=\dfrac{1}{a^n}}$ $(a\neq0)$

| 정답과 해설 3쪽 |

개념 확인 1 다음 식을 간단히 하시오. (단, $a\neq0$)

(1) $a^{-2}\times a^5$ (2) $a^{-4}\div a^5$

(3) $(2^{-1})\times(4^{-1})$ (4) $3^8\times3^{-2}\div(3^2)^3$

개념 02 지수법칙-지수가 유리수일 때

대표 유형 01 ~ 04, 07

1 유리수인 지수의 정의

$a>0$이고 m은 정수, n은 2 이상의 정수일 때

(1) $a^{\frac{m}{n}}=\sqrt[n]{a^m}$　　(2) $a^{\frac{1}{n}}=\sqrt[n]{a}$

2 지수법칙-지수가 유리수일 때

$a>0,\ b>0$이고 $r,\ s$가 유리수일 때

(1) $a^r a^s=a^{r+s}$　　(2) $a^r \div a^s=a^{r-s}$

(3) $(a^r)^s=a^{rs}$　　(4) $(ab)^r=a^r b^r$

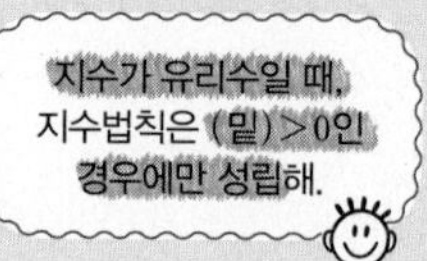

설명

1 $a>0$이고 $m,\ n$이 양의 정수일 때, 지수법칙

$$(a^m)^n=a^{mn} \quad \cdots\cdots ㉠$$

이 성립한다.

지수가 유리수 $\frac{m}{n}(n\ge2)$일 때도 ㉠이 성립한다고 하면 $(a^{\frac{m}{n}})^n=a^{\frac{m}{n}\times n}=a^m$이므로

$a^{\frac{m}{n}}$은 a^m의 양의 n제곱근이 된다.

즉, $a^{\frac{m}{n}}=\sqrt[n]{a^m}$으로 정의할 수 있다.

2 $a>0,\ b>0$이고 $r,\ s$가 유리수, 즉 $r=\frac{m}{n},\ s=\frac{p}{q}(m,\ n,\ p,\ q$는 정수, $n\ge2,\ q\ge2)$라 하면

(1) $a^r a^s=a^{\frac{m}{n}}a^{\frac{p}{q}}=a^{\frac{mq}{nq}}a^{\frac{np}{nq}}=\sqrt[nq]{a^{mq}}\sqrt[nq]{a^{np}}=\sqrt[nq]{a^{mq+np}}=a^{\frac{mq+np}{nq}}=a^{\frac{m}{n}+\frac{p}{q}}=a^{r+s}$

(2) $a^r \div a^s=a^{\frac{m}{n}}\div a^{\frac{p}{q}}=a^{\frac{mq}{nq}}\div a^{\frac{np}{nq}}=\dfrac{a^{\frac{mq}{nq}}}{a^{\frac{np}{nq}}}=\dfrac{\sqrt[nq]{a^{mq}}}{\sqrt[nq]{a^{np}}}=\sqrt[nq]{\dfrac{a^{mq}}{a^{np}}}$

$=\sqrt[nq]{a^{mq-np}}=a^{\frac{mq-np}{nq}}=a^{\frac{m}{n}-\frac{p}{q}}=a^{r-s}$

(3) $(a^r)^s=(a^{\frac{m}{n}})^{\frac{p}{q}}=\sqrt[q]{(a^{\frac{m}{n}})^p}=\sqrt[q]{(\sqrt[n]{a^m})^p}=\sqrt[q]{\sqrt[n]{a^{mp}}}=\sqrt[nq]{a^{mp}}=a^{\frac{mp}{nq}}=a^{\frac{m}{n}\times\frac{p}{q}}=a^{rs}$

(4) $(ab)^r=(ab)^{\frac{m}{n}}=\sqrt[n]{(ab)^m}=\sqrt[n]{a^m b^m}=\sqrt[n]{a^m}\sqrt[n]{b^m}=a^{\frac{m}{n}}b^{\frac{m}{n}}=a^r b^r$

주의 지수가 정수가 아닌 유리수인 경우 (밑)<0이면 지수법칙이 성립하지 않음에 주의한다.

➡ $\{(-3)^2\}^{\frac{3}{2}}=(-3)^3=-27$ (×),　$\{(-3)^2\}^{\frac{3}{2}}=9^{\frac{3}{2}}=(3^2)^{\frac{3}{2}}=3^3=27$ (○)

해결의 법칙

지수가 유리수일 때 ➡ $a^{\frac{m}{n}}=\sqrt[n]{a^m},\ a^{\frac{1}{n}}=\sqrt[n]{a}\ (a>0)$

| 정답과 해설 3쪽 |

개념 확인 2 다음을 근호를 사용하여 나타내시오.

(1) $5^{\frac{1}{3}}$　　(2) $7^{\frac{1}{2}}$　　(3) $4^{\frac{2}{3}}$　　(4) $2^{\frac{3}{5}}$

개념 확인 3 다음 식을 간단히 하시오.

(1) $5^{\frac{3}{8}}\times5^{\frac{5}{8}}$　　(2) $2^3\div(2^{\frac{1}{2}})^4$　　(3) $(\sqrt[3]{16})^{-\frac{3}{2}}$　　(4) $(2^{\frac{1}{2}}\times3^{\frac{1}{4}})^4$

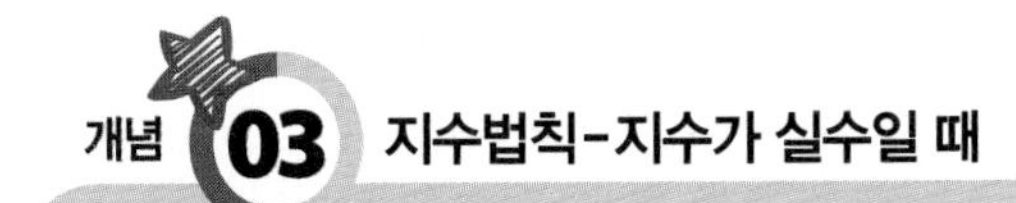

개념 03 지수법칙-지수가 실수일 때

대표 유형 05, 06

$a>0$, $b>0$이고 x, y가 실수일 때

(1) $a^x a^y = a^{x+y}$

(2) $a^x \div a^y = a^{x-y}$

(3) $(a^x)^y = a^{xy}$

(4) $(ab)^x = a^x b^x$

설명 지수의 범위가 실수까지 확장된다는 것을 $2^{\sqrt{2}}$을 통하여 알아보자.

무리수 $\sqrt{2}=1.41421356\cdots$이므로

$$1,\ 1.4,\ 1.41,\ 1.414,\ 1.4142,\ \cdots$$

과 같이 $\sqrt{2}$에 한없이 가까워지는 유리수를 생각할 수 있다.

이러한 유리수를 지수로 갖는 수

$$2^1,\ 2^{1.4},\ 2^{1.41},\ 2^{1.414},\ 2^{1.4142},\ \cdots$$

의 값은 오른쪽과 같이 어떤 일정한 수에 한없이 가까워진다.

이때, 이 일정한 수를 $2^{\sqrt{2}}$으로 정의한다.

$2^1=2$
$2^{1.4}=2.63901582\cdots$
$2^{1.41}=2.65737162\cdots$
$2^{1.414}=2.66474965\cdots$
$2^{1.4142}=2.66511908\cdots$
$\vdots$

이와 같은 방법으로 양수 a와 무리수 r에 대하여 a^r을 정의할 수 있으므로, $a>0$일 때 실수 x에 대하여 a^x을 정의할 수 있다.

주의 지수 개념이 확장되면서 밑에 대한 조건들이 추가되므로 주의한다.
a^x에서 지수 x의 값의 범위에 따른 밑 a의 조건을 정리하면 다음과 같다.

a^x	지수 x의 값의 범위	양의 정수	정수	유리수	실수
	밑 a의 조건	$a\neq0$	$a\neq0$	$a>0$	$a>0$

예

(1) $2^{\sqrt{2}}\times2^{\sqrt{8}}=2^{\sqrt{2}+\sqrt{8}}=2^{\sqrt{2}+2\sqrt{2}}=2^{3\sqrt{2}}$

(2) $2^{3\sqrt{3}}\div2^{\sqrt{3}}=2^{3\sqrt{3}-\sqrt{3}}=2^{2\sqrt{3}}$

(3) $(3^{\sqrt{3}})^{\sqrt{3}}=3^{\sqrt{3}\times\sqrt{3}}=3^3=27$

(4) $(2^{\sqrt{8}}\times3^{\sqrt{2}})^{\frac{1}{\sqrt{2}}}=(2^{\sqrt{8}})^{\frac{1}{\sqrt{2}}}\times(3^{\sqrt{2}})^{\frac{1}{\sqrt{2}}}=2^{\sqrt{8}\times\frac{1}{\sqrt{2}}}\times3^{\sqrt{2}\times\frac{1}{\sqrt{2}}}=2^{\sqrt{4}}\times3=2^2\times3=12$

해결의 법칙

지수법칙 ➡ 지수가 실수일 때도 성립

이때, (밑)>0인 경우에만 성립해.

| 정답과 해설 3쪽 |

개념 확인 4 다음 식을 간단히 하시오.

(1) $5^{3\sqrt{2}}\times5^{-2\sqrt{2}}$

(2) $6^{2\sqrt{3}}\div6^{\sqrt{3}}$

(3) $(5^{\sqrt{2}})^{-\sqrt{2}}$

(4) $(8^{\frac{1}{\sqrt{6}}}\times3^{\sqrt{\frac{3}{2}}})^{\sqrt{2}}$

1 다음 값을 구하시오.

(1) $\left(\frac{1}{2}\right)^0$

(2) $(\sqrt{3})^0$

(3) $(\sqrt{5})^{-2}$

(4) $\left(-\frac{1}{3}\right)^{-3}$

2 다음 식을 간단히 하시오. (단, $a\neq0$, $b\neq0$)

(1) $a^{-3}\times a^4\div a^{-2}$

(2) $(a^{-2}b^3)^{-1}$

(3) $(3^{-2})^2\times(3^3)^{-2}$

(4) $(3^{-2})^{-3}\div(3^3)^{-4}$

3 다음을 유리수인 지수를 사용하여 나타내시오.

(1) $\sqrt[3]{2^4}$

(2) $\sqrt[4]{5^{-3}}$

(3) $\sqrt{6^3}$

(4) $\sqrt[4]{27}$

4 다음 식을 간단히 하시오. (단, $a>0$)

(1) $27^{-\frac{4}{3}}\times 9^{\frac{3}{2}}$

(2) $64^{\frac{3}{4}}\div 8^{-\frac{1}{3}}$

(3) $\sqrt{9^{-3}}\times\sqrt[3]{27^4}$

(4) $\sqrt{16^{-4}}\div\sqrt{8^{-2}}$

(5) $\sqrt{a}\times\sqrt[3]{a}\div\sqrt[4]{a^3}$

(6) $\sqrt[3]{a^2}\div\sqrt[4]{a}\times\sqrt[3]{a}$

5 다음 식을 간단히 하시오.

(1) $5^{\sqrt{3}}\times 5^{\sqrt{12}}$

(2) $3^{\sqrt{8}}\div 3^{-\sqrt{2}}$

(3) $(4^{\sqrt{2}})^{-\sqrt{2}}$

(4) $3^{5\sqrt{2}}\times 3^{\sqrt{8}}\div 3^{\sqrt{32}}$

대표 유형 01 지수의 확장

개념 01, 02

다음 식을 간단히 하시오.

(1) $5^{\frac{2}{3}}\times\{(-5)^2\}^{-\frac{5}{6}}$

(2) $3^{\frac{1}{3}}\div4^{\frac{1}{6}}\times12^{\frac{2}{3}}$

(3) $\left(\frac{4}{9}\right)^{\frac{3}{4}}\times\left(\frac{27}{8}\right)^{-\frac{1}{6}}$

(4) $\left\{3^4\times\left(\frac{1}{27}\right)^{-2}\right\}^3$

풀이

(1) $5^{\frac{2}{3}}\times\{(-5)^2\}^{-\frac{5}{6}}=5^{\frac{2}{3}}\times25^{-\frac{5}{6}}=5^{\frac{2}{3}}\times(5^2)^{-\frac{5}{6}}$
$=5^{\frac{2}{3}}\times5^{-\frac{5}{3}}=5^{\frac{2}{3}+\left(-\frac{5}{3}\right)}$
$=5^{-1}=\frac{1}{5}$

지수가 유리수인 경우 반드시 밑을 양수로 만든 후 지수법칙을 이용해야 해.
$\{(-5)^2\}^{-\frac{5}{6}}\neq(-5)^{2\times\left(-\frac{5}{6}\right)}$

(2) $3^{\frac{1}{3}}\div4^{\frac{1}{6}}\times12^{\frac{2}{3}}=3^{\frac{1}{3}}\div(2^2)^{\frac{1}{6}}\times(2^2\times3)^{\frac{2}{3}}$
$=3^{\frac{1}{3}}\div2^{\frac{1}{3}}\times2^{\frac{4}{3}}\times3^{\frac{2}{3}}$
$=3^{\frac{1}{3}+\frac{2}{3}}\times2^{\frac{4}{3}-\frac{1}{3}}=3\times2=6$

(3) $\left(\frac{4}{9}\right)^{\frac{3}{4}}\times\left(\frac{27}{8}\right)^{-\frac{1}{6}}=\left\{\left(\frac{2}{3}\right)^2\right\}^{\frac{3}{4}}\times\left\{\left(\frac{3}{2}\right)^3\right\}^{-\frac{1}{6}}=\left(\frac{2}{3}\right)^{\frac{3}{2}}\times\left(\frac{3}{2}\right)^{-\frac{1}{2}}$
$=\left(\frac{2}{3}\right)^{\frac{3}{2}}\times\left(\frac{2}{3}\right)^{\frac{1}{2}}=\left(\frac{2}{3}\right)^{\frac{3}{2}+\frac{1}{2}}=\left(\frac{2}{3}\right)^2=\frac{4}{9}$

(4) $\left\{3^4\times\left(\frac{1}{27}\right)^{-2}\right\}^3=(3^4)^3\times\left\{\left(\frac{1}{27}\right)^{-2}\right\}^3=3^{12}\times\{(3^{-3})^{-2}\}^3$
$=3^{12}\times(3^6)^3=3^{12}\times3^{18}=3^{12+18}=3^{30}$

답 (1) $\frac{1}{5}$ (2) 6 (3) $\frac{4}{9}$ (4) 3^{30}

해결의 법칙

지수법칙-지수가 유리수일 때

$a>0$, $b>0$이고 r, s가 유리수일 때
❶ $a^ra^s=a^{r+s}$
❷ $a^r\div a^s=a^{r-s}$
❸ $(a^r)^s=a^{rs}$
❹ $(ab)^r=a^rb^r$

밑을 통일시킨 후 지수법칙을 이용하여 식을 간단히 하면 돼.

| 정답과 해설 4쪽 |

01-1 다음 식을 간단히 하시오.

(1) $\{(-2)^4\}^{\frac{3}{8}}\times16^{-\frac{3}{2}}$

(2) $9^{\frac{3}{2}}\div27^{\frac{2}{3}}\times3^{-1}$

(3) $4^{\frac{2}{3}}\div36^{\frac{1}{3}}\times18^{\frac{1}{3}}$

(4) $\left\{\left(\frac{64}{27}\right)^{-\frac{1}{3}}\right\}^{\frac{3}{2}}\times\left(\frac{9}{16}\right)^{\frac{1}{4}}$

대표 유형 02 거듭제곱근을 유리수인 지수로 나타내기

개념 02

다음을 만족시키는 유리수 k의 값을 구하시오.

(1) $\sqrt[3]{2^2}\times 2^{-\frac{1}{4}}\times\sqrt[4]{2^7}=2^k$

(2) $\sqrt{a\sqrt[3]{a\sqrt[4]{a}}}=a^k$ (단, $a>0$, $a\neq 1$)

풀이 (1) ❶ 주어진 식의 좌변 간단히 하기

$$\sqrt[3]{2^2}\times 2^{-\frac{1}{4}}\times\sqrt[4]{2^7}=2^{\frac{2}{3}}\times 2^{-\frac{1}{4}}\times 2^{\frac{7}{4}}$$
$$=2^{\frac{2}{3}-\frac{1}{4}+\frac{7}{4}}=2^{\frac{2}{3}+\frac{3}{2}}$$
$$=2^{\frac{4+9}{6}}=2^{\frac{13}{6}}$$

❷ k의 값 구하기

$$\therefore k=\frac{13}{6}$$

지수의 분자로
$\sqrt[n]{a^m}=a^{\frac{m}{n}}$
지수의 분모로

(2) ❶ 주어진 식의 좌변 간단히 하기

$$\sqrt{a\sqrt[3]{a\sqrt[4]{a}}}=\{a\times(a\times a^{\frac{1}{4}})^{\frac{1}{3}}\}^{\frac{1}{2}}=\{a\times(a^{1+\frac{1}{4}})^{\frac{1}{3}}\}^{\frac{1}{2}}$$
$$=\{a\times(a^{\frac{5}{4}})^{\frac{1}{3}}\}^{\frac{1}{2}}=(a\times a^{\frac{5}{12}})^{\frac{1}{2}}$$
$$=(a^{1+\frac{5}{12}})^{\frac{1}{2}}=(a^{\frac{17}{12}})^{\frac{1}{2}}$$
$$=a^{\frac{17}{24}}$$

❷ k의 값 구하기

$$\therefore k=\frac{17}{24}$$

답 (1) $\frac{13}{6}$ (2) $\frac{17}{24}$

해결의 법칙

$a>0$이고, m, n이 2 이상의 정수일 때 → $\sqrt[n]{a^m}=a^{\frac{m}{n}}$, $\sqrt[m]{\sqrt[n]{a}}=a^{\frac{1}{mn}}$임을 이용하기

| 정답과 해설 4쪽 |

02-1 다음을 만족시키는 유리수 k의 값을 구하시오.

(1) $\sqrt{3}\times\sqrt[3]{3}\times(\sqrt[3]{3})^{-\frac{9}{2}}=3^k$

(2) $\sqrt[3]{a^4}\div\sqrt[4]{a^3}\times\sqrt[12]{a}=a^k$ (단, $a>0$, $a\neq 1$)

02-2 $a>0$, $a\neq 1$일 때, $\sqrt[4]{a^2\sqrt[3]{a\sqrt{a}}}=a^{\frac{p}{q}}$을 만족시키는 서로소인 두 자연수 p, q에 대하여 $p+q$의 값을 구하시오.

대표 유형 03 지수법칙과 곱셈 공식

개념 02

다음 식을 간단히 하시오. (단, $a>0$, $b>0$)

(1) $(a^{\frac{1}{4}}-b^{\frac{1}{4}})(a^{\frac{1}{4}}+b^{\frac{1}{4}})(a^{\frac{1}{2}}+b^{\frac{1}{2}})$

(2) $(a^{\frac{1}{3}}+b^{\frac{1}{3}})(a^{\frac{2}{3}}-a^{\frac{1}{3}}b^{\frac{1}{3}}+b^{\frac{2}{3}})$

풀이 (1) $(a-b)(a+b)=a^2-b^2$ 을 이용하여 식 간단히 하기

$$(a^{\frac{1}{4}}-b^{\frac{1}{4}})(a^{\frac{1}{4}}+b^{\frac{1}{4}})(a^{\frac{1}{2}}+b^{\frac{1}{2}})=\{(a^{\frac{1}{4}})^2-(b^{\frac{1}{4}})^2\}(a^{\frac{1}{2}}+b^{\frac{1}{2}})$$
$$=(a^{\frac{1}{2}}-b^{\frac{1}{2}})(a^{\frac{1}{2}}+b^{\frac{1}{2}})$$
$$=(a^{\frac{1}{2}})^2-(b^{\frac{1}{2}})^2$$
$$=a-b$$

(2) $(a+b)(a^2-ab+b^2)$ $=a^3+b^3$ 을 이용하여 식 간단히 하기

$$(a^{\frac{1}{3}}+b^{\frac{1}{3}})(a^{\frac{2}{3}}-a^{\frac{1}{3}}b^{\frac{1}{3}}+b^{\frac{2}{3}})=(a^{\frac{1}{3}}+b^{\frac{1}{3}})\{(a^{\frac{1}{3}})^2-a^{\frac{1}{3}}b^{\frac{1}{3}}+(b^{\frac{1}{3}})^2\}$$
$$=(a^{\frac{1}{3}})^3+(b^{\frac{1}{3}})^3$$
$$=a+b$$

답 (1) $a-b$ (2) $a+b$

해결의 법칙

곱셈 공식

❶ $(a+b)(a-b)=a^2-b^2$
❷ $(a+b)^2=a^2+2ab+b^2$, $(a-b)^2=a^2-2ab+b^2$
❸ $(a+b)^3=a^3+3a^2b+3ab^2+b^3$, $(a-b)^3=a^3-3a^2b+3ab^2-b^3$
❹ $(a+b)(a^2-ab+b^2)=a^3+b^3$, $(a-b)(a^2+ab+b^2)=a^3-b^3$

| 정답과 해설 5쪽 |

03-1 다음 식을 간단히 하시오. (단, $x>0$, $y>0$)

(1) $(x^{\frac{1}{2}}+y^{-\frac{1}{2}})(x^{\frac{1}{2}}-y^{-\frac{1}{2}})$

(2) $(x^{\frac{1}{3}}-y^{-\frac{1}{3}})(x^{\frac{2}{3}}+x^{\frac{1}{3}}y^{-\frac{1}{3}}+y^{-\frac{2}{3}})$

03-2 $(1-a^{\frac{1}{4}})(1+a^{\frac{1}{4}})(1+a^{\frac{1}{2}})(1+a)(1+a^2)$을 간단히 하시오. (단, $a>0$)

대표 유형 04 a^x+a^{-x} 꼴의 식의 값 구하기

개념 02

$a>0$이고 $a^{\frac{1}{2}}+a^{-\frac{1}{2}}=3$일 때, 다음 식의 값을 구하시오.

(1) $a+a^{-1}$　(2) a^2+a^{-2}　(3) $a^{\frac{3}{2}}+a^{-\frac{3}{2}}$

풀이 (1) $a^{\frac{1}{2}}+a^{-\frac{1}{2}}=3$의 양변을 제곱하여 $a+a^{-1}$의 값 구하기

$a^{\frac{1}{2}}+a^{-\frac{1}{2}}=3$의 양변을 제곱하면

$(a^{\frac{1}{2}}+a^{-\frac{1}{2}})^2=3^2$, $(a^{\frac{1}{2}})^2+2a^{\frac{1}{2}}a^{-\frac{1}{2}}+(a^{-\frac{1}{2}})^2=9$, $a+2+a^{-1}=9$

$\therefore a+a^{-1}=7$

$a^{\frac{1}{2}}a^{-\frac{1}{2}}=a^{\frac{1}{2}+(-\frac{1}{2})}=a^0=1$이야.

(2) $a+a^{-1}=7$의 양변을 제곱하여 a^2+a^{-2}의 값 구하기

$a+a^{-1}=7$의 양변을 제곱하면

$(a+a^{-1})^2=7^2$, $a^2+2aa^{-1}+(a^{-1})^2=49$, $a^2+2+a^{-2}=49$

$\therefore a^2+a^{-2}=47$

$aa^{-1}=a^{1+(-1)}=a^0=1$이야.

(3) $a^{\frac{1}{2}}+a^{-\frac{1}{2}}=3$의 양변을 세제곱하여 $a^{\frac{3}{2}}+a^{-\frac{3}{2}}$의 값 구하기

$a^{\frac{1}{2}}+a^{-\frac{1}{2}}=3$의 양변을 세제곱하면

$(a^{\frac{1}{2}}+a^{-\frac{1}{2}})^3=3^3$, $a^{\frac{3}{2}}+3aa^{-\frac{1}{2}}+3a^{\frac{1}{2}}a^{-1}+a^{-\frac{3}{2}}=27$

$a^{\frac{3}{2}}+a^{-\frac{3}{2}}+3(a^{\frac{1}{2}}+a^{-\frac{1}{2}})=27$, $a^{\frac{3}{2}}+a^{-\frac{3}{2}}+3\times3=27$

$\therefore a^{\frac{3}{2}}+a^{-\frac{3}{2}}=18$

답 (1) 7　(2) 47　(3) 18

다른 풀이

(1) $a+a^{-1}=(a^{\frac{1}{2}}+a^{-\frac{1}{2}})^2-2a^{\frac{1}{2}}a^{-\frac{1}{2}}=3^2-2=7$

(2) $a^2+a^{-2}=(a+a^{-1})^2-2aa^{-1}=7^2-2=47$

(3) $a^{\frac{3}{2}}+a^{-\frac{3}{2}}=(a^{\frac{1}{2}}+a^{-\frac{1}{2}})^3-3a^{\frac{1}{2}}a^{-\frac{1}{2}}(a^{\frac{1}{2}}+a^{-\frac{1}{2}})=3^3-3\times3=18$

참고 곱셈 공식의 변형

(1) $a^2+b^2=(a+b)^2-2ab$, $a^2+b^2=(a-b)^2+2ab$, $(a-b)^2=(a+b)^2-4ab$

(2) $a^3+b^3=(a+b)^3-3ab(a+b)$, $a^3-b^3=(a-b)^3+3ab(a-b)$

해결의 법칙

$a^x+a^{-x}=k$ 꼴의 조건식이 주어진 경우 → 주어진 식의 양변을 제곱 또는 세제곱하여 구하는 식의 꼴로 변형하기

| 정답과 해설 5쪽 |

04-1 $a>0$이고 $a^{\frac{1}{2}}+a^{-\frac{1}{2}}=4$일 때, 다음 식의 값을 구하시오.

(1) $a+a^{-1}$　(2) $a^{\frac{3}{2}}+a^{-\frac{3}{2}}$

04-2 $x>0$이고 $x^{\frac{1}{2}}-x^{-\frac{1}{2}}=1$일 때, $x+x^{-1}+x^3+x^{-3}$의 값을 구하시오.

대표 유형 05 $\dfrac{a^x-a^{-x}}{a^x+a^{-x}}$ 꼴의 식의 값 구하기

개념 03

$a>0$이고 $a^{2x}=3$일 때, 다음 식의 값을 구하시오.

(1) $\dfrac{a^x+a^{-x}}{a^x-a^{-x}}$ (2) $\dfrac{a^x-a^{-x}}{a^{3x}+a^{-3x}}$

풀이 (1) ❶ 분모, 분자에 각각 a^x을 곱하여 a^{2x}이 나오도록 식 변형하기

$\dfrac{a^x+a^{-x}}{a^x-a^{-x}}$의 분모, 분자에 각각 a^x을 곱하면

$$\frac{a^x+a^{-x}}{a^x-a^{-x}}=\frac{a^x(a^x+a^{-x})}{a^x(a^x-a^{-x})}=\frac{a^{2x}+1}{a^{2x}-1}$$

❷ $a^{2x}=3$을 대입하여 식의 값 구하기

$$=\frac{3+1}{3-1}=2$$

a^{2x}이 나오도록 식을 변형하는 것이 핵심이야.

(2) ❶ 분모, 분자에 각각 a^x을 곱하여 a^{2x}이 나오도록 식 변형하기

$\dfrac{a^x-a^{-x}}{a^{3x}+a^{-3x}}$의 분모, 분자에 각각 a^x을 곱하면

$$\frac{a^x-a^{-x}}{a^{3x}+a^{-3x}}=\frac{a^x(a^x-a^{-x})}{a^x(a^{3x}+a^{-3x})}=\frac{a^{2x}-1}{a^{4x}+a^{-2x}}=\frac{a^{2x}-1}{(a^{2x})^2+\dfrac{1}{a^{2x}}}$$

❷ $a^{2x}=3$을 대입하여 식의 값 구하기

$$=\frac{3-1}{3^2+\dfrac{1}{3}}=\frac{2}{\dfrac{28}{3}}=\frac{3}{14}$$

답 (1) 2 (2) $\dfrac{3}{14}$

해결의 법칙

a^{2x}의 값이 주어진 경우 → 분모, 분자에 각각 a^x을 곱하여 구하는 식을 a^{2x}이 포함된 식으로 변형하기

| 정답과 해설 5쪽 |

05-1 $a>0$이고 $a^{2x}=\sqrt{2}$일 때, 다음 식의 값을 구하시오.

(1) $\dfrac{a^x-a^{-x}}{a^x+a^{-x}}$ (2) $\dfrac{a^x-a^{-x}}{a^{5x}+a^{-5x}}$

05-2 실수 a에 대하여 $\dfrac{2^a+2^{-a}}{2^a-2^{-a}}=2$일 때, 4^a+4^{-a}의 값을 구하시오.

대표 유형 06 밑이 다른 식이 주어졌을 때 식의 값 구하기

개념 03

다음 물음에 답하시오.

(1) $3^x=16$, $24^y=64$일 때, $\frac{4}{x}-\frac{6}{y}$의 값을 구하시오.

(2) $2^x=5^y=10^z=a$, $\frac{1}{x}+\frac{1}{y}+\frac{1}{z}=2$일 때, 양수 a의 값을 구하시오.

풀이 (1)

❶ 주어진 조건식의 밑 통일하기

$3^x=16$의 양변을 $\frac{1}{x}$제곱하면 $3=16^{\frac{1}{x}}=(2^4)^{\frac{1}{x}}=2^{\frac{4}{x}}$ ······㉠

$24^y=64$의 양변을 $\frac{1}{y}$제곱하면 $24=64^{\frac{1}{y}}=(2^6)^{\frac{1}{y}}=2^{\frac{6}{y}}$ ······㉡

$▲^x=● \Longleftrightarrow ▲=●^{\frac{1}{x}}$

$■^y=● \Longleftrightarrow ■=●^{\frac{1}{y}}$

❷ 두 식을 변끼리 나누기

㉠÷㉡을 하면

$2^{\frac{4}{x}}\div 2^{\frac{6}{y}}=3\div 24=\frac{1}{8}=2^{-3}$

❸ $\frac{4}{x}-\frac{6}{y}$의 값 구하기

즉, $2^{\frac{4}{x}-\frac{6}{y}}=2^{-3}$이므로 $\frac{4}{x}-\frac{6}{y}=-3$

(2)

❶ 주어진 조건식의 밑 통일하기

$2^x=a$의 양변을 $\frac{1}{x}$제곱하면 $2=a^{\frac{1}{x}}$ ······㉠

$5^y=a$의 양변을 $\frac{1}{y}$제곱하면 $5=a^{\frac{1}{y}}$ ······㉡

$10^z=a$의 양변을 $\frac{1}{z}$제곱하면 $10=a^{\frac{1}{z}}$ ······㉢

❷ 세 식을 변끼리 곱하기

㉠×㉡×㉢을 하면

$2\times 5\times 10=a^{\frac{1}{x}}\times a^{\frac{1}{y}}\times a^{\frac{1}{z}}$ $\quad\therefore 10^2=a^{\frac{1}{x}+\frac{1}{y}+\frac{1}{z}}$

❸ a의 값 구하기

이때, $\frac{1}{x}+\frac{1}{y}+\frac{1}{z}=2$이므로 $10^2=a^2$ $\quad\therefore a=10$ ($\because a>0$)

답 (1) -3 (2) 10

해결의 법칙

조건식의 밑이 다른 경우 → $a>0$, $b>0$, $x\neq0$일 때, $a^x=b \Longleftrightarrow a=b^{\frac{1}{x}}$임을 이용하여 밑 통일하기 → 지수법칙 이용하기

| 정답과 해설 6쪽 |

06-1 $6^x=243$, $2^y=27$일 때, $\frac{5}{x}-\frac{3}{y}$의 값을 구하시오.

06-2 $4^x=6^y=9^z=a$, $\frac{1}{x}+\frac{1}{y}+\frac{1}{z}=3$일 때, 양수 a의 값을 구하시오.

대표 유형 07 거듭제곱근의 대소 비교

개념 02

세 수 $\sqrt{3}$, $\sqrt[3]{4}$, $\sqrt[6]{7}$의 대소를 비교하시오.

풀이

❶ 세 수를 지수가 유리수인 꼴로 나타내기

세 수 $\sqrt{3}$, $\sqrt[3]{4}$, $\sqrt[6]{7}$을 지수가 유리수인 꼴로 나타내면

$\sqrt{3}=3^{\frac{1}{2}}$, $\sqrt[3]{4}=4^{\frac{1}{3}}$, $\sqrt[6]{7}=7^{\frac{1}{6}}$

❷ 세 수의 지수 통일하기

2, 3, 6의 최소공배수가 6이므로

$3^{\frac{1}{2}}=3^{\frac{3}{6}}=(3^3)^{\frac{1}{6}}=27^{\frac{1}{6}}$

$4^{\frac{1}{3}}=4^{\frac{2}{6}}=(4^2)^{\frac{1}{6}}=16^{\frac{1}{6}}$

지수들의 분모의 최소공배수를 구하여 지수를 통일하면 돼.

❸ 세 수의 대소 비교하기

이때, $7<16<27$이므로 $7^{\frac{1}{6}}<16^{\frac{1}{6}}<27^{\frac{1}{6}}$

$\therefore \sqrt[6]{7}<\sqrt[3]{4}<\sqrt{3}$

답 $\sqrt[6]{7}<\sqrt[3]{4}<\sqrt{3}$

다른 풀이1 2, 3, 6의 최소공배수가 6이므로 $(\sqrt{3})^6=(3^{\frac{1}{2}})^6=3^3=27$, $(\sqrt[3]{4})^6=(4^{\frac{1}{3}})^6=4^2=16$, $(\sqrt[6]{7})^6=(7^{\frac{1}{6}})^6=7$

이때, $7<16<27$이므로 $\sqrt[6]{7}<\sqrt[3]{4}<\sqrt{3}$

다른 풀이2 2, 3, 6의 최소공배수가 6이므로 $\sqrt{3}=\sqrt[6]{3^3}=\sqrt[6]{27}$, $\sqrt[3]{4}=\sqrt[6]{4^2}=\sqrt[6]{16}$

이때, $\sqrt[6]{7}<\sqrt[6]{16}<\sqrt[6]{27}$이므로 $\sqrt[6]{7}<\sqrt[3]{4}<\sqrt{3}$

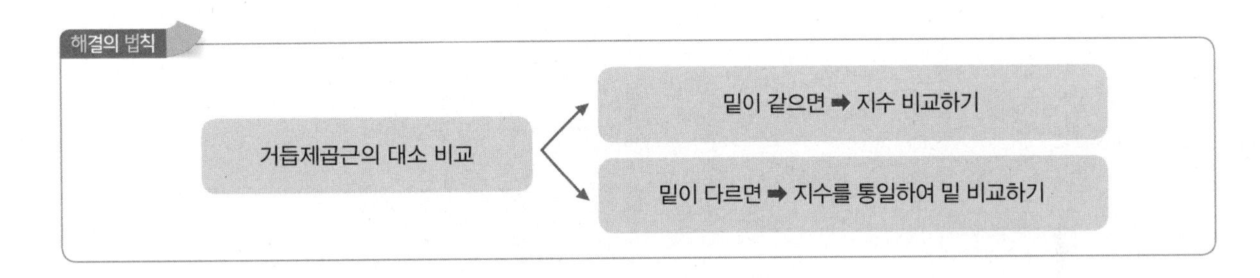

| 정답과 해설 6쪽 |

07-1 세 수 $\sqrt[3]{2}$, $\sqrt[4]{5}$, $\sqrt[6]{10}$의 대소를 비교하시오.

07-2 세 수 $\sqrt[6]{2\sqrt{2}}$, $\sqrt{\sqrt[4]{5}}$, $\sqrt{\sqrt{\sqrt[3]{12}}}$ 중에서 가장 큰 수를 a라 할 때, a^{12}의 값을 구하시오.

대표 유형 08 지수법칙의 실생활에의 활용

상대습도가 H %, 기온이 T ℃일 때의 식품손상지수 G는

$$G=\frac{H-65}{14}\times 1.05^{T}$$

이라 한다. 상대습도가 75 %, 기온이 34 ℃일 때의 식품손상지수를 G_1, 상대습도가 69 %, 기온이 20 ℃일 때의 식품손상지수를 G_2라 할 때, $\frac{G_1}{G_2}$의 값을 구하시오. (단, $1.05^{14}=2$로 계산한다.)

풀이

❶ G_1의 값 구하기

상대습도가 75 %, 기온이 34 ℃일 때의 식품손상지수 G_1은

$$G_1=\frac{75-65}{14}\times 1.05^{34}=\frac{5}{7}\times 1.05^{34}$$

❷ G_2의 값 구하기

상대습도가 69 %, 기온이 20 ℃일 때의 식품손상지수 G_2는

$$G_2=\frac{69-65}{14}\times 1.05^{20}=\frac{2}{7}\times 1.05^{20}$$

❸ $\frac{G_1}{G_2}$의 값 구하기

$$\therefore \frac{G_1}{G_2}=\frac{\frac{5}{7}\times 1.05^{34}}{\frac{2}{7}\times 1.05^{20}}$$

$$=\frac{5}{2}\times 1.05^{34-20}$$

$$=\frac{5}{2}\times 1.05^{14}$$

$$=\frac{5}{2}\times 2=5$$

답 5

해결의 법칙

지수법칙의 실생활에의 활용

문제에 제시된 기호의 뜻 파악하기 → 주어진 식에 조건을 대입하고 지수법칙 이용하기

| 정답과 해설 7쪽 |

08-1 햇볕에 노출되는 시간이 t시간일 때, 요구되는 자외선 차단 지수를 S라 하면 t와 S 사이에는

$$t=m\times 2^{S}$$

과 같은 관계식이 성립한다고 한다. 햇볕에 노출되는 시간이 1시간, 8시간일 때의 요구되는 자외선 차단 지수를 각각 S_1, S_2라 할 때, S_2-S_1의 값을 구하시오. (단, m은 상수)

STEP 3 유형 드릴

정답과 해설 7쪽

유형 확인

1-1 다음 중 옳지 않은 것은?

① 네제곱근 81은 3이다.
② 3은 27의 세제곱근이다.
③ 4의 네제곱근은 2개이다.
④ -1의 세제곱근 중 실수인 것은 -1이다.
⑤ n이 1이 아닌 홀수일 때, -7의 n제곱근 중 실수인 것은 $\sqrt[n]{-7}$이다.

한번 더 확인

1-2 거듭제곱근에 대한 다음 **보기**의 설명 중 옳은 것만을 있는 대로 고르시오. (단, n은 2 이상의 정수이다.)

보기
ㄱ. -8의 세제곱근 중 실수인 것은 -2이다.
ㄴ. 0의 제곱근은 없다.
ㄷ. n이 짝수일 때, 5의 n제곱근 중 실수인 것은 2개이다.
ㄹ. n이 1이 아닌 홀수일 때, -5의 n제곱근 중 실수인 것은 없다.
ㅁ. 실수 a에 대하여 $\sqrt[n]{a^n}=a$이다.

2-1 64의 세제곱근 중 실수인 것을 a, $\sqrt[3]{27}$의 제곱근 중 양수인 것을 b라 할 때, $a+b^2$의 값을 구하시오.

2-2 -27의 세제곱근 중 실수인 것의 개수를 a, $\sqrt{(-4)^6}$의 네제곱근 중 실수인 것의 개수를 b라 할 때, $a+2b$의 값을 구하시오.

3-1 $a>0$, $b>0$일 때, $\sqrt[3]{a^2b}\times\sqrt[6]{a^5b}\div\sqrt{ab}$를 간단히 하시오.

3-2 $a>0$, $b>0$일 때,

$$\sqrt[6]{a^2b^3}\times\sqrt[3]{a^2b}\div\sqrt[12]{a^6b^{10}}=a^xb^y$$

을 만족시키는 유리수 x, y에 대하여 $x+y$의 값을 구하시오.

4-1 다음 식을 간단히 하시오.

$$2^{-3}\times2^5\times\left\{\left(\frac{8}{27}\right)^{0.5}\right\}^{-\frac{2}{3}}$$

4-2 다음 식을 간단히 하시오.

$$\left(2^{\sqrt{\frac{4}{3}}}\right)^{\sqrt{3}}\times4^{-\frac{1}{2}}\div\{(-2)^4\}^{\frac{1}{4}}$$

유형 확인

5-1 $(\sqrt{a^3}\times\sqrt[5]{a}\div a^{-\frac{1}{2}})^{\frac{10}{11}}=a^k$을 만족시키는 실수 k의 값을 구하시오. (단, $a>0$, $a\neq1$)

한번 더 확인

5-2 1이 아닌 양수 a에 대하여 $\sqrt[4]{a^3\sqrt[3]{a\sqrt{a}}}=a^{\frac{n}{m}}$일 때, $m+n$의 값을 구하시오.

(단, m, n은 서로소인 자연수이다.)

6-1 다음 식을 간단히 하시오.

$$(2^{\frac{1}{3}}+5^{-\frac{1}{3}})(4^{\frac{1}{3}}-2^{\frac{1}{3}}5^{-\frac{1}{3}}+25^{-\frac{1}{3}})$$

6-2 다음 식을 간단히 하시오.

$$(6^{\frac{1}{4}}-2^{\frac{1}{4}})(6^{\frac{1}{4}}+2^{\frac{1}{4}})(6^{\frac{1}{2}}+2^{\frac{1}{2}})$$

7-1 $a>0$이고 $a+a^{-1}=5$일 때, a^3+a^{-3}의 값을 구하시오.

7-2 $a>0$이고 $a+a^{-1}=4$일 때, $a^{\frac{1}{2}}+a^{-\frac{1}{2}}$의 값을 구하시오.

8-1 $a^{2x}=\sqrt{2}$일 때, $\dfrac{a^{3x}-a^{-3x}}{a^x-a^{-x}}$의 값을 구하시오.

(단, $a>0$)

8-2 실수 a에 대하여 $\dfrac{2^a+2^{-a}}{2^a-2^{-a}}=-2$일 때, $\dfrac{4^a+4^{-a}}{4^a-4^{-a}}$의 값을 구하시오.

유형 확인

9-1 $12^x=27$, $108^y=81$일 때, $\frac{3}{x}-\frac{4}{y}$의 값을 구하시오.

한번 더 확인

9-2 $2^a=5^b=10$일 때, $\frac{1}{a}+\frac{1}{b}$의 값을 구하시오.

10-1 $2^{\frac{x}{2}}=9^y=25^z=a$, $\frac{2}{x}+\frac{1}{2y}+\frac{1}{2z}=1$일 때, 양수 a의 값을 구하시오.

10-2 세 양수 a, b, c에 대하여

$$abc=9,\ a^x=b^y=c^z=81$$

일 때, $\frac{1}{x}+\frac{1}{y}+\frac{1}{z}$의 값을 구하시오.

11-1 세 수 $A=\sqrt{\sqrt{2}}$, $B=\sqrt[3]{\sqrt{3}}$, $C=\sqrt[6]{\sqrt{6}}$의 대소를 비교하시오.

11-2 세 수 $A=\sqrt{2\sqrt{2}}$, $B=\sqrt{\sqrt[3]{7}}$, $C=\sqrt[3]{\sqrt[4]{12}}$의 대소를 비교하시오.

12-1 어떤 전자레인지로 피자 n조각을 굽는 데 걸리는 시간 t분은

$$t=1.2\times n^{0.5}$$

이라 한다. 이 전자레인지로 피자 8조각을 굽는 데 걸리는 시간을 t_1분, 피자 2조각을 굽는 데 걸리는 시간을 t_2분이라 할 때, $\frac{t_1}{t_2}$의 값을 구하시오.

12-2 어떤 박테리아를 일정한 조건에서 배양할 때, x시간 후의 박테리아의 수 $f(x)$는

$$f(x)=ka^{bx}\ (a,\ b,\ k\text{는 상수})$$

이라 한다. 이 박테리아를 배양하여 5시간 후의 박테리아의 수가 3시간 후의 박테리아의 수의 3배가 되었다고 할 때, 8시간 후의 박테리아의 수는 4시간 후의 박테리아의 수의 몇 배인지 구하시오.

2 로그

지구 정복에 힘쓰는 제군들에게 월급이 나왔다~
와아아아
봉투에 쓰인 숫자는 월급의 크기란다.
우리는 3, 대장님은 4야.
우리하고 1밖에 차이가 안나잖아.
상용로그인데!
$\log_{10} 1000 = 3$
$\log_{10} 10000 = 4$
크윽
윽! 10배나 차이나.
3
$\log_{10} 1000$ 값임
밑이 10인 로그가 상용로그야.

개념 미리보기

1 로그

개념 01 로그

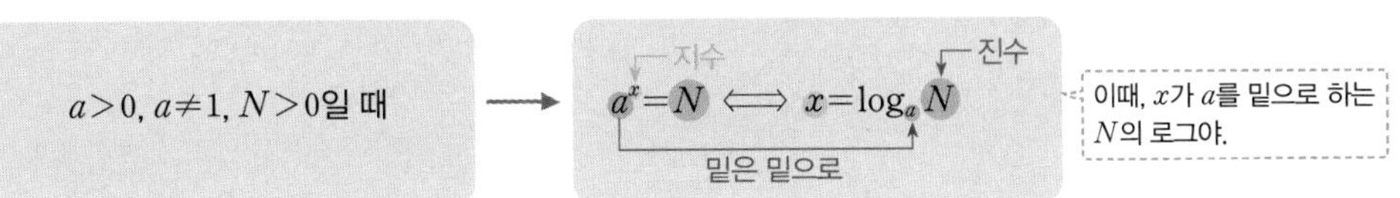

개념 02 $\log_a N$이 정의되기 위한 조건

밑의 조건 ➡ $a>0$, $a\neq1$

진수의 조건 ➡ $N>0$

2 로그의 성질

개념 01 로그의 성질

$\log_a MN=\log_a M+\log_a N$
진수의 곱셈은 로그의 덧셈으로

$\log_a \dfrac{M}{N}=\log_a M-\log_a N$
진수의 나눗셈은 로그의 뺄셈으로

$\log_a M^k=k\log_a M$
진수의 지수는 로그 앞으로

개념 02 로그의 밑의 변환

$\log_a b=\dfrac{\log_c b}{\log_c a}$

$\log_a b=\dfrac{1}{\log_b a}$

개념 03 로그의 여러 가지 성질

$\log_a b\times\log_b a=1$

$\log_{a^m} b^n=\dfrac{n}{m}\log_a b$

$a^{\log_a b}=b$

$a^{\log_c b}=b^{\log_c a}$

3 상용로그

개념 01 상용로그

밑이 10인 상용로그 ⟶ $\log_{10} N$ ➡ $\log N$

개념 02 상용로그의 정수 부분과 소수 부분

$\log N=n+\alpha$ (단, n은 정수, $0\leq\alpha<1$)
$\log N$의 정수 부분 (n), $\log N$의 소수 부분 (α)

개념 03 상용로그의 정수 부분과 소수 부분의 성질

$\log \square\square\cdots\square.\square\square\cdots=(n-1)+0.\times\times\times$
정수 부분이 n자리

$\log 0.\underbrace{00\cdots0}_{(n-1)\text{개}}\square\square\square=-n+0.\times\times\times$
소수점 아래 n째 자리

1 로그

개념 01 로그

대표 유형 01

$a>0$, $a\neq1$일 때, 양수 N에 대하여 $a^x=N$을 만족시키는 실수 x는 오직 하나 존재한다.
이 실수 x를 $\log_a N$과 같이 나타내고, x를 a를 **밑**으로 하는 N의 **로그**라 한다.
이때, N을 $\log_a N$의 **진수**라 한다.

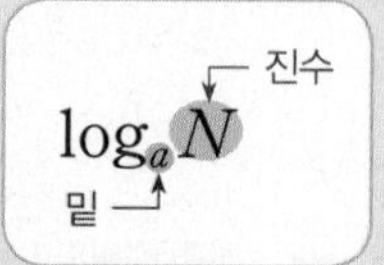

$$a>0,\ a\neq1,\ N>0\text{일 때, } a^x=N \Longleftrightarrow x=\log_a N$$

참고 기호 log는 영어 logarithm의 약자이고, 간단히 로그라 읽는다.

예 2를 세제곱하면 8이므로 $2^3=8$로 쓸 수 있다.
이때, 등식 $2^3=8$에서 3을 로그의 정의를 이용하여 표현하면

$3=\log_2 8$

이고, 3은 2를 밑으로 하는 8의 로그라 한다.

$2^3=8 \Longleftrightarrow 3=\log_2 8$

같은 방법으로 2의 x제곱이 5이면 $2^x=5$이므로 로그의 정의에 의하여 오른쪽과 같이 나타낸다.

$2^x=5 \Longleftrightarrow x=\log_2 5$

참고 $2^x=8$을 만족시키는 x의 값은 $x=3$이지만 $2^x=5$를 만족시키는 x의 값은 유리수의 범위에서 존재하지 않으므로 $x=\log_2 5$와 같이 나타낸다.

해결의 법칙

$a>0$, $a\neq1$, $N>0$일 때 → $a^x=N \Longleftrightarrow x=\log_a N$

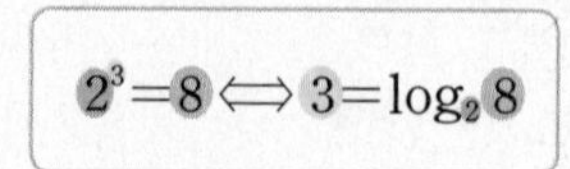

이때, x가 a를 밑으로 하는 N의 로그야.

| 정답과 해설 10쪽 |

개념 확인 1 다음 등식을 $x=\log_a N$ 꼴로 나타내시오.

(1) $5^2=25$ (2) $10^0=1$ (3) $4^{-2}=\frac{1}{16}$

개념 확인 2 다음 등식을 $a^x=N$ 꼴로 나타내시오.

(1) $\log_5 1=0$ (2) $\log_{10} 0.01=-2$ (3) $\log_{\frac{1}{3}} 81=-4$

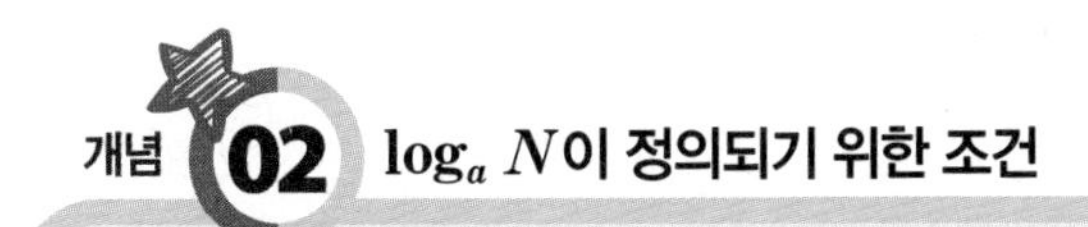

개념 02 $\log_a N$이 정의되기 위한 조건

(1) 밑의 조건

➡ $a>0$, $a\neq1$ ← 밑은 1이 아닌 양수이어야 한다.

(2) 진수의 조건

➡ $N>0$ ← 진수는 양수이어야 한다.

설명 $\log_a N$을 정의할 때, 밑과 진수의 조건이 필요한 이유에 대하여 알아보자.

(1) **밑의 조건**: $a>0$, $a\neq1$인 이유

(i) $a<0$인 경우

➡ $\log_{(-2)} 3=x$라 하면 $(-2)^x=3$을 만족시키는 실수 x의 값은 존재하지 않는다.

(ii) $a=0$인 경우

➡ $\log_0 3=x$라 하면 $0^x=3$을 만족시키는 실수 x의 값은 존재하지 않는다.

(iii) $a=1$인 경우

➡ $\log_1 3=x$라 하면 $1^x=3$을 만족시키는 실수 x의 값은 존재하지 않는다.

(i), (ii), (iii)에 의하여 밑 a의 범위는 $a>0$, $a\neq1$일 때에만 $\log_a N$을 정의한다.

밑 a는 1이 아닌 양수이어야 해.

(2) **진수의 조건**: $N>0$인 이유

(i) $N<0$인 경우

➡ $\log_3(-2)=x$라 하면 $3^x=-2$를 만족시키는 실수 x의 값은 존재하지 않는다.

(ii) $N=0$인 경우

➡ $\log_3 0=x$라 하면 $3^x=0$을 만족시키는 실수 x의 값은 존재하지 않는다.

(i), (ii)에 의하여 진수 N의 범위는 $N>0$일 때에만 $\log_a N$을 정의한다.

진수 N은 항상 양수이어야 해.

해결의 법칙

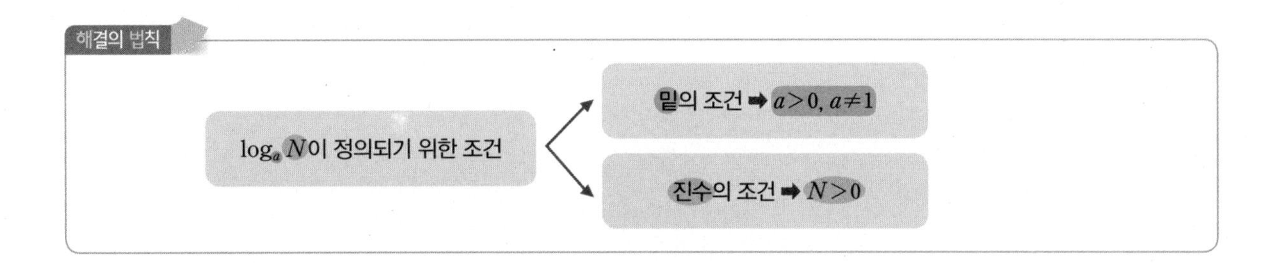

| 정답과 해설 10쪽 |

개념 확인 3 다음이 정의되도록 하는 실수 x의 값의 범위를 구하시오.

(1) $\log_x 4$

(2) $\log_5(x-1)$

정답과 해설 10쪽

1 다음 등식을 $x=\log_a N$ 꼴로 나타내시오.

(1) $7^0=1$

(2) $3^4=81$

(3) $\left(\frac{1}{5}\right)^2=\frac{1}{25}$

(4) $\left(\frac{1}{2}\right)^{-2}=4$

(5) $27^{-\frac{2}{3}}=\frac{1}{9}$

2 다음 등식을 $a^x=N$ 꼴로 나타내시오.

(1) $\log_{10} 1000=3$

(2) $\log_3 \frac{1}{27}=-3$

(3) $\log_{\frac{1}{2}} 32=-5$

(4) $\log_5 \sqrt{5}=\frac{1}{2}$

(5) $\log_{\sqrt{3}} 9=4$

3 다음이 정의되도록 하는 실수 x의 값의 범위를 구하시오.

(1) $\log_{x-2} 7$

(2) $\log_{x+3} 6$

(3) $\log_{2x-5} 8$

(4) $\log_{3x+6} 11$

4 다음이 정의되도록 하는 실수 x의 값의 범위를 구하시오.

(1) $\log_7 (4-2x)$

(2) $\log_5 (x^2-3x)$

(3) $\log_2 (x^2-2x-8)$

(4) $\log_3 (-x^2+3x-2)$

대표 유형 01 로그의 정의

개념 01

다음 등식을 만족시키는 x의 값을 구하시오.

(1) $\log_{\sqrt{5}} 25=x$ (2) $\log_x 27=\frac{3}{4}$

(3) $\log_{16} x=-\frac{1}{2}$ (4) $\log_3(\log_2 x)=1$

풀이 (1) $\log_{\sqrt{5}} 25=x$에서 $(\sqrt{5})^x=25$

$5^{\frac{x}{2}}=5^2$, $\frac{x}{2}=2$ $\therefore x=4$

(2) $\log_x 27=\frac{3}{4}$에서 $x^{\frac{3}{4}}=27$

$\therefore x=27^{\frac{4}{3}}=(3^3)^{\frac{4}{3}}=3^4=81$

(3) $\log_{16} x=-\frac{1}{2}$에서 $16^{-\frac{1}{2}}=x$

$\therefore x=(2^4)^{-\frac{1}{2}}=2^{-2}=\frac{1}{4}$

(4) $\log_3(\log_2 x)=1$에서 $3=\log_2 x$

$2^3=x$ $\therefore x=8$

답 (1) 4 (2) 81 (3) $\frac{1}{4}$ (4) 8

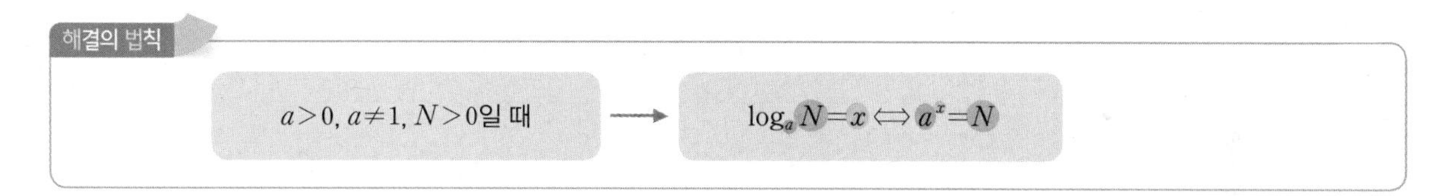

| 정답과 해설 11쪽 |

01-1 다음 등식을 만족시키는 x의 값을 구하시오.

(1) $\log_{\frac{1}{3}} x=-2$ (2) $\log_{\sqrt{3}} x=8$ (3) $\log_3(\log_{27} x)=-1$

01-2 $x=\log_5 3$일 때, 5^{2x}의 값을 구하시오.

01-3 $\log_a 64=3$, $\log_2(\log_6 b)=1$일 때, $\frac{b}{a}$의 값을 구하시오.

대표 유형 02 로그의 밑과 진수의 조건

개념 02

$\log_{x-1}(-x^2+5x+6)$이 정의되도록 하는 모든 정수 x의 값의 합을 구하시오.

풀이

❶ (밑)>0, (밑)≠1을 만족시키는 x의 값의 범위 구하기

밑의 조건에서 $x-1>0$, $x-1\neq1$이므로
$x>1$, $x\neq2$
$\therefore 1<x<2$ 또는 $x>2$ ······㉠

❷ (진수)>0을 만족시키는 x의 값의 범위 구하기

진수의 조건에서 $-x^2+5x+6>0$이므로
$x^2-5x-6<0$, $(x+1)(x-6)<0$
$\therefore -1<x<6$ ······㉡

❸ ❶, ❷에서 구한 x의 값의 공통 범위 구하기

㉠, ㉡의 공통 범위를 구하면
$1<x<2$ 또는 $2<x<6$

❹ 정수 x의 값의 합 구하기

따라서 $\log_{x-1}(-x^2+5x+6)$이 정의되도록 하는 정수 x의 값은 3, 4, 5이므로 구하는 합은
$3+4+5=12$

답 12

해결의 법칙

$a>0$, $a\neq1$, $N>0$일 때 → $a^x=N \iff x=\log_a N$ (지수, 진수, 밑은 밑으로)

이때, x가 a를 밑으로 하는 N의 로그야.

| 정답과 해설 11쪽 |

02-1 $\log_{x-4}(-x^2+8x-7)$이 정의되도록 하는 실수 x의 값의 범위를 구하시오.

02-2 $\log_{x-3}(-x^2+11x-24)$가 정의되도록 하는 모든 정수 x의 값의 합을 구하시오.

로그의 성질

개념 01 로그의 성질

대표 유형 01 ~ 05

$a>0$, $a\neq1$이고 $M>0$, $N>0$일 때

(1) $\log_a 1=0$, $\log_a a=1$

(2) $\log_a MN=\log_a M+\log_a N$

(3) $\log_a \frac{M}{N}=\log_a M-\log_a N$

(4) $\log_a M^k=k\log_a M$ (단, k는 실수)

설명

$a>0$, $a\neq1$일 때

(1) $a^0=1 \Longleftrightarrow \log_a 1=0$

$a^1=a \Longleftrightarrow \log_a a=1$

로그의 성질은 로그의 계산에 꼭 필요한 것이니 반드시 외워야 해.

$M>0$, $N>0$일 때, $\log_a M=m$, $\log_a N=n$ (m, n은 실수)이라 하면

$M=a^m$, $N=a^n$이므로

(2) $MN=a^m a^n=a^{m+n} \Longleftrightarrow \log_a MN=m+n=\log_a M+\log_a N$

(3) $\frac{M}{N}=\frac{a^m}{a^n}=a^{m-n} \Longleftrightarrow \log_a \frac{M}{N}=m-n=\log_a M-\log_a N$

(4) $M^k=a^{mk}$(k는 실수) $\Longleftrightarrow \log_a M^k=mk=k\log_a M$

예

(1) $\log_2 1=0$, $\log_2 2=1$

(2) $\log_5 6=\log_5 (2\times3)=\log_5 2+\log_5 3$

(3) $\log_5 \frac{7}{3}=\log_5 7-\log_5 3$

(4) $\log_5 8=\log_5 2^3=3\log_5 2$

주의 착각하기 쉬운 로그의 성질

(1) $\log_1 1\neq1$, $\log_1 1\neq0$ ← 밑이 1인 로그는 정의되지 않는다.

(2) $\log_a (x+y)\neq\log_a x+\log_a y$, $\log_a x\times\log_a y\neq\log_a x+\log_a y$ ← $\log_a xy=\log_a x+\log_a y$

(3) $\log_a (x-y)\neq\log_a x-\log_a y$, $\frac{\log_a x}{\log_a y}\neq\log_a x-\log_a y$ ← $\log_a \frac{x}{y}=\log_a x-\log_a y$

(4) $(\log_a x)^n\neq n\log_a x$ ← $\log_a x^n=n\log_a x$

해결의 법칙

$\log_a MN=\log_a M+\log_a N$ 진수의 곱셈은 로그의 덧셈으로

$\log_a \frac{M}{N}=\log_a M-\log_a N$ 진수의 나눗셈은 로그의 뺄셈으로

$\log_a M^k=k\log_a M$ 진수의 지수는 로그 앞으로

| 정답과 해설 11쪽 |

개념 확인 1 다음 식을 간단히 하시오.

(1) $\log_4 1$

(2) $\log_2 5+\log_2 6$

(3) $\log_3 18-\log_3 2$

(4) $\log_7 7^3$

개념 02 로그의 밑의 변환

대표 유형 02, 04~06

$a>0, a\neq1, b>0$일 때

(1) $\log_a b=\dfrac{\log_c b}{\log_c a}$ (단, $c>0, c\neq1$)　　(2) $\log_a b=\dfrac{1}{\log_b a}$ (단, $b\neq1$)

설명

(1) $\log_a b=m$, $\log_c a=n$으로 놓으면 $b=a^m$, $a=c^n$이므로

$$b=a^m=(c^n)^m=c^{mn}$$

로그의 정의에 의하여 $mn=\log_c b$이므로

$$\log_a b\times\log_c a=\log_c b$$

이때, $a\neq1$이므로 $\log_c a\neq0$

따라서 양변을 $\log_c a$로 나누면

$$\log_a b=\frac{\log_c b}{\log_c a}$$

(2) (1)에서 $c=b$라 하면

$$\log_a b=\frac{\log_b b}{\log_b a}=\frac{1}{\log_b a}$$

예

(1) $\log_2 5=\dfrac{\log_3 5}{\log_3 2}$　　(2) $\log_2 5=\dfrac{1}{\log_5 2}$

해결의 법칙

$\log_a b=\dfrac{\log_c b}{\log_c a}$　　$\log_a b=\dfrac{1}{\log_b a}$

| 정답과 해설 11쪽 |

개념 확인 2 $\log_3 7$을 밑이 2인 로그로 나타내시오.

개념 확인 3 다음 값을 구하시오.

(1) $\dfrac{\log_5 81}{\log_5 3}$　　(2) $\dfrac{1}{\log_{16} 2}$

개념 03 로그의 여러 가지 성질

$a>0$, $a\neq1$, $b>0$일 때

(1) $\log_a b\times\log_b a=1$ (단, $b\neq1$)

(2) $\log_{a^m} b^n=\frac{n}{m}\log_a b$ (단, $m\neq0$)

(3) $a^{\log_a b}=b$

(4) $a^{\log_c b}=b^{\log_c a}$ (단, $c>0$, $c\neq1$)

설명

(1) $\log_a b\times\log_b a=\log_a b\times\frac{1}{\log_a b}=1$

(2) $\log_{a^m} b^n=\frac{\log_a b^n}{\log_a a^m}=\frac{n\log_a b}{m\log_a a}=\frac{n}{m}\log_a b$

(3) $x=a^{\log_a b}$으로 놓고 양변에 a를 밑으로 하는 로그를 취하면

$\log_a x=\log_a a^{\log_a b}=\log_a b\times\log_a a=\log_a b$

즉, $x=b$이므로

$a^{\log_a b}=b$

$A=B$ 꼴을 $\log_a A=\log_a B$ 꼴로 변형하는 것을 '양변에 로그를 취한다'고 해! 이때, $a>0$, $a\neq1$임에 주의해.

(4) $x=a^{\log_c b}$으로 놓고 양변에 c를 밑으로 하는 로그를 취하면

$\log_c x=\log_c a^{\log_c b}=\log_c b\times\log_c a=\log_c a\times\log_c b=\log_c b^{\log_c a}$

즉, $x=b^{\log_c a}$이므로

$a^{\log_c b}=b^{\log_c a}$

예

(1) $\log_2 5\times\log_5 2=1$

(2) $\log_{2^3} 5^4=\frac{4}{3}\log_2 5$

(3) $2^{\log_2 7}=7$

(4) $3^{\log_2 5}=5^{\log_2 3}$

해결의 법칙

$\log_a b\times\log_b a=1$

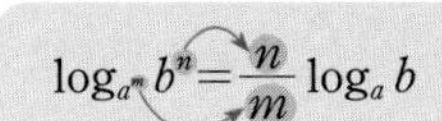

$a^{\log_a b}=b$

$a^{\log_c b}=b^{\log_c a}$

| 정답과 해설 11쪽 |

개념 확인 4 다음 값을 구하시오.

(1) $\log_4 3\times\log_3 4$

(2) $\log_{16} 8$

(3) $3^{\log_3 5}$

정답과 해설 12쪽

1 다음 값을 구하시오.

(1) $\log_{10} 1$

(2) $\log_3 18+\log_3 \frac{3}{2}$

(3) $\log_6 3+2\log_6 \sqrt{12}$

(4) $\log_4 48-\log_4 \frac{3}{4}$

(5) $\log_2 18-4\log_2 \sqrt{6}$

(6) $\log_2 5+\log_2 6-\log_2 15$

(7) $\log_3 \frac{3}{7}+2\log_3 \sqrt{7}-\log_3 \frac{1}{3}$

2 다음을 밑이 10인 로그로 나타내시오.

(1) $\log_2 10$

(2) $\log_3 100$

(3) $\log_4 3$

(4) $\log_{25} 8$

3 다음 값을 구하시오.

(1) $\log_{10} 5\times\log_5 10$

(2) $\log_3 2\times\log_2 9$

(3) $\log_{64} 16$

(4) $\log_{27} \frac{1}{9}$

(5) $4^{\log_2 3}$

(6) $2^{\log_2 5+\log_2 3}$

대표 유형 01 로그의 성질

개념 01

다음 값을 구하시오.

(1) $\log_2 \frac{1}{3} - \log_2 \frac{2}{9} + \frac{1}{2}\log_2 \frac{4}{9}$

(2) $\frac{1}{2}\log_3 16 + \log_3 18 - 2\log_3 2\sqrt{2}$

풀이

(1) $\log_2 \frac{1}{3} - \log_2 \frac{2}{9} + \frac{1}{2}\log_2 \frac{4}{9} = \log_2 \frac{1}{3} - \log_2 \frac{2}{9} + \log_2 \left\{\left(\frac{2}{3}\right)^2\right\}^{\frac{1}{2}}$

$= \log_2 \frac{1}{3} - \log_2 \frac{2}{9} + \log_2 \frac{2}{3}$

$= \log_2 \left(\frac{1}{3} \div \frac{2}{9} \times \frac{2}{3}\right) = \log_2 \left(\frac{1}{3} \times \frac{9}{2} \times \frac{2}{3}\right)$

$= \log_2 1 = 0$

(2) $\frac{1}{2}\log_3 16 + \log_3 18 - 2\log_3 2\sqrt{2} = \log_3 (4^2)^{\frac{1}{2}} + \log_3 18 - \log_3 (2^{\frac{3}{2}})^2$

$= \log_3 4 + \log_3 18 - \log_3 8$

$= \log_3 (4 \times 18 \div 8) = \log_3 \left(4 \times 18 \times \frac{1}{8}\right)$

$= \log_3 9 = \log_3 3^2 = 2$

답 (1) 0 (2) 2

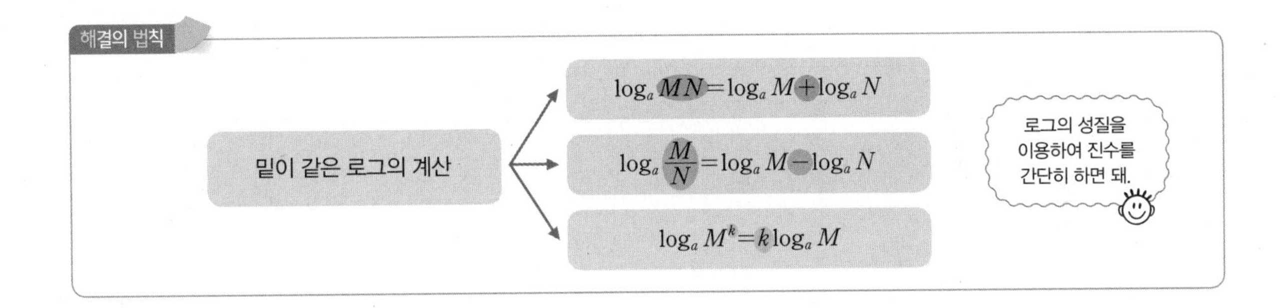

| 정답과 해설 12쪽 |

01-1 다음 값을 구하시오.

(1) $5\log_3 \sqrt{3} + \frac{1}{2}\log_3 2 - \log_3 \sqrt{6}$

(2) $2\log_2 \sqrt{6} + \frac{1}{2}\log_2 16 - \log_2 3$

01-2 $2\log_2 \sqrt{3} - \log_2 6 + 6\log_2 \sqrt{2} = k$일 때, $\log_k 32$의 값을 구하시오.

대표 유형 02 로그의 밑의 변환

개념 01, 02

다음 값을 구하시오.

(1) $\dfrac{1}{\log_{36} 3}-\dfrac{1}{\log_4 3}$

(2) $\log_4 3\times\log_3 25\times\log_{\sqrt{5}} 8$

풀이 (1) $\dfrac{1}{\log_{36} 3}-\dfrac{1}{\log_4 3}=\log_3 36-\log_3 4=\log_3 \dfrac{36}{4}$

$=\log_3 9=\log_3 3^2=2$

(2) $\log_4 3\times\log_3 25\times\log_{\sqrt{5}} 8=\dfrac{\log_2 3}{\log_2 4}\times\dfrac{\log_2 25}{\log_2 3}\times\dfrac{\log_2 8}{\log_2 \sqrt{5}}$

$=\dfrac{\log_2 3}{\log_2 2^2}\times\dfrac{\log_2 5^2}{\log_2 3}\times\dfrac{\log_2 2^3}{\log_2 5^{\frac{1}{2}}}$

$=\dfrac{\log_2 3}{2}\times\dfrac{2\log_2 5}{\log_2 3}\times\dfrac{3}{\frac{1}{2}\log_2 5}$

$=6$

답 (1) 2 (2) 6

해결의 법칙

밑이 다른 로그의 계산 → $\log_a b=\dfrac{\log_c b}{\log_c a}$, $\log_a b=\dfrac{1}{\log_b a}$ 임을 이용하여 로그의 밑 통일하기

밑을 통일할 때는 밑의 변환 공식 이용!

| 정답과 해설 13쪽 |

02-1 다음 값을 구하시오.

(1) $\dfrac{1}{\log_6 3}-\log_3 54$

(2) $\dfrac{1}{\log_2 6}+\dfrac{1}{\log_9 6}+\dfrac{1}{\log_{12} 6}$

02-2 $\dfrac{\log_{10} 2}{a}=\dfrac{\log_{10} 4}{b}=\dfrac{\log_{10} 27}{c}=\log_{10} 6$일 때, $a+b+c$의 값을 구하시오. (단, $abc\neq 0$)

대표 유형 03 로그의 여러 가지 성질

개념 01, 03

다음 값을 구하시오.

(1) $\log_{32} 8-\log_2 \sqrt{2}$ (2) $3^{3\log_3 2+\log_3 6-\log_3 12}$

풀이 (1) 밑 통일하여 값 구하기

$$\log_{32} 8-\log_2 \sqrt{2}=\log_{2^5} 2^3-\log_2 2^{\frac{1}{2}}$$
$$=\frac{3}{5}\log_2 2-\frac{1}{2}\log_2 2$$
$$=\frac{3}{5}-\frac{1}{2}=\frac{1}{10}$$

(2) ❶ 지수 간단히 하기

$$3\log_3 2+\log_3 6-\log_3 12=\log_3 2^3+\log_3 6-\log_3 12$$
$$=\log_3 8+\log_3 6-\log_3 12$$
$$=\log_3 \frac{8\times 6}{12}=\log_3 4$$

❷ $a^{\log_a b}=b$ 이용하기

$$\therefore 3^{3\log_3 2+\log_3 6-\log_3 12}=3^{\log_3 4}=4^{\log_3 3}=4$$

답 (1) $\frac{1}{10}$ (2) 4

$\log_a b\times\log_b a=1$

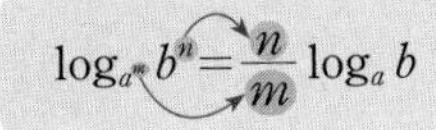

$a^{\log_a b}=b$

$a^{\log_c b}=b^{\log_c a}$

| 정답과 해설 13쪽 |

03-1 다음 값을 구하시오.

(1) $(\log_2 3+\log_8 9)(\log_9 2-\log_{27} 4)$ (2) $5^{2\log_5 4-3\log_5 2+\frac{1}{4}\log_5 16}$

03-2 $\log_{\frac{1}{3}} 5+\log_9 125+\log_3 \sqrt{5}=x$일 때, 3^x의 값을 구하시오.

03-3 $(\log_4 27+\log_2 9)\log_{\sqrt{3}} k=7$일 때, k의 값을 구하시오. (단, $k>0$)

대표 유형 04 로그의 값을 문자로 나타내기

개념 01, 02

다음 물음에 답하시오.

(1) $\log_2 3=a$, $\log_2 5=b$일 때, $\log_2 \sqrt{45}$를 a, b로 나타내시오.

(2) $3^a=4$, $3^b=7$일 때, $\log_{28} 49$를 a, b로 나타내시오.

풀이 (1) $\log_2 \sqrt{45}=\frac{1}{2}\log_2 45=\frac{1}{2}\log_2 (3^2\times5)$

$=\frac{1}{2}(\log_2 3^2+\log_2 5)=\frac{1}{2}(2\log_2 3+\log_2 5)$

$=\log_2 3+\frac{1}{2}\log_2 5=a+\frac{b}{2}$

(2) $3^a=4$에서 $a=\log_3 4$

$3^b=7$에서 $b=\log_3 7$

$\therefore \log_{28} 49=\frac{\log_3 7^2}{\log_3 28}=\frac{\log_3 7^2}{\log_3 (4\times7)}$

$=\frac{2\log_3 7}{\log_3 4+\log_3 7}=\frac{2b}{a+b}$

답 (1) $a+\frac{b}{2}$ (2) $\frac{2b}{a+b}$

해결의 법칙

로그의 값을 문자로 나타낼 때
- 밑이 같으면 ➡ 진수 변형하기
- 밑이 다르면 ➡ 밑 통일하기

| 정답과 해설 13쪽 |

04-1 $\log_{10} 2=a$, $\log_{10} 3=b$일 때, $\log_5 72$를 a, b로 나타내시오.

04-2 $5^a=4$, $5^b=27$일 때, $\log_5 6$을 a, b로 나타내시오.

대표 유형 05 로그의 정의를 이용하여 식의 값 구하기

개념 01, 02

다음을 구하시오.

(1) $5^x=40^y=2$일 때, $\frac{1}{x}-\frac{1}{y}$의 값

(2) $3^x=16$, $24^y=64$일 때, $\frac{4}{x}-\frac{6}{y}$의 값

풀이 (1)

❶ $5^x=2$를 로그로 나타내어 $\frac{1}{x}$의 값 구하기

$5^x=2$에서 $x=\log_5 2$

$\therefore \frac{1}{x}=\frac{1}{\log_5 2}=\log_2 5$

❷ $40^y=2$를 로그로 나타내어 $\frac{1}{y}$의 값 구하기

$40^y=2$에서 $y=\log_{40} 2$

$\therefore \frac{1}{y}=\frac{1}{\log_{40} 2}=\log_2 40$

❸ $\frac{1}{x}-\frac{1}{y}$의 값 구하기

$\therefore \frac{1}{x}-\frac{1}{y}=\log_2 5-\log_2 40=\log_2 \frac{5}{40}=\log_2 \frac{1}{8}=\log_2 2^{-3}=-3$

(2)

❶ $3^x=16$을 로그로 나타내어 $\frac{4}{x}$의 값 구하기

$3^x=16$에서 $x=\log_3 16=\log_3 2^4=4\log_3 2$

$\therefore \frac{4}{x}=\frac{1}{\log_3 2}=\log_2 3$

❷ $24^y=64$를 로그로 나타내어 $\frac{6}{y}$의 값 구하기

$24^y=64$에서 $y=\log_{24} 64=\log_{24} 2^6=6\log_{24} 2$

$\therefore \frac{6}{y}=\frac{1}{\log_{24} 2}=\log_2 24$

❸ $\frac{4}{x}-\frac{6}{y}$의 값 구하기

$\therefore \frac{4}{x}-\frac{6}{y}=\log_2 3-\log_2 24=\log_2 \frac{3}{24}=\log_2 \frac{1}{8}=\log_2 2^{-3}=-3$

답 (1) -3 (2) -3

참고 (2)번 문제는 지수 단원 24쪽에서 배운 대표 유형 06 의 (1)번 문제와 동일한 문제이다.
이와 같은 문제는 지수를 이용하는 방법과 로그를 이용하는 방법 중에서 편리한 방법으로 해결한다.

해결의 법칙

$a^x=b$가 주어지고 x에 대한 식의 값을 구할 때 → 로그의 정의를 이용하여 지수를 로그로 나타낸 후 주어진 식에 대입하기

| 정답과 해설 14쪽 |

05-1 $2^x=7^y=14$일 때, $\frac{1}{x}+\frac{1}{y}$의 값을 구하시오.

05-2 $15^x=27$, $45^y=81$일 때, $\frac{4}{y}-\frac{3}{x}$의 값을 구하시오.

대표 유형 06 로그와 이차방정식

개념 02

이차방정식 $x^2-6x+4=0$의 두 근이 $\log_2\alpha$, $\log_2\beta$일 때, $\log_\alpha\beta+\log_\beta\alpha$의 값을 구하시오.

풀이

❶ 두 근의 합과 곱 구하기

이차방정식 $x^2-6x+4=0$의 근과 계수의 관계에 의하여

$\log_2\alpha+\log_2\beta=6$, $\log_2\alpha\times\log_2\beta=4$

❷ $\log_\alpha\beta+\log_\beta\alpha$의 값 구하기

$\log_\alpha\beta+\log_\beta\alpha$를 2를 밑으로 하는 로그로 변환하면

$$\begin{aligned}\log_\alpha\beta+\log_\beta\alpha&=\frac{\log_2\beta}{\log_2\alpha}+\frac{\log_2\alpha}{\log_2\beta}\\&=\frac{(\log_2\beta)^2+(\log_2\alpha)^2}{\log_2\alpha\times\log_2\beta}\\&=\frac{(\log_2\alpha+\log_2\beta)^2-2\log_2\alpha\times\log_2\beta}{\log_2\alpha\times\log_2\beta}\\&=\frac{6^2-2\times4}{4}\\&=7\end{aligned}$$

답 7

해결의 법칙

이차방정식 $ax^2+bx+c=0$의 두 근을 α, β라 하면

- 두 근의 합 ➡ $\alpha+\beta=-\frac{b}{a}$
- 두 근의 곱 ➡ $\alpha\beta=\frac{c}{a}$

| 정답과 해설 14쪽 |

06-1 이차방정식 $x^2-4x+2=0$의 두 근이 $\log_3\alpha$, $\log_3\beta$일 때, $\log_\alpha 3+\log_\beta 3$의 값을 구하시오.

06-2 이차방정식 $x^2-2x-2=0$의 두 근이 $\log_{10}\alpha$, $\log_{10}\beta$일 때, $\log_\alpha\beta+\log_\beta\alpha$의 값을 구하시오.

상용로그

개념 01 상용로그

1 상용로그

10을 밑으로 하는 로그를 **상용로그**라 하고, 상용로그 $\log_{10} N$은 보통 밑 10을 생략하여 $\log N$과 같이 나타낸다.

2 상용로그표

(1) **상용로그표**: 0.01의 간격으로 1.00부터 9.99까지의 수에 대한 상용로그의 값을 반올림하여 소수점 아래 넷째 자리까지 나타낸 표

(2) **상용로그표를 이용하여 상용로그의 값을 구하는 방법**

오른쪽 상용로그표에서 log 3.79의 값은 3.7의 가로줄과 9의 세로줄이 만나는 곳의 수인 0.5786이다.

➡ $\log 3.79=0.5786$

참고 상용로그표에서 구한 상용로그의 값은 어림한 값이지만 편의상 등호 '='를 사용하여 나타낸다.

수	0	1	⋯	9
3.0	.4771	.4786	⋯	.4900
3.1	.4914	.4928	⋯	.5038
⋮	⋮	⋮	⋯	
3.7	.5682	.5694	⋯	.5786
3.8	.5798	.5809	⋯	.5899
3.9	.5911	.5922	⋯	.6010

.5786은 0.5786을 의미해.

설명 1 n이 실수일 때,

$$\log 10^n=\log_{10} 10^n=n\log_{10} 10=n$$

이므로 10^n 꼴의 수에 대한 상용로그의 값은 다음 표와 같이 진수가 10배씩 증가하면 상용로그의 값이 1씩 증가함을 알 수 있다.

$\log 0.01=\log 10^{-2}=-2$
$\log 0.1=\log 10^{-1}=-1$
$\log 1=\log 10^0=0$
$\log 10=\log 10^1=1$
$\log 100=\log 10^2=2$

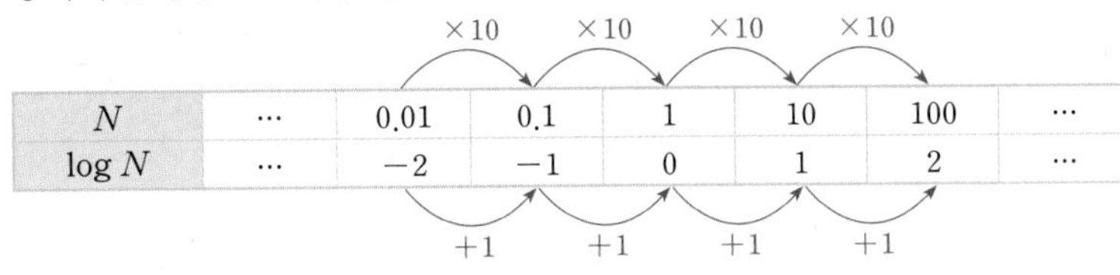

N	⋯	0.01	0.1	1	10	100	⋯
$\log N$	⋯	-2	-1	0	1	2	⋯

해결의 법칙

밑이 10인 상용로그 ⟶ $\log_{10} N$ ➡ $\log N$

| 정답과 해설 14쪽 |

개념 확인 1 다음 값을 구하시오.

(1) $\log 1000$ (2) $\log \frac{1}{1000}$ (3) $\log \sqrt[3]{100}$

개념 확인 2 오른쪽 상용로그표를 이용하여 다음 값을 구하시오.

(1) $\log 4.60$

(2) $\log 4.72$

(3) $\log 4.83$

수	0	1	2	3	4
4.6	.6628	.6637	.6646	.6656	.6665
4.7	.6721	.6730	.6739	.6749	.6758
4.8	.6812	.6821	.6830	.6839	.6848
⋮	⋮	⋮	⋮	⋮	⋮

개념 02 상용로그의 정수 부분과 소수 부분

대표 유형 01 ~ 03

임의의 양수 N에 대하여 상용로그는 다음과 같이 정수 부분과 소수 부분의 합의 꼴로 나타낼 수 있다.

$$\log N = n + \alpha \quad (\text{단, } n\text{은 정수, } 0 \le \alpha < 1)$$

$\log N$의 정수 부분: n, $\log N$의 소수 부분: α

설명 임의의 양수 N에 대하여

$N = 10^n \times a$ (단, n은 정수, $1 \le a < 10$)

꼴로 나타낼 수 있으므로 $\log N$은

$\log N = \log(10^n \times a) = \log 10^n + \log a = n + \log a$

꼴로 나타낼 수 있다.

(이를 이용하면 상용로그표에 나와 있지 않은 $\log N$의 값을 구할 수 있어.)

이때, $\log a = \alpha$라 하면 $0 \le \alpha < 1$이므로

$\log N = n + \alpha$ (단, n은 정수, $0 \le \alpha < 1$) ······ ㉠

여기서 n을 $\log N$의 **정수 부분**, α를 $\log N$의 **소수 부분**이라 한다.

예 $\log 2.85 = 0.4548$일 때

(1) $\log 285 = \log(10^2 \times 2.85) = \log 10^2 + \log 2.85 = 2 + \log 2.85 = \underline{2} + \underline{0.4548}$ (정수 부분: 2, 소수 부분: 0.4548)

(2) $\log 0.0285 = \log(10^{-2} \times 2.85) = \log 10^{-2} + \log 2.85 = -2 + \log 2.85 = \underline{-2} + \underline{0.4548}$ (정수 부분: −2, 소수 부분: 0.4548)

주의 (2) $\log 0.0285 = -1.5452$와 같이 상용로그의 값이 음수인 경우에도 소수 부분의 범위는 항상

$0 \le (\text{소수 부분}) < 1$

임에 주의한다.

해결의 법칙

상용로그표에 나와 있지 않은 $\log N$의 값을 구하는 순서

$N = 10^n \times a$ (n은 정수, $1 \le a < 10$) 꼴로 나타내기 → 로그의 성질을 이용하여 $\log N = n + \log a$ 꼴로 나타내기 → 상용로그표에서 $\log a$의 값을 찾은 후 이 값에 n 더하기

| 정답과 해설 14쪽 |

개념 확인 3 $\log 7.25 = 0.8603$임을 이용하여 다음 상용로그의 정수 부분과 소수 부분을 구하시오.

(1) $\log 72.5$

(2) $\log 0.725$

개념 **03** 상용로그의 정수 부분과 소수 부분의 성질 대표 유형 01, 02

1 상용로그의 정수 부분의 성질

(1) 정수 부분이 n자리인 양수의 상용로그의 정수 부분은 $n-1$이다.

(2) 소수점 아래 n째 자리에서 처음으로 0이 아닌 숫자가 나타나는 양수의 상용로그의 정수 부분은 $-n$이다.

2 상용로그의 소수 부분의 성질

숫자의 배열이 같고 소수점의 위치만 다른 양수의 상용로그의 소수 부분은 모두 같다.

예 $\log 4.73=0.6749$임을 이용하여 상용로그의 정수 부분과 소수 부분의 성질을 알아보자.

(1) (진수)≥ 1인 경우

$\log 4.73=0.6749$
$\log 47.3=\log(10\times 4.73)=\log 10+\log 4.73=1+0.6749$
$\log 473=\log(10^2\times 4.73)=\log 10^2+\log 4.73=2+0.6749$
$\log 4730=\log(10^3\times 4.73)=\log 10^3+\log 4.73=3+0.6749$
⋮

➡ 정수 부분이 n자리인 양수의 상용로그의 정수 부분은 $n-1$이다.

(2) $0<$(진수)<1인 경우

$\log 0.473=\log(10^{-1}\times 4.73)=\log 10^{-1}+\log 4.73=-1+0.6749$
$\log 0.0473=\log(10^{-2}\times 4.73)=\log 10^{-2}+\log 4.73=-2+0.6749$
$\log 0.00473=\log(10^{-3}\times 4.73)=\log 10^{-3}+\log 4.73=-3+0.6749$
⋮

➡ 소수점 아래 n째 자리에서 처음으로 0이 아닌 숫자가 나타나는 양수의 상용로그의 정수 부분은 $-n$이다.

여기서 위의 상용로그 $\log(10^n\times 4.73)$(n은 정수)의 소수 부분은 모두 0.6749로 같다는 것을 알 수 있다.
따라서 상용로그의 진수의 숫자의 배열이 같으면 진수의 소수점의 위치에 관계없이 상용로그의 소수 부분은 모두 같음을 알 수 있다.

해결의 법칙

$\log \underbrace{\square\square\cdots\square}_{\text{정수 부분이 } n\text{자리}}.\square\square\cdots=(n-1)+0.\times\times\times$

$\log 0.\underbrace{00\cdots0}_{(n-1)\text{개}}\square\square\square=-n+0.\times\times\times$ (소수점 아래 n째 자리)

| 정답과 해설 14쪽 |

개념 확인 4 $\log 3.54=0.5490$일 때, 다음 $\square$ 안에 알맞은 수를 써넣으시오.

(1) $\log 35400=\square+0.5490$

(2) $\log 0.00354=\square+0.5490$

1 다음 값을 구하시오.

(1) $\log \frac{1}{100000}$

(2) $\log \sqrt[4]{1000}$

(3) $\log \frac{1}{\sqrt{100}}$

(4) $\log 100\sqrt{10}$

2 주어진 상용로그표를 이용하여 다음 등식을 만족시키는 x의 값을 구하시오.

수	0	1	2	3
6.0	.7782	.7789	.7796	.7803
6.1	.7853	.7860	.7868	.7875
6.2	.7924	.7931	.7938	.7945
6.3	.7993	.8000	.8007	.8014

(1) $\log 6.12=x$

(2) $\log 6.30=x$

(3) $\log x=0.7796$

(4) $\log x=0.7931$

3 $\log 1.06=0.0253$일 때, 다음 값을 구하시오.

(1) $\log 10.6$

(2) $\log 1060$

(3) $\log 0.106$

(4) $\log 0.0106$

4 $\log 2=0.3010$, $\log 3=0.4771$일 때, 다음 값을 구하시오.

(1) $\log 72$

(2) $\log \frac{8}{27}$

(3) $\log 0.06$

5 $\log 4.62=0.6646$일 때, 다음 $\square$ 안에 알맞은 수를 써넣으시오.

(1) $\log 4620=\square+0.6646$

(2) $\log 46200=\square+0.6646$

(3) $\log 0.0462=\square+0.6646$

(4) $\log 0.000462=\square+0.6646$

대표 유형 01 숫자의 배열이 같은 양수의 상용로그

개념 02, 03

$\log 205=2.3118$일 때, 다음 등식을 만족시키는 x의 값을 구하시오.

(1) $\log x=3.3118$　　(2) $\log x=-2.6882$

풀이 (1) ❶ x의 자릿수 정하기

$\log x$의 정수 부분이 3이므로 x는 4자리 수이다.

❷ x의 값 구하기

또, $\log x$의 소수 부분과 $\log 205$의 소수 부분이 0.3118로 같으므로 x의 숫자의 배열은 205의 숫자 배열과 같다.

$\therefore x=2050$

(2) ❶ $\log x$의 정수 부분과 소수 부분 구하기

$$\begin{aligned}\log x&=-2.6882=-2-0.6882\\&=(-2-1)+(1-0.6882)\\&=-3+0.3118\end{aligned}$$

❷ x의 값 구하기

$\log x$의 정수 부분이 -3이므로 x는 소수점 아래 셋째 자리에서 처음으로 0이 아닌 숫자가 나타난다.

또, $\log x$의 소수 부분과 $\log 205$의 소수 부분이 0.3118로 같으므로 x의 숫자의 배열은 205의 숫자 배열과 같다.

$\therefore x=0.00205$

답 (1) 2050 (2) 0.00205

다른 풀이 $\log 205=\log(10^2\times2.05)=2+\log 2.05=2.3118$이므로 $\log 2.05=0.3118$

(1) $\log x=3.3118=3+0.3118=\log 10^3+\log 2.05=\log(10^3\times2.05)=\log 2050$　$\therefore x=2050$

(2) $\log x=-2.6882=-2-0.6882=-3+0.3118=\log 10^{-3}+\log 2.05=\log(10^{-3}\times2.05)=\log 0.00205$　$\therefore x=0.00205$

해결의 법칙

두 상용로그의 진수의 숫자의 배열이 같다. $\Longleftrightarrow$ 두 상용로그의 소수 부분이 같다.

| 정답과 해설 15쪽 |

01-1 $\log 56.7=1.7536$일 때, 다음 등식을 만족시키는 x의 값을 구하시오.

(1) $\log x=4.7536$　　(2) $\log x=-1.2464$

대표 유형 02 자릿수와 상용로그

개념 02, 03

$\log 2=0.3010$, $\log 3=0.4771$일 때, 다음 물음에 답하시오.

(1) 2^{30}은 몇 자리의 정수인지 구하시오.

(2) $\left(\frac{1}{6}\right)^{100}$은 소수점 아래 몇째 자리에서 처음으로 0이 아닌 숫자가 나타나는지 구하시오.

풀이 (1)

❶ $\log 2^{30}$의 값 구하기

2^{30}에 상용로그를 취하면

$$\log 2^{30}=30\log 2=30\times 0.3010=9.03$$

❷ 2^{30}의 자릿수 구하기

따라서 $\log 2^{30}$의 정수 부분이 9이므로 2^{30}은 10자리의 정수이다.

(2)

❶ $\log\left(\frac{1}{6}\right)^{100}$의 값 구하기

$\left(\frac{1}{6}\right)^{100}$에 상용로그를 취하면

$$\begin{aligned}\log\left(\frac{1}{6}\right)^{100}&=\log 6^{-100}=-100\log 6=-100\log(2\times 3)\\&=-100(\log 2+\log 3)\\&=-100(0.3010+0.4771)\\&=-77.81=-77-0.81\\&=(-77-1)+(1-0.81)\\&=-78+0.19\end{aligned}$$

❷ $\log\left(\frac{1}{6}\right)^{100}$의 정수 부분을 이용하여 답 구하기

따라서 $\log\left(\frac{1}{6}\right)^{100}$의 정수 부분이 -78이므로 $\left(\frac{1}{6}\right)^{100}$은 소수점 아래 78째 자리에서 처음으로 0이 아닌 숫자가 나타난다.

답 (1) 10자리 (2) 소수점 아래 78째 자리

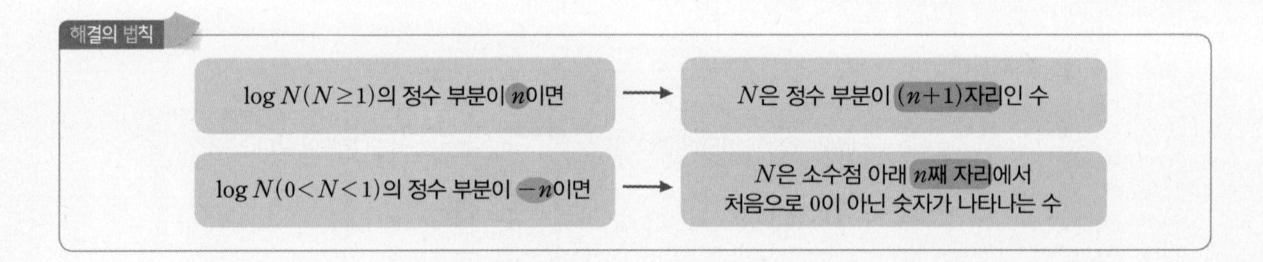

| 정답과 해설 16쪽 |

02-1 $\log 2=0.3010$, $\log 3=0.4771$일 때, 54^5은 몇 자리의 정수인지 구하시오.

02-2 $\log 3=0.4771$일 때, $\left(\frac{3}{10}\right)^{10}$은 소수점 아래 몇째 자리에서 처음으로 0이 아닌 숫자가 나타나는지 구하시오.

대표 유형 03 상용로그의 소수 부분의 조건에 따른 성질

개념 02

다음 물음에 답하시오.

(1) $10<x<100$이고 $\log x$의 소수 부분과 $\log x^3$의 소수 부분이 같을 때, x의 값을 구하시오.

(2) $\log x$의 정수 부분이 2이고 $\log x$의 소수 부분과 $\log \sqrt{x}$의 소수 부분의 합이 1일 때, x의 값을 구하시오.

풀이 (1)

❶ $\log x^3-\log x=$(정수)임을 알기

$\log x$의 소수 부분과 $\log x^3$의 소수 부분이 같으므로

$\log x^3-\log x=3\log x-\log x=2\log x=$(정수)

❷ $\log x$의 값의 범위 구하기

$10<x<100$에서 $\log 10<\log x<\log 100$ $\quad\therefore 1<\log x<2$

❸ x의 값 구하기

즉, $2<2\log x<4$이므로 $2\log x=3$, $\log x=\frac{3}{2}$ $\quad\therefore x=10^{\frac{3}{2}}=10\sqrt{10}$

(2)

❶ $\log x+\log\sqrt{x}=$(정수)임을 알기

$\log x$의 소수 부분과 $\log\sqrt{x}$의 소수 부분의 합이 1이므로 ← $\log x\neq$(정수), $\log\sqrt{x}\neq$(정수)

$\log x+\log\sqrt{x}=\log x+\log x^{\frac{1}{2}}=\frac{3}{2}\log x=$(정수)

❷ $\frac{3}{2}\log x$의 값의 범위 구하기

이때, $\log x$의 정수 부분이 2이므로 $2<\log x<3$

각 변에 $\frac{3}{2}$을 곱하면 $3<\frac{3}{2}\log x<\frac{9}{2}$ ($\log x$는 정수가 아니므로 $\log x=2$가 될 수 없어.)

❸ x의 값 구하기

$\frac{3}{2}\log x$는 정수이므로 $\frac{3}{2}\log x=4$, $\log x=\frac{8}{3}$ $\quad\therefore x=10^{\frac{8}{3}}=\sqrt[3]{10^8}$

답 (1) $10\sqrt{10}$ (2) $\sqrt[3]{10^8}$

다른 풀이

(2) $\log x$의 소수 부분을 α라 하면 $\log x=2+\alpha$ (단, $0<\alpha<1$) ← $\log x\neq$(정수)

$\therefore \log\sqrt{x}=\frac{1}{2}\log x=\frac{1}{2}(2+\alpha)=1+\frac{\alpha}{2}$

따라서 $\log\sqrt{x}$의 소수 부분은 $\frac{\alpha}{2}$이므로 $\alpha+\frac{\alpha}{2}=1$, $\frac{3\alpha}{2}=1$ $\quad\therefore \alpha=\frac{2}{3}$

$\therefore \log x=2+\frac{2}{3}=\frac{8}{3}$ $\quad\therefore x=10^{\frac{8}{3}}=\sqrt[3]{10^8}$

해결의 법칙

두 상용로그의 소수 부분이 같으면 → (두 상용로그의 차)=(정수)

두 상용로그의 소수 부분의 합이 1이면 → (두 상용로그의 합)=(정수) (두 상용로그 각각은 정수가 아니야.)

| 정답과 해설 16쪽 |

03-1 $\log x$의 정수 부분이 2이고 $\log x$의 소수 부분과 $\log\frac{1}{x^2}$의 소수 부분이 같을 때, x의 값을 모두 구하시오.

(단, $\log x$의 소수 부분은 0이 아니다.)

03-2 $\log x$의 정수 부분이 3이고 $\log x$의 소수 부분과 $\log\sqrt[3]{x}$의 소수 부분의 합이 1일 때, x의 값을 구하시오.

대표 유형 04 상용로그의 실생활에의 활용 - 관계식이 주어진 경우

어떤 스피커에서 나오는 음향 출력이 x W일 때, 음향 파워 레벨 y dB은 다음과 같이 계산한다.

$y=10\log\frac{x}{k}$ (단, k는 기준 음향 출력을 나타내는 상수)

일반적으로 음향 출력이 $\frac{1}{10^4}$ W일 때, 음향 파워 레벨은 80 dB이라 한다. 어떤 스피커에서 나오는 음향 출력이 200 W일 때, 이 스피커의 음향 파워 레벨을 구하시오. (단, $\log 2=0.3$으로 계산한다.)

풀이

❶ k의 값 구하기

음향 출력이 $\frac{1}{10^4}$ W일 때, 음향 파워 레벨은 80 dB이므로 주어진 관계식에

$x=\frac{1}{10^4}$, $y=80$을 대입하면

$80=10\log\left(\frac{1}{k}\times\frac{1}{10^4}\right)$

$8=\log\left(\frac{1}{k}\times\frac{1}{10^4}\right)$

$10^8=\frac{1}{k}\times\frac{1}{10^4}$

$\therefore k=\frac{1}{10^{12}}$

❷ 음향 출력이 200 W일 때, 음향 파워 레벨 구하기

따라서 $y=10\log(10^{12}x)$이므로 음향 출력이 200 W일 때, 이 스피커의 음향 파워 레벨은

$$\begin{aligned}10\log(10^{12}\times200)&=10\log(2\times10^{14})\\&=10(\log 2+14)\\&=10(0.3+14)\\&=143\,(\text{dB})\end{aligned}$$

답 143 dB

| 정답과 해설 16쪽 |

04-1 새 차의 가격을 P원, t년 후의 중고차의 가격을 W원, 연평균 감가상각비율을 r라 할 때, 다음과 같은 관계식이 성립한다고 한다.

$\log(1-r)=\frac{1}{t}\log\frac{W}{P}$

새 차의 가격이 2000만 원이고 연평균 감가상각비율이 0.15일 때, 5년 후의 중고차의 가격을 구하시오.

(단, $\log 2=0.30$, $\log 8.5=0.93$, $\log 8.9=0.95$로 계산한다.)

정답과 해설 17쪽

유형 확인

1-1 $\log_{x-3}(-x^2+8x-12)$가 정의되도록 하는 정수 x의 개수를 구하시오.

한번 더 확인

1-2 모든 실수 x에 대하여 $\log_{a-1}(x^2-2ax+5a)$가 정의되도록 하는 모든 정수 a의 값의 합을 구하시오.

2-1 다음 값을 구하시오.

$$4\log_2\sqrt{3}+\frac{1}{2}\log_2 25-\log_2 45$$

2-2 다음 값을 구하시오.

$$\log_{11}2+\log_{11}\left(1+\frac{1}{2}\right)+\log_{11}\left(1+\frac{1}{3}\right)+\cdots+\log_{11}\left(1+\frac{1}{10}\right)$$

3-1 다음 **보기**에서 옳은 것만을 있는 대로 고르시오.

보기

ㄱ. $\log_3 2+\log_2 3=1$

ㄴ. $\log_3 2-\log_3 5=\log_3\frac{2}{5}$

ㄷ. $\frac{\log_2 3}{\log_2 5}=\frac{\log_7 3}{\log_7 5}$

ㄹ. $25^{\log_5 3}=9$

3-2 $\log_a 3\times\log_9 b=10$일 때, $\log_a b$의 값을 구하시오. (단, $a>0$, $a\neq1$, $b>0$)

유형 확인

4-1 $\log_{10} 2=a$, $\log_{10} 3=b$일 때, $\log_{50} 12$를 a, b로 나타내시오.

한번 더 확인

4-2 $\log_2 3=a$, $\log_3 5=b$일 때, $\log_{12} 60$을 a, b로 나타내시오.

5-1 $10^a=2$, $40^b=8$일 때, $\frac{1}{a}-\frac{3}{b}$의 값을 구하시오.

5-2 $a^x=b^y=c^z=27$이고 $abc=9$일 때, $\frac{1}{x}+\frac{1}{y}+\frac{1}{z}$의 값을 구하시오. (단, $a>0$, $b>0$, $c>0$)

6-1 이차방정식 $x^2-2x-1=0$의 두 근을 $\log_2 \alpha$, $\log_2 \beta$라 할 때, $\log_\alpha \beta+\log_\beta \alpha$의 값을 구하시오.

6-2 이차방정식 $x^2-4x-3=0$의 두 근을 $\log_2 a$, $\log_2 b$라 할 때, $\log_a \sqrt{2}+\log_{b^2} 2$의 값을 구하시오.

7-1 $\log 48.9=1.6893$, $\log x=4.6893$일 때, x의 값을 구하시오.

7-2 $\log 26.8=1.4281$일 때,

$$\log 2680=a,\ \log b=-1.5719$$

이다. 이때, $a+b$의 값을 구하시오.

유형 확인

8-1 $\log 2=0.3010$일 때, 5^{20}은 몇 자리의 정수인지 구하시오.

한번 더 확인

8-2 $\log 2=0.3010$, $\log 3=0.4771$일 때, $\left(\frac{3}{4}\right)^{100}$은 소수점 아래 몇째 자리에서 처음으로 0이 아닌 숫자가 나타나는지 구하시오.

9-1 $10<x<100$이고 $\log x^4$의 소수 부분과 $\log \frac{1}{x}$의 소수 부분의 합이 1일 때, x의 값을 모두 구하시오.

9-2 다음 조건을 만족시키는 모든 양수 x의 값의 곱이 $10^{\frac{q}{p}}$일 때, $p+q$의 값을 구하시오.
(단, p, q는 서로소인 자연수이다.)

> (가) $\log x$의 정수 부분은 3이다.
> (나) $\log x^2$의 소수 부분과 $\log x^4$의 소수 부분이 같다.

10-1 소리의 크기는 소리의 강도에 따라 데시벨(dB)로 환산하여 나타내고, 소리의 크기 x dB과 소리의 강도 I 사이에는 다음과 같은 관계식이 성립한다고 한다.

$$x=10\log \frac{I}{I_0} \text{ (단, } I_0=10^{-8})$$

소리의 크기가 100 dB일 때, 소리의 강도를 구하시오.

10-2 어떤 별의 절대등급을 M, 겉보기등급을 m, 지구로부터 그 별까지의 거리를 r (pc)라 하면 다음과 같은 관계식이 성립한다고 한다.

$$M-m=5-5\log r$$

절대등급이 같은 두 별 A, B에 대하여 지구로부터 B별까지의 거리가 지구로부터 A별까지의 거리의 20배일 때, A, B별의 겉보기등급을 각각 a, b라 하자. 이때, $b-a$의 값을 구하시오.
(단, $\log 2=0.3$으로 계산한다.)

3 지수함수

*극혐주의
이것이 바로 지구인을 떨게 하는 공포 바이러스입니다.
쭈우우욱
y
O
x
이 녀석들은 매일 2배로 늘어납니다.
잠깐! 2배로 늘어나는데 그래프가 왜 그 꼴이야?
이 꼴이잖아.
y
O
x
이게 지수함수의 그래프야.

개념 미리보기

1 지수함수와 그 그래프

개념 **01** 지수함수

지수함수 → $y=a^x\,(a>0,\ a\neq1)$

개념 **02** 지수함수의 그래프

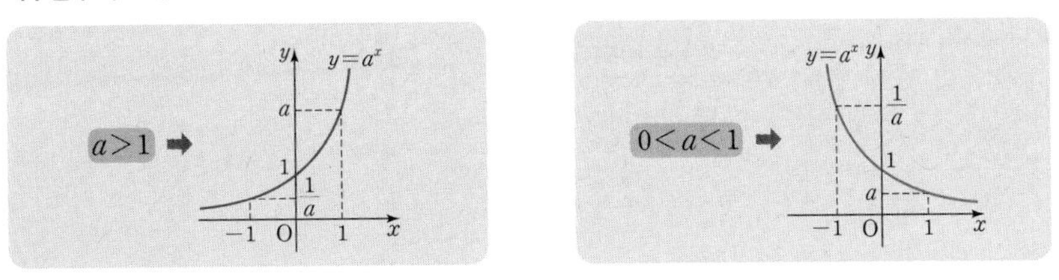

개념 **03** 지수함수의 그래프의 평행이동과 대칭이동

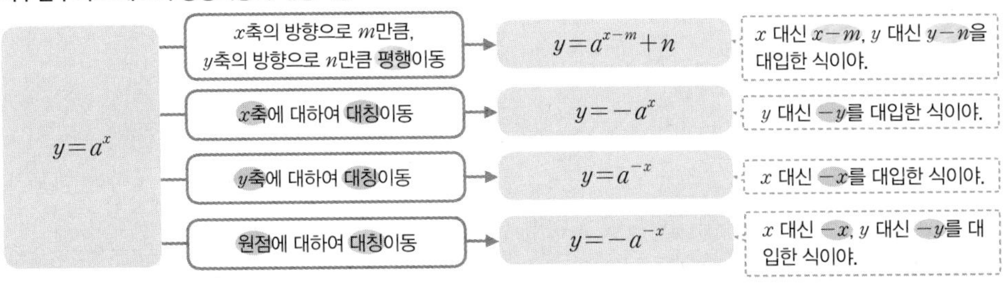

개념 **04** 지수함수의 최대 · 최소

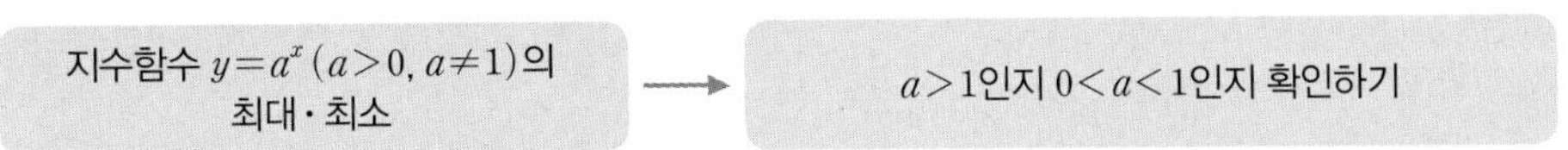

2 지수방정식

개념 **01** 지수방정식

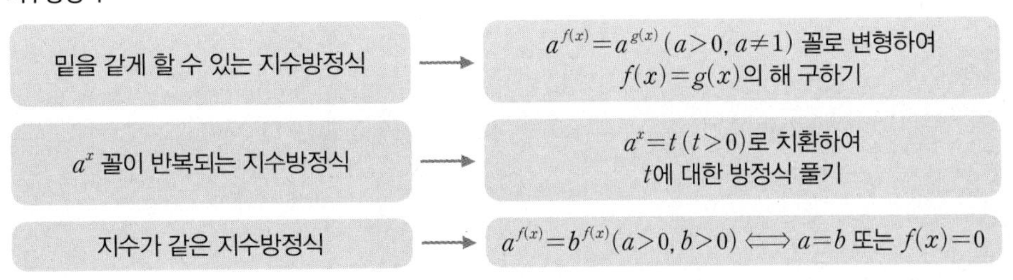

3 지수부등식

개념 **01** 지수부등식

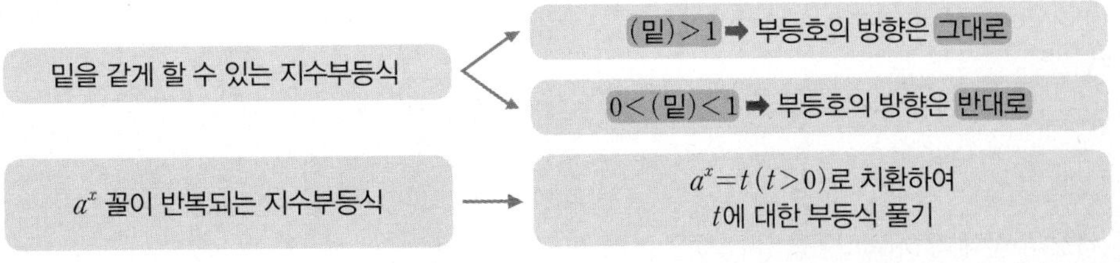

1 지수함수와 그 그래프

개념 01 지수함수

a가 1이 아닌 양수일 때, 실수 x에 대하여 a^x의 값은 하나로 정해지므로

$$y=a^x\ (a>0,\ a\neq1)$$

은 x에 대한 함수이다. 이 함수를 a를 밑으로 하는 **지수함수**라 한다.

→ 집합 X의 각 원소에 집합 Y의 원소가 오직 하나씩 대응할 때, 이 대응을 집합 X에서 집합 Y로의 **함수**라 한다.

설명 실수 x에 대하여 2^x의 값을 생각해 보자.

x	$\cdots$	-2	$-\frac{3}{2}$	-1	$-\frac{1}{2}$	0	$\frac{1}{2}$	1	$\frac{3}{2}$	2	$\cdots$
2^x	$\cdots$	$\frac{1}{4}$	$\frac{\sqrt{2}}{4}$	$\frac{1}{2}$	$\frac{\sqrt{2}}{2}$	1	$\sqrt{2}$	2	$2\sqrt{2}$	4	$\cdots$

위의 표에서 알 수 있듯이 모든 실수 x에 대하여 2^x의 값은 단 하나로 정해진다.
따라서 $y=2^x$으로 놓으면 모든 실수 x에 대하여 x의 값에 y의 값이 오직 하나씩 대응하므로 $y=2^x$은 실수 전체의 집합을 정의역으로 하는 함수이다.
또, 함수 $f(x)=2^x$에 대하여

$$f(0)=2^0=1,\ f(1)=2^1=2,\ f(2)=2^2=4,\ f(-1)=2^{-1}=\frac{1}{2},\ f(-2)=2^{-2}=\frac{1}{4}$$

과 같이 지수함수의 함숫값을 구할 수 있다.

한편, 함수 $y=a^x$에서 지수 x는 실수이고 지수의 확장에서 지수가 실수일 때 지수의 밑은 양수이어야 하므로 밑 a는 $a>0$인 경우만 생각한다.
또한, $a=1$이면 함수 $y=a^x$은 모든 실수 x에 대하여 $y=1$이므로 상수함수가 된다.
따라서 지수함수의 밑은 1이 아닌 양수인 경우만 생각한다.

해결의 법칙

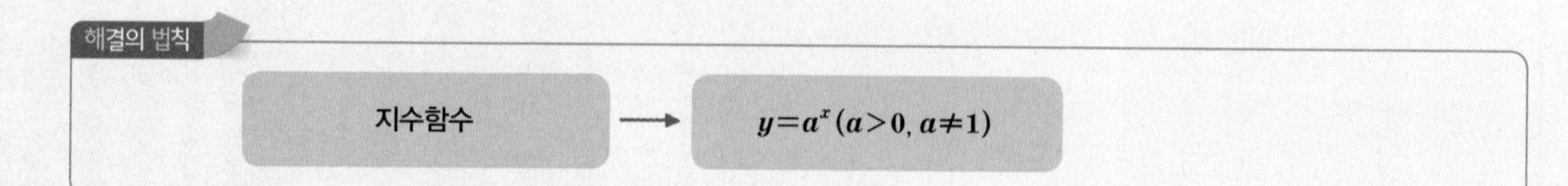

| 정답과 해설 20쪽 |

개념 확인 1 다음 **보기** 중에서 지수함수인 것만을 있는 대로 고르시오.

보기

ㄱ. $y=3^x$ ㄴ. $y=-x^2$ ㄷ. $y=\frac{1}{2^x}$

ㄹ. $y=0.2^x$ ㅁ. $y=-4x^3$

개념 확인 2 지수함수 $f(x)=5^x$에 대하여 다음을 구하시오.

(1) $f(0)$ (2) $f(3)$ (3) $f\left(\frac{1}{2}\right)$ (4) $f(-2)$

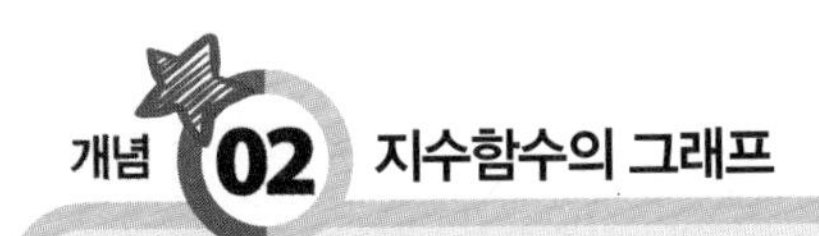

개념 02 지수함수의 그래프

대표 유형 01, 03

지수함수 $y=a^x\,(a>0,\ a\neq1)$의 그래프와 성질은 다음과 같다.

$a>1$

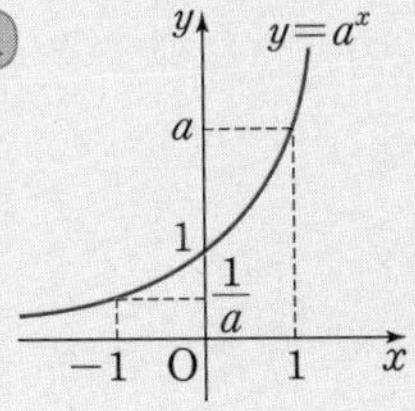

$0<a<1$

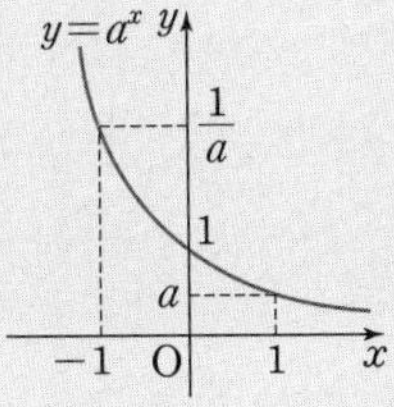

(1) 정의역은 실수 전체의 집합이고, 치역은 양의 실수 전체의 집합이다.
(2) 그래프는 점 $(0,\ 1)$을 지나고 x축(직선 $y=0$)을 점근선으로 갖는다.
(3) $a>1$일 때, x의 값이 증가하면 y의 값도 증가한다. ← $a>1$일 때, $x_1<x_2$이면 $a^{x_1}<a^{x_2}$
$0<a<1$일 때, x의 값이 증가하면 y의 값은 감소한다. ← $0<a<1$일 때, $x_1<x_2$이면 $a^{x_1}>a^{x_2}$
(4) 일대일함수이다. ← $x_1\neq x_2$이면 $a^{x_1}\neq a^{x_2}$

참고 곡선 위의 점이 어떤 직선에 한없이 가까워질 때, 이 직선을 그 곡선의 **점근선**이라 한다.

예 지수함수 $y=2^x$과 $y=\left(\frac{1}{2}\right)^x$의 그래프에서 다음을 알 수 있다.

함수	(1) $y=2^x$	(2) $y=\left(\frac{1}{2}\right)^x$
그래프	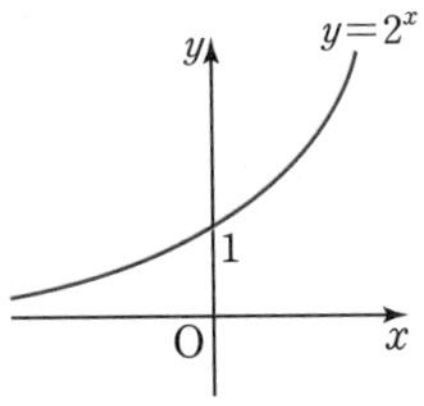	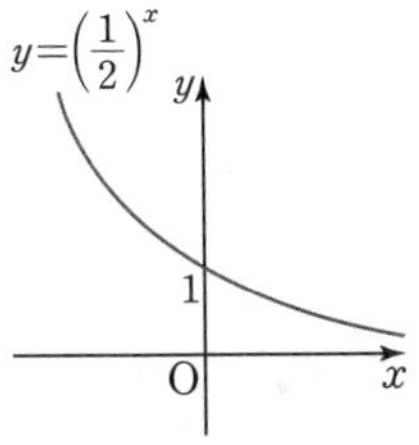
정의역	실수 전체의 집합	실수 전체의 집합
치역	양의 실수 전체의 집합	양의 실수 전체의 집합
그래프가 y축과 만나는 점	$(0,\ 1)$	$(0,\ 1)$
점근선	x축(직선 $y=0$)	x축(직선 $y=0$)
증가, 감소	x의 값이 증가하면 y의 값도 증가 ➡ $x_1<x_2$이면 $2^{x_1}<2^{x_2}$	x의 값이 증가하면 y의 값은 감소 ➡ $x_1<x_2$이면 $\left(\frac{1}{2}\right)^{x_1}>\left(\frac{1}{2}\right)^{x_2}$
일대일함수	$x_1\neq x_2$이면 $2^{x_1}\neq2^{x_2}$	$x_1\neq x_2$이면 $\left(\frac{1}{2}\right)^{x_1}\neq\left(\frac{1}{2}\right)^{x_2}$

지수함수에서 (밑)>1이면 증가, 0<(밑)<1이면 감소해.

한편, 두 지수함수 $y=2^x$과 $y=\left(\frac{1}{2}\right)^x$의 그래프는 y축에 대하여 서로 대칭이다.
($y=\left(\frac{1}{2}\right)^x$ → $y=2^{-x}$)

참고 $a>0,\ a\neq1$일 때, 두 지수함수 $y=a^x$과 $y=\left(\frac{1}{a}\right)^x$의 그래프는 y축에 대하여 서로 대칭이다.

| 정답과 해설 20쪽 |

개념 확인 3 다음 함수의 그래프를 그리고, 정의역, 치역, 점근선의 방정식을 구하시오.

(1) $y=3^x$

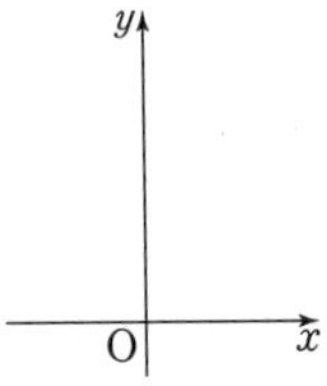

(2) $y=\left(\frac{1}{3}\right)^x$

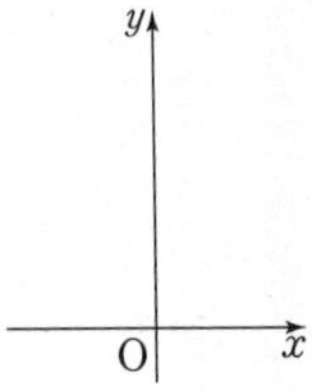

개념 03 지수함수의 그래프의 평행이동과 대칭이동

대표 유형 **01, 02**

지수함수 $y=a^x\,(a>0,\ a\neq1)$의 그래프를

(1) x축의 방향으로 m만큼, y축의 방향으로 n만큼 평행이동한 그래프의 식:
$y-n=a^{x-m} \Rightarrow y=a^{x-m}+n$
↳ x 대신 $x-m$, y 대신 $y-n$ 대입

(2) x축에 대하여 대칭이동한 그래프의 식: $-y=a^x \Rightarrow y=-a^x$
↳ y 대신 $-y$ 대입

(3) y축에 대하여 대칭이동한 그래프의 식: $y=a^{-x} \Rightarrow y=\left(\frac{1}{a}\right)^x$
↳ x 대신 $-x$ 대입

(4) 원점에 대하여 대칭이동한 그래프의 식: $y=-a^{-x} \Rightarrow y=-\left(\frac{1}{a}\right)^x$
↳ x 대신 $-x$, y 대신 $-y$ 대입

예 지수함수 $y=2^x$의 그래프를 이용하여 다음 함수의 그래프를 그려 보자.

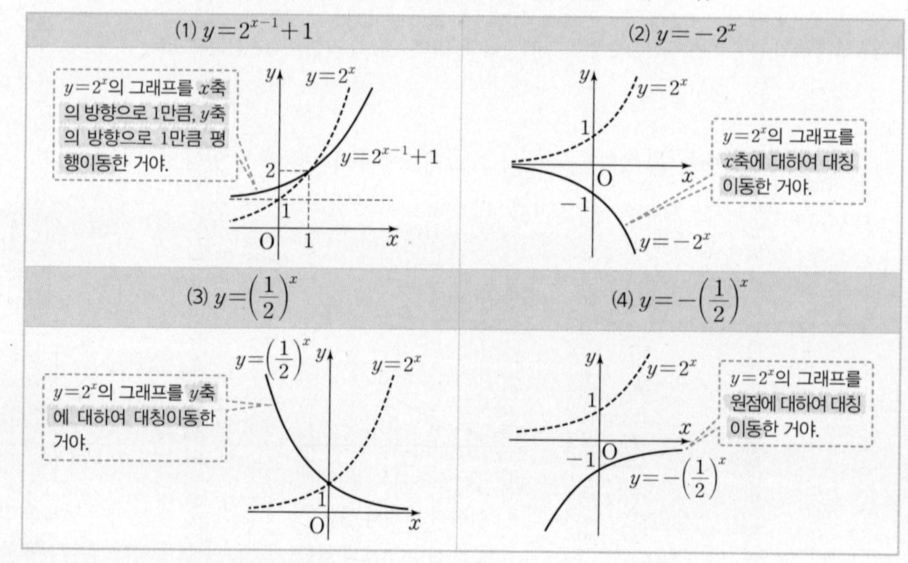

| 정답과 해설 20쪽 |

개념 확인 4 함수 $y=5^x$의 그래프에 대하여 다음을 구하시오.

(1) x축의 방향으로 -2만큼, y축의 방향으로 1만큼 평행이동한 그래프의 식
(2) x축에 대하여 대칭이동한 그래프의 식
(3) y축에 대하여 대칭이동한 그래프의 식
(4) 원점에 대하여 대칭이동한 그래프의 식

개념 확인 5 지수함수 $y=3^x$의 그래프를 이용하여 다음 함수의 그래프를 그리시오.

(1) $y=3^{x-1}-2$ (2) $y=-3^x$ (3) $y=3^{-x}$ (4) $y=-3^{-x}$

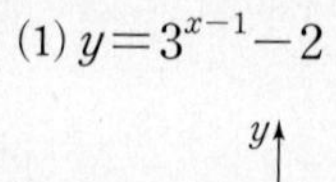
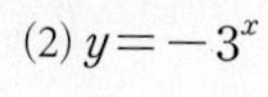
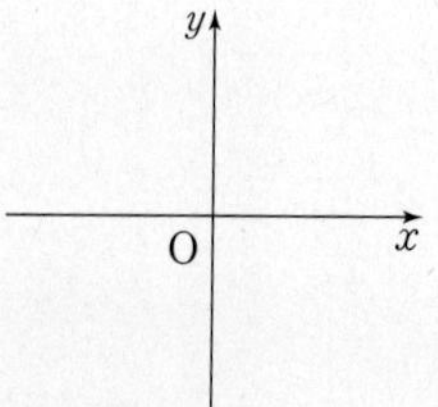
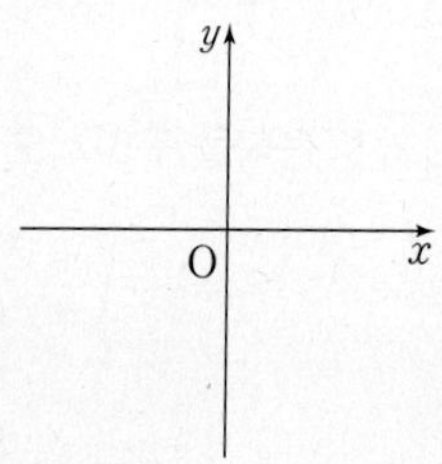
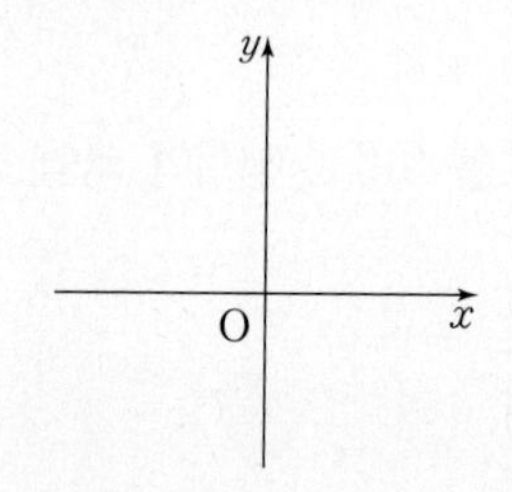
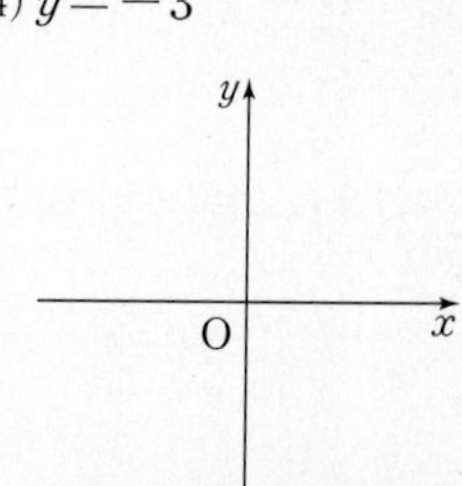

지수함수의 최대·최소

정의역이 $\{x|m\leq x\leq n\}$일 때, 지수함수 $f(x)=a^x\,(a>0,\ a\neq1)$의 최댓값과 최솟값은 다음과 같다.

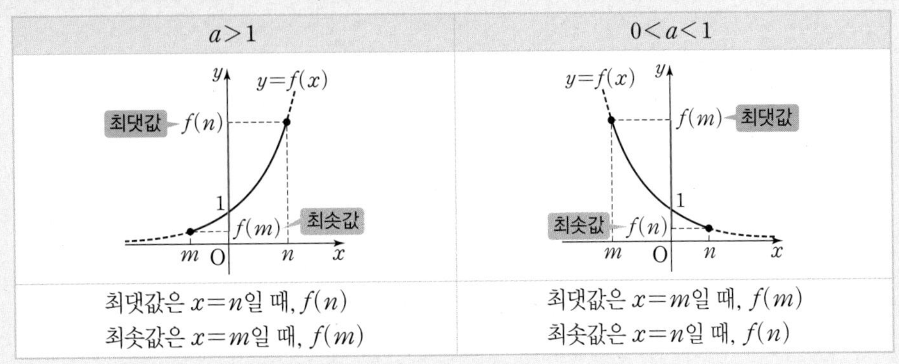

$a>1$	$0<a<1$
최댓값은 $x=n$일 때, $f(n)$ 최솟값은 $x=m$일 때, $f(m)$	최댓값은 $x=m$일 때, $f(m)$ 최솟값은 $x=n$일 때, $f(n)$

예　다음 지수함수의 최댓값과 최솟값을 구해 보자.

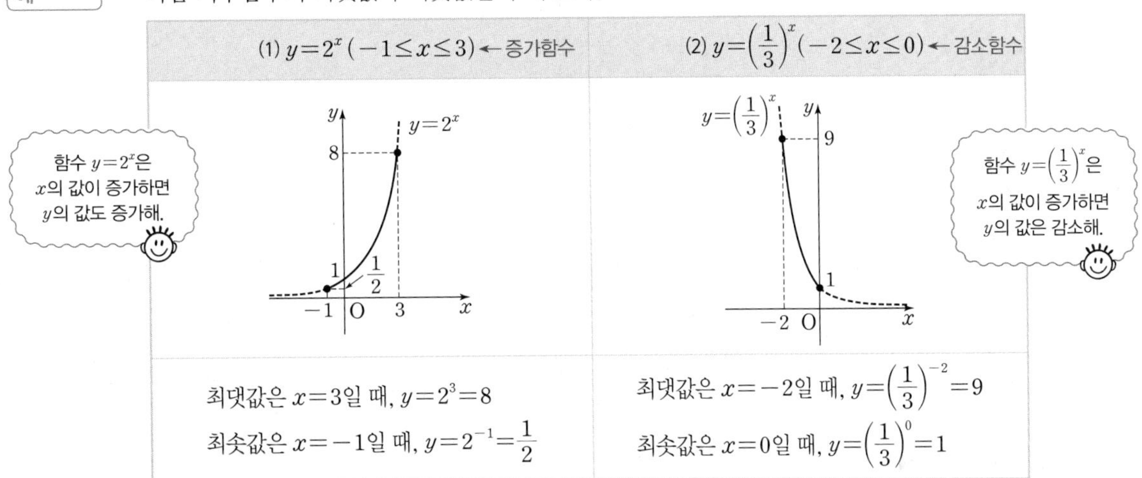

(1) $y=2^x\,(-1\leq x\leq3)$ ← 증가함수	(2) $y=\left(\frac{1}{3}\right)^x\,(-2\leq x\leq0)$ ← 감소함수
최댓값은 $x=3$일 때, $y=2^3=8$ 최솟값은 $x=-1$일 때, $y=2^{-1}=\frac{1}{2}$	최댓값은 $x=-2$일 때, $y=\left(\frac{1}{3}\right)^{-2}=9$ 최솟값은 $x=0$일 때, $y=\left(\frac{1}{3}\right)^0=1$

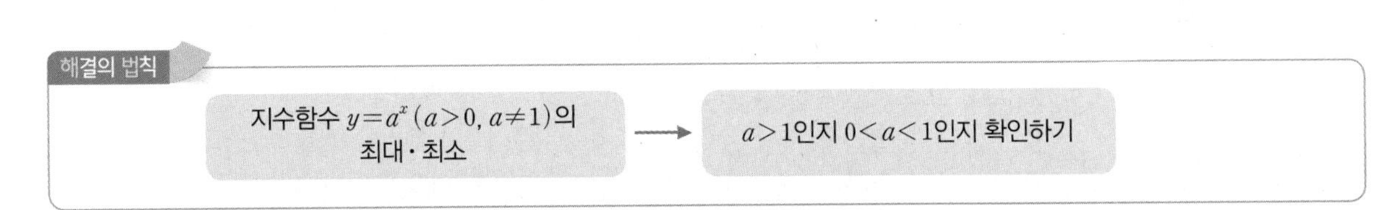

| 정답과 해설 20쪽 |

개념 확인 6　다음 함수의 최댓값과 최솟값을 구하시오.

(1) $y=3^x\,(-2\leq x\leq1)$

(2) $y=\left(\frac{1}{4}\right)^x\,(-1\leq x\leq2)$

STEP 1 개념 드릴

정답과 해설 20쪽

1 다음을 구하시오.

(1) 함수 $y=5^x$의 그래프를 x축의 방향으로 1만큼, y축의 방향으로 -2만큼 평행이동한 그래프의 식

(2) 함수 $y=2^x$의 그래프를 x축의 방향으로 -2만큼, y축의 방향으로 3만큼 평행이동한 그래프의 식

(3) 함수 $y=3^x$의 그래프를 x축에 대하여 대칭이동한 후 y축의 방향으로 2만큼 평행이동한 그래프의 식

(4) 함수 $y=4^x$의 그래프를 y축에 대하여 대칭이동한 후 x축의 방향으로 -1만큼, y축의 방향으로 -3만큼 평행이동한 그래프의 식

2 함수 $y=2^{x+1}+2$의 그래프를 그리고, 다음을 구하시오.

| 그래프 |

(1) 정의역

(2) 치역

(3) 점근선의 방정식

3 함수 $y=-\left(\frac{1}{5}\right)^x$의 그래프를 그리고, 다음을 구하시오.

| 그래프 |

(1) 정의역

(2) 치역

(3) 점근선의 방정식

4 다음 함수의 최댓값과 최솟값을 구하시오.

(1) $y=5^x$ $(0\le x\le 2)$

(2) $y=\left(\frac{1}{3}\right)^x$ $(-2\le x\le 1)$

(3) $y=2^{x+3}$ $(-2\le x\le 3)$

(4) $y=4^{-x}$ $(0\le x\le 3)$

대표 유형 01 지수함수의 그래프

개념 02, 03

함수 $y=3^{-x+3}+1$의 그래프를 그리고, 치역과 점근선의 방정식을 구하시오.

풀이 함수 $y=3^{-x+3}+1=3^{-(x-3)}+1$의 그래프는 함수 $y=3^x$의 그래프를 y축에 대하여 대칭이동한 후 x축의 방향으로 3만큼, y축의 방향으로 1만큼 평행이동한 것이다. ($\rightarrow y=3^{-x}$)
따라서 함수 $y=3^{-x+3}+1$의 그래프는 오른쪽 그림과 같고,
치역은 $\{y|y>1\}$
점근선의 방정식은 $y=1$

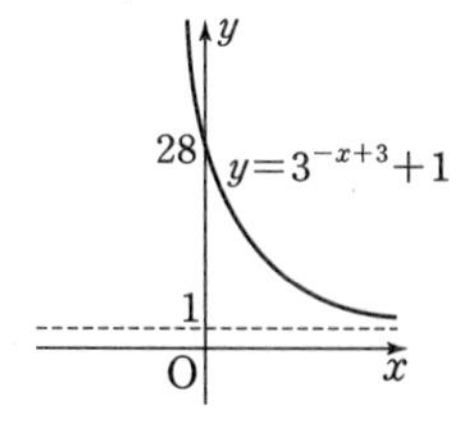

답 그래프: 풀이 참조, 치역: $\{y|y>1\}$, 점근선의 방정식: $y=1$

해결의 법칙

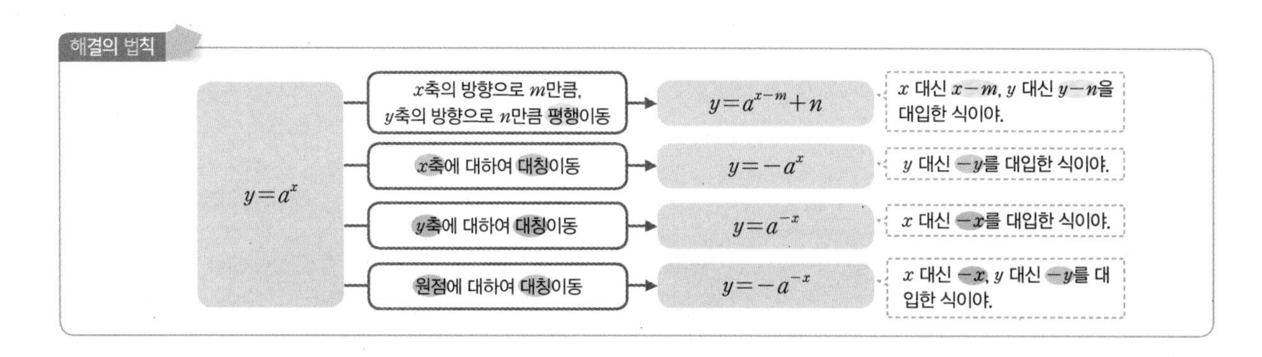

| 정답과 해설 21쪽 |

01-1 함수 $y=-3^{x-2}+2$의 그래프를 그리고, 치역과 점근선의 방정식을 구하시오.

01-2 다음 중 함수 $y=\frac{1}{2}\times2^x-1$에 대한 설명으로 옳지 <u>않은</u> 것은?

① 치역은 $\{y|y>-1\}$이다.
② 그래프는 제3사분면을 지나지 않는다.
③ x의 값이 증가하면 y의 값도 증가한다.
④ 함수 $y=2^x$의 그래프를 x축의 방향으로 1만큼, y축의 방향으로 -1만큼 평행이동한 것이다.
⑤ 그래프는 점 $(1, 0)$을 지나고, 점근선의 방정식은 $y=-1$이다.

대표 유형 02 지수함수의 그래프의 평행이동과 대칭이동

개념 03

함수 $y=3^x$의 그래프를 x축의 방향으로 2만큼, y축의 방향으로 -1만큼 평행이동한 후 x축에 대하여 대칭이동하였더니 함수 $y=a\times 3^x+b$의 그래프와 일치하였다. 이때, 상수 a, b의 값을 구하시오.

풀이

❶ 평행이동한 그래프의 식 구하기

함수 $y=3^x$의 그래프를 x축의 방향으로 2만큼, y축의 방향으로 -1만큼 평행이동한 그래프의 식은

$y=3^{x-2}-1$ $\quad\therefore y=\frac{1}{9}\times 3^x-1$ $\quad\cdots\cdots$ ㉠

❷ x축에 대하여 대칭이동한 그래프의 식 구하기

㉠의 그래프를 x축에 대하여 대칭이동한 그래프의 식은

$-y=\frac{1}{9}\times 3^x-1$ $\quad\therefore y=-\frac{1}{9}\times 3^x+1$

❸ a, b의 값 구하기

따라서 $y=-\frac{1}{9}\times 3^x+1$이 $y=a\times 3^x+b$와 일치하므로

$a=-\frac{1}{9}$, $b=1$

답 $a=-\frac{1}{9}$, $b=1$

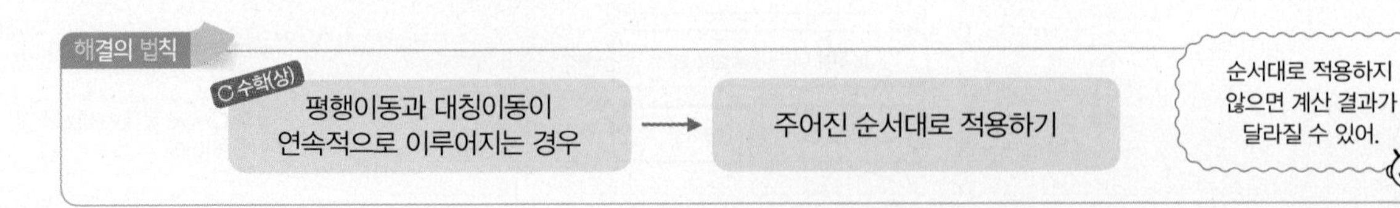

| 정답과 해설 22쪽 |

02-1 함수 $y=2^x$의 그래프를 x축의 방향으로 m만큼, y축의 방향으로 n만큼 평행이동하였더니 함수 $y=16\times 2^x+2$의 그래프와 일치하였다. 이때, 상수 m, n의 값을 구하시오.

02-2 함수 $y=5^x$의 그래프를 원점에 대하여 대칭이동한 후 x축의 방향으로 m만큼, y축의 방향으로 n만큼 평행이동하였더니 함수 $y=-25\times\left(\frac{1}{5}\right)^x+5$의 그래프와 일치하였다. 이때, 상수 m, n의 값을 구하시오.

02-3 오른쪽 그림은 함수 $y=2^x$의 그래프를 y축에 대하여 대칭이동한 후 x축의 방향으로 a만큼, y축의 방향으로 b만큼 평행이동한 그래프와 그 점근선을 나타낸 것이다. 이때, 상수 a, b에 대하여 ab의 값을 구하시오.

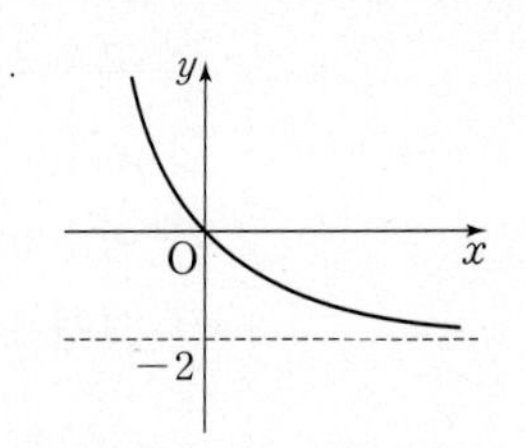

대표 유형 03 지수함수를 이용한 수의 대소 비교

개념 02

다음 세 수의 대소를 비교하시오.

(1) $\frac{1}{2}$, $4^{\frac{4}{3}}$, $\sqrt[3]{16}$

(2) 0.3^{-2}, $\sqrt[5]{0.09}$, $\sqrt[4]{0.3^3}$

풀이 (1)

❶ 세 수의 밑을 통일하여 거듭제곱 꼴로 나타내기

주어진 세 수를 밑이 2인 거듭제곱 꼴로 나타내면

$\frac{1}{2}=2^{-1}$, $4^{\frac{4}{3}}=(2^2)^{\frac{4}{3}}=2^{\frac{8}{3}}$, $\sqrt[3]{16}=(2^4)^{\frac{1}{3}}=2^{\frac{4}{3}}$

❷ (밑)>1인지 $0<$(밑)<1인지 알아보기

이때, 함수 $y=2^x$은 밑이 2이고 $2>1$이므로 x의 값이 증가하면 y의 값도 증가한다.

즉, 지수가 큰 수가 크다.

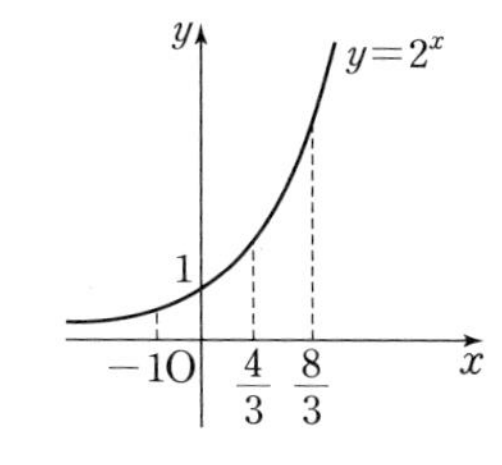

❸ 세 수의 대소 비교하기

따라서 지수의 크기를 비교하면 $-1<\frac{4}{3}<\frac{8}{3}$이므로

$2^{-1}<2^{\frac{4}{3}}<2^{\frac{8}{3}}$ $\quad\therefore \frac{1}{2}<\sqrt[3]{16}<4^{\frac{4}{3}}$

(2)

❶ 세 수의 밑을 통일하여 거듭제곱 꼴로 나타내기

주어진 세 수를 밑이 0.3인 거듭제곱 꼴로 나타내면

0.3^{-2}, $\sqrt[5]{0.09}=(0.3^2)^{\frac{1}{5}}=0.3^{\frac{2}{5}}$, $\sqrt[4]{0.3^3}=0.3^{\frac{3}{4}}$

❷ (밑)>1인지 $0<$(밑)<1인지 알아보기

이때, 함수 $y=0.3^x$은 밑이 0.3이고 $0<0.3<1$이므로 x의 값이 증가하면 y의 값은 감소한다.

즉, 지수가 작은 수가 크다.

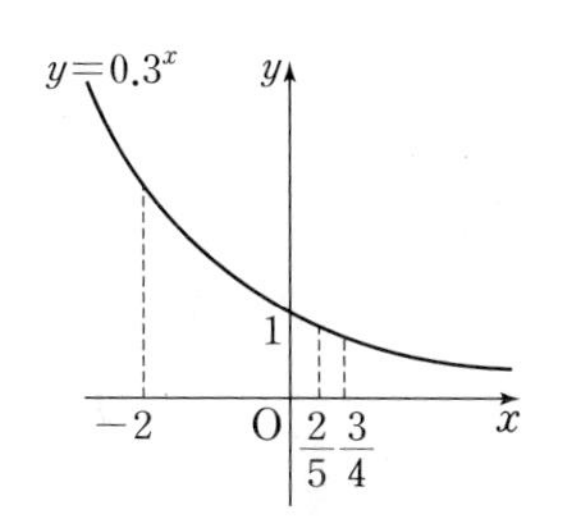

❸ 세 수의 대소 비교하기

따라서 지수의 크기를 비교하면 $-2<\frac{2}{5}<\frac{3}{4}$이므로

$0.3^{\frac{3}{4}}<0.3^{\frac{2}{5}}<0.3^{-2}$ $\quad\therefore \sqrt[4]{0.3^3}<\sqrt[5]{0.09}<0.3^{-2}$

답 (1) $\frac{1}{2}<\sqrt[3]{16}<4^{\frac{4}{3}}$ (2) $\sqrt[4]{0.3^3}<\sqrt[5]{0.09}<0.3^{-2}$

해결의 법칙

지수함수 $y=a^x\ (a>0,\ a\neq1)$에서

- $a>1$일 때, $x_1<x_2$이면 $a^{x_1}<a^{x_2}$ — x의 값이 증가하면 y의 값도 증가해.
- $0<a<1$일 때, $x_1<x_2$이면 $a^{x_1}>a^{x_2}$ — x의 값이 증가하면 y의 값은 감소해.

대소를 비교할 때는 밑을 통일 해야 해!

| 정답과 해설 22쪽 |

03-1 세 수 $3^{0.5}$, $\sqrt{27}$, $\sqrt[3]{9}$의 대소를 비교하시오.

03-2 세 수 $0.2^{\frac{1}{3}}$, $\sqrt[4]{0.2^7}$, $\sqrt{0.008}$의 대소를 비교하시오.

대표 유형 04 지수함수의 최대 · 최소

개념 04

다음 함수의 최댓값과 최솟값을 구하시오.

(1) $y=2^{-x+2}-3\ (-1\leq x\leq 2)$ (2) $y=3^{-x^2+2x+2}$

풀이 (1) ❶ 함수의 그래프 그리기

함수 $y=2^{-x+2}-3=2^2\times 2^{-x}-3=4\times\left(\frac{1}{2}\right)^x-3$에서 밑이 $\frac{1}{2}$이고, $0<\frac{1}{2}<1$이므로 x의 값이 증가하면 y의 값은 감소한다.

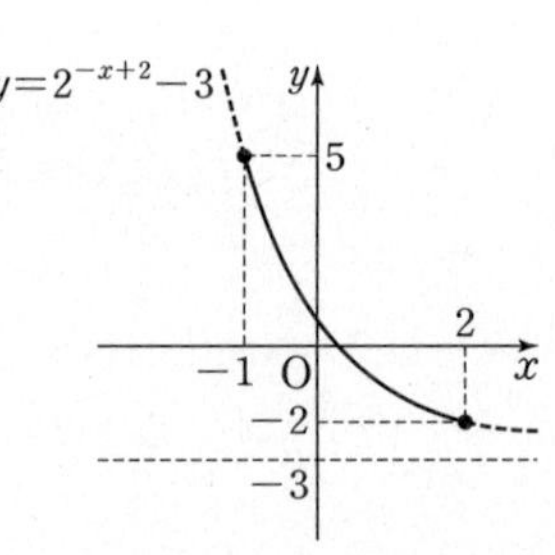

❷ 최댓값, 최솟값 구하기

따라서 함수 $y=2^{-x+2}-3$은 $-1\leq x\leq 2$에서
최댓값은 $x=-1$일 때, $y=2^{-(-1)+2}-3=8-3=5$
최솟값은 $x=2$일 때, $y=2^{-2+2}-3=1-3=-2$

(2) ❶ 지수 부분을 $f(x)$로 치환한 후 $f(x)$의 최댓값, 최솟값 구하기

$y=3^{-x^2+2x+2}$에서 $f(x)=-x^2+2x+2$로 놓으면
$f(x)=-(x-1)^2+3$ ← 이차함수는 완전제곱 꼴로 변형하여 살펴보면 돼.
이므로 $f(x)$의 최댓값은 $x=1$일 때 3, 최솟값은 없다.

❷ 주어진 함수를 $f(x)$로 나타내어 최댓값, 최솟값 구하기

이때, 함수 $y=3^{f(x)}$은 밑이 3이고 $3>1$이므로 $f(x)$가 최대일 때 최대가 되고, $f(x)$가 최소일 때 최소가 된다.
따라서 함수 $y=3^{f(x)}$의 최댓값은 $x=1$일 때 $3^3=27$, 최솟값은 없다.

답 (1) 최댓값: 5, 최솟값: -2 (2) 최댓값: 27, 최솟값: 없다.

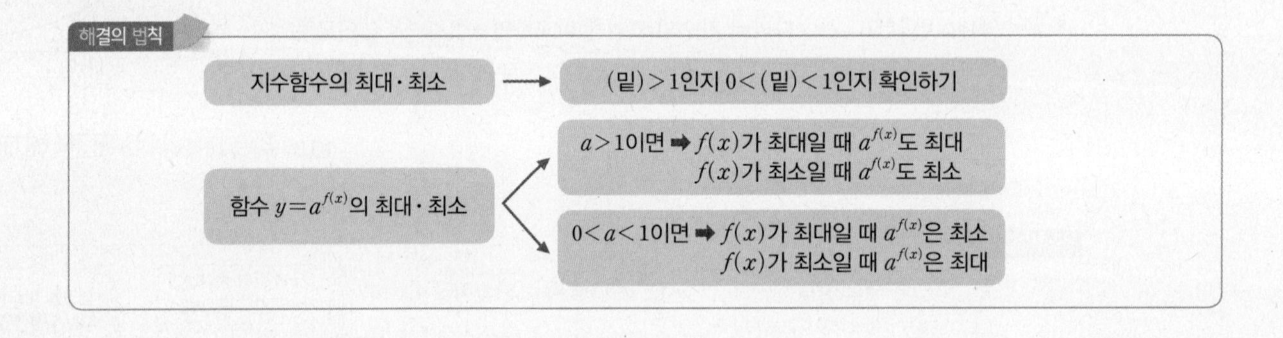

| 정답과 해설 22쪽 |

04-1 $-1\leq x\leq 5$에서 함수 $y=3^{2-x}+1$의 최댓값과 최솟값을 구하시오.

04-2 $0\leq x\leq 3$에서 함수 $y=2^{x^2-2x+2}$의 최댓값과 최솟값을 구하시오.

대표 유형 05 a^x 꼴이 반복되는 함수의 최대·최소

개념 04

$0\le x\le 2$에서 함수 $y=4^x-6\times 2^x+5$의 최댓값과 최솟값을 구하시오.

풀이

❶ 밑을 2로 통일하여 정리하기

$y=4^x-6\times 2^x+5$에서 $y=(2^x)^2-6\times 2^x+5$

❷ $2^x=t\ (t>0)$로 치환한 후 t의 값의 범위 구하기

$2^x=t\ (t>0)$로 놓으면 $0\le x\le 2$에서 $2^0\le 2^x\le 2^2$ (밑이 2이고 $2>1$이므로 지수가 클수록 크다.)

$\therefore\ 1\le t\le 4$

❸ 주어진 함수를 t로 나타내어 최댓값, 최솟값 구하기

이때, 주어진 함수는

$y=t^2-6t+5=(t-3)^2-4$

따라서 $1\le t\le 4$에서 함수 $y=(t-3)^2-4$의

최댓값은 $t=1$일 때, $y=(1-3)^2-4=0$

최솟값은 $t=3$일 때, $y=(3-3)^2-4=-4$

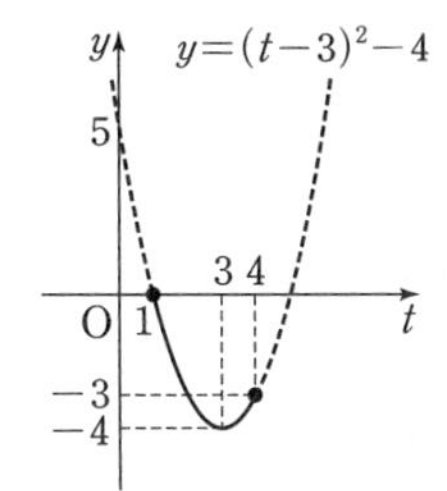

답 최댓값: 0, 최솟값: -4

주의 ❸에서 $2^x=t$로 치환했을 때 얻을 수 있는 이차함수는 지수함수와 달리 구간의 양 끝점뿐만 아니라 꼭짓점에서의 함숫값도 따져야 한다.

해결의 법칙

공통부분이 있는 함수의 최대·최소 → 공통부분을 t로 치환하기

치환한 문자의 범위를 반드시 구해야 해.

| 정답과 해설 23쪽 |

05-1 다음 함수의 최댓값과 최솟값을 구하시오.

(1) $y=9^x-2\times 3^{x+1}+12\ (-1\le x\le 2)$

(2) $y=\left(\frac{1}{4}\right)^x-\left(\frac{1}{2}\right)^{x-1}+3\ (-1\le x\le 2)$

05-2 함수 $y=4^x+k\times 2^{x+1}-1$의 최솟값이 -10일 때, 상수 k의 값을 구하시오.

2 지수방정식

개념 01 지수방정식

대표 유형 01 ~ 03

1 지수방정식

$2^x=8$, $3^{x+2}=9^{3x}$과 같이 지수에 미지수가 있는 방정식을 **지수방정식**이라 한다.

참고 $x^2=2$는 지수에 미지수를 포함하지 않으므로 지수방정식이 아니다.

2 지수방정식의 풀이

(1) **밑을 같게 할 수 있는 경우**

주어진 방정식을 $a^{f(x)}=a^{g(x)}$ 꼴로 변형한 후 다음을 이용한다.

$$a^{f(x)}=a^{g(x)}\ (a>0,\ a\neq 1) \Longleftrightarrow f(x)=g(x)$$

(2) **a^x 꼴이 반복되는 경우**

$a^x=t$로 치환하여 t에 대한 방정식을 푼다.

이때, $a^x>0$이므로 $t>0$임에 주의한다.

(3) **지수가 같은 경우**

밑이 같거나 지수가 0임을 이용한다.

$$a^{f(x)}=b^{f(x)}\ (a>0,\ b>0) \Longleftrightarrow a=b \text{ 또는 } f(x)=0$$

설명 2 지수함수의 그래프와 지수방정식의 해 사이의 관계를 알아보자.

지수함수 $y=a^x\ (a>0,\ a\neq 1)$은 치역이 양의 실수 전체의 집합인 일대일함수이므로 임의의 양수 k에 대하여 지수방정식 $a^x=k$는 단 하나의 해만 존재한다.

$a>1$

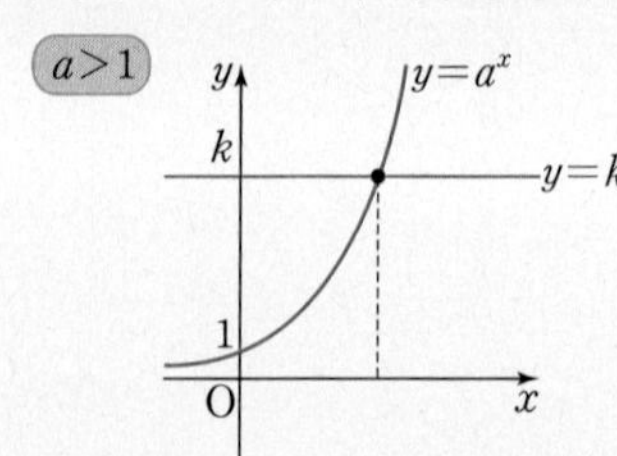

$0<a<1$

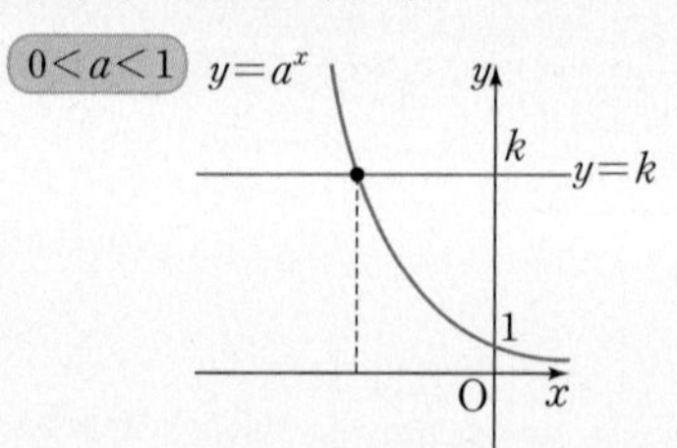

이때, 방정식 $a^x=k$의 해는 함수 $y=a^x$의 그래프와 직선 $y=k$의 교점의 x좌표와 같다.

예 다음 지수방정식을 풀어 보자.

(1) 밑을 같게 할 수 있는 경우	(2) a^x 꼴이 반복되는 경우	(3) 지수가 같은 경우
$2^{2x}=16$	$4^x-2^x=0$	$x^{x-4}=5^{x-4}\ (x>0)$
$16=2^4$이므로 $2^{2x}=2^4$에서 $2x=4$ $\therefore x=2$	$4^x=(2^2)^x=(2^x)^2$이므로 $(2^x)^2-2^x=0$ $2^x=t\ (t>0)$로 놓으면 $t^2-t=0$ t에 대한 이차방정식을 풀면 $t(t-1)=0$ $\therefore t=1\ (\because t>0)$ 즉, $2^x=1$이므로 $2^x=2^0$ $\therefore x=0$	(i) 밑이 같은 경우 $x=5$ ← $x=5$이면 $5^1=5^1$이므로 성립! (ii) 지수가 0인 경우 $x-4=0$ $\therefore x=4$ ← $x=4$이면 $4^0=5^0=1$이므로 성립! (i), (ii)에서 $x=4$ 또는 $x=5$

참고 $1^2=1^3$과 같이 지수가 서로 달라도 밑이 1이면 등식이 성립한다.

따라서 $a^{f(x)}=a^{g(x)}\ (a>0)$ 꼴의 방정식의 해는

$f(x)=g(x)$ 또는 $a=1$

STEP 1 개념 드릴

1 다음 방정식을 푸시오.

(1) $3^x=81$

(2) $0.3^x=0.027$

(3) $9^x=\frac{1}{27}$

(4) $\left(\frac{1}{2}\right)^{-x+1}=2$

(5) $9^{-x-1}=27$

(6) $5^{3x+1}=25^x$

(7) $\left(\frac{1}{7}\right)^{-2x}=7^{x+2}$

2 다음 방정식을 푸시오.

(1) $2^{2x}-8\times2^x=0$

(2) $3^{2x}-3^x=0$

(3) $4^x-3\times2^x+2=0$

(4) $9^x-12\times3^x+27=0$

3 다음 방정식을 푸시오.

(1) $3^{2x-4}=5^{2x-4}$

(2) $\left(\frac{1}{2}\right)^{-x+3}=\left(\frac{1}{5}\right)^{-x+3}$

(3) $2^{5-x}=x^{5-x}$ (단, $x>0$)

(4) $5^{3x-4}=x^{3x-4}$ (단, $x>0$)

대표 유형 01 지수방정식 – 밑을 같게 할 수 있는 경우

개념 01

다음 방정식을 푸시오.

(1) $2^{x^2+6}=32^x$

(2) $\left(\frac{2}{3}\right)^{x^2}=\left(\frac{3}{2}\right)^{-2x-3}$

풀이 (1) ❶ 밑 같게 하기

$2^{x^2+6}=32^x$에서

$2^{x^2+6}=(2^5)^x \quad \therefore 2^{x^2+6}=2^{5x}$

밑을 같게 만든 후 지수를 비교하면 돼.

❷ 해 구하기

따라서 $x^2+6=5x$이므로

$x^2-5x+6=0$, $(x-2)(x-3)=0$

$\therefore x=2$ 또는 $x=3$

(2) ❶ 밑 같게 하기

$\left(\frac{2}{3}\right)^{x^2}=\left(\frac{3}{2}\right)^{-2x-3}$에서

$\left(\frac{2}{3}\right)^{x^2}=\left\{\left(\frac{2}{3}\right)^{-1}\right\}^{-2x-3} \quad \therefore \left(\frac{2}{3}\right)^{x^2}=\left(\frac{2}{3}\right)^{2x+3}$

❷ 해 구하기

따라서 $x^2=2x+3$이므로

$x^2-2x-3=0$, $(x+1)(x-3)=0$

$\therefore x=-1$ 또는 $x=3$

답 (1) $x=2$ 또는 $x=3$ (2) $x=-1$ 또는 $x=3$

해결의 법칙

밑을 같게 할 수 있는 지수방정식 → $a^{f(x)}=a^{g(x)}$ $(a>0, a\neq 1)$ 꼴로 변형하여 $f(x)=g(x)$의 해 구하기

| 정답과 해설 24쪽 |

01-1 다음 방정식을 푸시오.

(1) $4^x=\left(\frac{1}{2}\right)^{x^2-3}$

(2) $\left(\frac{4}{5}\right)^{2x^2}=\left(\frac{5}{4}\right)^{-3x+1}$

01-2 방정식 $3^{x^2+4x}=9^{x^2-2}$의 두 근을 α, β라 할 때, $\alpha+\beta$의 값을 구하시오.

대표 유형 02 지수방정식 – a^x 꼴이 반복되는 경우

개념 01

다음 방정식을 푸시오.

(1) $4^x-3\times2^{x+1}-16=0$

(2) $3^x+3^{2-x}-10=0$

풀이 (1) ❶ $2^x=t\ (t>0)$로 치환한 후 t에 대한 방정식 풀기

$4^x-3\times2^{x+1}-16=0$에서 $(2^x)^2-6\times2^x-16=0$

$2^x=t\ (t>0)$로 놓으면

$t^2-6t-16=0,\ (t+2)(t-8)=0$

$\therefore t=8\ (\because t>0)$

❷ 해 구하기

$t=8$일 때, $2^x=8=2^3$에서 $x=3$

(2) ❶ $3^x=t\ (t>0)$로 치환한 후 t에 대한 방정식 풀기

$3^x+3^{2-x}-10=0$에서 $3^x+9\times3^{-x}-10=0$

즉, $3^x+\dfrac{9}{3^x}-10=0$

$3^x=t\ (t>0)$로 놓으면 $t+\dfrac{9}{t}-10=0$

양변에 t를 곱하여 정리하면

$t^2-10t+9=0,\ (t-1)(t-9)=0$

$\therefore t=1$ 또는 $t=9$

❷ 해 구하기

$t=1$일 때, $3^x=1=3^0$에서 $x=0$

$t=9$일 때, $3^x=9=3^2$에서 $x=2$

$\therefore x=0$ 또는 $x=2$

답 (1) $x=3$ (2) $x=0$ 또는 $x=2$

해결의 법칙

a^x 꼴이 반복되는 지수방정식 → $a^x=t\ (t>0)$로 치환하여 t에 대한 방정식 풀기

$a^x=t$로 치환할 때는 $t>0$이라는 것에 주의해!

| 정답과 해설 24쪽 |

02-1 다음 방정식을 푸시오.

(1) $3^{2x-1}-2\times3^x-9=0$

(2) $2^x+2^{1-x}=3$

02-2 방정식 $9^x-7\times3^x+9=0$의 두 근을 α, β라 할 때, $\alpha+\beta$의 값을 구하시오.

대표 유형 03 지수방정식 – 밑에 미지수가 있는 경우

개념 01

다음 방정식을 푸시오.

(1) $(x-1)^{x-2}=2^{x-2}$ (단, $x>1$)　　(2) $x^{2x-1}=x^{x+5}$ (단, $x>0$)

풀이 (1)

❶ 밑이 같을 때 x의 값 구하기

지수가 같으므로 주어진 방정식이 성립하려면 밑이 같거나 밑이 달라도 지수가 0이면 등식이 성립한다.

(i) 밑이 같은 경우

$x-1=2$　　$\therefore x=3$

❷ 지수가 0일 때 x의 값 구하기

(ii) 지수가 0인 경우

$x-2=0$　　$\therefore x=2$

❸ 해 구하기

(i), (ii)에서 $x=2$ 또는 $x=3$

(2)

❶ 지수가 같을 때 x의 값 구하기

밑이 같으므로 주어진 방정식이 성립하려면 지수가 같거나 지수가 달라도 밑이 1이면 등식이 성립한다.

(i) 지수가 같은 경우

$2x-1=x+5$　　$\therefore x=6$

❷ 밑이 1일 때 x의 값 구하기

(ii) 밑이 1인 경우

$x=1$

❸ 해 구하기

(i), (ii)에서 $x=1$ 또는 $x=6$

답 (1) $x=2$ 또는 $x=3$　(2) $x=1$ 또는 $x=6$

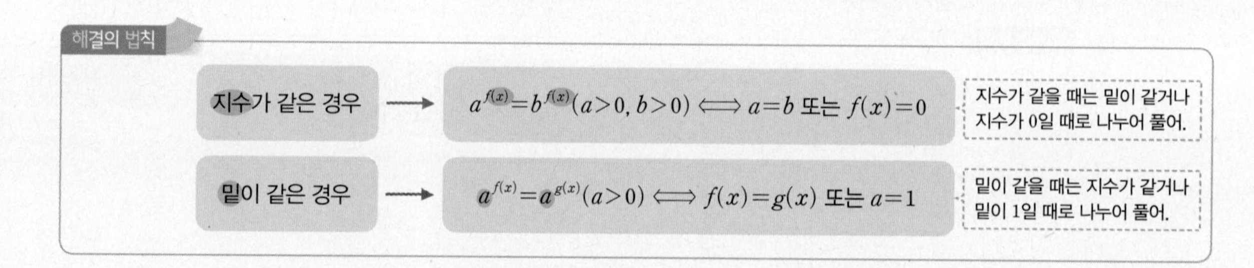

| 정답과 해설 25쪽 |

03-1

다음 방정식을 푸시오.

(1) $(x+1)^{x-4}=2^{x-4}$ (단, $x>-1$)　　(2) $(x+3)^{5x-2}=(x+3)^{2x+1}$ (단, $x>-3$)

3 지수부등식

개념 01 지수부등식

대표 유형 01~04

1 지수부등식

$2^x>4$, $3^{x+1}\le 9^x$과 같이 지수에 미지수가 있는 부등식을 **지수부등식**이라 한다.

2 지수부등식의 풀이

(1) **밑을 같게 할 수 있는 경우**

주어진 부등식을 $a^{f(x)}<a^{g(x)}$ 꼴로 변형한 후 다음을 이용한다.

① $a>1$일 때, $a^{f(x)}<a^{g(x)} \Longleftrightarrow f(x)<g(x)$ ← 부등호의 방향은 그대로

② $0<a<1$일 때, $a^{f(x)}<a^{g(x)} \Longleftrightarrow f(x)>g(x)$ ← 부등호의 방향은 반대로

(2) **a^x 꼴이 반복되는 경우**

$a^x=t$로 치환하여 t에 대한 부등식을 푼다. 이때, $a^x>0$이므로 $t>0$임에 주의한다.

설명

2 (1) 지수함수 $y=a^x\ (a>0,\ a\ne1)$에서 $a>1$이면 x의 값이 증가할 때 y의 값도 증가하고, $0<a<1$이면 x의 값이 증가할 때 y의 값은 감소한다.

따라서 부등식에서 밑을 같게 한 후 지수를 비교할 때에는 다음과 같이 부등호의 방향에 주의해야 한다.

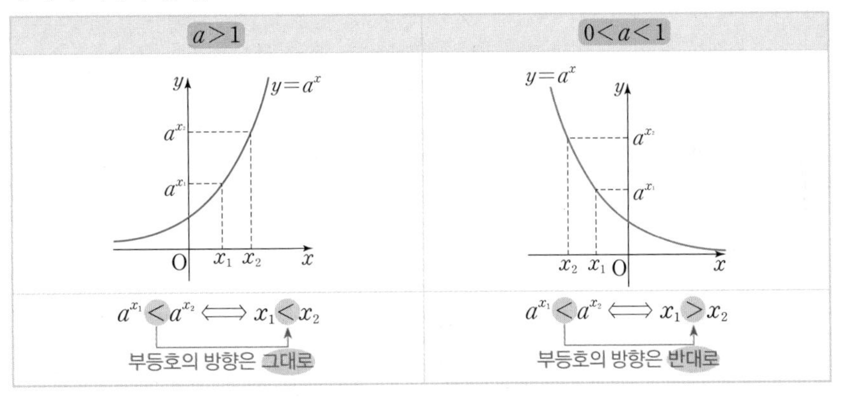

예

(1) 부등식 $\left(\frac{1}{3}\right)^x<\frac{1}{9}$에서 $\left(\frac{1}{3}\right)^x<\left(\frac{1}{3}\right)^2$ ← 0<(밑)<1인 경우

밑이 $\frac{1}{3}$이고 $0<\frac{1}{3}<1$이므로 $x>2$ → 부등호의 방향은 반대로

(2) $(2^x)^2-2^x>0$에서 $2^x=t\ (t>0)$로 놓으면

$t^2-t>0,\ t(t-1)>0 \qquad \therefore t>1\ (\because t>0)$

따라서 $2^x>1$이므로 $2^x>2^0$ ← (밑)>1인 경우

밑이 2이고 $2>1$이므로 $x>0$ → 부등호의 방향은 그대로

해결의 법칙

밑을 같게 할 수 있는 지수부등식
- (밑)>1 ➡ 부등호의 방향은 그대로
- 0<(밑)<1 ➡ 부등호의 방향은 반대로

STEP 1 개념 드릴

정답과 해설 25쪽

1 다음 부등식을 푸시오.

(1) $4^{2x-1}<8$

(2) $3^{x-2}\geq 9$

(3) $2^{2x-1}<16$

(4) $5^x>\left(\frac{1}{5}\right)^{2x-3}$

(5) $\left(\frac{1}{2}\right)^x\leq\frac{1}{32}$

(6) $\left(\frac{1}{5}\right)^{2x+1}>\frac{1}{125}$

2 다음 부등식을 푸시오.

(1) $2^{2x}-16\times2^x<0$

(2) $9^x-9\times3^x>0$

(3) $\left(\frac{1}{2}\right)^{2x}-6\times\left(\frac{1}{2}\right)^x+8<0$

(4) $5^{2x}-2\times5^x-15\geq0$

(5) $4^x-3\times2^x-4<0$

(6) $\left(\frac{1}{9}\right)^x-12\times\left(\frac{1}{3}\right)^x+27\leq0$

대표 유형 01 지수부등식 – 밑을 같게 할 수 있는 경우

개념 01

다음 부등식을 푸시오.

(1) $4^x > 2^{x-3}$

(2) $\left(\frac{1}{3}\right)^{3x-1} \leq \left(\frac{1}{9}\right)^{x-1}$

풀이 (1) ❶ 밑 같게 하기

$4^x > 2^{x-3}$에서

$2^{2x} > 2^{x-3}$

❷ 해 구하기

밑이 2이고 $2>1$이므로

$2x > x-3 \qquad \therefore x > -3$

(2) ❶ 밑 같게 하기

$\left(\frac{1}{3}\right)^{3x-1} \leq \left(\frac{1}{9}\right)^{x-1}$에서

$\left(\frac{1}{3}\right)^{3x-1} \leq \left\{\left(\frac{1}{3}\right)^2\right\}^{x-1}$, $\left(\frac{1}{3}\right)^{3x-1} \leq \left(\frac{1}{3}\right)^{2x-2}$

❷ 해 구하기

밑이 $\frac{1}{3}$이고 $0<\frac{1}{3}<1$이므로

$3x-1 \geq 2x-2 \qquad \therefore x \geq -1$

답 (1) $x>-3$ (2) $x \geq -1$

해결의 법칙

밑을 같게 할 수 있는 지수부등식

(밑)>1 ➡ 부등호의 방향은 그대로

$0<$(밑)<1 ➡ 부등호의 방향은 반대로

| 정답과 해설 26쪽 |

01-1 다음 부등식을 푸시오.

(1) $27^{x+2} \geq 3^{2x}$

(2) $\left(\frac{2}{3}\right)^{x^2} \geq \left(\frac{3}{2}\right)^{2x-3}$

01-2 부등식 $2^{x^2-2x+2} \geq 4^{x^2-x}$의 해가 $\alpha \leq x \leq \beta$일 때, $\alpha^2+\beta^2$의 값을 구하시오.

대표 유형 02 지수부등식 – a^x 꼴이 반복되는 경우

개념 01

다음 부등식을 푸시오.

(1) $4^x-7\times2^x-8>0$

(2) $\left(\frac{1}{9}\right)^x-3\times\left(\frac{1}{3}\right)^x-54\leq0$

풀이 (1)

❶ $2^x=t\ (t>0)$로 치환한 후 t에 대한 부등식 풀기

$4^x-7\times2^x-8>0$에서 $(2^x)^2-7\times2^x-8>0$

$2^x=t\ (t>0)$로 놓으면

$t^2-7t-8>0$, $(t+1)(t-8)>0$

$\therefore t<-1$ 또는 $t>8$

그런데 $t>0$이므로 $t>8$

❷ 해 구하기

따라서 $2^x>8$이므로 $2^x>2^3$

밑이 2이고 $2>1$이므로 $x>3$

(2)

❶ $\left(\frac{1}{3}\right)^x=t\ (t>0)$로 치환한 후 t에 대한 부등식 풀기

$\left(\frac{1}{9}\right)^x-3\times\left(\frac{1}{3}\right)^x-54\leq0$에서 $\left\{\left(\frac{1}{3}\right)^x\right\}^2-3\times\left(\frac{1}{3}\right)^x-54\leq0$

$\left(\frac{1}{3}\right)^x=t\ (t>0)$로 놓으면

$t^2-3t-54\leq0$, $(t+6)(t-9)\leq0$

$\therefore -6\leq t\leq9$

그런데 $t>0$이므로 $0<t\leq9$

❷ 해 구하기

따라서 $0<\left(\frac{1}{3}\right)^x\leq9$이므로 $\left(\frac{1}{3}\right)^x\leq\left(\frac{1}{3}\right)^{-2}$

밑이 $\frac{1}{3}$이고 $0<\frac{1}{3}<1$이므로 $x\geq-2$

답 (1) $x>3$ (2) $x\geq-2$

해결의 법칙

a^x 꼴이 반복되는 지수부등식 → $a^x=t\ (t>0)$로 치환하여 t에 대한 부등식 풀기

$a^x=t$로 치환할 때는 $t>0$이라는 것에 주의해!

| 정답과 해설 26쪽 |

02-1 다음 부등식을 푸시오.

(1) $9^x+2\times3^{x+1}-27\geq0$

(2) $\left(\frac{1}{25}\right)^x-2\times\left(\frac{1}{5}\right)^x-15\leq0$

대표 유형 03 지수부등식 – 밑에 미지수가 있는 경우

개념 01

다음 부등식을 푸시오. (단, $x>0$)

(1) $x^{3x+1}<x^{x+5}$

(2) $x^{2x}<x^{5x-9}$

풀이 (1) ❶ $0<x<1$인 경우, $x=1$인 경우, $x>1$인 경우로 나누어 부등식 풀기

(i) $0<x<1$일 때

$3x+1>x+5$, $2x>4$ $\quad\therefore x>2$

그런데 $0<x<1$이므로 해가 없다.

(ii) $x=1$일 때

(좌변)$=1$, (우변)$=1$이므로 (좌변)$=$(우변)

따라서 주어진 부등식이 성립하지 않는다.

(iii) $x>1$일 때

$3x+1<x+5$, $2x<4$ $\quad\therefore x<2$

그런데 $x>1$이므로 $1<x<2$

❷ 주어진 부등식의 해 구하기

(i), (ii), (iii)에서 주어진 부등식의 해는 $1<x<2$

(2) ❶ $0<x<1$인 경우, $x=1$인 경우, $x>1$인 경우로 나누어 부등식 풀기

(i) $0<x<1$일 때

$2x>5x-9$, $3x<9$ $\quad\therefore x<3$

그런데 $0<x<1$이므로 $0<x<1$

(ii) $x=1$일 때

(좌변)$=1$, (우변)$=1$이므로 (좌변)$=$(우변)

따라서 주어진 부등식이 성립하지 않는다.

(iii) $x>1$일 때

$2x<5x-9$, $3x>9$ $\quad\therefore x>3$

그런데 $x>1$이므로 $x>3$

❷ 주어진 부등식의 해 구하기

(i), (ii), (iii)에서 주어진 부등식의 해는 $0<x<1$ 또는 $x>3$

주어진 지수부등식의 밑이 x이므로 $0<x<1$, $x=1$, $x>1$의 세 가지 경우로 나누어 풀어야 해.

답 (1) $1<x<2$ (2) $0<x<1$ 또는 $x>3$

해결의 법칙

밑에 미지수가 있는 지수부등식 → 세 가지 경우로 나누어 풀기
➡ $0<$(밑)<1, (밑)$=1$, (밑)>1

| 정답과 해설 26쪽 |

03-1 다음 부등식을 푸시오. (단, $x>0$)

(1) $x^{2x+1}<x^{x+3}$

(2) $x^{x^2}<x^{5x-6}$

대표 유형 04 지수방정식과 지수부등식의 실생활에의 활용

개념 01

상추에 뿌리는 어떤 살충제는 시간이 지나면 인체에 해가 없는 물질로 분해되는데, 처음에 뿌린 살충제의 양 M_0과 뿌린 후 x일이 지난 후 남아 있는 살충제의 양 $M(x)$ 사이에는 다음과 같은 관계식이 성립한다고 한다.

$$M(x)=M_0\times 3^{-kx} \text{ (단, } k\text{는 상수)}$$

텃밭에서 키우는 상추에 처음 900 g의 살충제를 뿌렸더니 10일이 지난 후 100 g의 살충제가 남아 있다고 할 때, k의 값을 구하시오.

풀이

❶ 주어진 관계식에 맞게 값 대입하기

상추에 처음 뿌린 살충제의 양이 900 g, 10일이 지난 후의 살충제의 양이 100 g이므로
$M(x)=M_0\times 3^{-kx}$에 $M_0=900$, $x=10$, $M(10)=100$을 대입하면
$100=900\times 3^{-10k}$

❷ k의 값 구하기

$\frac{1}{9}=3^{-10k}$, $3^{-2}=3^{-10k}$
$-2=-10k$
$\therefore k=\frac{1}{5}$

답 $\frac{1}{5}$

| 정답과 해설 27쪽 |

04-1 방사성 탄소 동위원소 ^{14}C는 자연 상태에서 5700년마다 그 양이 반으로 줄어든다고 한다. 처음의 양이 a g이라 할 때, t년 후에 남아 있는 ^{14}C의 양을 $f(t)$ g이라 하면

$$f(t)=a\times\left(\frac{1}{2}\right)^{\frac{t}{5700}}$$

이 성립한다고 한다. 오래된 도자기 유물을 발견하여 조사하였더니 이 도자기에 ^{14}C가 $\frac{5}{16}$ g 남아 있었다. 처음 이 도자기에 10 g의 ^{14}C의 양이 들어 있었다면 이 도자기는 몇 년 전에 만들어진 것이라고 추측할 수 있는지 구하시오.

04-2 초기 영양소가 k_0인 어떤 채소를 가열하면 일정한 비율로 영양소가 파괴되어 x시간 후에는 영양소가 $k=k_0a^{-x}$이라 한다. 10시간 후의 영양소가 초기 영양소의 $\frac{1}{3}$이 되었다고 할 때, 이 채소의 영양소가 초기 영양소의 1 %가 되는 것은 α시간 후이다. 이때, α의 값의 범위를 구하시오. (단, $a>1$)

정답과 해설 27쪽

유형 확인

1-1 함수 $y=2^{x+a}-b$의 그래프가 점 (0, 4)를 지나고, 그래프의 점근선이 직선 $y=-4$일 때, 상수 a, b에 대하여 $a-b$의 값을 구하시오.

2-1 함수 $y=3^x$의 그래프를 y축에 대하여 대칭이동한 후 x축의 방향으로 m만큼, y축의 방향으로 n만큼 평행이동하면 함수 $y=9\times\left(\frac{1}{3}\right)^x$의 그래프와 겹쳐진다. 이때, 상수 m, n에 대하여 $m+n$의 값을 구하시오.

3-1 다음 세 수의 대소를 비교하시오.

$$A=\sqrt[3]{4},\ B=\sqrt[4]{8},\ C=\sqrt[5]{16}$$

4-1 $-2\le x\le a$에서 함수 $y=\left(\frac{1}{3}\right)^{x-1}+b$의 최댓값이 30, 최솟값이 6일 때, 상수 a, b에 대하여 $a+b$의 값을 구하시오.

한번 더 확인

1-2 함수 $y=3^{x-a}+b$의 그래프가 오른쪽 그림과 같을 때, 상수 a, b에 대하여 $a+b$의 값을 구하시오.
(단, 점선은 점근선이다.)

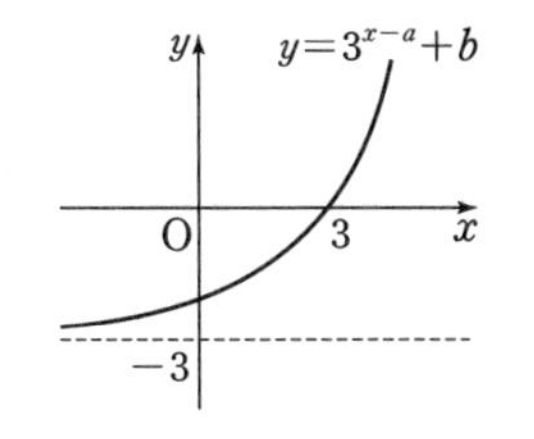

2-2 함수 $y=a^x$ ($a>0$, $a\neq1$)의 그래프를 x축에 대하여 대칭이동한 후 x축의 방향으로 1만큼, y축의 방향으로 b만큼 평행이동한 그래프는 점 (2, 1)을 지나고 점근선의 방정식이 $y=3$이다. 이때, 상수 a, b의 값을 구하시오.

3-2 $0<a<1$일 때, 세 수 3, 3^a, 3^{a^a}의 대소를 비교하시오.

4-2 함수 $y=\left(\frac{1}{2}\right)^{x^2-2x+3}$이 $x=a$에서 최댓값 b를 가질 때, 상수 a, b에 대하여 ab의 값을 구하시오.

유형 확인

5-1 $-3\le x\le 0$에서 함수
$y=\left(\frac{1}{4}\right)^{x}-2^{-x+3}+9$의 최댓값을 M, 최솟값을 m이라 할 때, $M+m$의 값을 구하시오.

한번 더 확인

5-2 함수 $y=9^{x}-2\times 3^{x+1}+a$가 $x=b$에서 최솟값 2를 가질 때, 상수 a, b에 대하여 $a-b$의 값을 구하시오.

6-1 방정식 $2^{x^2-5}=8\times 2^{x}$의 모든 근의 합을 구하시오.

6-2 방정식 $\left(\frac{1}{3}\right)^{x^2+1}=\frac{1}{27}\times 3^{-x}$의 모든 근의 곱을 구하시오.

7-1 방정식 $9^{x}+3^{x}-12=0$의 근을 α라 할 때, $3^{2\alpha+1}$의 값을 구하시오.

7-2 방정식 $4^{x}-3\times 2^{x+1}+8=0$의 두 근을 α, β라 할 때, $\alpha\beta$의 값을 구하시오.

8-1 방정식 $25^{x}-6\times 5^{x}+k=0$의 두 근의 합이 1일 때, 실수 k의 값을 구하시오.

8-2 방정식 $4^{x}-k\times 2^{x}+16=0$의 두 근을 α, β라 할 때, $\alpha+\beta$의 값을 구하시오.

유형 확인

9-1 방정식 $x^{-x+6}=x^{x^2}$의 모든 근의 합을 구하시오. (단, $x>0$)

한번 더 확인

9-2 방정식 $(x^2-2x+7)^{x-2}=10^{x-2}$의 모든 근의 합을 구하시오.

10-1 부등식 $\left(\frac{1}{9}\right)^x+\left(\frac{1}{3}\right)^x\leq 12$를 만족시키는 실수 x의 최솟값을 구하시오.

10-2 부등식 $3^{2x}+1<9\times 3^x+3^{x-2}$을 만족시키는 정수 x의 개수를 구하시오.

11-1 $x>0$일 때, $x^{5x-8}\leq x^{3x-2}$을 만족시키는 정수 x의 개수를 구하시오.

11-2 $x>0$일 때, $x^{1+x}<x^{x^2-1}$을 만족시키는 정수 x의 최솟값을 구하시오.

12-1 어느 은행에 P만 원을 투자하면 t년 후에 $f(t)$만 원이 된다고 할 때,

$$f(t)=P\times\left(\frac{11}{10}\right)^{\frac{t}{3}}$$

이라 한다. 처음 100만 원을 투자하면 t년 후에 121만 원이 된다고 할 때, t의 값을 구하시오.

12-2 어느 호수에서 수면에서의 빛의 세기가 $a\ \mathrm{W/m^2}$일 때, 수심이 d m인 곳에서의 빛의 세기 $L(d)$는

$$L(d)=a\times\left(\frac{1}{2}\right)^{\frac{d}{4}}\ (\mathrm{W/m^2})$$

으로 나타내어진다고 한다. 수심이 d m인 곳에서의 빛의 세기가 수면에서의 빛의 세기의 $\frac{1}{32}$ 이하가 되도록 하는 d의 최솟값을 구하시오. (단, $a>0$)

4 로그함수

바이러스 공격으로 지구인의 공포도 쭉쭉 올라갔겠지?
바이러스는 매일 2배로 증가했는데...
탁탁
증가했는데, 뭐?
y
바이러스
공포심
O
x
인간들의 공포심은 갈수록 증가율이 감소하네요.
y
지수함수
y=x
로그함수
O
x
내성이 생겼군.
로그함수 $y=\log_a x$의 그래프는 지수함수 $y=a^x$의 그래프와 직선 $y=x$에 대하여 대칭이야.

개념 미리보기

1 로그함수와 그 그래프

개념 01 로그함수

지수함수 $y=a^x$ ←역함수→ 로그함수 $y=\log_a x$

개념 02 로그함수의 그래프

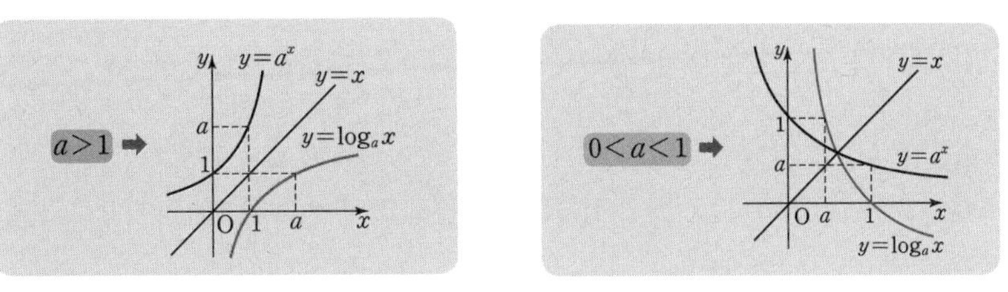

개념 03 로그함수의 그래프의 평행이동과 대칭이동

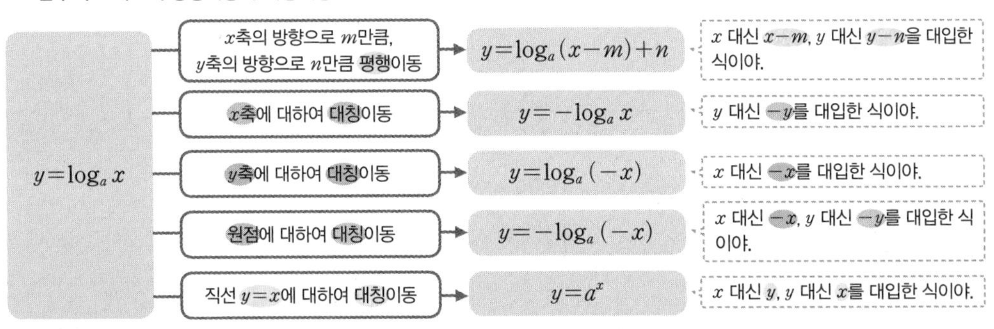

개념 04 로그함수의 최대·최소

로그함수 $y=\log_a x\,(a>0, a\neq1)$의 최대·최소 ⟶ $a>1$인지 $0<a<1$인지 확인하기

2 로그방정식

개념 01 로그방정식

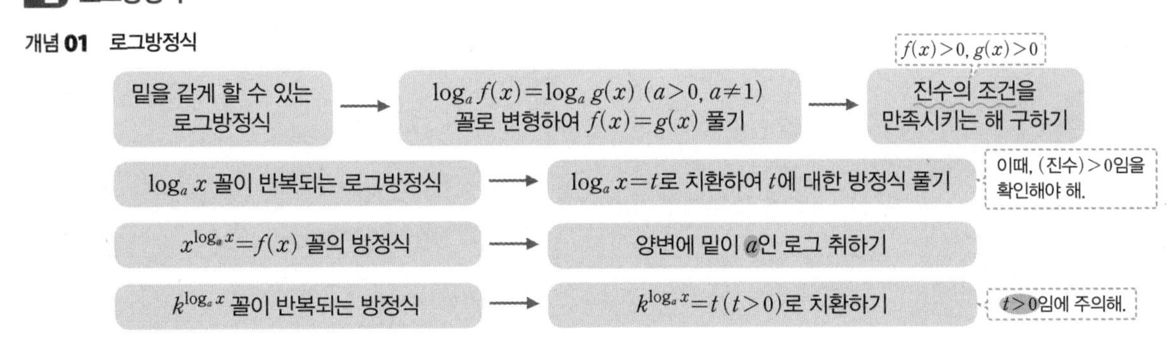

3 로그부등식

개념 01 로그부등식

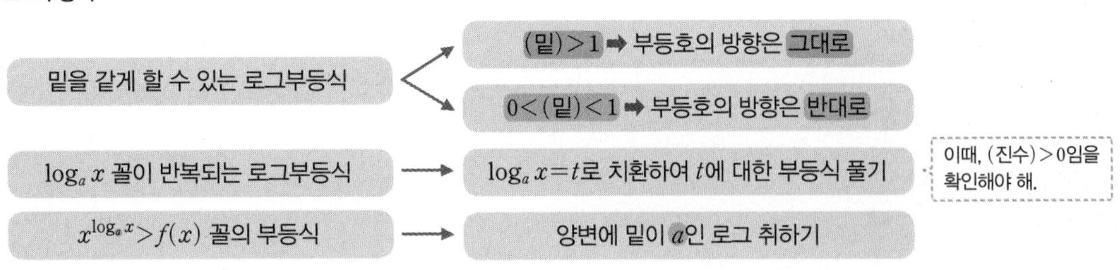

1 로그함수와 그 그래프

개념 01 로그함수

대표 유형 01

지수함수 $y=a^x$ $(a>0,\ a\neq1)$의 역함수는

$$y=\log_a x\ (a>0,\ a\neq1)$$

이다. 이 함수를 a를 밑으로 하는 **로그함수**라 한다.

설명 지수함수 $y=a^x\,(a>0,\ a\neq1)$은 실수 전체의 집합에서 양의 실수 전체의 집합으로의 일대일대응이므로 역함수가 존재한다.

지수함수 $y=a^x$의 역함수를 구하면 다음과 같다.

$y=a^x$ —(x를 y에 대한 식으로 나타내기)→ $x=\log_a y$ —(x와 y를 서로 바꾸기)→ $y=\log_a x$

정의역: 실수 전체의 집합
치역: 양의 실수 전체의 집합

정의역: 양의 실수 전체의 집합
치역: 실수 전체의 집합

정의역과 치역은 서로 바뀌어.

즉, 지수함수 $y=a^x$ $(a>0,\ a\neq1)$의 역함수는 $y=\log_a x\,(a>0,\ a\neq1)$이다.

주의 로그함수 $f(x)=\log_a x$는 $x>0$일 때만 정의되므로 $f(-1),\ f(-2),\ \cdots$의 값은 존재하지 않음에 주의한다.

해결의 법칙

지수함수 $y=a^x$ ←역함수→ 로그함수 $y=\log_a x$

$y=a^x$의 역함수가 $y=\log_a x$야.

| 정답과 해설 31쪽 |

개념 확인 1 다음 보기 중에서 로그함수인 것만을 있는 대로 고르시오.

| 보기 |

ㄱ. $y=x\log 3$　　ㄴ. $y=\log_2 x$　　ㄷ. $y=\log_{\frac{1}{5}} x$　　ㄹ. $y=\log_{10} 5^x$

개념 확인 2 다음 함수의 역함수를 구하시오.

(1) $y=3^x$

(2) $y=\left(\frac{1}{3}\right)^x$

개념 02 로그함수의 그래프

대표 유형 02, 03, 05

로그함수 $y=\log_a x$는 지수함수 $y=a^x$의 역함수이므로 $y=\log_a x$의 그래프는 $y=a^x$의 그래프와 직선 $y=x$에 대하여 대칭이다.
따라서 로그함수 $y=\log_a x\,(a>0,\ a\neq1)$의 그래프와 성질은 다음과 같다.

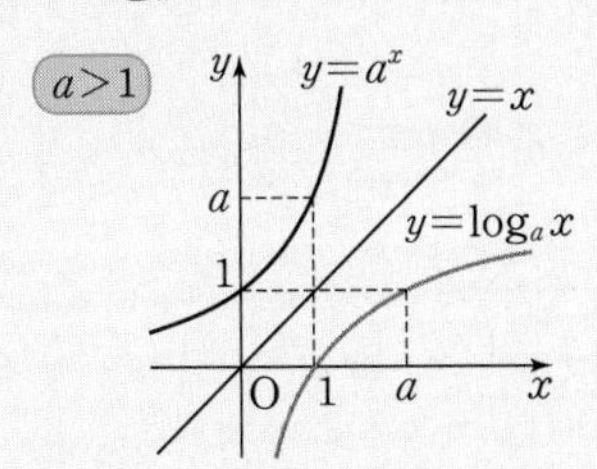

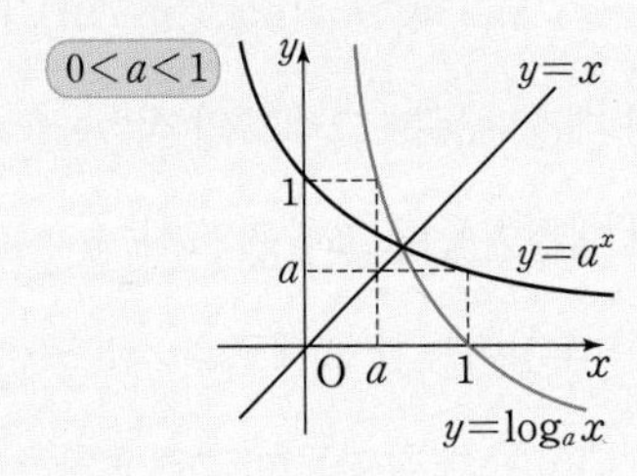

(1) 정의역은 양의 실수 전체의 집합이고, 치역은 실수 전체의 집합이다.
(2) 그래프는 점 $(1,\ 0)$을 지나고 y축(직선 $x=0$)을 점근선으로 갖는다.
(3) $a>1$일 때, x의 값이 증가하면 y의 값도 증가한다. ← $a>1$일 때, $x_1<x_2$이면 $\log_a x_1<\log_a x_2$
$0<a<1$일 때, x의 값이 증가하면 y의 값은 감소한다. ← $0<a<1$일 때, $x_1<x_2$이면 $\log_a x_1>\log_a x_2$
(4) 일대일함수이다. ← $x_1\neq x_2$이면 $\log_a x_1\neq\log_a x_2$

예 로그함수 $y=\log_2 x$와 $y=\log_{\frac{1}{2}} x$의 그래프에서 다음을 알 수 있다.

함수	(1) $y=\log_2 x$	(2) $y=\log_{\frac{1}{2}} x$
그래프	$y=\log_2 x$	$y=\log_{\frac{1}{2}} x$
정의역	양의 실수 전체의 집합	양의 실수 전체의 집합
치역	실수 전체의 집합	실수 전체의 집합
그래프가 x축과 만나는 점	$(1,\ 0)$	$(1,\ 0)$
점근선	y축(직선 $x=0$)	y축(직선 $x=0$)
증가, 감소	x의 값이 증가하면 y의 값도 증가 ➡ $x_1<x_2$이면 $\log_2 x_1<\log_2 x_2$	x의 값이 증가하면 y의 값은 감소 ➡ $x_1<x_2$이면 $\log_{\frac{1}{2}} x_1>\log_{\frac{1}{2}} x_2$
일대일함수	$x_1\neq x_2$이면 $\log_2 x_1\neq\log_2 x_2$	$x_1\neq x_2$이면 $\log_{\frac{1}{2}} x_1\neq\log_{\frac{1}{2}} x_2$

로그함수에서 (밑)>1이면 증가, 0<(밑)<1이면 감소해.

한편, 두 로그함수 $y=\log_2 x$와 $y=\log_{\frac{1}{2}} x$의 그래프는 x축에 대하여 서로 대칭이다.
└→ $y=-\log_2 x$

참고 $a>0,\ a\neq1$일 때, 두 로그함수 $y=\log_a x$와 $y=\log_{\frac{1}{a}} x$의 그래프는 x축에 대하여 서로 대칭이다.

| 정답과 해설 31쪽 |

개념 확인 3 다음 함수의 그래프를 그리고, 정의역, 치역, 점근선의 방정식을 구하시오.

(1) $y=\log_3 x$

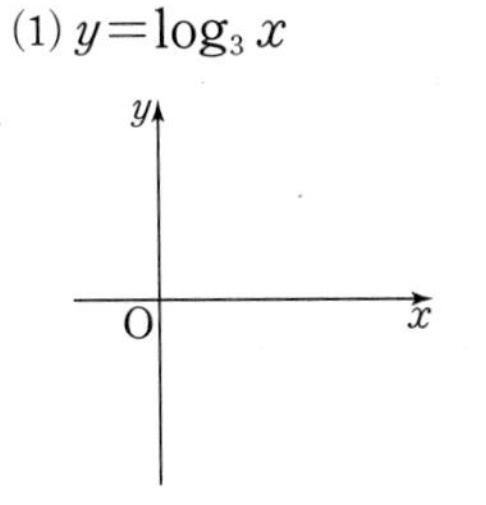

(2) $y=\log_{\frac{1}{3}} x$

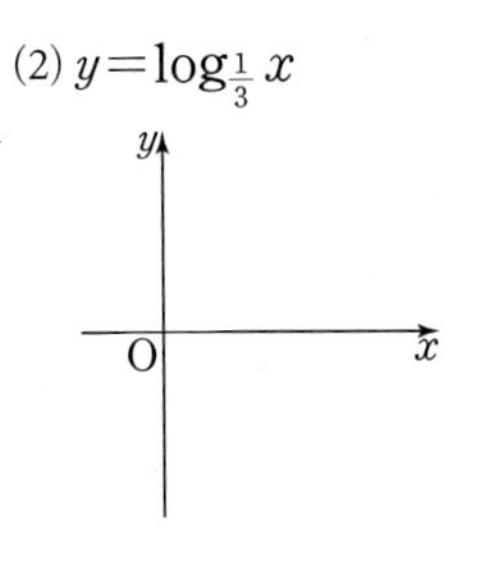

개념 03 로그함수의 그래프의 평행이동과 대칭이동

대표 유형 02, 04

로그함수 $y=\log_a x\,(a>0,\ a\neq 1)$의 그래프를

(1) x축의 방향으로 m만큼, y축의 방향으로 n만큼 평행이동한 그래프의 식:
$y-n=\log_a(x-m)$ ➡ $y=\log_a(x-m)+n$
　└→ x 대신 $x-m$, y 대신 $y-n$ 대입

(2) x축에 대하여 대칭이동한 그래프의 식: $-y=\log_a x$ ➡ $y=-\log_a x$
　└→ y 대신 $-y$ 대입

(3) y축에 대하여 대칭이동한 그래프의 식: $y=\log_a(-x)$
　└→ x 대신 $-x$ 대입

(4) 원점에 대하여 대칭이동한 그래프의 식: $-y=\log_a(-x)$ ➡ $y=-\log_a(-x)$
　└→ x 대신 $-x$, y 대신 $-y$ 대입

(5) 직선 $y=x$에 대하여 대칭이동한 그래프의 식: $x=\log_a y$ ➡ $y=a^x$
　└→ x 대신 y, y 대신 x 대입

예　로그함수 $y=\log_2 x$의 그래프를 이용하여 다음 함수의 그래프를 그려 보자.

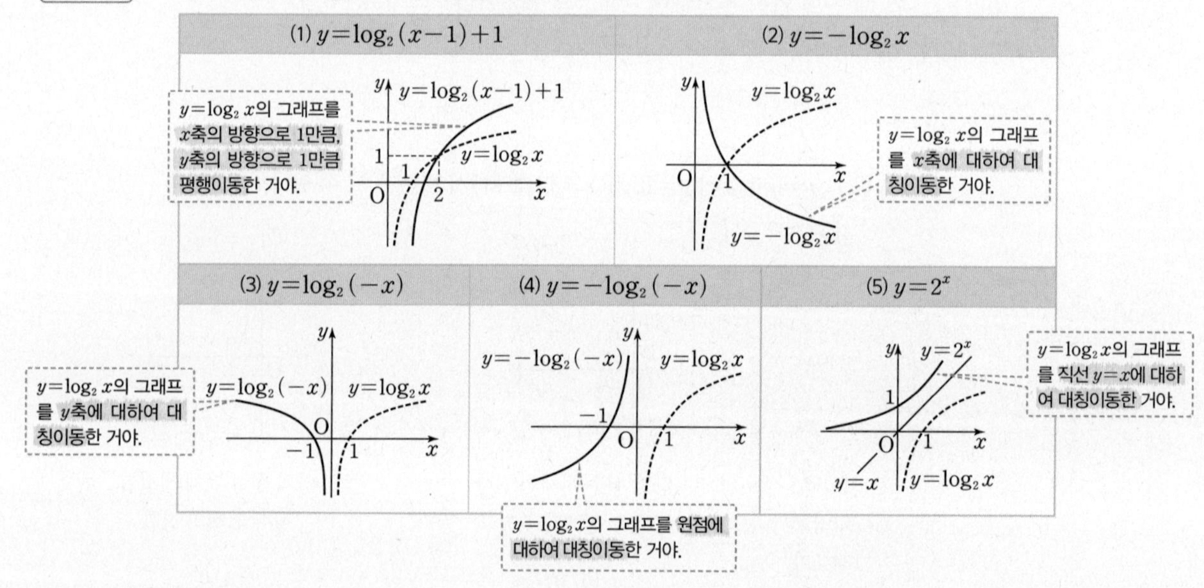

| 정답과 해설 31쪽 |

개념 확인 4 함수 $y=\log_5 x$의 그래프에 대하여 다음을 구하시오.

(1) x축의 방향으로 -1만큼, y축의 방향으로 2만큼 평행이동한 그래프의 식
(2) x축에 대하여 대칭이동한 그래프의 식
(3) y축에 대하여 대칭이동한 그래프의 식
(4) 원점에 대하여 대칭이동한 그래프의 식
(5) 직선 $y=x$에 대하여 대칭이동한 그래프의 식

개념 확인 5 로그함수 $y=\log_3 x$의 그래프를 이용하여 다음 함수의 그래프를 그리시오.

(1) $y=\log_3\left(x-\frac{2}{3}\right)+1$　(2) $y=-\log_3 x$　(3) $y=\log_3(-x)$　(4) $y=-\log_3(-x)$

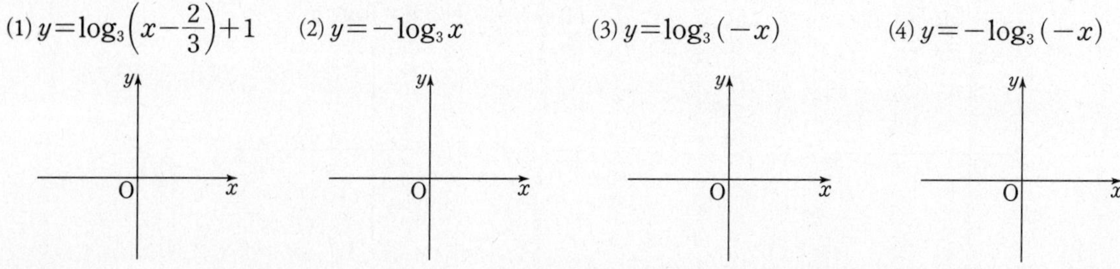

개념 04 로그함수의 최대 · 최소

대표 유형 06, 07

정의역이 $\{x|m\leq x\leq n\}$일 때, 로그함수 $f(x)=\log_a x\,(a>0,\ a\neq 1)$의 최댓값과 최솟값은 다음과 같다.

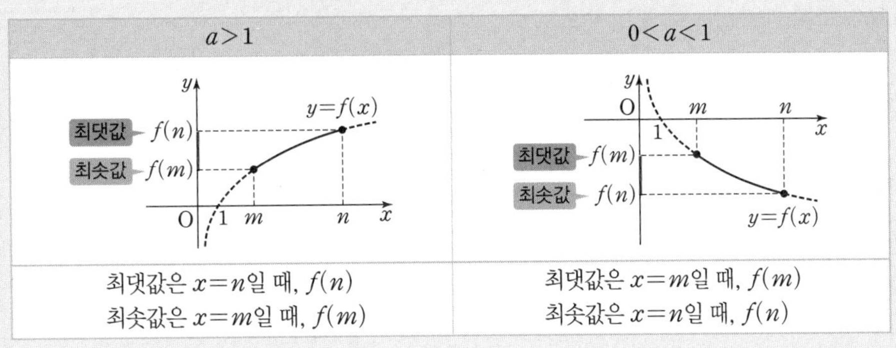

$a>1$	$0<a<1$
최댓값은 $x=n$일 때, $f(n)$ 최솟값은 $x=m$일 때, $f(m)$	최댓값은 $x=m$일 때, $f(m)$ 최솟값은 $x=n$일 때, $f(n)$

예　다음 로그함수의 최댓값과 최솟값을 구해 보자.

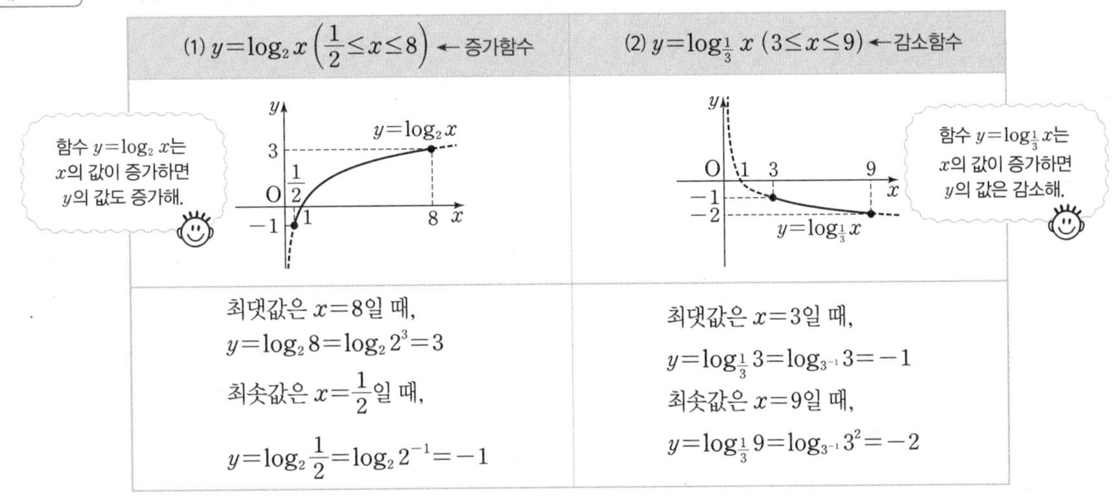

(1) $y=\log_2 x\left(\frac{1}{2}\leq x\leq 8\right)$ ← 증가함수	(2) $y=\log_{\frac{1}{3}} x\ (3\leq x\leq 9)$ ← 감소함수
최댓값은 $x=8$일 때, $y=\log_2 8=\log_2 2^3=3$ 최솟값은 $x=\frac{1}{2}$일 때, $y=\log_2 \frac{1}{2}=\log_2 2^{-1}=-1$	최댓값은 $x=3$일 때, $y=\log_{\frac{1}{3}} 3=\log_{3^{-1}} 3=-1$ 최솟값은 $x=9$일 때, $y=\log_{\frac{1}{3}} 9=\log_{3^{-1}} 3^2=-2$

해결의 법칙

로그함수 $y=\log_a x\,(a>0,\ a\neq 1)$의 최대 · 최소 → $a>1$인지 $0<a<1$인지 확인하기

| 정답과 해설 31쪽 |

개념 확인 6 다음 함수의 최댓값과 최솟값을 구하시오.

(1) $y=\log_3 x\left(\frac{1}{3}\leq x\leq 9\right)$

(2) $y=\log_{\frac{1}{5}} x\,(5\leq x\leq 25)$

STEP 1 개념 드릴

1 다음을 구하시오.

(1) 함수 $y=\log_2 x$의 그래프를 x축의 방향으로 -1만큼, y축의 방향으로 3만큼 평행이동한 그래프의 식

(2) 함수 $y=\log_{\frac{1}{5}} x$의 그래프를 x축의 방향으로 2만큼, y축의 방향으로 -3만큼 평행이동한 그래프의 식

(3) 함수 $y=\log_3 x$의 그래프를 y축에 대하여 대칭이동한 그래프의 식

(4) 함수 $y=\log_2 x$의 그래프를 x축에 대하여 대칭이동한 후 y축의 방향으로 1만큼 평행이동한 그래프의 식

2 함수 $y=\log_3(x-2)+1$의 그래프를 그리고, 다음을 구하시오.

그래프

(1) 정의역

(2) 치역

(3) 점근선의 방정식

3 함수 $y=-\log_2(x-1)$의 그래프를 그리고, 다음을 구하시오.

그래프

(1) 정의역

(2) 치역

(3) 점근선의 방정식

4 다음 함수의 최댓값과 최솟값을 구하시오.

(1) $y=\log_2 x\ (2\le x\le 8)$

(2) $y=\log_3 x\ (1\le x\le 9)$

(3) $y=\log_{\frac{1}{2}} x\ (2\le x\le 4)$

(4) $y=\log_{\frac{1}{3}} x\ \left(\frac{1}{3}\le x\le 3\right)$

STEP 2 필수 유형

대표 유형 01 지수함수와 로그함수의 역함수

개념 01

다음 함수의 역함수를 구하시오.

(1) $y=4\times3^{x-1}$

(2) $y=\log_2(x-3)-1$

풀이 (1) ❶ x를 y로 나타내기

함수 $y=4\times3^{x-1}$의 정의역은 실수 전체의 집합이고 치역은 $\{y\,|\,y>0\}$이다.

$y=4\times3^{x-1}$에서 $\dfrac{y}{4}=3^{x-1}$

로그의 정의에 의하여 $\log_3\dfrac{y}{4}=x-1$, $\log_3 y-\log_3 4=x-1$

$\therefore x=\log_3 y-\log_3 4+1=\log_3 y+\log_3\dfrac{3}{4}$

❷ x와 y를 서로 바꾸어 역함수 구하기

x와 y를 서로 바꾸면 역함수는

$y=\log_3 x+\log_3\dfrac{3}{4}\ (x>0)$

함수의 정의역은 역함수의 치역, 함수의 치역은 역함수의 정의역이 돼.

여기서 진수의 조건에 의하여 $x>0$이므로 조건 $x>0$은 생략할 수 있어.

(2) ❶ x를 y로 나타내기

함수 $y=\log_2(x-3)-1$은 진수의 조건에서 $x-3>0$이므로 정의역은 $\{x\,|\,x>3\}$, 치역은 실수 전체의 집합이다.

$y=\log_2(x-3)-1$에서 $y+1=\log_2(x-3)$

로그의 정의에 의하여 $2^{y+1}=x-3$ $\quad\therefore x=2^{y+1}+3$

❷ x와 y를 서로 바꾸어 역함수 구하기

x와 y를 서로 바꾸면 역함수는

$y=2^{x+1}+3$

답 (1) $y=\log_3 x+\log_3\dfrac{3}{4}\,(x>0)$ (2) $y=2^{x+1}+3$

참고 $y=\log_3 x$, $y=\log_{\frac{1}{3}} x$에서 정의역 $\{x\,|\,x>0\}$은 생략할 수 있다.

해결의 법칙

함수 $y=f(x)$의 역함수 구하기

$y=f(x)$ → (x를 y로 나타내기) → $x=f^{-1}(y)$ → (x와 y를 서로 바꾸기) → $y=f^{-1}(x)$

| 정답과 해설 32쪽 |

01-1 다음 함수의 역함수를 구하시오.

(1) $y=3\times2^{x-1}$

(2) $y=\log_2\sqrt{x+1}$

01-2 함수 $y=3^{2x-4}+3$의 역함수가 $y=\log_a(x+b)+c$일 때, 상수 a, b, c에 대하여 $a+b+c$의 값을 구하시오.

대표 유형 02 로그함수의 그래프

개념 02, 03

함수 $y=\log_3(-x+1)+2$의 그래프를 그리고, 정의역과 점근선의 방정식을 구하시오.

풀이 함수 $y=\log_3(-x+1)+2=\log_3\{-(x-1)\}+2$의 그래프는 함수 $y=\log_3 x$의 그래프를 y축에 대하여 대칭이동한 후 x축의 방향으로 1만큼, y축의 방향으로 2만큼 평행이동한 것이므로 오른쪽 그림과 같다.

이때, 진수는 양수이어야 하므로

$-x+1>0 \quad \therefore\ x<1$

따라서 정의역은 $\{x|x<1\}$, 점근선의 방정식은 $x=1$이다.

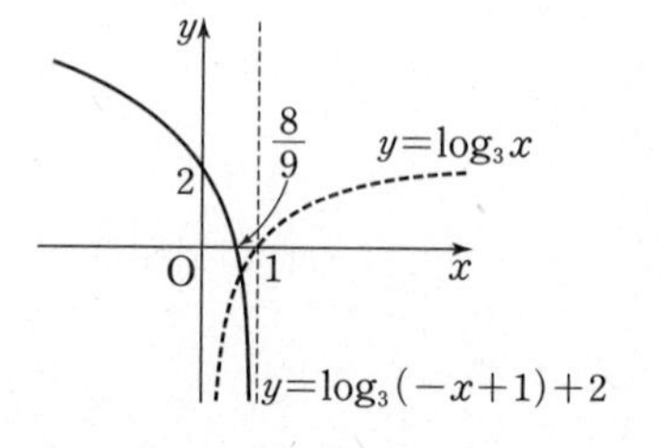

답 그래프: 풀이 참조, 정의역: $\{x|x<1\}$, 점근선의 방정식: $x=1$

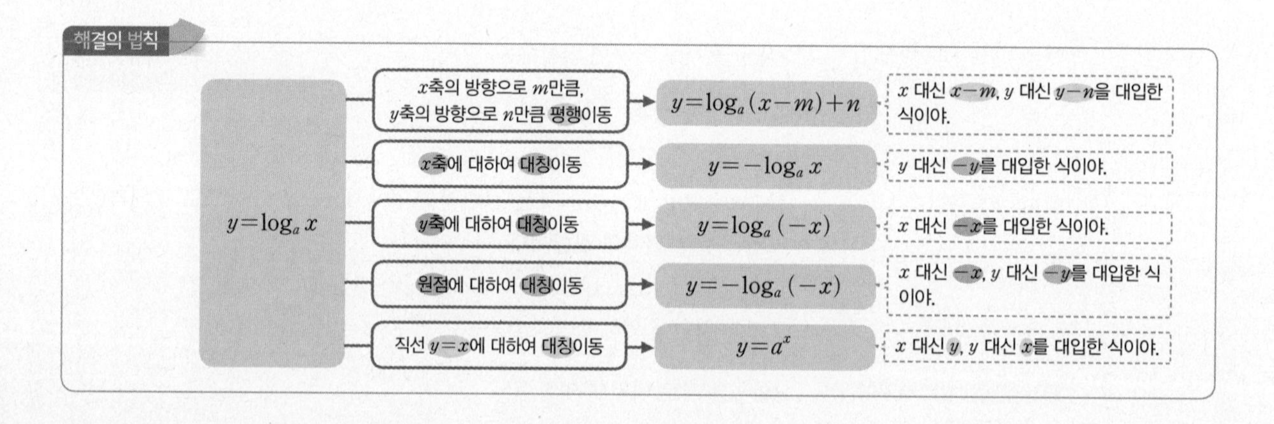

| 정답과 해설 32쪽 |

02-1 함수 $y=\log_{\frac{1}{2}}(x+1)-2$의 그래프를 그리고, 정의역과 점근선의 방정식을 구하시오.

02-2 다음 중 함수 $y=\log_2(-x+3)-1$에 대한 설명으로 옳지 않은 것은?

① 그래프는 함수 $y=\log_2 x$의 그래프를 y축에 대하여 대칭이동한 후 x축의 방향으로 3만큼, y축의 방향으로 -1만큼 평행이동한 것이다.

② 정의역은 $\{x|x<3\}$, 치역은 $\{y|y$는 실수$\}$이다.

③ 그래프는 점 $(-1, 1)$을 지난다.

④ x의 값이 증가하면 y의 값도 증가한다.

⑤ 그래프의 점근선의 방정식은 $x=3$이다.

대표 유형 03 로그함수의 그래프에서의 함숫값

개념 02

오른쪽 그림은 두 함수 $y=\log_2 x$, $y=x$의 그래프이다. 이때, $a+b$의 값을 구하시오. (단, 점선은 x축 또는 y축에 평행하다.)

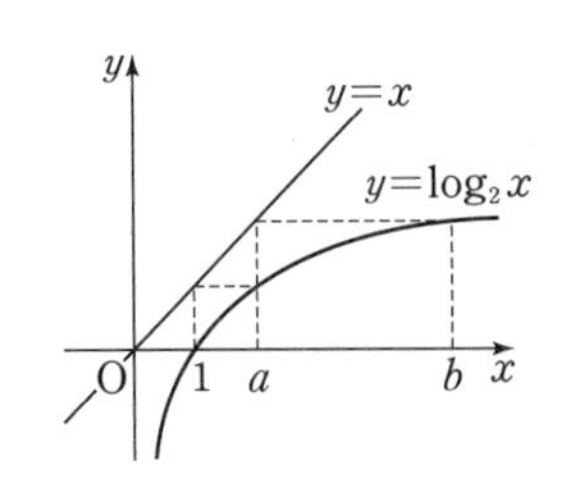

풀이

❶ a의 값 구하기

오른쪽 그림에서 $A(1, 1)$이므로

$B(a, 1)$

이때, 점 B는 함수 $y=\log_2 x$의 그래프 위의 점이므로

$1=\log_2 a$ $\quad \therefore a=2$

❷ b의 값 구하기

따라서 $C(2, 2)$이므로

$D(b, 2)$

또, 점 D는 함수 $y=\log_2 x$의 그래프 위의 점이므로

$2=\log_2 b$ $\quad \therefore b=4$

❸ $a+b$의 값 구하기

$\therefore a+b=6$

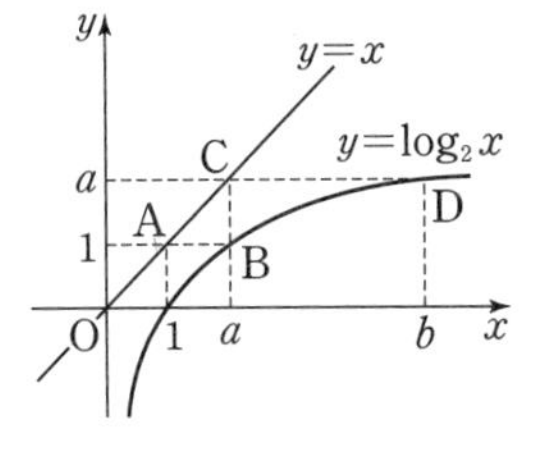

답 6

| 정답과 해설 33쪽 |

03-1 오른쪽 그림은 두 함수 $y=\log_3 x$, $y=x$의 그래프이다. 이때, $\log_3 \dfrac{ab}{c}$의 값을 구하시오.

(단, 점선은 x축 또는 y축에 평행하다.)

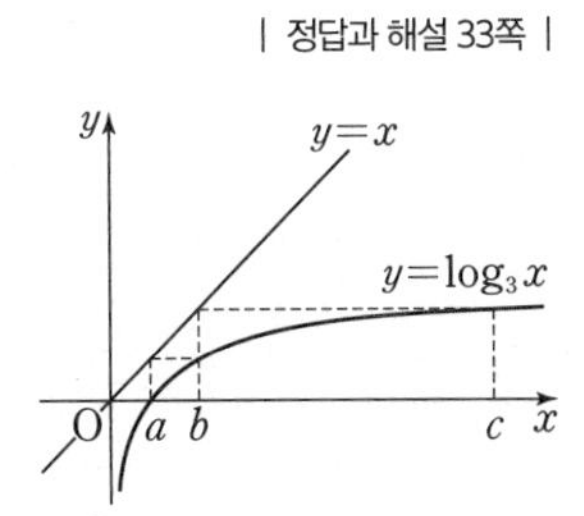

03-2 오른쪽 그림에서 사각형 ABCD는 한 변의 길이가 3인 정사각형이고 두 점 D, E는 함수 $y=\log_3 x$의 그래프 위의 점이다. 이때, 선분 BE의 길이를 구하시오.

(단, 두 점 B, C는 x축 위의 점이다.)

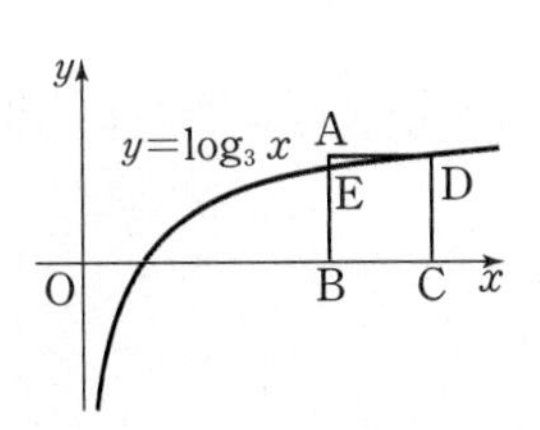

대표 유형 04 로그함수의 그래프의 평행이동과 대칭이동

개념 03

함수 $y=\log_3 x$의 그래프를 x축의 방향으로 m만큼, y축의 방향으로 n만큼 평행이동한 후 x축에 대하여 대칭이동하였더니 함수 $y=\log_{\frac{1}{3}}(x-1)-2$의 그래프와 일치하였다. 이때, 상수 m, n의 값을 구하시오.

풀이

❶ 평행이동한 그래프의 식 구하기

함수 $y=\log_3 x$의 그래프를 x축의 방향으로 m만큼, y축의 방향으로 n만큼 평행이동한 그래프의 식은

$y-n=\log_3(x-m)$

$\therefore y=\log_3(x-m)+n$ ……㉠

❷ x축에 대하여 대칭이동한 그래프의 식 구하기

㉠의 그래프를 x축에 대하여 대칭이동한 그래프의 식은

$-y=\log_3(x-m)+n$

$\therefore y=-\log_3(x-m)-n$

❸ m, n의 값 구하기

따라서 $y=-\log_3(x-m)-n$이 $y=\log_{\frac{1}{3}}(x-1)-2=-\log_3(x-1)-2$와 일치하므로

$m=1$, $n=2$

답 $m=1$, $n=2$

해결의 법칙

C 수학(상) 평행이동과 대칭이동이 연속적으로 이루어지는 경우 → 주어진 순서대로 적용하기

순서대로 적용하지 않으면 계산 결과가 달라질 수 있어.

| 정답과 해설 33쪽 |

04-1 함수 $y=\log_2 x$의 그래프를 y축에 대하여 대칭이동한 후 x축의 방향으로 m만큼, y축의 방향으로 n만큼 평행이동하였더니 함수 $y=-\log_{\frac{1}{2}} 4(1-x)$의 그래프와 일치하였다. 이때, 상수 m, n에 대하여 $m+n$의 값을 구하시오.

04-2 함수 $y=\log_4 x$의 그래프를 원점에 대하여 대칭이동한 후 x축의 방향으로 a만큼, y축의 방향으로 2만큼 평행이동하였더니 점 $(2, -2)$를 지난다고 한다. 이때, 상수 a의 값을 구하시오.

대표 유형 05 로그함수를 이용한 수의 대소 비교

개념 02

다음 세 수의 대소를 비교하시오.

(1) $3,\ \log_2 9,\ \log_4 80$　　(2) $-1,\ \log_{\frac{1}{3}} 4,\ \log_{\frac{1}{3}} \sqrt{10}$

풀이 (1)

❶ 세 수를 밑이 같은 로그로 나타내기

3과 $\log_4 80$을 밑이 2인 로그로 나타내면

$3=3\log_2 2=\log_2 2^3=\log_2 8$

$\log_4 80=\log_{2^2} 80=\frac{1}{2}\log_2 80=\log_2 80^{\frac{1}{2}}=\log_2\sqrt{80}$

❷ (밑)>1인지 0<(밑)<1인지 알아보기

이때, 함수 $y=\log_2 x$는 밑이 2이고 $2>1$이므로 x의 값이 증가하면 y의 값도 증가한다. 즉, 진수가 큰 수가 크다.

$y=\log_2 x$ / O / 1 / 8 / 9 / $\sqrt{80}$ / x / y

❸ 세 수의 대소 비교하기

따라서 진수의 크기를 비교하면 $8<\sqrt{80}<9$이므로

$\log_2 8<\log_2\sqrt{80}<\log_2 9$

$\therefore\ 3<\log_4 80<\log_2 9$

(2)

❶ 세 수를 밑이 같은 로그로 나타내기

로그의 성질을 이용하여 -1을 밑이 $\frac{1}{3}$인 로그로 나타내면

$-1=-\log_{\frac{1}{3}}\frac{1}{3}=\log_{\frac{1}{3}}\left(\frac{1}{3}\right)^{-1}=\log_{\frac{1}{3}} 3$

❷ (밑)>1인지 0<(밑)<1인지 알아보기

이때, 함수 $y=\log_{\frac{1}{3}} x$는 밑이 $\frac{1}{3}$이고 $0<\frac{1}{3}<1$이므로 x의 값이 증가하면 y의 값은 감소한다. 즉, 진수가 작은 수가 크다.

$y=\log_{\frac{1}{3}} x$ / $\sqrt{10}$ / 3 / 4 / O / 1 / x / y

❸ 세 수의 대소 비교하기

따라서 진수의 크기를 비교하면 $3<\sqrt{10}<4$이므로

$\log_{\frac{1}{3}} 4<\log_{\frac{1}{3}}\sqrt{10}<\log_{\frac{1}{3}} 3$

$\therefore\ \log_{\frac{1}{3}} 4<\log_{\frac{1}{3}}\sqrt{10}<-1$

답 (1) $3<\log_4 80<\log_2 9$　(2) $\log_{\frac{1}{3}} 4<\log_{\frac{1}{3}}\sqrt{10}<-1$

해결의 법칙

로그함수 $y=\log_a x\ (a>0,\ a\neq 1)$에서

- $a>1$일 때, $x_1<x_2$이면 $\log_a x_1<\log_a x_2$
- $0<a<1$일 때, $x_1<x_2$이면 $\log_a x_1>\log_a x_2$

로그의 밑을 통일한 후 진수의 크기를 비교해야 해!

| 정답과 해설 33쪽 |

05-1 세 수 $2\log_5 3,\ \log_{25} 16,\ 2$의 대소를 비교하시오.

05-2 세 수 $-3,\ \log_{\frac{1}{2}} 7,\ \log_{\frac{1}{4}} 9$의 대소를 비교하시오.

대표 유형 06 로그함수의 최대 · 최소

개념 04

다음 함수의 최댓값과 최솟값을 구하시오.

(1) $y=\log_3(5-x)\ (-4\le x\le 2)$

(2) $y=\log_{\frac{1}{2}}(-x^2+2x+7)\ (0\le x\le 3)$

풀이 (1)

❶ (밑)>1인지 0<(밑)<1인지 알아보기

함수 $y=\log_3(5-x)$에서 밑이 3이고 $3>1$이므로 $5-x$의 값이 증가하면 y의 값도 증가한다.

즉, x의 값이 감소하면 y의 값은 증가한다.

❷ 최댓값, 최솟값 구하기

따라서 $-4\le x\le 2$에서 함수 $y=\log_3(5-x)$는

$x=-4$일 때 최대이고, 최댓값은 $y=\log_3 9=2$

$x=2$일 때 최소이고, 최솟값은 $y=\log_3 3=1$

(2)

❶ 진수 부분을 $f(x)$로 치환한 후 $f(x)$의 값의 범위 구하기

함수 $y=\log_{\frac{1}{2}}(-x^2+2x+7)$에서 밑이 $\frac{1}{2}$이고 $0<\frac{1}{2}<1$이므로 $-x^2+2x+7$의 값이 증가하면 y의 값은 감소한다.

$f(x)=-x^2+2x+7$로 놓으면

$f(x)=-(x-1)^2+8$ (이차함수는 완전제곱 꼴로 변형하여 살펴보면 돼.)

이므로 $0\le x\le 3$에서 $4\le f(x)\le 8$

y, 8, 7, 4, O, 1, 3, x, $y=f(x)$

❷ 주어진 함수를 $f(x)$로 나타내어 최댓값, 최솟값 구하기

따라서 $0\le x\le 3$에서 함수 $y=\log_{\frac{1}{2}}(-x^2+2x+7)=\log_{\frac{1}{2}}f(x)$는

$f(x)=4$일 때 최대이고, 최댓값은 $y=\log_{\frac{1}{2}}4=\log_{\frac{1}{2}}\left(\frac{1}{2}\right)^{-2}=-2$

$f(x)=8$일 때 최소이고, 최솟값은 $y=\log_{\frac{1}{2}}8=\log_{\frac{1}{2}}\left(\frac{1}{2}\right)^{-3}=-3$

답 (1) 최댓값: 2, 최솟값: 1 (2) 최댓값: -2, 최솟값: -3

해결의 법칙

로그함수의 최대 · 최소 → (밑)>1인지 0<(밑)<1인지 확인하기

| 정답과 해설 34쪽 |

06-1 다음 함수의 최댓값과 최솟값을 구하시오.

(1) $y=\log_{\frac{1}{2}}(x-1)\ (2\le x\le 9)$

(2) $y=\log_5(x+6)-3\ (-1\le x\le 19)$

06-2 $4\le x\le 5$에서 정의된 함수 $y=\log_{\frac{1}{2}}(-x^2+6x-4)$의 최댓값과 최솟값을 구하시오.

대표 유형 07 $\log_a x$ 꼴이 반복되는 함수의 최대·최소

개념 04

$2 \leq x \leq 8$에서 함수 $y=(\log_2 x)^2-\log_2 x^2+1$의 최댓값과 최솟값을 구하시오.

풀이

❶ 주어진 식 변형하기

$y=(\log_2 x)^2-\log_2 x^2+1$에서

$y=(\log_2 x)^2-2\log_2 x+1$

❷ $\log_2 x=t$로 치환한 후 t의 값의 범위 구하기

$\log_2 x=t$로 놓으면

$2 \leq x \leq 8$에서 $\log_2 2 \leq \log_2 x \leq \log_2 8$

→ 밑이 2이고 $2>1$이므로 진수가 클수록 크다.

$\therefore 1 \leq t \leq 3$

❸ 주어진 함수를 t로 나타내어 최댓값, 최솟값 구하기

이때, 주어진 함수는 $y=t^2-2t+1=(t-1)^2$

따라서 $1 \leq t \leq 3$에서 함수 $y=(t-1)^2$의

최댓값은 $t=3$일 때, $y=4$

최솟값은 $t=1$일 때, $y=0$

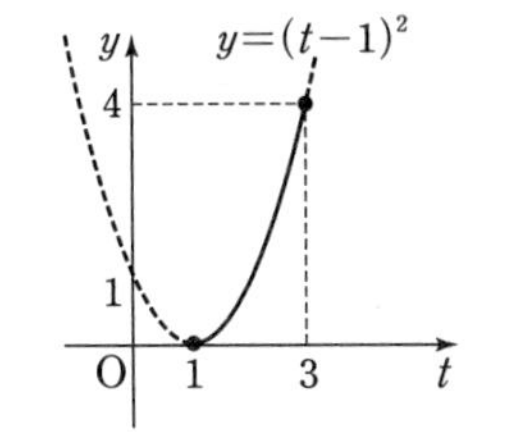

답 최댓값: 4, 최솟값: 0

해결의 법칙

공통부분이 있는 함수의 최대·최소 → 공통부분을 t로 치환하기

치환한 문자의 범위를 반드시 구해야 해.

| 정답과 해설 34쪽 |

07-1 다음 함수의 최댓값과 최솟값을 구하시오.

(1) $y=(\log_2 x)^2-4\log_{\frac{1}{2}} x+3\left(\frac{1}{8} \leq x \leq \frac{1}{2}\right)$

(2) $y=(\log_{\frac{1}{3}} x)^2-\log_{\frac{1}{3}} x^2+2\left(\frac{1}{9} \leq x \leq 27\right)$

07-2 함수 $y=(\log_3 x)^2+\log_3 x^a+b$가 $x=9$에서 최솟값 -1을 가질 때, 상수 a, b에 대하여 ab의 값을 구하시오.

2 로그방정식

개념 01 로그방정식

대표 유형 01 ~ 03

1 로그방정식

$\log_2 x=4$, $\log_3(x-2)=5$와 같이 로그의 진수에 미지수가 있는 방정식을 **로그방정식**이라 한다.

2 로그방정식의 풀이

(1) **$\log_a f(x)=b$ 꼴인 경우**: 로그의 정의를 이용한다.

$$\log_a f(x)=b \Longleftrightarrow f(x)=a^b \text{ (단, } a>0,\ a\neq1,\ f(x)>0)$$

(2) **밑을 같게 할 수 있는 경우**: 주어진 방정식을 $\log_a f(x)=\log_a g(x)$ 꼴로 변형한 후 다음을 이용한다.

$$\log_a f(x)=\log_a g(x) \Longleftrightarrow f(x)=g(x) \text{ (단, } a>0,\ a\neq1,\ f(x)>0,\ g(x)>0)$$

(3) **$\log_a x$ 꼴이 반복되는 경우**: $\log_a x=t$로 치환하여 t에 대한 방정식을 푼다.

(4) **진수가 같은 경우**: 밑이 같거나 진수가 1임을 이용한다.

$$\log_{a(x)} f(x)=\log_{b(x)} f(x) \Longleftrightarrow a(x)=b(x) \text{ 또는 } f(x)=1$$

(단, $a(x)>0$, $a(x)\neq1$, $b(x)>0$, $b(x)\neq1$, $f(x)>0$)

(5) **지수에 로그가 있는 경우**: 양변에 로그를 취하여 로그방정식으로 변형한 후 푼다.

설명

2 로그함수의 그래프와 로그방정식의 해 사이의 관계를 알아보자.

로그함수 $y=\log_a x$ ($a>0$, $a\neq1$)는 치역이 실수 전체의 집합인 일대일함수이므로 임의의 실수 k에 대하여 로그방정식 $\log_a x=k$는 단 하나의 해만 존재한다.

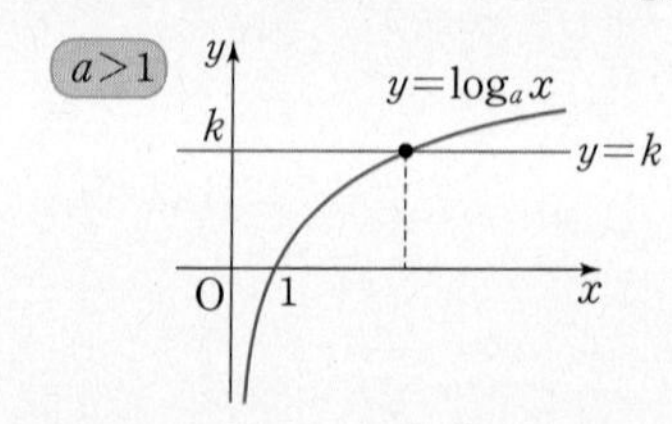

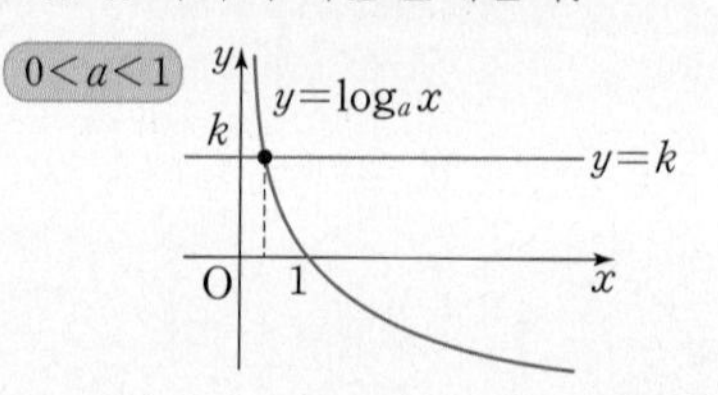

이때, 방정식 $\log_a x=k$의 해는 함수 $y=\log_a x$의 그래프와 직선 $y=k$의 교점의 x좌표와 같다.

예

다음 로그방정식을 풀어 보자.

구한 해가 (진수)>0, (밑)>0, (밑)$\neq1$을 만족시키는지 꼭 확인해야 해.

(1) $\log_a f(x)=b$ 꼴인 경우	(3) $\log_a x$ 꼴이 반복되는 경우	(4) 진수가 같은 경우
$\log_{10}(x-2)=1$	$(\log_2 x)^2+2\log_2 x-15=0$	$\log_{x-2}(x-1)=\log_3(x-1)$
진수의 조건에서 $x-2>0$ $\therefore x>2$ ······ ㉠ 로그의 정의에 의하여 $x-2=10$ $\therefore x=12$ → 이 값은 ㉠을 만족시킨다.	진수의 조건에서 $x>0$ ··· ㉠ $\log_2 x=t$로 놓으면 $t^2+2t-15=0$ $(t+5)(t-3)=0$ $\therefore t=-5$ 또는 $t=3$ 따라서 $\log_2 x=-5$ 또는 $\log_2 x=3$이므로 $x=\frac{1}{32}$ 또는 $x=8$ → 이 값은 모두 ㉠을 만족시킨다.	진수의 조건에서 $x-1>0$ $\therefore x>1$ ······ ㉠ 밑의 조건에서 $x-2>0$, $x-2\neq1$이므로 $2<x<3$ 또는 $x>3$ ··· ㉡ ㉠, ㉡에서 $2<x<3$ 또는 $x>3$ ··· ㉢ (i) $x-2=3$일 때, $x=5$ ← 밑이 같은 경우 (ii) $x-1=1$일 때, $x=2$ ← 진수가 1인 경우 (i), (ii)에서 $x=5$ ($\because$ ㉢)

정답과 해설 34쪽

1 다음 방정식을 푸시오.

(1) $\log_2(x-1)=4$

(2) $\log_3(x-2)=-2$

(3) $\log_{\frac{1}{4}}(3x+4)=-2$

2 다음 방정식을 푸시오.

(1) $\log_3(x+2)=\log_3(2x-3)$

(2) $\log_5(x+1)=\log_5(2x-9)$

(3) $\log_2(x-1)=\log_2 2(x-3)$

3 다음 방정식을 푸시오.

(1) $(\log_2 x)^2-4=0$

(2) $(\log_3 x)^2-3\log_3 x-4=0$

(3) $(\log_5 x)^2-\log_5 x-2=0$

4 다음 방정식을 푸시오.

(1) $\log_{x-1}(2x-4)=\log_3(2x-4)$

(2) $\log_x(x+5)=\log_2(x+5)$

(3) $\log_{x-2}(x^2-1)=\log_5(x^2-1)$

대표 유형 01 로그방정식 – 밑을 같게 할 수 있는 경우

개념 01

다음 방정식을 푸시오.

(1) $\log_2 x+\log_2(x-3)=2$ (2) $\log_3(x+2)=\log_9(x^2-1)$

풀이 (1) ❶ 진수의 조건 구하기

진수의 조건에서 $x>0$, $x-3>0$이므로 $x>3$ ……㉠

❷ 로그의 정의와 성질을 이용하여 해 구하기

$\log_2 x+\log_2(x-3)=2$에서 $\log_2 x(x-3)=2$, $\log_2(x^2-3x)=2$

로그의 정의에 의하여 $x^2-3x=2^2$이므로

$x^2-3x-4=0$, $(x+1)(x-4)=0$ $\therefore x=-1$ 또는 $x=4$

따라서 ㉠에 의하여 구하는 해는 $x=4$

(2) ❶ 진수의 조건 구하기

진수의 조건에서 $x+2>0$, $x^2-1>0$이므로

(ⅰ) $x+2>0$에서 $x>-2$

(ⅱ) $x^2-1>0$에서 $(x+1)(x-1)>0$ $\therefore x<-1$ 또는 $x>1$

(ⅰ), (ⅱ)에서 $-2<x<-1$ 또는 $x>1$ ……㉠

❷ 밑을 같게 하여 해 구하기

$\log_3(x+2)=\log_9(x^2-1)$에서 $\log_3(x+2)=\log_{3^2}(x^2-1)$

$\log_3(x+2)=\frac{1}{2}\log_3(x^2-1)$, $2\log_3(x+2)=\log_3(x^2-1)$

즉, $\log_3(x+2)^2=\log_3(x^2-1)$이므로

$(x+2)^2=x^2-1$, $4x+5=0$ $\therefore x=-\frac{5}{4}$

따라서 ㉠에 의하여 구하는 해는 $x=-\frac{5}{4}$

답 (1) $x=4$ (2) $x=-\frac{5}{4}$

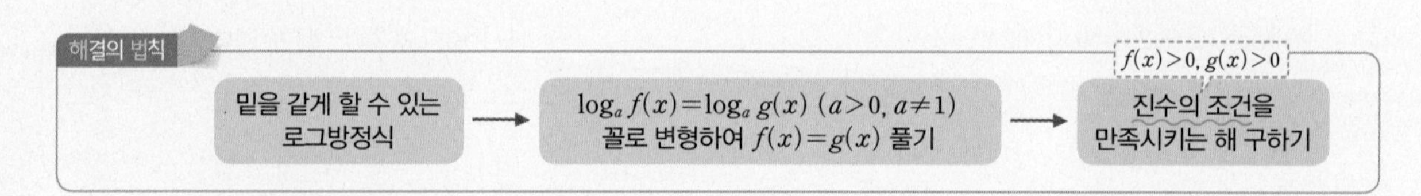

| 정답과 해설 36쪽 |

01-1 방정식 $\log_{\frac{1}{3}}(x^2-2x-15)+1=-\log_3(x-3)$을 푸시오.

01-2 방정식 $\log_2(x+3)=\log_4(x+3)+1$을 푸시오.

대표 유형 02 로그방정식 – $\log_a x$ 꼴이 반복되는 경우

개념 01

다음 방정식을 푸시오.

(1) $(\log_3 x)^2-\log_3 x^2-3=0$

(2) $\log_2 x+2\log_x 2=3$

풀이 (1)

❶ 진수의 조건 구하기

진수의 조건에서 $x>0$ ······㉠

❷ $\log_3 x=t$로 치환한 후 t에 대한 방정식 풀기

$(\log_3 x)^2-\log_3 x^2-3=0$에서 $(\log_3 x)^2-2\log_3 x-3=0$

$\log_3 x=t$로 놓으면 $t^2-2t-3=0$, $(t+1)(t-3)=0$

$\therefore t=-1$ 또는 $t=3$

❸ 해 구하기

$t=-1$일 때, $\log_3 x=-1$에서 $x=\frac{1}{3}$

$t=3$일 때, $\log_3 x=3$에서 $x=27$

따라서 ㉠에 의하여 구하는 해는 $x=\frac{1}{3}$ 또는 $x=27$

(2)

❶ 진수와 밑의 조건 구하기

진수와 밑의 조건에서 $x>0$, $x\neq1$이므로 $0<x<1$ 또는 $x>1$ ······㉠

❷ $\log_2 x=t$로 치환한 후 t에 대한 방정식 풀기

$\log_x 2=\frac{1}{\log_2 x}$이므로 $\log_2 x=t$로 놓으면

$t+\frac{2}{t}=3$, $t^2-3t+2=0$, $(t-1)(t-2)=0$ $\quad\therefore t=1$ 또는 $t=2$

❸ 해 구하기

$t=1$일 때, $\log_2 x=1$에서 $x=2$

$t=2$일 때, $\log_2 x=2$에서 $x=4$

따라서 ㉠에 의하여 구하는 해는 $x=2$ 또는 $x=4$

답 (1) $x=\frac{1}{3}$ 또는 $x=27$ (2) $x=2$ 또는 $x=4$

해결의 법칙

$\log_a x$ 꼴이 반복되는 로그방정식 → $\log_a x=t$로 치환하여 t에 대한 방정식 풀기

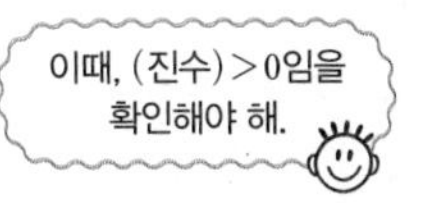

| 정답과 해설 36쪽 |

02-1 다음 방정식을 푸시오.

(1) $(\log_3 x)^2=\log_3 x+6$

(2) $\log_5 x=2\log_x 5+1$

02-2 방정식 $(\log_3 x)^2=\log_3 x+12$의 두 근을 α, β라 할 때, $\alpha\beta$의 값을 구하시오.

대표 유형 03 지수에 로그가 있는 방정식

개념 01

다음 방정식을 푸시오.

(1) $x^{\log_2 x}=16x^3$

(2) $2^{\log x}\times x^{\log 2}-2\times 2^{\log x}-8=0$

풀이 (1)

❶ 진수의 조건 구하기

진수의 조건에서 $x>0$ ……㉠

❷ 양변에 밑이 2인 로그 취하기

$x^{\log_2 x}=16x^3$의 양변에 밑이 2인 로그를 취하면

$\log_2 x^{\log_2 x}=\log_2 16x^3$, $\log_2 x\times\log_2 x=\log_2 x^3+\log_2 16$

$(\log_2 x)^2-3\log_2 x-4=0$

❸ $\log_2 x=t$로 치환한 후 t에 대한 방정식 풀기

$\log_2 x=t$로 놓으면 $t^2-3t-4=0$, $(t+1)(t-4)=0$

$\therefore t=-1$ 또는 $t=4$

❹ 해 구하기

$t=-1$일 때, $\log_2 x=-1$에서 $x=\frac{1}{2}$

$t=4$일 때, $\log_2 x=4$에서 $x=16$

따라서 ㉠에 의하여 구하는 해는 $x=\frac{1}{2}$ 또는 $x=16$

(2)

❶ 진수의 조건 구하기

진수의 조건에서 $x>0$ ……㉠

❷ $x^{\log_a b}=b^{\log_a x}$을 이용하여 밑 변환하기

로그의 성질에 의하여 $x^{\log 2}=2^{\log x}$이므로 주어진 방정식은

$2^{\log x}\times 2^{\log x}-2\times 2^{\log x}-8=0$, $(2^{\log x})^2-2\times 2^{\log x}-8=0$

❸ $2^{\log x}=t\,(t>0)$로 치환한 후 t에 대한 방정식 풀기

$2^{\log x}=t\,(t>0)$로 놓으면 $t^2-2t-8=0$, $(t+2)(t-4)=0$

$\therefore t=4\ (\because t>0)$

❹ 해 구하기

$t=4$일 때, $2^{\log x}=2^2$에서 $\log x=2$ $\therefore x=100$

따라서 ㉠에 의하여 구하는 해는 $x=100$

지수함수 $y=a^x(a>0, a\neq 1)$의 치역은 양의 실수 전체의 집합이므로 $2^{\log x}=t$로 치환하면 $t>0$이야.

답 (1) $x=\frac{1}{2}$ 또는 $x=16$ (2) $x=100$

해결의 법칙

$x^{\log_a x}=f(x)$ 꼴의 방정식 → 양변에 밑이 a인 로그 취하기

$k^{\log_a x}$ 꼴이 반복되는 방정식 → $k^{\log_a x}=t\,(t>0)$로 치환하기 ($t>0$임에 주의해.)

| 정답과 해설 36쪽 |

03-1 다음 방정식을 푸시오.

(1) $x^{\log x}=\frac{1000}{x^2}$

(2) $3^{\log x}\times x^{\log 3}-3^{\log x}-6=0$

3 로그부등식

개념 01 로그부등식

대표 유형 01~06

1 로그부등식

$\log_2 x>4$, $\log_5(2x-3)\le 10$과 같이 로그의 진수에 미지수가 있는 부등식을 **로그부등식**이라 한다.

2 로그부등식의 풀이

(1) **밑을 같게 할 수 있는 경우**

주어진 부등식을 $\log_a f(x)<\log_a g(x)$ 꼴로 변형한 후 다음을 이용한다.

① $a>1$일 때, $\log_a f(x)<\log_a g(x) \Longleftrightarrow 0<f(x)<g(x)$ ← 부등호의 방향은 그대로

② $0<a<1$일 때, $\log_a f(x)<\log_a g(x) \Longleftrightarrow f(x)>g(x)>0$ ← 부등호의 방향은 반대로

(2) **$\log_a x$ 꼴이 반복되는 경우**: $\log_a x=t$로 치환하여 t에 대한 부등식을 푼다.

(3) **지수에 로그가 있는 경우**: 양변에 로그를 취하여 로그부등식으로 변형한 후 푼다.

설명

2 (1) 로그함수 $y=\log_a x\,(a>0,\ a\ne 1)$에서 $a>1$이면 x의 값이 증가할 때 y의 값도 증가하고, $0<a<1$이면 x의 값이 증가할 때 y의 값은 감소한다.

따라서 부등식에서 로그의 밑을 같게 한 후 진수를 비교할 때에는 다음과 같이 부등호의 방향에 주의해야 한다.

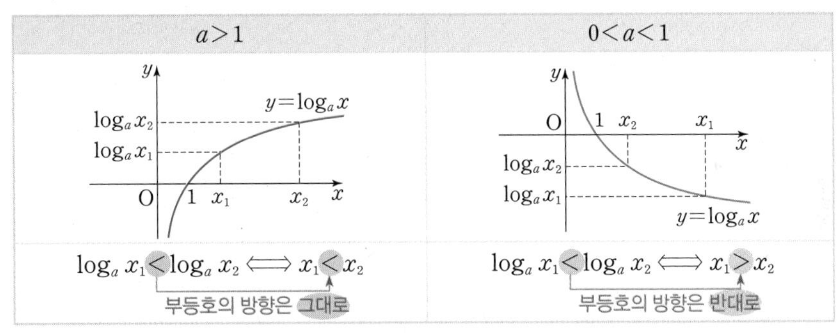

예

(1) ① 로그부등식 $\log_2(x-2)>\log_2 3$을 풀면 ← (밑)>1인 경우

진수의 조건에서 $x-2>0$ $\quad\therefore x>2$ ······ ㉠

밑이 2이고 $2>1$이므로 $x-2>3$ $\quad\therefore x>5$ ······ ㉡

→ 부등호의 방향은 그대로

㉠, ㉡의 공통 범위를 구하면 $x>5$

구한 해가 (진수)>0, (밑)>0, (밑)≠1을 만족시키는지 꼭 확인해야 해.

② 로그부등식 $\log_{\frac{1}{3}}(x+1)>\log_{\frac{1}{3}}(3x-1)$을 풀면 ← 0<(밑)<1인 경우

진수의 조건에서 $x+1>0$, $3x-1>0$ $\quad\therefore x>\frac{1}{3}$ ······ ㉠

밑이 $\frac{1}{3}$이고 $0<\frac{1}{3}<1$이므로 $x+1<3x-1$, $2x>2$ $\quad\therefore x>1$ ······ ㉡

→ 부등호의 방향은 반대로

㉠, ㉡의 공통 범위를 구하면 $x>1$

(2) 로그부등식 $(\log_2 x)^2+4>5\log_2 x$를 풀면

진수의 조건에서 $x>0$ ······ ㉠

$\log_2 x=t$로 놓으면 $t^2-5t+4>0$, $(t-4)(t-1)>0$ $\quad\therefore t<1$ 또는 $t>4$

따라서 $\log_2 x<1$ 또는 $\log_2 x>4$이므로 $\log_2 x<\log_2 2$ 또는 $\log_2 x>\log_2 2^4$

밑이 2이고 $2>1$이므로 $x<2$ 또는 $x>16$ ······ ㉡

㉠, ㉡의 공통 범위를 구하면 $0<x<2$ 또는 $x>16$

정답과 해설 37쪽

1 다음 부등식을 푸시오.

(1) $1<\log_5 x\le 2$

(2) $\log_2 2x>4$

(3) $\log_2 (x+1)\ge 2$

(4) $\log_{\frac{1}{3}} (2x-1)<2$

(5) $\log_{\frac{1}{5}} (5-x)<\log_{\frac{1}{5}} (x-3)$

(6) $\log_5 (x^2-2x)\le\log_5 3$

(7) $\log_{\frac{1}{3}} (x^2+x)>\log_{\frac{1}{3}} 6$

2 다음 부등식을 푸시오.

(1) $(\log_3 x)^2-\log_3 x-2>0$

(2) $(\log_5 x)^2+3>-4\log_5 x$

(3) $(\log_2 x)^2-5<\log_2 x^4$

(4) $(\log_{\frac{1}{3}} x)^2-2\log_{\frac{1}{3}} x+1\le 0$

(5) $(\log_{\frac{1}{2}} x)^2+2<3\log_{\frac{1}{2}} x$

대표 유형 01 로그부등식 – 밑을 같게 할 수 있는 경우

개념 01

다음 부등식을 푸시오.

(1) $\log_2(3-x) \le \log_2 x+1$

(2) $\log_{\frac{1}{3}}(4-x) > \log_{\frac{1}{9}}(x-2)$

풀이 (1) ❶ 진수의 조건 구하기

진수의 조건에서 $3-x>0$, $x>0$이므로 $0<x<3$ ······ ㉠

❷ x의 값의 범위 구하기

$\log_2(3-x) \le \log_2 x+1$에서 $\log_2(3-x) \le \log_2 x + \log_2 2$

$\therefore \log_2(3-x) \le \log_2 2x$

밑이 2이고 $2>1$이므로 $3-x \le 2x$ $\quad \therefore x \ge 1$ ······ ㉡

❸ ❶, ❷의 공통 범위 구하기

㉠, ㉡의 공통 범위를 구하면 $1 \le x < 3$

(2) ❶ 진수의 조건 구하기

진수의 조건에서 $4-x>0$, $x-2>0$이므로 $2<x<4$ ······ ㉠

❷ 밑 같게 하기

$\log_{\frac{1}{3}}(4-x) > \log_{\frac{1}{9}}(x-2)$에서

$\log_{\frac{1}{3}}(4-x) > \log_{(\frac{1}{3})^2}(x-2)$, $\log_{\frac{1}{3}}(4-x) > \frac{1}{2}\log_{\frac{1}{3}}(x-2)$

$2\log_{\frac{1}{3}}(4-x) > \log_{\frac{1}{3}}(x-2)$ $\quad \therefore \log_{\frac{1}{3}}(4-x)^2 > \log_{\frac{1}{3}}(x-2)$

❸ x의 값의 범위 구하기

밑이 $\frac{1}{3}$이고 $0<\frac{1}{3}<1$이므로 $(4-x)^2 < x-2$, $x^2-9x+18<0$

$(x-3)(x-6)<0$ $\quad \therefore 3<x<6$ ······ ㉡

❹ ❶, ❸의 공통 범위 구하기

㉠, ㉡의 공통 범위를 구하면 $3<x<4$

답 (1) $1 \le x < 3$ (2) $3<x<4$

해결의 법칙

밑을 같게 할 수 있는 로그부등식
- (밑)>1 ➡ 부등호의 방향은 **그대로**
- 0<(밑)<1 ➡ 부등호의 방향은 **반대로**

| 정답과 해설 38쪽 |

01-1 다음 부등식을 푸시오.

(1) $\log_{\frac{1}{2}} x + \log_{\frac{1}{2}}(x-3) \ge -2$

(2) $\log_4(x+2) \le \log_2 x$

01-2 부등식 $\log_{\frac{1}{3}}(\log_2 5x) < -1$을 만족시키는 정수 x의 최솟값을 구하시오.

대표 유형 02 로그부등식 – $\log_a x$ 꼴이 반복되는 경우

개념 01

다음 부등식을 푸시오.

(1) $(\log_2 x)^2+2>\log_2 x^3$

(2) $\log_{\frac{1}{3}} 27x\times\log_{\frac{1}{3}} 3x\le 3$

풀이 (1)

❶ 진수의 조건 구하기

진수의 조건에서 $x>0$, $x^3>0$이므로 $x>0$ ······ ㉠

❷ $\log_2 x=t$로 치환한 후 t에 대한 부등식 풀기

$(\log_2 x)^2+2>\log_2 x^3$에서 $(\log_2 x)^2-3\log_2 x+2>0$

$\log_2 x=t$로 놓으면 $t^2-3t+2>0$, $(t-1)(t-2)>0$ $\quad\therefore t<1$ 또는 $t>2$

❸ ❷에서 x의 값의 범위 구하기

따라서 $\log_2 x<1$ 또는 $\log_2 x>2$이므로

$\log_2 x<\log_2 2$ 또는 $\log_2 x>\log_2 4$

밑이 2이고 $2>1$이므로 $x<2$ 또는 $x>4$ ······ ㉡

❹ ❶, ❸의 공통 범위 구하기

㉠, ㉡의 공통 범위를 구하면 $0<x<2$ 또는 $x>4$

(2)

❶ 진수의 조건 구하기

진수의 조건에서 $27x>0$, $3x>0$이므로 $x>0$ ······ ㉠

❷ $\log_{\frac{1}{3}} x=t$로 치환한 후 t에 대한 부등식 풀기

$\log_{\frac{1}{3}} 27x\times\log_{\frac{1}{3}} 3x\le 3$에서 $(\log_{\frac{1}{3}} 27+\log_{\frac{1}{3}} x)(\log_{\frac{1}{3}} 3+\log_{\frac{1}{3}} x)\le 3$

$(\log_{\frac{1}{3}} x-3)(\log_{\frac{1}{3}} x-1)\le 3$ $\quad\therefore (\log_{\frac{1}{3}} x)^2-4\log_{\frac{1}{3}} x\le 0$

$\log_{\frac{1}{3}} x=t$로 놓으면 $t^2-4t\le 0$, $t(t-4)\le 0$ $\quad\therefore 0\le t\le 4$

❸ ❷에서 x의 값의 범위 구하기

따라서 $0\le\log_{\frac{1}{3}} x\le 4$이므로 $\log_{\frac{1}{3}} 1\le\log_{\frac{1}{3}} x\le\log_{\frac{1}{3}}\frac{1}{81}$

밑이 $\frac{1}{3}$이고 $0<\frac{1}{3}<1$이므로 $\frac{1}{81}\le x\le 1$ ······ ㉡

❹ ❶, ❸의 공통 범위 구하기

㉠, ㉡의 공통 범위를 구하면 $\frac{1}{81}\le x\le 1$

답 (1) $0<x<2$ 또는 $x>4$ (2) $\frac{1}{81}\le x\le 1$

해결의 법칙

$\log_a x$ 꼴이 반복되는 로그부등식 → $\log_a x=t$로 치환하여 t에 대한 부등식 풀기

이때, (진수)>0임을 확인해야 해.

| 정답과 해설 38쪽 |

02-1 다음 부등식을 푸시오.

(1) $2(\log_3 x)^2+5\log_3 x-3<0$

(2) $\log_{\frac{1}{2}} 4x\times\log_{\frac{1}{2}} 8x\le 12$

02-2 부등식 $(3+\log_{\frac{1}{2}} x)\times\log_2 x+4>0$의 해가 $\alpha<x<\beta$일 때, $\alpha\beta$의 값을 구하시오.

대표 유형 03 양변에 로그를 취하는 부등식

개념 01

부등식 $x^{\log x}>\frac{100}{x}$을 푸시오.

풀이

❶ 진수의 조건 구하기

진수의 조건에서 $x>0$ ······ ㉠

❷ 양변에 상용로그 취하기

$x^{\log x}>\frac{100}{x}$의 양변에 상용로그를 취하면

$\log x^{\log x}>\log \frac{100}{x}$, $\log x\times\log x>\log 100-\log x$

$(\log x)^2+\log x-2>0$

❸ $\log x=t$로 치환한 후 t에 대한 부등식 풀기

$\log x=t$로 놓으면

$t^2+t-2>0$

$(t+2)(t-1)>0$

$\therefore t<-2$ 또는 $t>1$

❹ ❸에서 x의 값의 범위 구하기

따라서 $\log x<-2$ 또는 $\log x>1$이므로

$\log x<\log \frac{1}{100}$ 또는 $\log x>\log 10$

밑이 10이고 $10>1$이므로

$x<\frac{1}{100}$ 또는 $x>10$ ······ ㉡

❺ ❶, ❹의 공통 범위 구하기

㉠, ㉡의 공통 범위를 구하면 $0<x<\frac{1}{100}$ 또는 $x>10$

답 $0<x<\frac{1}{100}$ 또는 $x>10$

해결의 법칙

$x^{\log_a x}>f(x)$ 꼴의 부등식 ⟶ 양변에 밑이 a인 로그 취하기

| 정답과 해설 39쪽 |

03-1 다음 부등식을 푸시오.

(1) $x^{\log_3 x}>27x^2$

(2) $x^{\log x}<x^3$

대표 유형 04 로그부등식의 응용

개념 01

이차방정식 $x^2-2(2-\log_2 a)x+1=0$이 서로 다른 두 실근을 갖도록 하는 실수 a의 값의 범위를 구하시오.

풀이

❶ 진수의 조건 구하기

$\log_2 a$에서 진수의 조건에 의하여 $a>0$ ······㉠

❷ 판별식 $D>0$임을 이용하여 $\log_2 a$에 대한 부등식 세우기

이차방정식 $x^2-2(2-\log_2 a)x+1=0$이 서로 다른 두 실근을 가지려면 판별식 $D>0$이어야 하므로

$\frac{D}{4}=(2-\log_2 a)^2-1>0$

$\therefore (\log_2 a)^2-4\log_2 a+3>0$

❸ $\log_2 a=t$로 치환한 후 t에 대한 부등식 풀기

$\log_2 a=t$로 놓으면

$t^2-4t+3>0$, $(t-1)(t-3)>0$

$\therefore t<1$ 또는 $t>3$

❹ ❸에서 a의 값의 범위 구하기

따라서 $\log_2 a<1$ 또는 $\log_2 a>3$이므로

$\log_2 a<\log_2 2$ 또는 $\log_2 a>\log_2 8$

밑이 2이고 $2>1$이므로

$a<2$ 또는 $a>8$ ······㉡

❺ ❶, ❹의 공통 범위 구하기

㉠, ㉡의 공통 범위를 구하면

$0<a<2$ 또는 $a>8$

답 $0<a<2$ 또는 $a>8$

해결의 법칙

수학(상)

계수가 실수인 이차방정식 $ax^2+bx+c=0$의 근의 판별 (단, $D=b^2-4ac$)

- 실근을 가질 조건 $\Longleftrightarrow D\ge 0$
- 서로 다른 두 실근을 가질 조건 $\Longleftrightarrow D>0$
- 서로 다른 두 허근을 가질 조건 $\Longleftrightarrow D<0$

| 정답과 해설 39쪽 |

04-1 이차방정식 $x^2-(\log_2 a)x+4=0$이 허근을 갖도록 하는 실수 a의 값의 범위를 구하시오.

대표 유형 05 로그를 포함한 부등식이 항상 성립할 조건

개념 01

모든 양수 x에 대하여 부등식 $(\log_2 x)^2-8\log_2 x+4\log_2 k>0$이 성립하도록 하는 실수 k의 값의 범위를 구하시오.

풀이

❶ 진수의 조건 구하기

진수의 조건에서 $x>0$, $k>0$ ⋯⋯ ㉠

❷ 판별식 $D<0$임을 이용하여 k의 값의 범위 구하기

$\log_2 x=t$로 놓으면 x는 모든 양수이므로 t는 모든 실수이고,
$(\log_2 x)^2-8\log_2 x+4\log_2 k>0$에서
$t^2-8t+4\log_2 k>0$ ⋯⋯ ㉡
모든 실수 t에 대하여 ㉡이 성립해야 하므로 t에 대한 이차방정식
$t^2-8t+4\log_2 k=0$의 판별식을 D라 하면 $D<0$이어야 한다.
즉, $\frac{D}{4}=4^2-4\log_2 k<0$에서 $4-\log_2 k<0$, $\log_2 k>4$, $\log_2 k>\log_2 16$
밑이 2이고 $2>1$이므로 $k>16$ ⋯⋯ ㉢

❸ ❶, ❷의 공통 범위 구하기

㉠, ㉢에서 k의 값의 범위는 $k>16$

답 $k>16$

참고 이차부등식이 항상 성립할 조건 (단, $D=b^2-4ac$)

(1) $ax^2+bx+c>0$ ➡ $a>0$, $D<0$
$ax^2+bx+c\geq0$ ➡ $a>0$, $D\leq0$

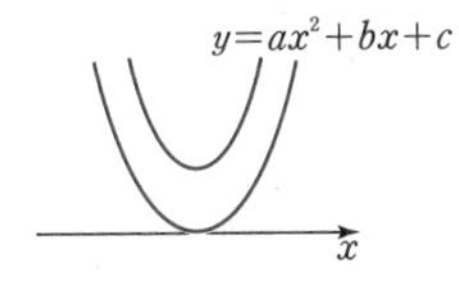

(2) $ax^2+bx+c<0$ ➡ $a<0$, $D<0$
$ax^2+bx+c\leq0$ ➡ $a<0$, $D\leq0$

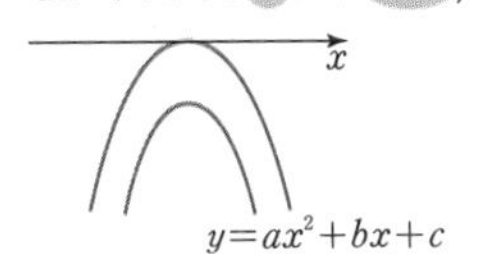

해결의 법칙

수학(상) 이차부등식이 항상 성립할 조건 → 이차함수의 그래프의 모양과 x축과의 위치 관계 생각하기

이차방정식의 판별식으로 알아낼 수 있어.

| 정답과 해설 39쪽 |

05-1 모든 양수 x에 대하여 부등식 $(\log_{\frac{1}{2}} x)^2-4\log_{\frac{1}{2}} x+2\log_{\frac{1}{2}} k\geq0$이 성립하도록 하는 실수 k의 값의 범위를 구하시오.

대표 유형 06 로그방정식과 로그부등식의 실생활에의 활용

개념 01

어떤 공기청정기는 매시간마다 현재 실내오염도의 20 %를 줄인다고 한다. 현재 실내오염도가 80인 방의 공기가 실내오염도 10 이하의 공기로 정화될 때까지 필요한 시간의 최솟값을 구하시오.

(단, $\log 2=0.3010$으로 계산한다.)

풀이

❶ n시간 후의 실내오염도에 대한 식 구하기

실내오염도가 80인 방의

1시간 후의 실내오염도는 $80\times\frac{8}{10}$ ($\rightarrow 1-\frac{20}{100}=\frac{8}{10}$)

2시간 후의 실내오염도는 $80\times\left(\frac{8}{10}\right)^2$

⋮

n시간 후의 실내오염도는 $80\times\left(\frac{8}{10}\right)^n$

❷ 조건에 알맞게 부등식 세우기

이때, 현재 실내오염도가 80인 방의 실내오염도를 10 이하로 낮추는 데 n시간이 걸린다고 하면

$80\times\left(\frac{8}{10}\right)^n\le 10$, 즉 $\left(\frac{8}{10}\right)^n\le\frac{1}{8}$

❸ ❷의 부등식의 양변에 상용로그를 취하여 부등식 풀기

양변에 상용로그를 취하면

$\log\left(\frac{8}{10}\right)^n\le\log\frac{1}{8}$, $n(\log 8-1)\le-\log 8$, $n(3\log 2-1)\le-3\log 2$

$\therefore n\ge\frac{3\log 2}{1-3\log 2}=\frac{0.9030}{1-0.9030}=\frac{0.9030}{0.0970}=9.309\cdots$

❹ ❸의 부등식을 만족시키는 자연수 n의 최솟값 구하기

따라서 공기가 정화되는 데 최소 10시간이 필요하다.

답 10시간

| 정답과 해설 39쪽 |

06-1 광원에서 단위 시간에 나오는 빛의 양을 광도라 하고, 그 빛이 관측지점에서 측정되는 밝기를 조도라 한다. 광도가 I인 등대로부터 x m 떨어진 곳에서 측정되는 조도 L은 다음과 같이 계산한다.

$$L=\frac{I\times10^{-kx}}{x^2}\ \text{(단, } k\text{는 기상 상태에 따른 상수)}$$

광도가 4×10^5인 어떤 등대에서 2000 m 떨어진 곳에서 측정된 조도가 4×10^{-7}일 때, 기상 상태에 따른 상수 k의 값을 구하시오. (단, 광도의 단위는 cd, 조도의 단위는 lx이고 $\log 2=0.3$으로 계산한다.)

06-2 어떤 미생물은 매시간 한 번씩 분열할 때마다 그 수가 2배가 된다고 한다. 이 미생물 10마리가 분열을 시작하여 처음으로 100만 마리 이상이 되는 것은 몇 시간 후인지 구하시오. (단, $\log 2=0.3$으로 계산한다.)

정답과 해설 40쪽

유형 확인

1-1 함수 $y=a\log_3(x+b)+c$의 그래프가 함수 $y=3^{x-1}+2$의 그래프와 직선 $y=x$에 대하여 대칭일 때, $a+b+c$의 값을 구하시오. (단, a, b, c는 상수)

한번 더 확인

1-2 함수 $f(x)=3\log_2(x+3)-1$의 역함수를 $g(x)$라 할 때, $g(8)$의 값을 구하시오.

2-1 다음 중 함수 $y=\log_2(x-5)-3$에 대한 설명으로 옳지 않은 것은?

① 그래프는 함수 $y=\log_2 x$의 그래프를 x축의 방향으로 5만큼, y축의 방향으로 -3만큼 평행이동한 것이다.
② 정의역은 $\{x|x>5\}$, 치역은 $\{y|y$는 실수$\}$이다.
③ 그래프는 점 $(6, -3)$을 지난다.
④ x의 값이 증가하면 y의 값도 증가한다.
⑤ 그래프의 점근선의 방정식은 $x=-3$이다.

2-2 함수 $y=\log_3(6-x)+2$에 대한 다음 **보기**의 설명 중 옳은 것만을 있는 대로 고르시오.

| 보기 |
ㄱ. 정의역은 $\{x|x>6\}$이다.
ㄴ. 그래프의 점근선의 방정식은 $x=6$이다.
ㄷ. 그래프는 점 $(3, 2)$를 지난다.
ㄹ. 그래프는 함수 $y=\log_3 x$의 그래프를 대칭이동한 후 평행이동하면 겹쳐진다.

3-1 오른쪽 그림은 두 함수 $y=\log_2 x$, $y=x$의 그래프이다. 이때, $\left(\frac{1}{2}\right)^{a-b}$의 값을 구하시오.
(단, 점선은 x축 또는 y축에 평행하다.)

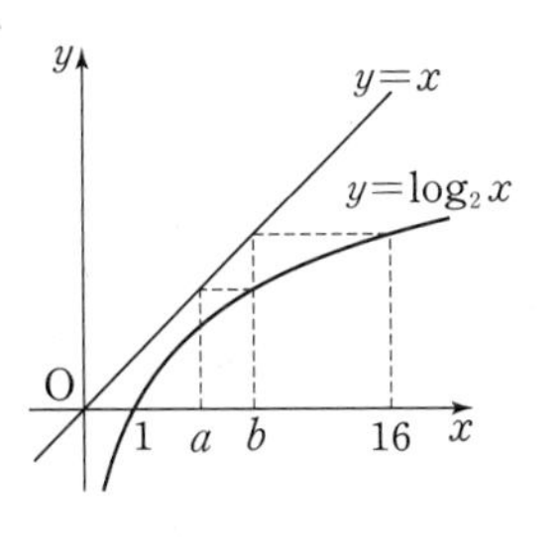

3-2 오른쪽 그림에서 사각형 ABCD는 한 변의 길이가 2인 정사각형이고 점 A는 함수 $y=\log_2 x$의 그래프 위의 점이다. 이때, 점 D의 좌표를 구하시오.
(단, 두 점 B, C는 x축 위의 점이다.)

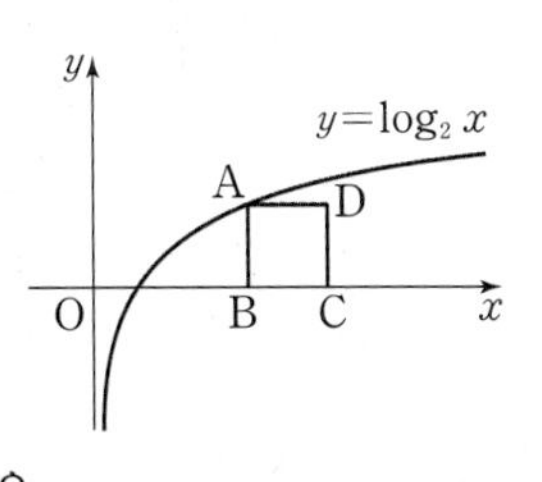

4-1 함수 $y=\log_3(27x+9)$의 그래프는 함수 $y=\log_3 x$의 그래프를 x축의 방향으로 m만큼, y축의 방향으로 n만큼 평행이동한 것이다. 이때, 상수 m, n의 값을 구하시오.

4-2 함수 $y=\log_{\frac{1}{3}}(x-1)+1$의 그래프를 x축에 대하여 대칭이동한 후 직선 $y=x$에 대하여 대칭이동한 그래프의 식은 $y=a\times 3^x+b$이다. 이때, 상수 a, b에 대하여 ab의 값을 구하시오.

유형 확인

5-1 1, $\log_3 7$, $\log_9 100$을 작은 것부터 차례로 나열하시오.

한번 더 확인

5-2 $\log_{\frac{1}{3}} 5$, -2, $\frac{1}{2}\log_{\frac{1}{3}} 36$을 작은 것부터 차례로 나열하시오.

6-1 함수 $y=\log_5 (x^2-4x+9)$가 $x=a$에서 최솟값 b를 가질 때, $a-b$의 값을 구하시오.

6-2 $-1\le x\le 2$에서 함수 $y=\log_2 (x^2-2x+5)$의 최댓값을 M, 최솟값을 m이라 할 때, $M+m$의 값을 구하시오.

7-1 방정식 $\log_2 8x\times\log_2 2x=3$을 푸시오.

7-2 방정식 $(\log_3 x)^2-\log_3 x^5+4=0$의 두 근을 α, β라 할 때, $\alpha\beta$의 값을 구하시오.

8-1 부등식 $\log_2 (x-1)<\log_4 (3-x)$의 해가 $\alpha<x<\beta$일 때, $\alpha\beta$의 값을 구하시오.

8-2 부등식 $\log_{\frac{1}{3}} (x-1)<\frac{1}{2}\log_{\frac{1}{3}} (7-x)$를 만족시키는 정수 x의 개수를 구하시오.

유형 확인

9-1 부등식 $(\log_5 x)^2+\log_5 x-2\le 0$을 만족시키는 정수 x의 개수를 구하시오.

10-1 부등식 $x^{\log_2 x}<\dfrac{16}{x^3}$의 해가 $\alpha<x<\beta$일 때, $\alpha\beta$의 값을 구하시오.

11-1 이차방정식 $(3-\log a)x^2+2(1-\log a)x+1=0$이 서로 다른 두 실근을 갖도록 하는 실수 a의 값의 범위를 구하시오.

12-1 몸무게가 W인 동물의 에너지 사용량의 한 지표인 표준대사량 E는 다음과 같이 계산한다.

$E=kW^{\frac{3}{4}}$ (단, k는 상수)

동물 A의 몸무게가 동물 B의 몸무게의 100배일 때, 동물 A의 표준대사량은 동물 B의 표준대사량의 α배이다. 이때, α의 값을 소수점 아래 둘째 자리까지 구하시오. (단, $\log 3.162=0.5$로 계산한다.)

한번 더 확인

9-2 부등식 $\log_{\frac{1}{2}} 8x\times\log_2 \dfrac{x}{4}>0$의 해가 $\alpha<x<\beta$일 때, $\alpha+\beta$의 값을 구하시오.

10-2 부등식 $8x^{\log_2 x}<x^4$의 해가 $\alpha<x<\beta$일 때, $\alpha+\beta$의 값을 구하시오.

11-2 이차방정식 $x^2-(3\log_2 k)x+9=0$이 허근을 갖도록 하는 실수 k의 값의 범위를 구하시오.

12-2 120 km/h의 속력으로 달리던 자동차의 운전자가 속력을 줄이기 위해 브레이크를 작동하였다. 자동차의 속력은 브레이크를 작동한 후 매 1초마다 1초 전의 10 %씩 줄어든다고 한다. 이 자동차가 브레이크를 작동시킨 후 속력이 80 km/h 이하가 되는 것은 약 몇 초 후부터인지 소수점 아래 첫째 자리에서 반올림하여 구하시오.

(단, $\log 2=0.3010$, $\log 3=0.4771$로 계산한다.)

4 로그함수

5 삼각함수

캬~옹
퍽
또 불시에 습격 당했습니다.
도무지 녀석의 위치를 알 수 없어.
잉~잉
이걸 저 녀석의 목에 매달면 위치를 확인할 수 있습니다.
딸~랑
GPS 방울
GPS? 이걸로 어떻게 알 수 있지?
방울이 수신한 GPS 위성의 정보와 삼각함수로 위치를 알 수 있습니다.
그런데 누가 고양이 목에 방울을 달지?

개념 미리보기

1 일반각

개념 01 시초선과 동경

시초선 ➡ 기준이 되는 시작선

동경 ➡ 움직이는 선

개념 02 일반각

동경이 나타내는 한 각의 크기가 $\alpha°$일 때 ⟶ 일반각 ➡ $360° \times n + \alpha°$ (단, n은 정수)

개념 03 사분면의 각

❶ θ가 제1사분면의 각 ➡ $360° \times n + 0° < \theta < 360° \times n + 90°$
❷ θ가 제2사분면의 각 ➡ $360° \times n + 90° < \theta < 360° \times n + 180°$
❸ θ가 제3사분면의 각 ➡ $360° \times n + 180° < \theta < 360° \times n + 270°$
❹ θ가 제4사분면의 각 ➡ $360° \times n + 270° < \theta < 360° \times n + 360°$

개념 04 두 동경의 위치 관계

두 동경의 위치 관계 ⟶ 두 동경이 나타내는 각의 합 또는 차를 일반각으로 나타내기

2 호도법

개념 01 호도법

호도법 ⟶ 라디안을 단위로 각의 크기를 나타내는 방법 (라디안: 반지름과 각의 합성어)

개념 02 호도법과 육십분법의 관계

(호도법의 각) $\times \dfrac{180°}{\pi}$ = (육십분법의 각)

(육십분법의 각) $\times \dfrac{\pi}{180}$ = (호도법의 각)

개념 03 부채꼴의 호의 길이와 넓이

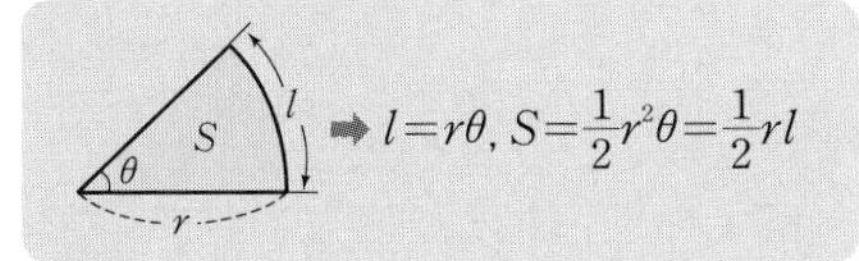

➡ $l = r\theta,\ S = \dfrac{1}{2}r^2\theta = \dfrac{1}{2}rl$

3 삼각함수

개념 01 삼각비

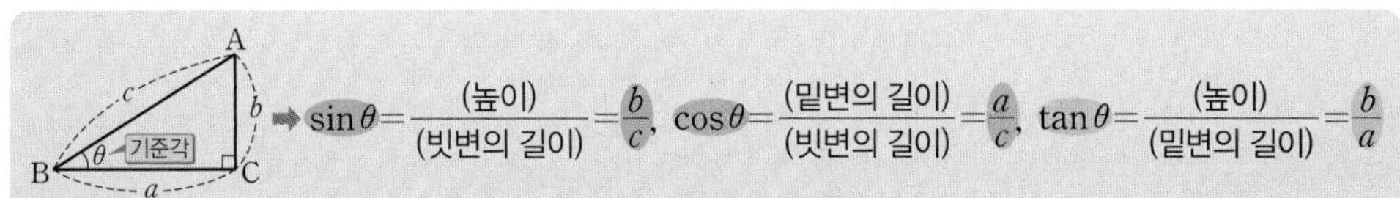

➡ $\sin\theta = \dfrac{(\text{높이})}{(\text{빗변의 길이})} = \dfrac{b}{c}$, $\cos\theta = \dfrac{(\text{밑변의 길이})}{(\text{빗변의 길이})} = \dfrac{a}{c}$, $\tan\theta = \dfrac{(\text{높이})}{(\text{밑변의 길이})} = \dfrac{b}{a}$

개념 02 삼각함수

삼각함수 ⟶

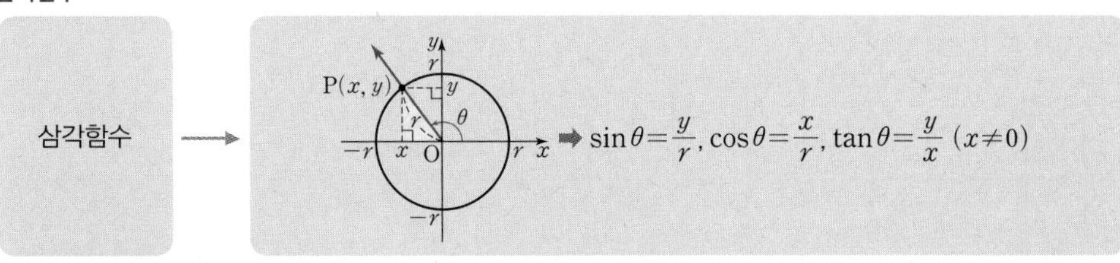

➡ $\sin\theta = \dfrac{y}{r},\ \cos\theta = \dfrac{x}{r},\ \tan\theta = \dfrac{y}{x}\ (x \neq 0)$

개념 03 삼각함수의 값의 부호

각 사분면에서 값의 부호가 +인 삼각함수 ⟶ (제1사분면: all, 제2사분면: sin, 제3사분면: tan, 제4사분면: cos)

제1사분면부터 차례대로 읽어서 얼(all) → 싸(sin) → 안(tan) → 코(cos)로 기억해.

개념 04 삼각함수 사이의 관계

❶ $\tan\theta = \dfrac{\sin\theta}{\cos\theta}$

❷ $\sin^2\theta + \cos^2\theta = 1$

1 일반각

개념 01 시초선과 동경

1 시초선과 동경

두 반직선 OX와 OP에 의하여 ∠XOP가 정해질 때, ∠XOP의 크기는 반직선 OP가 고정된 반직선 OX의 위치에서 점 O를 중심으로 반직선 OP의 위치까지 회전한 양이다.

이때, 반직선 OX를 **시초선**, 반직선 OP를 **동경**이라 한다.

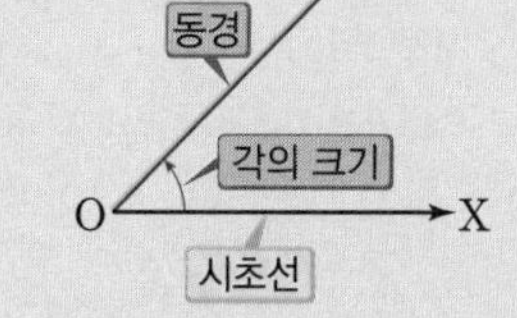

참고 시초선은 기준이 되는 시작선, 동경은 움직이는 선을 뜻한다.

2 각의 방향

동경 OP가 점 O를 중심으로 회전할 때,

(1) 시곗바늘이 도는 방향과 반대인 방향을 **양의 방향**이라 한다.

➡ 각의 크기를 나타낼 때, 양의 부호 +를 붙인다. (양의 부호 +는 보통 생략한다.)

(2) 시곗바늘이 도는 방향을 **음의 방향**이라 한다.

➡ 각의 크기를 나타낼 때, 음의 부호 −를 붙인다.

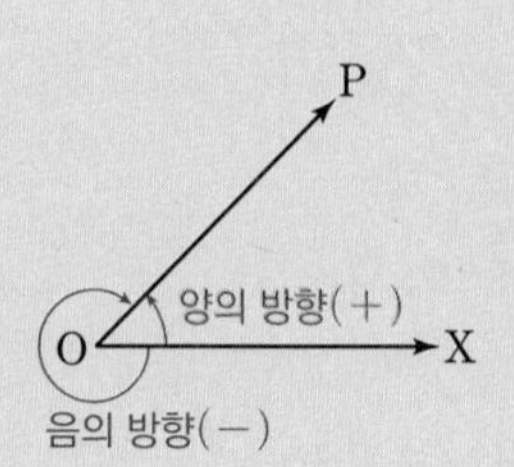

예 크기가 다음과 같은 각을 나타내는 시초선 OX와 동경 OP를 그려 보자.

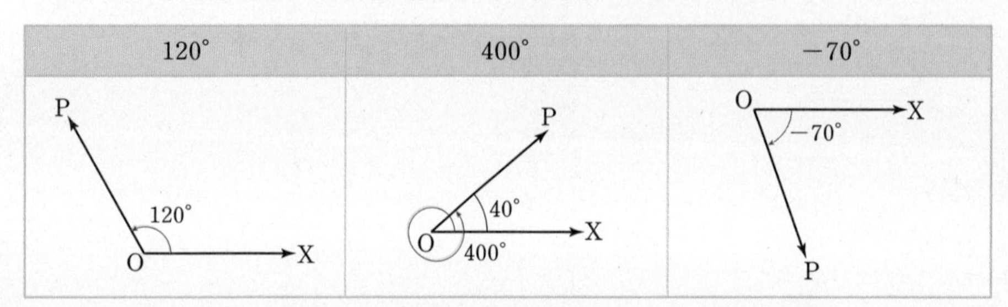

해결의 법칙

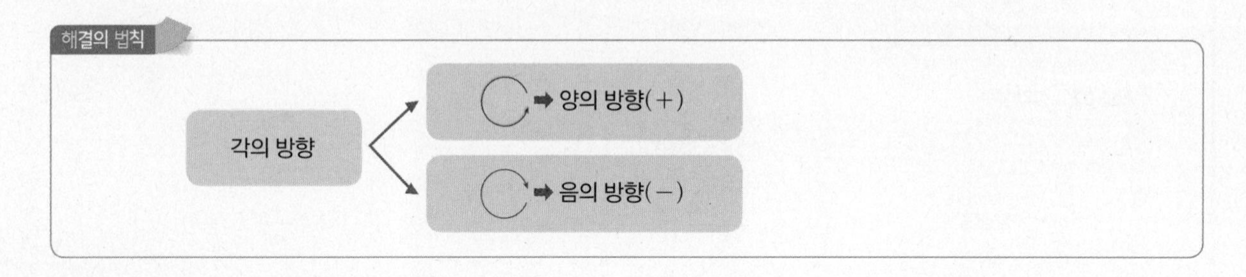

| 정답과 해설 44쪽 |

개념 확인 1 크기가 다음과 같은 각을 나타내는 시초선 OX와 동경 OP를 그리시오.

(1) 240° (2) 390° (3) −100°

개념 02 일반각

일반적으로 시초선 OX와 동경 OP가 나타내는 한 각의 크기를 $\alpha°$라 하면 $\angle XOP$의 크기는 다음과 같은 꼴로 나타낼 수 있다.

$$\angle XOP = \mathbf{360° \times n + \alpha°} \text{ (단, } n\text{은 정수)}$$

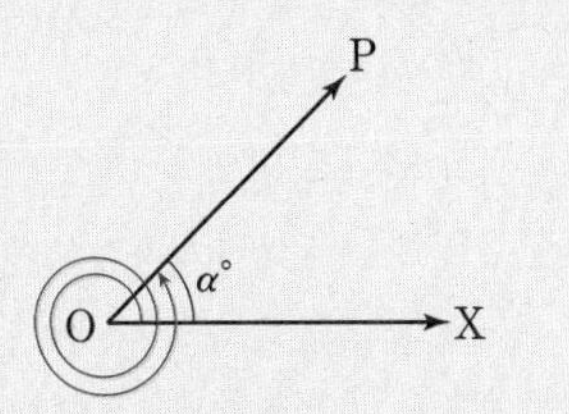

이것을 동경 OP가 나타내는 **일반각**이라 한다.

참고 일반각으로 나타낼 때, $\alpha°$는 보통 $0° \le \alpha° < 360°$의 범위에서 택한다.

예 시초선 OX에서 $60°$의 위치에 있는 동경 OP가 나타내는 $\angle XOP$의 크기는 다음과 같이 여러 가지로 나타낼 수 있다.

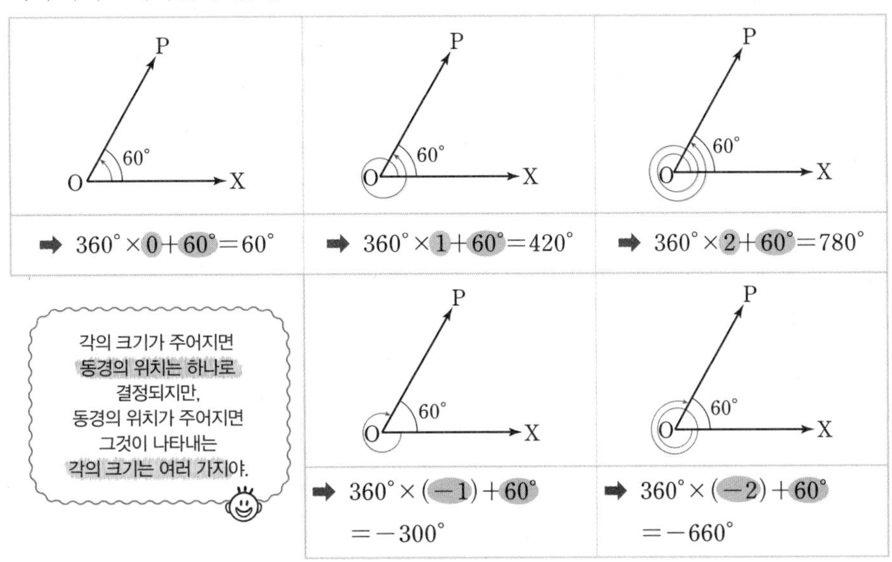

이때, 위의 각은 모두 다음과 같은 꼴로 나타낼 수 있다.

➡ $360° \times n + 60°$ (단, n은 정수)

n은 동경이 회전한 방향과 바퀴 수를 나타내.

해결의 법칙

동경이 나타내는 한 각의 크기가 $\alpha°$일 때 ⟶ 일반각 ➡ $360° \times n + \alpha°$ (단, n은 정수)

| 정답과 해설 44쪽 |

개념 확인 2 크기가 다음과 같은 각의 동경이 나타내는 일반각을 $360° \times n + \alpha°$ 꼴로 나타내시오. (단, n은 정수, $0° \le \alpha° < 360°$)

(1) $330°$

(2) $-570°$

개념 03 사분면의 각

1 사분면의 각

좌표평면에서 시초선을 원점 O에서 x축의 양의 방향으로 잡을 때,

제1사분면, 제2사분면, 제3사분면, 제4사분면

에 있는 동경 OP가 나타내는 각을 각각

제1사분면의 각, 제2사분면의 각,

제3사분면의 각, 제4사분면의 각

이라 한다.

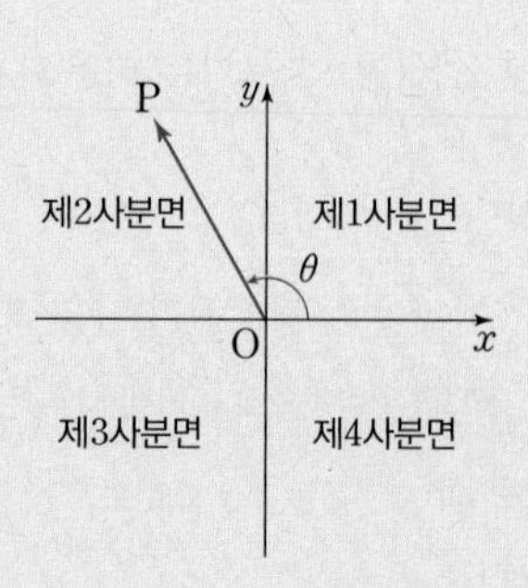

참고 $0°$, $90°$, $180°$, $270°$와 같이 좌표축(x축 또는 y축) 위의 동경이 나타내는 각은 어느 사분면의 각도 아니다.

2 사분면의 일반각

각 θ를 나타내는 동경이 존재하는 사분면에 따라 θ의 값의 범위를 일반각으로 표현하면 다음과 같다. (단, n은 정수)

(1) θ가 제1사분면의 각 ➡ $360° \times n + 0° < \theta < 360° \times n + 90°$
(2) θ가 제2사분면의 각 ➡ $360° \times n + 90° < \theta < 360° \times n + 180°$
(3) θ가 제3사분면의 각 ➡ $360° \times n + 180° < \theta < 360° \times n + 270°$
(4) θ가 제4사분면의 각 ➡ $360° \times n + 270° < \theta < 360° \times n + 360°$

예 크기가 각각 $1230°$, $-480°$인 각은 제몇 사분면의 각인지 알아보자.

(1) $1230° = 360° \times 3 + 150°$이므로
$1230°$는 제2사분면의 각이다.

(2) $-480° = 360° \times (-2) + 240°$이므로
$-480°$는 제3사분면의 각이다.

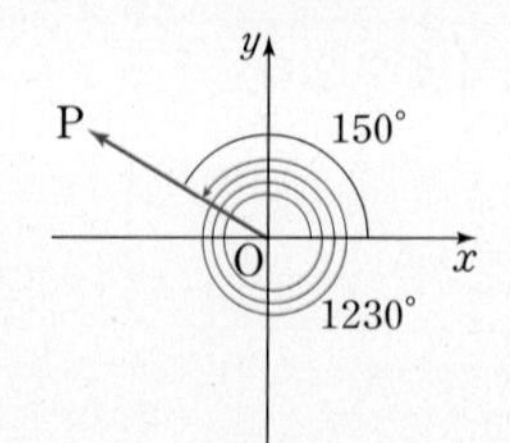

참고 좌표평면에서 시초선은 보통 x축의 양의 방향으로 정한다.

| 정답과 해설 44쪽 |

개념 확인 3 크기가 다음과 같은 각은 제몇 사분면의 각인지 말하시오.

(1) $500°$

(2) $-420°$

개념 04 두 동경의 위치 관계

대표 유형 02

두 동경이 나타내는 각의 크기를 각각 α, β라 할 때, 정수 n에 대하여 두 동경의 위치 관계는 다음과 같다.

(1) 두 동경이 일치할 때 ➡ $\alpha-\beta=360^\circ\times n$
(2) 두 동경이 원점에 대하여 대칭일 때 ➡ $\alpha-\beta=360^\circ\times n+180^\circ$
(3) 두 동경이 x축에 대하여 대칭일 때 ➡ $\alpha+\beta=360^\circ\times n$
(4) 두 동경이 y축에 대하여 대칭일 때 ➡ $\alpha+\beta=360^\circ\times n+180^\circ$
(5) 두 동경이 직선 $y=x$에 대하여 대칭일 때 ➡ $\alpha+\beta=360^\circ\times n+90^\circ$

설명 좌표평면에서 두 동경 OP, OQ가 나타내는 각의 크기를 각각 α, β라 할 때,

$\alpha=360^\circ\times n_1+\alpha_1$, $\beta=360^\circ\times n_2+\beta_1$ (n_1, n_2는 정수, $0^\circ\le\alpha_1<360^\circ$, $0^\circ\le\beta_1<360^\circ$)

이라 하고 두 동경의 위치 관계를 알아보자.

두 동경의 위치 관계	α, β 사이의 관계식	좌표평면에서의 동경의 위치	예
(1) 두 동경이 일치할 때	$\alpha-\beta=360^\circ\times n$	y, P, Q, α_1, β_1, O, x	$\alpha=390^\circ$, $\beta=30^\circ$일 때, $\alpha-\beta=360^\circ$ $=360^\circ\times1$
(2) 두 동경이 원점에 대하여 대칭일 때	$\alpha-\beta=360^\circ\times n+180^\circ$	y, Q, α_1, β_1, O, x, P	$\alpha=210^\circ$, $\beta=30^\circ$일 때, $\alpha-\beta=180^\circ$ $=360^\circ\times0+180^\circ$
(3) 두 동경이 x축에 대하여 대칭일 때	$\alpha+\beta=360^\circ\times n$	y, Q, α_1, β_1, O, x, P	$\alpha=330^\circ$, $\beta=30^\circ$일 때, $\alpha+\beta=360^\circ$ $=360^\circ\times1$
(4) 두 동경이 y축에 대하여 대칭일 때	$\alpha+\beta=360^\circ\times n+180^\circ$	y, P, Q, α_1, β_1, O, x	$\alpha=150^\circ$, $\beta=30^\circ$일 때, $\alpha+\beta=180^\circ$ $=360^\circ\times0+180^\circ$
(5) 두 동경이 직선 $y=x$에 대하여 대칭일 때	$\alpha+\beta=360^\circ\times n+90^\circ$	y, P, $y=x$, α_1, Q, β_1, O, x	$\alpha=70^\circ$, $\beta=20^\circ$일 때, $\alpha+\beta=90^\circ$ $=360^\circ\times0+90^\circ$

두 동경의 위치 관계는 두 동경이 나타내는 각의 합 또는 차를 일반각 $360^\circ\times n+\alpha^\circ$ (n은 정수) 꼴로 나타내면 돼.

| 정답과 해설 44쪽 |

개념 확인 4 좌표평면에서 두 동경이 나타내는 각의 크기를 α, β라 할 때, 다음 ☐ 안에 알맞은 수를 써넣으시오. (단, n은 정수)

(1) 두 동경이 원점에 대하여 대칭이면 α, β 사이의 관계식은 $\alpha-\beta=360^\circ\times n+$☐$^\circ$
(2) 두 동경이 y축에 대하여 대칭이면 α, β 사이의 관계식은 $\alpha+\beta=360^\circ\times n+$☐$^\circ$
(3) 두 동경이 직선 $y=x$에 대하여 대칭이면 α, β 사이의 관계식은 $\alpha+\beta=360^\circ\times n+$☐$^\circ$

STEP 1 개념 드릴

정답과 해설 44쪽

1 크기가 다음과 같은 각을 나타내는 시초선 OX와 동경 OP를 그리시오.

(1) $270°$

(2) $430°$

(3) $1180°$

(4) $-230°$

(5) $-760°$

2 크기가 다음과 같은 각의 동경이 나타내는 일반각을 $360°\times n+\alpha°$ 꼴로 나타내시오.

(단, n은 정수, $0°\leq\alpha°<360°$)

(1) $400°$

(2) $570°$

(3) $-260°$

(4) $-850°$

3 크기가 다음과 같은 각은 제몇 사분면의 각인지 말하시오.

(1) $470°$

(2) $1720°$

(3) $-225°$

(4) $-880°$

대표 유형 01 사분면의 각

개념 03

θ가 제3사분면의 각일 때, $\frac{\theta}{3}$는 제몇 사분면의 각인지 구하시오.

풀이

❶ $\frac{\theta}{3}$를 일반각으로 나타내기

θ가 제3사분면의 각이므로 일반각으로 나타내면

$360^\circ\times n+180^\circ<\theta<360^\circ\times n+270^\circ$ (단, n은 정수)

$\therefore\ 360^\circ\times\frac{n}{3}+60^\circ<\frac{\theta}{3}<360^\circ\times\frac{n}{3}+90^\circ$

❷ $n=3k$, $n=3k+1$, $n=3k+2$(k는 정수)일 때, $\frac{\theta}{3}$가 제몇 사분면의 각인지 구하기

$\frac{\theta}{3}$의 범위를 일반각으로 나타내려면 n을 $n=3k$, $n=3k+1$, $n=3k+2$ (k는 정수)인 경우로 나누어 생각한다.

n을 3으로 나누었을 때의 나머지가 0, 1, 2이므로 n을 $n=3k$, $n=3k+1$, $n=3k+2$ (k는 정수)로 나누어 생각하면 돼.

(i) $n=3k$ (k는 정수)일 때, $360^\circ\times k+60^\circ<\frac{\theta}{3}<360^\circ\times k+90^\circ$

이므로 $\frac{\theta}{3}$는 제1사분면의 각이다.

(ii) $n=3k+1$ (k는 정수)일 때, $360^\circ\times k+180^\circ<\frac{\theta}{3}<360^\circ\times k+210^\circ$

이므로 $\frac{\theta}{3}$는 제3사분면의 각이다.

(iii) $n=3k+2$ (k는 정수)일 때, $360^\circ\times k+300^\circ<\frac{\theta}{3}<360^\circ\times k+330^\circ$

이므로 $\frac{\theta}{3}$는 제4사분면의 각이다.

(i), (ii), (iii)에서 $\frac{\theta}{3}$는 제1사분면 또는 제3사분면 또는 제4사분면의 각이다.

답 제1사분면 또는 제3사분면 또는 제4사분면

해결의 법칙

θ가 제몇 사분면의 각인지 알면 → θ의 범위를 일반각으로 나타내기

| 정답과 해설 44쪽 |

01-1 2θ가 제4사분면의 각일 때, θ는 제몇 사분면의 각인지 구하시오.

01-2 3θ가 제2사분면의 각일 때, θ는 제몇 사분면의 각인지 구하시오.

대표 유형 02 두 동경의 위치 관계

개념 04

각 θ를 나타내는 동경과 각 7θ를 나타내는 동경이 일치할 때, 각 θ의 크기를 구하시오. (단, $0^\circ<\theta<90^\circ$)

풀이

❶ 두 각 θ, 7θ의 관계를 일반각으로 나타내기

각 θ를 나타내는 동경과 각 7θ를 나타내는 동경이 일치하므로

$7\theta-\theta=360^\circ\times n$ (단, n은 정수)

$6\theta=360^\circ\times n \qquad \therefore \theta=60^\circ\times n$

❷ 주어진 각 θ의 범위를 이용하여 n의 값 구하기

이때, $0^\circ<\theta<90^\circ$이므로

$0^\circ<60^\circ\times n<90^\circ \qquad \therefore 0<n<\frac{3}{2}$

n은 정수이므로 $n=1$

❸ 각 θ의 크기 구하기

$\therefore \theta=60^\circ\times 1=60^\circ$

답 60°

해결의 법칙

두 동경의 위치 관계 → 두 동경이 나타내는 각의 합 또는 차를 일반각 $360^\circ\times n+\alpha^\circ$ (n은 정수) 꼴로 나타내기

| 정답과 해설 45쪽 |

02-1 각 θ를 나타내는 동경과 각 5θ를 나타내는 동경이 일직선 위에 있고 방향이 반대일 때, 각 θ의 크기를 구하시오. (단, $180^\circ<\theta<270^\circ$)

02-2 각 θ를 나타내는 동경과 각 4θ를 나타내는 동경이 x축에 대하여 대칭일 때, 각 θ의 크기를 구하시오. (단, $90^\circ<\theta<180^\circ$)

02-3 각 2θ를 나타내는 동경과 각 4θ를 나타내는 동경이 직선 $y=x$에 대하여 대칭일 때, 각 θ의 크기를 구하시오. (단, $45^\circ<\theta<135^\circ$)

2 호도법

개념 01 호도법

1 육십분법

원의 둘레를 360등분 하여 각 호에 대한 중심각의 크기를 1도(°), 1도의 $\frac{1}{60}$을 1분(′), 1분의 $\frac{1}{60}$을 1초(″)로 정의하여 각의 크기를 나타내는 방법을 **육십분법**이라 한다.

2 호도법

반지름의 길이가 r인 원에서 길이가 r인 호에 대한 중심각의 크기는 원의 반지름의 길이 r에 관계없이 $\frac{180°}{\pi}$로 항상 일정하다.

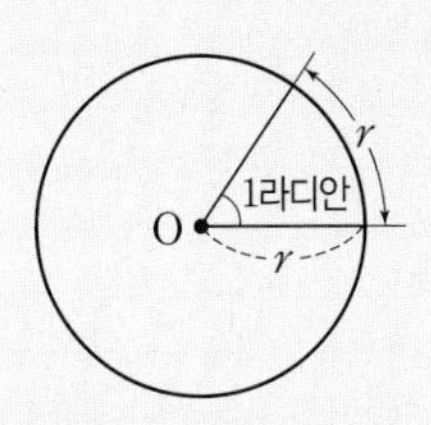

이 일정한 각의 크기를 **1라디안**(radian)이라 하고, 이것을 단위로 각의 크기를 나타내는 방법을 **호도법**이라 한다.

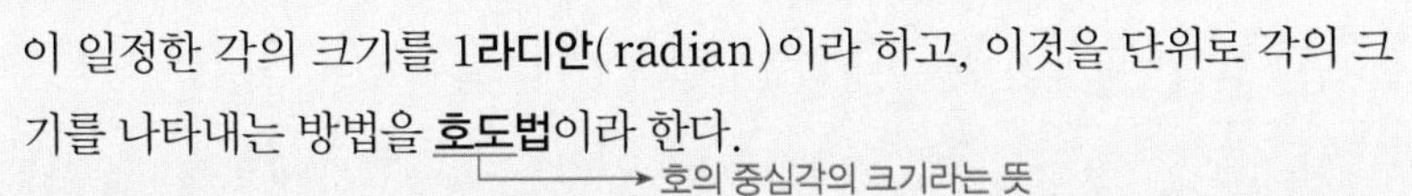

참고 (1) 라디안(radian)은 반지름(radius)과 각(angle)의 합성어이다.
(2) 1라디안은 호의 길이가 반지름의 길이와 같은 부채꼴의 중심각의 크기로, 육십분법으로 나타내면 약 57°17′45″이다.

설명 지금까지는 각의 크기를 나타낼 때, 30°, 45°, 60°와 같이 도(°)를 단위로 하는 육십분법을 사용하였다.

이제 각의 크기를 나타내는 새로운 단위에 대하여 알아보자.
오른쪽 그림과 같이 반지름의 길이가 r인 원 O에서 길이가 r인 호 AB에 대한 중심각의 크기를 $\alpha°$라 하면 호의 길이는 중심각의 크기에 정비례하므로 다음이 성립함을 알 수 있다.

$$360° : \alpha° = 2\pi r : r$$

$$\therefore \alpha° = \frac{180°}{\pi}$$

따라서 중심각의 크기 $\alpha°$는 반지름의 길이 r에 관계없이 $\frac{180°}{\pi}$로 일정하다.

이 일정한 각의 크기 $\frac{180°}{\pi}$를 1라디안이라 하고, 이것을 단위로 하여 각의 크기를 나타내는 방법을 호도법이라 한다.

참고 각의 크기를 호도법으로 나타낼 때는 단위인 '라디안'은 생략하고, 3, π, $\frac{\pi}{2}$와 같이 실수로 나타낸다.

3라디안 ➡ 3, π라디안 ➡ π, $\frac{\pi}{2}$라디안 ➡ $\frac{\pi}{2}$

해결의 법칙

1라디안$=\frac{180°}{\pi}$

개념 02 **호도법과 육십분법의 관계** 대표 유형 01

호도법과 육십분법 사이에는 다음과 같은 관계가 성립한다.

$$1\text{라디안}=\frac{180^\circ}{\pi},\ 1^\circ=\frac{\pi}{180}\text{라디안}$$

설명 (1) 1라디안$=\frac{180^\circ}{\pi}$이므로 호도법의 각을 육십분법의 각으로 나타내면

(호도법의 각) $\times\frac{180^\circ}{\pi}=$(육십분법의 각) ← $\frac{\pi}{3}=\frac{\pi}{3}\times1=\frac{\pi}{3}\times\frac{180^\circ}{\pi}=60^\circ$

(2) $1^\circ=\frac{\pi}{180}$라디안이므로 육십분법의 각을 호도법의 각으로 나타내면

(육십분법의 각) $\times\frac{\pi}{180}=$(호도법의 각) ← $30^\circ=30\times1^\circ=30\times\frac{\pi}{180}=\frac{\pi}{6}$

따라서 호도법과 육십분법의 관계를 이용하면 다음과 같은 결과를 얻을 수 있다.

육십분법의 각	0°	30°	45°	60°	90°	120°	135°	180°	270°	360°
호도법의 각	0	$\frac{\pi}{6}$	$\frac{\pi}{4}$	$\frac{\pi}{3}$	$\frac{\pi}{2}$	$\frac{2}{3}\pi$	$\frac{3}{4}\pi$	π	$\frac{3}{2}\pi$	2π

참고 호도법에서 동경이 나타내는 한 각의 크기를 θ라 할 때, 일반각은

$2n\pi+\theta$ (n은 정수)

와 같이 나타낸다.

여기서 θ는 보통 $0\le\theta<2\pi$의 범위에서 택한다.

일반각 { 육십분법: $360^\circ\times n+\alpha^\circ$ (n은 정수)
호도법: $2n\pi+\theta$ (n은 정수)

해결의 법칙

(호도법의 각) $\times\frac{180^\circ}{\pi}=$(육십분법의 각)

(육십분법의 각) $\times\frac{\pi}{180}=$(호도법의 각)

| 정답과 해설 45쪽 |

개념 확인 1 다음에서 육십분법으로 나타낸 각은 호도법으로, 호도법으로 나타낸 각은 육십분법으로 나타내시오.

(1) 45°

(2) 120°

(3) $\frac{5}{6}\pi$

(4) $\frac{3}{2}\pi$

개념 확인 2 크기가 다음과 같은 각의 동경이 나타내는 일반각을 $2n\pi+\theta$ 꼴로 나타내시오. (단, n은 정수, $0\le\theta<2\pi$)

(1) $\frac{7}{3}\pi$

(2) $-\frac{11}{6}\pi$

개념 03 부채꼴의 호의 길이와 넓이

대표 유형 02

반지름의 길이가 r, 중심각의 크기가 θ(라디안)인 부채꼴의 호의 길이를 l, 넓이를 S라 하면 다음이 성립한다.

(1) $\boldsymbol{l=r\theta}$ (2) $\boldsymbol{S=\frac{1}{2}r^2\theta=\frac{1}{2}rl}$

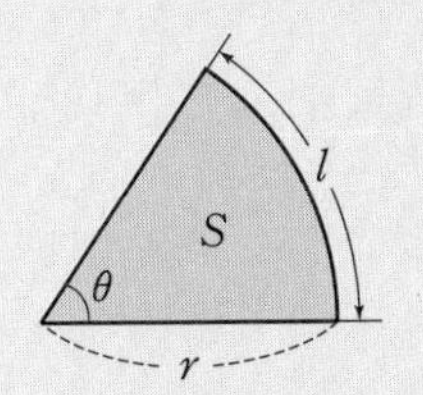

설명 오른쪽 그림과 같이 반지름의 길이가 r, 중심각의 크기가 θ(라디안)인 부채꼴 OAB에서

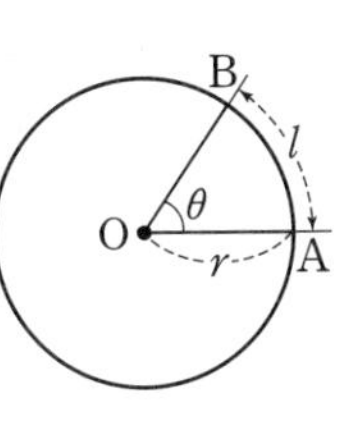

(1) 호 AB의 길이를 l이라 하면 호의 길이는 중심각의 크기에 정비례하므로

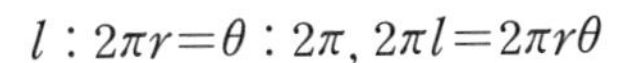

$l : 2\pi r=\theta : 2\pi$, $2\pi l=2\pi r\theta$

$\therefore\ l=r\theta$

(2) 부채꼴 OAB의 넓이를 S라 하면 부채꼴의 넓이는 중심각의 크기에 정비례하므로

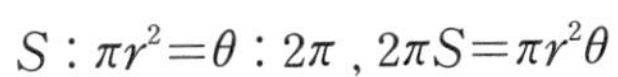

$S : \pi r^2=\theta : 2\pi$, $2\pi S=\pi r^2\theta$

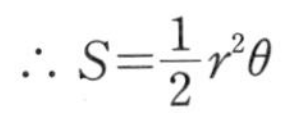

$\therefore\ S=\frac{1}{2}r^2\theta$

이때, $l=r\theta$이므로

$S=\frac{1}{2}r^2\theta=\frac{1}{2}r\times r\theta=\frac{1}{2}rl$

부채꼴의 중심각의 크기 θ는 호도법으로 나타낸 각임에 주의해야 해.

해결의 법칙

부채꼴의 호의 길이와 넓이

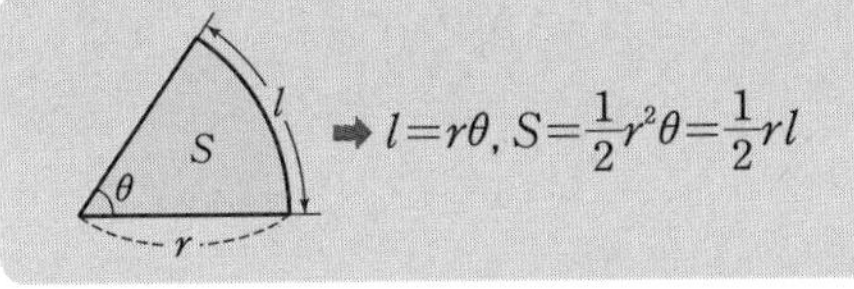

| 정답과 해설 45쪽 |

개념 확인 3 반지름의 길이가 8, 중심각의 크기가 $\frac{\pi}{4}$인 부채꼴에 대하여 다음을 구하시오.

(1) 부채꼴의 호의 길이 l

(2) 부채꼴의 넓이 S

1 다음 각을 호도법으로 나타내시오.

(1) $108°$

(2) $210°$

(3) $-60°$

(4) $1296°$

2 다음 각을 육십분법으로 나타내시오.

(1) $\frac{\pi}{5}$

(2) $\frac{4}{9}\pi$

(3) 7π

(4) $-\frac{16}{3}\pi$

3 크기가 다음과 같은 각의 동경이 나타내는 일반각을 $2n\pi+\theta$ 꼴로 나타내시오. (단, n은 정수, $0\le\theta<2\pi$)

(1) $\frac{13}{6}\pi$

(2) $\frac{14}{3}\pi$

(3) $-\frac{5}{4}\pi$

(4) $-\frac{11}{3}\pi$

4 다음을 구하시오.

(1) 반지름의 길이가 6, 중심각의 크기가 $\frac{2}{3}\pi$인 부채꼴의 호의 길이

(2) 반지름의 길이가 12, 중심각의 크기가 $150°$인 부채꼴의 호의 길이

(3) 반지름의 길이가 10, 중심각의 크기가 $\frac{3}{4}\pi$인 부채꼴의 넓이

(4) 반지름의 길이가 5, 중심각의 크기가 $90°$인 부채꼴의 넓이

대표 유형 01 호도법과 육십분법의 관계

개념 02

다음 중 옳지 않은 것은?

① $135°=\frac{3}{4}\pi$　② $200°=\frac{10}{9}\pi$　③ $-690°=-\frac{11}{3}\pi$

④ $\frac{5}{3}\pi=300°$　⑤ $-\frac{\pi}{12}=-15°$

풀이 ① $135°=135\times1°=135\times\frac{\pi}{180}=\frac{3}{4}\pi$

② $200°=200\times1°=200\times\frac{\pi}{180}=\frac{10}{9}\pi$

③ $-690°=-690\times1°=-690\times\frac{\pi}{180}=-\frac{23}{6}\pi$

④ $\frac{5}{3}\pi=\frac{5}{3}\pi\times1=\frac{5}{3}\pi\times\frac{180°}{\pi}=300°$

⑤ $-\frac{\pi}{12}=-\frac{\pi}{12}\times1=-\frac{\pi}{12}\times\frac{180°}{\pi}=-15°$

따라서 옳지 않은 것은 ③이다.

답 ③

해결의 법칙

(호도법의 각)$\times\frac{180°}{\pi}=$(육십분법의 각)

(육십분법의 각)$\times\frac{\pi}{180}=$(호도법의 각)

| 정답과 해설 46쪽 |

01-1 다음 중 옳지 않은 것은?

① $75°=\frac{5}{12}\pi$　② $-315°=-\frac{7}{4}\pi$　③ $\frac{5}{18}\pi=50°$

④ $-\frac{9}{10}\pi=-162°$　⑤ $\frac{11}{12}\pi=160°$

01-2 다음 **보기**의 각 중에서 제4사분면의 각을 있는 대로 고르시오. (단, n은 정수)

보기

ㄱ. $-30°$　ㄴ. $900°$　ㄷ. $\frac{13}{6}\pi$　ㄹ. $2n\pi+\frac{19}{5}\pi$　ㅁ. $2n\pi-\frac{\pi}{4}$

대표 유형 02 부채꼴의 호의 길이와 넓이

개념 03

다음 물음에 답하시오.

(1) 반지름의 길이가 1이고 넓이가 $\frac{2}{3}\pi$인 부채꼴의 중심각의 크기 θ와 호의 길이 l을 구하시오.

(2) 둘레의 길이가 10인 부채꼴의 넓이가 최대가 될 때, 부채꼴의 반지름의 길이 r와 중심각의 크기 θ를 구하시오.

풀이 (1)

❶ 중심각의 크기 θ 구하기

부채꼴의 반지름의 길이를 r, 넓이를 S라 하면

$S=\frac{1}{2}r^2\theta$에서 $\frac{2}{3}\pi=\frac{1}{2}\times1^2\times\theta \qquad \therefore \theta=\frac{4}{3}\pi$

❷ 호의 길이 l 구하기

따라서 부채꼴의 호의 길이 l은 $l=r\theta=1\times\frac{4}{3}\pi=\frac{4}{3}\pi$

(2)

❶ 호의 길이와 부채꼴의 넓이를 반지름의 길이 r를 사용하여 나타내기

부채꼴의 호의 길이를 l이라 하면

$l=10-2r$ (단, $0<r<5$)

부채꼴의 넓이를 S라 하면

$S=\frac{1}{2}rl=\frac{1}{2}r(10-2r)=-r^2+5r=-\left(r-\frac{5}{2}\right)^2+\frac{25}{4}$

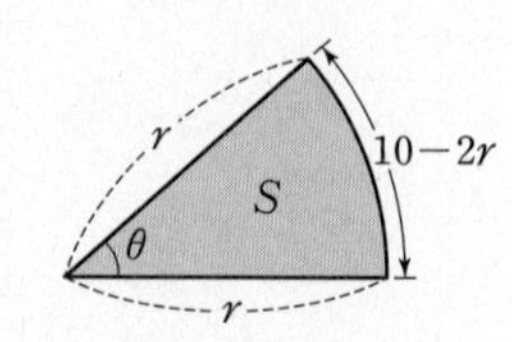

❷ 부채꼴의 넓이가 최대가 될 때의 r의 값 구하기

따라서 부채꼴의 넓이 S는 $r=\frac{5}{2}$일 때, 최댓값 $\frac{25}{4}$를 갖는다.

❸ 호의 길이를 이용하여 중심각의 크기 구하기

또, 넓이가 최대일 때의 호의 길이는 $l=10-2\times\frac{5}{2}=5$이므로

$l=r\theta$에서 $5=\frac{5}{2}\theta \qquad \therefore \theta=2$

답 (1) $\theta=\frac{4}{3}\pi$, $l=\frac{4}{3}\pi$ (2) $r=\frac{5}{2}$, $\theta=2$

해결의 법칙

부채꼴의 호의 길이와 넓이

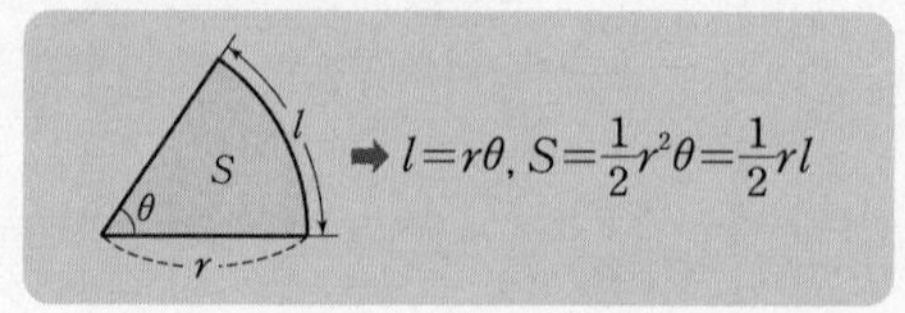

➡ $l=r\theta$, $S=\frac{1}{2}r^2\theta=\frac{1}{2}rl$

| 정답과 해설 46쪽 |

02-1 호의 길이가 2π이고 넓이가 4π인 부채꼴의 반지름의 길이 r와 중심각의 크기 θ를 구하시오.

02-2 둘레의 길이가 80인 부채꼴의 넓이의 최댓값과 그때의 반지름의 길이를 구하시오.

3 삼각함수

개념 01 삼각비 ○ 중등 Review

1 삼각비

$\angle C=90°$인 직각삼각형 ABC에서 $\angle B=\theta$라 할 때

(1) $\sin\theta=\dfrac{(\text{높이})}{(\text{빗변의 길이})}=\dfrac{b}{c}$ (2) $\cos\theta=\dfrac{(\text{밑변의 길이})}{(\text{빗변의 길이})}=\dfrac{a}{c}$

(3) $\tan\theta=\dfrac{(\text{높이})}{(\text{밑변의 길이})}=\dfrac{b}{a}$

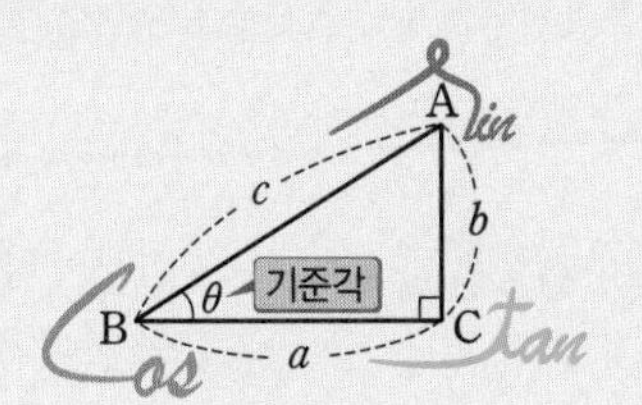

2 특수한 각의 삼각비의 값

삼각비 \ A	$0°(=0)$	$30°\left(=\frac{\pi}{6}\right)$	$45°\left(=\frac{\pi}{4}\right)$	$60°\left(=\frac{\pi}{3}\right)$	$90°\left(=\frac{\pi}{2}\right)$
$\sin A$	0	$\frac{1}{2}$	$\frac{\sqrt{2}}{2}$	$\frac{\sqrt{3}}{2}$	1 ▶ 증가
$\cos A$	1	$\frac{\sqrt{3}}{2}$	$\frac{\sqrt{2}}{2}$	$\frac{1}{2}$	0 ▶ 감소
$\tan A$	0	$\frac{\sqrt{3}}{3}$	1	$\sqrt{3}$ ▶ 증가	

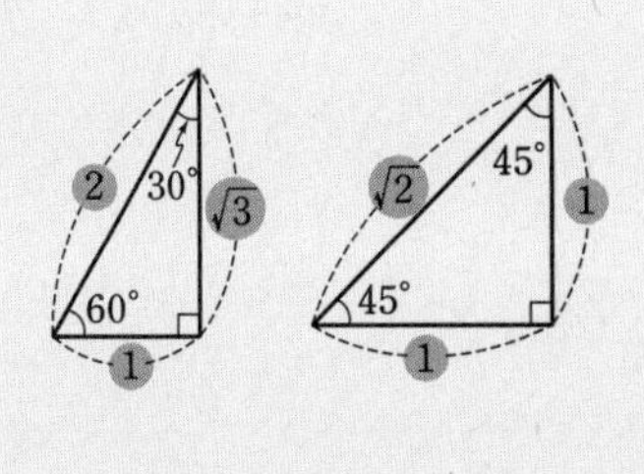

예

1 오른쪽 그림의 직각삼각형 ABC에서

$\sin A=\dfrac{\overline{BC}}{\overline{AB}}=\dfrac{4}{5}$, $\cos A=\dfrac{\overline{AC}}{\overline{AB}}=\dfrac{3}{5}$, $\tan A=\dfrac{\overline{BC}}{\overline{AC}}=\dfrac{4}{3}$

$\sin B=\dfrac{\overline{AC}}{\overline{AB}}=\dfrac{3}{5}$, $\cos B=\dfrac{\overline{BC}}{\overline{AB}}=\dfrac{4}{5}$, $\tan B=\dfrac{\overline{AC}}{\overline{BC}}=\dfrac{3}{4}$

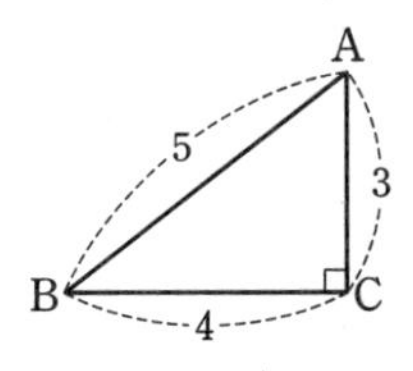

2 $\cos 30°-\tan 45°\times\sin 60°=\dfrac{\sqrt{3}}{2}-1\times\dfrac{\sqrt{3}}{2}=0$

| 정답과 해설 46쪽 |

개념 확인 1 오른쪽 그림의 직각삼각형 ABC에서 $\overline{AC}=13$, $\overline{BC}=5$일 때, $\sin C$, $\cos C$, $\tan C$의 값을 구하시오.

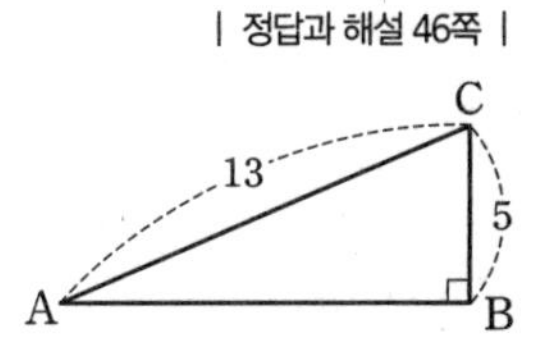

개념 확인 2 $\sin 30°-\cos 60°+\tan 60°$의 값을 구하시오.

개념 02 삼각함수

오른쪽 그림에서 동경 OP가 나타내는 각의 크기를 θ라 할 때

$$\sin\theta=\frac{y}{r},\ \cos\theta=\frac{x}{r},\ \tan\theta=\frac{y}{x}\ (x\neq0)$$

이 함수를 차례로 θ에 대한 **사인함수**, **코사인함수**, **탄젠트함수**라 하고, 이와 같은 함수를 통틀어 θ에 대한 **삼각함수**라 한다.

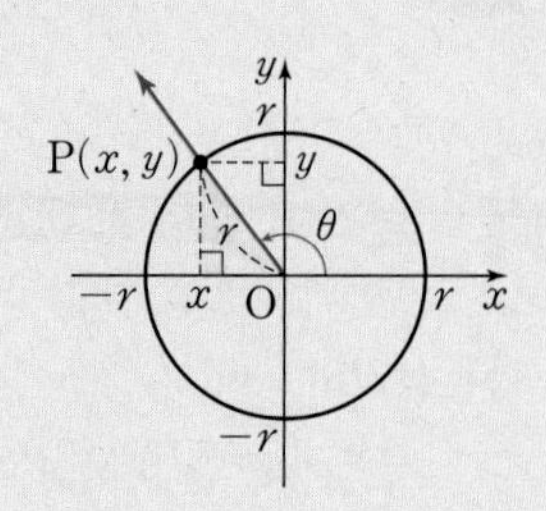

설명 좌표평면에서 각 θ를 나타내는 동경과 원점 O를 중심으로 하고 반지름의 길이가 r인 원의 교점을 $\mathrm{P}(x, y)$라 하면

$$\frac{y}{r},\ \frac{x}{r},\ \frac{y}{x}\ (x\neq0)$$

의 값은 r의 값에 관계없이 θ의 값에 따라 각각 하나로 정해진다.

따라서 $\theta\to\frac{y}{r}$, $\theta\to\frac{x}{r}$, $\theta\to\frac{y}{x}$ $(x\neq0)$와 같은 대응은 각각 θ에 대한 함수이다.

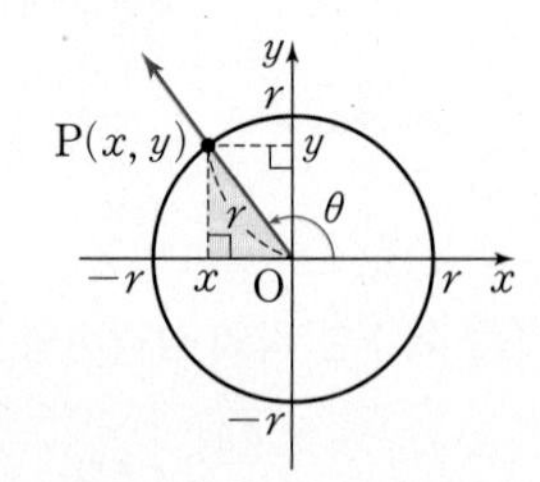

이 함수를 차례로 θ에 대한 사인함수, 코사인함수, 탄젠트함수라 하고, 이것을 기호로 다음과 같이 나타낸다.

$$\sin\theta=\frac{y}{r},\ \cos\theta=\frac{x}{r},\ \tan\theta=\frac{y}{x}\ (x\neq0)$$

이와 같은 함수를 통틀어 θ에 대한 삼각함수라 한다.

참고 $\sin\theta=\frac{y}{r}$, $\cos\theta=\frac{x}{r}$는 모든 실수 θ에 대하여 정의된다.

$\tan\theta=\frac{y}{x}$는 $x=0$인 $\theta=n\pi+\frac{\pi}{2}$ (n은 정수)에서 정의되지 않는다.

예

P(−3, 4), 5, 4, θ, −5, −3, O, 5, x, y, −5

$\longrightarrow$

$$\sin\theta=\frac{4}{5}$$

$$\cos\theta=\frac{-3}{5}=-\frac{3}{5}$$

$$\tan\theta=\frac{4}{-3}=-\frac{4}{3}$$

해결의 법칙

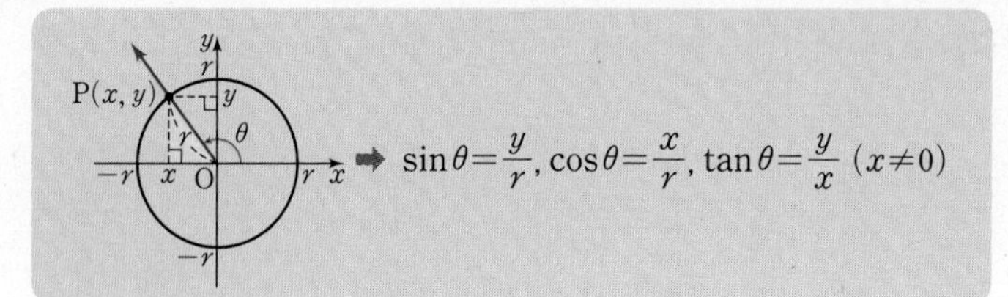

| 정답과 해설 46쪽 |

개념 확인 3 원점 O와 다음 점 P에 대하여 동경 OP가 나타내는 각의 크기를 θ라 할 때, $\sin\theta$, $\cos\theta$, $\tan\theta$의 값을 구하시오.

(1) $\mathrm{P}(1, 4)$

(2) $\mathrm{P}(1, -\sqrt{3})$

개념 03 삼각함수의 값의 부호

대표 유형 02

삼각함수의 값의 부호는 각 θ의 동경이 존재하는 사분면에 따라 다음과 같이 정해진다.

$\sin\theta$의 값의 부호	$\cos\theta$의 값의 부호	$\tan\theta$의 값의 부호

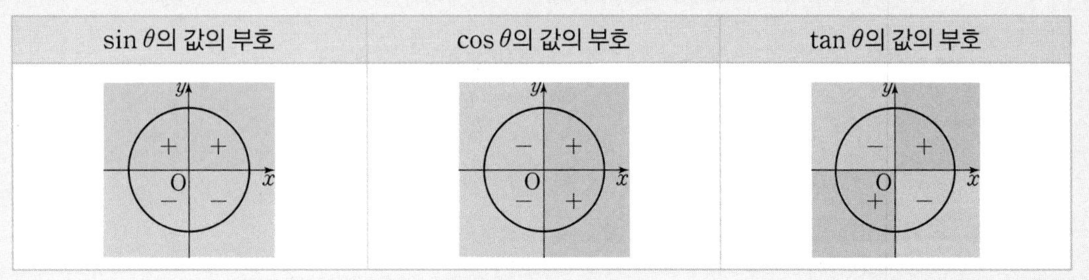

설명 일반각 θ를 나타내는 동경 OP에 대하여 점 P의 좌표를 (x, y), $\overline{OP}=r\,(r>0)$라 할 때, 삼각함수의 값의 부호는 각 θ의 동경이 존재하는 사분면의 x좌표와 y좌표의 부호에 따라 다음과 같이 정해진다.

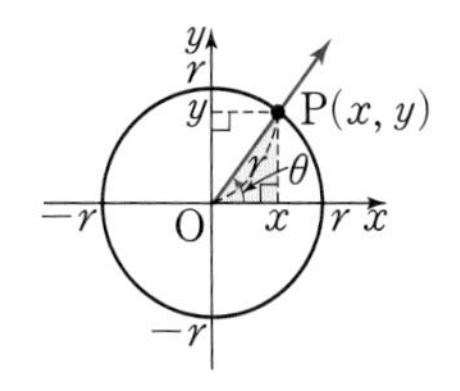

점 P의 위치	제1사분면	제2사분면	제3사분면	제4사분면
x, y의 부호	$x>0$, $y>0$	$x<0$, $y>0$	$x<0$, $y<0$	$x>0$, $y<0$
$\sin\theta=\frac{y}{r}$	+	+	−	−
$\cos\theta=\frac{x}{r}$	+	−	−	+
$\tan\theta=\frac{y}{x}$	+	−	+	−
	all 양수	sin만 양수	tan만 양수	cos만 양수

예 $\theta=\frac{5}{4}\pi$일 때, $\frac{5}{4}\pi$는 제3사분면의 각이므로 $\sin\theta<0$, $\cos\theta<0$, $\tan\theta>0$

해결의 법칙

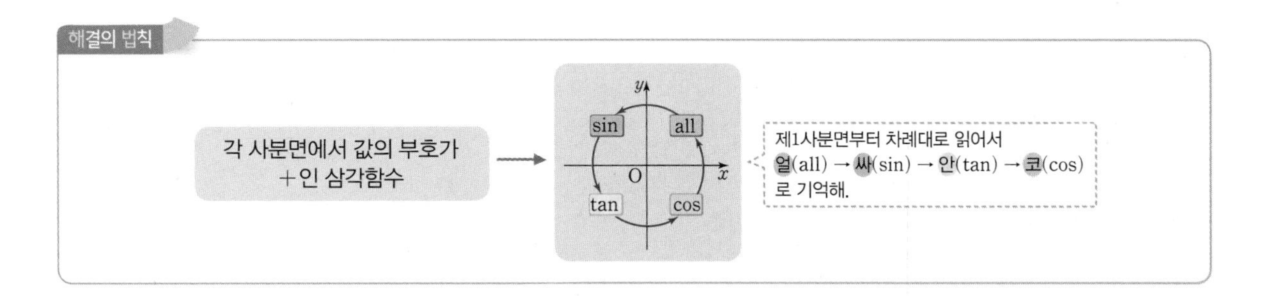

| 정답과 해설 47쪽 |

개념 확인 4 다음 각 θ에 대하여 $\sin\theta$, $\cos\theta$, $\tan\theta$의 값의 부호를 말하시오.

(1) $430°$

(2) $-\frac{9}{4}\pi$

개념 확인 5 다음 조건을 만족시키는 각 θ는 제몇 사분면의 각인지 말하시오.

(1) $\sin\theta>0$, $\cos\theta<0$

(2) $\cos\theta>0$, $\tan\theta<0$

삼각함수 사이의 관계

대표 유형 03~06

삼각함수 사이에는 다음과 같은 관계가 성립한다.

(1) $\tan\theta=\dfrac{\sin\theta}{\cos\theta}$ (2) $\sin^2\theta+\cos^2\theta=1$

설명 삼각함수의 값은 원의 크기에 관계없이 일정하므로 반지름의 길이가 1인 단위원에서 생각해 보자.

원점을 중심으로 하고 반지름의 길이가 1인 원을 단위원이라 해.

단위원 O 위의 임의의 점 $P(x, y)$에 대하여 동경 OP가 나타내는 각의 크기를 θ라 하면 $\overline{OP}=1$이므로

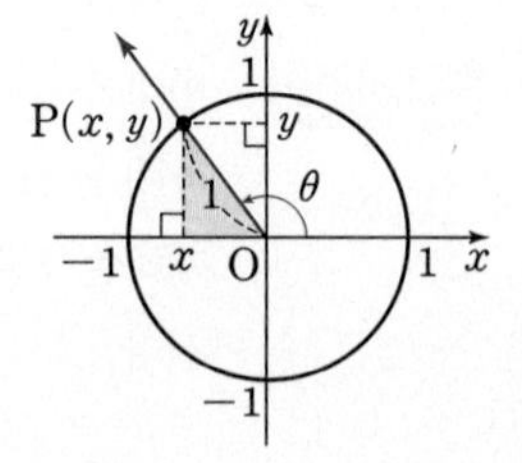

$$\sin\theta=\frac{y}{1}=y,\ \cos\theta=\frac{x}{1}=x$$

(1) $\tan\theta=\dfrac{y}{x}$이므로 $\tan\theta=\dfrac{\sin\theta}{\cos\theta}$

(2) 점 $P(x, y)$는 단위원 O 위의 점이므로

$x^2+y^2=1$ $\quad\therefore \sin^2\theta+\cos^2\theta=1$

$(\sin\theta)^2=\sin^2\theta$

예 θ가 제4사분면의 각이고 $\cos\theta=\dfrac{4}{5}$일 때, $\sin\theta$, $\tan\theta$의 값을 구해 보자.

$\sin^2\theta+\cos^2\theta=1$이므로

$$\sin^2\theta=1-\cos^2\theta=1-\left(\frac{4}{5}\right)^2=\frac{9}{25}$$

그런데 θ가 제4사분면의 각이므로 $\sin\theta<0$

$$\therefore \sin\theta=-\frac{3}{5}$$

또, $\tan\theta=\dfrac{\sin\theta}{\cos\theta}$에서

$$\tan\theta=\left(-\frac{3}{5}\right)\div\frac{4}{5}=-\frac{3}{4}$$

| 정답과 해설 47쪽 |

개념 확인 6 θ가 제2사분면의 각이고 $\sin\theta=\dfrac{1}{3}$일 때, $\cos\theta$, $\tan\theta$의 값을 구하시오.

개념 확인 7 $\sin\theta+\cos\theta=\dfrac{1}{2}$일 때, $\sin\theta\cos\theta$의 값을 구하시오.

STEP 1 개념 드릴

1 원점 O와 다음 점 P에 대하여 동경 OP가 나타내는 각의 크기를 θ라 할 때, $\sin\theta$, $\cos\theta$, $\tan\theta$의 값을 구하시오.

(1) $P(-4,\ -5)$

(2) $P(1,\ -2)$

(3) $P(-2,\ \sqrt{5})$

2 다음 각 θ에 대하여 $\sin\theta$, $\cos\theta$, $\tan\theta$의 값의 부호를 말하시오.

(1) $560°$

(2) $\frac{7}{3}\pi$

(3) $-25°$

(4) $-\frac{7}{6}\pi$

3 다음 조건을 만족시키는 각 θ는 제몇 사분면의 각인지 말하시오.

(1) $\sin\theta>0$, $\tan\theta<0$

(2) $\cos\theta<0$, $\tan\theta>0$

(3) $\sin\theta\cos\theta<0$

(4) $\cos\theta\tan\theta>0$

4 다음을 구하시오.

(1) θ가 제1사분면의 각이고 $\sin\theta=\frac{1}{4}$일 때, $\cos\theta$, $\tan\theta$의 값

(2) θ가 제4사분면의 각이고 $\sin\theta=-\frac{4}{5}$일 때, $\cos\theta$, $\tan\theta$의 값

(3) $\pi<\theta<\frac{3}{2}\pi$이고 $\cos\theta=-\frac{1}{2}$일 때, $\sin\theta$, $\tan\theta$의 값

대표 유형 01 삼각함수의 값

개념 02

$\theta=\frac{5}{4}\pi$일 때, $\sin\theta+\cos\theta$의 값을 구하시오.

풀이

❶ 동경과 단위원이 만나는 점의 좌표 구하기

오른쪽 그림과 같이 $\frac{5}{4}\pi$를 나타내는 동경과 원점 O를 중심으로 하고 반지름의 길이가 1인 원의 교점을 P, 점 P에서 x축에 내린 수선의 발을 H라 하면 $\triangle$POH에서 $\overline{OP}=1$이

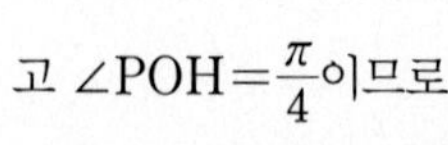

고 $\angle POH=\frac{\pi}{4}$이므로

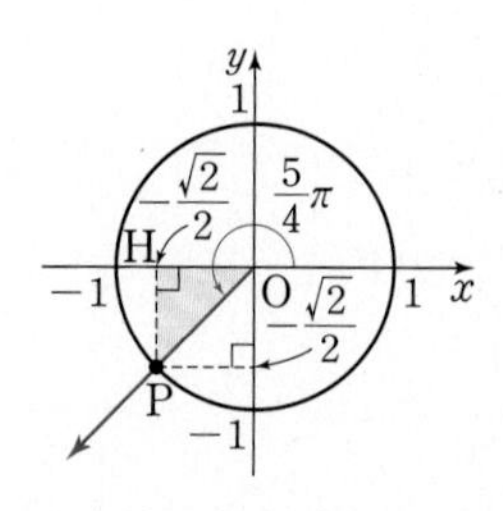

$\overline{PH}=\overline{OP}\sin\frac{\pi}{4}=\frac{\sqrt{2}}{2}$

$\overline{OH}=\overline{OP}\cos\frac{\pi}{4}=\frac{\sqrt{2}}{2}$

$\therefore P\left(-\frac{\sqrt{2}}{2}, -\frac{\sqrt{2}}{2}\right)$

❷ $\sin\theta+\cos\theta$의 값 구하기

따라서 $\sin\theta=-\frac{\sqrt{2}}{2}$, $\cos\theta=-\frac{\sqrt{2}}{2}$이므로

$\sin\theta+\cos\theta=\left(-\frac{\sqrt{2}}{2}\right)+\left(-\frac{\sqrt{2}}{2}\right)=-\sqrt{2}$

답 $-\sqrt{2}$

해결의 법칙

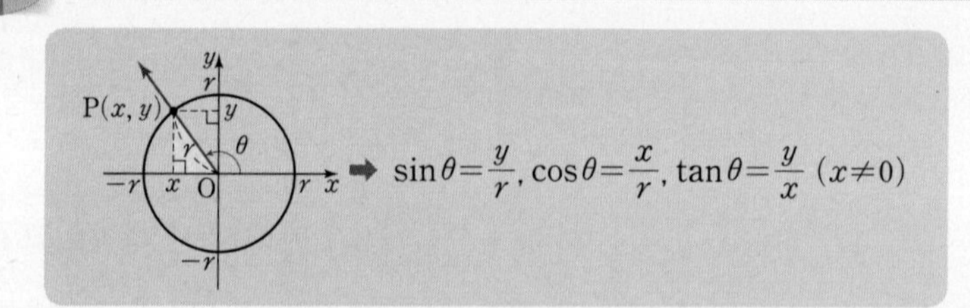

| 정답과 해설 48쪽 |

01-1 $\theta=\frac{5}{3}\pi$일 때, $(\sin\theta-\tan\theta)^2$의 값을 구하시오.

01-2 원점 O와 점 P$(-3, -4)$에 대하여 동경 OP가 나타내는 각의 크기를 θ라 할 때, $5\cos\theta-3\tan\theta$의 값을 구하시오.

대표 유형 02 삼각함수의 값의 부호

개념 03

다음 물음에 답하시오.

(1) $\sin\theta\cos\theta>0$, $\cos\theta\tan\theta<0$을 동시에 만족시키는 각 θ는 제몇 사분면의 각인지 구하시오.

(2) $\pi<\theta<\frac{3}{2}\pi$일 때, $\frac{1}{2}(\sin\theta+\cos\theta+\tan\theta+|\sin\theta|+|\cos\theta|+|\tan\theta|)$를 간단히 하시오.

풀이 (1)

❶ $\sin\theta\cos\theta>0$을 만족시키는 각 θ는 제몇 사분면의 각인지 구하기

$\sin\theta\cos\theta>0$에서
$\sin\theta>0$, $\cos\theta>0$ 또는 $\sin\theta<0$, $\cos\theta<0$
이므로 θ는 제1사분면 또는 제3사분면의 각이다.

❷ $\cos\theta\tan\theta<0$을 만족시키는 각 θ는 제몇 사분면의 각인지 구하기

또, $\cos\theta\tan\theta<0$에서
$\cos\theta<0$, $\tan\theta>0$ 또는 $\cos\theta>0$, $\tan\theta<0$
이므로 θ는 제3사분면 또는 제4사분면의 각이다.

❸ 두 조건을 동시에 만족시키는 각 θ는 제몇 사분면의 각인지 구하기

따라서 두 조건을 동시에 만족시키는 각 θ는 제3사분면의 각이다.

(2)

❶ 각 θ에 대한 삼각함수의 값의 부호 알기

$\pi<\theta<\frac{3}{2}\pi$ 이므로 $\sin\theta<0$, $\cos\theta<0$, $\tan\theta>0$

❷ 주어진 식 간단히 하기

$$\therefore \frac{1}{2}(\sin\theta+\cos\theta+\tan\theta+|\sin\theta|+|\cos\theta|+|\tan\theta|)$$
$$=\frac{1}{2}(\sin\theta+\cos\theta+\tan\theta-\sin\theta-\cos\theta+\tan\theta)$$
$$=\frac{1}{2}\times2\tan\theta=\tan\theta$$

답 (1) 제3사분면 (2) $\tan\theta$

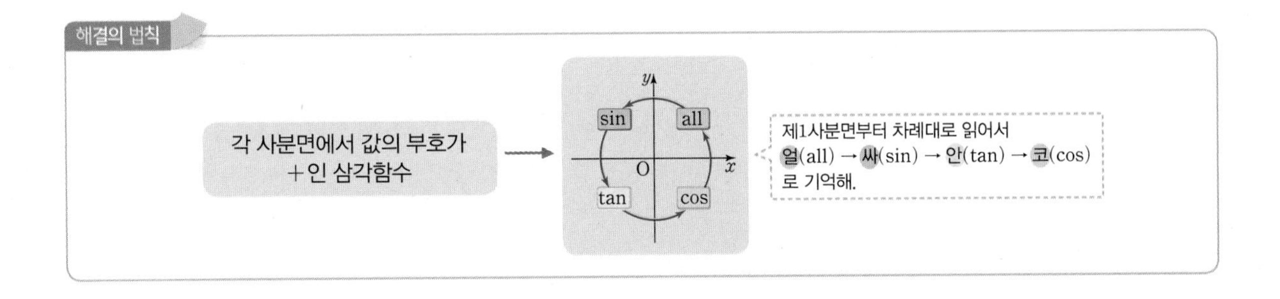

| 정답과 해설 49쪽 |

02-1 $\cos\theta\tan\theta>0$, $\sin\theta\tan\theta<0$을 동시에 만족시키는 각 θ는 제몇 사분면의 각인지 구하시오.

02-2 $\frac{\sin\theta}{\tan\theta}<0$, $\sin\theta-\tan\theta>0$을 동시에 만족시키는 각 θ에 대하여
$$\sqrt{(\sin\theta-\cos\theta)^2}-\sqrt{(\cos\theta+\tan\theta)^2}+\sqrt{(\tan\theta-\sin\theta)^2}$$
을 간단히 하시오.

대표 유형 03 삼각함수 사이의 관계를 이용하여 식 간단히 하기

개념 04

다음 식을 간단히 하시오.

(1) $\dfrac{\sin\theta}{1-\cos\theta}+\dfrac{1-\cos\theta}{\sin\theta}$ (2) $\dfrac{\cos\theta}{1+\sin\theta}+\tan\theta$

풀이 (1) $\dfrac{\sin\theta}{1-\cos\theta}+\dfrac{1-\cos\theta}{\sin\theta}=\dfrac{\sin^2\theta+(1-\cos\theta)^2}{\sin\theta(1-\cos\theta)}$

$=\dfrac{\sin^2\theta+1-2\cos\theta+\cos^2\theta}{\sin\theta(1-\cos\theta)}$

$=\dfrac{2(1-\cos\theta)}{\sin\theta(1-\cos\theta)}$

$=\dfrac{2}{\sin\theta}$

(2) $\dfrac{\cos\theta}{1+\sin\theta}+\tan\theta=\dfrac{\cos\theta}{1+\sin\theta}+\dfrac{\sin\theta}{\cos\theta}$

$=\dfrac{\cos^2\theta+\sin\theta+\sin^2\theta}{\cos\theta(1+\sin\theta)}$

$=\dfrac{1+\sin\theta}{\cos\theta(1+\sin\theta)}$

$=\dfrac{1}{\cos\theta}$

답 (1) $\dfrac{2}{\sin\theta}$ (2) $\dfrac{1}{\cos\theta}$

해결의 법칙

삼각함수 사이의 관계 → $\tan\theta=\dfrac{\sin\theta}{\cos\theta}$, $\sin^2\theta+\cos^2\theta=1$

| 정답과 해설 49쪽 |

03-1 $\dfrac{\tan\theta\sin\theta}{\tan\theta-\sin\theta}-\dfrac{1}{\sin\theta}$을 간단히 하시오.

03-2 $\tan^2\theta+(1-\tan^4\theta)\cos^2\theta$를 간단히 하시오.

대표 유형 04 삼각함수 사이의 관계를 이용하여 식의 값 구하기 (1)

개념 04

θ가 제3사분면의 각이고 $\frac{1+\cos\theta}{1-\cos\theta}=\frac{1}{3}$일 때, $\sin\theta-\frac{1}{\sin\theta}$의 값을 구하시오.

풀이

❶ $\cos\theta$의 값 구하기

$\frac{1+\cos\theta}{1-\cos\theta}=\frac{1}{3}$에서 $1-\cos\theta=3(1+\cos\theta)$

$1-\cos\theta=3+3\cos\theta$, $4\cos\theta=-2$

$\therefore \cos\theta=-\frac{1}{2}$

❷ $\sin\theta$의 값 구하기

$\sin^2\theta+\cos^2\theta=1$이므로

$\sin^2\theta=1-\cos^2\theta=1-\left(-\frac{1}{2}\right)^2=\frac{3}{4}$

이때, θ가 제3사분면의 각이므로 $\sin\theta<0$

$\therefore \sin\theta=-\frac{\sqrt{3}}{2}$

❸ $\sin\theta-\frac{1}{\sin\theta}$의 값 구하기

$\therefore \sin\theta-\frac{1}{\sin\theta}=-\frac{\sqrt{3}}{2}-\left(-\frac{2}{\sqrt{3}}\right)=-\frac{\sqrt{3}}{2}+\frac{2}{\sqrt{3}}=\frac{1}{2\sqrt{3}}=\frac{\sqrt{3}}{6}$

답 $\frac{\sqrt{3}}{6}$

해결의 법칙

삼각함수를 포함한 식의 값을 구할 때 → 삼각함수 중 하나의 값을 구한 후 삼각함수 사이의 관계 이용하기

| 정답과 해설 49쪽 |

04-1 θ가 제2사분면의 각이고 $\frac{1}{1+\sin\theta}+\frac{1}{1-\sin\theta}=10$일 때, $\cos\theta$의 값을 구하시오.

04-2 $\pi<\theta<\frac{3}{2}\pi$이고 $4\sin\theta=3\cos\theta$일 때, $\sin\theta+\cos\theta$의 값을 구하시오.

대표 유형 05 삼각함수 사이의 관계를 이용하여 식의 값 구하기(2)

개념 04

$\sin\theta+\cos\theta=\sqrt{2}$일 때, 다음 식의 값을 구하시오.

(1) $\sin\theta\cos\theta$　　　(2) $\sin^3\theta+\cos^3\theta$

풀이 (1)

❶ 주어진 식의 양변 제곱하기

$\sin\theta+\cos\theta=\sqrt{2}$의 양변을 제곱하면

$\sin^2\theta+2\sin\theta\cos\theta+\cos^2\theta=2$

❷ $\sin\theta\cos\theta$의 값 구하기

이때, $\sin^2\theta+\cos^2\theta=1$이므로

$1+2\sin\theta\cos\theta=2$　　$\therefore \sin\theta\cos\theta=\frac{1}{2}$

(2)

❶ 곱셈 공식을 이용하여 식 변형하기

$\sin^3\theta+\cos^3\theta$

$=(\sin\theta+\cos\theta)^3-3\sin\theta\cos\theta(\sin\theta+\cos\theta)$ ← $a^3+b^3=(a+b)^3-3ab(a+b)$ 이용

❷ (1)의 값을 이용하여 $\sin^3\theta+\cos^3\theta$의 값 구하기

이때, $\sin\theta+\cos\theta=\sqrt{2}$, $\sin\theta\cos\theta=\frac{1}{2}$이므로

$\sin^3\theta+\cos^3\theta=(\sqrt{2})^3-3\times\frac{1}{2}\times\sqrt{2}=\frac{\sqrt{2}}{2}$

답 (1) $\frac{1}{2}$　(2) $\frac{\sqrt{2}}{2}$

해결의 법칙

$\sin\theta\pm\cos\theta$ 또는 $\sin\theta\cos\theta$의 값이 주어지는 경우 → $(\sin\theta\pm\cos\theta)^2=1\pm2\sin\theta\cos\theta$ (복호동순)임을 이용하기

| 정답과 해설 50쪽 |

05-1 $\sin\theta-\cos\theta=\frac{1}{3}$일 때, 다음 식의 값을 구하시오.

(1) $\sin^3\theta-\cos^3\theta$　　　(2) $\sin^4\theta+\cos^4\theta$

05-2 θ가 제3사분면의 각이고 $\sin\theta\cos\theta=\frac{1}{4}$일 때, $\sin^3\theta+\cos^3\theta$의 값을 구하시오.

대표 유형 06 삼각함수를 근으로 하는 이차방정식

개념 04

이차방정식 $2x^2-(1+\sqrt{3})x+k=0$의 두 근이 $\sin\theta$, $\cos\theta$일 때, 상수 k의 값을 구하시오.

풀이

❶ 이차방정식의 근과 계수의 관계 이용하기

이차방정식 $2x^2-(1+\sqrt{3})x+k=0$의 두 근이 $\sin\theta$, $\cos\theta$이므로 근과 계수의 관계에 의하여

$\sin\theta+\cos\theta=\frac{1+\sqrt{3}}{2}$ ……㉠

$\sin\theta\cos\theta=\frac{k}{2}$ ……㉡

❷ $\sin\theta\cos\theta$의 값 구하기

㉠의 양변을 제곱하면

$\sin^2\theta+2\sin\theta\cos\theta+\cos^2\theta=\frac{2+\sqrt{3}}{2}$

$1+2\sin\theta\cos\theta=\frac{2+\sqrt{3}}{2}$ $\therefore \sin\theta\cos\theta=\frac{\sqrt{3}}{4}$

❸ k의 값 구하기

㉡에서 $\frac{\sqrt{3}}{4}=\frac{k}{2}$ $\therefore k=\frac{\sqrt{3}}{2}$

답 $\frac{\sqrt{3}}{2}$

해결의 법칙

이차방정식 $ax^2+bx+c=0$의 두 근을 α, β라 하면 → $\alpha+\beta=-\frac{b}{a}$, $\alpha\beta=\frac{c}{a}$

| 정답과 해설 50쪽 |

06-1 이차방정식 $x^2-ax+2=0$의 두 근이 $\frac{1}{\sin\theta}$, $\frac{1}{\cos\theta}$일 때, a^2의 값을 구하시오. (단, a는 상수)

06-2 이차방정식 $5x^2-4x+a=0$의 두 근이 $\sin\theta$, $\cos\theta$일 때, $\frac{1}{a}+\tan\theta+\frac{1}{\tan\theta}$의 값을 구하시오. (단, a는 상수)

유형 확인

1-1 원점 O와 점 P$(-1,\ -2)$를 지나는 동경 OP가 나타내는 각 θ에 대하여 각 $\frac{\theta}{2}$를 나타내는 동경이 존재할 수 있는 사분면을 구하시오.

한번 더 확인

1-2 원점 O와 점 P$(1,\ -1)$을 지나는 동경 OP가 나타내는 각 θ에 대하여 각 $\frac{\theta}{3}$를 나타내는 동경이 존재하지 않는 사분면을 구하시오.

2-1 각 θ를 나타내는 동경과 각 11θ를 나타내는 동경이 일치할 때, 각 θ의 최솟값을 α, 최댓값을 β라 하자. 이때, $\alpha+\beta$의 값을 구하시오. (단, $0<\theta<\pi$)

2-2 각 θ를 나타내는 동경과 각 99θ를 나타내는 동경이 y축에 대하여 대칭일 때, 각 θ의 개수를 구하시오. $\left(단,\ 0<\theta<\frac{\pi}{2}\right)$

3-1 오른쪽 그림과 같이 둘레의 길이가 40 m인 부채꼴 모양의 화단을 만들려고 할 때, 만들 수 있는 화단의 최대 넓이를 구하시오.

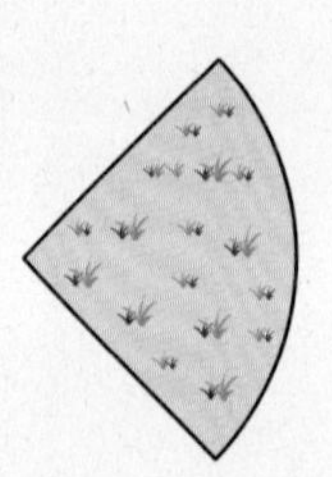

3-2 길이가 8 cm인 실을 이용하여 오른쪽 그림과 같이 넓이가 최대인 부채꼴 모양의 도형을 만들려고 한다. 만들어진 부채꼴의 중심각의 크기 θ를 구하시오.

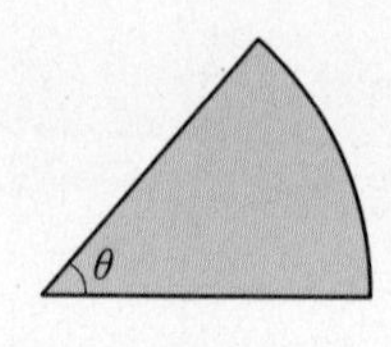

4-1 $\sin\theta\cos\theta>0$, $\tan\theta\sin\theta<0$을 동시에 만족시키는 각 θ에 대하여 $\frac{|\sin\theta|}{\sin\theta}+\frac{|\cos\theta|}{\cos\theta}-\frac{|\tan\theta|}{\tan\theta}$를 간단히 하시오.

4-2 $\sqrt{\sin\theta}\sqrt{\tan\theta}=-\sqrt{\sin\theta\tan\theta}$를 만족시키는 각 θ에 대하여 $\sqrt{\cos^2\theta}-\sqrt{(\sin\theta-\cos\theta)^2}$을 간단히 하시오.

유형 확인

5-1 $\left(\frac{1}{\cos\theta}+\tan\theta\right)\left(\frac{1}{\cos\theta}-\tan\theta\right)$를 간단히 하시오.

한번 더 확인

5-2 $\cos^2\theta(1-\tan\theta)^2+\cos^2\theta(1+\tan\theta)^2$을 간단히 하시오.

6-1 θ가 제2사분면의 각이고 $\sin\theta=\frac{1}{2}$일 때, $\frac{1}{\cos\theta}+\tan\theta$의 값을 구하시오.

6-2 θ가 제3사분면의 각이고 $\tan\theta=\frac{5}{12}$일 때, $\frac{26\sin\theta}{13\cos\theta+2}$의 값을 구하시오.

7-1 $\sin\theta+\cos\theta=\frac{\sqrt{2}}{2}$일 때, $\sin^4\theta+\cos^4\theta$의 값을 구하시오.

7-2 $\sin\theta\cos\theta=\frac{1}{6}$일 때, $\frac{1}{\sin\theta}+\frac{1}{\cos\theta}$의 값을 구하시오. $\left(\text{단, } \pi<\theta<\frac{3}{2}\pi\right)$

8-1 이차방정식 $x^2+ax+\frac{1}{4}=0$의 두 근이 $\sin^2\theta$, $\cos^2\theta$이고, 이차방정식 $x^2+bx+1=0$의 두 근이 $\tan\theta$, $\frac{1}{\tan\theta}$일 때, a^2+b^2의 값을 구하시오. (단, a, b는 상수)

8-2 이차방정식 $8x^2+ax+b=0$의 두 근이 $\sin\theta$, $\cos\theta$이고, $\sin\theta+\cos\theta=-\frac{1}{2}$일 때, $a+b$의 값을 구하시오. (단, a, b는 상수)

6 삼각함수의 그래프

바이오리듬 측정 중
대장님의 바이오리듬 측정이 끝났습니다.
크큭, 내 신체 능력이 최고치가 되는 날 지구인과 한 판 붙는다.
신체 리듬은 23일 주기의 사인함수의 그래프야.
y
1
0
-1
23
x
오늘이 최고로군. 당장 인간과의 전쟁을 시작한다.
근데 우리는 최저네요. 쉬고 싶어요.

개념 미리보기

1 삼각함수의 그래프

개념 01 주기함수

주기가 p인 주기함수 → $f(x+p)=f(x)$

개념 02 함수 $y=\sin x$의 성질

❶ 정의역: 실수 전체의 집합, 치역: $\{y|-1\le y\le 1\}$ ❷ 그래프는 원점에 대하여 대칭

개념 03 함수 $y=\cos x$의 성질

❶ 정의역: 실수 전체의 집합, 치역: $\{y|-1\le y\le 1\}$ ❷ 그래프는 y축에 대하여 대칭

개념 04 함수 $y=\tan x$의 성질

❶ 정의역: $n\pi+\frac{\pi}{2}$ (n은 정수)가 아닌 실수 전체의 집합, 치역: 실수 전체의 집합

❷ 그래프는 원점에 대하여 대칭

개념 05 삼각함수의 최댓값, 최솟값, 주기

$y=a\sin(bx+c)+d$
$y=a\cos(bx+c)+d$ → 최댓값: $|a|+d$, 최솟값: $-|a|+d$, 주기: $\frac{2\pi}{|b|}$

$y=a\tan(bx+c)+d$ → 최댓값: 없다, 최솟값: 없다, 주기: $\frac{\pi}{|b|}$

2 삼각함수의 성질

개념 01 삼각함수의 성질

$2n\pi+x$ (n은 정수)의 삼각함수 → $\sin(2n\pi+x)=\sin x$, $\cos(2n\pi+x)=\cos x$, $\tan(2n\pi+x)=\tan x$

$-x$의 삼각함수 → $\sin(-x)=-\sin x$, $\cos(-x)=\cos x$, $\tan(-x)=-\tan x$

$\pi\pm x$의 삼각함수 → $\sin(\pi+x)=-\sin x$, $\cos(\pi+x)=-\cos x$, $\tan(\pi+x)=\tan x$
$\sin(\pi-x)=\sin x$, $\cos(\pi-x)=-\cos x$, $\tan(\pi-x)=-\tan x$

$\frac{\pi}{2}\pm x$의 삼각함수 → $\sin\left(\frac{\pi}{2}+x\right)=\cos x$, $\cos\left(\frac{\pi}{2}+x\right)=-\sin x$, $\tan\left(\frac{\pi}{2}+x\right)=-\frac{1}{\tan x}$
$\sin\left(\frac{\pi}{2}-x\right)=\cos x$, $\cos\left(\frac{\pi}{2}-x\right)=\sin x$, $\tan\left(\frac{\pi}{2}-x\right)=\frac{1}{\tan x}$

3 삼각방정식과 삼각부등식

개념 01 삼각방정식

$\sin x=k$, $\cos x=k$, $\tan x=k$ 꼴의 방정식의 해 → 함수 $y=\sin x$, $y=\cos x$, $y=\tan x$의 그래프와 직선 $y=k$의 교점의 x좌표

개념 02 삼각부등식

부등식 $f(x)>k$의 해 → 함수 $y=f(x)$의 그래프가 직선 $y=k$보다 위쪽에 있는 x의 값의 범위

부등식 $f(x)<k$의 해 → 함수 $y=f(x)$의 그래프가 직선 $y=k$보다 아래쪽에 있는 x의 값의 범위

1 삼각함수의 그래프

개념 01 주기함수

함수 $f(x)$의 정의역에 속하는 모든 실수 x에 대하여

$$f(x+p)=f(x)$$

를 만족시키는 0이 아닌 상수 p가 존재할 때, 함수 $y=f(x)$를 **주기함수**라 하고, 이러한 상수 p 중에서 최소인 양수를 그 함수의 **주기**라 한다.

→ 어떤 주기를 가지고 함숫값이 반복되는 함수

설명 오른쪽 그림과 같은 함수 $y=f(x)$의 그래프는 임의의 실수 x에 대하여 다음이 성립한다.

$$f(x)=f(x+2)=f(x+4)$$
$$=f(x+6)=\cdots$$

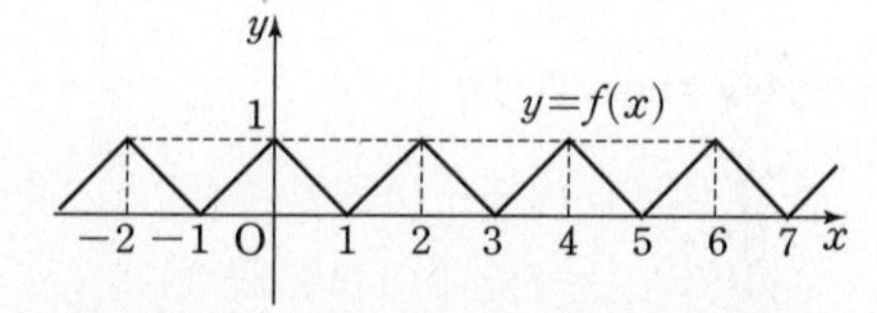

이때, $f(x+p)=f(x)$를 만족시키는 최소인 양수 p는 2이므로 함수 $y=f(x)$는 주기가 2인 주기함수이다.

예 (1) 함수 $f(x)$가 주기가 3인 주기함수이면

$$f(x+3)=f(x)$$

$f(0)=3$일 때, $f(15)$의 값을 구하면

$$f(0)=f(3)=f(6)=f(9)=f(12)=f(15)=\cdots$$

이므로 $f(15)=3$

(2) 함수 $f(x)$에 대하여 $f(x+1)=f(x-1)$일 때, $x-1=t$라 하면 $x=t+1$이므로

$$f(t+2)=f(t)$$

따라서 함수 $f(x)$는 주기가 2인 주기함수이다.

참고 (1) 함수 $f(x)$가 주기가 p인 주기함수이면

$$f(x)=f(x+p)=f(x+2p)=f(x+3p)=\cdots$$

(2) 상수 p에 대하여

$$f(x-p)=f(x+p) \Longleftrightarrow f(x)=f(x+2p)$$ ← 함수 $f(x)$는 주기가 $2p$인 주기함수

| 정답과 해설 53쪽 |

개념 확인 1 함수 $f(x)$의 주기가 $\frac{1}{2}$이고 $f(2)=2$일 때, $f(6)$의 값을 구하시오.

개념 확인 2 함수 $f(x)$의 정의역에 속하는 모든 실수 x에 대하여 $f(x+2)=f(x-2)$이고 $f(-1)=1$일 때, $f(19)+f(27)$의 값을 구하시오.

함수 $y=\sin x$의 성질

대표 유형 01~04

함수 $y=\sin x$와 그 그래프는 다음과 같은 성질을 갖는다.

(1) 정의역: 실수 전체의 집합

(2) 치역: $\{y\,|\,-1\leq y\leq 1\}$

(3) 함수의 그래프는 원점에 대하여 대칭이다.

➡ $\sin(-x)=-\sin x$

(4) 주기가 2π인 주기함수이다.

➡ $\sin(x+2n\pi)=\sin x$ (단, n은 정수)

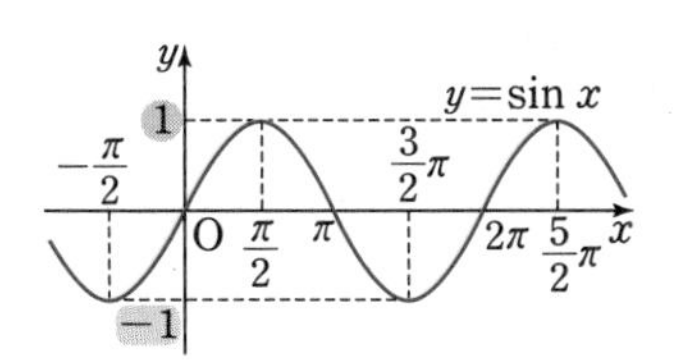

설명 오른쪽 그림과 같이 각 θ를 나타내는 동경과 단위원이 만나는 점을 $\mathrm{P}(a, b)$라 하면

$$\sin\theta=\frac{b}{1}=b$$

즉, θ의 값이 변할 때, $\sin\theta$의 값은 점 P의 y좌표로 정해진다.

따라서 점 P가 단위원을 따라 움직일 때, θ의 값에 따라 변하는 $\sin\theta$의 값을 조사하여 θ의 값을 가로축에, 이에 대응하는 $\sin\theta$의 값을 세로축에 나타내면 다음과 같은 함수 $y=\sin\theta$의 그래프를 얻는다.

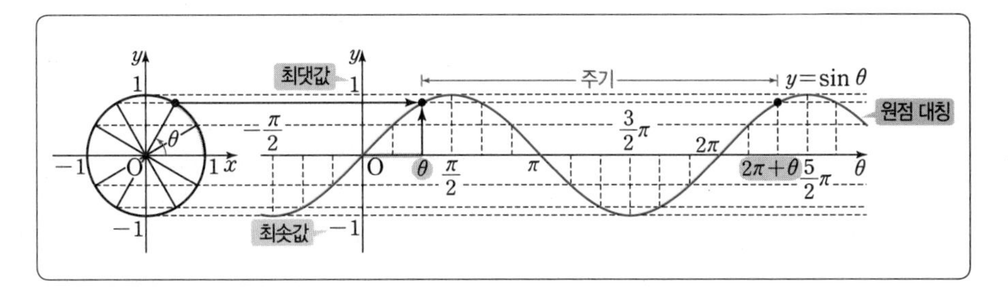

위의 그래프에서 다음을 알 수 있다.

함수 $y=\sin\theta$의 정의역은 실수 전체의 집합이고, 치역은 $\{y\,|\,-1\leq y\leq 1\}$이다.

또, 함수 $y=\sin\theta$의 그래프는 원점에 대하여 대칭이고, 2π 간격으로 그 모양이 반복되므로 주기가 2π인 주기함수이다.

$\sin(-\theta)=-\sin\theta$

$\sin(\theta+2n\pi)=\sin\theta$ (단, n은 정수)

일반적으로 함수의 정의역의 원소는 x로 나타내므로 사인함수 $y=\sin\theta$에서 θ를 x로 바꾸어 $y=\sin x$로 나타낸다.

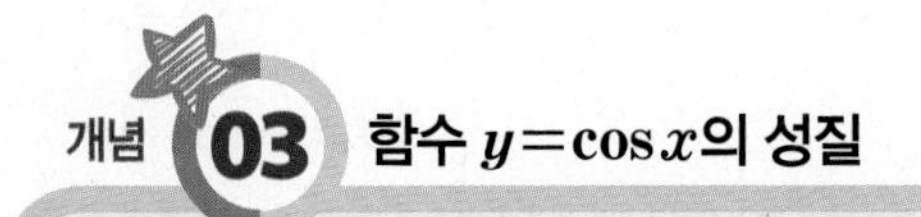

개념 03 함수 $y=\cos x$의 성질

대표 유형 01 ~ 04

함수 $y=\cos x$와 그 그래프는 다음과 같은 성질을 갖는다.

(1) 정의역: 실수 전체의 집합

(2) 치역: $\{y \mid -1 \leq y \leq 1\}$

(3) 함수의 그래프는 y축에 대하여 대칭이다.

➡ $\cos(-x)=\cos x$

(4) 주기가 2π인 주기함수이다.

➡ $\cos(x+2n\pi)=\cos x$ (단, n은 정수)

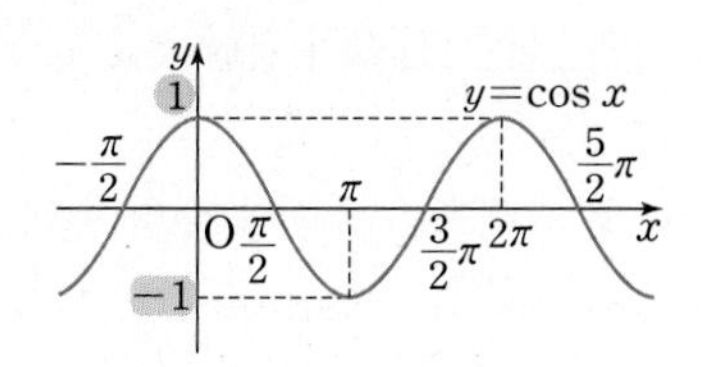

설명 오른쪽 그림과 같이 각 θ를 나타내는 동경과 단위원이 만나는 점을 $\mathrm{P}(a, b)$라 하면

$$\cos\theta=\frac{a}{1}=a$$

즉, θ의 값이 변할 때, $\cos\theta$의 값은 점 P의 x좌표로 정해진다.

따라서 좌표평면을 x축의 양의 방향으로 90°만큼 회전한 다음 함수 $y=\sin\theta$의 그래프를 그린 것과 같은 방법으로 함수 $y=\cos\theta$의 그래프를 그리면 다음과 같다.

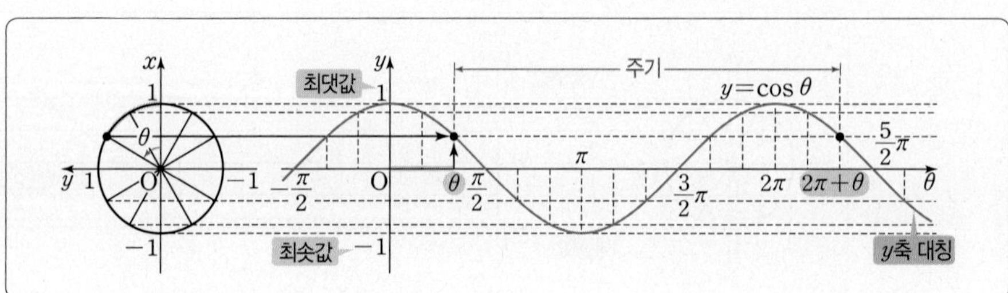

위의 그래프에서 다음을 알 수 있다.

함수 $y=\cos\theta$의 정의역은 실수 전체의 집합이고, 치역은 $\{y \mid -1 \leq y \leq 1\}$이다.

또, 함수 $y=\cos\theta$의 그래프는 y축에 대하여 대칭이고 [$\cos(-\theta)=\cos\theta$], 2π 간격으로 그 모양이 반복되므로 주기가 2π인 주기함수이다. [$\cos(\theta+2n\pi)=\cos\theta$ (단, n은 정수)]

일반적으로 사인함수와 마찬가지로 코사인함수 $y=\cos\theta$에서 θ를 x로 바꾸어 $y=\cos x$로 나타낸다.

참고 함수 $y=\cos x$의 그래프는 함수 $y=\sin x$의 그래프를 x축의 방향으로 $-\frac{\pi}{2}$만큼 평행이동한 것과 같다.

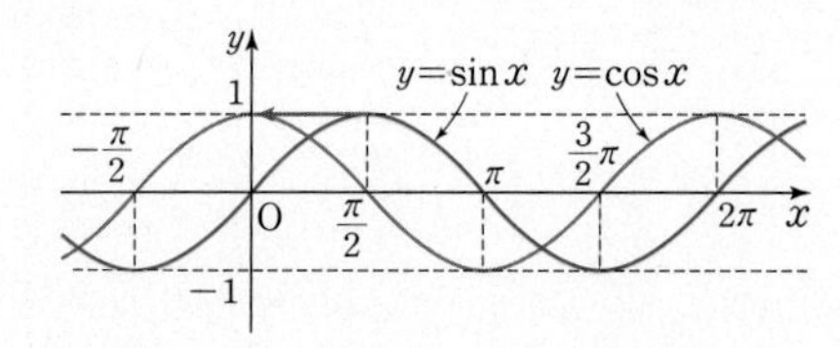

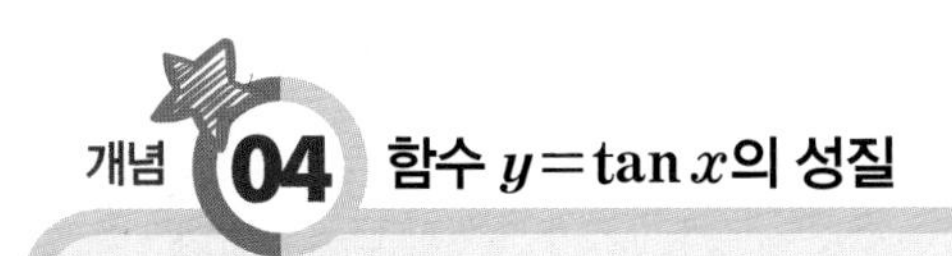

개념 04 함수 $y=\tan x$의 성질

대표 유형 01 ~ 04

함수 $y=\tan x$와 그 그래프는 다음과 같은 성질을 갖는다.

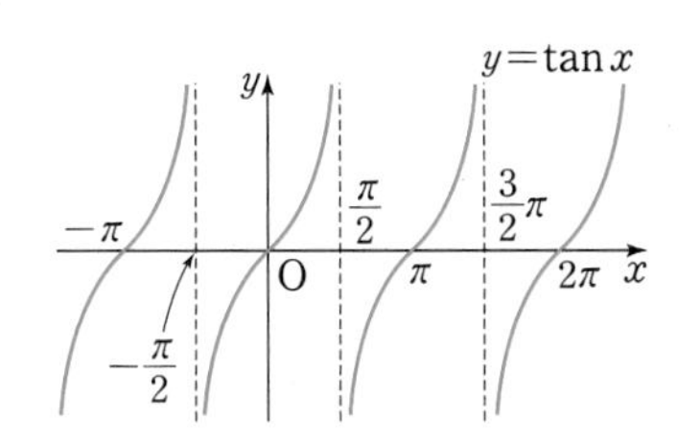

(1) 정의역: $n\pi+\frac{\pi}{2}$ (n은 정수)가 아닌 실수 전체의 집합

(2) 치역: 실수 전체의 집합

(3) 점근선: 직선 $x=n\pi+\frac{\pi}{2}$ (단, n은 정수)

(4) 함수의 그래프는 원점에 대하여 대칭이다.
➡ $\tan(-x)=-\tan x$

(5) 주기가 π인 주기함수이다. ➡ $\tan(x+n\pi)=\tan x$ (단, n은 정수)

설명 $\theta\neq n\pi+\frac{\pi}{2}$ (n은 정수)일 때, 오른쪽 그림과 같이 각 θ를 나타내는 동경과 단위원이 만나는 점을 $\mathrm{P}(a, b)$, 점 P에서 x축에 내린 수선의 발을 H라 하고, 동경 OP와 점 $\mathrm{A}(1, 0)$에서의 단위원의 접선 l이 만나는 점을 $\mathrm{T}(1, t)$라 하면

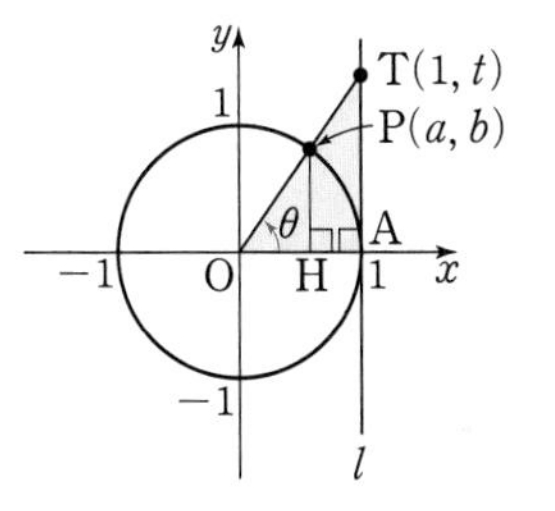

$\triangle\mathrm{OHP}\backsim\triangle\mathrm{OAT}$에서

$$\tan\theta=\frac{b}{a}=\frac{t}{1}=t$$

즉, θ의 값이 변할 때, $\tan\theta$의 값은 점 T의 y좌표로 정해진다.

한편, $\theta=n\pi+\frac{\pi}{2}$ (n은 정수)일 때, 각 θ를 나타내는 동경 OP는 y축 위에 있다.

이때, 점 P의 x좌표는 0이므로 $\tan\theta$의 값은 정의되지 않는다.
따라서 θ의 값을 가로축에, 이에 대응하는 $\tan\theta$의 값을 세로축에 나타내면 다음과 같은 함수 $y=\tan\theta$의 그래프를 얻는다.

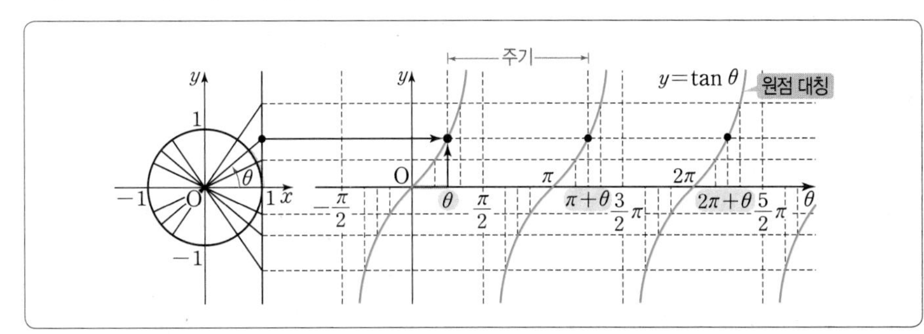

위의 그래프에서 다음을 알 수 있다.

함수 $y=\tan\theta$의 정의역은 $n\pi+\frac{\pi}{2}$ (n은 정수)가 아닌 실수 전체의 집합이고, 치역은 실수 전체의 집합이다.

이때, 직선 $\theta=n\pi+\frac{\pi}{2}$ (n은 정수)는 함수 $y=\tan\theta$의 그래프의 점근선이다.

또, 함수 $y=\tan\theta$의 그래프는 원점에 대하여 대칭이고 [$\tan(-\theta)=-\tan\theta$], π 간격으로 그 모양이 반복되므로 주기가 π인 주기함수이다 [$\tan(\theta+n\pi)=\tan\theta$ (단, n은 정수)].

일반적으로 사인함수, 코사인함수와 마찬가지로 탄젠트함수 $y=\tan\theta$에서 θ를 x로 바꾸어 $y=\tan x$로 나타낸다.

개념 05 삼각함수의 최댓값, 최솟값, 주기(1)

대표 유형 01 ~ 04

사인함수, 코사인함수, 탄젠트함수의 치역, 최댓값, 최솟값, 주기는 다음과 같다.

삼각함수	치역	최댓값	최솟값	주기
$y=a\sin bx$	$\{y\mid -\lvert a\rvert \le y \le \lvert a\rvert\}$	$\lvert a\rvert$	$-\lvert a\rvert$	$\frac{2\pi}{\lvert b\rvert}$
$y=a\cos bx$	$\{y\mid -\lvert a\rvert \le y \le \lvert a\rvert\}$	$\lvert a\rvert$	$-\lvert a\rvert$	$\frac{2\pi}{\lvert b\rvert}$
$y=a\tan bx$	실수 전체의 집합	없다.	없다.	$\frac{\pi}{\lvert b\rvert}$

설명 함수 $y=\sin x$의 그래프를 변형한 그래프와 치역, 주기는 다음과 같다.

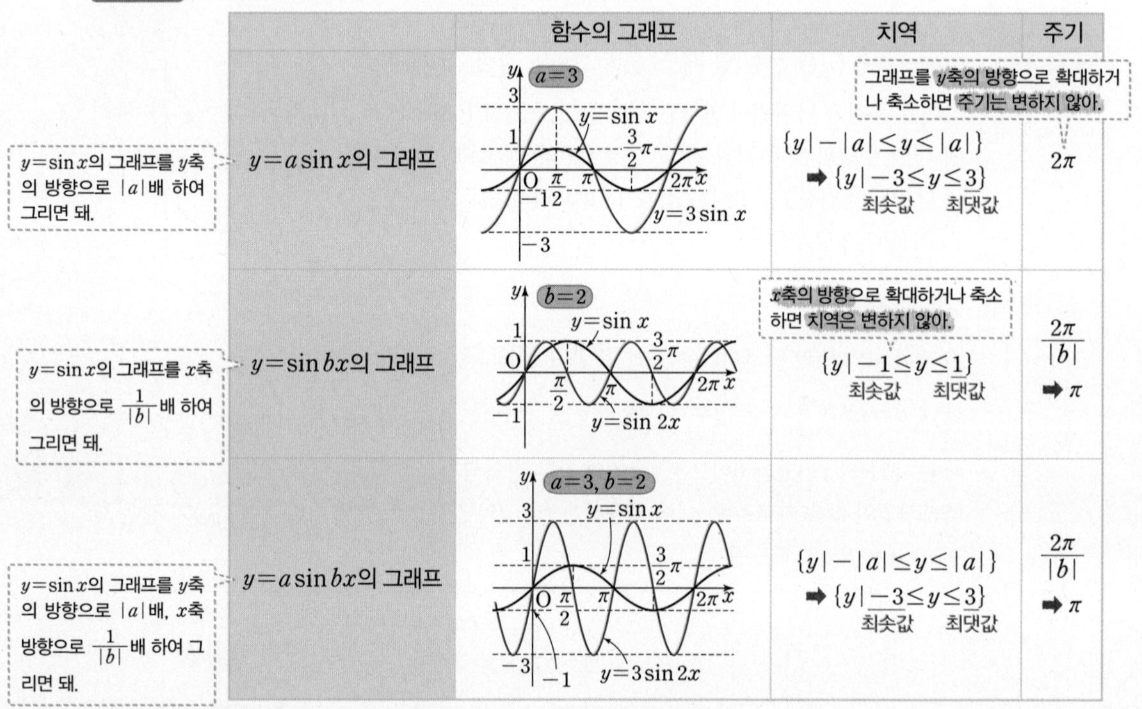

	함수의 그래프	치역	주기
$y=a\sin x$의 그래프	($a=3$)	$\{y\mid -\lvert a\rvert \le y \le \lvert a\rvert\}$ ➡ $\{y\mid -3 \le y \le 3\}$ (최솟값, 최댓값)	2π
$y=\sin bx$의 그래프	($b=2$)	$\{y\mid -1 \le y \le 1\}$ (최솟값, 최댓값)	$\frac{2\pi}{\lvert b\rvert}$ ➡ π
$y=a\sin bx$의 그래프	($a=3, b=2$)	$\{y\mid -\lvert a\rvert \le y \le \lvert a\rvert\}$ ➡ $\{y\mid -3 \le y \le 3\}$ (최솟값, 최댓값)	$\frac{2\pi}{\lvert b\rvert}$ ➡ π

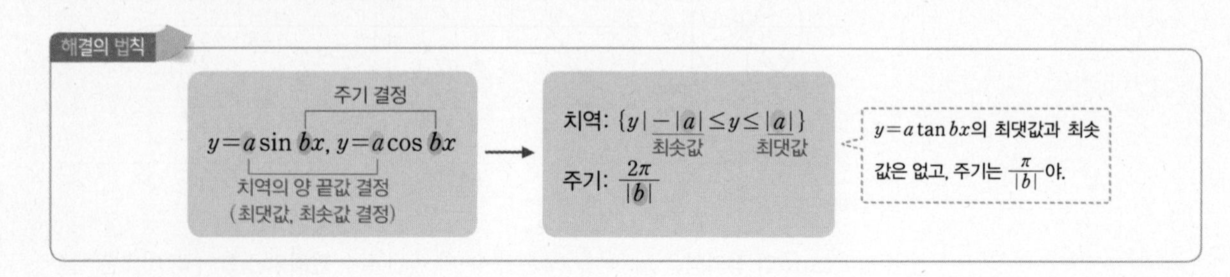

| 정답과 해설 53쪽 |

개념 확인 3 다음 함수의 치역과 주기를 구하고, 그 그래프를 그리시오.

(1) $y=\frac{1}{2}\sin x$

(2) $y=3\cos 3x$

개념 06 삼각함수의 최댓값, 최솟값, 주기(2)

대표 유형 01 ~ 04

사인함수, 코사인함수, 탄젠트함수의 치역, 최댓값, 최솟값, 주기는 다음과 같다.

삼각함수	치역	최댓값	최솟값	주기
$y=a\sin(bx+c)+d$	$\{y\mid -\lvert a\rvert+d\le y\le \lvert a\rvert+d\}$	$\lvert a\rvert+d$	$-\lvert a\rvert+d$	$\frac{2\pi}{\lvert b\rvert}$
$y=a\cos(bx+c)+d$	$\{y\mid -\lvert a\rvert+d\le y\le \lvert a\rvert+d\}$	$\lvert a\rvert+d$	$-\lvert a\rvert+d$	$\frac{2\pi}{\lvert b\rvert}$
$y=a\tan(bx+c)+d$	실수 전체의 집합	없다.	없다.	$\frac{\pi}{\lvert b\rvert}$

참고 함수 $y=\tan x$의 그래프의 점근선의 방정식은 $x=n\pi+\frac{\pi}{2}$ (n은 정수)이므로 함수 $y=a\tan(bx+c)+d$의 그래프의 점근선의 방정식은 $bx+c=n\pi+\frac{\pi}{2}$에서 $x=\frac{1}{b}\left(n\pi+\frac{\pi}{2}\right)-\frac{c}{b}$ (n은 정수)이다.

설명 함수 $y=a\sin(bx+c)+d$는

$$y=a\sin(bx+c)+d=a\sin b\left(x+\frac{c}{b}\right)+d$$

이므로 이 함수의 그래프는 함수 $y=a\sin bx$의 그래프를 x축의 방향으로 $-\frac{c}{b}$만큼, y축의 방향으로 d만큼 평행이동한 것이다.

따라서 치역은 $\{y\mid -\lvert a\rvert+d<y<\lvert a\rvert+d\}$이므로

최댓값은 $\lvert a\rvert+d$, 최솟값은 $-\lvert a\rvert+d$

이고, 주기는 $\frac{2\pi}{\lvert b\rvert}$이다.

또한, 함수 $y=a\cos(bx+c)+d$와 함수 $y=a\tan(bx+c)+d$에서도 같은 방법으로 구할 수 있다.

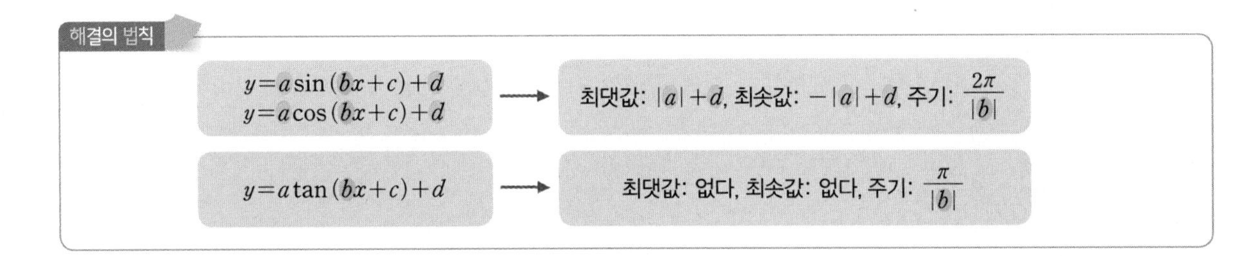

| 정답과 해설 53쪽 |

개념 확인 4 다음 함수의 최댓값, 최솟값 및 주기를 구하고, 그 그래프를 그리시오.

(1) $y=2\cos(2x-\pi)+1$

(2) $y=2\tan(2x-\pi)+1$

알아보기 | 절댓값 기호를 포함한 삼각함수의 그래프

절댓값 기호를 포함한 삼각함수의 그래프는 다음과 같은 방법으로 그린다.

$y=|\sin x|$, $y=|\cos x|$, $y=|\tan x|$의 그래프 대표 유형 04

➡ 항상 $y\geq 0$이므로 함수 $y=\sin x$, $y=\cos x$, $y=\tan x$의 그래프를 그린 후 $y\geq 0$인 부분은 그대로 두고, $y<0$인 부분을 x축에 대하여 대칭이동하여 그린다.

	$y=\|\sin x\|$	$y=\|\cos x\|$	$y=\|\tan x\|$
그래프	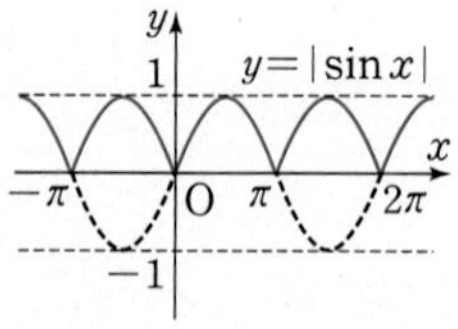 (그래프)	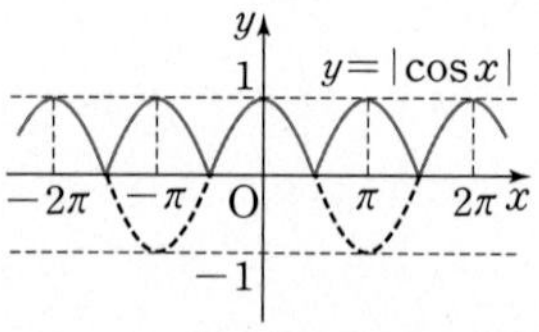 (그래프)	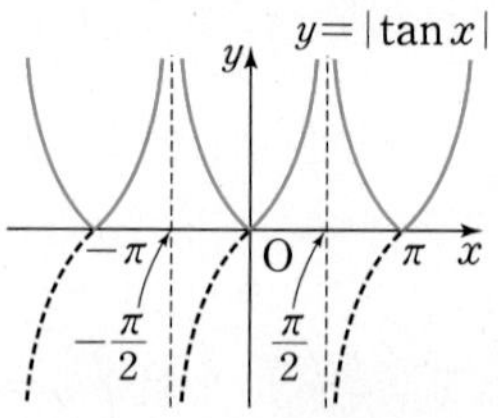 (그래프)
정의역	실수 전체의 집합	실수 전체의 집합	$n\pi+\frac{\pi}{2}$ (n은 정수)가 아닌 실수 전체의 집합
치역	$\{y\mid 0\leq y\leq 1\}$	$\{y\mid 0\leq y\leq 1\}$	$\{y\mid y\geq 0\}$
최대·최소	최댓값: 1, 최솟값: 0	최댓값: 1, 최솟값: 0	최댓값: 없다, 최솟값: 0
주기	π	π	π
대칭성	y축에 대하여 대칭	y축에 대하여 대칭	y축에 대하여 대칭

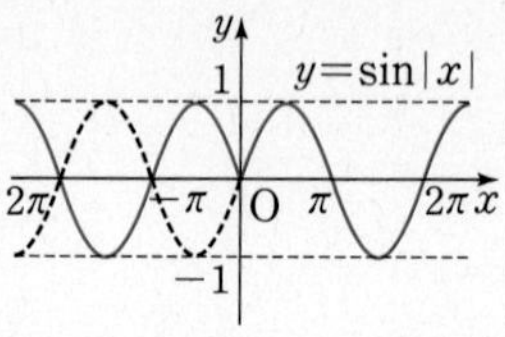

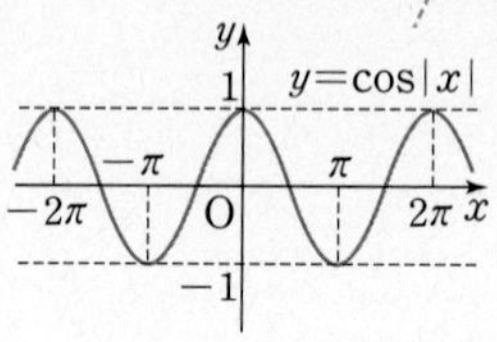

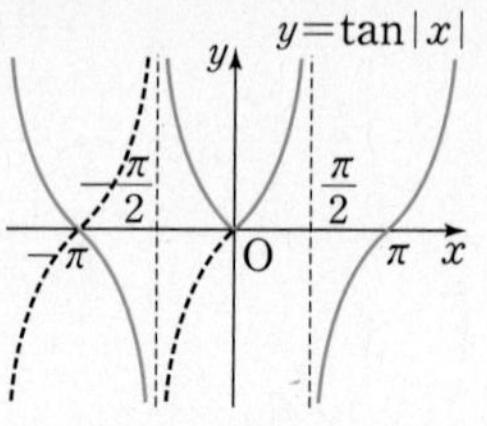

$y=\sin|x|$, $y=\cos|x|$, $y=\tan|x|$의 그래프 대표 유형 04

➡ 항상 $|x|\geq 0$이므로 함수 $y=\sin x$, $y=\cos x$, $y=\tan x$의 그래프를 그린 후 $x\geq 0$인 부분만 남기고, $x<0$인 부분은 $x>0$인 부분을 y축에 대하여 대칭이동하여 그린다.

함수 $y=\cos x$의 그래프는 y축에 대하여 대칭이므로 $y=\cos|x|$의 그래프와 모양이 같아.

	$y=\sin\|x\|$	$y=\cos\|x\|$	$y=\tan\|x\|$
그래프	(그래프)	(그래프)	(그래프)
정의역	실수 전체의 집합	실수 전체의 집합	$n\pi+\frac{\pi}{2}$ (n은 정수)가 아닌 실수 전체의 집합
치역	$\{y\mid -1\leq y\leq 1\}$	$\{y\mid -1\leq y\leq 1\}$	실수 전체의 집합
최대·최소	최댓값: 1, 최솟값: -1	최댓값: 1, 최솟값: -1	최댓값: 없다, 최솟값: 없다.
주기	없다.	2π	없다.
대칭성	y축에 대하여 대칭	y축에 대하여 대칭	y축에 대하여 대칭

STEP 1 개념 드릴

1 함수 $y=2\sin 3x$의 그래프를 그리고, 다음을 구하시오.

그래프

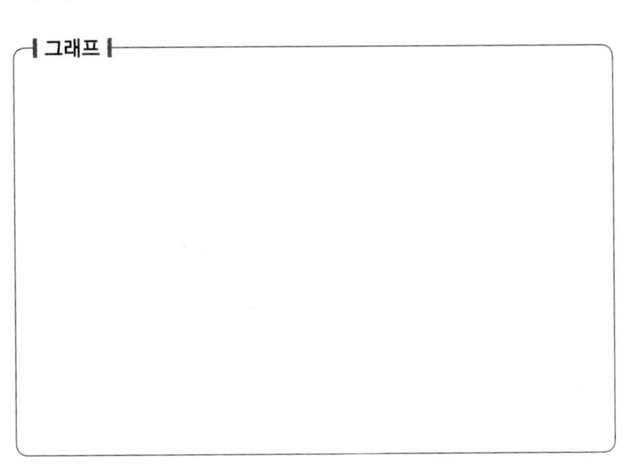

(1) 정의역

(2) 치역

(3) 최댓값, 최솟값

(4) 주기

2 함수 $y=3\cos 2x$의 그래프를 그리고, 다음을 구하시오.

그래프

(1) 정의역

(2) 치역

(3) 최댓값, 최솟값

(4) 주기

3 함수 $y=\tan\left(3x-\frac{\pi}{2}\right)$의 그래프를 그리고, 다음을 구하시오.

그래프

(1) 정의역

(2) 점근선의 방정식

(3) 주기

대표 유형 01 삼각함수의 그래프

개념 02 ~ 06

삼각함수 $y=2\cos(3x-\pi)+1$의 그래프를 그리고, 최댓값, 최솟값 및 주기를 구하시오.

풀이

❶ 함수 $y=2\cos(3x-\pi)+1$의 그래프 그리기

함수 $y=2\cos(3x-\pi)+1=2\cos 3\left(x-\frac{\pi}{3}\right)+1$의 그래프는 함수 $y=2\cos 3x$의 그래프를 x축의 방향으로 $\frac{\pi}{3}$만큼, y축의 방향으로 1만큼 평행이동한 것이므로 다음 그림과 같다.

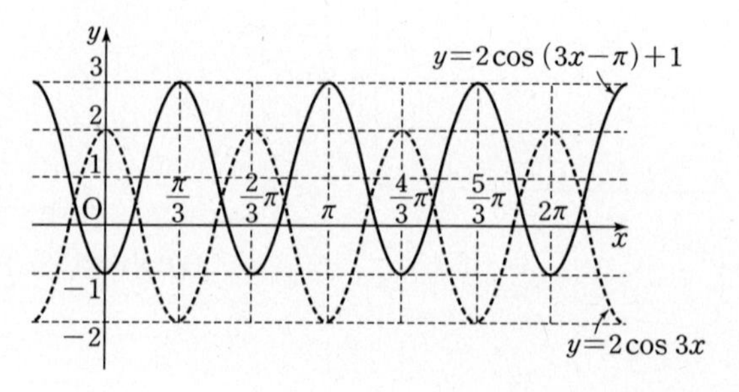

❷ 함수의 최댓값, 최솟값, 주기 구하기

함수 $y=2\cos(3x-\pi)+1$의 최댓값은 3, 최솟값은 -1, 주기는 $\frac{2}{3}\pi$이다.

답 그래프: 풀이 참조, 최댓값: 3, 최솟값: -1, 주기: $\frac{2}{3}\pi$

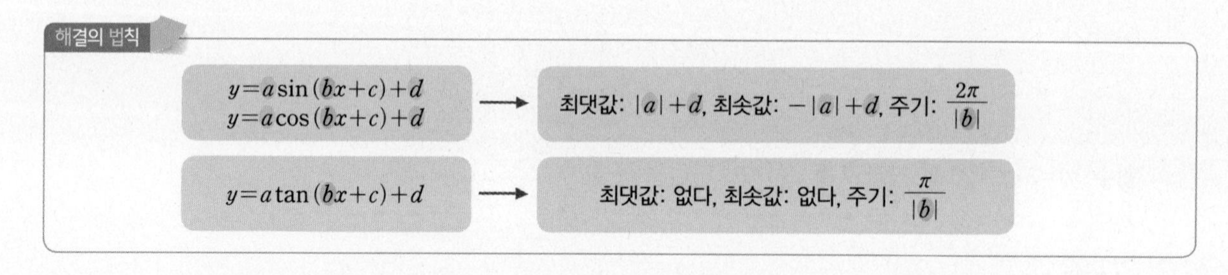

| 정답과 해설 55쪽 |

01-1 다음 함수의 그래프를 그리고, 최댓값, 최솟값 및 주기를 구하시오.

(1) $y=\cos(2x-\pi)+2$

(2) $y=-2\sin(2x-\pi)-1$

01-2 함수 $y=\tan\left(2x-\frac{\pi}{2}\right)+2$의 그래프의 점근선의 방정식이 $x=kn\pi+\frac{\pi}{2}$ (n은 정수), 주기가 $t\pi$일 때, kt의 값을 구하시오. (단, k, t는 상수)

대표 유형 02 삼각함수의 미정계수의 결정 - 조건이 주어진 경우

개념 02 ~ 06

함수 $f(x)=a\sin bx+c$에서 $f\left(\frac{\pi}{6}\right)=\frac{5}{2}$이고, 최솟값이 -5, 주기가 2π일 때, 상수 a, b, c에 대하여 $a+b+c$의 값을 구하시오. (단, $a>0$, $b>0$)

풀이

❶ b의 값 구하기

함수 $f(x)=a\sin bx+c$의 주기가 2π이므로 $\frac{2\pi}{|b|}=2\pi$ $\quad\therefore |b|=1$

이때, $b>0$이므로 $b=1$

❷ a, c의 값 구하기

$a>0$이고 최솟값이 -5이므로

$-a+c=-5$ ······ ㉠

또, $f\left(\frac{\pi}{6}\right)=\frac{5}{2}$에서 $f\left(\frac{\pi}{6}\right)=a\sin\frac{\pi}{6}+c=\frac{5}{2}$, $\frac{a}{2}+c=\frac{5}{2}$

$\therefore a+2c=5$ ······ ㉡

㉠, ㉡을 연립하여 풀면 $a=5$, $c=0$

❸ $a+b+c$의 값 구하기

$\therefore a+b+c=5+1+0=6$

답 6

해결의 법칙

$y=a\sin(bx+c)+d$ — b: 주기 결정, a, d: 최댓값, 최솟값 결정

$y=a\cos(bx+c)+d$ — b: 주기 결정, a, d: 최댓값, 최솟값 결정

| 정답과 해설 55쪽 |

02-1 함수 $y=a\cos bx+c$의 주기가 π, 최댓값이 5, 최솟값이 -1일 때, 상수 a, b, c에 대하여 $a+b+c$의 값을 구하시오. (단, $a>0$, $b>0$)

02-2 함수 $f(x)=a\sin\left(bx+\frac{\pi}{4}\right)+c$의 주기가 $\frac{\pi}{2}$, 최댓값이 5이고 $f\left(\frac{\pi}{16}\right)=1$일 때, 상수 a, b, c에 대하여 abc의 값을 구하시오. (단, $a<0$, $b>0$)

대표 유형 03 삼각함수의 미정계수의 결정 – 그래프가 주어진 경우

개념 02 ~ 06

함수 $y=a\sin(bx-c)$의 그래프가 오른쪽 그림과 같을 때, 상수 a, b, c에 대하여 $\frac{c}{ab}$의 값을 구하시오. $\left(\text{단, } a>0,\ b>0,\ 0<c<\frac{\pi}{2}\right)$

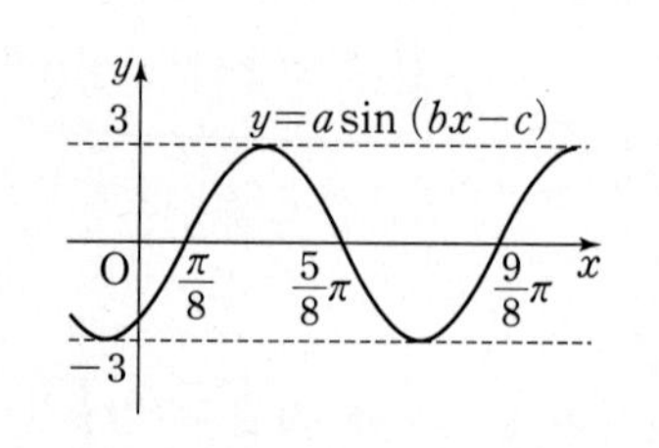

풀이

❶ a의 값 구하기

주어진 그래프에서 함수의 최댓값이 3, 최솟값이 -3이므로 $|a|=3$
이때, $a>0$이므로 $a=3$

❷ b의 값 구하기

주기는 $\frac{9}{8}\pi-\frac{\pi}{8}=\pi$이므로 $\frac{2\pi}{|b|}=\pi$에서 $|b|=2$
이때, $b>0$이므로 $b=2$

❸ c의 값 구하기

또, $0<c<\frac{\pi}{2}$에서 주어진 그래프는 함수 $y=3\sin 2x$의 그래프를 x축의 방향으로 $\frac{\pi}{8}$만큼 평행이동한 것이므로

$y=3\sin 2\left(x-\frac{\pi}{8}\right)=3\sin\left(2x-\frac{\pi}{4}\right)$ $\quad\therefore c=\frac{\pi}{4}$

❹ $\frac{c}{ab}$의 값 구하기

따라서 $a=3$, $b=2$, $c=\frac{\pi}{4}$이므로 $\frac{c}{ab}=\frac{\frac{\pi}{4}}{3\times 2}=\frac{\pi}{24}$

답 $\frac{\pi}{24}$

해결의 법칙

그래프가 주어진 삼각함수의 미정계수 → 그래프에서 최댓값, 최솟값, 주기를 먼저 구하기

| 정답과 해설 55쪽 |

03-1

함수 $y=a\cos bx+c$의 그래프가 오른쪽 그림과 같을 때, 상수 a, b, c에 대하여 abc의 값을 구하시오. (단, $a>0$, $b>0$)

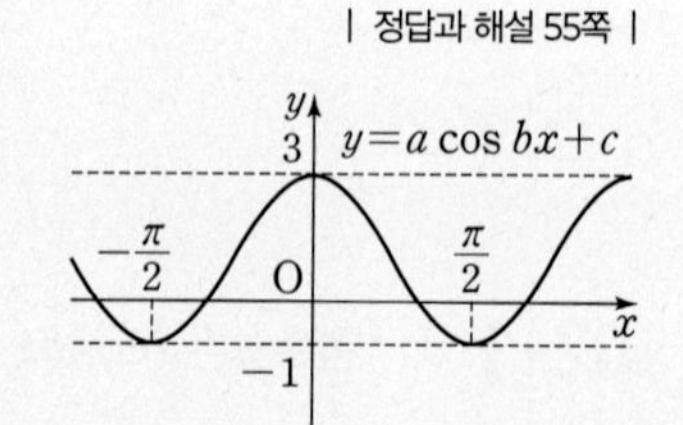

03-2

함수 $y=a\tan\left(bx-\frac{\pi}{2}\right)+c$의 그래프가 오른쪽 그림과 같을 때, 상수 a, b, c에 대하여 $a+b+c$의 값을 구하시오. (단, $b>0$)

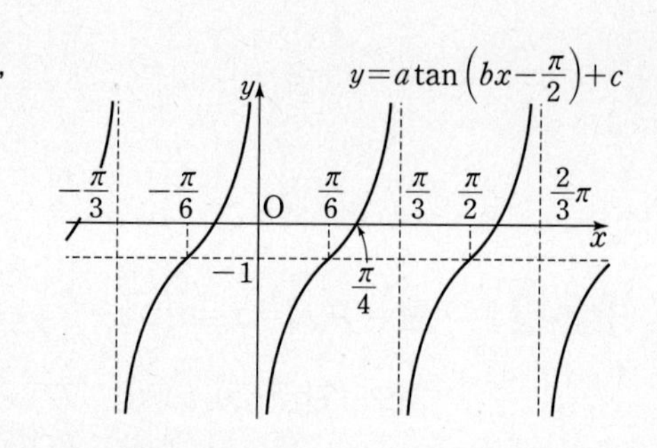

대표 유형 04 절댓값 기호를 포함한 삼각함수의 그래프

개념 02 ~ 06

다음 함수의 최댓값, 최솟값 및 주기를 구하시오.

(1) $y=\left|\sin\frac{x}{2}\right|$　　　　(2) $y=\cos\left|\frac{x}{2}\right|$

풀이 (1) 함수 $y=\left|\sin\frac{x}{2}\right|$의 그래프는 함수 $y=\sin\frac{x}{2}$의 그래프에서 $y\geq0$인 부분은 그대로 두고, $y<0$인 부분을 x축에 대하여 대칭이동한 것이므로 오른쪽 그림과 같다.
따라서 최댓값은 1, 최솟값은 0, 주기는 2π이다.

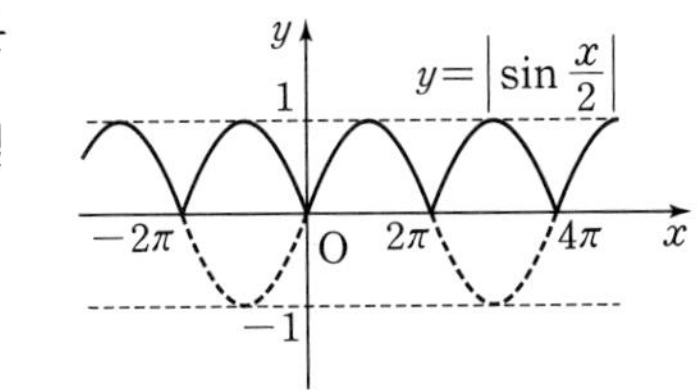

(2) 함수 $y=\cos\left|\frac{x}{2}\right|$의 그래프는 함수 $y=\cos\frac{x}{2}$의 그래프에서 $x\geq0$인 부분만 남기고, $x<0$인 부분은 $x>0$인 부분을 y축에 대하여 대칭이동한 것이므로 오른쪽 그림과 같다.
따라서 최댓값은 1, 최솟값은 -1, 주기는 4π이다.

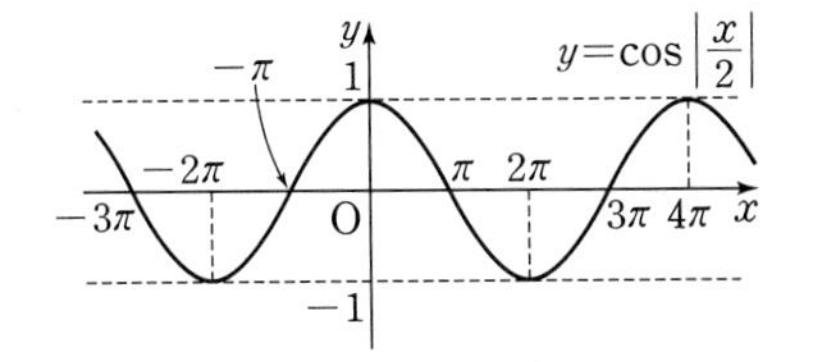

답 (1) 최댓값: 1, 최솟값: 0, 주기: 2π　(2) 최댓값: 1, 최솟값: -1, 주기: 4π

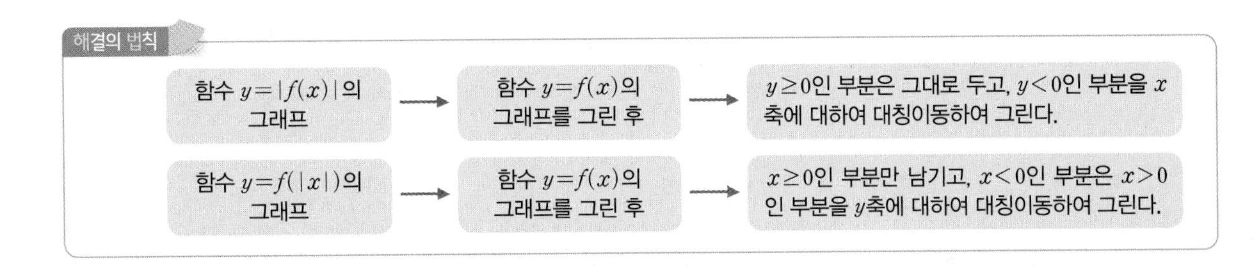

| 정답과 해설 56쪽 |

04-1 함수 $y=3\left|\sin\frac{x}{3}\right|$의 최댓값, 최솟값 및 주기를 구하시오.

04-2 함수 $f(x)=2|\cos ax|+b$의 주기가 $\frac{\pi}{2}$, 최댓값이 3일 때, 상수 a, b에 대하여 $a+b$의 값을 구하시오. (단, $a>0$)

2 삼각함수의 성질

개념 01 삼각함수의 성질(1)

대표 유형 01 ~ 04

1 $2n\pi+x$ (n은 정수)의 삼각함수

(1) $\sin(2n\pi+x)=\sin x$ (2) $\cos(2n\pi+x)=\cos x$ (3) $\tan(2n\pi+x)=\tan x$

2 $-x$의 삼각함수

(1) $\sin(-x)=-\sin x$ (2) $\cos(-x)=\cos x$ (3) $\tan(-x)=-\tan x$

3 $\pi\pm x$의 삼각함수

(1) $\sin(\pi+x)=-\sin x$ (2) $\cos(\pi+x)=-\cos x$ (3) $\tan(\pi+x)=\tan x$

(4) $\sin(\pi-x)=\sin x$ (5) $\cos(\pi-x)=-\cos x$ (6) $\tan(\pi-x)=-\tan x$

설명

1 $2n\pi+x$ (n은 정수)의 삼각함수

두 함수 $y=\sin x$, $y=\cos x$의 주기는 2π, 함수 $y=\tan x$의 주기는 π이므로

$$y=\sin x=\sin(x+2\pi)=\sin(x+4\pi)=\cdots$$
$$y=\cos x=\cos(x+2\pi)=\cos(x+4\pi)=\cdots$$
$$y=\tan x=\tan(x+\pi)=\tan(x+2\pi)=\cdots$$
$$\therefore \sin(2n\pi+x)=\sin x,\ \cos(2n\pi+x)=\cos x,\ \tan(2n\pi+x)=\tan x$$

2 $-x$의 삼각함수

두 함수 $y=\sin x$, $y=\tan x$의 그래프는 각각 원점에 대하여 대칭이므로 ($f(-x)=-f(x)$)

$$\sin(-x)=-\sin x,\ \tan(-x)=-\tan x$$

또, 함수 $y=\cos x$의 그래프는 y축에 대하여 대칭이므로 ($f(-x)=f(x)$) $\cos(-x)=\cos x$

3 $\pi\pm x$의 삼각함수

함수 $y=\sin x$의 그래프를 x축의 방향으로 $-\pi$만큼 평행이동하면 함수 $y=-\sin x$의 그래프와 일치하므로

$$\sin(\pi+x)=-\sin x \quad \cdots\cdots ㉠$$

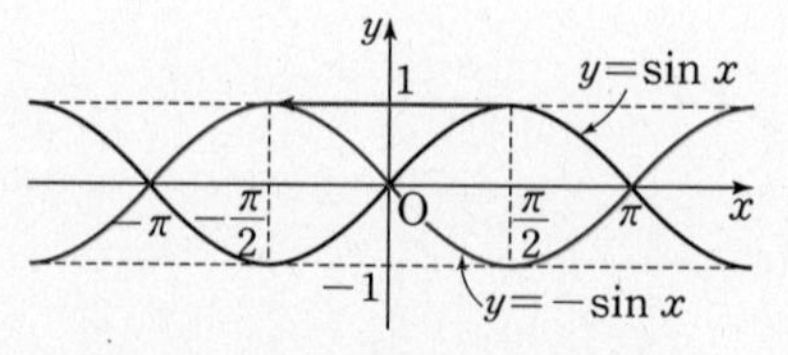

함수 $y=\cos x$의 그래프를 x축의 방향으로 $-\pi$만큼 평행이동하면 함수 $y=-\cos x$의 그래프와 일치하므로

$$\cos(\pi+x)=-\cos x \quad \cdots\cdots ㉡$$

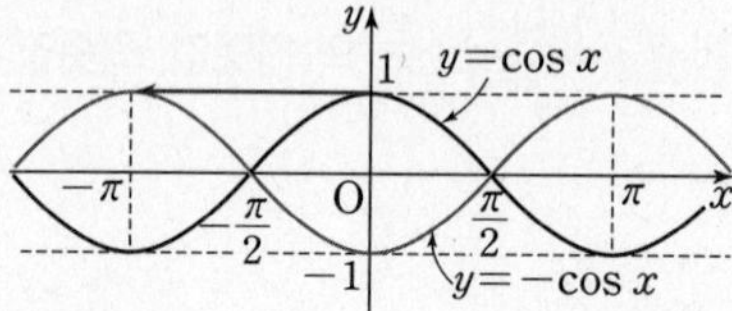

또, 함수 $y=\tan x$의 주기는 π이므로 $\tan(\pi+x)=\tan x$ $\cdots\cdots ㉢$

한편, ㉠, ㉡, ㉢에 각각 x 대신 $-x$를 대입하면

$$\sin(\pi-x)=-\sin(-x)=\sin x,\ \cos(\pi-x)=-\cos(-x)=-\cos x$$
$$\tan(\pi-x)=\tan(-x)=-\tan x$$

예

$\sin\frac{7}{3}\pi$, $\cos\left(-\frac{\pi}{3}\right)$, $\tan\frac{4}{3}\pi$의 값을 구해 보자.

$$\sin\frac{7}{3}\pi=\sin\left(2\pi+\frac{\pi}{3}\right)=\sin\frac{\pi}{3}=\frac{\sqrt{3}}{2}$$

$$\cos\left(-\frac{\pi}{3}\right)=\cos\frac{\pi}{3}=\frac{1}{2},\ \tan\frac{4}{3}\pi=\tan\left(\pi+\frac{\pi}{3}\right)=\tan\frac{\pi}{3}=\sqrt{3}$$

4 $\frac{\pi}{2}\pm x$의 삼각함수

(1) $\sin\left(\frac{\pi}{2}+x\right)=\cos x$ (2) $\cos\left(\frac{\pi}{2}+x\right)=-\sin x$ (3) $\tan\left(\frac{\pi}{2}+x\right)=-\frac{1}{\tan x}$

(4) $\sin\left(\frac{\pi}{2}-x\right)=\cos x$ (5) $\cos\left(\frac{\pi}{2}-x\right)=\sin x$ (6) $\tan\left(\frac{\pi}{2}-x\right)=\frac{1}{\tan x}$

참고 $\sin\left(\frac{3}{2}\pi+x\right)=-\cos x$, $\cos\left(\frac{3}{2}\pi+x\right)=\sin x$, $\tan\left(\frac{3}{2}\pi+x\right)=-\frac{1}{\tan x}$

설명 **4 $\frac{\pi}{2}\pm x$의 삼각함수**

함수 $y=\sin x$의 그래프를 x축의 방향으로 $-\frac{\pi}{2}$만큼 평행이동하면 함수 $y=\cos x$의 그래프와 일치하므로

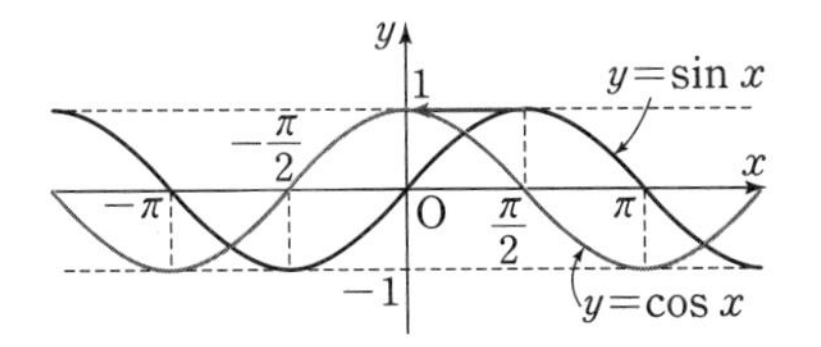

$$\sin\left(\frac{\pi}{2}+x\right)=\cos x \quad \cdots\cdots ㉠$$

함수 $y=\cos x$의 그래프를 x축의 방향으로 $-\frac{\pi}{2}$만큼 평행이동하면 함수 $y=-\sin x$의 그래프와 일치하므로

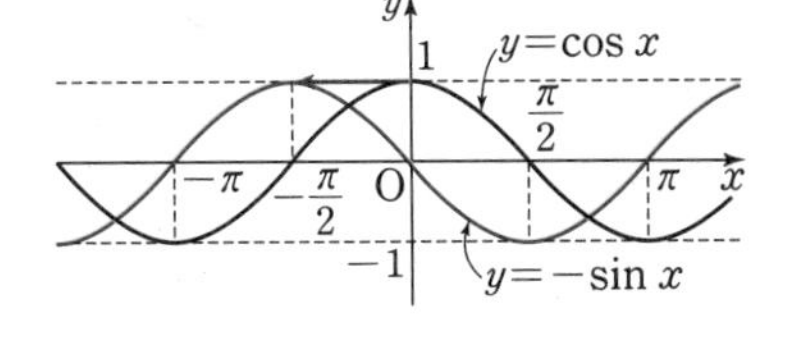

$$\cos\left(\frac{\pi}{2}+x\right)=-\sin x \quad \cdots\cdots ㉡$$

또, $\tan x=\frac{\sin x}{\cos x}$이므로 ㉠, ㉡에서

$$\tan\left(\frac{\pi}{2}+x\right)=\frac{\sin\left(\frac{\pi}{2}+x\right)}{\cos\left(\frac{\pi}{2}+x\right)}=\frac{\cos x}{-\sin x}=-\frac{1}{\tan x} \quad \cdots\cdots ㉢$$

한편, ㉠, ㉡, ㉢에 각각 x 대신 $-x$를 대입하면

$$\sin\left(\frac{\pi}{2}-x\right)=\cos(-x)=\cos x$$

$$\cos\left(\frac{\pi}{2}-x\right)=-\sin(-x)=\sin x$$

$$\tan\left(\frac{\pi}{2}-x\right)=-\frac{1}{\tan(-x)}=\frac{1}{\tan x}$$

예 $\sin\frac{3}{4}\pi$, $\cos\frac{3}{4}\pi$, $\tan\frac{3}{4}\pi$의 값을 구해 보자.

$$\sin\frac{3}{4}\pi=\sin\left(\frac{\pi}{2}+\frac{\pi}{4}\right)=\cos\frac{\pi}{4}=\frac{\sqrt{2}}{2}$$

$$\cos\frac{3}{4}\pi=\cos\left(\frac{\pi}{2}+\frac{\pi}{4}\right)=-\sin\frac{\pi}{4}=-\frac{\sqrt{2}}{2}$$

$$\tan\frac{3}{4}\pi=\tan\left(\frac{\pi}{2}+\frac{\pi}{4}\right)=-\frac{1}{\tan\frac{\pi}{4}}=-\frac{1}{1}=-1$$

개념 03 여러 가지 각의 삼각함수의 변형 방법

대표 유형 01 ~ 04

여러 가지 각의 삼각함수는 다음과 같은 순서로 변형하여 θ에 대한 삼각함수로 나타낼 수 있다.

(i) 각 변형하기

주어진 각을 $90^\circ \times n \pm \theta$ 또는 $\frac{\pi}{2} \times n \pm \theta$ (n은 정수) 꼴로 변형한다.

(ii) 삼각함수 정하기

n이 짝수이면 함수를 그대로 둔다. ➡ $\sin \to \sin$, $\cos \to \cos$, $\tan \to \tan$

n이 홀수이면 함수를 바꾼다. ➡ $\sin \to \cos$, $\cos \to \sin$, $\tan \to \frac{1}{\tan}$

(iii) 부호 정하기

θ를 예각으로 간주하고 $90^\circ \times n \pm \theta$ 또는 $\frac{\pi}{2} \times n \pm \theta$가 나타내는 동경이 제몇 사분면에 있는지 구한 후 처음 주어진 삼각함수의 부호가 양이면 $+$, 음이면 $-$를 붙인다.

예 다음 삼각함수의 값을 구해 보자.

(1) $\cos 330^\circ$	(2) $\sin \frac{4}{3}\pi$
(i) $330^\circ = 90^\circ \times 3 + 60^\circ$ (ii) 3이 홀수이므로 함수를 바꾼다. $\cos \to \sin$ (iii) 330°가 나타내는 동경이 제4사분면에 있고, 제4사분면에서 $\cos$의 부호는 $+$이다. ➡ $\cos 330^\circ = \sin 60^\circ = \frac{\sqrt{3}}{2}$	(i) $\frac{4}{3}\pi = \frac{\pi}{2} \times 2 + \frac{\pi}{3}$ (ii) 2가 짝수이므로 함수를 그대로 둔다. $\sin \to \sin$ (iii) $\frac{4}{3}\pi$가 나타내는 동경이 제3사분면에 있고, 제3사분면에서 $\sin$의 부호는 $-$이다. ➡ $\sin \frac{4}{3}\pi = -\sin \frac{\pi}{3} = -\frac{\sqrt{3}}{2}$

참고 삼각함수의 성질을 이용하면 일반각에 대한 삼각함수를 0°에서 90°까지의 각에 대한 삼각함수로 나타낼 수 있다.
따라서 278쪽의 삼각함수표를 이용하여 일반각에 대한 삼각함수의 값을 구할 수 있다.
$\sin 410^\circ = \sin(360^\circ + 50^\circ) = \sin 50^\circ = 0.7660$
$\cos 107^\circ = \cos(90^\circ + 17^\circ) = -\sin 17^\circ = -0.2924$
$\tan 190^\circ = \tan(180^\circ + 10^\circ) = \tan 10^\circ = 0.1763$

| 정답과 해설 56쪽 |

개념 확인 1 다음 삼각함수의 값을 구하시오.

(1) $\sin 315^\circ$

(2) $\cos \frac{10}{3}\pi$

(3) $\tan \frac{13}{4}\pi$

STEP 1 개념 드릴

정답과 해설 56쪽

1 다음 삼각함수의 값을 구하시오.

(1) $\sin\frac{9}{4}\pi$

(2) $\cos\frac{19}{3}\pi$

(3) $\tan\frac{7}{3}\pi$

(4) $\tan\frac{13}{6}\pi$

2 다음 삼각함수의 값을 구하시오.

(1) $\sin\left(-\frac{\pi}{3}\right)$

(2) $\sin\left(-\frac{\pi}{6}\right)$

(3) $\cos\left(-\frac{13}{3}\pi\right)$

(4) $\tan\left(-\frac{9}{4}\pi\right)$

3 다음 삼각함수의 값을 구하시오.

(1) $\tan\frac{4}{3}\pi$

(2) $\sin\frac{5}{6}\pi$

(3) $\cos\frac{5}{4}\pi$

(4) $\tan\frac{2}{3}\pi$

4 다음 삼각함수의 값을 구하시오.

(1) $\cos\left(\frac{\pi}{2}-\frac{\pi}{6}\right)$

(2) $\tan\left(\frac{\pi}{2}+\frac{\pi}{3}\right)$

(3) $\sin\left(\frac{\pi}{2}+\frac{\pi}{4}\right)$

(4) $\cos\left(\frac{\pi}{2}+\frac{\pi}{6}\right)$

대표 유형 01 일반각에 대한 삼각함수의 성질

개념 01 ~ 03

$\dfrac{\sin\left(\theta+\frac{\pi}{2}\right)}{\cos(\theta-\pi)}+\tan\left(\frac{3}{2}\pi-\theta\right)\tan(\pi-\theta)$를 간단히 하시오.

풀이

❶ 삼각함수의 성질을 이용하여 $\frac{n}{2}\pi\pm\theta$ (n은 정수)의 부호 정하기

$\sin\left(\theta+\frac{\pi}{2}\right)=\cos\theta$, $\cos(\theta-\pi)=\cos(\pi-\theta)=-\cos\theta$ ← $\cos(-x)=\cos x$

$\tan\left(\frac{3}{2}\pi-\theta\right)=\dfrac{1}{\tan\theta}$, $\tan(\pi-\theta)=-\tan\theta$

❷ 주어진 식 간단히 하기

$\therefore \dfrac{\sin\left(\theta+\frac{\pi}{2}\right)}{\cos(\theta-\pi)}+\tan\left(\frac{3}{2}\pi-\theta\right)\tan(\pi-\theta)$

$=\dfrac{\cos\theta}{-\cos\theta}+\dfrac{1}{\tan\theta}\times(-\tan\theta)$

$=(-1)+(-1)=-2$

답 -2

해결의 법칙

여러 가지 각의 삼각함수의 변형 방법

각을 $\frac{\pi}{2}\times n\pm\theta$ (n은 정수) 꼴로 고치기 → 삼각함수 정하기 ➡ n이 짝수이면 그대로 ($\sin\to\sin$, $\cos\to\cos$, $\tan\to\tan$) n이 홀수이면 바꾸기 $\left(\sin\to\cos, \cos\to\sin, \tan\to\frac{1}{\tan}\right)$ → 처음 삼각함수의 부호가 양이면 '+', 음이면 '−' 붙이기

| 정답과 해설 57쪽 |

01-1 $\sin\left(\frac{\pi}{2}+\theta\right)+\cos(\pi+\theta)+\cos\left(\frac{3}{2}\pi-\theta\right)-\sin(-\theta)$를 간단히 하시오.

01-2 $\dfrac{\sin\left(\frac{\pi}{2}+\theta\right)\cos(3\pi-\theta)}{\cos(\pi+\theta)}+\dfrac{\sin\left(\frac{5}{2}\pi+\theta\right)\cos\left(\frac{\pi}{2}+\theta\right)}{\sin(\pi-\theta)}$를 간단히 하시오.

대표 유형 02 일반각에 대한 삼각함수의 성질 – 각의 통일

개념 01 ~ 03

다음 식의 값을 구하시오.

(1) $\sin^2 1^\circ+\sin^2 2^\circ+\sin^2 3^\circ+\cdots+\sin^2 88^\circ+\sin^2 89^\circ+\sin^2 90^\circ$

(2) $(\tan 25^\circ+\tan 65^\circ)^2-(\tan 25^\circ+\tan 115^\circ)^2$

풀이 (1) $\sin 89^\circ=\sin(90^\circ-1^\circ)=\cos 1^\circ$, $\sin 88^\circ=\sin(90^\circ-2^\circ)=\cos 2^\circ$, $\cdots$이므로

$$\begin{aligned}&\sin^2 1^\circ+\sin^2 2^\circ+\sin^2 3^\circ+\cdots+\sin^2 88^\circ+\sin^2 89^\circ+\sin^2 90^\circ\\&=(\sin^2 1^\circ+\sin^2 89^\circ)+(\sin^2 2^\circ+\sin^2 88^\circ)\\&\qquad+\cdots+(\sin^2 44^\circ+\sin^2 46^\circ)+\sin^2 45^\circ+\sin^2 90^\circ\\&=(\sin^2 1^\circ+\cos^2 1^\circ)+(\sin^2 2^\circ+\cos^2 2^\circ)\\&\qquad+\cdots+(\sin^2 44^\circ+\cos^2 44^\circ)+\left(\frac{\sqrt{2}}{2}\right)^2+1\\&=1\times 44+\frac{1}{2}+1=\frac{91}{2}\end{aligned}$$

두 각의 크기의 합이 90°인 것끼리 묶고, $\sin(90^\circ-\theta)=\cos\theta$, $\sin^2\theta+\cos^2\theta=1$ 임을 이용해.

(2) $\tan 65^\circ=\tan(90^\circ-25^\circ)=\frac{1}{\tan 25^\circ}$, $\tan 115^\circ=\tan(90^\circ+25^\circ)=-\frac{1}{\tan 25^\circ}$이므로

$$\begin{aligned}&(\tan 25^\circ+\tan 65^\circ)^2-(\tan 25^\circ+\tan 115^\circ)^2\\&=\left(\tan 25^\circ+\frac{1}{\tan 25^\circ}\right)^2-\left(\tan 25^\circ-\frac{1}{\tan 25^\circ}\right)^2\\&=\left(\tan^2 25^\circ+2+\frac{1}{\tan^2 25^\circ}\right)-\left(\tan^2 25^\circ-2+\frac{1}{\tan^2 25^\circ}\right)\\&=4\end{aligned}$$

$\tan(90^\circ\pm\theta)=\mp\frac{1}{\tan\theta}$ (복호동순) 임을 이용해.

답 (1) $\frac{91}{2}$ (2) 4

| 정답과 해설 57쪽 |

02-1 $\cos^2 1^\circ+\cos^2 2^\circ+\cos^2 3^\circ+\cdots+\cos^2 88^\circ+\cos^2 89^\circ+\cos^2 90^\circ$의 값을 구하시오.

02-2 $\tan 1^\circ\times\tan 2^\circ\times\tan 3^\circ\times\cdots\times\tan 87^\circ\times\tan 88^\circ\times\tan 89^\circ$의 값을 구하시오.

대표 유형 03 삼각함수를 포함한 식의 최대 · 최소 – 일차식, 유리식 꼴

개념 01 ~ 03

다음 함수의 최댓값과 최솟값을 구하시오.

(1) $y=|\sin x-1|+2$　　(2) $y=\dfrac{-2\sin x+5}{\sin x+2}$

풀이 (1)

❶ $\sin x=t$로 놓고 식 정리하기

$y=|\sin x-1|+2$에서 $\sin x=t$로 놓으면 $-1\le t\le 1$이고
$y=|t-1|+2$

❷ 절댓값을 풀어 일차함수의 최댓값과 최솟값 구하기

$t\ge 1$일 때, $y=t-1+2=t+1$
$t<1$일 때, $y=-(t-1)+2=-t+3$
$-1\le t\le 1$에서 이 함수의 그래프는 오른쪽 그림과 같으므로
$t=-1$일 때 최댓값은 4, $t=1$일 때 최솟값은 2이다.

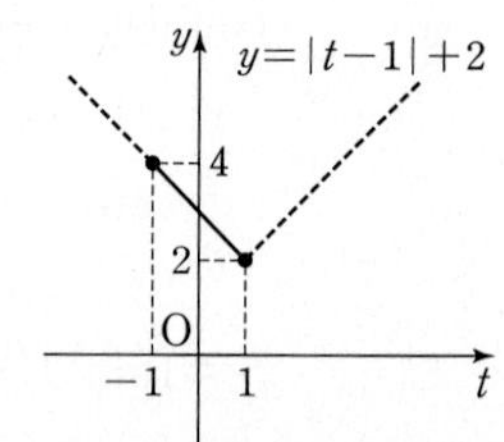

(2)

❶ $\sin x=t$로 놓고 식 정리하기

$y=\dfrac{-2\sin x+5}{\sin x+2}$에서 $\sin x=t$로 놓으면 $-1\le t\le 1$이고

$y=\dfrac{-2t+5}{t+2}=\dfrac{-2(t+2)+9}{t+2}=\dfrac{9}{t+2}-2$

❷ 유리함수의 최댓값과 최솟값 구하기

$-1\le t\le 1$에서 이 함수의 그래프는 오른쪽 그림과 같으므로 $t=-1$일 때 최댓값은 7, $t=1$일 때 최솟값은 1이다.

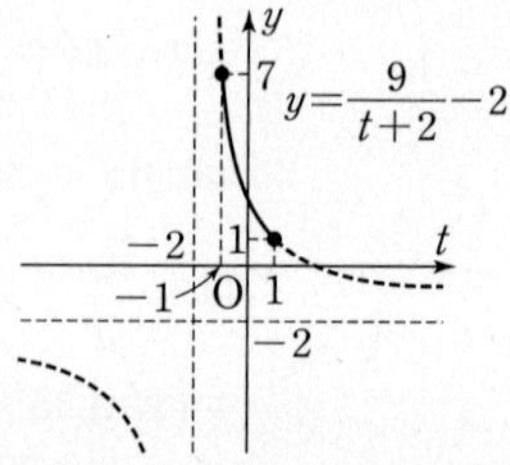

답 (1) 최댓값: 4, 최솟값: 2　(2) 최댓값: 7, 최솟값: 1

다른 풀이

(1) $-1\le \sin x\le 1$이므로 $-2\le \sin x-1\le 0$

$0\le |\sin x-1|\le 2$　　$\therefore 2\le |\sin x-1|+2\le 4$

따라서 최댓값은 4, 최솟값은 2이다.

(2) $y=\dfrac{-2\sin x+5}{\sin x+2}=\dfrac{9}{\sin x+2}-2$에서 $1\le \sin x+2\le 3$이므로

$\dfrac{1}{3}\le \dfrac{1}{\sin x+2}\le 1$, $3\le \dfrac{9}{\sin x+2}\le 9$　　$\therefore 1\le \dfrac{9}{\sin x+2}-2\le 7$

따라서 최댓값은 7, 최솟값은 1이다.

해결의 법칙

삼각함수를 포함한 식의 최대 · 최소

삼각함수를 t로 치환하여 t의 값의 범위 구하기 → t에 대한 함수의 그래프를 그려서 t의 값의 범위에서 최댓값, 최솟값 구하기

$\sin x=t$ 또는 $\cos x=t$로 치환하면 t의 값의 범위는 $-1\le t\le 1$이야.

| 정답과 해설 57쪽 |

03-1 다음 함수의 최댓값과 최솟값을 구하시오.

(1) $y=|-2\cos x-2|+5$　　(2) $y=\dfrac{3\cos x-4}{\cos x-2}$

대표 유형 04 삼각함수를 포함한 식의 최대 · 최소 – 이차식 꼴

개념 01 ~ 03

$0\le x<2\pi$일 때, 다음 함수의 최댓값과 최솟값을 구하시오.

(1) $y=-4\cos^2 x+4\sin x+3$

(2) $y=\sin^2 x-\cos^2 x+2\sin\left(\frac{\pi}{2}-x\right)$

풀이 (1)

❶ $\sin x$에 대한 이차식으로 나타내기

$\sin^2 x+\cos^2 x=1$이므로

$y=-4\cos^2 x+4\sin x+3=-4(1-\sin^2 x)+4\sin x+3$

$=4\sin^2 x+4\sin x-1$

❷ $\sin x=t$로 놓고 식 정리하기

$\sin x=t$로 놓으면 $-1\le t\le 1$이고

$y=4t^2+4t-1=4\left(t+\frac{1}{2}\right)^2-2$

❸ 이차함수의 최댓값과 최솟값 구하기

$-1\le t\le 1$에서 이 함수의 그래프는 오른쪽 그림과 같으므로

$t=1$일 때 최댓값은 7, $t=-\frac{1}{2}$일 때 최솟값은 -2이다.

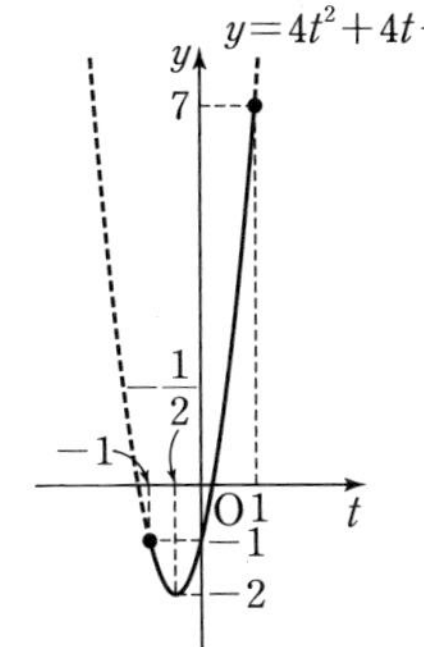

(2)

❶ $\cos x$에 대한 이차식으로 나타내기

$\sin^2 x+\cos^2 x=1$이고, $\sin\left(\frac{\pi}{2}-x\right)=\cos x$이므로

$y=\sin^2 x-\cos^2 x+2\sin\left(\frac{\pi}{2}-x\right)=(1-\cos^2 x)-\cos^2 x+2\cos x$

$=-2\cos^2 x+2\cos x+1$

❷ $\cos x=t$로 놓고 식 정리하기

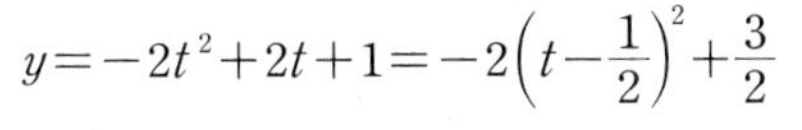

$\cos x=t$로 놓으면 $-1\le t\le 1$이고

$y=-2t^2+2t+1=-2\left(t-\frac{1}{2}\right)^2+\frac{3}{2}$

❸ 이차함수의 최댓값과 최솟값 구하기

$-1\le t\le 1$에서 이 함수의 그래프는 오른쪽 그림과 같으므로

$t=\frac{1}{2}$일 때 최댓값은 $\frac{3}{2}$, $t=-1$일 때 최솟값은 -3이다.

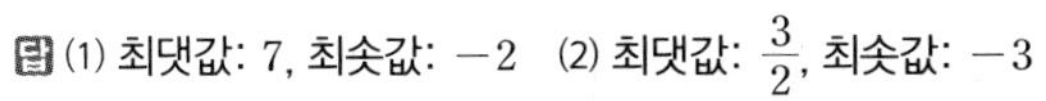

답 (1) 최댓값: 7, 최솟값: -2 (2) 최댓값: $\frac{3}{2}$, 최솟값: -3

해결의 법칙

여러 가지 삼각함수를 포함한 식의 최대 · 최소 → 삼각함수와 각 통일하기 → 통일한 삼각함수를 t로 치환하여 t의 값의 범위에서 최대 · 최소 구하기

| 정답과 해설 58쪽 |

04-1 $0\le x<2\pi$일 때, 함수 $y=\sin^2 x-2\cos x$의 최댓값을 M, 최솟값을 m이라 하자. 이때, $M-m$의 값을 구하시오.

04-2 $0\le x\le\frac{\pi}{4}$일 때, 함수 $y=\tan^2(\pi+x)+2\tan(\pi-x)+3$의 최댓값과 최솟값을 구하시오.

3 삼각방정식과 삼각부등식

개념 01 삼각방정식

대표 유형 01, 02, 04

1 삼각방정식

$\sin x=\frac{1}{2}$, $\cos x=-\frac{\sqrt{3}}{2}$, $\tan x=-1$과 같이 각의 크기가 미지수인 삼각함수를 포함하는 방정식을 **삼각방정식**이라 한다.

2 삼각방정식의 풀이

(i) 주어진 방정식을 $\sin x=k$ (또는 $\cos x=k$ 또는 $\tan x=k$) 꼴로 고친다.
(ii) 함수 $y=\sin x$ (또는 $y=\cos x$ 또는 $y=\tan x$)의 그래프와 직선 $y=k$를 그린다.
(iii) 주어진 범위에서 삼각함수의 그래프와 직선의 교점의 x좌표를 찾아 방정식의 해를 구한다.

참고 방정식 $f(x)=k$ (k는 상수)의 해는 함수 $y=f(x)$의 그래프와 직선 $y=k$의 교점의 x좌표와 같으므로 삼각방정식도 삼각함수의 그래프와 직선의 교점을 이용하여 그 해를 구한다.

예 방정식 $\sin x=\frac{1}{2}$을 풀어 보자. (단, $0\le x<2\pi$)

구하는 방정식의 해는 함수 $y=\sin x$의 그래프와 직선 $y=\frac{1}{2}$의 교점의 x좌표와 같으므로

$$x=\frac{\pi}{6} \text{ 또는 } x=\frac{5}{6}\pi$$

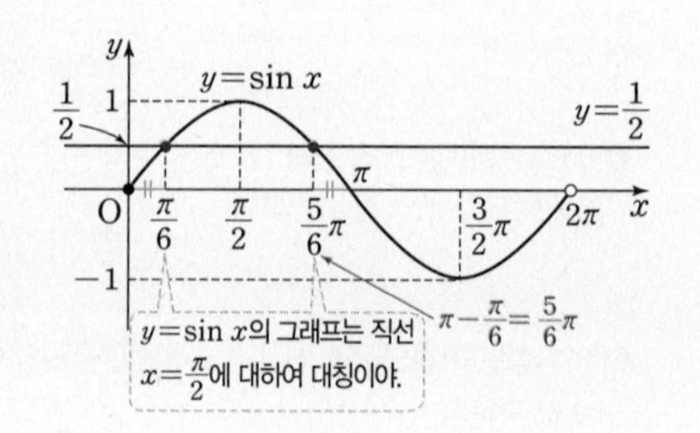

해결의 법칙

$\sin x=k$, $\cos x=k$, $\tan x=k$ 꼴의 방정식의 해 → 함수 $y=\sin x$, $y=\cos x$, $y=\tan x$의 그래프와 직선 $y=k$의 교점의 x좌표

| 정답과 해설 58쪽 |

개념 확인 1 $0\le x<2\pi$일 때, 다음 방정식을 푸시오.

(1) $\cos x=-\frac{1}{2}$ (2) $\tan x=\sqrt{3}$

개념 02 삼각부등식

대표 유형 03, 04

1 삼각부등식

$\sin x \le \frac{1}{2}$, $\cos x < \frac{\sqrt{2}}{2}$, $\tan x \ge -\sqrt{3}$과 같이 각의 크기가 미지수인 삼각함수를 포함하는 부등식을 **삼각부등식**이라 한다.

2 삼각부등식의 풀이

(i) $\sin x > k$ (또는 $\cos x > k$ 또는 $\tan x > k$) 꼴일 때

➡ 함수 $y=\sin x$ (또는 $y=\cos x$ 또는 $y=\tan x$)의 그래프가 직선 $y=k$보다 위쪽에 있는 x의 값의 범위를 구한다.

(ii) $\sin x < k$ (또는 $\cos x < k$ 또는 $\tan x < k$) 꼴일 때

➡ 함수 $y=\sin x$ (또는 $y=\cos x$ 또는 $y=\tan x$)의 그래프가 직선 $y=k$보다 아래쪽에 있는 x의 값의 범위를 구한다.

참고 부등식 $f(x)>k$ (k는 상수)의 해는 함수 $y=f(x)$의 그래프가 직선 $y=k$보다 위쪽에 있는 x의 값의 범위와 같으므로 삼각부등식도 삼각함수의 그래프와 직선을 이용하여 그 해를 구한다.

예 부등식 $\cos x \le \frac{\sqrt{2}}{2}$를 풀어 보자. (단, $0 \le x < 2\pi$)

구하는 부등식의 해는 함수 $y=\cos x$의 그래프가 직선 $y=\frac{\sqrt{2}}{2}$보다 아래쪽 (경계선 포함)에 있는 x의 값의 범위와 같으므로

$\frac{\pi}{4} \le x \le \frac{7}{4}\pi$

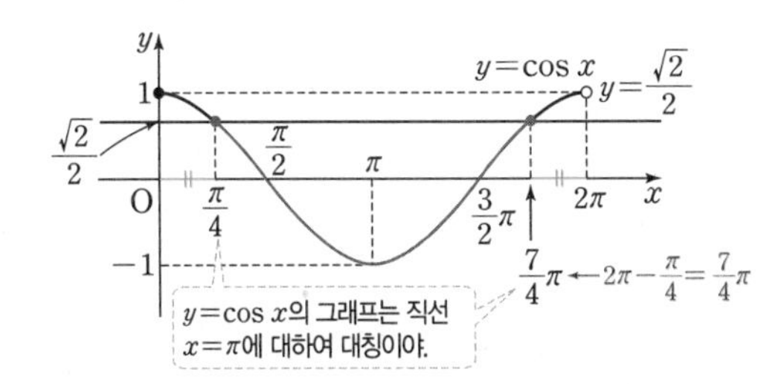

해결의 법칙

부등식 $f(x)>k$의 해 ⟶ 함수 $y=f(x)$의 그래프가 직선 $y=k$보다 위쪽에 있는 x의 값의 범위

부등식 $f(x)<k$의 해 ⟶ 함수 $y=f(x)$의 그래프가 직선 $y=k$보다 아래쪽에 있는 x의 값의 범위

| 정답과 해설 58쪽 |

개념 확인 2 $0 \le x < 2\pi$일 때, 다음 부등식을 푸시오.

(1) $\sin x \ge \frac{\sqrt{3}}{2}$

(2) $\tan x < 1$

STEP 1 개념 드릴

정답과 해설 59쪽

1 $0 \le x < 2\pi$일 때, 다음 방정식을 푸시오.

(1) $2\sin x - \sqrt{3} = 0$

(2) $2\cos x - 1 = 0$

(3) $3\tan x - \sqrt{3} = 0$

2 $0 \le x < 2\pi$일 때, 다음 부등식을 푸시오.

(1) $\sin x \le \frac{1}{2}$

(2) $\cos x > -\frac{1}{2}$

(3) $\tan x > -1$

대표 유형 01 삼각방정식의 풀이 – 일차식 꼴

개념 01

$0 \le x < 2\pi$일 때, 방정식 $\cos\left(x-\frac{\pi}{4}\right)+\frac{1}{2}=0$을 푸시오.

풀이

❶ $x-\frac{\pi}{4}=t$로 놓고 t의 값의 범위 구하기

$x-\frac{\pi}{4}=t$로 놓으면 $0 \le x < 2\pi$에서 $-\frac{\pi}{4} \le t < \frac{7}{4}\pi$

❷ $\cos t=-\frac{1}{2}$의 해 구하기

$\cos\left(x-\frac{\pi}{4}\right)+\frac{1}{2}=0$에서 $\cos t=-\frac{1}{2}$

$-\frac{\pi}{4} \le t < \frac{7}{4}\pi$일 때, 함수 $y=\cos t$의 그래프와 직선 $y=-\frac{1}{2}$은 오른쪽 그림과 같으므로 교점의 t좌표는 $\frac{2}{3}\pi$, $\frac{4}{3}\pi$이다.

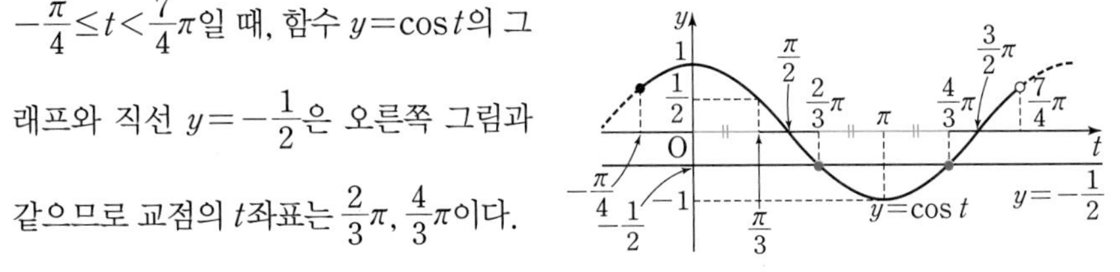

방정식 $\cos t=-\frac{1}{2}$의 해는 $t=\frac{2}{3}\pi$ 또는 $t=\frac{4}{3}\pi$

❸ 주어진 방정식의 해 구하기

즉, $x-\frac{\pi}{4}=\frac{2}{3}\pi$ 또는 $x-\frac{\pi}{4}=\frac{4}{3}\pi$이므로 $x=\frac{11}{12}\pi$ 또는 $x=\frac{19}{12}\pi$

답 $x=\frac{11}{12}\pi$ 또는 $x=\frac{19}{12}\pi$

해결의 법칙

$\sin x=k$, $\cos x=k$, $\tan x=k$ 꼴의 방정식의 해 → 함수 $y=\sin x$, $y=\cos x$, $y=\tan x$의 그래프와 직선 $y=k$의 교점의 x좌표

| 정답과 해설 60쪽 |

01-1 $0 \le x < 2\pi$일 때, 방정식 $\sqrt{3}\tan\left(x-\frac{\pi}{6}\right)=3$을 푸시오.

01-2 $\pi < x < 3\pi$일 때, 방정식 $2\sin\left(\frac{x}{2}+\frac{\pi}{3}\right)+\sqrt{3}=0$의 모든 해의 합을 구하시오.

대표 유형 02 삼각방정식의 풀이 - 이차식 꼴

개념 01

$0 \le x < 2\pi$일 때, 방정식 $2\sin^2 x - 3\sqrt{2}\cos x - 4 = 0$을 푸시오.

풀이

❶ 한 종류의 삼각함수로 나타내기

$\sin^2 x = 1 - \cos^2 x$이므로

$2(1-\cos^2 x) - 3\sqrt{2}\cos x - 4 = 0$, $2\cos^2 x + 3\sqrt{2}\cos x + 2 = 0$

$(\sqrt{2}\cos x + 1)(\sqrt{2}\cos x + 2) = 0$

❷ 주어진 이차방정식의 해 구하기

이때, $\sqrt{2}\cos x + 2 > 0$이므로 $\sqrt{2}\cos x + 1 = 0$

$\therefore \cos x = -\dfrac{1}{\sqrt{2}}$

$0 \le x < 2\pi$일 때, 함수 $y = \cos x$의 그래프와 직선 $y = -\dfrac{1}{\sqrt{2}}$은 오른쪽 그림과 같으므로 주어진 방정식의 해는

$x = \dfrac{3}{4}\pi$ 또는 $x = \dfrac{5}{4}\pi$

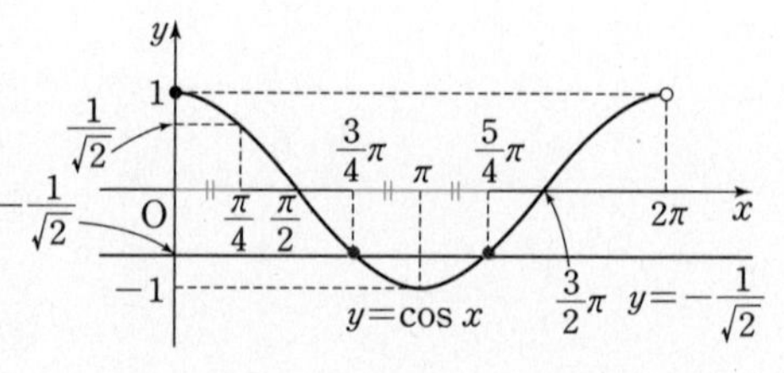

답 $x = \dfrac{3}{4}\pi$ 또는 $x = \dfrac{5}{4}\pi$

해결의 법칙

서로 다른 삼각함수를 포함한 삼각방정식의 풀이

$\sin^2 x + \cos^2 x = 1$을 이용하여 한 종류의 삼각함수로 나타내기 → $\sin x$ 또는 $\cos x$에 대한 방정식 풀기

| 정답과 해설 60쪽 |

02-1 $\pi < x < 2\pi$일 때, 방정식 $4\sin^2 x = 4\cos x + 1$을 푸시오.

02-2 $0 \le x < 2\pi$일 때, 방정식 $\sin^2 x + \sin x \cos x - 1 = 0$을 만족시키는 모든 x의 값의 합을 구하시오.

대표 유형 03 삼각부등식의 풀이

개념 02

$0\le x<2\pi$일 때, 다음 부등식을 푸시오.

(1) $\sin\left(x-\frac{\pi}{6}\right)>\frac{\sqrt{3}}{2}$

(2) $2\sin^2 x>3\cos x$

풀이 (1) ❶ $x-\frac{\pi}{6}=t$로 놓고 t의 값의 범위 구하기

$x-\frac{\pi}{6}=t$로 놓으면 $0\le x<2\pi$에서 $-\frac{\pi}{6}\le t<\frac{11}{6}\pi$

❷ $\sin t>\frac{\sqrt{3}}{2}$의 해 구하기

$\sin\left(x-\frac{\pi}{6}\right)>\frac{\sqrt{3}}{2}$에서 $\sin t>\frac{\sqrt{3}}{2}$

$-\frac{\pi}{6}\le t<\frac{11}{6}\pi$일 때, 함수 $y=\sin t$의 그래프와 직선 $y=\frac{\sqrt{3}}{2}$은 오른쪽 그림과 과 같으므로 주어진 부등식의 해는

$\frac{\pi}{3}<t<\frac{2}{3}\pi$

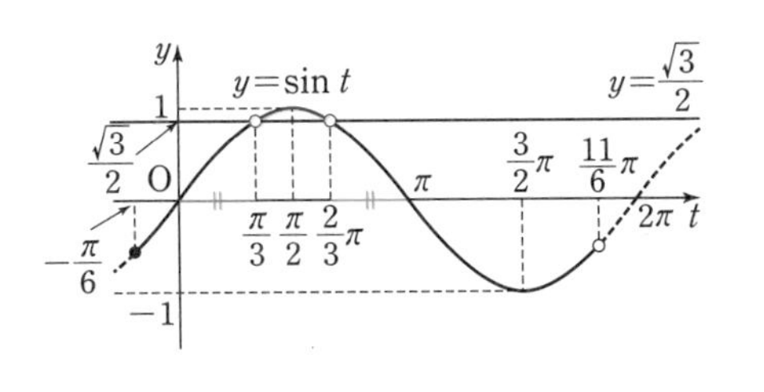

❸ 주어진 부등식의 해 구하기

따라서 $t=x-\frac{\pi}{6}$이므로 $\frac{\pi}{3}<x-\frac{\pi}{6}<\frac{2}{3}\pi$ $\quad\therefore \frac{\pi}{2}<x<\frac{5}{6}\pi$

(2) ❶ 한 종류의 삼각함수로 나타내기

$\sin^2 x=1-\cos^2 x$이므로 $2(1-\cos^2 x)>3\cos x$, $(2\cos x-1)(\cos x+2)<0$

이때, $\cos x+2>0$이므로 $2\cos x-1<0$ $\quad\therefore \cos x<\frac{1}{2}$

❷ 주어진 부등식의 해 구하기

$0\le x<2\pi$일 때, 함수 $y=\cos x$의 그래프와 직선 $y=\frac{1}{2}$은 오른쪽 그림과 같으므로 주어진 부등식의 해는

$\frac{\pi}{3}<x<\frac{5}{3}\pi$

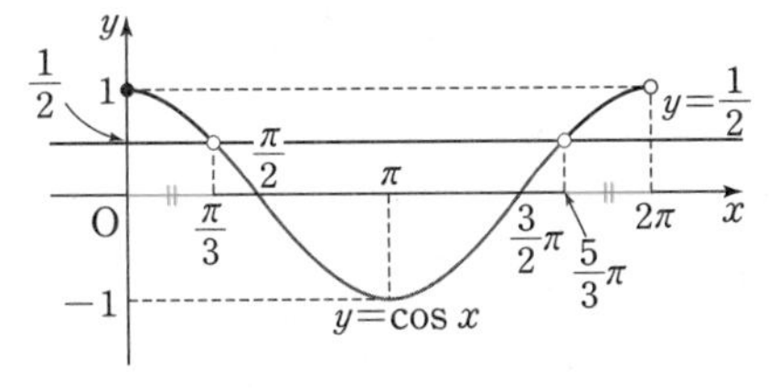

답 (1) $\frac{\pi}{2}<x<\frac{5}{6}\pi$ (2) $\frac{\pi}{3}<x<\frac{5}{3}\pi$

| 정답과 해설 60쪽 |

03-1 $0\le x\le\pi$일 때, 부등식 $\cos\left(x-\frac{\pi}{3}\right)<\frac{1}{2}$을 푸시오.

03-2 $0\le x<2\pi$일 때, 부등식 $\cos^2 x+\sin x-1\ge 0$의 해는 $\alpha\le x\le\beta$이다. 이때, $\cos^2(\alpha+\beta)$의 값을 구하시오.

대표 유형 04 삼각방정식과 삼각부등식의 응용

개념 01, 02

모든 실수 x에 대하여 부등식 $x^2-2x\sin\theta+2\sin\theta>0$이 항상 성립하도록 하는 θ의 값의 범위를 구하시오. (단, $0<\theta<2\pi$)

풀이

❶ 부등식이 항상 성립하기 위한 조건 알기

모든 실수 x에 대하여 부등식 $x^2-2x\sin\theta+2\sin\theta>0$이 항상 성립해야 하므로 이차방정식 $x^2-2x\sin\theta+2\sin\theta=0$이 허근을 가져야 한다.

❷ 판별식을 이용하여 식 세우기

즉, 이차방정식 $x^2-2x\sin\theta+2\sin\theta=0$에서 판별식 $D<0$이어야 하므로

$\frac{D}{4}=(-\sin\theta)^2-2\sin\theta<0$

$\sin^2\theta-2\sin\theta<0$, $\sin\theta(\sin\theta-2)<0$

❸ θ의 값의 범위 구하기

이때, $\sin\theta-2<0$이므로 $\sin\theta>0$

$0<\theta<2\pi$일 때, 함수 $y=\sin\theta$의 그래프와 직선 $y=0$은 오른쪽 그림과 같으므로 구하는 θ의 값의 범위는 $0<\theta<\pi$

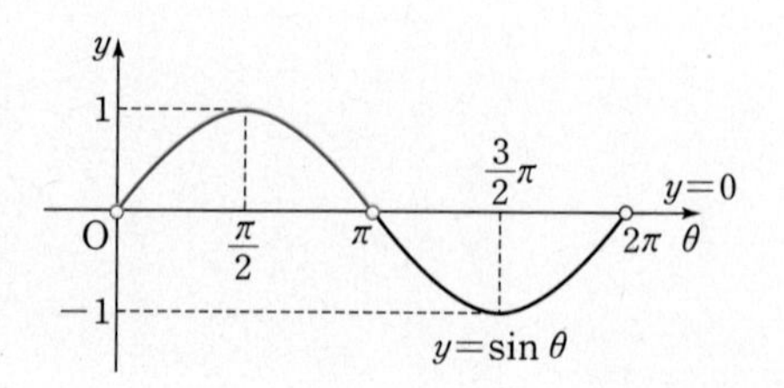

답 $0<\theta<\pi$

참고 이차부등식이 항상 성립할 조건 (단, $D=b^2-4ac$)

(1) $ax^2+bx+c>0$ ➡ $a>0$, $D<0$
$ax^2+bx+c\geq0$ ➡ $a>0$, $D\leq0$

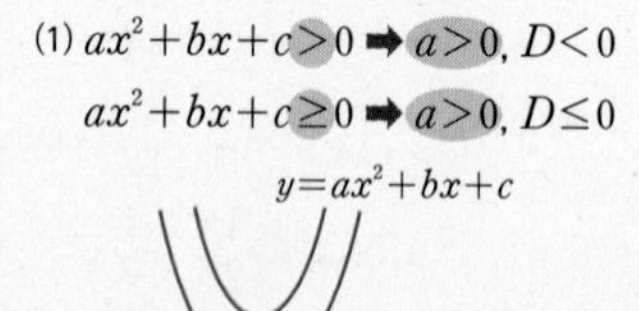

(2) $ax^2+bx+c<0$ ➡ $a<0$, $D<0$
$ax^2+bx+c\leq0$ ➡ $a<0$, $D\leq0$

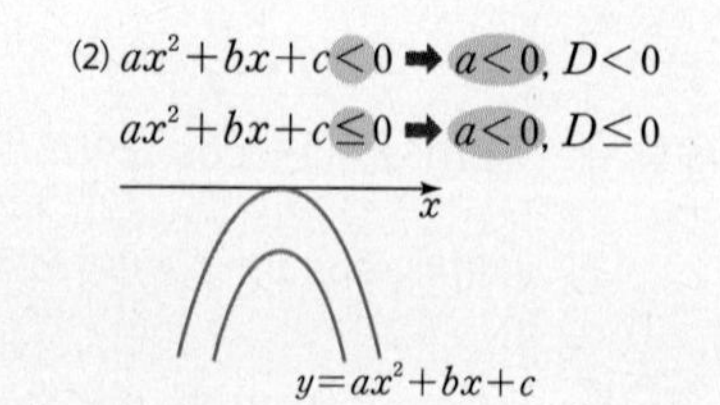

해결의 법칙

계수가 삼각함수인 이차방정식 또는 이차부등식의 근에 대한 조건이 주어지는 경우 → 이차방정식의 판별식 이용하기

| 정답과 해설 61쪽 |

04-1 이차방정식 $x^2+2\sqrt{2}x\cos\theta-3\sin\theta=0$이 서로 다른 두 실근을 갖도록 하는 θ의 값의 범위를 구하시오. (단, $0\leq\theta<2\pi$)

04-2 모든 실수 x에 대하여 부등식 $x^2+4x\cos\theta+1>0$이 항상 성립하도록 하는 θ의 값의 범위를 구하시오. (단, $0\leq\theta<2\pi$)

정답과 해설 61쪽

유형 확인

1-1 다음 중 함수 $y=3\cos 2x-1$의 그래프에 대한 설명으로 옳지 않은 것은?

① 주기는 π이다.
② 최댓값은 2이다.
③ 최솟값은 -4이다.
④ y축에 대하여 대칭이다.
⑤ 함수 $y=3\cos x$의 그래프를 평행이동하여 겹칠 수 있다.

한번 더 확인

1-2 다음 중 함수 $y=2\tan\frac{x}{2}+1$의 그래프에 대한 설명으로 옳은 것은?

① 주기는 4π이다.
② 최댓값은 3이다.
③ 최솟값은 -1이다.
④ 원점에 대하여 대칭이다.
⑤ 점근선의 방정식은 $x=2n\pi+\pi$ (n은 정수)이다.

2-1 다음 그림과 같이 함수 $y=\sin x$의 그래프와 직선 $y=\frac{3}{5}$의 교점의 x좌표 중 양수인 것을 작은 것부터 차례로 α, β, γ라 하고 $f(x)=\sin x$라 할 때, $f(\alpha+\beta+\gamma)$의 값을 구하시오.

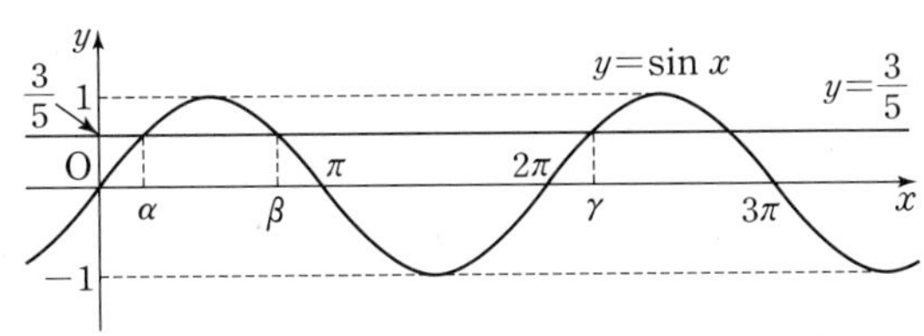

2-2 다음 그림은 함수 $f(x)=\sin 2x$의 그래프이다. 이때, $f(\alpha+\beta+\gamma+\delta)$의 값을 구하시오. (단, $a>0$)

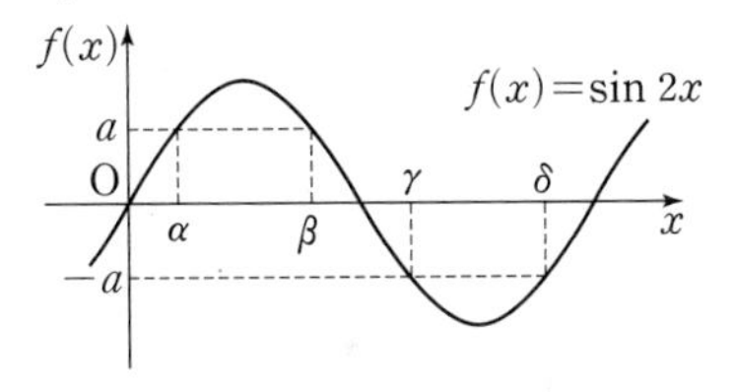

3-1 함수 $y=-\sin\left(2x+\frac{\pi}{2}\right)+3$의 주기를 p, 최댓값을 m, 최솟값을 n이라 할 때, mnp의 값을 구하시오.

3-2 함수 $y=2\cos(3x-6)+1$의 주기를 p, 최댓값을 m, 최솟값을 n이라 할 때, $\frac{3p}{m+n}$의 값을 구하시오.

유형 확인

4-1 함수 $f(x)=a\cos\left(\frac{3}{2}\pi-px\right)+b$의 최댓값이 7, 주기가 2π이고 $f\left(\frac{\pi}{2}\right)=-3$일 때, 상수 a, b, p에 대하여 $a+2b+p$의 값을 구하시오. (단, $a>0$, $p>0$)

한번 더 확인

4-2 함수 $f(x)=a\sin\left(\frac{x}{b}+\frac{\pi}{6}\right)+c$의 최솟값이 -3, 주기가 π이고 $f(\pi)=0$일 때, 상수 a, b, c에 대하여 abc의 값을 구하시오. (단, $a>0$, $b>0$)

5-1 함수 $y=a\cos(bx-c)+d$의 그래프가 다음 그림과 같을 때, 상수 a, b, c, d에 대하여 $abcd$의 값을 구하시오. (단, $a>0$, $b>0$, $0<c<2\pi$)

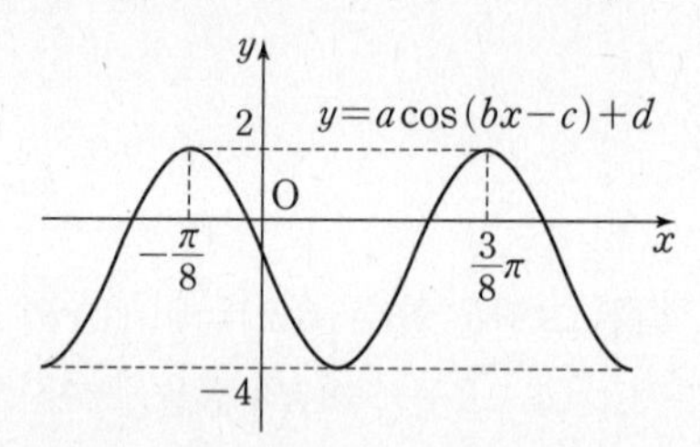

5-2 함수 $y=a\sin(bx-c)+d$의 그래프가 다음 그림과 같을 때, 상수 a, b, c, d에 대하여 $a+b+c+d$의 값을 구하시오. $\left(단, a>0, b>0, -\frac{\pi}{2}<c<\frac{\pi}{2}\right)$

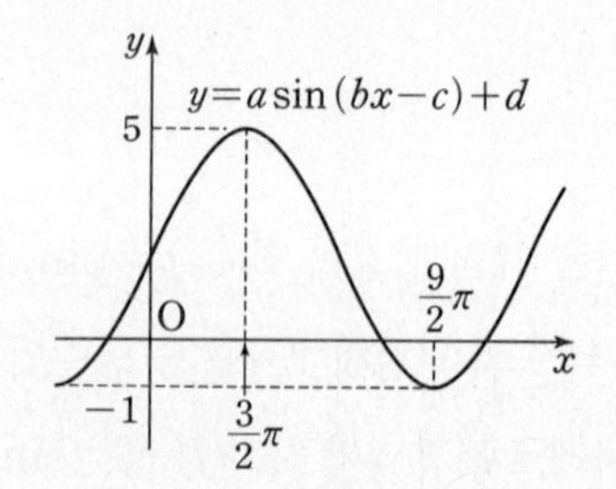

6-1 다음 식을 간단히 하시오.

$$\sin(\pi-\theta)\cos\left(\frac{3}{2}\pi+\theta\right)-\sin\left(\frac{\pi}{2}+\theta\right)\cos(\pi+\theta)$$

6-2 다음 식을 간단히 하시오.

$$\frac{\cos(\pi+\theta)}{1+\cos\left(\frac{\pi}{2}+\theta\right)}\times\frac{\cos(\pi-\theta)}{1+\cos\left(\frac{\pi}{2}-\theta\right)}$$

7-1 $\sin^2 10°+\sin^2 20°+\sin^2 30°+\cdots+\sin^2 90°$의 값을 구하시오.

7-2 $\tan^2 5°\times\tan^2 10°\times\tan^2 15°\times\cdots\times\tan^2 85°$의 값을 구하시오.

유형 확인

8-1 함수 $y=\sin^2\left(\frac{3}{2}\pi-x\right)+2\cos\left(\frac{\pi}{2}+x\right)+1$의 최댓값을 구하시오.

9-1 $0\le\theta<2\pi$일 때, 방정식 $\tan\theta=2\sin\theta$의 모든 근의 합을 구하시오.

10-1 $0\le x<2\pi$일 때, 부등식 $2\cos^2x+3\sin x<0$의 해는 $\alpha<x<\beta$이다. 이때, $\beta-\alpha$의 값을 구하시오.

11-1 이차방정식 $x^2-2x+2\cos\theta=0$이 실근을 갖도록 하는 θ의 값의 범위가 $\alpha\le\theta\le\beta$일 때, $\cos(\beta-\alpha)$의 값을 구하시오. (단, $0\le\theta<2\pi$)

한번 더 확인

8-2 함수 $y=\sin\left(x+\frac{\pi}{2}\right)-\sin^2(x+\pi)$의 최솟값을 구하시오.

9-2 $0\le x<\pi$일 때, 방정식 $3\tan x=2\cos x$의 모든 근의 합을 구하시오.

10-2 $0\le x<\pi$일 때, 부등식 $2\sin^2x+\cos x>2$의 해는 $\alpha<x<\beta$이다. 이때, $\alpha+\beta$의 값을 구하시오.

11-2 이차방정식 $4x^2+4x-\sqrt{2}\sin\theta=0$이 허근을 갖도록 하는 θ의 값의 범위가 $\alpha<\theta<\beta$일 때, $\sin(\beta-\alpha)$의 값을 구하시오. (단, $0\le\theta<2\pi$)

7 사인법칙과 코사인법칙

개념 미리보기

1 사인법칙

개념 01 사인법칙

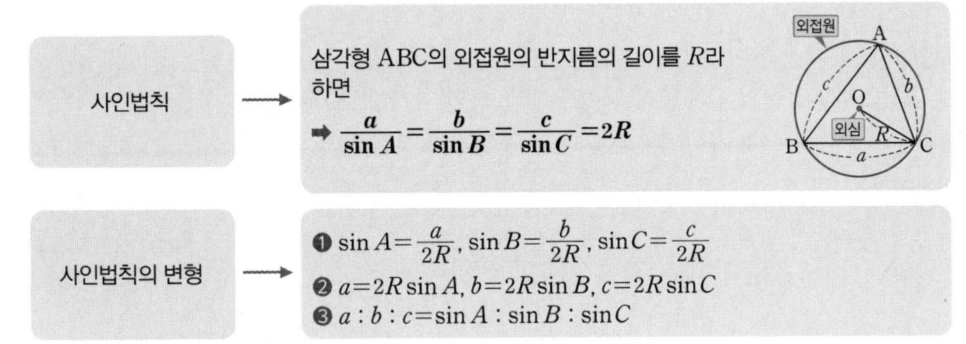

사인법칙 → 삼각형 ABC의 외접원의 반지름의 길이를 R라 하면

➡ $\dfrac{a}{\sin A}=\dfrac{b}{\sin B}=\dfrac{c}{\sin C}=2R$

사인법칙의 변형 →

❶ $\sin A=\dfrac{a}{2R}$, $\sin B=\dfrac{b}{2R}$, $\sin C=\dfrac{c}{2R}$

❷ $a=2R\sin A$, $b=2R\sin B$, $c=2R\sin C$

❸ $a:b:c=\sin A:\sin B:\sin C$

2 코사인법칙

개념 01 코사인법칙

코사인법칙 →

$$a^2=b^2+c^2-2bc\cos A$$
$$b^2=c^2+a^2-2ca\cos B$$
$$c^2=a^2+b^2-2ab\cos C$$

코사인법칙의 변형 → $\cos A=\dfrac{b^2+c^2-a^2}{2bc}$, $\cos B=\dfrac{c^2+a^2-b^2}{2ca}$, $\cos C=\dfrac{a^2+b^2-c^2}{2ab}$

3 삼각형의 넓이

개념 01 삼각형의 넓이

두 변의 길이와 그 끼인각의 크기를 알 때 →	$S=\dfrac{1}{2}bc\sin A=\dfrac{1}{2}ca\sin B=\dfrac{1}{2}ab\sin C$
외접원의 반지름의 길이 R를 알 때 →	$S=\dfrac{abc}{4R}=2R^2\sin A\sin B\sin C$
내접원의 반지름의 길이 r를 알 때 →	$S=\dfrac{1}{2}r(a+b+c)$
세 변의 길이를 알 때 →	$S=\sqrt{s(s-a)(s-b)(s-c)}\left(단, s=\dfrac{a+b+c}{2}\right)$ 헤론의 공식

개념 02 사각형의 넓이

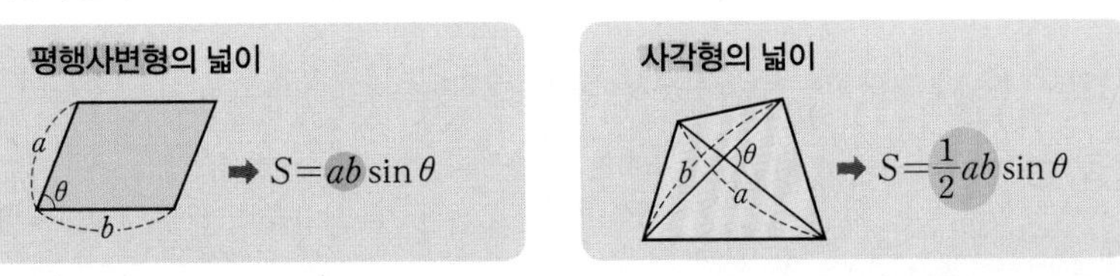

평행사변형의 넓이 ➡ $S=ab\sin\theta$

사각형의 넓이 ➡ $S=\dfrac{1}{2}ab\sin\theta$

1 사인법칙

개념 01 사인법칙

대표 유형 01 ~ 04

1 사인법칙

삼각형 ABC의 외접원의 반지름의 길이를 R라 하면 삼각형 ABC의 세 변의 길이와 세 각의 크기 사이에는 다음과 같은 관계가 성립하고, 이것을 **사인법칙**이라 한다.

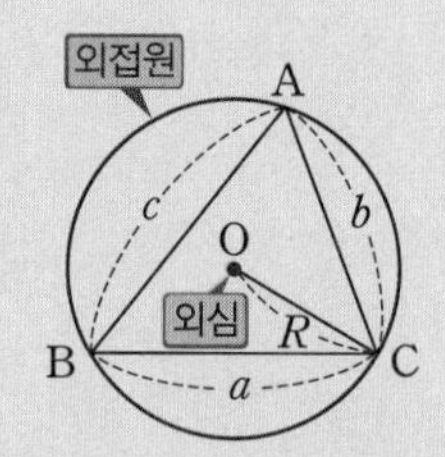

$$\frac{a}{\sin A}=\frac{b}{\sin B}=\frac{c}{\sin C}=2R$$

참고 삼각형 ABC에서 ∠A, ∠B, ∠C의 크기를 각각 A, B, C로 나타내고, 그 대변의 길이를 각각 a, b, c로 나타내기로 한다.
이때, 세 각의 크기와 세 변의 길이, 즉 A, B, C, a, b, c를 삼각형의 6요소라 한다.

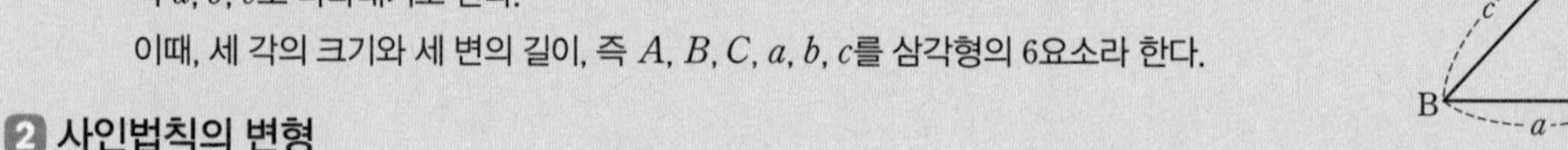

2 사인법칙의 변형

(1) $\sin A=\frac{a}{2R}$, $\sin B=\frac{b}{2R}$, $\sin C=\frac{c}{2R}$ ← 각을 변으로 변형

(2) $a=2R\sin A$, $b=2R\sin B$, $c=2R\sin C$ ← 변을 각으로 변형

(3) $a : b : c=\sin A : \sin B : \sin C$ ← 변의 비를 각의 비로 변형

설명 삼각형의 세 각의 크기에 대한 사인함수와 세 변의 길이 사이의 관계를 알아보자.
삼각형 ABC의 외접원의 중심을 O, 반지름의 길이를 R라 할 때, A의 크기에 따라 다음과 같이 세 가지로 나누어 생각할 수 있다.

중심각의 크기가 180°인 반원에 대한 원주각의 크기는 90°이고, 한 호에 대한 원주각의 크기는 같아.

(i) $A<90°$일 때	(ii) $A=90°$일 때	(iii) $A>90°$일 때
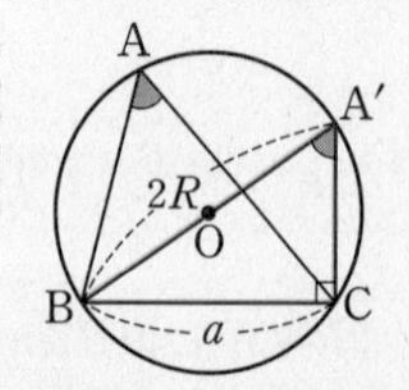	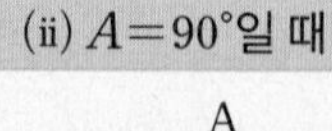 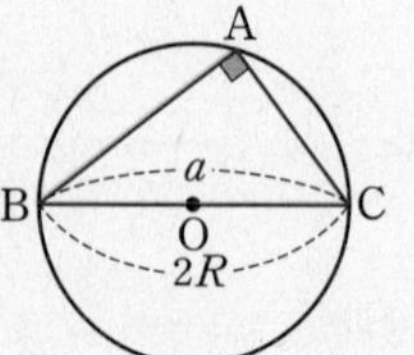	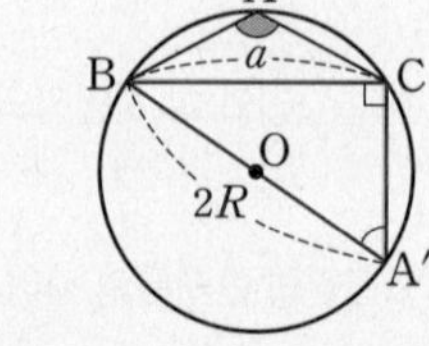
점 B를 지나는 지름 BA′을 그으면 $A=A'$ $\angle BCA'=90°$, $\overline{BA'}=2R$ $\therefore \sin A=\sin A'=\frac{a}{2R}$	$\sin A=\sin 90°=1$, $a=2R$이므로 $\sin A=1=\frac{a}{2R}$	점 B를 지나는 지름 BA′을 그으면 $A=180°-A'$ $\angle A'CB=90°$, $\overline{BA'}=2R$ $\therefore \sin A=\sin(180°-A')$ $=\sin A'=\frac{a}{2R}$

원에 내접하는 사각형의 대각의 크기의 합은 180°야.

이상에서 A의 크기에 관계없이 $\sin A=\frac{a}{2R}$, 즉 $\frac{a}{\sin A}=2R$가 성립한다.

같은 방법으로 $\frac{b}{\sin B}=2R$, $\frac{c}{\sin C}=2R$가 성립함을 알 수 있다.

따라서 다음과 같은 사인법칙이 성립함을 알 수 있다.

$$\frac{a}{\sin A}=\frac{b}{\sin B}=\frac{c}{\sin C}=2R$$

참고 **사인법칙을 적용하는 경우**

(1) 한 변의 길이와 두 각의 크기를 알 때, 나머지 변의 길이를 구하는 경우

(2) 두 변의 길이와 그 끼인각이 아닌 한 각의 크기를 알 때, 나머지 각의 크기를 구하는 경우

STEP 1 개념 드릴

정답과 해설 64쪽

1 다음 삼각형 ABC에서 x의 값 또는 크기를 구하시오.

(1)

(2)

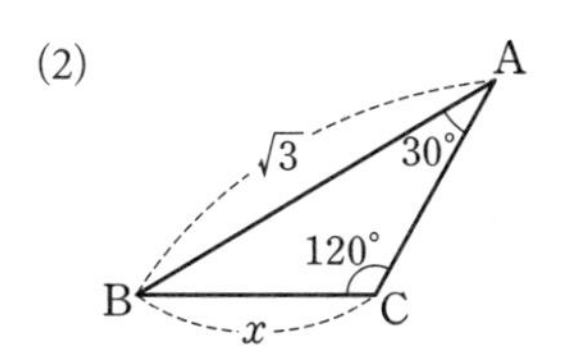

(3)

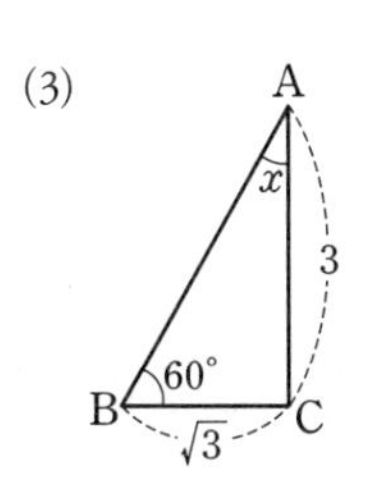

2 삼각형 ABC에서 다음을 구하시오.

(1) $A=60°$, $B=30°$, $b=4$일 때, a의 값

(2) $B=45°$, $C=30°$, $b=5$일 때, c의 값

(3) $C=135°$, $b=5$, $c=5\sqrt{2}$일 때, B의 크기

(4) $A=60°$, $a=4\sqrt{3}$, $c=8$일 때, C의 크기

3 $\triangle$ABC의 외접원의 반지름의 길이 R에 대하여 다음을 구하시오.

(1) $A=45°$, $a=\sqrt{2}$일 때, R의 값

(2) $B=75°$, $C=45°$, $a=3$일 때, R의 값

(3) $C=120°$, $R=20$일 때, c의 값

(4) $b=6\sqrt{2}$, $R=6$일 때, B의 크기

4 삼각형 ABC에서 다음을 구하시오.

(1) $a=2$, $b=4$, $c=5$일 때,
$\sin A : \sin B : \sin C$

(2) $\sin A : \sin B : \sin C=3 : 4 : 5$일 때,
$a : b : c$

(3) $A=30°$, $B=60°$일 때, $a : b : c$

(4) $A=45°$, $C=90°$일 때, $a : b : c$

대표 유형 01 사인법칙

개념 01

삼각형 ABC에서 다음을 구하시오.

(1) $A=105^\circ$, $B=30^\circ$, $b=10$일 때, c의 값과 외접원의 반지름의 길이 R의 값

(2) $C=30^\circ$, $c=5\sqrt{2}$, $a=10\sqrt{2}$일 때, b의 값

풀이 (1)

❶ C의 크기 구하기

삼각형 ABC에서 $C=180^\circ-(105^\circ+30^\circ)=45^\circ$

❷ c의 값 구하기

사인법칙에 의하여 $\dfrac{10}{\sin 30^\circ}=\dfrac{c}{\sin 45^\circ}$이므로

$c\sin 30^\circ=10\sin 45^\circ$, $\dfrac{1}{2}c=10\times\dfrac{\sqrt{2}}{2}$ $\quad\therefore c=10\sqrt{2}$

❸ R의 값 구하기

또, 사인법칙에 의하여 $2R=\dfrac{10}{\sin 30^\circ}$이므로

$2R=\dfrac{10}{\frac{1}{2}}=20$ $\quad\therefore R=10$

(2)

❶ A의 크기 구하기

사인법칙에 의하여 $\dfrac{10\sqrt{2}}{\sin A}=\dfrac{5\sqrt{2}}{\sin 30^\circ}$이므로

$\sin A=2\sin 30^\circ=2\times\dfrac{1}{2}=1$

$\therefore A=90^\circ$ ($\because 0^\circ<A<150^\circ$)

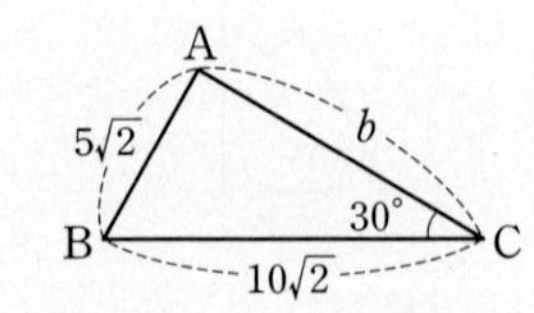

❷ B의 크기 구하기

삼각형 ABC에서 $B=180^\circ-(90^\circ+30^\circ)=60^\circ$

❸ b의 값 구하기

또, 사인법칙에 의하여 $\dfrac{b}{\sin 60^\circ}=\dfrac{5\sqrt{2}}{\sin 30^\circ}$이므로

$b\sin 30^\circ=5\sqrt{2}\sin 60^\circ$, $\dfrac{1}{2}b=5\sqrt{2}\times\dfrac{\sqrt{3}}{2}$ $\quad\therefore b=5\sqrt{6}$

답 (1) $c=10\sqrt{2}$, $R=10$ (2) $5\sqrt{6}$

해결의 법칙

사인법칙을 적용하는 경우

- 한 변의 길이와 두 각의 크기를 알 때 ➡ 나머지 변의 길이를 구하는 경우
- 두 변의 길이와 그 끼인각이 아닌 한 각의 크기를 알 때 ➡ 나머지 각의 크기를 구하는 경우

| 정답과 해설 65쪽 |

01-1 삼각형 ABC에서 $B=45^\circ$, $C=75^\circ$, $a=\sqrt{6}$일 때, b의 값을 구하시오.

01-2 $B=C=30^\circ$, $a=4\sqrt{3}$인 삼각형 ABC의 외접원의 넓이를 구하시오.

대표 유형 02 사인법칙의 변형

개념 01

삼각형 ABC에서 다음을 구하시오.

(1) $a:b:c=4:2:3$일 때, $\sin(A+B):\sin(B+C):\sin(C+A)$

(2) $\dfrac{\sin A}{7}=\dfrac{\sin B}{5}=\dfrac{\sin C}{3}$일 때, $(a+b):(b+c):(c+a)$

풀이 (1) ❶ $\sin A:\sin B:\sin C$ 구하기

삼각형 ABC의 외접원의 반지름의 길이를 R라 하면 사인법칙의 변형에 의하여

$\sin A:\sin B:\sin C=\dfrac{a}{2R}:\dfrac{b}{2R}:\dfrac{c}{2R}=a:b:c=4:2:3$

❷ 식의 비 구하기

이때, $A+B=180°-C$, $B+C=180°-A$, $C+A=180°-B$이므로

$\sin(A+B):\sin(B+C):\sin(C+A)$

$=\sin(180°-C):\sin(180°-A):\sin(180°-B)$

$=\sin C:\sin A:\sin B$ ← $\sin(180°-\theta)=\sin\theta$

$=3:4:2$

삼각형의 세 내각의 크기의 합은 180°야.

(2) ❶ $a:b:c$ 구하기

$\dfrac{\sin A}{7}=\dfrac{\sin B}{5}=\dfrac{\sin C}{3}=l\ (l>0)$이라 하면

$\sin A:\sin B:\sin C=7l:5l:3l=7:5:3$

삼각형 ABC의 외접원의 반지름의 길이를 R라 하면 사인법칙의 변형에 의하여

$a:b:c=2R\sin A:2R\sin B:2R\sin C=\sin A:\sin B:\sin C=7:5:3$

❷ 식의 비 구하기

이때, $a=7k$, $b=5k$, $c=3k\ (k>0)$라 하면

$(a+b):(b+c):(c+a)=12k:8k:10k=6:4:5$

답 (1) $3:4:2$ (2) $6:4:5$

해결의 법칙

삼각형의 세 각의 크기 또는 세 변의 길이 사이의 관계 → 사인법칙의 변형 이용하기 ➡ $a:b:c=\sin A:\sin B:\sin C$

| 정답과 해설 65쪽 |

02-1 삼각형 ABC에서 $A:B:C=2:3:7$일 때, $\dfrac{b}{a}$의 값을 구하시오.

02-2 삼각형 ABC에서 $\dfrac{a}{3}=\dfrac{b}{4}=\dfrac{c}{5}$일 때, $\dfrac{\sin A+\sin C}{\sin(A+C)}$의 값을 구하시오.

대표 유형 03 삼각형의 모양 결정(1)

개념 01

삼각형 ABC에서 $a\sin^2 A=b\sin^2 B$가 성립할 때, 삼각형 ABC는 어떤 삼각형인지 말하시오.

풀이

❶ a, b, c 사이의 관계식으로 나타내기

삼각형 ABC의 외접원의 반지름의 길이를 R라 하면 사인법칙의 변형에 의하여

$\sin A=\frac{a}{2R}$, $\sin B=\frac{b}{2R}$, $\sin C=\frac{c}{2R}$이므로

$a\sin^2 A=b\sin^2 B$에서

$a\left(\frac{a}{2R}\right)^2=b\left(\frac{b}{2R}\right)^2$

$a^3=b^3 \quad \therefore a=b$

❷ 삼각형의 모양 판단하기

따라서 삼각형 ABC는 $a=b$인 이등변삼각형이다.

답 $a=b$인 이등변삼각형

참고 삼각형의 모양

$\triangle$ABC에서

(1) $a=b=c$ ➡ $\triangle$ABC는 정삼각형

(2) $a=b$ ➡ $\triangle$ABC는 $a=b$인 이등변삼각형

(3) $a^2+b^2=c^2$ ➡ $\triangle$ABC는 $C=90°$인 직각삼각형

해결의 법칙

삼각형의 모양 결정 → $\sin A=\frac{a}{2R}$, $\sin B=\frac{b}{2R}$, $\sin C=\frac{c}{2R}$를 주어진 식에 대입하여 a, b, c 사이의 관계식으로 나타내기

각의 크기 사이의 관계를 변의 길이 사이의 관계로 변형하면 돼.

| 정답과 해설 65쪽 |

03-1 삼각형 ABC에서 $\sin^2 A+\sin^2 C=\sin^2 B$가 성립할 때, 삼각형 ABC는 어떤 삼각형인지 말하시오.

03-2 삼각형 ABC에서 $\cos^2 A+\cos^2 B=\cos^2 C+1$이 성립할 때, 삼각형 ABC는 어떤 삼각형인지 말하시오.

대표 유형  사인법칙의 실생활에서의 활용

개념 01

오른쪽 그림과 같이 지면에 수직으로 서 있는 나무의 높이를 구하기 위해 서로 21 m 떨어진 두 지점 A, B에서 각의 크기를 측정하였더니

$\angle PAQ=30°$, $\angle BAQ=75°$, $\angle ABQ=45°$

이었다. 이 나무의 높이를 구하시오.

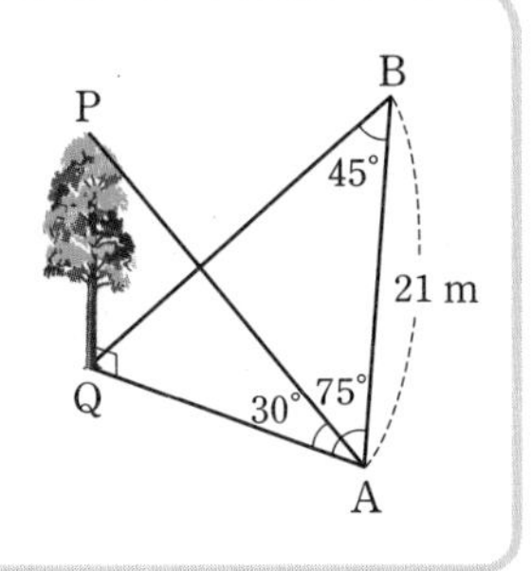

풀이

❶ 사인법칙을 이용하여 $\overline{QA}$의 길이 구하기

삼각형 QAB에서 $Q=180°-(75°+45°)=60°$

사인법칙에 의하여 $\dfrac{\overline{AB}}{\sin Q}=\dfrac{\overline{QA}}{\sin B}$, 즉 $\dfrac{21}{\sin 60°}=\dfrac{\overline{QA}}{\sin 45°}$이므로

$\overline{QA}\times\sin 60°=21\sin 45°$, $\overline{QA}\times\dfrac{\sqrt{3}}{2}=21\times\dfrac{\sqrt{2}}{2}$

$\therefore \overline{QA}=\dfrac{21\sqrt{2}}{\sqrt{3}}=7\sqrt{6}$ (m)

❷ 삼각비를 이용하여 $\overline{PQ}$의 길이 구하기

한편, $\angle PQA=90°$이므로 삼각형 PQA에서

$\overline{PQ}=\overline{QA}\times\tan 30°=7\sqrt{6}\times\dfrac{\sqrt{3}}{3}=7\sqrt{2}$ (m)

❸ 나무의 높이 구하기

따라서 나무의 높이는 $7\sqrt{2}$ m이다.

답 $7\sqrt{2}$ m

| 정답과 해설 66쪽 |

04-1 오른쪽 그림과 같이 원 모양의 깨진 접시의 지름의 길이를 구하기 위해 이 접시의 둘레에 세 지점 A, B, C를 정하고, 변의 길이와 각의 크기를 측정하였더니

$\overline{AB}=20$ cm, $\angle A=45°$, $\angle B=105°$

이었다. 이 접시의 지름의 길이를 구하시오.

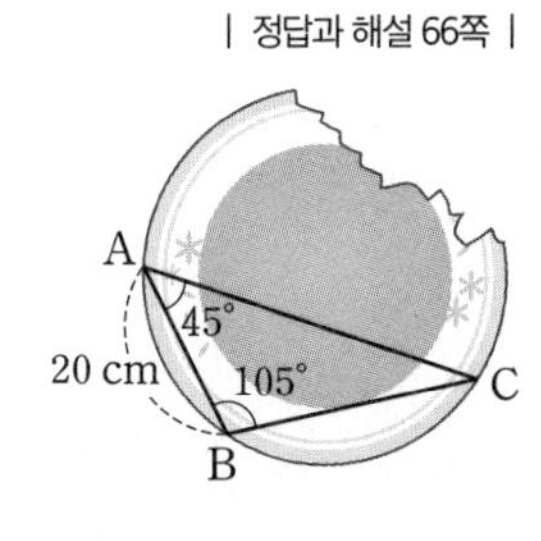

04-2 오른쪽 그림의 A, B, C 세 아파트 단지에서 C 단지는 A 단지의 정남쪽에 위치하고 B 단지는 A 단지의 정서쪽에서 30°만큼 남쪽 방향에 위치하며 B 단지와 C 단지 사이의 거리는 3 km라 한다. A, B, C 세 아파트 단지로부터 같은 거리에 있는 위치에 상가를 신축한다고 할 때, 상가와 A 단지 사이의 거리를 구하시오.

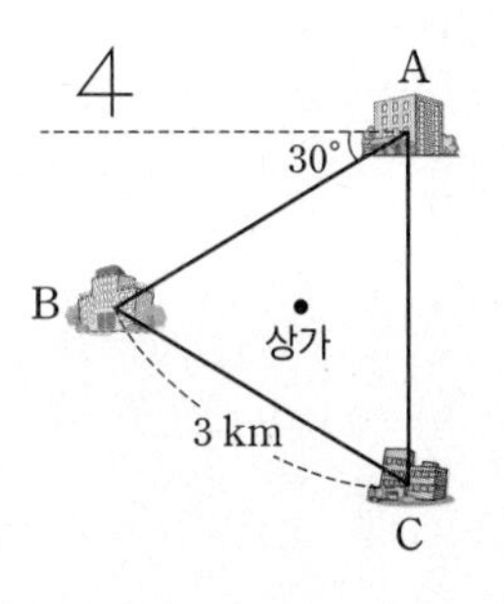

2 코사인법칙

개념 01 코사인법칙

대표 유형 01~04

1 코사인법칙

삼각형 ABC의 세 변의 길이와 세 각의 크기 사이에는 다음과 같은 관계가 성립하고, 이것을 **코사인법칙**이라 한다.

$$a^2=b^2+c^2-2bc\cos A$$
$$b^2=c^2+a^2-2ca\cos B$$
$$c^2=a^2+b^2-2ab\cos C$$

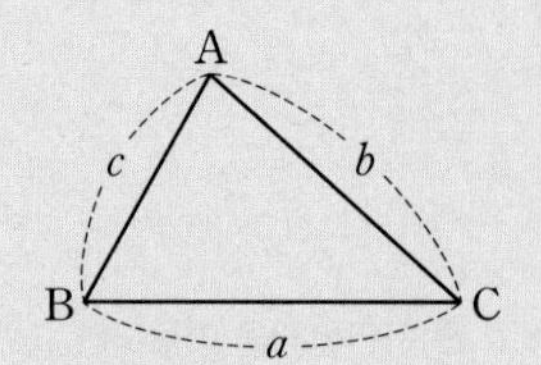

2 코사인법칙의 변형

$$\cos A=\frac{b^2+c^2-a^2}{2bc},\ \cos B=\frac{c^2+a^2-b^2}{2ca},\ \cos C=\frac{a^2+b^2-c^2}{2ab}$$

설명 삼각형의 세 각의 크기에 대한 코사인함수와 세 변의 길이 사이의 관계를 알아보자.
삼각형 ABC의 꼭짓점 A에서 변 BC 또는 그 연장선 위에 내린 수선의 발을 H라 할 때, C의 크기에 따라 다음과 같이 세 가지로 나누어 생각할 수 있다.

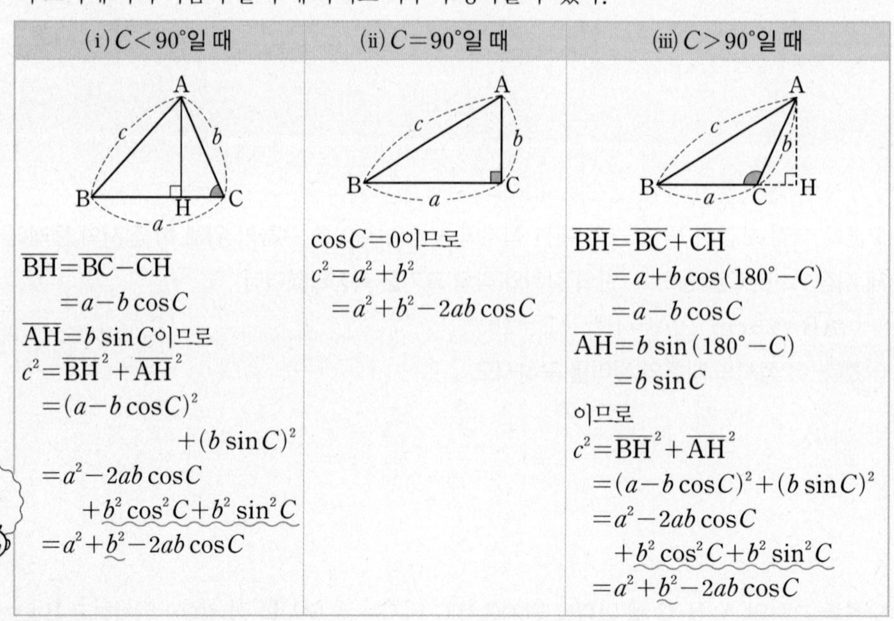

(i) $C<90°$일 때	(ii) $C=90°$일 때	(iii) $C>90°$일 때
$\overline{BH}=\overline{BC}-\overline{CH}$ $=a-b\cos C$ $\overline{AH}=b\sin C$이므로 $c^2=\overline{BH}^2+\overline{AH}^2$ $=(a-b\cos C)^2+(b\sin C)^2$ $=a^2-2ab\cos C+b^2\cos^2 C+b^2\sin^2 C$ $=a^2+b^2-2ab\cos C$	$\cos C=0$이므로 $c^2=a^2+b^2$ $=a^2+b^2-2ab\cos C$	$\overline{BH}=\overline{BC}+\overline{CH}$ $=a+b\cos(180°-C)$ $=a-b\cos C$ $\overline{AH}=b\sin(180°-C)$ $=b\sin C$ 이므로 $c^2=\overline{BH}^2+\overline{AH}^2$ $=(a-b\cos C)^2+(b\sin C)^2$ $=a^2-2ab\cos C+b^2\cos^2 C+b^2\sin^2 C$ $=a^2+b^2-2ab\cos C$

$\sin^2\theta+\cos^2\theta=1$임을 이용해.

이상에서 C의 크기에 관계없이 $c^2=a^2+b^2-2ab\cos C$가 성립한다.
같은 방법으로 $a^2=b^2+c^2-2bc\cos A$, $b^2=c^2+a^2-2ca\cos B$가 성립함을 알 수 있다.
따라서 다음과 같은 코사인법칙이 성립함을 알 수 있다.

코사인법칙	코사인법칙의 변형
$a^2=b^2+c^2-2bc\cos A$ ⇒	$\cos A=\frac{b^2+c^2-a^2}{2bc}$
$b^2=c^2+a^2-2ca\cos B$ ⇒	$\cos B=\frac{c^2+a^2-b^2}{2ca}$
$c^2=a^2+b^2-2ab\cos C$ ⇒	$\cos C=\frac{a^2+b^2-c^2}{2ab}$

코사인법칙을 적용하는 경우
(1) 두 변의 길이와 그 끼인각의 크기를 알 때, 나머지 한 변의 길이를 구하는 경우
(2) 세 변의 길이를 알 때, 각의 크기를 구하는 경우

1 삼각형 ABC에서 다음을 구하시오.

(1) $b=4$, $c=7$, $\cos A=\frac{5}{7}$일 때, a의 값

(2) $b=3$, $c=4\sqrt{3}$, $A=30°$일 때, a의 값

(3) $a=7$, $c=8$, $\cos B=\frac{11}{16}$일 때, b의 값

(4) $a=2$, $c=\sqrt{2}$, $B=45°$일 때, b의 값

(5) $a=8$, $b=6$, $\cos C=\frac{11}{24}$일 때, c의 값

(6) $a=3$, $b=4$, $C=60°$일 때, c의 값

2 삼각형 ABC에서 다음을 구하시오.

(1) $a=3$, $b=5$, $c=7$일 때, $\cos A$의 값

(2) $a=\sqrt{3}$, $b=4$, $c=3$일 때, $\cos A$의 값

(3) $a=3$, $b=4$, $c=6$일 때, $\cos B$의 값

(4) $a=1$, $b=2$, $c=\sqrt{2}$일 때, $\cos B$의 값

(5) $a=4$, $b=3$, $c=3$일 때, $\cos C$의 값

(6) $a=\sqrt{7}$, $b=3$, $c=4$일 때, $\cos C$의 값

대표 유형 01 코사인법칙

개념 01

삼각형 ABC에서 다음을 구하시오.

(1) $a=2\sqrt{7}$, $b=4$, $A=60°$일 때, c의 값

(2) $a=\sqrt{2}$, $c=\sqrt{5}$, $C=45°$일 때, $\sin B$의 값

풀이 (1) 코사인법칙을 이용하여 c의 값 구하기

코사인법칙에 의하여 $a^2=b^2+c^2-2bc\cos A$이므로

$(2\sqrt{7})^2=4^2+c^2-2\times4\times c\times\cos 60°$

$=4^2+c^2-2\times4\times c\times\frac{1}{2}$

위 식을 정리하면 $c^2-4c-12=0$, $(c+2)(c-6)=0$

이때, $c>0$이므로 $c=6$

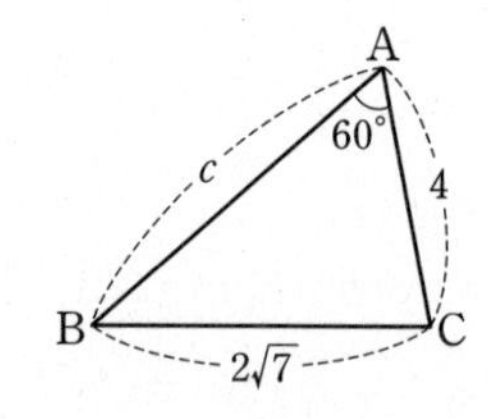

(2) ❶ 코사인법칙을 이용하여 b의 값 구하기

코사인법칙에 의하여 $c^2=a^2+b^2-2ab\cos C$이므로

$(\sqrt{5})^2=(\sqrt{2})^2+b^2-2\times\sqrt{2}\times b\times\cos 45°$

$=(\sqrt{2})^2+b^2-2\times\sqrt{2}\times b\times\frac{\sqrt{2}}{2}$

위 식을 정리하면 $b^2-2b-3=0$, $(b-3)(b+1)=0$

이때, $b>0$이므로 $b=3$

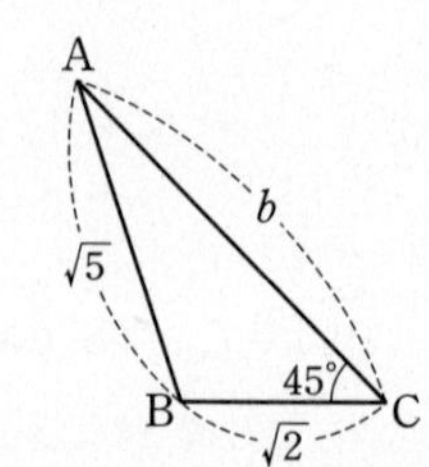

❷ 사인법칙을 이용하여 $\sin B$의 값 구하기

사인법칙에 의하여 $\frac{3}{\sin B}=\frac{\sqrt{5}}{\sin 45°}$이므로

$\sqrt{5}\sin B=3\sin 45°$, $\sqrt{5}\sin B=3\times\frac{\sqrt{2}}{2}$

$\therefore \sin B=\frac{3\sqrt{2}}{2}\times\frac{1}{\sqrt{5}}=\frac{3\sqrt{10}}{10}$

답 (1) 6 (2) $\frac{3\sqrt{10}}{10}$

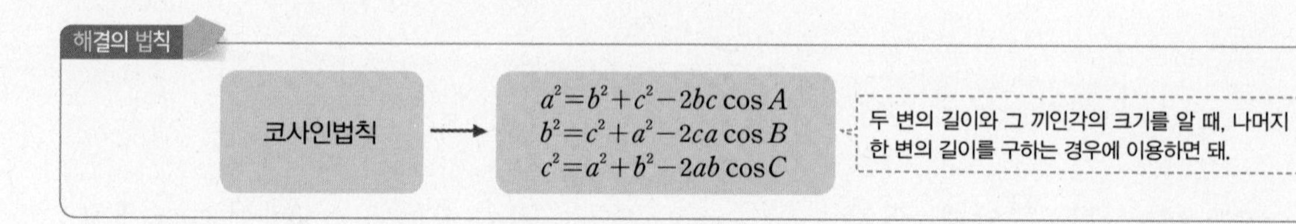

| 정답과 해설 66쪽 |

01-1 삼각형 ABC에서 $a=1$, $b=\sqrt{3}$, $B=60°$일 때, C의 크기를 구하시오.

01-2 오른쪽 그림과 같은 사각형 ABCD에서 $\overline{AB}=2$, $\overline{BC}=3$, $\overline{CD}=1$, $\angle B=60°$, $\angle D=120°$일 때, 선분 AD의 길이를 구하시오.

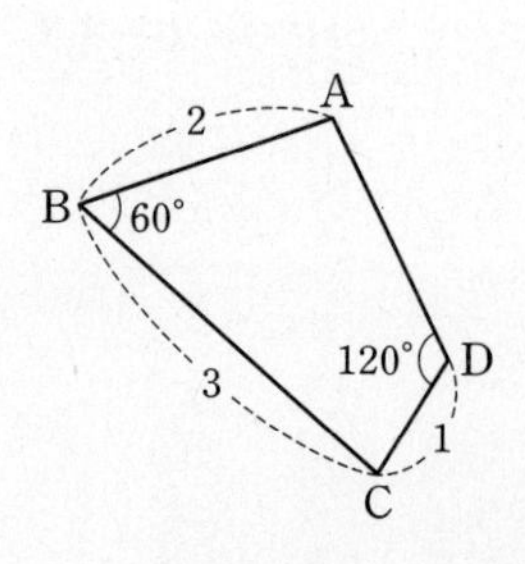

대표 유형 02 코사인법칙의 변형

개념 01

삼각형 ABC에서 다음을 구하시오.

(1) $a=8$, $b=5$, $c=7$일 때, $\cos A:\cos B:\cos C$

(2) $a:b:c=3:5:7$일 때, 최대각의 크기

풀이 (1) ❶ $\cos A$, $\cos B$, $\cos C$의 값 구하기

코사인법칙의 변형에 의하여

$$\cos A=\frac{5^2+7^2-8^2}{2\times5\times7}=\frac{1}{7},\ \cos B=\frac{7^2+8^2-5^2}{2\times7\times8}=\frac{11}{14},\ \cos C=\frac{8^2+5^2-7^2}{2\times8\times5}=\frac{1}{2}$$

❷ $\cos A:\cos B:\cos C$ 구하기

$$\therefore \cos A:\cos B:\cos C=\frac{1}{7}:\frac{11}{14}:\frac{1}{2}$$
$$=2:11:7$$

(2) ❶ 삼각형의 최대각 구하기

삼각형의 가장 긴 변의 대각의 크기가 가장 크므로
$a:b:c=3:5:7$에서 최대각은 C이다.

❷ $\cos C$의 값 구하기

이때, $a=3k$, $b=5k$, $c=7k\,(k>0)$라 하면
코사인법칙의 변형에 의하여

$$\cos C=\frac{(3k)^2+(5k)^2-(7k)^2}{2\times3k\times5k}=-\frac{1}{2}$$

❸ C의 크기 구하기

이때, $0°<C<180°$이므로 $C=120°$

답 (1) $2:11:7$ (2) $120°$

해결의 법칙

코사인법칙의 변형 ⟶ $\cos A=\frac{b^2+c^2-a^2}{2bc}$, $\cos B=\frac{c^2+a^2-b^2}{2ca}$, $\cos C=\frac{a^2+b^2-c^2}{2ab}$

세 변의 길이를 알 때, 각의 크기를 구하는 경우에 이용하면 돼.

| 정답과 해설 67쪽 |

02-1 삼각형 ABC에서 $a=\sqrt{2}$, $b=2$, $c=\sqrt{3}-1$일 때, 최대각의 크기를 구하시오.

02-2 삼각형 ABC에서 $35\sin A=28\sqrt{2}\sin B=20\sqrt{2}\sin C$가 성립할 때, $\cos A$의 값을 구하시오.

대표 유형 03 삼각형의 모양 결정(2)

개념 01

다음을 만족시키는 삼각형 ABC는 어떤 삼각형인지 말하시오.

(1) $\sin A\cos B=\sin C$　　(2) $a\cos B=b\cos A$

풀이 (1) ❶ a, b, c 사이의 관계식으로 나타내기

삼각형 ABC의 외접원의 반지름의 길이를 R라 하면 사인법칙과 코사인법칙의 변형에 의하여

$$\sin A=\frac{a}{2R},\ \cos B=\frac{c^2+a^2-b^2}{2ca},\ \sin C=\frac{c}{2R}$$

이므로 $\sin A\cos B=\sin C$에서

$$\frac{a}{2R}\times\frac{c^2+a^2-b^2}{2ca}=\frac{c}{2R}$$

$$\frac{c^2+a^2-b^2}{2c}=c,\ c^2+a^2-b^2=2c^2$$

$$\therefore a^2=b^2+c^2$$

❷ 삼각형의 모양 판단하기

따라서 삼각형 ABC는 $A=90°$인 직각삼각형이다.

(2) ❶ a, b, c 사이의 관계식으로 나타내기

코사인법칙의 변형에 의하여

$$\cos A=\frac{b^2+c^2-a^2}{2bc},\ \cos B=\frac{c^2+a^2-b^2}{2ca}$$

이므로 $a\cos B=b\cos A$에서

$$a\times\frac{c^2+a^2-b^2}{2ca}=b\times\frac{b^2+c^2-a^2}{2bc}$$

$$c^2+a^2-b^2=b^2+c^2-a^2$$

$$a^2=b^2\qquad\therefore a=b$$

❷ 삼각형의 모양 판단하기

따라서 삼각형 ABC는 $a=b$인 이등변삼각형이다.

답 (1) $A=90°$인 직각삼각형　(2) $a=b$인 이등변삼각형

해결의 법칙

삼각형의 모양 결정 → 각의 크기 사이의 관계를 변의 길이 사이의 관계로 변형하기

이때, 사인법칙과 코사인법칙의 변형을 이용하면 돼.

| 정답과 해설 67쪽 |

03-1 삼각형 ABC에서 $a+b\cos C=c\cos B$가 성립할 때, 삼각형 ABC는 어떤 삼각형인지 말하시오.

03-2 삼각형 ABC에서 $a\cos A=b\cos B$가 성립할 때, 삼각형 ABC는 어떤 삼각형인지 말하시오.

대표 유형 04 코사인법칙의 실생활에서의 활용

개념 01

오른쪽 그림과 같이 원 모양의 연못이 있다. 이 연못의 둘레에 세 지점 A, B, C를 정하고, A 지점에서 B, C 지점까지의 거리와 B, C 지점을 바라본 각의 크기를 측정하였더니

$\overline{AB}=9$ m, $\overline{AC}=6$ m, $\angle BAC=60°$

이었다. 이 연못의 넓이를 구하시오.

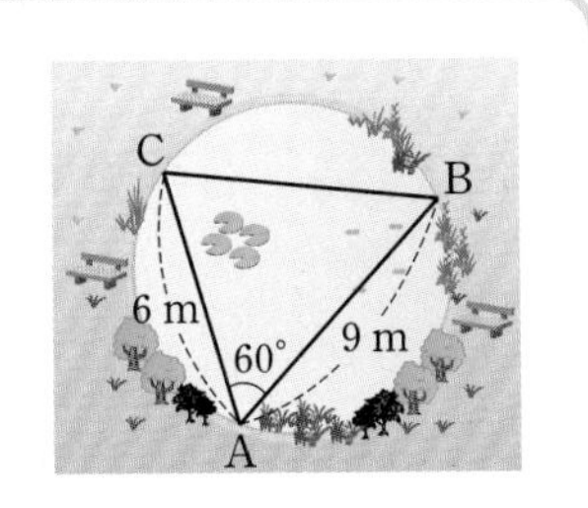

풀이

❶ $\overline{BC}$의 길이 구하기

삼각형 ABC에서 코사인법칙에 의하여

$\overline{BC}^2=\overline{AB}^2+\overline{AC}^2-2\times\overline{AB}\times\overline{AC}\times\cos A$

$=9^2+6^2-2\times9\times6\times\cos 60°$

$=9^2+6^2-2\times9\times6\times\frac{1}{2}=63$

$\therefore \overline{BC}=\sqrt{63}=3\sqrt{7}$ (m)

❷ 외접원의 반지름의 길이 구하기

이 연못의 반지름의 길이를 R m라 하면

사인법칙에 의하여 $\frac{\overline{BC}}{\sin A}=2R$이므로

$R=\frac{1}{2}\times\frac{3\sqrt{7}}{\frac{\sqrt{3}}{2}}=\sqrt{21}$ (m)

❸ 연못의 넓이 구하기

따라서 구하는 연못의 넓이는 $\pi\times(\sqrt{21})^2=21\pi$ (m^2)

답 21π m^2

| 정답과 해설 67쪽 |

04-1 오른쪽 그림과 같이 호수의 양쪽에 서 있는 두 나무 A, B 사이의 거리를 구하기 위해 C 지점에서 두 나무 A, B 사이의 거리와 A, B 지점을 바라본 각의 크기를 각각 측정하였더니

$\overline{AC}=30$ m, $\overline{BC}=50$ m, $\angle ACB=60°$

이었다. 두 나무 A, B 사이의 거리를 구하시오. (단, $\sqrt{19}=4.36$으로 계산한다.)

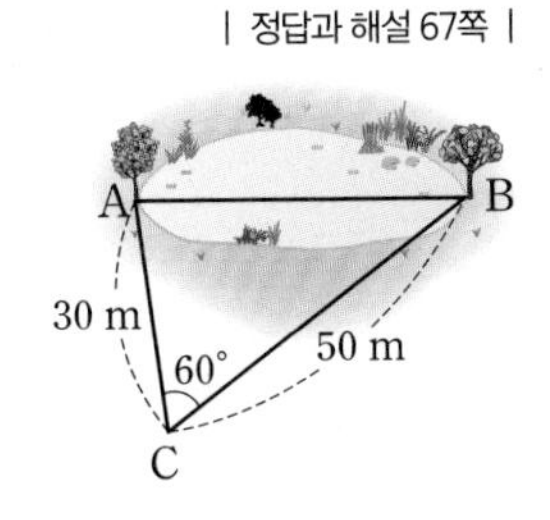

04-2 오른쪽 그림과 같이 한 변의 길이가 2 km인 정육각형 모양의 호수가 있다. A 지점에서 출발하여 시계방향으로 호수의 둘레를 따라 5 km를 갔을 때, A 지점에서 도착점까지의 직선거리를 구하시오.

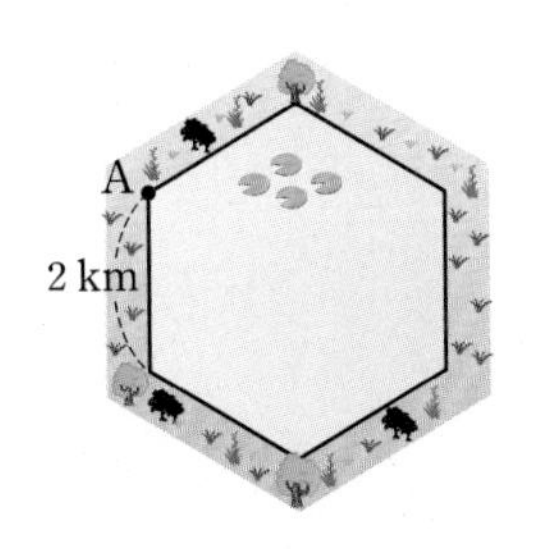

3 삼각형의 넓이

개념 01 삼각형의 넓이

대표 유형 01

삼각형 ABC의 넓이를 S라 하면

(1) **두 변의 길이와 그 끼인각의 크기를 알 때**

$$S=\frac{1}{2}bc\sin A=\frac{1}{2}ca\sin B=\frac{1}{2}ab\sin C$$

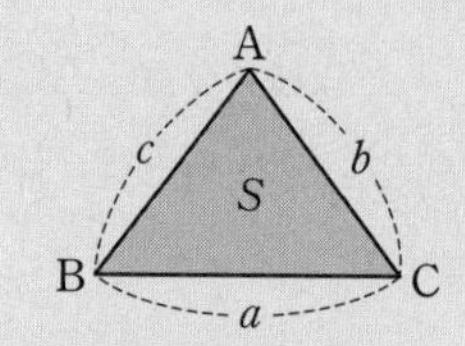

(2) **외접원의 반지름의 길이 R를 알 때**

$$S=\frac{abc}{4R}=2R^2\sin A\sin B\sin C$$

설명

(1) 삼각형 ABC의 꼭짓점 A에서 변 BC 또는 그 연장선 위에 내린 수선의 발을 H, $\overline{AH}=h$라 할 때, C의 크기에 따라 다음과 같이 세 가지로 나누어 생각할 수 있다.

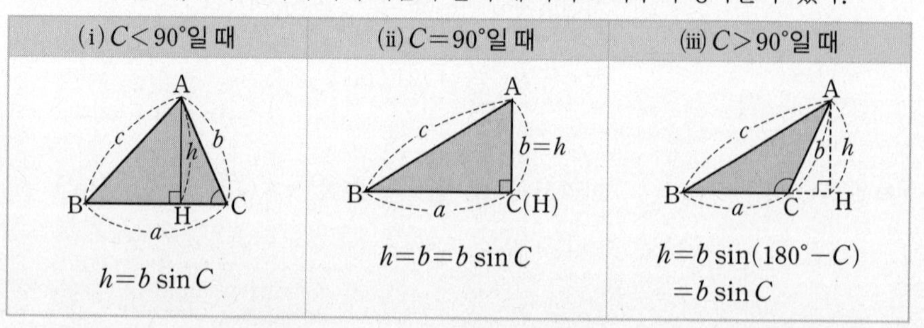

(i) $C<90°$일 때	(ii) $C=90°$일 때	(iii) $C>90°$일 때
$h=b\sin C$	$h=b=b\sin C$	$h=b\sin(180°-C)$ $=b\sin C$

이상에서 C의 크기에 관계없이 $h=b\sin C$이므로 삼각형 ABC의 넓이를 S라 하면

$$S=\frac{1}{2}ah=\frac{1}{2}ab\sin C$$

가 성립한다.

같은 방법으로 $S=\frac{1}{2}bc\sin A=\frac{1}{2}ca\sin B$가 성립함을 알 수 있다.

(2) 사인법칙의 변형에 의하여 $\sin A=\frac{a}{2R}$, $b=2R\sin B$, $c=2R\sin C$이므로

$$S=\frac{1}{2}bc\sin A=\frac{1}{2}bc\times\frac{a}{2R}=\frac{abc}{4R}$$

$$S=\frac{1}{2}bc\sin A=\frac{1}{2}\times 2R\sin B\times 2R\sin C\times\sin A=2R^2\sin A\sin B\sin C$$

| 정답과 해설 68쪽 |

개념 확인 1 다음 그림과 같은 삼각형 ABC의 넓이 S를 구하시오.

(1)

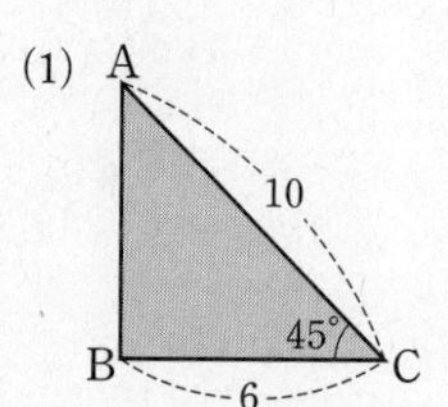

(2)

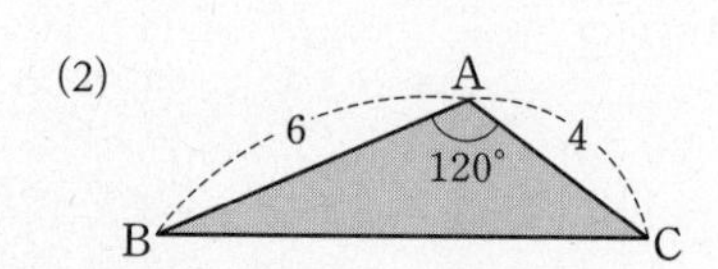

알아보기 | 삼각형의 넓이 공식

삼각형 ABC의 넓이를 S라 할 때, 주어진 조건에 따라 다음과 같은 공식을 이용하여 삼각형의 넓이를 구할 수 있다.

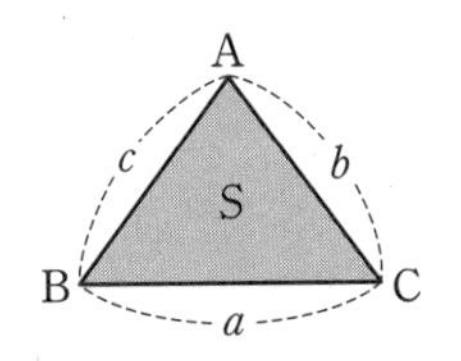

삼각형의 넓이 공식

- 내접원의 반지름의 길이 r를 알 때 ➡ $S=\frac{1}{2}r(a+b+c)$
- 세 변의 길이를 알 때 ➡ $S=\sqrt{s(s-a)(s-b)(s-c)}$ $\left(\text{단, } s=\frac{a+b+c}{2}\right)$ ← 헤론의 공식

내접원의 반지름의 길이 r를 알 때 ➡ $S=\frac{1}{2}r(a+b+c)$ ← 중2 내심의 성질 이용

오른쪽 그림과 같이 삼각형 ABC의 내심을 I라 하면

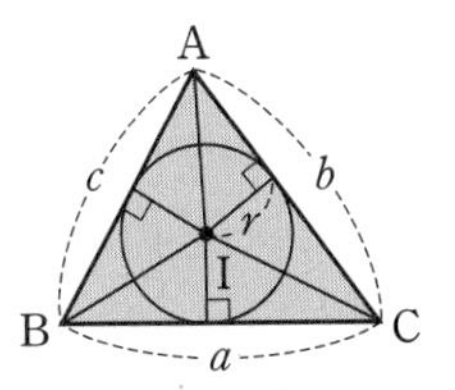

$$S=\triangle \text{IAB}+\triangle \text{IBC}+\triangle \text{ICA}$$
$$=\frac{1}{2}cr+\frac{1}{2}ar+\frac{1}{2}br$$
$$=\frac{1}{2}r(a+b+c)$$

세 변의 길이를 알 때 ➡ $S=\sqrt{s(s-a)(s-b)(s-c)}$ $\left(\text{단, } s=\frac{a+b+c}{2}\right)$ ← 세 변의 길이가 모두 자연수일 때, 이용하면 편해.

$$S=\frac{1}{2}bc\sin A=\frac{1}{2}bc\sqrt{1-\cos^2 A}$$ ← $\sin^2 A+\cos^2 A=1$이고 $0°<A<180°$일 때, $\sin A>0$

$$=\frac{1}{2}bc\sqrt{(1+\cos A)(1-\cos A)}=\frac{1}{2}bc\sqrt{\left(1+\frac{b^2+c^2-a^2}{2bc}\right)\left(1-\frac{b^2+c^2-a^2}{2bc}\right)}$$
$$=\frac{1}{2}bc\sqrt{\frac{\{2bc+(b^2+c^2-a^2)\}\{2bc-(b^2+c^2-a^2)\}}{(2bc)^2}}=\frac{1}{4}\sqrt{\{(b+c)^2-a^2\}\{a^2-(b-c)^2\}}$$
$$=\frac{1}{4}\sqrt{(a+b+c)(-a+b+c)(a-b+c)(a+b-c)}$$

이때, $s=\frac{a+b+c}{2}$라 하면 $a+b+c=2s$이므로

$$S=\frac{1}{4}\sqrt{2s\times 2(s-a)\times 2(s-b)\times 2(s-c)}=\sqrt{s(s-a)(s-b)(s-c)}$$

개념 확인 $a=4$, $b=6$, $c=8$이고 내접원의 반지름의 길이가 $\frac{\sqrt{15}}{3}$인 삼각형 ABC의 넓이 S를 구하시오.

풀이 $S=\frac{1}{2}r(a+b+c)=\frac{1}{2}\times\frac{\sqrt{15}}{3}\times(4+6+8)=3\sqrt{15}$

답 $3\sqrt{15}$

다른 풀이 $s=\frac{4+6+8}{2}=9$이므로

$S=\sqrt{s(s-a)(s-b)(s-c)}=\sqrt{9(9-4)(9-6)(9-8)}=3\sqrt{15}$

개념 02 사각형의 넓이

1 평행사변형의 넓이

이웃하는 두 변의 길이가 a, b이고 그 끼인각의 크기가 θ인 평행사변형의 넓이를 S라 하면

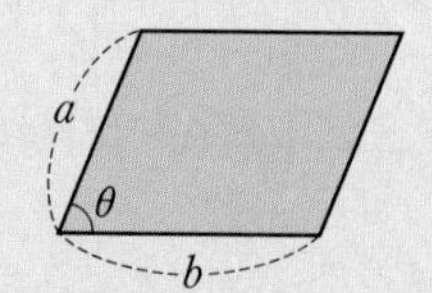

$$S=ab\sin\theta$$

2 사각형의 넓이

두 대각선의 길이가 a, b이고 두 대각선이 이루는 각의 크기가 θ인 사각형의 넓이를 S라 하면

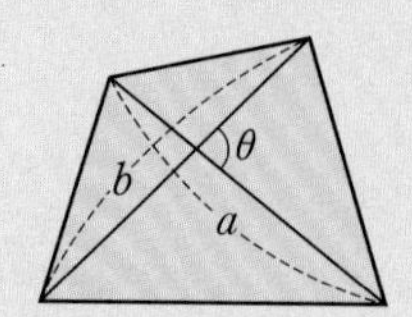

$$S=\frac{1}{2}ab\sin\theta$$

설명

1 평행사변형 ABCD에서 대각선 AC를 그으면 삼각형 ABC와 삼각형 CDA는 서로 합동이다.
따라서 평행사변형 ABCD의 넓이는 삼각형 ABC의 넓이의 2배이므로

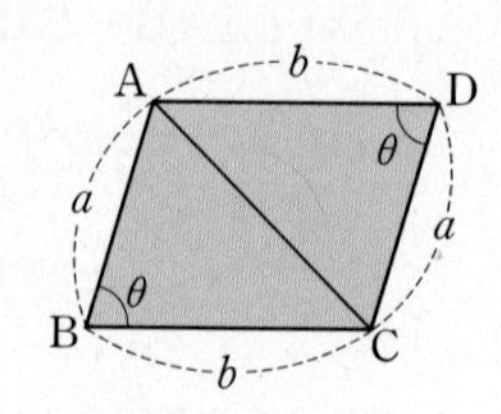

$$S=2\triangle ABC=2\times\frac{1}{2}ab\sin\theta=ab\sin\theta$$

2 사각형 ABCD의 두 대각선에 대하여 각각 평행한 선분으로 평행사변형 EFGH를 만들면

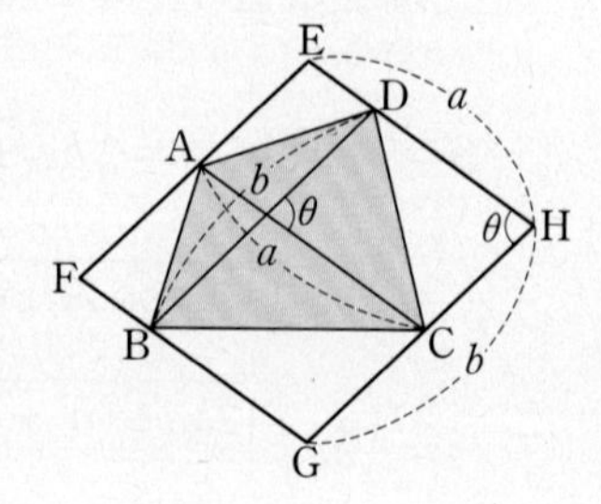

$$\square ABCD=\frac{1}{2}\times\square EFGH$$

$$\therefore \square ABCD=\frac{1}{2}ab\sin\theta$$

| 정답과 해설 68쪽 |

개념 확인 2 오른쪽 그림과 같은 평행사변형 ABCD의 넓이 S를 구하시오.

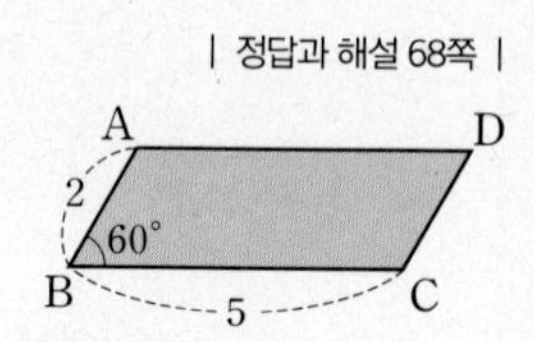

개념 확인 3 오른쪽 그림과 같은 사각형 ABCD의 넓이 S를 구하시오.

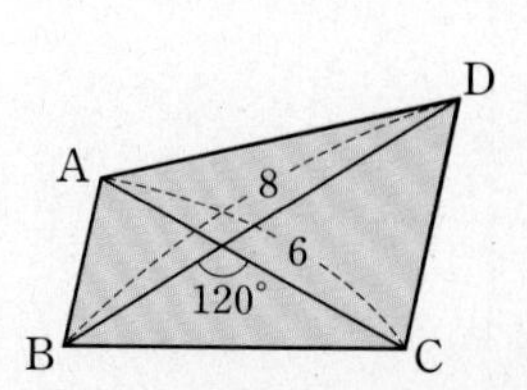

1 다음 그림과 같은 삼각형 ABC의 넓이 S를 구하시오.

(1)

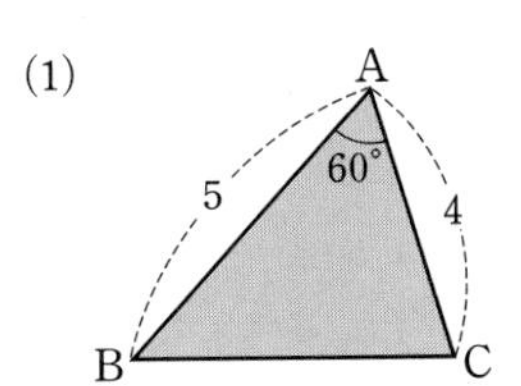

(2)

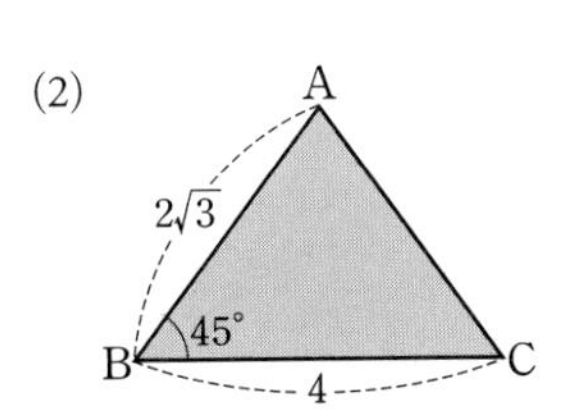

(3)

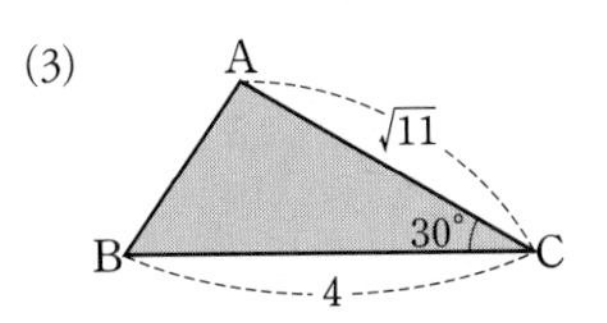

(4)

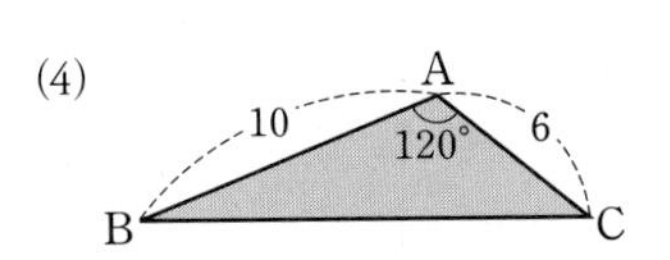

(5)

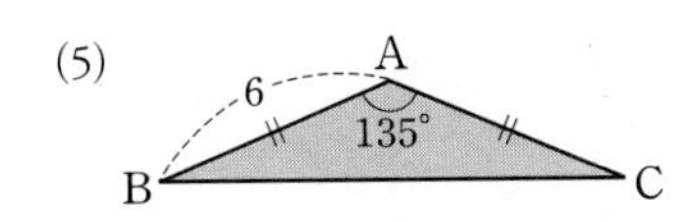

2 다음 그림과 같은 평행사변형 ABCD의 넓이 S를 구하시오.

(1)

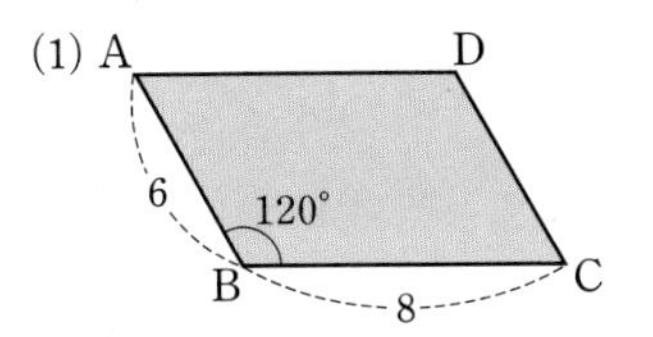

(2)

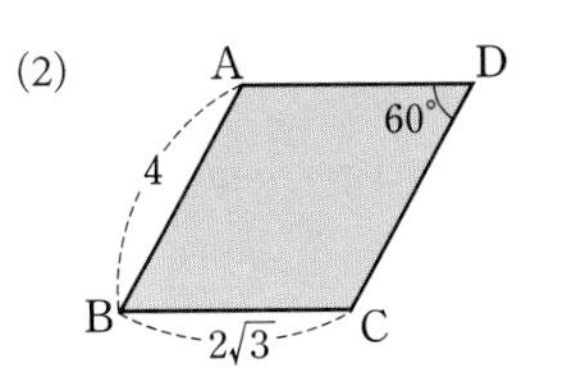

(3)

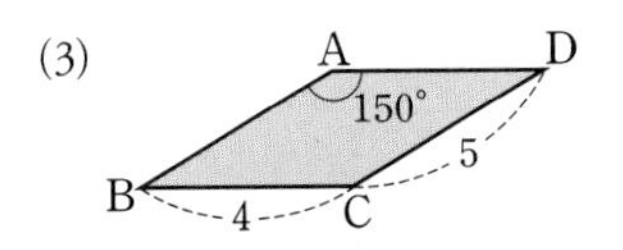

3 다음 그림과 같은 사각형 ABCD의 넓이 S를 구하시오.

(1)

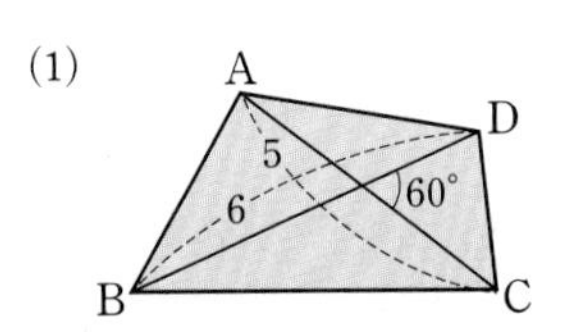

(2)

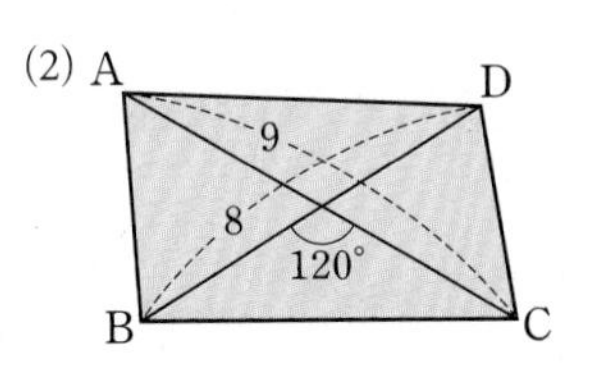

(3)

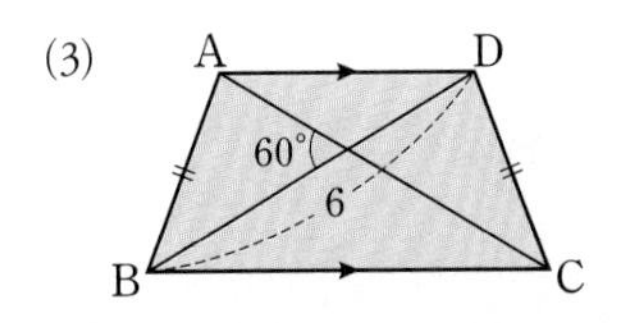

대표 유형 01 삼각형의 넓이

개념 01

다음 물음에 답하시오.

(1) $a=5\sqrt{2}$, $b=6$인 삼각형 ABC의 넓이가 15일 때, 예각 C의 크기를 구하시오.

(2) $a=3\sqrt{3}$, $b=2$, $c=4$이고 넓이가 $2\sqrt{3}$인 삼각형 ABC의 외접원의 반지름의 길이를 구하시오.

(3) $a=5$, $b=6$, $c=9$인 삼각형 ABC의 넓이를 구하시오.

풀이 (1) 삼각형 ABC의 넓이가 15이므로 $\frac{1}{2}\times5\sqrt{2}\times6\times\sin C=15$ $\quad\therefore \sin C=\frac{\sqrt{2}}{2}$

그런데 C는 예각이므로 $C=45°$

(2) 삼각형 ABC의 외접원의 반지름의 길이를 R, 삼각형 ABC의 넓이를 S라 하면

$S=\frac{abc}{4R}$에서 $2\sqrt{3}=\frac{3\sqrt{3}\times2\times4}{4R}$ $\quad\therefore R=3$

(3) 코사인법칙의 변형에 의하여 $\cos C=\frac{5^2+6^2-9^2}{2\times5\times6}=-\frac{1}{3}$

그런데 $0°<C<180°$이므로 $\sin C>0$ $\quad\therefore \sin C=\sqrt{1-\cos^2 C}=\sqrt{1-\left(-\frac{1}{3}\right)^2}=\frac{2\sqrt{2}}{3}$

$\therefore \triangle\text{ABC}=\frac{1}{2}ab\sin C=\frac{1}{2}\times5\times6\times\frac{2\sqrt{2}}{3}=10\sqrt{2}$

답 (1) 45° (2) 3 (3) $10\sqrt{2}$

다른 풀이 (3) $s=\frac{5+6+9}{2}=10$이므로 헤론의 공식에 의하여 $\triangle\text{ABC}=\sqrt{10(10-5)(10-6)(10-9)}=10\sqrt{2}$

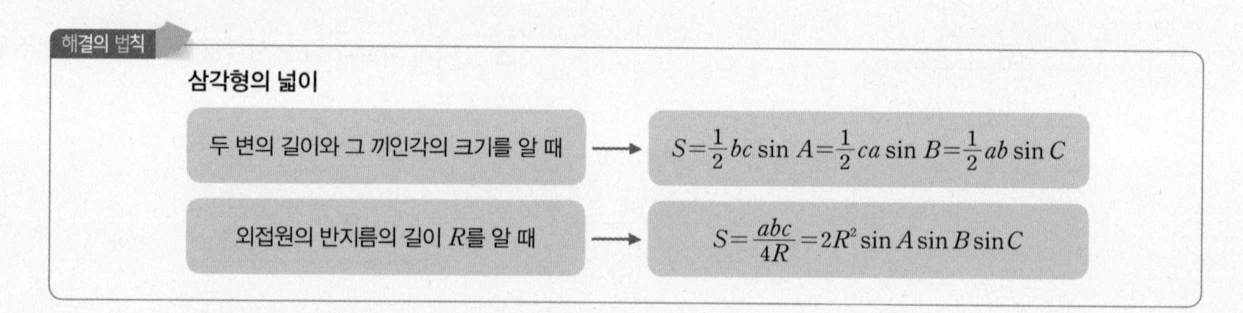

| 정답과 해설 68쪽 |

01-1 $a=12$, $C=45°$인 삼각형 ABC의 넓이가 18일 때, c의 값을 구하시오.

01-2 두 내각의 크기가 30°, 120°인 삼각형 ABC의 외접원의 반지름의 길이가 4일 때, 삼각형 ABC의 넓이를 구하시오.

01-3 $a=8$, $b=7$, $c=9$인 삼각형 ABC의 넓이를 구하시오.

대표 유형 02 사각형의 넓이

개념 02

다음 물음에 답하시오.

(1) $\overline{AB}=4$, $\overline{BC}=9$인 평행사변형 ABCD의 넓이가 $18\sqrt{3}$일 때, A의 크기를 구하시오.

(단, $90^\circ < B < 180^\circ$)

(2) 등변사다리꼴에서 두 대각선이 이루는 각의 크기가 60°이고 넓이가 $16\sqrt{3}$일 때, 한 대각선의 길이를 구하시오.

풀이 (1) ❶ $\sin B$의 값 구하기

평행사변형 ABCD의 넓이가 $18\sqrt{3}$이므로

$4\times 9\times \sin B=18\sqrt{3}$ $\quad\therefore \sin B=\frac{\sqrt{3}}{2}$

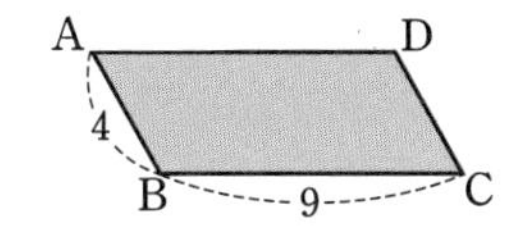

❷ B의 크기 구하기

이때, $90^\circ < B < 180^\circ$이므로 $B=120^\circ$

❸ A의 크기 구하기

따라서 $A+B=180^\circ$이므로 $A=180^\circ-B=180^\circ-120^\circ=60^\circ$

(2) ❶ 등변사다리꼴의 두 대각선의 길이에 대한 식 구하기

등변사다리꼴 ABCD에서 두 대각선의 길이는 같으므로

$\frac{1}{2}\times \overline{AC}^2\times \sin 60^\circ=16\sqrt{3}$

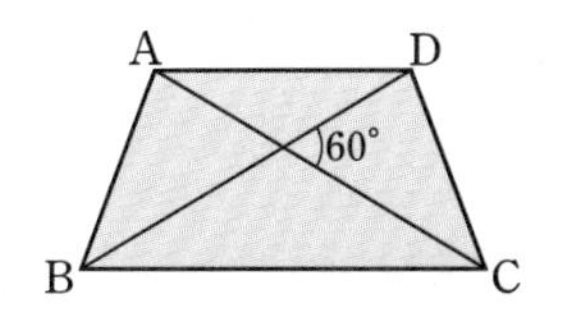

❷ 대각선의 길이 구하기

$\frac{1}{2}\times \overline{AC}^2\times \frac{\sqrt{3}}{2}=16\sqrt{3}$에서 $\overline{AC}^2=64$

$\therefore \overline{AC}=8$ ($\because \overline{AC}>0$)

답 (1) 60° (2) 8

해결의 법칙

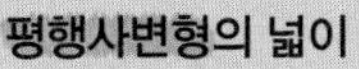

평행사변형의 넓이

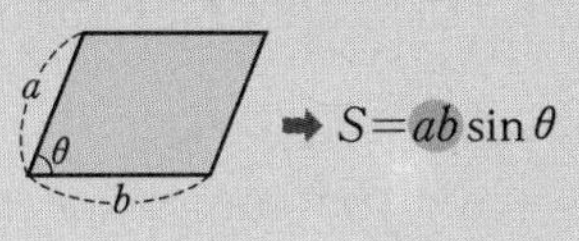

➡ $S=ab\sin\theta$

사각형의 넓이

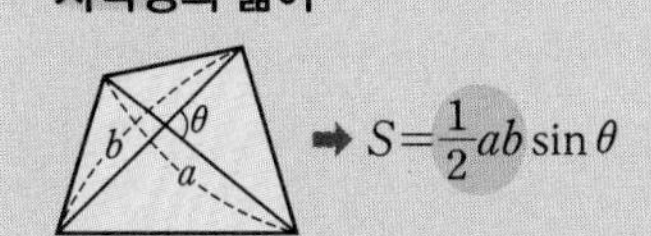

➡ $S=\frac{1}{2}ab\sin\theta$

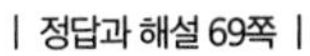

| 정답과 해설 69쪽 |

02-1 오른쪽 그림과 같이 원에 내접하는 사각형 ABCD에서 $\overline{AB}=5$, $\overline{BC}=3$, $\overline{CD}=2$, $\overline{DA}=3$, $\angle D=120^\circ$일 때, 사각형 ABCD의 넓이를 구하시오.

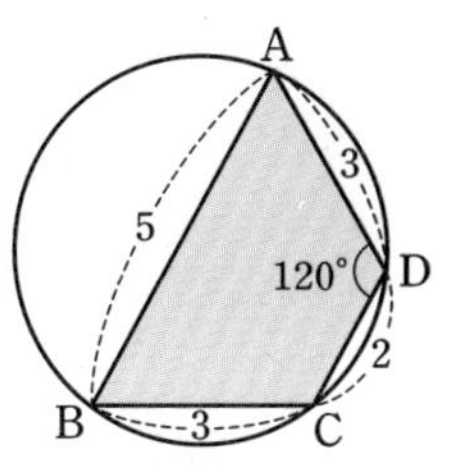

02-2 두 대각선의 길이가 각각 2, $4\sqrt{3}$이고, 두 대각선이 이루는 각의 크기가 θ인 사각형 ABCD의 넓이가 3일 때, $\tan^2\theta$의 값을 구하시오.

유형 확인

1-1 삼각형 ABC에서 $a=2$, $c=4$, $A=30^\circ$일 때, b의 값을 구하시오.

한번 더 확인

1-2 삼각형 ABC에서 $b=3\sqrt{3}$, $c=3$, $B=120^\circ$일 때, a의 값을 구하시오.

2-1 외접원의 반지름의 길이가 5인 삼각형 ABC에서 $\sin A+\sin B+\sin C=\frac{8}{5}$일 때, 삼각형 ABC의 둘레의 길이를 구하시오.

2-2 삼각형 ABC에서

$$\frac{a^3+b^3+c^3}{\sin^3 A+\sin^3 B+\sin^3 C}=8$$

이 성립할 때, 삼각형 ABC의 외접원의 반지름의 길이를 구하시오.

3-1 오른쪽 그림과 같이 강을 사이에 두고 있는 두 지점 A, B 사이의 거리를 측정하기 위하여 B 지점에서 30 m 떨어진 지점에 C 지점을 정하여 삼각형을 만들었다. $\angle B=75^\circ$, $\angle C=45^\circ$일 때, 두 지점 A, B 사이의 거리를 구하시오.

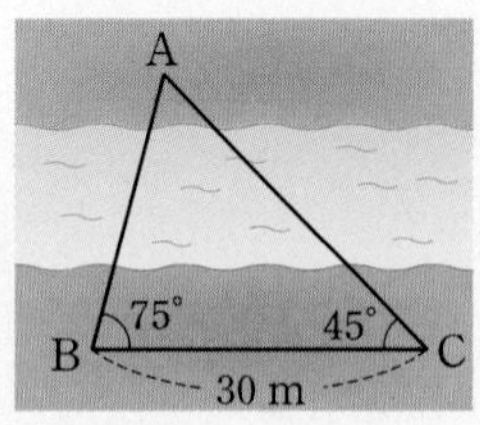

3-2 오른쪽 그림과 같이 두 지점 A, B에서 각각 45°, 75°를 이루면서 갈라진 직선 도로가 있다. 두 지점 A, B 사이의 거리는 3 km이고, A 지점과 B 지점에서 갈라진 두 도로가 만나는 지점을 C라 하자. 이때, 두 지점 B, C 사이의 거리를 구하시오.

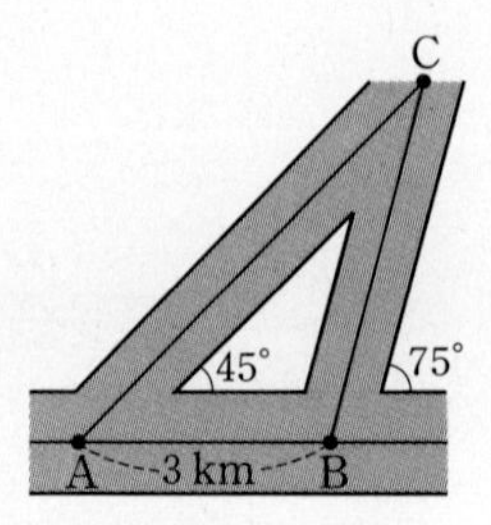

4-1 오른쪽 그림과 같이 원에 내접하는 사각형 ABCD에서 $\overline{AB}=6$, $\overline{BC}=4$, $\cos D=\frac{1}{4}$일 때, 선분 AC의 길이를 구하시오.

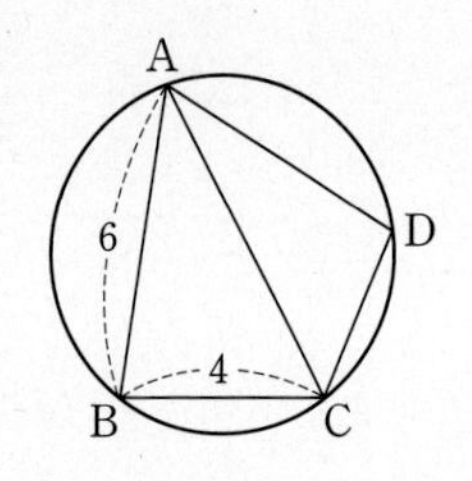

4-2 오른쪽 그림과 같이 평행사변형 ABCD에서 $\overline{AB}=5$, $\overline{AD}=3$, $\angle BAD=60^\circ$일 때, 대각선 AC의 길이를 구하시오.

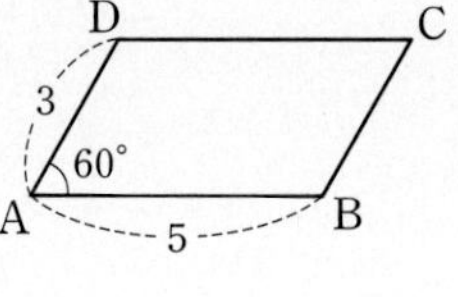

유형 확인

5-1 오른쪽 그림과 같이 $\angle BAD=\angle CAD$인 삼각형 ABC에서 $\overline{AB}=8$, $\overline{BC}=7$, $\overline{CA}=6$일 때, 선분 AD의 길이를 구하시오.

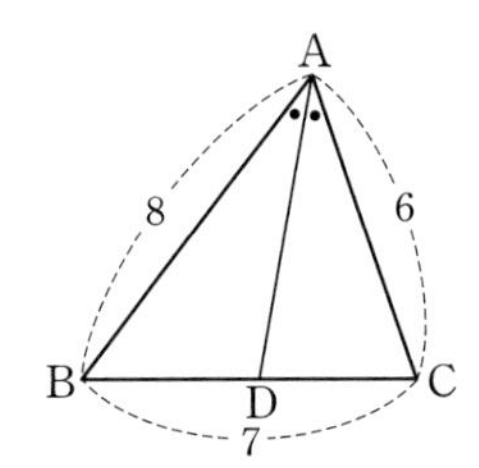

5-2 오른쪽 그림과 같이 $\overline{AB}=7$, $\overline{AC}=5$인 삼각형 ABC에서 $\overline{BC}$ 위의 한 점 D에 대하여 $\overline{BD}=4$, $\overline{DC}=2$일 때, 선분 AD의 길이를 구하시오.

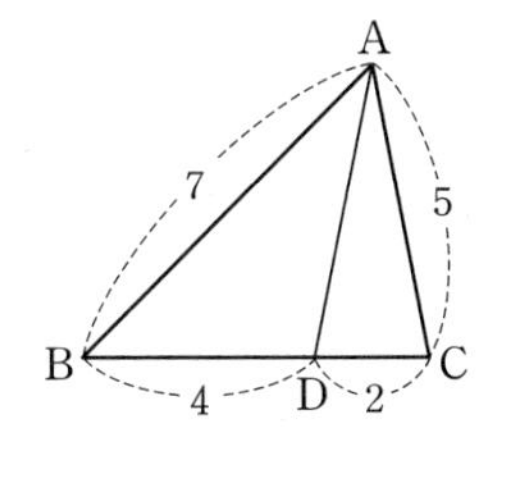

6-1 삼각형 ABC에서 $\sin A\cos B=\sin B\cos A$가 성립할 때, 삼각형 ABC는 어떤 삼각형인지 말하시오.

6-2 삼각형 ABC에서 $a\cos B-b\cos A=c$가 성립할 때, 삼각형 ABC는 어떤 삼각형인지 말하시오.

7-1 오른쪽 그림과 같이 $\overline{AB}=2$, $\overline{AC}=\sqrt{6}$, $\angle B=60°$, $\angle C=45°$인 삼각형 ABC의 넓이를 구하시오.

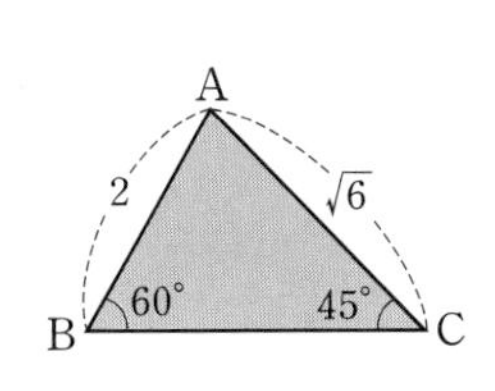

7-2 오른쪽 그림과 같이 $\overline{AB}=4$, $\overline{AC}=2\sqrt{3}$, $\angle B=45°$인 삼각형 ABC의 넓이를 구하시오.

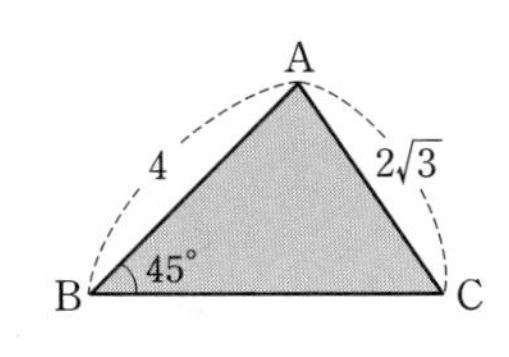

8-1 오른쪽 그림과 같이 $\overline{AD}=\overline{CD}=8$, $\angle B=90°$, $\angle D=120°$인 사각형 ABCD에서 $\overline{AB}:\overline{BC}=1:\sqrt{3}$일 때, 사각형 ABCD의 넓이를 구하시오.

8-2 오른쪽 그림과 같이 $\overline{AB}=8$, $\overline{BC}=12$, $\angle B=60°$인 등변사다리꼴 ABCD의 넓이를 구하시오.

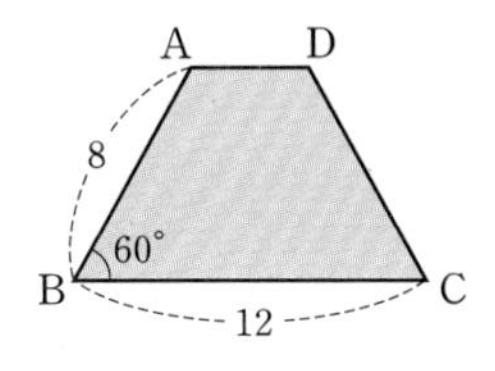

8 등차수열

이번 달에는 보너스로 마른 멸치가 나왔다!
와~
계급별로 일정한 양의 차이가 나도록 나눠줄 것.
일정한 양의 차이? 등차네요.
우리가 5명이고 멸치 무게가 100 mg이니까 내가 30 mg을 가지면…
어떻게 나누지?
100=a+(a+d)+(a+2d)+(a+3d)+(a+4d)
a=10, d=5 가 돼.

개념 미리보기

1 등차수열

개념 01 수열

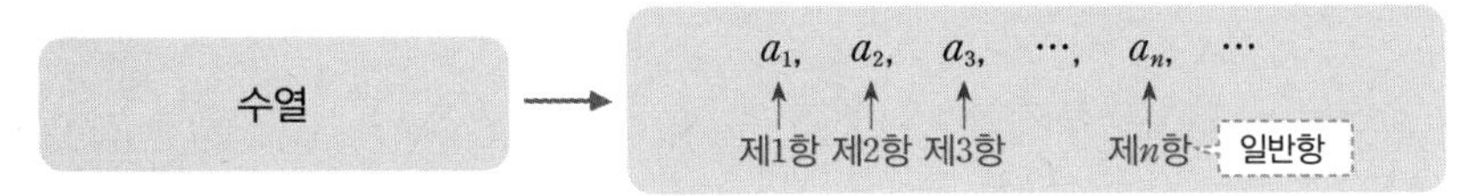

개념 02 등차수열

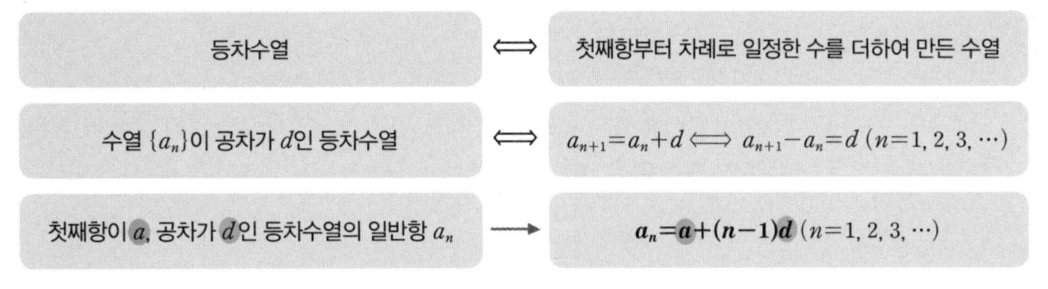

개념 03 등차중항

세 수 a, b, c가 이 순서대로 등차수열을 이룰 때 → b는 a와 c의 등차중항 ➡ $b=\dfrac{a+c}{2}$

2 등차수열의 합

개념 01 등차수열의 합

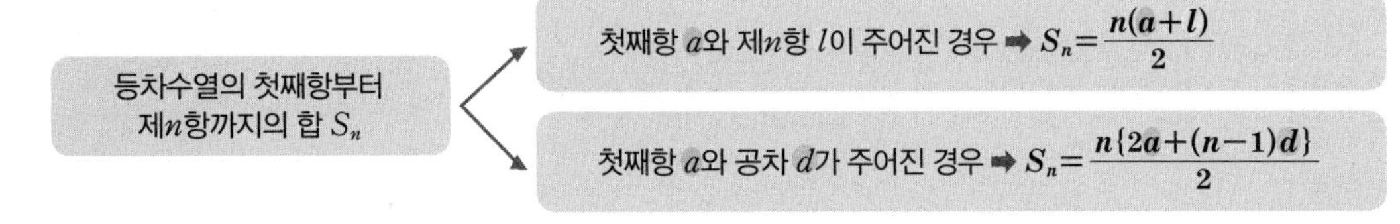

개념 02 수열의 합과 일반항 사이의 관계

S_n이 주어진 수열 $\{a_n\}$의 일반항 → $a_1=S_1,\ a_n=S_n-S_{n-1}\ (n\geq 2)$

1 등차수열

개념 01 수열

1 수열

2, 4, 6, 8, …과 같이 차례로 나열된 수의 열을 **수열**이라 하고, 수열을 이루고 있는 각 수를 그 수열의 **항**이라 한다.

↳ 유한개의 항으로 이루어진 수열 ➡ 유한수열
무한히 많은 항으로 이루어진 수열 ➡ 무한수열

참고 일정한 규칙 없이 수를 나열한 것도 수열이지만 여기서는 규칙성이 있는 수열만 다룬다.

2 수열의 일반항

일반적으로 수열을 나타낼 때에는 $a_1, a_2, a_3, \cdots, a_n, \cdots$과 같이 나타낸다.

이때, 제n항 $\boldsymbol{a_n}$을 이 수열의 **일반항**이라 하고, 일반항이 a_n인 수열을 간단히 $\boldsymbol{\{a_n\}}$과 같이 나타낸다.

참고 각 항을 앞에서부터 차례로 첫째항, 둘째항, 셋째항, …, n째항, … 또는 제1항, 제2항, 제3항, …, 제n항, …이라 한다.

설명 자연수 $1, 2, 3, \cdots, n, \cdots$에 수열의 각 항 $a_1, a_2, a_3, \cdots, a_n, \cdots$이 차례로 대응하면 수열 $\{a_n\}$은 자연수 전체의 집합 N에서 실수 전체의 집합 R로의 함수

$$f : N \longrightarrow R,\ f(n)=a_n$$

으로 생각할 수 있다.

따라서 일반항 a_n이 n에 대한 식 $f(n)$으로 주어지면 n에 $1, 2, 3, \cdots$을 차례로 대입하여 수열 $\{a_n\}$의 모든 항을 구할 수 있다.

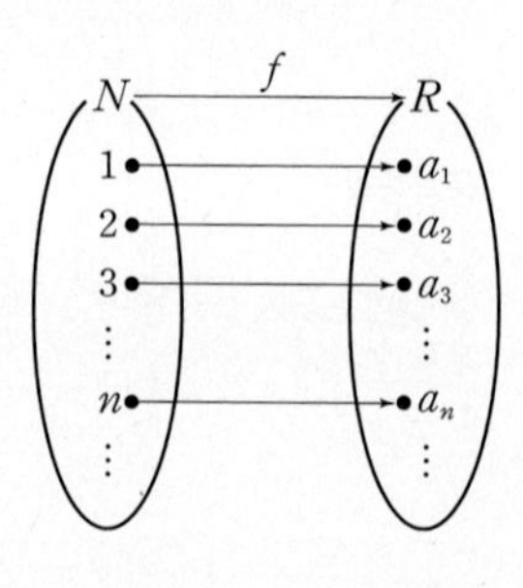

예 수열 $\{a_n\}$의 일반항이 $a_n=3n$일 때

$a_1=3\times1=3,\ a_2=3\times2=6,\ a_3=3\times3=9,\ a_4=3\times4=12,\ \cdots,\ a_n=3n,\ \cdots$

➡ $\{a_n\}$: $3, 6, 9, 12, \cdots, 3n, \cdots$

해결의 법칙

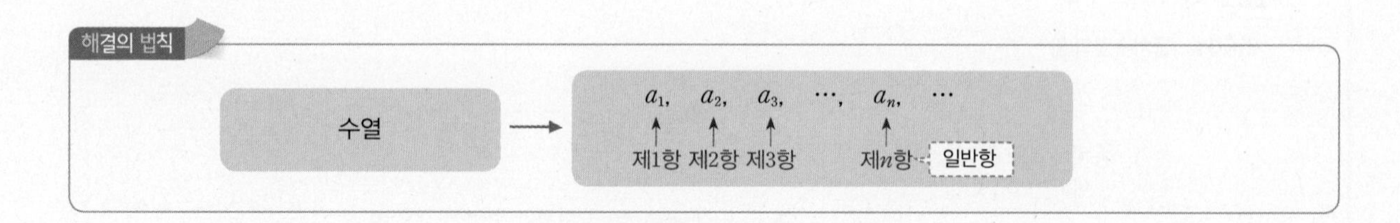

| 정답과 해설 71쪽 |

개념 확인 1 수열 $-2, 3, 8, 13, 18, 23, 28, 33, \cdots$에서 제3항과 제7항을 말하시오.

개념 확인 2 수열 $\{a_n\}$의 일반항이 다음과 같을 때, 첫째항부터 제4항까지 차례로 나열하시오.

(1) $a_n=2n+1$

(2) $a_n=2^n$

개념 02 등차수열

대표 유형 01~05

1 등차수열

첫째항부터 차례로 일정한 수를 더하여 만든 수열을 **등차수열**이라 하고, 더하는 일정한 수를 **공차**라 한다. 등차수열 $\{a_n\}$의 공차를 d라 할 때, 다음이 성립한다.

$$a_{n+1}=a_n+d \Longleftrightarrow a_{n+1}-a_n=d \ (n=1, 2, 3, \cdots)$$

참고 공차는 영어로 'common difference'이고, 보통 d로 나타낸다.

2 등차수열의 일반항

첫째항이 a, 공차가 d인 등차수열의 일반항 a_n ➡ $a_n=a+(n-1)d$ $(n=1, 2, 3, \cdots)$

설명

1 일반적으로 수열 $a_1, a_2, a_3, \cdots, a_n, \cdots$이 등차수열일 때, 공차를 d라 하면

$a_1,\ a_2,\ a_3,\ a_4, \cdots$ ($+d$, $+d$, $+d$)

$$d=a_2-a_1=a_3-a_2=\cdots=a_{n+1}-a_n=\cdots$$

즉, 등차수열 $\{a_n\}$은 $n=1, 2, 3, \cdots$에 대하여 항상 다음과 같은 관계식이 성립한다.

$$a_{n+1}=a_n+d \Longleftrightarrow a_{n+1}-a_n=d \ (n=1, 2, 3, \cdots)$$

역으로 위의 등식이 성립하면 수열 $\{a_n\}$은 등차수열이다.

2 첫째항이 a, 공차가 d인 등차수열 $\{a_n\}$에서

$a_1=a$

$a_2=a_1+d=a+1d$

$a_3=a_2+d=(a+d)+d=a+2d$

$a_4=a_3+d=(a+2d)+d=a+3d$

⋮

이므로 일반항 a_n은 다음과 같다.

$a_n=a+(n-1)d$ $(n=1, 2, 3, \cdots)$

$a_1=a$

$a_2=a+d$

$a_3=a+d+d$

$a_4=a+d+d+d$

⋮

$a_n=a+\underbrace{d+d+d+d+\cdots+d}_{(n-1)\text{개}}$

예 다음 등차수열의 일반항 a_n을 구해 보자.

(1) $\{a_n\}$: 3, 7, 11, 15, $\cdots$ ($+4$, $+4$, $+4$)

➡ 첫째항이 3, 공차가 4인 등차수열

➡ $a_n=3+(n-1)\times 4=4n-1$

(2) $\{a_n\}$: 5, 2, -1, -4, $\cdots$ ($+(-3)$, $+(-3)$, $+(-3)$)

➡ 첫째항이 5, 공차가 -3인 등차수열

➡ $a_n=5+(n-1)\times(-3)=-3n+8$

참고 공차가 양수이면 등차수열의 항은 증가하고, 공차가 음수이면 등차수열의 항은 감소한다.

해결의 법칙

첫째항이 a, 공차가 d인 등차수열의 일반항 a_n ⟶ $a_n=a+(n-1)d$ $(n=1, 2, 3, \cdots)$

| 정답과 해설 71쪽 |

개념 확인 3 다음 등차수열의 일반항 a_n을 구하시오.

(1) 첫째항이 -2, 공차가 3인 등차수열

(2) 첫째항이 8, 공차가 -5인 등차수열

개념 03 등차중항

대표 유형 06

세 수 a, b, c가 이 순서대로 등차수열을 이룰 때, b를 a와 c의 **등차중항**이라 한다.
이때, 다음이 성립한다.

$$b=\frac{a+c}{2}$$

참고 세 수 a, b, c가 이 순서대로 등차수열을 이룰 때, 등차중항 $b=\frac{a+c}{2}$는 a와 c의 산술평균과 같다.

설명 세 수 a, b, c가 이 순서대로 등차수열을 이룰 때, 이웃하는 두 항의 차, 즉 공차가 일정하다.
이때, $b-a=c-b$이므로

$$b=\frac{a+c}{2}$$

가 성립한다.

등차중항
a, b, c
$b-a=c-b$
$2b=a+c$

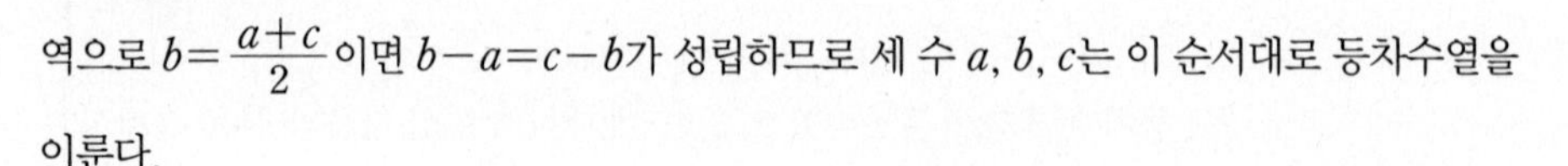

역으로 $b=\frac{a+c}{2}$이면 $b-a=c-b$가 성립하므로 세 수 a, b, c는 이 순서대로 등차수열을 이룬다.

참고 수열 $\{a_n\}$이 등차수열이면 연속하는 세 항 a_n, a_{n+1}, a_{n+2}에 대하여
$a_{n+1}-a_n=a_{n+2}-a_{n+1}$ $(n=1, 2, 3, \cdots)$
이므로
$2a_{n+1}=a_n+a_{n+2}$ $(n=1, 2, 3, \cdots)$
가 성립한다.

예 세 수 2, x, 10이 이 순서대로 등차수열을 이룰 때, x의 값을 구해 보자.
x는 2와 10의 등차중항이므로

$$x=\frac{2+10}{2}=6$$

해결의 법칙

세 수 a, b, c가 이 순서대로 등차수열을 이룰 때 ⟶ b는 a와 c의 등차중항 ➡ $b=\frac{a+c}{2}$

| 정답과 해설 71쪽 |

개념 확인 4 다음 수열이 등차수열이 되도록 하는 x, y의 값을 구하시오.

(1) $7,\ x,\ 1,\ y,\ -5$

(2) $\frac{2}{5},\ x,\ \frac{8}{5},\ y,\ \frac{14}{5}$

STEP 1 개념 드릴

1 수열 $\{a_n\}$의 일반항이 다음과 같을 때, 첫째항부터 제4항까지 차례로 나열하시오.

(1) $a_n=5n-1$

(2) $a_n=2n^2+1$

(3) $a_n=(-1)^n$

(4) $a_n=2^n-n$

2 다음 수열이 등차수열을 이룰 때, □ 안에 알맞은 수를 써넣으시오.

(1) $-9,\ -2,\ \square,\ 12,\ \square,\ 26,\ \cdots$

(2) $15,\ \square,\ 7,\ 3,\ -1,\ \square,\ \cdots$

(3) $-1,\ \square,\ -\frac{1}{3},\ \square,\ \frac{1}{3},\ \frac{2}{3},\ \cdots$

(4) $2,\ \frac{3}{2},\ 1,\ \square,\ \square,\ -\frac{1}{2},\ \cdots$

3 다음 등차수열의 일반항 a_n을 구하시오.

(1) 첫째항이 -7, 공차가 3인 등차수열

(2) 첫째항이 5, 공차가 -4인 등차수열

(3) 첫째항이 -1, 공차가 $-\frac{1}{3}$인 등차수열

4 다음 등차수열의 일반항 a_n을 구하시오.

(1) $3,\ 9,\ 15,\ 21,\ \cdots$

(2) $-3,\ -1,\ 1,\ 3,\ \cdots$

(3) $-5,\ -\frac{9}{2},\ -4,\ -\frac{7}{2},\ \cdots$

5 다음 수열이 등차수열이 되도록 하는 x, y의 값을 구하시오.

(1) $-5,\ x,\ 3,\ y,\ 11$

(2) $\frac{9}{2},\ x,\ \frac{3}{2},\ y,\ -\frac{3}{2}$

대표 유형 01 항이 주어진 등차수열

개념 02

등차수열 $\{a_n\}$에 대하여 $a_3=11$, $a_9=29$일 때, 다음 물음에 답하시오.

(1) 일반항 a_n을 구하시오.

(2) 제10항을 구하시오.

풀이 (1)

❶ 주어진 조건을 첫째항 a, 공차 d에 대한 식으로 나타내기

등차수열 $\{a_n\}$의 첫째항을 a, 공차를 d라 하면

$a_3=a+(3-1)d=11$에서 $a+2d=11$ ……㉠

$a_9=a+(9-1)d=29$에서 $a+8d=29$ ……㉡

❷ a, d의 값 구하기

㉠, ㉡을 연립하여 풀면 $a=5$, $d=3$

❸ 일반항 a_n 구하기

따라서 등차수열 $\{a_n\}$의 첫째항은 5, 공차는 3이므로

$a_n=5+(n-1)\times3=3n+2$

(2) 일반항 a_n을 이용하여 제10항 구하기

$a_n=3n+2$에 $n=10$을 대입하면

$a_{10}=3\times10+2=32$

답 (1) $a_n=3n+2$ (2) 32

해결의 법칙

두 항이 주어진 등차수열 $\{a_n\}$의 일반항 구하기

주어진 조건을 첫째항 a, 공차 d에 대한 식으로 나타내기 → a, d의 값 구하기 → 일반항 $a_n=a+(n-1)d$임을 이용하여 a_n 구하기

| 정답과 해설 72쪽 |

01-1 등차수열 $\{a_n\}$에 대하여 첫째항이 6, 제5항이 30일 때, 제8항을 구하시오.

01-2 등차수열 $\{a_n\}$에 대하여 제2항이 -11, 제10항이 13일 때, 제13항을 구하시오.

대표 유형 02 항 사이의 관계가 주어진 등차수열

개념 02

등차수열 $\{a_n\}$에 대하여 $a_5-a_2=6$, $a_5=\frac{5}{2}a_2$일 때, a_{23}의 값을 구하시오.

풀이

❶ 공차 구하기

등차수열 $\{a_n\}$의 첫째항을 a, 공차를 d라 하면
$a_5-a_2=6$에서 $(a+4d)-(a+d)=6$
$3d=6$ $\quad\therefore d=2$

❷ 첫째항 구하기

$a_5=\frac{5}{2}a_2$에서 $a+4d=\frac{5}{2}(a+d)$
$a+8=\frac{5}{2}(a+2)$, $2a+16=5a+10$ $\quad\therefore a=2$

❸ 일반항 a_n 구하기

따라서 등차수열 $\{a_n\}$의 첫째항은 2, 공차는 2이므로
$a_n=2+(n-1)\times2=2n$

❹ a_{23}의 값 구하기

$a_n=2n$에 $n=23$을 대입하면
$a_{23}=2\times23=46$

답 46

해결의 법칙

첫째항이 a, 공차가 d인 등차수열의 일반항 a_n ⟶ $a_n=a+(n-1)d$ $(n=1, 2, 3, \cdots)$

| 정답과 해설 73쪽 |

02-1 등차수열 $\{a_n\}$에 대하여 $a_4-a_2=6$, $a_4+a_2=10$일 때, 일반항 a_n을 구하시오.

02-2 첫째항이 양수인 등차수열 $\{a_n\}$에 대하여 $a_3-a_1=8$, $a_3a_4=140$일 때, a_{10}의 값을 구하시오.

대표 유형 03 조건을 만족시키는 등차수열

개념 02

다음 물음에 답하시오.

(1) 등차수열 23, 20, 17, 14, …에서 -49는 제몇 항인지 구하시오.

(2) 첫째항이 39, 제15항이 11인 등차수열 $\{a_n\}$에서 처음으로 음수가 되는 항은 제몇 항인지 구하시오.

풀이 (1)

❶ 일반항 a_n 구하기

주어진 등차수열의 일반항을 a_n이라 하면 첫째항이 23, 공차가 $20-23=-3$이므로
$a_n=23+(n-1)\times(-3)=-3n+26$

❷ -49가 제몇 항인지 구하기

-49를 제k항이라 하면 $-3k+26=-49$, $3k=75$ $\therefore k=25$
따라서 -49는 제25항이다.

(2)

❶ 공차 구하기

등차수열 $\{a_n\}$의 공차를 d라 하면 첫째항은 39이므로
$a_{15}=39+14d=11$에서 $14d=-28$ $\therefore d=-2$

첫째항이 양수, 공차가 음수이면 첫째항부터 항이 점점 감소해. 그래서 특정한 항부터는 음수가 되지.

❷ 일반항 a_n 구하기

따라서 등차수열 $\{a_n\}$의 첫째항은 39, 공차는 -2이므로
$a_n=39+(n-1)\times(-2)=-2n+41$

❸ $a_n<0$을 만족시키는 n의 값의 범위 구하기

이때, 처음으로 음수가 되는 항은 $a_n<0$을 만족시키는 최초의 항이므로
$-2n+41<0$에서 $2n>41$ $\therefore n>\frac{41}{2}=20.5$

❹ 처음으로 음수가 되는 항 구하기

따라서 이것을 만족시키는 자연수 n의 최솟값은 21이므로 처음으로 음수가 되는 항은 제21항이다.

답 (1) 제25항 (2) 제21항

해결의 법칙

첫째항이 a, 공차가 d인 등차수열 $\{a_n\}$

- 처음으로 음수가 되는 항 ➡ $a_n<0$을 만족시키는 자연수 n의 최솟값 구하기
- 처음으로 양수가 되는 항 ➡ $a_n>0$을 만족시키는 자연수 n의 최솟값 구하기

| 정답과 해설 73쪽 |

03-1 등차수열 $\{a_n\}$에 대하여 $a_2=10$, $a_7=30$일 때, 42는 제몇 항인지 구하시오.

03-2 첫째항이 -98, 공차가 4인 등차수열 $\{a_n\}$에서 처음으로 양수가 되는 항은 제몇 항인지 구하시오.

03-3 $a_1-a_4=9$, $a_3+a_4=99$를 만족시키는 등차수열 $\{a_n\}$에서 처음으로 -30보다 작아지는 항을 제k항이라 할 때, a_k의 값을 구하시오.

대표 유형 04 두 수 사이에 수를 넣어서 만든 등차수열

개념 02

두 수 1과 21 사이에 4개의 수를 넣어서 만든 수열

$1, x_1, x_2, x_3, x_4, 21$

이 이 순서대로 등차수열을 이룰 때, x_3의 값을 구하시오.

풀이

❶ 공차 구하기

등차수열 $1, x_1, x_2, x_3, x_4, 21$의 공차를 d라 하면 첫째항이 1, 제6항이 21이므로

$1+5d=21$에서 $5d=20$

$\therefore d=4$

21은 제5항이 아니고 제6항이야!

❷ x_3의 값 구하기

이때, x_3은 주어진 수열의 제4항이므로

$x_3=1+(4-1)\times4=13$

답 13

참고 두 수 a와 b 사이에 k개의 수를 넣어 만든 수열이 등차수열을 이루면 첫째항이 a, 제$(k+2)$항이 b이므로

$b=a+(k+1)d$ (단, d는 공차)

해결의 법칙

두 수 a, b 사이에 k개의 수를 넣어서 만든 등차수열 → 첫째항이 a이고, 제$(k+2)$항이 b

a, ○, △, ⋯, □, b (첫째항, k개, 제$(k+2)$항)

| 정답과 해설 73쪽 |

04-1 두 수 -4와 32 사이에 8개의 수를 넣어서 만든 수열

$-4, x_1, x_2, x_3, \cdots, x_8, 32$

가 이 순서대로 등차수열을 이룰 때, x_5의 값을 구하시오.

04-2 두 수 7과 -5 사이에 n개의 수를 넣어서 만든 수열

$7, x_1, x_2, x_3, \cdots, x_n, -5$

가 이 순서대로 등차수열을 이룬다. 이 수열의 공차가 $-\frac{3}{4}$일 때, n의 값을 구하시오.

대표 유형 05 등차수열을 이루는 수

개념 02

삼차방정식 $x^3-9x^2+23x+k=0$의 세 실근이 등차수열을 이룰 때, 상수 k의 값을 구하시오.

풀이

❶ 세 실근을 $a-d$, a, $a+d$로 놓고 a의 값 구하기

삼차방정식 $x^3-9x^2+23x+k=0$의 세 실근을 $a-d$, a, $a+d$로 놓으면 삼차방정식의 근과 계수의 관계에 의하여 세 실근의 합이 9이므로

$(a-d)+a+(a+d)=9$

$3a=9 \qquad \therefore a=3$

❷ 상수 k의 값 구하기

삼차방정식 $x^3-9x^2+23x+k=0$의 한 근이 3이므로 방정식에 $x=3$을 대입하면

$3^3-9\times3^2+23\times3+k=0 \qquad \therefore k=-15$

답 -15

다른 풀이

삼차방정식의 세 실근을 $a-d$, a, $a+d$로 놓으면

세 수의 합이 9이므로 $(a-d)+a+(a+d)=9$ ······ ㉠

두 수의 곱의 합이 23이므로 $a(a-d)+a(a+d)+(a+d)(a-d)=23$ ······ ㉡

㉠에서 $3a=9 \qquad \therefore a=3$

㉡에 $a=3$을 대입하면

$3(3-d)+3(3+d)+(3+d)(3-d)=23$, $27-d^2=23$, $d^2=4 \qquad \therefore d=\pm2$

따라서 세 수는 1, 3, 5이고 세 수의 곱이 $-k$이므로 $-k=1\times3\times5=15 \qquad \therefore k=-15$

참고 삼차방정식의 근과 계수의 관계

삼차방정식 $ax^3+bx^2+cx+d=0$의 세 근을 α, β, γ라 하면

$\alpha+\beta+\gamma=-\frac{b}{a}$, $\alpha\beta+\beta\gamma+\gamma\alpha=\frac{c}{a}$, $\alpha\beta\gamma=-\frac{d}{a}$

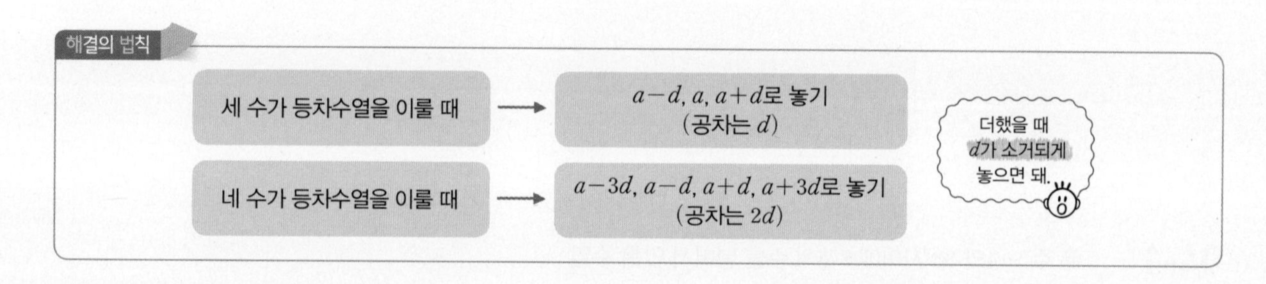

| 정답과 해설 74쪽 |

05-1 삼차방정식 $x^3-6x^2-4x+k=0$의 세 실근이 등차수열을 이룰 때, 상수 k의 값을 구하시오.

05-2 등차수열을 이루는 네 수의 합이 -8이고 가장 작은 수와 가장 큰 수의 곱이 -32일 때, 가장 작은 수를 구하시오.

대표 유형 06 등차중항

개념 03

다섯 개의 수 a, b, 3, c, d가 이 순서대로 등차수열을 이룰 때, 실수 a, b, c, d에 대하여 $a+b+c+d$의 값을 구하시오.

풀이

❶ 3이 b와 c의 등차중항임을 이용하기

3은 b와 c의 등차중항이므로

$3=\frac{b+c}{2}$ $\therefore b+c=6$

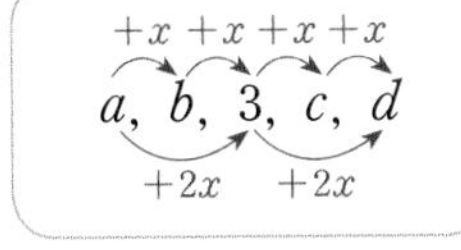

❷ 3이 a와 d의 등차중항임을 이용하기

또, 3은 a와 d의 등차중항이므로

$3=\frac{a+d}{2}$ $\therefore a+d=6$

❸ $a+b+c+d$의 값 구하기

$\therefore a+b+c+d=(a+d)+(b+c)=6+6=12$

답 12

다른 풀이

등차수열을 이루는 다섯 개의 수를 $3-2x$, $3-x$, 3, $3+x$, $3+2x$로 놓으면
$a+b+c+d=(3-2x)+(3-x)+(3+x)+(3+2x)=12$

해결의 법칙

세 수 a, b, c가 이 순서대로 등차수열을 이룰 때 ⟶ b는 a와 c의 등차중항 ➡ $b=\frac{a+c}{2}$

| 정답과 해설 74쪽 |

06-1 다섯 개의 수 a, b, 7, c, d가 이 순서대로 등차수열을 이룰 때, 실수 a, b, c, d에 대하여 $a+b+c+d$의 값을 구하시오.

06-2 다항식 $f(x)=x^2+ax+5$를 $x-1$, x, $x+2$로 나누었을 때의 나머지가 이 순서대로 등차수열을 이룰 때, 상수 a의 값을 구하시오.

등차수열의 합

개념 01 등차수열의 합

대표 유형 01~03

등차수열의 첫째항부터 제n항까지의 합 S_n은 다음과 같다.

(1) **첫째항이 a, 제n항이 l일 때** ➡ $S_n=\dfrac{n(a+l)}{2}$ ← 제n항 l이 주어진 경우

(2) **첫째항이 a, 공차가 d일 때** ➡ $S_n=\dfrac{n\{2a+(n-1)d\}}{2}$ ← 공차 d가 주어진 경우

설명 (1) 첫째항이 a, 공차가 d인 등차수열 $\{a_n\}$의 제n항을 l이라 할 때, 첫째항부터 제n항까지의 합을 S_n이라 하면

$$\begin{array}{rl} S_n= & a+(a+d)+(a+2d)+\cdots+(l-2d)+(l-d)+l \\ +)\ S_n= & l+(l-d)+(l-2d)+\cdots+(a+2d)+(a+d)+a \\ \hline 2S_n= & \underbrace{(a+l)+(a+l)+(a+l)+\cdots+(a+l)+(a+l)+(a+l)}_{n\text{개}} \\ = & n(a+l) \end{array}$$

$$\therefore S_n=\frac{n(a+l)}{2} \quad \cdots\cdots ㉠$$

$a_1+a_n=a_2+a_{n-1}=a_3+a_{n-2}=\cdots$ 가 성립하므로
$S_n=\dfrac{n(a_1+a_n)}{2}=\dfrac{n(a_2+a_{n-1})}{2}=\dfrac{n(a_3+a_{n-2})}{2}=\cdots$

(2) $l=a+(n-1)d$이므로 이것을 ㉠에 대입하여 정리하면

$$S_n=\frac{n\{2a+(n-1)d\}}{2}$$

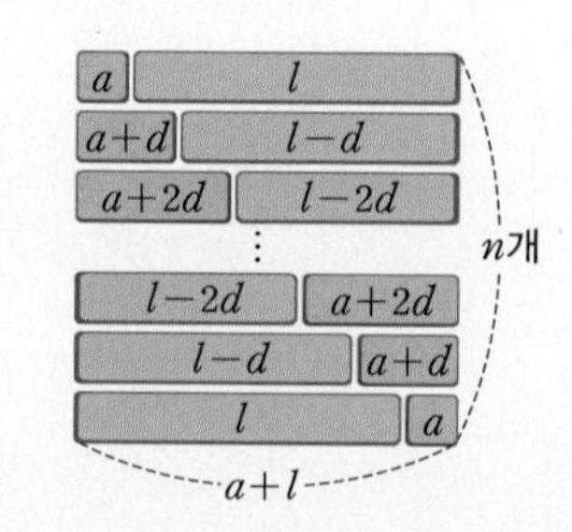

예 (1) 첫째항이 3, 제10항이 21인 등차수열의 첫째항부터 제10항까지의 합 S_{10}은

$$S_{10}=\frac{10(3+21)}{2}=120$$

(2) 첫째항이 3, 공차가 2인 등차수열의 첫째항부터 제10항까지의 합 S_{10}은

$$S_{10}=\frac{10\{2\times3+(10-1)\times2\}}{2}=120$$

해결의 법칙

등차수열의 첫째항부터 제n항까지의 합 S_n
- 첫째항 a와 제n항 l이 주어진 경우 ➡ $S_n=\dfrac{n(a+l)}{2}$
- 첫째항 a와 공차 d가 주어진 경우 ➡ $S_n=\dfrac{n\{2a+(n-1)d\}}{2}$

| 정답과 해설 74쪽 |

개념 확인 1 첫째항이 5, 제20항이 135인 등차수열의 첫째항부터 제20항까지의 합을 구하시오.

개념 확인 2 첫째항이 8, 공차가 3인 등차수열의 첫째항부터 제15항까지의 합을 구하시오.

개념 02 수열의 합과 일반항 사이의 관계

대표 유형 04

수열 $\{a_n\}$의 첫째항부터 제n항까지의 합을 S_n이라 하면 다음이 성립한다.

$$a_1=S_1,\ a_n=S_n-S_{n-1}\ (n\geq 2)$$

수열의 합 S_n이 주어지면 일반항 a_n을 구할 수 있어.

설명 수열 $\{a_n\}$의 첫째항부터 제n항까지의 합 S_n과 일반항 a_n 사이의 관계를 알아보자.

$S_1=a_1$

$S_2=a_1+a_2=S_1+a_2$

$S_3=a_1+a_2+a_3=S_2+a_3$

$\vdots$

$S_n=a_1+a_2+a_3+\cdots+a_{n-1}+a_n=S_{n-1}+a_n$

$\underbrace{\overbrace{a_1+a_2+\cdots+a_{n-1}}^{S_{n-1}}+a_n}_{S_n}$

이므로 $a_1=S_1$, $a_n=S_n-S_{n-1}(n\geq 2)$의 관계가 성립한다.

참고 $a_n=S_n-S_{n-1}$에 $n=1$을 대입하면 $a_1=S_1-S_0$이다.
그러나 S_0은 정의되지 않으므로 $a_n=S_n-S_{n-1}$에서 n의 값의 범위는 $n\geq 2$이다.

예 수열 $\{a_n\}$의 첫째항부터 제n항까지의 합이 $S_n=An^2+Bn+C$ (A, B, C는 상수) 꼴일 때, 일반항 a_n을 구해 보자.

(1) $S_n=n^2+n$ ($C=0$인 경우)	(2) $S_n=n^2+n+1$ ($C\neq 0$인 경우)
(i) $n=1$일 때 $a_1=S_1=1^2+1=2$ (ii) $n\geq 2$일 때 $a_n=S_n-S_{n-1}$ $=n^2+n-\{(n-1)^2+(n-1)\}$ $=2n$ ······ ㉠ 이때, $a_1=2$는 ㉠에 $n=1$을 대입한 것과 같다. $\therefore a_n=2n$	(i) $n=1$일 때 $a_1=S_1=1^2+1+1=3$ (ii) $n\geq 2$일 때 $a_n=S_n-S_{n-1}$ $=n^2+n+1-\{(n-1)^2+(n-1)+1\}$ $=2n$ ······ ㉠ 이때, $a_1=3$은 ㉠에 $n=1$을 대입한 것과 다르다. $\therefore a_1=3,\ a_n=2n\ (n\geq 2)$

$C=0$이면 첫째항부터 등차수열을 이뤄.

$C\neq 0$이면 제2항부터 등차수열을 이뤄.

해결의 법칙

S_n이 주어진 수열 $\{a_n\}$의 일반항 → $a_1=S_1,\ a_n=S_n-S_{n-1}\ (n\geq 2)$

$n=1$일 때도 성립하는지 반드시 확인해야 해!

| 정답과 해설 74쪽 |

개념 확인 3 수열 $\{a_n\}$의 첫째항부터 제n항까지의 합 S_n이 다음과 같을 때, 일반항 a_n을 구하시오.

(1) $S_n=2n^2$

(2) $S_n=n^2+1$

정답과 해설 74쪽

1 다음을 구하시오.

(1) 첫째항이 1, 제20항이 58인 등차수열의 첫째항부터 제20항까지의 합

(2) 첫째항이 4, 제11항이 100인 등차수열의 첫째항부터 제11항까지의 합

(3) 첫째항이 12, 제10항이 -2인 등차수열의 첫째항부터 제10항까지의 합

(4) 첫째항이 -1, 제32항이 63인 등차수열의 첫째항부터 제32항까지의 합

2 다음을 구하시오.

(1) 첫째항이 2, 공차가 7인 등차수열의 첫째항부터 제11항까지의 합

(2) 첫째항이 -5, 공차가 3인 등차수열의 첫째항부터 제15항까지의 합

(3) 첫째항이 1, 공차가 -4인 등차수열의 첫째항부터 제14항까지의 합

(4) 첫째항이 -2, 공차가 -5인 등차수열의 첫째항부터 제13항까지의 합

3 다음을 구하시오.

(1) 등차수열 1, 5, 9, 13, $\cdots$의 첫째항부터 제10항까지의 합

(2) 등차수열 20, 16, 12, 8, $\cdots$의 첫째항부터 제20항까지의 합

(3) 등차수열 1, -1, -3, -5, $\cdots$의 첫째항부터 제40항까지의 합

(4) 등차수열 -7, -2, 3, 8, $\cdots$의 첫째항부터 제13항까지의 합

4 수열 $\{a_n\}$의 첫째항부터 제n항까지의 합 S_n이 다음과 같을 때, 일반항 a_n을 구하시오.

(1) $S_n=n^2+2n$

(2) $S_n=n^2-1$

대표 유형 01 등차수열의 합

개념 01

다음 물음에 답하시오.

(1) 제5항이 9, 제11항이 33인 등차수열 $\{a_n\}$의 첫째항부터 제11항까지의 합을 구하시오.

(2) 첫째항부터 제10항까지의 합이 -60, 첫째항부터 제15항까지의 합이 60인 등차수열 $\{a_n\}$의 첫째항부터 제20항까지의 합을 구하시오.

풀이 (1)

❶ 주어진 조건을 첫째항 a, 공차 d에 대한 식으로 나타내기

등차수열 $\{a_n\}$의 첫째항을 a, 공차를 d라 하면

$a_5=9$에서 $a+4d=9$ ······ ㉠, $a_{11}=33$에서 $a+10d=33$ ······ ㉡

❷ a, d의 값 구하기

㉠, ㉡을 연립하여 풀면 $a=-7$, $d=4$

❸ 첫째항부터 제11항까지의 합 구하기

따라서 등차수열 $\{a_n\}$의 첫째항부터 제11항까지의 합은 $\dfrac{11(-7+33)}{2}=143$ (첫째항, 제11항)

(2)

❶ 주어진 조건을 첫째항 a, 공차 d에 대한 식으로 나타내기

등차수열 $\{a_n\}$의 첫째항을 a, 공차를 d라 하면

$\dfrac{10(2a+9d)}{2}=-60$에서 $2a+9d=-12$ ······ ㉠

$\dfrac{15(2a+14d)}{2}=60$에서 $2a+14d=8$ ······ ㉡

❷ a, d의 값 구하기

㉠, ㉡을 연립하여 풀면 $a=-24$, $d=4$

❸ 첫째항부터 제20항까지의 합 구하기

따라서 등차수열 $\{a_n\}$의 첫째항부터 제20항까지의 합은

$\dfrac{20\{2\times(-24)+(20-1)\times 4\}}{2}=280$ (첫째항, 공차)

답 (1) 143 (2) 280

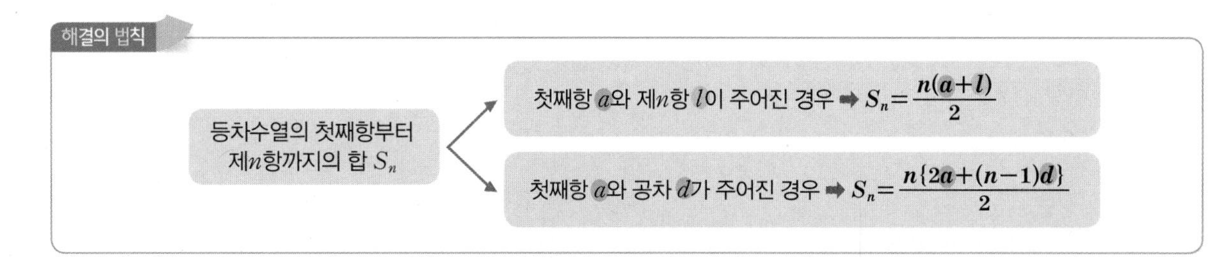

| 정답과 해설 75쪽 |

01-1 $a_4=-28$, $a_{11}=-7$인 등차수열 $\{a_n\}$의 첫째항부터 제20항까지의 합을 구하시오.

01-2 첫째항부터 제6항까지의 합이 54, 제7항부터 제11항까지의 합이 100인 등차수열 $\{a_n\}$의 제12항부터 제18항까지의 합을 구하시오.

대표 유형 02 등차수열의 합의 최대 · 최소

개념 01

첫째항이 23, 공차가 -4인 등차수열 $\{a_n\}$에 대하여 다음 물음에 답하시오.

(1) 제몇 항에서 처음으로 음수가 되는지 구하시오.

(2) 첫째항부터 제n항까지의 합을 S_n이라 할 때, S_n의 최댓값을 구하시오.

풀이 (1)

❶ 일반항 a_n 구하기

등차수열 $\{a_n\}$의 첫째항이 23, 공차가 -4이므로

$a_n=23+(n-1)\times(-4)=-4n+27$

❷ $a_n<0$을 만족시키는 n의 값의 범위 구하기

이때, 처음으로 음수가 되는 항은 $a_n<0$을 만족시키는 최초의 항이므로

$-4n+27<0$에서 $4n>27$ $\qquad \therefore n>\frac{27}{4}=6.75$

❸ 처음으로 음수가 되는 항 구하기

따라서 이것을 만족시키는 자연수 n의 최솟값은 7이므로 처음으로 음수가 되는 항은 제7항이다.

(2)

❶ 제몇 항까지의 합이 최대가 되는지 구하기

등차수열 $\{a_n\}$은 첫째항부터 제6항까지가 양수이고 제7항부터 음수가 되므로 첫째항부터 제6항까지의 합이 최대가 된다.

제7항부터 음수가 되므로 S_1부터 S_6까지는 증가하고 S_7부터는 감소해.

❷ 합의 공식을 이용하여 최댓값 구하기

따라서 S_n의 최댓값은

$$S_6=\frac{6\{2\times23+(6-1)\times(-4)\}}{2}=78$$

답 (1) 제7항 (2) 78

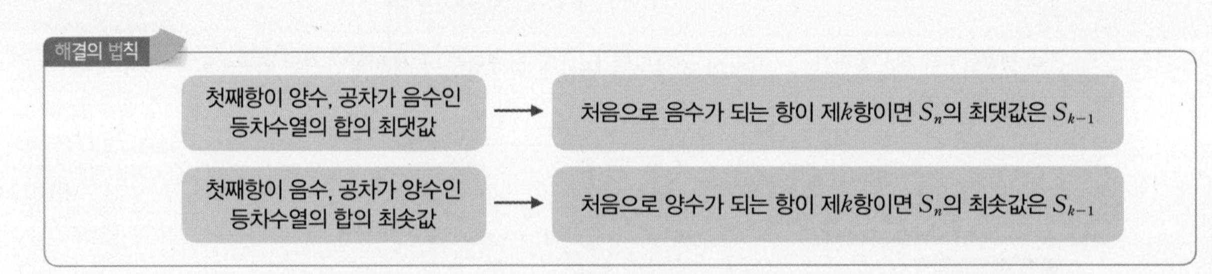

| 정답과 해설 75쪽 |

02-1 첫째항이 40, 공차가 -3인 등차수열 $\{a_n\}$에서 첫째항부터 제n항까지의 합을 S_n이라 할 때, S_n이 최대가 되는 n의 값을 구하시오.

02-2 첫째항이 -26, 공차가 4인 등차수열 $\{a_n\}$에서 첫째항부터 제n항까지의 합을 S_n이라 할 때, S_n의 최솟값을 구하시오.

대표 유형 03 나머지가 같은 자연수의 합

개념 01

100 이하의 자연수 중에서 5로 나누었을 때의 나머지가 2인 수의 합을 구하시오.

풀이

❶ 나머지가 같은 자연수를 작은 수부터 순서대로 나열하면 등차수열이 됨을 알기

100 이하의 자연수 중에서 5로 나누었을 때의 나머지가 2인 수를 작은 수부터 순서대로 나열하면

2, 7, 12, 17, ⋯, 97

이므로 첫째항이 2, 공차가 5인 등차수열이다.

❷ 일반항 구하기

이 수열의 일반항을 a_n이라 하면

$a_n=2+(n-1)\times5=5n-3$

❸ 모든 항의 합 구하기

이때, $5n-3=97$에서 $n=20$이므로 97은 제20항이다.

따라서 구하는 합은 $\frac{20(2+97)}{2}=990$

답 990

참고 (1) 자연수 d로 나누었을 때의 나머지가 $a(0<a<d)$인 자연수를 작은 수부터 순서대로 나열하면

➡ $a, a+d, a+2d, \cdots$

➡ 첫째항이 a, 공차가 d인 등차수열

(2) 자연수 d로 나누었을 때 나누어떨어지는 자연수를 작은 수부터 순서대로 나열하면

➡ $d, 2d, 3d, \cdots$

➡ 첫째항과 공차가 모두 d인 등차수열

해결의 법칙

나머지가 같은 자연수 ⟶ 작은 수부터 순서대로 나열하면 등차수열임을 이용하기

| 정답과 해설 76쪽 |

03-1 20과 70 사이에 있는 자연수 중에서 4로 나누었을 때의 나머지가 3인 수의 합을 구하시오.

03-2 150 이하의 자연수 중에서 7의 배수의 합을 구하시오.

대표 유형 04 등차수열의 합과 일반항 사이의 관계

개념 02

다음 물음에 답하시오.

(1) 수열 $\{a_n\}$의 첫째항부터 제n항까지의 합 S_n이 $S_n=n^2-3n$일 때, a_1+a_7의 값을 구하시오.

(2) 수열 $\{a_n\}$의 첫째항부터 제n항까지의 합 S_n이 $S_n=2n^2-4n+1$일 때, a_1+a_{15}의 값을 구하시오.

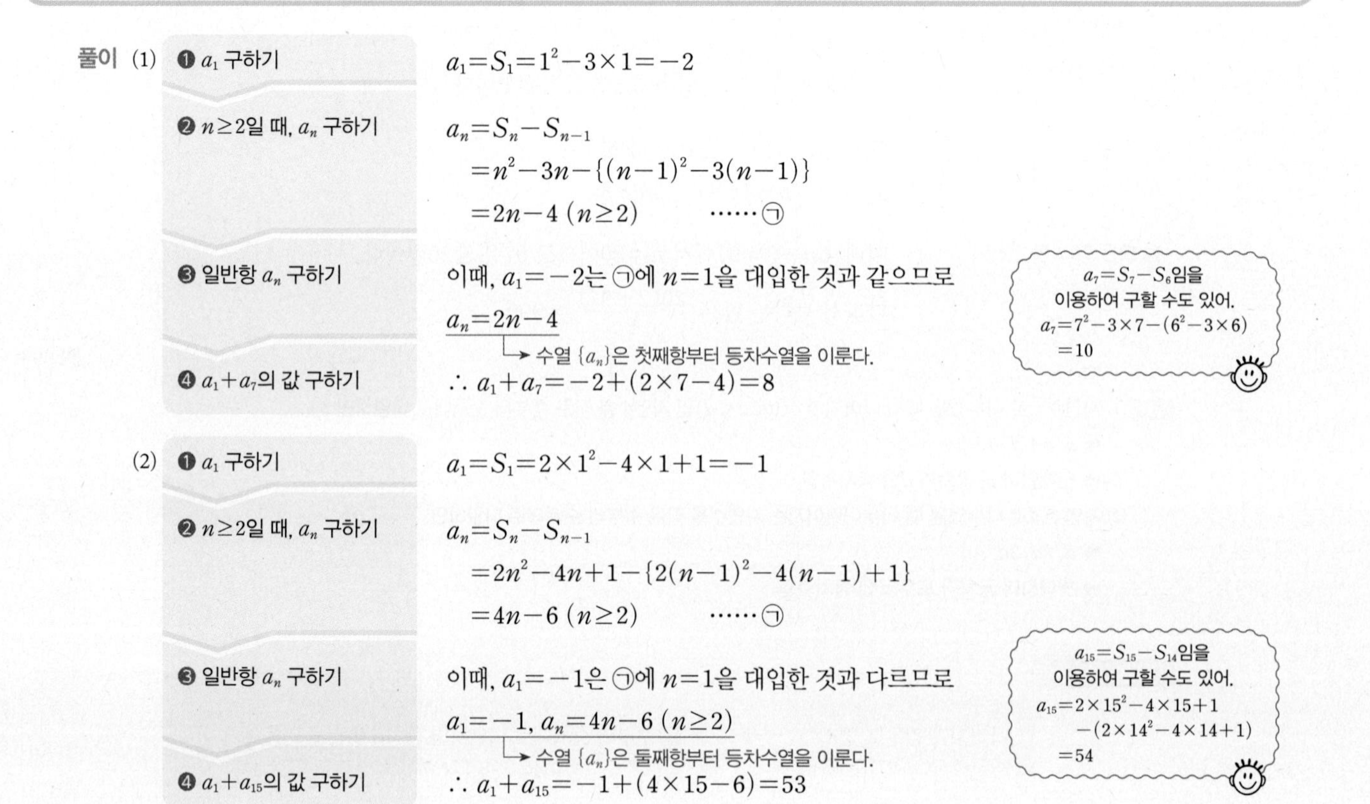

풀이 (1)

❶ a_1 구하기

$a_1=S_1=1^2-3\times1=-2$

❷ $n\geq2$일 때, a_n 구하기

$a_n=S_n-S_{n-1}$
$=n^2-3n-\{(n-1)^2-3(n-1)\}$
$=2n-4\ (n\geq2)$ ······ ㉠

❸ 일반항 a_n 구하기

이때, $a_1=-2$는 ㉠에 $n=1$을 대입한 것과 같으므로
$a_n=2n-4$
→ 수열 $\{a_n\}$은 첫째항부터 등차수열을 이룬다.

❹ a_1+a_7의 값 구하기

$\therefore\ a_1+a_7=-2+(2\times7-4)=8$

(2)

❶ a_1 구하기

$a_1=S_1=2\times1^2-4\times1+1=-1$

❷ $n\geq2$일 때, a_n 구하기

$a_n=S_n-S_{n-1}$
$=2n^2-4n+1-\{2(n-1)^2-4(n-1)+1\}$
$=4n-6\ (n\geq2)$ ······ ㉠

❸ 일반항 a_n 구하기

이때, $a_1=-1$은 ㉠에 $n=1$을 대입한 것과 다르므로
$a_1=-1,\ a_n=4n-6\ (n\geq2)$
→ 수열 $\{a_n\}$은 둘째항부터 등차수열을 이룬다.

❹ a_1+a_{15}의 값 구하기

$\therefore\ a_1+a_{15}=-1+(4\times15-6)=53$

답 (1) 8 (2) 53

해결의 법칙

S_n이 주어진 수열 $\{a_n\}$의 일반항 ⟶ $a_1=S_1,\ a_n=S_n-S_{n-1}\ (n\geq2)$

$n=1$일 때도 성립하는지 반드시 확인해야 해!

| 정답과 해설 76쪽 |

04-1 수열 $\{a_n\}$의 첫째항부터 제n항까지의 합 S_n이 $S_n=4n^2-3n$일 때, a_1+a_{10}의 값을 구하시오.

04-2 수열 $\{a_n\}$의 첫째항부터 제n항까지의 합 S_n이 $S_n=n^2+2n+1$일 때, a_1+a_{20}의 값을 구하시오.

정답과 해설 76쪽

유형 확인

1-1 수열 $\{a_n\}$은 첫째항이 a, 공차가 4인 등차수열이고, 수열 $\{b_n\}$은 첫째항이 7, 공차가 -3인 등차수열이다. 이때, $a_4=b_3$을 만족시키는 a의 값을 구하시오.

한번 더 확인

1-2 수열 $\{a_n\}$은 첫째항이 2, 공차가 -1인 등차수열이고, 수열 $\{b_n\}$은 첫째항이 -5, 공차가 d인 등차수열이다. 이때, $a_5=b_2$를 만족시키는 d의 값을 구하시오.

2-1 등차수열 $\{a_n\}$에 대하여 $a_3=-9$, $a_7=3$일 때, a_{10}의 값을 구하시오.

2-2 제2항이 5, 제10항이 -11인 등차수열 $\{a_n\}$의 제20항을 구하시오.

3-1 등차수열 $\{a_n\}$에 대하여 $a_2=4a_1$, $a_4+a_5=46$일 때, a_{10}의 값을 구하시오.

3-2 공차가 0이 아닌 등차수열 $\{a_n\}$에 대하여

$$|a_2|=|a_8|,\ a_{15}=40$$

일 때, $a_{10}-a_8$의 값을 구하시오.

4-1 제3항이 6, 제10항이 -8인 등차수열 $\{a_n\}$에서 처음으로 음수가 되는 항은 제몇 항인지 구하시오.

4-2 등차수열 $\{a_n\}$에 대하여

$$a_3=-12,\ a_4+a_6+a_8=0$$

일 때, $a_k>100$을 만족시키는 자연수 k의 최솟값을 구하시오.

8 등차수열

유형 확인

5-1 두 수 8과 -4 사이에 5개의 수를 넣어서 만든 수열

$$8,\ x_1,\ x_2,\ \cdots,\ x_5,\ -4$$

가 이 순서대로 등차수열을 이룰 때, x_3의 값을 구하시오.

6-1 등차수열을 이루는 세 수의 합이 3이고 세 수의 곱이 -15일 때, 세 수 중 가장 작은 수를 구하시오.

7-1 세 수 $3a$, $a+3$, b가 이 순서대로 등차수열을 이루고, 세 수 $a-b$, b, $a+2b$가 이 순서대로 등차수열을 이룰 때, 실수 a, b의 값을 구하시오.

8-1 첫째항이 1, 제n항이 -20인 등차수열 $\{a_n\}$의 첫째항부터 제n항까지의 합이 -95일 때, 자연수 n의 값을 구하시오.

한번 더 확인

5-2 두 수 10과 100 사이에 n개의 수를 넣어서 만든 수열

$$10,\ x_1,\ x_2,\ \cdots,\ x_n,\ 100$$

이 이 순서대로 등차수열을 이룬다. 이 수열의 공차가 5일 때, n의 값을 구하시오.

6-2 둘레의 길이가 14인 직사각형의 가로, 세로, 대각선의 길이가 이 순서대로 등차수열을 이룰 때, 이 직사각형의 넓이를 구하시오.

7-2 오른쪽 그림의 가로줄에 있는 세 수는 왼쪽에서 오른쪽 방향의 순서대로, 세로줄에 있는 세 수는 위쪽에서 아래쪽 방향의 순서대로 등차수열을 이룬다. 이때, 실수 a, b, c, d에 대하여 $a+b+c+d$의 값을 구하시오.

3	a	1
b	6	4
13	c	d

8-2 첫째항부터 제5항까지의 합이 35, 제6항부터 제12항까지의 합이 -77인 등차수열 $\{a_n\}$의 제13항부터 제20항까지의 합을 구하시오.

유형 확인

9-1 첫째항이 -46, 공차가 3인 등차수열 $\{a_n\}$에 대하여 첫째항부터 제n항까지의 합이 최소가 되며, 그때의 최솟값이 k일 때, $n+k$의 값을 구하시오.

한번 더 확인

9-2 첫째항이 7, 공차가 -2인 등차수열 $\{a_n\}$에 대하여 $|a_1|+|a_2|+|a_3|+\cdots+|a_{10}|$의 값을 구하시오.

10-1 100보다 작은 자연수 중에서 3으로 나누었을 때의 나머지가 2인 수의 합을 구하시오.

10-2 100과 250 사이에 있는 자연수 중에서 6의 배수의 합을 구하시오.

11-1 수열 $\{a_n\}$의 첫째항부터 제n항까지의 합 S_n이 $S_n=n^2-2n+1$일 때, $a_k=11$이 되도록 하는 자연수 k의 값을 구하시오.

11-2 수열 $\{a_n\}$의 첫째항부터 제n항까지의 합 S_n이 $S_n=n^2-10n$일 때, $a_n<0$을 만족시키는 자연수 n의 개수를 구하시오.

12-1 한 학생이 만화의 한 동작을 플립 북으로 제작하기 위해 첫 번째 날에는 종이 10장을 사용하여 한 동작을 만들고, 그 다음날에는 그 전날보다 종이 5장을 더 사용하여 한 동작을 만드는 연습을 하고 있다. 이와 같은 방법으로 이 학생이 일주일 동안 연습했을 때, 사용한 종이는 모두 몇 장인지 구하시오.

12-2 다음 그림과 같이 어느 학교 운동장에서 길이가 5 cm인 막대기의 그림자의 길이를 측정하는 실험을 하였다. 처음으로 측정한 그림자의 길이는 막대기의 길이와 같았고, 다음 번부터는 바로 전에 측정한 것보다 그림자의 길이가 3 cm씩 길어졌다. 그림자의 길이를 총 10번 측정했을 때, 측정한 모든 그림자의 길이의 합을 구하시오.

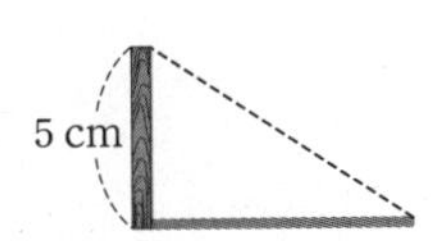

9 등비수열

아이스 버킷 챌린지 세명을 지목…
아이스
바로 이 방법이다. 지구 정복의 지름길!
우리 중 한 명이 우리가 지구의 주인이라고 각각 다른 인간 세 명을 세뇌시키는 거야.
지목받은 사람이 이튿날 각각 다른 세 명을 세뇌시키는 걸 반복하게 하는 거군요.
78억 지구인을 다 세뇌시키려면 며칠이나 걸릴까요?
1 = 3⁰
3¹
3²
3¹+3²+3³+ … +3ˣ ≥ 7,800,000,000
21일이면 돼.

개념 미리보기

1 등비수열

개념 01 등비수열

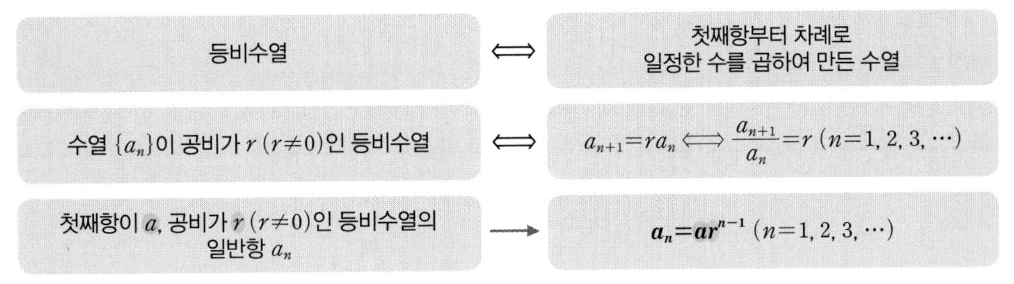

개념 02 등비중항

0이 아닌 세 수 a, b, c가 이 순서대로 등비수열을 이룰 때 → b는 a와 c의 등비중항 ➡ $b^2=ac$

2 등비수열의 합

개념 01 등비수열의 합

첫째항이 a, 공비가 r $(r \neq 0)$인 등비수열의 합 S_n

- $r \neq 1$ ➡ $S_n=\frac{a(1-r^n)}{1-r}=\frac{a(r^n-1)}{r-1}$
- $r=1$ ➡ $S_n=na$

개념 02 등비수열의 합의 활용

연이율 r, 1년마다 복리로 매년 a원씩 n년 동안 적립한 n년 말까지 적립금의 원리합계 S

- 매년 초에 적립 ➡ $S=\frac{a(1+r)\{(1+r)^n-1\}}{r}$ (원)
- 매년 말에 적립 ➡ $S=\frac{a\{(1+r)^n-1\}}{r}$ (원)

1 등비수열

개념 01 등비수열

대표 유형 01~05, 07

1 등비수열

첫째항부터 차례로 일정한 수를 곱하여 만든 수열을 **등비수열**이라 하고, 곱하는 일정한 수를 **공비**라 한다. 등비수열 $\{a_n\}$의 공비를 r $(r\neq0)$라 할 때, 다음이 성립한다.

$$a_{n+1}=ra_n \Longleftrightarrow \frac{a_{n+1}}{a_n}=r\ (n=1, 2, 3, \cdots)$$

참고 공비는 영어로 'common ratio'이고, 보통 r로 나타낸다.

2 등비수열의 일반항

첫째항이 a, 공비가 r $(r\neq0)$인 등비수열의 일반항 a_n ➡ $a_n=ar^{n-1}$ $(n=1, 2, 3, \cdots)$

설명

1 일반적으로 수열 $a_1, a_2, a_3, \cdots, a_n, \cdots$이 등비수열일 때, 공비를 r $(r\neq0)$라 하면

$a_1,\ a_2,\ a_3,\ a_4, \cdots$ ($\times r$, $\times r$, $\times r$)

$$r=\frac{a_2}{a_1}=\frac{a_3}{a_2}=\cdots=\frac{a_{n+1}}{a_n}=\cdots$$

즉, 등비수열 $\{a_n\}$은 $n=1, 2, 3, \cdots$에 대하여 항상 다음과 같은 관계식이 성립한다.

$$a_{n+1}=ra_n \Longleftrightarrow \frac{a_{n+1}}{a_n}=r\ (n=1, 2, 3, \cdots)$$

역으로 위의 등식이 성립하면 수열 $\{a_n\}$은 등비수열이다.

2 첫째항이 a, 공비가 r $(r\neq0)$인 등비수열 $\{a_n\}$에서

$a_1=a$

$a_2=a_1r=ar^1$

$a_3=a_2r=(ar)r=ar^2$

$a_4=a_3r=(ar^2)r=ar^3$

$\vdots$

이므로 일반항 a_n은 다음과 같다.

$a_n=ar^{n-1}$ $(n=1, 2, 3, \cdots)$

$a_1=a$

$a_2=a\times r$

$a_3=a\times r\times r$

$a_4=a\times r\times r\times r$

$\vdots$

$a_n=a\times \underbrace{r\times r\times r\times r\times\cdots\times r}_{(n-1)\text{개}}$

예 다음 등비수열의 일반항 a_n을 구해 보자.

(1) $1,\ 2,\ 4,\ 8,\ 16,\ \cdots$ ($\times2$, $\times2$, $\times2$, $\times2$)

➡ 첫째항이 1, 공비가 2인 등비수열

➡ $a_n=1\times2^{n-1}=2^{n-1}$

(2) $-1,\ 1,\ -1,\ 1,\ -1,\ \cdots$ ($\times(-1)$, $\times(-1)$, $\times(-1)$, $\times(-1)$)

➡ 첫째항이 -1, 공비가 -1인 등비수열

➡ $a_n=-1\times(-1)^{n-1}=(-1)^n$

해결의 법칙

첫째항이 a, 공비가 r $(r\neq0)$인 등비수열의 일반항 a_n ⟶ $a_n=ar^{n-1}$ $(n=1, 2, 3, \cdots)$

| 정답과 해설 80쪽 |

개념 확인 1 첫째항이 33, 공비가 $\frac{1}{3}$인 등비수열의 일반항 a_n을 구하시오.

개념 02 등비중항

0이 아닌 세 수 a, b, c가 이 순서대로 등비수열을 이룰 때, b를 a와 c의 **등비중항**이라 한다.
이때, 다음이 성립한다.

$$b^2=ac$$

참고 (1) a, b, c가 양수일 때, 등비수열 a, b, c에서 등비중항 $b=\sqrt{ac}$는 a와 c의 기하평균과 같다.

(2) **산술평균과 기하평균의 관계**

$a>0$, $c>0$일 때, $\underset{(\text{산술평균})}{\dfrac{a+c}{2}} \ge \underset{(\text{기하평균})}{\sqrt{ac}}$

설명 0이 아닌 세 수 a, b, c가 이 순서대로 등비수열을 이룰 때, 이웃하는 두 항의 비가 일정하다.

등비중항
a, b, c
$\dfrac{b}{a}=\dfrac{c}{b}$
$b^2=ac$

이때, $\dfrac{b}{a}=\dfrac{c}{b}$이므로

$b^2=ac$

가 성립한다.

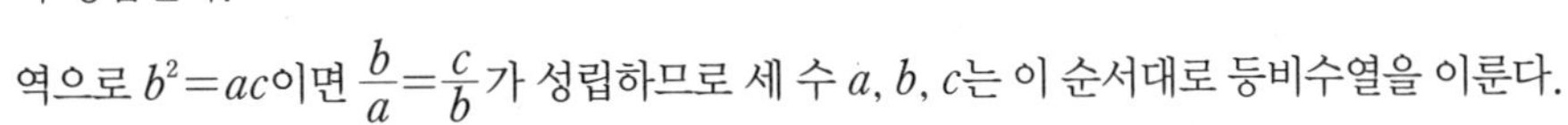
역으로 $b^2=ac$이면 $\dfrac{b}{a}=\dfrac{c}{b}$가 성립하므로 세 수 a, b, c는 이 순서대로 등비수열을 이룬다.

참고 (1) 수열 $\{a_n\}$이 등비수열이면 연속하는 세 항 a_n, a_{n+1}, a_{n+2}에 대하여

$\dfrac{a_{n+1}}{a_n}=\dfrac{a_{n+2}}{a_{n+1}}$ $(n=1, 2, 3, \cdots)$이므로 ${a_{n+1}}^2=a_na_{n+2}$ $(n=1, 2, 3, \cdots)$가 성립한다.

(2) 등차수열과 등비수열을 비교하면 다음과 같다.

	등차수열	VS 등비수열
규칙	일정한 수를 더한다.	일정한 수를 곱한다.
관계식	$a_{n+1}=a_n+d \Longleftrightarrow a_{n+1}-a_n=d$	$a_{n+1}=ra_n \Longleftrightarrow \dfrac{a_{n+1}}{a_n}=r$
	$2a_{n+1}=a_n+a_{n+2}$	${a_{n+1}}^2=a_na_{n+2}$
일반항	$a_n=a+(n-1)d$	$a_n=ar^{n-1}$

예 세 수 3, x, 12가 이 순서대로 등비수열을 이룰 때, x의 값을 구해 보자.
x는 3과 12의 등비중항이므로

$x^2=3\times12=36$ $\quad\therefore x=6$ 또는 $x=-6$

$x=6$일 때, 세 수 3, 6, 12는 공비가 2인 등비수열이고,
$x=-6$일 때, 세 수 3, -6, 12는 공비가 -2인 등비수열이야.

해결의 법칙

0이 아닌 세 수 a, b, c가 이 순서대로 등비수열을 이룰 때 → b는 a와 c의 등비중항 ➡ $b^2=ac$

| 정답과 해설 80쪽 |

개념 확인 2 다음 수열이 등비수열이 되도록 하는 x, y의 값을 모두 구하시오.

(1) 2, x, 8, y

(2) 9, x, 1, y

STEP 1 개념 드릴

1 다음 수열이 등비수열을 이룰 때, □ 안에 알맞은 수를 써넣으시오.

(1) $16,\ -8,\ \square,\ -2,\ 1,\ \cdots$

(2) $1,\ \sqrt{2},\ \square,\ 2\sqrt{2},\ 4,\ \cdots$

(3) $-1,\ -5,\ \square,\ \square,\ -625,\ \cdots$

(4) $5,\ \square,\ 20,\ 40,\ \square,\ \cdots$

(5) $\square,\ -5,\ 5,\ \square,\ 5,\ \cdots$

2 다음 등비수열의 일반항 a_n을 구하시오.

(1) 첫째항이 2, 공비가 4인 등비수열

(2) 첫째항이 3, 공비가 $\frac{1}{3}$인 등비수열

(3) 첫째항이 5, 공비가 -4인 등비수열

(4) 첫째항이 2, 공비가 $-\frac{1}{2}$인 등비수열

3 다음 등비수열의 일반항 a_n을 구하시오.

(1) $4,\ 8,\ 16,\ 32,\ \cdots$

(2) $-3,\ 1,\ -\frac{1}{3},\ \frac{1}{9},\ \cdots$

(3) $3,\ -3,\ 3,\ -3,\ \cdots$

(4) $4,\ 2,\ 1,\ \frac{1}{2},\ \cdots$

(5) $2,\ -2\sqrt{3},\ 6,\ -6\sqrt{3},\ \cdots$

4 다음 수열이 등비수열이 되도록 하는 x, y의 값을 모두 구하시오.

(1) $25,\ x,\ 1,\ y$

(2) $-5,\ x,\ -\frac{4}{5},\ y$

대표 유형 01 항이 주어진 등비수열

개념 01

등비수열 $\{a_n\}$에 대하여 제3항이 12, 제6항이 96일 때, 다음 물음에 답하시오.

(1) 일반항 a_n을 구하시오.

(2) 제9항을 구하시오.

풀이 (1)

❶ 주어진 조건을 첫째항 a, 공차 r에 대한 식으로 나타내기

등비수열 $\{a_n\}$의 첫째항을 a, 공비를 r라 하면

$a_3=12$에서 $ar^2=12$ ······ ㉠

$a_6=96$에서 $ar^5=96$ ······ ㉡

❷ a, r의 값 구하기

㉡÷㉠을 하면 $r^3=8$ $\quad\therefore r=2$ ($\because r$는 실수)

$r=2$를 ㉠에 대입하면 $4a=12$ $\quad\therefore a=3$

❸ 일반항 a_n 구하기

따라서 등비수열 $\{a_n\}$의 첫째항은 3, 공비는 2이므로

$a_n=3\times 2^{n-1}$

(2) 일반항 a_n을 이용하여 제9항 구하기

$a_n=3\times 2^{n-1}$에 $n=9$를 대입하면

$a_9=3\times 2^{9-1}=3\times 2^8=768$

답 (1) $a_n=3\times 2^{n-1}$ (2) 768

해결의 법칙

두 항이 주어진 등비수열 $\{a_n\}$의 일반항 구하기

주어진 조건을 첫째항 a, 공비 r에 대한 식으로 나타내기 → a, r의 값 구하기 → 일반항 $a_n=ar^{n-1}$임을 이용하여 a_n 구하기

| 정답과 해설 81쪽 |

01-1 등비수열 $\{a_n\}$에 대하여 제2항이 16, 제4항이 4일 때, 제10항을 구하시오. (단, 공비는 양수)

01-2 등비수열 $\{a_n\}$에 대하여 제4항이 24, 제7항이 192일 때, a_1+a_6의 값을 구하시오.

대표 유형 02 항 사이의 관계가 주어진 등비수열

개념 01

공비가 양수인 등비수열 $\{a_n\}$에 대하여 $a_1+a_2=4$, $a_3+a_4=36$일 때, a_5+a_6의 값을 구하시오.

풀이

❶ 공비 구하기

등비수열 $\{a_n\}$의 첫째항을 a, 공비를 r라 하면

$a_1+a_2=4$에서 $a+ar=a(1+r)=4$ ······ ㉠

$a_3+a_4=36$에서 $ar^2+ar^3=ar^2(1+r)=36$ ······ ㉡

㉡÷㉠을 하면

$r^2=9 \qquad \therefore r=3\ (\because r>0)$

❷ 첫째항 구하기

$r=3$을 ㉠에 대입하면

$4a=4 \qquad \therefore a=1$

❸ a_5+a_6의 값 구하기

따라서 $a_n=3^{n-1}$이므로

$a_5+a_6=3^4+3^5=81+243=324$

답 324

해결의 법칙

첫째항이 a, 공비가 $r\ (r\neq0)$인 등비수열의 일반항 a_n → ➡ $a_n=ar^{n-1}\ (n=1, 2, 3, \cdots)$

| 정답과 해설 81쪽 |

02-1 등비수열 $\{a_n\}$에 대하여 $a_1+a_3=4$, $a_2+a_4=8$일 때, a_5의 값을 구하시오.

02-2 등비수열 $\{a_n\}$에 대하여 $a_2a_4=16$, $a_3+a_5=12$일 때, a_7의 값을 구하시오. (단, $a_n>0$)

02-3 등비수열 $\{a_n\}$에 대하여 첫째항이 3이고 $\dfrac{a_8+a_9}{a_5+a_6}=27$일 때, 일반항 a_n을 구하시오.

대표 유형 03 조건을 만족시키는 등비수열

개념 01

다음 물음에 답하시오.

(1) 등비수열 2, 6, 18, 54, $\cdots$에서 1458은 제몇 항인지 구하시오.

(2) 첫째항이 2, 공비가 2인 등비수열 $\{a_n\}$에서 처음으로 10000보다 크게 되는 항은 제몇 항인지 구하시오.

(단, $\log 2=0.3010$으로 계산한다.)

풀이 (1) ❶ 일반항 a_n 구하기

주어진 등비수열의 일반항을 a_n이라 하면 첫째항이 2, 공비가 $\frac{6}{2}=3$이므로

$a_n=2\times 3^{n-1}$

❷ 1458이 제몇 항인지 구하기

1458을 제k항이라 하면 $2\times 3^{k-1}=1458$

$3^{k-1}=729=3^6$, $k-1=6$ $\quad\therefore k=7$

따라서 1458은 제7항이다.

(2) ❶ 일반항 a_n 구하기

등비수열 $\{a_n\}$의 첫째항은 2, 공비는 2이므로 $a_n=2\times 2^{n-1}=2^n$

❷ $a_n>10000$을 만족시키는 n의 값의 범위 구하기

이때, 처음으로 10000보다 크게 되는 항은 $a_n>10000$을 만족시키는 최초의 항이므로 $a_n=2^n>10000$에서

$n>\log_2 10000=\frac{\log 10000}{\log 2}=\frac{4}{0.3010}=13.289\cdots$

❸ 처음으로 10000보다 크게 되는 항 구하기

따라서 이것을 만족시키는 자연수 n의 최솟값은 14이므로 처음으로 10000보다 크게 되는 항은 제14항이다.

답 (1) 제7항 (2) 제14항

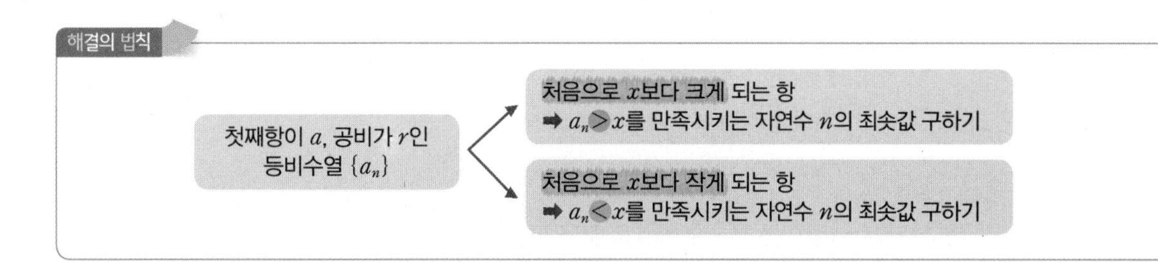

03-1 등비수열 $\{a_n\}$에 대하여 $a_2=72$, $a_5=9$일 때, $\frac{9}{8}$는 제몇 항인지 구하시오.

03-2 첫째항이 125, 제5항이 $\frac{1}{5}$이고 공비가 양수인 등비수열 $\{a_n\}$에서 처음으로 $\frac{1}{10000}$보다 작게 되는 항은 제몇 항인지 구하시오. (단, $\log 2=0.3010$으로 계산한다.)

대표 유형 04 두 수 사이에 수를 넣어서 만든 등비수열

개념 01

두 수 $\frac{2}{3}$와 54 사이에 3개의 양수를 넣어서 만든 수열

$$\frac{2}{3}, x, y, z, 54$$

가 이 순서대로 등비수열을 이룰 때, $x+y+z$의 값을 구하시오.

풀이

❶ 공비 구하기

등비수열 $\frac{2}{3}, x, y, z, 54$의 공비를 $r\,(r>0)$라 하면 첫째항이 $\frac{2}{3}$, 제5항이 54이므로

→ x, y, z는 양수이므로 $r>0$

$\frac{2}{3}\times r^4=54$에서 $r^4=81$ $\quad \therefore r=3\ (\because r>0)$

❷ $x+y+z$의 값 구하기

따라서

$x=\frac{2}{3}\times 3=2$

$\times 3$

$y=\frac{2}{3}\times 3^2=6$

$\times 3$

$z=\frac{2}{3}\times 3^3=18$

이므로 $x+y+z=2+6+18=26$

답 26

해결의 법칙

두 수 a, b 사이에 k개의 수를 넣어서 만든 등비수열 → 첫째항이 a이고, 제$(k+2)$항이 b

$a, ○, △, \cdots, □, b$ (k개) — 첫째항 a, 제$(k+2)$항 b

| 정답과 해설 82쪽 |

04-1 두 수 $\frac{3}{4}$과 $\frac{4}{27}$ 사이에 3개의 양수를 넣어서 만든 수열

$$\frac{3}{4}, a, b, c, \frac{4}{27}$$

가 이 순서대로 등비수열을 이룰 때, $a+b+c$의 값을 구하시오.

04-2 두 수 3과 192 사이에 5개의 수를 넣어서 만든 수열

$$3, x_1, x_2, \cdots, x_5, 192$$

가 이 순서대로 등비수열을 이룰 때, x_1x_5의 값을 구하시오.

04-3 두 수 3과 729 사이에 m개의 양수를 넣어서 만든 수열

$$3, x_1, x_2, \cdots, x_m, 729$$

가 이 순서대로 등비수열을 이룬다. 이 수열의 공비가 3일 때, m의 값을 구하시오.

대표 유형 05 등비수열을 이루는 수

개념 01

등비수열을 이루는 세 실수의 합이 6이고 세 실수의 곱이 -64일 때, 세 수 중 가장 큰 수를 구하시오.

풀이

❶ 세 실수를 a, ar, ar^2으로 놓고, 공비 구하기

등비수열을 이루는 세 실수를 a, ar, ar^2으로 놓으면

세 실수의 합이 6이므로 $a+ar+ar^2=6$

$\therefore a(1+r+r^2)=6$ ······ ㉠

세 실수의 곱이 -64이므로 $a\times ar\times ar^2=a^3r^3=-64$

$\therefore ar=-4$ ······ ㉡

㉠÷㉡을 하면 $\dfrac{a(1+r+r^2)}{ar}=\dfrac{1+r+r^2}{r}=-\dfrac{3}{2}$

$2r^2+5r+2=0$, $(2r+1)(r+2)=0$

$\therefore r=-\dfrac{1}{2}$ 또는 $r=-2$

❷ 세 수 구하기

(i) $r=-\dfrac{1}{2}$일 때, ㉡에 의하여 $a=8$이므로 세 수는 $8, -4, 2$

(ii) $r=-2$일 때, ㉡에 의하여 $a=2$이므로 세 수는 $2, -4, 8$

따라서 세 수는 $2, -4, 8$이므로 가장 큰 수는 8이다.

답 8

해결의 법칙

세 수가 등비수열을 이룰 때 → a, ar, ar^2으로 놓기

| 정답과 해설 82쪽 |

05-1 등비수열을 이루는 세 실수의 합이 -21이고 세 실수의 곱이 729일 때, 세 수 중 가장 작은 수를 구하시오.

05-2 삼차방정식 $x^3-7x^2+kx-8=0$의 세 실근이 등비수열을 이룰 때, 상수 k의 값을 구하시오.

대표 유형 06 등차중항과 등비중항

개념 02

다음 물음에 답하시오.

(1) 세 수 $a-1$, $a+2$, $3a$가 이 순서대로 등비수열을 이룰 때, 양수 a의 값을 구하시오.

(2) 서로 다른 세 실수 20, $a-9$, $b+3$은 이 순서대로 등차수열을 이루고, 서로 다른 세 실수 $a-9$, $b+3$, 2는 이 순서대로 등비수열을 이룰 때, 두 양수 a, b의 곱 ab의 값을 구하시오.

풀이 (1) $a+2$가 $a-1$과 $3a$의 등비중항이므로

$(a+2)^2=(a-1)\times 3a$, $a^2+4a+4=3a^2-3a$

$2a^2-7a-4=0$, $(2a+1)(a-4)=0$ $\qquad \therefore a=4$ ($\because a>0$)

(2) $a-9$가 20과 $b+3$의 등차중항이므로 $a-9=\dfrac{20+(b+3)}{2}$ ······ ㉠

$b+3$이 $a-9$와 2의 등비중항이므로 $(b+3)^2=2(a-9)$ ······ ㉡

㉠을 ㉡에 대입하면 $(b+3)^2=20+(b+3)$

$b^2+5b-14=0$, $(b+7)(b-2)=0$ $\qquad \therefore b=2$ ($\because b>0$)

$b=2$를 ㉠에 대입하면 $a=\dfrac{43}{2}$ $\qquad \therefore ab=\dfrac{43}{2}\times 2=43$

세 수 a, b, c가 이 순서대로 등차수열을 이루면 $b=\dfrac{a+c}{2}$이고, 등비수열을 이루면 $b^2=ac$야.

답 (1) 4 (2) 43

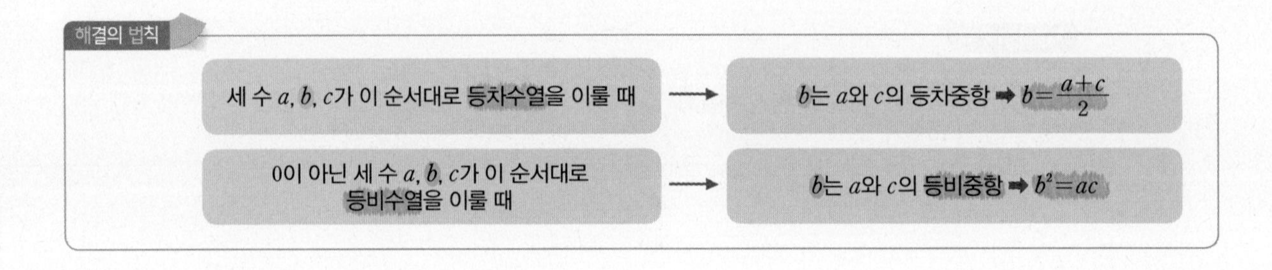

| 정답과 해설 83쪽 |

06-1 세 수 $a-3$, $2a$, $6a$가 이 순서대로 등비수열을 이룰 때, 양수 a의 값을 구하시오.

06-2 세 수 12, a, b는 이 순서대로 등차수열을 이루고, 세 수 a, b, 4는 이 순서대로 등비수열을 이룰 때, $a-b$의 값을 구하시오. (단, $b>0$)

06-3 서로 다른 두 실수 a, b에 대하여 세 수 a, 2, b는 이 순서대로 등비수열을 이루고, 세 수 a, $b+1$, 4는 이 순서대로 등차수열을 이룰 때, $a+b$의 값을 구하시오.

대표 유형 07 등비수열의 활용

개념 01

다음 그림과 같이 한 변의 길이가 1인 정삼각형의 각 변의 중점을 연결하여 가운데 정삼각형을 잘라내고 남은 도형을 S_1이라 하자. S_1에서 남은 3개의 정삼각형에서 같은 방법으로 가운데 부분을 잘라내고 남은 도형을 S_2라 하자. S_2에서 남은 9개의 정삼각형에서 같은 방법으로 가운데 부분을 잘라 내고 남은 도형을 S_3이라 하자. 이와 같은 시행을 반복할 때, 도형 S_{15}의 넓이를 구하시오.

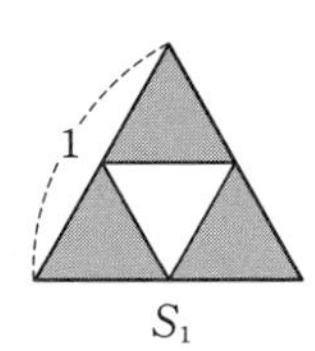

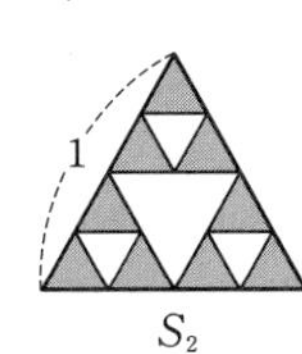

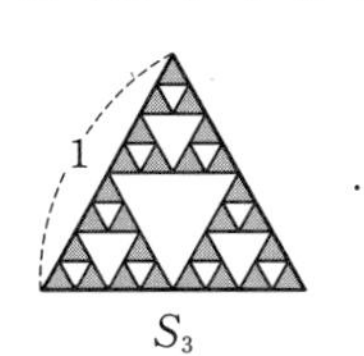

…

풀이

❶ 한 변의 길이가 1인 정삼각형의 넓이 구하기

한 변의 길이가 1인 정삼각형의 넓이는 $\frac{\sqrt{3}}{4}\times 1^2=\frac{\sqrt{3}}{4}$

❷ 도형 S_n의 넓이 구하기

한 번의 시행 후 남은 도형의 넓이는 시행 전의 도형의 넓이의 $\frac{3}{4}$이므로

도형 S_1의 넓이는 $\frac{\sqrt{3}}{4}\times\frac{3}{4}$

도형 S_2의 넓이는 $\frac{\sqrt{3}}{4}\times\left(\frac{3}{4}\right)^2$

도형 S_3의 넓이는 $\frac{\sqrt{3}}{4}\times\left(\frac{3}{4}\right)^3$

⋮

도형 S_n의 넓이는 $\frac{\sqrt{3}}{4}\times\left(\frac{3}{4}\right)^n$

❸ 도형 S_{15}의 넓이 구하기

따라서 도형 S_{15}의 넓이는 $\frac{\sqrt{3}}{4}\times\left(\frac{3}{4}\right)^{15}$

답 $\frac{\sqrt{3}}{4}\times\left(\frac{3}{4}\right)^{15}$

해결의 법칙

도형의 둘레의 길이나 넓이가 일정한 비율로 변화하는 경우 → 첫째항부터 차례로 나열하여 규칙을 찾아 일반항 구하기

| 정답과 해설 83쪽 |

07-1 다음 그림과 같이 [1단계]에서 한 변의 길이가 1인 정삼각형의 각 변을 3등분하고 $\frac{1}{3}$과 $\frac{2}{3}$ 지점의 사이에 한 변의 길이가 $\frac{1}{3}$인 정삼각형을 만든 후 밑변을 잘라낸다. 이와 같은 과정을 반복할 때, [n단계] 도형의 둘레의 길이를 a_n이라 하자. 이때, a_7의 값을 구하시오.

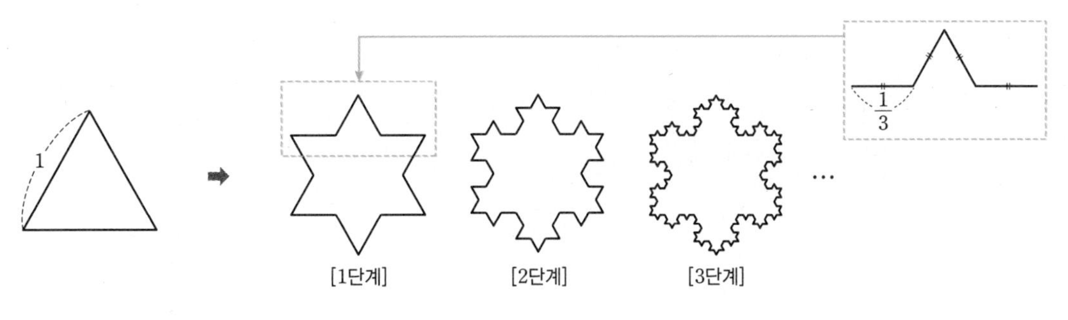

등비수열의 합

개념 01 등비수열의 합

대표 유형 01 ~ 03

첫째항이 a, 공비가 $r\,(r\neq0)$인 등비수열의 첫째항부터 제n항까지의 합 S_n은 다음과 같다.

(1) $r\neq1$일 때 ➡ $\boldsymbol{S_n=\dfrac{a(1-r^n)}{1-r}=\dfrac{a(r^n-1)}{r-1}}$

(2) $r=1$일 때 ➡ $\boldsymbol{S_n=na}$

참고 수열의 합과 일반항 사이의 관계

수열 $\{a_n\}$의 첫째항부터 제n항까지의 합을 S_n이라 하면 ➡ $a_1=S_1$, $a_n=S_n-S_{n-1}\ (n\geq2)$

설명 첫째항이 a, 공비가 $r\,(r\neq0)$인 등비수열의 첫째항부터 제n항까지의 합을 S_n이라 하면

(1) $r\neq1$일 때

$$\begin{array}{rl} S_n= & a+ar+ar^2+\cdots+ar^{n-2}+ar^{n-1} \\ -\big)\quad rS_n= & \quad\ \ ar+ar^2+\cdots+ar^{n-2}+ar^{n-1}+ar^n \\ \hline (1-r)S_n= & a \qquad\qquad\qquad\qquad\qquad\qquad\quad -ar^n \end{array}$$

$$\therefore S_n=\frac{a(1-r^n)}{1-r}=\frac{a(r^n-1)}{r-1}$$

(2) $r=1$일 때

$$S_n=\underbrace{a+a+a+\cdots+a}_{n\text{개}}=na$$

예 (1) 첫째항이 2, 공비가 3인 등비수열의 첫째항부터 제10항까지의 합 S_{10}은

$$S_{10}=\frac{2\times(3^{10}-1)}{3-1}=3^{10}-1$$

(2) 첫째항이 3, 공비가 1인 등비수열의 첫째항부터 제7항까지의 합 S_7은

$$S_7=7\times3=21$$

해결의 법칙

첫째항이 a, 공비가 $r\,(r\neq0)$인 등비수열의 합 S_n

- $r\neq1$ ➡ $\boldsymbol{S_n=\dfrac{a(1-r^n)}{1-r}=\dfrac{a(r^n-1)}{r-1}}$
- $r=1$ ➡ $\boldsymbol{S_n=na}$

$r>1$일 때는 $S_n=\dfrac{a(r^n-1)}{r-1}$, $r<1$일 때는 $S_n=\dfrac{a(1-r^n)}{1-r}$을 이용하면 편리해.

| 정답과 해설 83쪽 |

개념 확인 1 다음 등비수열의 첫째항부터 제8항까지의 합을 구하시오.

(1) 첫째항이 2, 공비가 $\dfrac{1}{2}$인 등비수열

(2) 첫째항이 1, 공비가 3인 등비수열

개념 02 등비수열의 합의 활용

대표 유형 04

1 원리합계 ← 원금과 이자를 더한 금액

	단리법	복리법
뜻	원금에 대해서만 이자를 계산하는 방법	원금에 이자를 더한 금액을 다시 원금으로 보고 이자를 계산하는 방법
n년 후	원금 a원을 연이율 r로 n년 동안 단리로 예금할 때의 원리합계 S_n ➡ $S_n=a+\overbrace{ar+\cdots+ar}^{n개}=a(1+rn)$(원) └→ 수열 $\{S_n\}$은 공차가 ar인 등차수열	원금 a원을 연이율 r로 n년 동안 1년마다 복리로 예금할 때의 원리합계 S_n ➡ $S_n=a\overbrace{(1+r)(1+r)\cdots(1+r)}^{n개}=a(1+r)^n$(원) └→ 수열 $\{S_n\}$은 공비가 $1+r$인 등비수열

2 적금 ← 일정한 금액을 일정한 기간마다 적립하는 것

연이율이 r, 1년마다 복리로 일정한 금액 a원을 n년 동안 적립할 때, n년 후 연말의 적립금의 원리합계 S는 적립하는 시기에 따라 다음과 같다.

(1) **매년 초**에 적립하는 경우 ➡ $S=\dfrac{a(1+r)\{(1+r)^n-1\}}{r}$(원)

(2) **매년 말**에 적립하는 경우 ➡ $S=\dfrac{a\{(1+r)^n-1\}}{r}$(원)

설명 2 (1) **매년 초**에 a원씩 적립할 때, n년 말의 적립금의 원리합계 S를 구해 보면 다음과 같다.

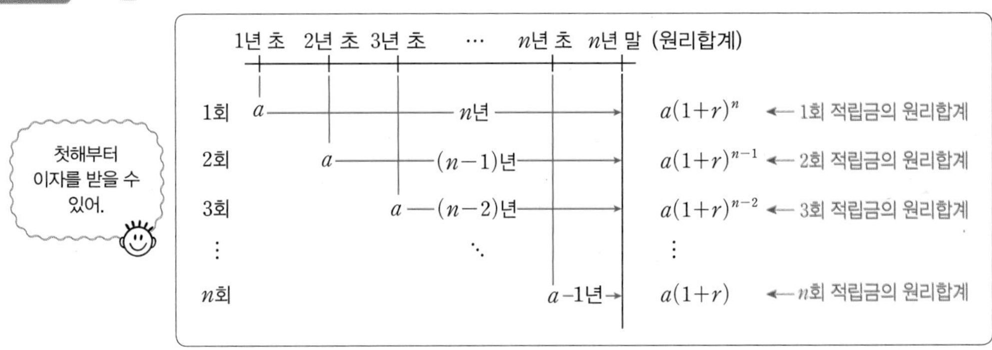

$S=a(1+r)+a(1+r)^2+\cdots+a(1+r)^n$ ← 첫째항이 $a(1+r)$, 공비가 $1+r$인 등비수열의 합

$=\dfrac{a(1+r)\{(1+r)^n-1\}}{(1+r)-1}=\dfrac{a(1+r)\{(1+r)^n-1\}}{r}$(원)

(2) **매년 말**에 a원씩 적립할 때, n년 말의 적립금의 원리합계 S를 구해 보면 다음과 같다.

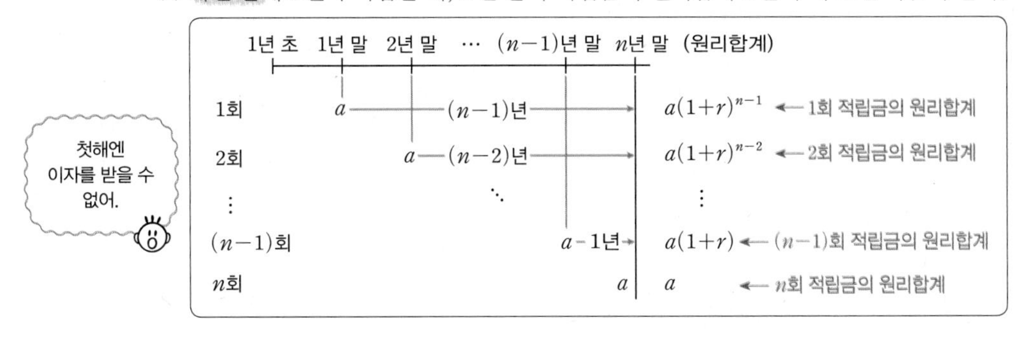

$S=a+a(1+r)+a(1+r)^2+\cdots+a(1+r)^{n-1}$ ← 첫째항이 a, 공비가 $1+r$인 등비수열의 합

$=\dfrac{a\{(1+r)^n-1\}}{(1+r)-1}=\dfrac{a\{(1+r)^n-1\}}{r}$(원)

정답과 해설 84쪽

1 다음 등비수열의 첫째항부터 제n항까지의 합 S_n을 구하시오.

(1) 첫째항이 1, 공비가 $\frac{1}{2}$인 등비수열

(2) 첫째항이 -2, 공비가 2인 등비수열

(3) 첫째항이 4, 공비가 -3인 등비수열

(4) 첫째항이 5, 공비가 -4인 등비수열

(5) 첫째항이 4, 공비가 5인 등비수열

(6) 첫째항이 2, 공비가 1인 등비수열

2 다음 등비수열의 첫째항부터 제n항까지의 합 S_n을 구하시오.

(1) $1, 5, 25, 125, 625, \cdots$

(2) $1, -2, 4, -8, 16, \cdots$

(3) $4, 1, \frac{1}{4}, \frac{1}{16}, \frac{1}{64}, \cdots$

(4) $2, -1, \frac{1}{2}, -\frac{1}{4}, \frac{1}{8}, \cdots$

(5) $3, -9, 27, -81, 243, \cdots$

(6) $-5, -5, -5, -5, -5, \cdots$

STEP 2 필수 유형

대표 유형 01 등비수열의 합

개념 01

제3항이 2, 제6항이 $\frac{1}{4}$인 등비수열 $\{a_n\}$의 첫째항부터 제7항까지의 합을 구하시오.

풀이

❶ 공비 구하기

등비수열 $\{a_n\}$의 첫째항을 a, 공비를 r라 하면

$a_3=2$에서 $ar^2=2$ ······ ㉠

$a_6=\frac{1}{4}$에서 $ar^5=\frac{1}{4}$ ······ ㉡

㉡÷㉠을 하면 $r^3=\frac{1}{8}$ $\therefore r=\frac{1}{2}$ ($\because r$는 실수)

❷ 첫째항 구하기

$r=\frac{1}{2}$을 ㉠에 대입하면 $\frac{1}{4}a=2$ $\therefore a=8$

❸ 첫째항부터 제7항까지의 합 구하기

따라서 등비수열 $\{a_n\}$의 첫째항부터 제7항까지의 합은

$$\frac{8\left\{1-\left(\frac{1}{2}\right)^7\right\}}{1-\frac{1}{2}}=16\left\{1-\left(\frac{1}{2}\right)^7\right\}=16\left(1-\frac{1}{2^7}\right)$$

답 $16\left(1-\frac{1}{2^7}\right)$

해결의 법칙

첫째항이 a, 공비가 r $(r\neq0)$인 등비수열의 합 S_n

- $r\neq1$ ➡ $S_n=\frac{a(1-r^n)}{1-r}=\frac{a(r^n-1)}{r-1}$
- $r=1$ ➡ $S_n=na$

| 정답과 해설 84쪽 |

01-1 공비가 양수인 등비수열 $\{a_n\}$에 대하여 $a_2=\frac{1}{2}$, $a_6=8$일 때, 이 수열의 첫째항부터 제8항까지의 합을 구하시오.

01-2 등비수열 $\{a_n\}$에 대하여 $a_2=6$, $a_3+a_4=36$일 때, 이 수열의 첫째항부터 제5항까지의 합을 구하시오.

01-3 공비가 양수인 등비수열 $\{a_n\}$에 대하여 $a_2+a_4=4$, $a_4+a_6=16$일 때, 이 수열의 첫째항부터 제6항까지의 합을 구하시오.

대표 유형 02 부분의 합이 주어진 등비수열의 합

개념 01

등비수열 $\{a_n\}$의 첫째항부터 제n항까지의 합 S_n에 대하여 $S_3=5$, $S_6=45$일 때, S_9의 값을 구하시오.

풀이

❶ S_3, S_6을 첫째항 a, 공비 r에 대한 식으로 나타낸 후 r^3의 값 구하기

등비수열 $\{a_n\}$의 첫째항을 a, 공비를 r라 하면

$$S_3=\frac{a(r^3-1)}{r-1}=5 \qquad \cdots\cdots ㉠$$

$$S_6=\frac{a(r^6-1)}{r-1}=\frac{a(r^3-1)(r^3+1)}{r-1}=45 \qquad \cdots\cdots ㉡$$

㉡÷㉠을 하면 $r^3+1=9$ $\quad \therefore r^3=8$

❷ S_9의 값 구하기

$$\therefore S_9=\frac{a(r^9-1)}{r-1}=\frac{a(r^3-1)(r^6+r^3+1)}{r-1}$$

$$=\frac{a(r^3-1)}{r-1}\times(r^6+r^3+1)$$

$$=5(8^2+8+1)=365$$

$a^3-b^3=(a-b)(a^2+ab+b^2)$을 이용하면 돼.

답 365

참고 자주 사용하는 인수분해 공식

(1) $r^2-1=(r-1)(r+1) \Rightarrow r^{2n}-1=(r^n-1)(r^n+1)$

(2) $r^3-1=(r-1)(r^2+r+1) \Rightarrow r^{3n}-1=(r^n-1)(r^{2n}+r^n+1)$

해결의 법칙

부분의 합이 주어진 등비수열의 합 → 등비수열의 합을 첫째항 a와 공비 r에 대한 식으로 나타내기

| 정답과 해설 85쪽 |

02-1 첫째항부터 제4항까지의 합이 24, 첫째항부터 제8항까지의 합이 120인 등비수열 $\{a_n\}$의 첫째항부터 제12항까지의 합을 구하시오.

02-2 첫째항부터 제10항까지의 합이 24, 제11항부터 제20항까지의 합이 120인 등비수열 $\{a_n\}$의 첫째항부터 제30항까지의 합을 구하시오.

대표 유형 03 등비수열의 합과 일반항 사이의 관계

개념 01

수열 $\{a_n\}$의 첫째항부터 제n항까지의 합 S_n이 다음과 같을 때, 일반항 a_n을 구하시오.

(1) $S_n=3^n-1$

(2) $S_n=3^n+1$

풀이 (1) ❶ a_1 구하기

$a_1=S_1=3^1-1=2$

❷ $n\geq2$일 때, a_n 구하기

$a_n=S_n-S_{n-1}=(3^n-1)-(3^{n-1}-1)$
$=3\times3^{n-1}-3^{n-1}=2\times3^{n-1}\ (n\geq2)$ …… ㉠

❸ 일반항 a_n 구하기

이때, $a_1=2$는 ㉠에 $n=1$을 대입한 것과 같으므로
$a_n=2\times3^{n-1}$ ← 수열 $\{a_n\}$은 첫째항부터 등비수열을 이룬다.

(2) ❶ a_1 구하기

$a_1=S_1=3^1+1=4$

❷ $n\geq2$일 때, a_n 구하기

$a_n=S_n-S_{n-1}=(3^n+1)-(3^{n-1}+1)$
$=3\times3^{n-1}-3^{n-1}=2\times3^{n-1}\ (n\geq2)$ …… ㉠

❸ 일반항 a_n 구하기

이때, $a_1=4$는 ㉠에 $n=1$을 대입한 것과 다르므로
$a_1=4$, $a_n=2\times3^{n-1}\ (n\geq2)$ ← 수열 $\{a_n\}$은 둘째항부터 등비수열을 이룬다.

답 (1) $a_n=2\times3^{n-1}$ (2) $a_1=4$, $a_n=2\times3^{n-1}\ (n\geq2)$

해결의 법칙

S_n이 주어진 수열 $\{a_n\}$의 일반항 → $a_1=S_1$, $a_n=S_n-S_{n-1}\ (n\geq2)$ ← $n=1$일 때도 성립하는지 반드시 확인해야 해!

| 정답과 해설 85쪽 |

03-1 수열 $\{a_n\}$의 첫째항부터 제n항까지의 합 S_n이 $S_n=5^{n+1}-5$일 때, 일반항 a_n을 구하시오.

03-2 수열 $\{a_n\}$의 첫째항부터 제n항까지의 합 S_n이 $S_n=3\times2^{n+2}+k$일 때, 수열 $\{a_n\}$이 첫째항부터 등비수열을 이루도록 하는 상수 k의 값을 구하시오.

03-3 수열 $\{a_n\}$의 첫째항부터 제n항까지의 합 S_n이 $S_n=1-\left(\frac{1}{3}\right)^n$일 때, $a_n<\frac{1}{200}$을 만족시키는 자연수 n의 최솟값을 구하시오.

대표 유형 04 등비수열의 합의 활용

개념 02

연이율 5 %, 1년마다 복리로 20만 원씩 10년 동안 적립하려고 한다. 적립 시기가 다음과 같을 때, 10년 말까지 적립금의 원리합계를 구하시오. (단, $1.05^{10}=1.6$으로 계산한다.)

(1) 매년 초에 적립　　(2) 매년 말에 적립

풀이 (1) 연이율 5 %, 1년마다 복리로 매년 초에 20만 원씩 10년 동안 적립한 적립금의 원리합계는 오른쪽과 같다.

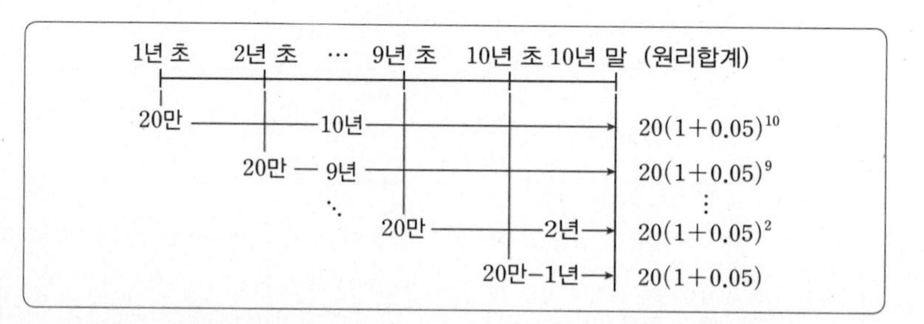

따라서 매년 초에 적립한 10년 말까지 적립금의 원리합계를 S만 원이라 하면

$$S=20(1+0.05)+20(1+0.05)^2+\cdots+20(1+0.05)^{10}$$
$$=\frac{20(1+0.05)\{(1+0.05)^{10}-1\}}{(1+0.05)-1}=\frac{20\times1.05\times0.6}{0.05}=252(\text{만 원})$$

(2) 연이율 5 %, 1년마다 복리로 매년 말에 20만 원씩 10년 동안 적립한 적립금의 원리합계는 오른쪽과 같다.

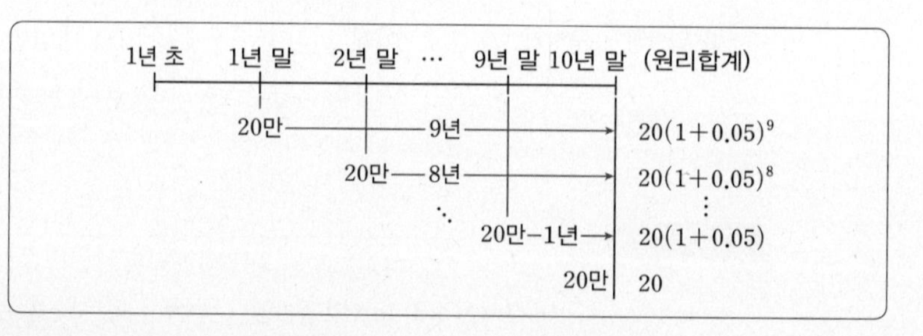

따라서 매년 말에 적립한 10년 말까지 적립금의 원리합계를 S만 원이라 하면

$$S=20+20(1+0.05)+20(1+0.05)^2+\cdots+20(1+0.05)^9$$
$$=\frac{20\{(1+0.05)^{10}-1\}}{(1+0.05)-1}=\frac{20\times0.6}{0.05}=240(\text{만 원})$$

답 (1) 252만 원　(2) 240만 원

해결의 법칙

연이율 r, 1년마다 복리로 매년 a원씩 n년 동안 적립한 n년 말까지 적립금의 원리합계 S

- 매년 초에 적립 ➡ $S=\dfrac{a(1+r)\{(1+r)^n-1\}}{r}$ (원)
- 매년 말에 적립 ➡ $S=\dfrac{a\{(1+r)^n-1\}}{r}$ (원)

| 정답과 해설 85쪽 |

04-1 연이율 3 %, 1년마다 복리로 10년 동안 적립하려고 한다. 적립 시기와 적립금이 다음과 같을 때, 10년 말까지 적립금의 원리합계를 구하시오. (단, $1.03^{10}=1.34$로 계산하고, 천 원 미만은 버린다.)

(1) 매년 초에 5만원 씩 적립　　(2) 매년 말에 10만원 씩 적립

정답과 해설 86쪽

유형 확인

1-1 등비수열 $\{a_n\}$에 대하여 제2항이 160, 제3항이 80일 때, a_6+a_7의 값을 구하시오.

2-1 등비수열 $\{a_n\}$에 대하여 $a_3=9$, $a_2 : a_5=8 : 1$일 때, a_1의 값을 구하시오.

3-1 등비수열 1.5, 4.5, 13.5, …에서 처음으로 3000보다 크게 되는 항은 제몇 항인지 구하시오.
(단, $\log 2=0.3$, $\log 3=0.48$로 계산한다.)

4-1 두 수 2와 162 사이에 3개의 양수를 넣어서 만든 수열

$2,\ a,\ b,\ c,\ 162$

가 이 순서대로 등비수열을 이룰 때, $a+b+c$의 값을 구하시오.

한번 더 확인

1-2 등비수열 $\{a_n\}$에 대하여 $a_4=45$, $a_7=135$일 때, $\dfrac{a_8}{a_2}$의 값을 구하시오.

2-2 등비수열 $\{a_n\}$에 대하여 $\dfrac{a_5}{a_2}=3$, $a_4+a_7=12$일 때, a_{13}의 값을 구하시오.

3-2 첫째항이 243, 제4항이 9인 등비수열 $\{a_n\}$에서 처음으로 $\dfrac{1}{8000}$보다 작게 되는 항은 제몇 항인지 구하시오. (단, $\log 2=0.3$, $\log 3=0.48$로 계산한다.)

4-2 두 수 $\dfrac{3}{8}$과 96 사이에 n개의 양수를 넣어서 만든 수열

$\dfrac{3}{8},\ x_1,\ x_2,\ \cdots,\ x_n,\ 96$

이 이 순서대로 등비수열을 이룬다. 이 수열의 공비가 4일 때, n의 값을 구하시오.

유형 확인

5-1 등비수열을 이루는 세 실수의 합이 14이고 세 실수의 곱이 64일 때, 세 수 중 가장 큰 수를 구하시오.

한번 더 확인

5-2 삼차방정식 $x^3-2x^2+x-k=0$의 세 실근이 등비수열을 이룰 때, 상수 k의 값을 구하시오.

6-1 수열 $\{a_n\}$은 첫째항이 2, 공비가 r인 등비수열이고, 수열 $\{b_n\}$은 첫째항이 1, 공차가 5인 등차수열일 때, $a_4=b_4$를 만족시키는 r의 값을 구하시오.

6-2 첫째항이 3, 공차가 6인 등차수열 $\{a_n\}$과 공비가 양수인 등비수열 $\{b_n\}$이 $a_3=5b_3$, $a_5=b_5$를 만족시킬 때, b_6의 값을 구하시오.

7-1 세 수 a, 3, b는 이 순서대로 등차수열을 이루고, 세 수 1, $a+b$, $2b$는 이 순서대로 등비수열을 이룰 때, $b-a$의 값을 구하시오.

7-2 0이 아닌 세 수 $\log 3$, $\log a$, $\log b$는 이 순서대로 등차수열을 이루고, 세 수 2, 2^{2a}, 2^{9b}은 이 순서대로 등비수열을 이룰 때, $\frac{a}{b}$의 값을 구하시오.

8-1 오른쪽 그림과 같이 한 변의 길이가 4인 정사각형의 각 변의 중점을 차례로 연결하여 정사각형 $A_1B_1C_1D_1$을 만든다. 다시 정사각형 $A_1B_1C_1D_1$의 각 변의 중점을 연결하여 정사각형 $A_2B_2C_2D_2$를 만든다. 이와 같은 과정을 반복할 때, 정사각형 $A_8B_8C_8D_8$의 둘레의 길이를 구하시오.

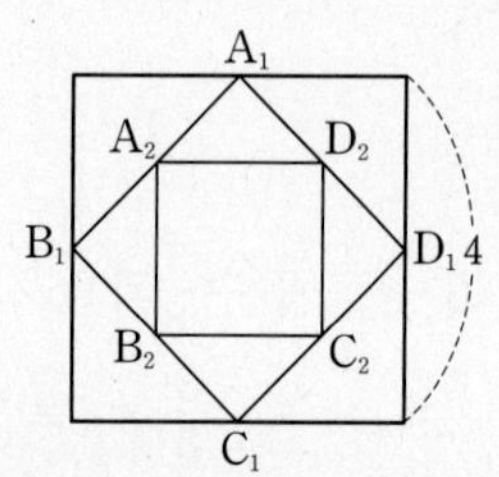

8-2 오른쪽 그림과 같이 $\overline{AB}=6$, $\overline{BC}=8$이고, $\angle B=90°$인 직각삼각형 ABC에 내접하는 정사각형의 한 변의 길이를 차례로 a_1, a_2, a_3, $\cdots$이라 할 때, a_8의 값을 구하시오.

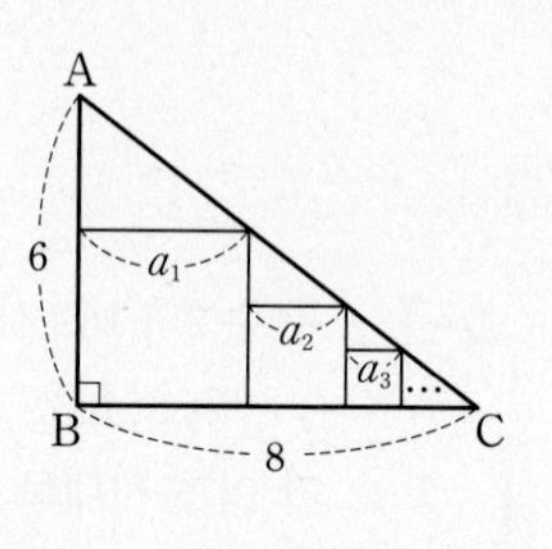

유형 확인

9-1 제3항이 12, 제6항이 96인 등비수열 $\{a_n\}$의 첫째항부터 제n항까지의 합이 1533일 때, n의 값을 구하시오.

한번 더 확인

9-2 등비수열 $\{a_n\}$에 대하여 $a_1+a_4=3$, $a_4+a_7=24$일 때, 이 수열의 첫째항부터 제6항까지의 합을 구하시오.

10-1 공비가 3인 등비수열 $\{a_n\}$의 첫째항부터 제n항까지의 합을 S_n이라 할 때, $S_{10}=kS_5$를 만족시키는 상수 k의 값을 구하시오.

10-2 첫째항부터 제5항까지의 합이 10, 제6항부터 제10항까지의 합이 30인 등비수열 $\{a_n\}$의 첫째항부터 제15항까지의 합을 구하시오.

11-1 수열 $\{a_n\}$의 첫째항부터 제n항까지의 합 S_n이 $S_n=2^{n+1}+4$일 때, $\frac{a_3}{a_1}$의 값을 구하시오.

11-2 수열 $\{a_n\}$의 첫째항부터 제n항까지의 합 S_n이 $S_n=2\times3^{2n+1}-k$일 때, 수열 $\{a_n\}$이 첫째항부터 등비수열을 이루도록 하는 상수 k의 값을 구하시오.

12-1 올해 1월부터 내년 12월까지 월이율 0.4 %이고 1개월마다 복리로 매월 초에 10만 원씩 적립하려고 한다. 내년 말까지 적립된 총액을 구하시오.

(단, $1.004^{24}=1.1$로 계산한다.)

12-2 매월 말에 일정한 금액을 적립하여 1년 후에 100만 원을 만들려고 할 때, 매월 적립해야 하는 금액을 구하시오. (단, $1.01^{12}=1.13$, 월이율은 1 %, 1개월마다 복리로 계산하고, 천 원 미만은 버린다.)

10 수열의 합

미스터리 써클을 완성했습니다.
크크큭 지구인들이 깜짝 놀라겠군.
하나의 원 속에 두 개의 원을 그리는 것을 10번 반복 했습니다.
그래? 다 합하면 몇 개야?
$1+2^1+2^2+2^3+\cdots+2^{10}$
???
이걸 사용해.
Σ
$\sum_{k=1}^{11} 2^{k-1}$ 으로 간단히 표현할 수 있어.

개념 미리보기

1 합의 기호 $\sum$와 그 성질

개념 01 합의 기호 $\sum$

$$a_1+a_2+a_3+\cdots+a_n=\sum_{k=1}^{n}a_k$$

제n항까지 / 첫째항부터 / ← 일반항

개념 02 합의 기호 $\sum$의 성질

두 수열 $\{a_n\}$, $\{b_n\}$과 상수 c에 대하여

❶ $\sum_{k=1}^{n}(a_k+b_k)=\sum_{k=1}^{n}a_k+\sum_{k=1}^{n}b_k$

❷ $\sum_{k=1}^{n}(a_k-b_k)=\sum_{k=1}^{n}a_k-\sum_{k=1}^{n}b_k$

❸ $\sum_{k=1}^{n}ca_k=c\sum_{k=1}^{n}a_k$

❹ $\sum_{k=1}^{n}c=cn$

2 여러 가지 수열의 합

개념 01 자연수의 거듭제곱의 합

❶ $\sum_{k=1}^{n}k=\frac{n(n+1)}{2}$　❷ $\sum_{k=1}^{n}k^2=\frac{n(n+1)(2n+1)}{6}$　❸ $\sum_{k=1}^{n}k^3=\left\{\frac{n(n+1)}{2}\right\}^2$

개념 02 여러 가지 수열의 합

분수 꼴로 주어진 수열의 합 →

$$\sum_{k=1}^{n}\frac{1}{k(k+1)}=\sum_{k=1}^{n}\left(\frac{1}{k}-\frac{1}{k+1}\right)$$

$$\sum_{k=1}^{n}\frac{1}{(k+a)(k+b)}=\frac{1}{b-a}\sum_{k=1}^{n}\left(\frac{1}{k+a}-\frac{1}{k+b}\right)\ (\text{단, } a\neq b)$$

일반항을 부분분수로 변형하면 돼.

분모에 근호가 포함된 수열의 합 →

$$\sum_{k=1}^{n}\frac{1}{\sqrt{k+1}+\sqrt{k}}=\sum_{k=1}^{n}(\sqrt{k+1}-\sqrt{k})$$

$$\sum_{k=1}^{n}\frac{1}{\sqrt{k+a}+\sqrt{k+b}}=\frac{1}{a-b}\sum_{k=1}^{n}(\sqrt{k+a}-\sqrt{k+b})\ (\text{단, } a\neq b)$$

일반항의 분모를 유리화하면 돼.

(등차수열)×(등비수열) 꼴의 수열의 합 S → $S-rS$를 계산하여 S의 값 구하기

(r: 등비수열의 공비)

군수열 → 수열의 각 항이 갖는 규칙을 파악하여 주어진 수열을 군으로 나누기

1 합의 기호 $\sum$와 그 성질

개념 01 합의 기호 $\sum$

대표 유형 01

(1) 수열 $\{a_n\}$의 첫째항부터 제n항까지의 합 $a_1+a_2+a_3+\cdots+a_n$을 합의 기호 $\sum$를 사용하여 다음과 같이 나타낸다.

$$a_1+a_2+a_3+\cdots+a_n=\sum_{k=1}^{n} a_k$$

(제n항까지: n, 첫째항부터: $k=1$, 일반항: a_k)

참고 기호 $\sum$는 합을 뜻하는 영어 'Sum'의 첫 글자 S에 해당하는 그리스 문자의 대문자로서 '시그마(sigma)'라 읽는다.

(2) $\sum_{k=1}^{n} a_k$는 수열의 일반항 a_k의 k에 1, 2, 3, $\cdots$, n을 차례로 대입하여 얻은 항 a_1, a_2, a_3, $\cdots$, a_n의 합을 뜻한다.

참고 $\sum_{k=1}^{n} a_k$에서 k 대신 i 또는 j 등의 다른 문자를 사용하여 나타내도 된다. ➡ $\sum_{k=1}^{n} a_k=\sum_{i=1}^{n} a_i=\sum_{j=1}^{n} a_j$

예

(1) $3+6+9+\cdots+30=3\times1+3\times2+3\times3+\cdots+3\times10=\sum_{k=1}^{10} 3k$

(2) $2^4+2^5+2^6+\cdots+2^{20}=\sum_{k=4}^{20} 2^k$

(3) $\sum_{i=1}^{10} i^2=1^2+2^2+3^2+\cdots+10^2$ ← $\sum_{k=1}^{n} a_k$에서 k 대신 다른 문자를 사용할 수 있어.

해결의 법칙

$$a_1+a_2+a_3+\cdots+a_n=\sum_{k=1}^{n} a_k$$

(제n항까지: n, 첫째항부터: $k=1$, 일반항: a_k)

| 정답과 해설 90쪽 |

개념 확인 1 다음을 합의 기호 $\sum$를 사용하여 나타내시오.

(1) $2+4+6+\cdots+28$

(2) $3\times2+3\times2^2+3\times2^3+\cdots+3\times2^{25}$

개념 확인 2 다음을 합의 기호 $\sum$를 사용하지 않은 합의 꼴로 나타내시오.

(1) $\sum_{k=1}^{5}(2k-1)$

(2) $\sum_{i=3}^{10} 3^i$

개념 02 합의 기호 $\sum$의 성질 대표 유형 02

두 수열 $\{a_n\}$, $\{b_n\}$과 상수 c에 대하여

(1) $\sum_{k=1}^{n}(a_k+b_k)=\sum_{k=1}^{n}a_k+\sum_{k=1}^{n}b_k$ (2) $\sum_{k=1}^{n}(a_k-b_k)=\sum_{k=1}^{n}a_k-\sum_{k=1}^{n}b_k$

(3) $\sum_{k=1}^{n}ca_k=c\sum_{k=1}^{n}a_k$ (4) $\sum_{k=1}^{n}c=cn$

설명

(1) $\sum_{k=1}^{n}(a_k+b_k)=(a_1+b_1)+(a_2+b_2)+(a_3+b_3)+\cdots+(a_n+b_n)$
$=(a_1+a_2+a_3+\cdots+a_n)+(b_1+b_2+b_3+\cdots+b_n)$
$=\sum_{k=1}^{n}a_k+\sum_{k=1}^{n}b_k$

(2) $\sum_{k=1}^{n}(a_k-b_k)=(a_1-b_1)+(a_2-b_2)+(a_3-b_3)+\cdots+(a_n-b_n)$
$=(a_1+a_2+a_3+\cdots+a_n)-(b_1+b_2+b_3+\cdots+b_n)$
$=\sum_{k=1}^{n}a_k-\sum_{k=1}^{n}b_k$

(3) $\sum_{k=1}^{n}ca_k=ca_1+ca_2+ca_3+\cdots+ca_n=c(a_1+a_2+a_3+\cdots+a_n)=c\sum_{k=1}^{n}a_k$

(4) $\sum_{k=1}^{n}c=\underbrace{c+c+c+\cdots+c}_{n\text{개}}=cn$

예 $\sum_{k=1}^{6}a_k=12$, $\sum_{k=1}^{6}b_k=8$일 때, 다음 값을 구해 보자.

(1) $\sum_{k=1}^{6}(a_k+b_k)=\sum_{k=1}^{6}a_k+\sum_{k=1}^{6}b_k=12+8=20$ (2) $\sum_{k=1}^{6}(a_k-b_k)=\sum_{k=1}^{6}a_k-\sum_{k=1}^{6}b_k=12-8=4$

(3) $\sum_{k=1}^{6}2a_k=2\sum_{k=1}^{6}a_k=2\times12=24$ (4) $\sum_{k=1}^{6}3=3\times6=18$

주의 $\sum$가 포함된 계산에서 다음을 주의하자.

(1) $\sum_{k=1}^{n}a_kb_k\neq\sum_{k=1}^{n}a_k\sum_{k=1}^{n}b_k$

➡ $\sum_{k=1}^{n}a_kb_k=a_1b_1+a_2b_2+a_3b_3+\cdots+a_nb_n$
$\sum_{k=1}^{n}a_k\sum_{k=1}^{n}b_k=(a_1+a_2+a_3+\cdots+a_n)(b_1+b_2+b_3+\cdots+b_n)$
$\therefore \sum_{k=1}^{n}a_kb_k\neq\sum_{k=1}^{n}a_k\sum_{k=1}^{n}b_k$

(2) $\sum_{k=1}^{n}\frac{a_k}{b_k}\neq\frac{\sum_{k=1}^{n}a_k}{\sum_{k=1}^{n}b_k}$

➡ $\sum_{k=1}^{n}\frac{a_k}{b_k}=\frac{a_1}{b_1}+\frac{a_2}{b_2}+\frac{a_3}{b_3}+\cdots+\frac{a_n}{b_n}$
$\frac{\sum_{k=1}^{n}a_k}{\sum_{k=1}^{n}b_k}=\frac{a_1+a_2+a_3+\cdots+a_n}{b_1+b_2+b_3+\cdots+b_n}$
$\therefore \sum_{k=1}^{n}\frac{a_k}{b_k}\neq\frac{\sum_{k=1}^{n}a_k}{\sum_{k=1}^{n}b_k}$

| 정답과 해설 90쪽 |

개념 확인 3 $\sum_{k=1}^{10}a_k=8$, $\sum_{k=1}^{10}b_k=-5$일 때, 다음 식의 값을 구하시오.

(1) $\sum_{k=1}^{10}(2a_k+3b_k)$ (2) $\sum_{k=1}^{10}(a_k-2b_k-4)$

STEP 1 개념 드릴

정답과 해설 90쪽

1 다음을 합의 기호 $\sum$를 사용하여 나타내시오.

(1) $2+2+2+2+2$

(2) $3+3^2+3^3+\cdots+3^{15}$

(3) $1+4+7+\cdots+34$

(4) $15+5+\frac{5}{3}+\cdots+\frac{5}{81}$

2 다음을 합의 기호 $\sum$를 사용하지 않은 합의 꼴로 나타내시오.

(1) $\sum_{k=1}^{12} k^2$

(2) $\sum_{k=1}^{8} (k-5)$

(3) $\sum_{i=3}^{9} 2^i$

(4) $\sum_{j=2}^{5} (-1)^j \times j$

3 $\sum_{k=1}^{7} a_k=20$, $\sum_{k=1}^{7} b_k=-3$일 때, 다음 식의 값을 구하시오.

(1) $\sum_{k=1}^{7} (a_k+2b_k)$

(2) $\sum_{k=1}^{7} (4a_k-5b_k)$

(3) $\sum_{k=1}^{7} (3a_k-b_k+1)$

4 $\sum_{k=1}^{5} a_k=-15$, $\sum_{k=1}^{5} b_k=5$일 때, 다음 식의 값을 구하시오.

(1) $\sum_{k=1}^{5} (a_k-2b_k)$

(2) $\sum_{k=1}^{5} (3a_k+4b_k)$

(3) $\sum_{k=1}^{5} (a_k+5b_k+2)$

대표 유형 01 합의 기호 $\sum$

개념 01

$\sum_{k=1}^{n}(a_{2k-1}+a_{2k})=2n^2$일 때, $\sum_{k=1}^{10}a_k$의 값을 구하시오.

풀이 $\sum_{k=1}^{n}(a_{2k-1}+a_{2k})=(a_1+a_2)+(a_3+a_4)+\cdots+(a_{2n-1}+a_{2n})$

$=\sum_{k=1}^{2n}a_k$

이때, $\sum_{k=1}^{n}(a_{2k-1}+a_{2k})=2n^2$이므로

$\sum_{k=1}^{2n}a_k=2n^2$

$\therefore \sum_{k=1}^{10}a_k=2\times5^2=50$

답 50

해결의 법칙

❶ $\sum_{k=1}^{n}a_k=a_1+a_2+a_3+\cdots+a_n$

❷ $\sum_{k=1}^{n}a_{2k-1}=a_1+a_3+a_5+\cdots+a_{2n-1}$

❸ $\sum_{k=1}^{n}a_{2k}=a_2+a_4+a_6+\cdots+a_{2n}$

| 정답과 해설 91쪽 |

01-1 $\sum_{k=2}^{11}ka_{k-1}=35$, $\sum_{k=1}^{10}ka_k=10$일 때, $\sum_{k=1}^{10}a_k$의 값을 구하시오.

01-2 다음 보기 중 옳은 것만을 있는 대로 고르시오.

보기

ㄱ. $\sum_{k=1}^{15}a_k-\sum_{k=1}^{14}a_{k+1}=a_1$

ㄴ. $\sum_{k=1}^{20}a_k-\sum_{k=1}^{19}a_k=a_1$

ㄷ. $\sum_{k=1}^{20}a_{k+1}-\sum_{k=1}^{20}a_k=a_{21}-a_1$

ㄹ. $\sum_{k=1}^{20}a_{2k-1}+\sum_{k=1}^{20}a_{2k}=\sum_{k=1}^{20}a_{2k}$

대표 유형 02 합의 기호 $\sum$의 성질

개념 02

다음을 구하시오.

(1) $\sum_{k=1}^{8}(2^{k+1}+3)$의 값

(2) $\sum_{k=1}^{15}(2k-1)^2-\sum_{k=1}^{15}(4k^2-4k)$의 값

(3) $\sum_{k=1}^{20}a_k=15$, $\sum_{k=1}^{20}{a_k}^2=30$일 때, $\sum_{k=1}^{20}(a_k+1)^2$의 값

풀이 (1) $\sum_{k=1}^{8}(2^{k+1}+3)=\sum_{k=1}^{8}2^{k+1}+\sum_{k=1}^{8}3$

$=(2^2+2^3+2^4+\cdots+2^9)+3\times8$

$=\dfrac{2^2(2^8-1)}{2-1}+24=1044$

첫째항이 2^2, 공비가 2인 등비수열의 첫째항부터 제8항까지의 합이야.

(2) $\sum_{k=1}^{15}(2k-1)^2-\sum_{k=1}^{15}(4k^2-4k)=\sum_{k=1}^{15}(4k^2-4k+1)-\sum_{k=1}^{15}(4k^2-4k)$

$=\sum_{k=1}^{15}\{(4k^2-4k+1)-(4k^2-4k)\}$

$=\sum_{k=1}^{15}1=1\times15=15$

(3) $\sum_{k=1}^{20}(a_k+1)^2=\sum_{k=1}^{20}({a_k}^2+2a_k+1)=\sum_{k=1}^{20}{a_k}^2+2\sum_{k=1}^{20}a_k+\sum_{k=1}^{20}1=30+2\times15+1\times20=80$

답 (1) 1044 (2) 15 (3) 80

참고 첫째항이 a, 공비가 r인 등비수열의 첫째항부터 제n항까지의 합 S_n

➡ $S_n=\dfrac{a(r^n-1)}{r-1}=\dfrac{a(1-r^n)}{1-r}$ (단, $r\neq1$)

해결의 법칙

$\sum$의 성질을 이용한 계산 ⟶ 주어진 조건과 $\sum$의 성질을 이용할 수 있도록 식 정리하기

➡ $\sum_{k=1}^{n}(pa_k+qb_k+r)=p\sum_{k=1}^{n}a_k+q\sum_{k=1}^{n}b_k+rn$ (단, p, q, r는 상수)

| 정답과 해설 91쪽 |

02-1 $\sum_{k=1}^{5}(2\times3^k-4)$의 값을 구하시오.

02-2 $\sum_{k=1}^{n}(a_k+b_k)^2=9$, $\sum_{k=1}^{n}a_kb_k=2$일 때, $\sum_{k=1}^{n}({a_k}^2+{b_k}^2)$의 값을 구하시오.

02-3 $\sum_{k=1}^{5}a_k=5$, $\sum_{k=1}^{5}{a_k}^2=15$일 때, $\sum_{k=1}^{5}(2a_k-3)^2$의 값을 구하시오.

2 여러 가지 수열의 합

개념 01 자연수의 거듭제곱의 합

대표 유형 01 ~ 03

(1) $1+2+3+\cdots+n=\sum_{k=1}^{n}k=\frac{n(n+1)}{2}$

(2) $1^2+2^2+3^2+\cdots+n^2=\sum_{k=1}^{n}k^2=\frac{n(n+1)(2n+1)}{6}$

(3) $1^3+2^3+3^3+\cdots+n^3=\sum_{k=1}^{n}k^3=\left\{\frac{n(n+1)}{2}\right\}^2$

설명 (1) $1+2+3+\cdots+n=\sum_{k=1}^{n}k$는 첫째항이 1, 공차가 1인 등차수열의 첫째항부터 제n항까지의 합이므로 등차수열의 합의 공식에 의하여

$$\sum_{k=1}^{n}k=\frac{n\{2\times1+(n-1)\times1\}}{2}=\frac{n(n+1)}{2}$$

(2) 항등식 $(k+1)^3-k^3=3k^2+3k+1$에 $k=1, 2, 3, \cdots, n$을 차례로 대입한 후 각 변끼리 더하면

$$\begin{array}{rl} 2^3-1^3=3\times1^2+3\times1+1 & \leftarrow k=1 \\ 3^3-2^3=3\times2^2+3\times2+1 & \leftarrow k=2 \\ 4^3-3^3=3\times3^2+3\times3+1 & \leftarrow k=3 \\ \vdots & \\ +\big)\ (n+1)^3-n^3=3\times n^2+3\times n+1 & \leftarrow k=n \\ \hline (n+1)^3-1^3=3\sum_{k=1}^{n}k^2+3\sum_{k=1}^{n}k+n & \end{array}$$

이것을 정리하면

$$3\sum_{k=1}^{n}k^2=(n+1)^3-1^3-3\sum_{k=1}^{n}k-n=(n+1)^3-3\times\frac{n(n+1)}{2}-(n+1)$$

$$=(n+1)\left\{(n+1)^2-\frac{3n}{2}-1\right\}=\frac{n(n+1)(2n+1)}{2}$$

$\sum_{k=1}^{n}k=\frac{n(n+1)}{2}$이야.

$$\therefore \sum_{k=1}^{n}k^2=\frac{n(n+1)(2n+1)}{6}$$

(3) 항등식 $(k+1)^4-k^4=4k^3+6k^2+4k+1$을 이용하여 (2)와 같은 방법으로 구하면

$$\sum_{k=1}^{n}k^3=\left\{\frac{n(n+1)}{2}\right\}^2$$

예 (1) $1+2+3+4=\sum_{k=1}^{4}k=\frac{4(4+1)}{2}=10$

(2) $1^2+2^2+3^2+4^2=\sum_{k=1}^{4}k^2=\frac{4(4+1)(2\times4+1)}{6}=30$

(3) $1^3+2^3+3^3+4^3=\sum_{k=1}^{4}k^3=\left\{\frac{4(4+1)}{2}\right\}^2=10^2=100$

| 정답과 해설 91쪽 |

개념 확인 1 다음 식의 값을 구하시오.

(1) $1+2+3+\cdots+7$

(2) $1^2+2^2+3^2+\cdots+10^2$

(3) $1^3+2^3+3^3+4^3+5^3$

(4) $6^2+7^2+8^2+\cdots+12^2$

개념 02 여러 가지 수열의 합

대표 유형 04, 05

1 분수 꼴로 주어진 수열의 합

일반항을 부분분수로 변형하여 합을 구한다.

(1) $\displaystyle\sum_{k=1}^{n}\frac{1}{k(k+1)}=\sum_{k=1}^{n}\left(\frac{1}{k}-\frac{1}{k+1}\right)$

(2) $\displaystyle\sum_{k=1}^{n}\frac{1}{(k+a)(k+b)}=\frac{1}{b-a}\sum_{k=1}^{n}\left(\frac{1}{k+a}-\frac{1}{k+b}\right)$ (단, $a\neq b$)

$\displaystyle\frac{1}{AB}=\frac{1}{B-A}\left(\frac{1}{A}-\frac{1}{B}\right)$ (단, $A\neq B$)

참고 $\displaystyle\sum_{k=1}^{n}\frac{1}{k(k+1)(k+2)}=\frac{1}{2}\sum_{k=1}^{n}\left\{\frac{1}{k(k+1)}-\frac{1}{(k+1)(k+2)}\right\}$ ← $\displaystyle\frac{1}{ABC}=\frac{1}{C-A}\left(\frac{1}{AB}-\frac{1}{BC}\right)$ (단, $A\neq C$)

2 분모에 근호가 포함된 수열의 합

일반항의 분모를 유리화하여 합을 구한다.

(1) $\displaystyle\sum_{k=1}^{n}\frac{1}{\sqrt{k+1}+\sqrt{k}}=\sum_{k=1}^{n}(\sqrt{k+1}-\sqrt{k})$

(2) $\displaystyle\sum_{k=1}^{n}\frac{1}{\sqrt{k+a}+\sqrt{k+b}}=\frac{1}{a-b}\sum_{k=1}^{n}(\sqrt{k+a}-\sqrt{k+b})$ (단, $a\neq b$)

예

1 $\displaystyle\sum_{k=1}^{20}\frac{1}{k(k+1)}=\sum_{k=1}^{20}\left(\frac{1}{k}-\frac{1}{k+1}\right)$

$\displaystyle=\left\{\left(1-\frac{1}{2}\right)+\left(\frac{1}{2}-\frac{1}{3}\right)+\left(\frac{1}{3}-\frac{1}{4}\right)+\cdots+\left(\frac{1}{20}-\frac{1}{21}\right)\right\}$

$\displaystyle=1-\frac{1}{21}=\frac{20}{21}$

앞에서 첫 번째가 남으면 뒤에서 첫 번째가 남아.

2 $\displaystyle\sum_{k=1}^{16}\frac{1}{\sqrt{k+1}+\sqrt{k+2}}=\sum_{k=1}^{16}\frac{\sqrt{k+1}-\sqrt{k+2}}{(\sqrt{k+1}+\sqrt{k+2})(\sqrt{k+1}-\sqrt{k+2})}$

$\displaystyle=\sum_{k=1}^{16}(\sqrt{k+2}-\sqrt{k+1})$

$=(\sqrt{3}-\sqrt{2})+(\sqrt{4}-\sqrt{3})+(\sqrt{5}-\sqrt{4})+\cdots+(\sqrt{18}-\sqrt{17})$

$=\sqrt{18}-\sqrt{2}=3\sqrt{2}-\sqrt{2}=2\sqrt{2}$

앞에서 남은 항과 뒤에서 남은 항은 서로 대칭이 되는 위치에 있어.

해결의 법칙

분수 꼴로 주어진 수열의 합 → 일반항을 부분분수로 변형하기

분모에 근호가 포함된 수열의 합 → 일반항의 분모를 유리화하기

| 정답과 해설 91쪽 |

개념 확인 2 다음 식의 값을 구하시오.

(1) $\displaystyle\sum_{k=1}^{10}\frac{1}{(2k-1)(2k+1)}$

(2) $\displaystyle\sum_{k=1}^{35}\frac{1}{\sqrt{k}+\sqrt{k+1}}$

알아보기 | 특수한 꼴의 수열의 합

(등차수열)×(등비수열) 꼴의 수열의 합 대표 유형 06

수열 $1\times2,\ 2\times2^2,\ 3\times2^3,\ \cdots,\ n\times2^n$과 같이 등차수열과 등비수열의 각 항의 곱으로 이루어진 수열의 합은 다음과 같은 순서로 구한다.

→ $1, 2, 3, \cdots, n$: 등차수열
$2, 2^2, 2^3, \cdots, 2^n$: 등비수열

❶ 주어진 수열의 합을 S로 놓는다.
❷ 등비수열의 공비가 r일 때, $S-rS$를 계산한다. (단, $r\neq1$)
❸ ❷의 식에서 S의 값을 구한다.

개념 확인 1 $1\times2+2\times2^2+3\times2^3+\cdots+10\times2^{10}$의 값을 구하시오.

풀이 ❶ $S=1\times2+2\times2^2+3\times2^3+\cdots+10\times2^{10}$으로 놓는다.

❷
$$\begin{aligned} S&=1\times2+2\times2^2+3\times2^3+\cdots+10\times2^{10}\\ -)\ 2S&=\qquad\quad 1\times2^2+2\times2^3+\cdots+9\times2^{10}+10\times2^{11}\\ \hline -S&=1\times2+1\times2^2+1\times2^3+\cdots+1\times2^{10}-10\times2^{11}\\ &=(2+2^2+2^3+\cdots+2^{10})-10\times2^{11}\\ &=\frac{2(2^{10}-1)}{2-1}-10\times2^{11}\\ &=-9\times2^{11}-2 \end{aligned}$$

첫째항이 2, 공비가 2인 등비수열의 첫째항부터 제10항까지의 합이야.

❸ 따라서 구하는 값은 $S=9\times2^{11}+2$

답 $9\times2^{11}+2$

참고 첫째항이 a, 공비가 r인 등비수열의 첫째항부터 제n항까지의 합 S_n

➡ $S_n=\dfrac{a(r^n-1)}{r-1}=\dfrac{a(1-r^n)}{1-r}$ (단, $r\neq1$)

군수열 대표 유형 07

수열의 항을 차례로 몇 개씩 적당히 묶어 규칙성을 갖는 군으로 나눌 수 있는 수열을 **군수열**이라 하고, 각 군을 앞에서부터 차례로 제1군, 제2군, 제3군, …이라 한다.

군수열은 다음과 같은 순서로 문제를 해결한다.

❶ 수열의 각 항이 갖는 규칙을 파악하여 주어진 수열을 군으로 나눈다.
❷ 각 군의 항의 개수 및 첫째항 또는 끝항이 갖는 규칙을 찾는다.
❸ 구하는 수열의 항이 제몇 군의 몇 번째 항인지 구한다.

개념 확인 2 수열 1, 1, 2, 1, 2, 3, 1, 2, 3, 4, 1, 2, 3, 4, 5, …의 제100항을 구하시오.

풀이 ❶ 각 군의 첫째항이 1이 되도록 묶는다.

$\underset{\text{제1군}}{(1)}, \underset{\text{제2군}}{(1, 2)}, \underset{\text{제3군}}{(1, 2, 3)}, \underset{\text{제4군}}{(1, 2, 3, 4)}, \underset{\text{제5군}}{(1, 2, 3, 4, 5)}, \cdots$

❷ 각 군의 항의 개수는 1, 2, 3, …이므로 제1군부터 제n군까지의 항의 개수는

$1+2+3+\cdots+n=\dfrac{n(n+1)}{2}$ 첫째항이 1, 공차가 1인 등차수열의 합이야.

❸ 제1군부터 제13군까지의 항의 개수는 $\dfrac{13\times14}{2}=91$, 제1군부터 제14군까지의 항의 개수는 $\dfrac{14\times15}{2}=105$이므로 제100항은 제14군의 9번째 항이다.

따라서 제100항은 9이다. 제14군의 첫째항은 1이므로 제14군의 9번째 항은 9야.

답 9

10 수열의 합

개념 드릴

정답과 해설 92쪽

1 다음 식의 값을 구하시오.

(1) $\sum_{k=1}^{8}(3k+2)$

(2) $\sum_{k=5}^{19}k(k+1)$

(3) $\sum_{k=1}^{6}(k+2)^2$

(4) $\sum_{k=4}^{11}(2k-1)^2$

(5) $\sum_{k=1}^{5}(k^3-2k^2+3k-4)$

(6) $\sum_{k=1}^{5}k(2k+1)(2k-1)$

2 다음 식의 값을 구하시오.

(1) $\sum_{k=1}^{10}\frac{1}{2(k+1)(k+2)}$

(2) $\frac{1}{2^2-1}+\frac{1}{3^2-1}+\frac{1}{4^2-1}+\cdots+\frac{1}{11^2-1}$

(3) $\sum_{k=1}^{15}\frac{1}{(3k-2)(3k+1)}$

(4) $\sum_{k=1}^{40}\frac{1}{\sqrt{2k-1}+\sqrt{2k+1}}$

(5) $\sum_{k=1}^{24}\frac{1}{\sqrt{2k+2}+\sqrt{2k}}$

(6) $\frac{1}{\sqrt{2}+1}+\frac{1}{\sqrt{3}+\sqrt{2}}+\frac{1}{\sqrt{4}+\sqrt{3}}+\cdots+\frac{1}{\sqrt{49}+\sqrt{48}}$

대표 유형 01 자연수의 거듭제곱의 합

개념 01

다음 물음에 답하시오.

(1) $\sum_{k=1}^{10}(k+1)^2+\sum_{k=1}^{10}(k-1)^2$의 값을 구하시오.

(2) 수열 $1^2\times2,\ 2^2\times3,\ 3^2\times4,\ 4^2\times5,\ \cdots$의 첫째항부터 제$n$항까지의 합을 구하시오.

풀이

(1) Σ의 성질을 이용하여 식의 값 구하기

$$\sum_{k=1}^{10}(k+1)^2+\sum_{k=1}^{10}(k-1)^2=\sum_{k=1}^{10}\{(k+1)^2+(k-1)^2\}$$
$$=\sum_{k=1}^{10}(2k^2+2)=2\sum_{k=1}^{10}k^2+\sum_{k=1}^{10}2$$
$$=2\times\frac{10\times11\times21}{6}+2\times10$$
$$=770+20=790$$

(2) ❶ 주어진 수열의 일반항 구하기

주어진 수열의 일반항을 a_n이라 하면

$a_n=n^2(n+1)=n^3+n^2$

❷ 수열의 합 구하기

수열 $\{a_n\}$의 첫째항부터 제n항까지의 합은

$$\sum_{k=1}^{n}a_k=\sum_{k=1}^{n}(k^3+k^2)=\sum_{k=1}^{n}k^3+\sum_{k=1}^{n}k^2$$
$$=\left\{\frac{n(n+1)}{2}\right\}^2+\frac{n(n+1)(2n+1)}{6}=\frac{n(n+1)}{2}\left\{\frac{n(n+1)}{2}+\frac{2n+1}{3}\right\}$$
$$=\frac{n(n+1)}{2}\times\frac{3n^2+3n+4n+2}{6}=\frac{n(n+1)(n+2)(3n+1)}{12}$$

답 (1) 790 (2) $\frac{n(n+1)(n+2)(3n+1)}{12}$

해결의 법칙

자연수의 거듭제곱의 합

❶ $\sum_{k=1}^{n}k=\frac{n(n+1)}{2}$ ❷ $\sum_{k=1}^{n}k^2=\frac{n(n+1)(2n+1)}{6}$ ❸ $\sum_{k=1}^{n}k^3=\left\{\frac{n(n+1)}{2}\right\}^2$

| 정답과 해설 93쪽 |

01-1 $\sum_{k=1}^{20}\frac{k^3}{k+1}+\sum_{k=1}^{20}\frac{1}{k+1}$의 값을 구하시오.

01-2 수열 $1\times3,\ 2\times5,\ 3\times7,\ 4\times9,\ \cdots$의 첫째항부터 제$n$항까지의 합을 구하시오.

대표 유형 02 $\sum$를 여러 개 포함한 식의 계산

개념 01

$\sum_{l=1}^{5}\left\{\sum_{k=1}^{l}(k+3l)\right\}$의 값을 구하시오.

풀이

❶ $\sum_{k=1}^{l}(k+3l)$을 l에 대한 식으로 나타내기

$$\sum_{k=1}^{l}(k+3l)=\sum_{k=1}^{l}k+3\sum_{k=1}^{l}l$$

(← k: 변수로 생각, l: 상수로 생각)

$$=\frac{l(l+1)}{2}+3l^2$$

$$=\frac{7l^2+l}{2}$$

❷ $\sum_{l=1}^{5}\left\{\sum_{k=1}^{l}(k+3l)\right\}$의 값 구하기

$$\therefore \sum_{l=1}^{5}\left\{\sum_{k=1}^{l}(k+3l)\right\}=\sum_{l=1}^{5}\frac{7l^2+l}{2}$$

$$=\frac{7}{2}\sum_{l=1}^{5}l^2+\frac{1}{2}\sum_{l=1}^{5}l$$

$$=\frac{7}{2}\times\frac{5\times6\times11}{6}+\frac{1}{2}\times\frac{5\times6}{2}$$

$$=\frac{385}{2}+\frac{15}{2}$$

$$=200$$

답 200

해결의 법칙

$\sum$를 여러 개 포함한 식의 계산 → $\sum$에 속한 문자가 상수인지 변수인지 구분하여 괄호 안부터 차례로 계산하기

($\sum$ 기호 아래에 사용된 문자만 변수로 생각하면 돼.)

| 정답과 해설 93쪽 |

02-1 $\sum_{m=1}^{25}\left(\sum_{l=1}^{m}3\right)$의 값을 구하시오.

02-2 이차방정식 $x^2-12x+27=0$의 두 근을 m, n이라 할 때, $\sum_{j=1}^{n}\left(\sum_{i=1}^{m}ij\right)$의 값을 구하시오.

대표 유형 03 $\sum$로 표현된 수열의 합과 일반항 사이의 관계

개념 01

수열 $\{a_n\}$에 대하여 $\sum_{k=1}^{n} a_k = n^2-2n$일 때, $\sum_{k=1}^{10} a_{2k}$의 값을 구하시오.

풀이

❶ 수열의 합과 일반항 사이의 관계를 이용하여 일반항 구하기

수열 $\{a_n\}$의 첫째항부터 제n항까지의 합을 S_n이라 하면

$S_n = \sum_{k=1}^{n} a_k = n^2-2n$에서

(i) $n=1$일 때

$a_1 = S_1 = -1$

(ii) $n \geq 2$일 때

$a_n = S_n - S_{n-1} = (n^2-2n) - \{(n-1)^2 - 2(n-1)\}$

$= 2n-3$ ······ ㉠

이때, $a_1=-1$은 ㉠에 $n=1$을 대입한 것과 같으므로

$a_n = 2n-3$

❷ $\sum_{k=1}^{10} a_{2k}$의 값 구하기

$\therefore \sum_{k=1}^{10} a_{2k} = \sum_{k=1}^{10} (4k-3) = 4\sum_{k=1}^{10} k - \sum_{k=1}^{10} 3$

$= 4 \times \frac{10 \times 11}{2} - 3 \times 10$

$= 220 - 30 = 190$

답 190

해결의 법칙

수열의 합 S_n과 일반항 a_n 사이의 관계 ⟶ $\begin{cases} a_1 = S_1 \\ a_n = S_n - S_{n-1} \ (n \geq 2) \end{cases}$

| 정답과 해설 93쪽 |

03-1 수열 $\{a_n\}$에 대하여 $\sum_{k=1}^{n} a_k = 2^{n+1}-2$일 때, $\sum_{k=1}^{10} \frac{a_k}{4^k}$의 값을 구하시오.

03-2 수열 $\{a_n\}$에 대하여 $a_1+a_2+a_3+ \cdots +a_n = 2n^3$일 때, $\sum_{k=1}^{5} a_{2k}$의 값을 구하시오.

대표 유형 04 분수 꼴로 주어진 수열의 합

개념 02

수열 $\frac{1}{2^2-1}, \frac{1}{4^2-1}, \frac{1}{6^2-1}, \frac{1}{8^2-1}, \cdots$의 첫째항부터 제$n$항까지의 합을 구하시오.

풀이

❶ 수열의 일반항 구하기

주어진 수열의 일반항을 a_n이라 하면

$$a_n=\frac{1}{(2n)^2-1}=\frac{1}{(2n-1)(2n+1)}$$

❷ 수열의 합 구하기

수열 $\{a_n\}$의 첫째항부터 제n항까지의 합은

$$\sum_{k=1}^{n} a_k=\sum_{k=1}^{n}\frac{1}{(2k-1)(2k+1)}$$
$$=\frac{1}{2}\sum_{k=1}^{n}\left(\frac{1}{2k-1}-\frac{1}{2k+1}\right)$$
$$=\frac{1}{2}\left\{\left(1-\frac{1}{3}\right)+\left(\frac{1}{3}-\frac{1}{5}\right)+\left(\frac{1}{5}-\frac{1}{7}\right)+\cdots+\left(\frac{1}{2n-1}-\frac{1}{2n+1}\right)\right\}$$
$$=\frac{1}{2}\left(1-\frac{1}{2n+1}\right)=\frac{n}{2n+1}$$

$A\neq B$일 때, $\frac{1}{AB}=\frac{1}{B-A}\left(\frac{1}{A}-\frac{1}{B}\right)$임을 이용하면 돼.

답 $\frac{n}{2n+1}$

해결의 법칙

분수 꼴로 주어진 수열의 합 ⟶

$$\sum_{k=1}^{n}\frac{1}{k(k+1)}=\sum_{k=1}^{n}\left(\frac{1}{k}-\frac{1}{k+1}\right)$$
$$\sum_{k=1}^{n}\frac{1}{(k+a)(k+b)}=\frac{1}{b-a}\sum_{k=1}^{n}\left(\frac{1}{k+a}-\frac{1}{k+b}\right)\ (\text{단, } a\neq b)$$

일반항을 부분분수로 변형하면 돼.

| 정답과 해설 94쪽 |

04-1 수열 $\frac{1}{2\times4}, \frac{1}{4\times6}, \frac{1}{6\times8}, \frac{1}{8\times10}, \cdots$의 첫째항부터 제$n$항까지의 합을 구하시오.

04-2 수열 $\{a_n\}$에 대하여 $\sum_{k=1}^{n} a_k=n^2+2n$일 때, $\sum_{k=1}^{6}\frac{1}{a_k a_{k+1}}$의 값을 구하시오.

대표 유형 05 분모에 근호가 포함된 수열의 합

개념 02

$\frac{1}{1+\sqrt{2}}+\frac{1}{\sqrt{2}+\sqrt{3}}+\frac{1}{\sqrt{3}+\sqrt{4}}+\cdots+\frac{1}{\sqrt{99}+\sqrt{100}}$의 값을 구하시오.

풀이

❶ 수열의 일반항 구하기

수열 $\frac{1}{1+\sqrt{2}}, \frac{1}{\sqrt{2}+\sqrt{3}}, \frac{1}{\sqrt{3}+\sqrt{4}}, \cdots$의 일반항을 a_n이라 하면

$$a_n=\frac{1}{\sqrt{n}+\sqrt{n+1}}=\frac{\sqrt{n}-\sqrt{n+1}}{(\sqrt{n}+\sqrt{n+1})(\sqrt{n}-\sqrt{n+1})}$$
$$=\sqrt{n+1}-\sqrt{n}$$

❷ 수열의 합 구하기

$$\therefore \sum_{k=1}^{99} a_k=\sum_{k=1}^{99}(\sqrt{k+1}-\sqrt{k})$$
$$=(\sqrt{2}-1)+(\sqrt{3}-\sqrt{2})+(\sqrt{4}-\sqrt{3})+\cdots+(\sqrt{100}-\sqrt{99})$$
$$=\sqrt{100}-1=9$$

답 9

해결의 법칙

분모에 근호가 포함된 수열의 합 ⟶

$$\sum_{k=1}^{n}\frac{1}{\sqrt{k+1}+\sqrt{k}}=\sum_{k=1}^{n}(\sqrt{k+1}-\sqrt{k})$$
$$\sum_{k=1}^{n}\frac{1}{\sqrt{k+a}+\sqrt{k+b}}=\frac{1}{a-b}\sum_{k=1}^{n}(\sqrt{k+a}-\sqrt{k+b})\ (\text{단, } a\neq b)$$

일반항의 분모를 유리화하면 돼.

| 정답과 해설 94쪽 |

05-1 $\frac{2}{1+\sqrt{3}}+\frac{2}{\sqrt{2}+\sqrt{4}}+\frac{2}{\sqrt{3}+\sqrt{5}}+\cdots+\frac{2}{\sqrt{14}+\sqrt{16}}$의 값을 구하시오.

05-2 수열 $\{a_n\}$은 첫째항이 1, 공차가 2인 등차수열일 때, $\sum_{k=1}^{n}\frac{1}{\sqrt{a_{k+1}}+\sqrt{a_k}}=3$을 만족시키는 자연수 n의 값을 구하시오.

대표 유형 06 (등차수열)×(등비수열) 꼴의 수열의 합

$S=1\times2+3\times2^2+5\times2^3+\cdots+15\times2^8$일 때, S의 값을 구하시오.

풀이

❶ $S-2S$의 값 구하기

$$\begin{array}{rl} S= & 1\times2+3\times2^2+5\times2^3+\cdots+15\times2^8 \\ -)\ 2S= & \qquad 1\times2^2+3\times2^3+\cdots+13\times2^8+15\times2^9 \\ \hline -S= & 2+2\times2^2+2\times2^3+\cdots+2\times2^8-15\times2^9 \end{array}$$

$=2+2^3+2^4+\cdots+2^9-15\times2^9$

$=2+\dfrac{8(2^7-1)}{2-1}-15\times2^9$ ← 첫째항이 8, 공비가 2인 등비수열의 첫째항부터 제7항까지의 합이야.

$=2+(2^{10}-8)-15\times2^9$

$=2\times2^9-15\times2^9-6$

$=-13\times2^9-6$

❷ S의 값 구하기

$\therefore S=13\times2^9+6$

답 $13\times2^9+6$

해결의 법칙

(등차수열)×(등비수열) 꼴의 수열의 합 S → $S-rS$를 계산하여 S의 값 구하기 (r: 등비수열의 공비)

| 정답과 해설 94쪽 |

06-1 $S=1\times3+2\times3^2+3\times3^3+\cdots+10\times3^{10}$일 때, S의 값을 구하시오.

06-2 $S_n=1\times\dfrac{1}{3}+2\times\dfrac{1}{3^2}+3\times\dfrac{1}{3^3}+\cdots+n\times\dfrac{1}{3^n}$일 때, S_8의 값을 구하시오

대표 유형 07 군수열

수열 $\frac{1}{2}$, $\frac{1}{3}$, $\frac{2}{3}$, $\frac{1}{4}$, $\frac{2}{4}$, $\frac{3}{4}$, $\frac{1}{5}$, $\frac{2}{5}$, $\frac{3}{5}$, $\frac{4}{5}$, …에서 $\frac{4}{9}$가 처음으로 나오는 항은 제k항이다. 이때, k의 값을 구하시오.

풀이

❶ 수열을 군으로 나누기

주어진 수열을 분모가 같은 것끼리 묶으면

$$\underbrace{\left(\frac{1}{2}\right)}_{\text{제1군}}, \underbrace{\left(\frac{1}{3}, \frac{2}{3}\right)}_{\text{제2군}}, \underbrace{\left(\frac{1}{4}, \frac{2}{4}, \frac{3}{4}\right)}_{\text{제3군}}, \underbrace{\left(\frac{1}{5}, \frac{2}{5}, \frac{3}{5}, \frac{4}{5}\right)}_{\text{제4군}}, \cdots$$

❷ k의 값 구하기

$\frac{4}{9}$는 분모가 9인 제8군의 4번째 항이다.

각 군의 항의 개수는 1, 2, 3, …이므로 제1군부터 제7군까지의 항의 개수는

$1+2+3+\cdots+7=\frac{7\times 8}{2}=28$

따라서 $\frac{4}{9}$가 처음으로 나오는 항은 제$(28+4)$항, 즉 제32항이므로

$k=32$

답 32

해결의 법칙

군수열 → 수열의 각 항이 갖는 규칙을 파악하여 주어진 수열을 군으로 나누기

| 정답과 해설 95쪽 |

07-1 수열 1, 2, 1, 3, 2, 1, 4, 3, 2, 1, …의 제50항을 구하시오.

07-2 수열 $\frac{1}{1}$, $\frac{2}{1}$, $\frac{1}{2}$, $\frac{3}{1}$, $\frac{2}{2}$, $\frac{1}{3}$, $\frac{4}{1}$, $\frac{3}{2}$, $\frac{2}{3}$, $\frac{1}{4}$, …에서 $\frac{2}{6}$가 처음으로 나오는 항은 제k항이다. 이때, k의 값을 구하시오.

유형 확인

1-1 $\sum_{k=1}^{7}(a_k^2+b_k^2)=5$, $\sum_{k=1}^{7}a_kb_k=3$일 때, $\sum_{k=1}^{7}(2a_k+2b_k)^2$의 값을 구하시오.

한번 더 확인

1-2 $\sum_{k=1}^{15}(3a_k-b_k)=8$, $\sum_{k=1}^{15}(a_k+3b_k)=-4$일 때, $\sum_{k=1}^{15}(10a_k+10b_k)$의 값을 구하시오.

2-1 $1\times2+2\times3+3\times4+\cdots+9\times10$의 값을 구하시오.

2-2 $\sum_{k=1}^{n}k(3k-1)=1100$을 만족시키는 자연수 n의 값을 구하시오.

3-1 $\sum_{m=1}^{4}\left\{\sum_{l=1}^{m}\left(\sum_{k=1}^{l}5\right)\right\}$의 값을 구하시오.

3-2 $f(k)=\sum_{l=1}^{k}\left(\sum_{m=1}^{4}l\right)$일 때, $f(6)-f(5)$의 값을 구하시오.

4-1 수열 $\{a_n\}$에 대하여 $\sum_{k=1}^{n}a_k=n^2$일 때, $\sum_{k=1}^{5}ka_k$의 값을 구하시오.

4-2 수열 $\{a_n\}$에 대하여 $\sum_{k=1}^{n}a_k=\frac{1}{n+1}$일 때, $\sum_{k=2}^{10}\frac{1}{a_k}$의 값을 구하시오.

유형 확인

5-1 $\sum_{k=1}^{n} \frac{1}{k(k+1)} = \frac{49}{50}$를 만족시키는 자연수 n의 값을 구하시오.

6-1 $\sum_{k=1}^{31} \frac{1}{\sqrt{2k}+\sqrt{2k+2}} = a+b\sqrt{2}$일 때, 상수 a, b에 대하여 ab의 값을 구하시오. (단, a, b는 유리수)

7-1 $1\times3+3\times9+5\times27+ \cdots +17\times3^9$의 값을 구하시오.

8-1 수열 1, 1, 3, 1, 3, 5, 1, 3, 5, 7, 1, 3, 5, 7, 9, ⋯에서 제84항을 구하시오.

한번 더 확인

5-2 $1+\frac{1}{1+2}+\frac{1}{1+2+3}+\cdots+\frac{1}{1+2+3+\cdots+10}$의 값을 구하시오.

6-2 이차방정식 $x^2-(\sqrt{k}-\sqrt{k+1})x-\sqrt{k^2+k}=0$의 두 실근을 α_k, β_k라 할 때, $\sum_{k=1}^{15} \frac{1}{|\alpha_k-\beta_k|}$의 값을 구하시오.

7-2 $2\times\frac{1}{2}+3\times\left(\frac{1}{2}\right)^2+4\times\left(\frac{1}{2}\right)^3+\cdots+10\times\left(\frac{1}{2}\right)^9$의 값을 구하시오.

8-2 수열 $1, \frac{1}{2}, \frac{1}{2}, \frac{1}{3}, \frac{1}{3}, \frac{1}{3}, \frac{1}{4}, \frac{1}{4}, \frac{1}{4}, \frac{1}{4}, \cdots$에서 $\frac{1}{17}$이 처음으로 나오는 항은 제k항이다. 이때, k의 값을 구하시오.

11 수학적 귀납법

대장님, 우리가 계획대로 지구를 정복할 수 있을까요?
오늘은 휴일이야. 일은 잠시 잊고 도미노 놀이나 하자.
대장님, 과연 도미노가 계획대로 쓰러질까요?
매사에 부정적이구만.
하나의 블럭이 넘어지면 그 다음도 넘어지도록 세워두면 돼.
와~~ 그럼 처음 블록만 넘어뜨리면 되겠군요.

개념 미리보기

1 수학적 귀납법

개념 01 수열의 귀납적 정의

수열 $\{a_n\}$의 귀납적 정의 → ❶ 첫째항 a_1의 값
❷ 두 항 a_n, a_{n+1} 사이의 관계식 $(n=1, 2, 3, \cdots)$

개념 02 등차수열과 등비수열의 귀납적 정의

등차수열 $\{a_n\}$을 나타내는 관계식 → $a_{n+1}=a_n+d$ 또는 $2a_{n+1}=a_n+a_{n+2}$

등비수열 $\{a_n\}$을 나타내는 관계식 → $a_{n+1}=ra_n$ 또는 ${a_{n+1}}^2=a_na_{n+2}$

$a_{n+1}=a_n+f(n)$ 꼴 → n에 $1, 2, 3, \cdots, n-1$을 차례로 대입하여 변끼리 더하면 ➡ $a_n=a_1+\sum_{k=1}^{n-1} f(k)$

$a_{n+1}=a_nf(n)$ 꼴 → n에 $1, 2, 3, \cdots, n-1$을 차례로 대입하여 변끼리 곱하면 ➡ $a_n=a_1f(1)f(2)f(3)\cdots f(n-1)$

개념 03 수학적 귀납법

모든 자연수 n에 대하여 명제 $p(n)$이 성립함을 증명하려면 → ❶ 명제 $p(1)$이 성립함을 보이기
❷ 명제 $p(k)$가 성립한다고 가정하면 명제 $p(k+1)$이 성립함을 보이기

$n\geq m$ ($m\geq 2$인 자연수)인 모든 자연수 n에 대하여 명제 $p(n)$이 성립함을 증명하려면 → ❶ 명제 $p(m)$이 성립함을 보이기
❷ $n=k\,(k\geq m)$일 때, 명제 $p(k)$가 성립한다고 가정하면 명제 $p(k+1)$이 성립함을 보이기

1 수학적 귀납법

개념 01 수열의 귀납적 정의

대표 유형 02 ~ 05

일반적으로 수열 $\{a_n\}$을 다음과 같이 처음 몇 개의 항과 이웃하는 여러 항 사이의 관계식으로 정의하는 것을 수열의 **귀납적 정의**라 한다.

❶ 첫째항 a_1의 값
❷ 두 항 a_n, a_{n+1} 사이의 관계식 $(n=1, 2, 3, \cdots)$

참고 수열 $\{a_n\}$의 귀납적 정의에는 a_1, a_2와 이웃하는 세 항 사이의 관계식으로 나타내는 경우도 있다.
➡ 예 $a_1=1$, $a_2=3$, $a_{n+2}=2a_{n+1}-a_n$ $(n=1, 2, 3, \cdots)$

설명 $a_1=1$, $a_{n+1}=a_n+n+1$ $(n=1, 2, 3, \cdots)$과 같이 귀납적으로 정의된 수열 $\{a_n\}$에서

$$a_2=a_1+1+1=3$$
$$a_3=a_2+2+1=6$$
$$a_4=a_3+3+1=10$$
$$\vdots$$

이므로 수열 $\{a_n\}$은 $1, 3, 6, 10, \cdots$이다.
이처럼 처음 몇 개의 항과 이웃하는 여러 항 사이의 관계식이 주어지면 수열의 모든 항을 구할 수 있다.

해결의 법칙

수열 $\{a_n\}$의 귀납적 정의 → ❶ 첫째항 a_1의 값 ❷ 두 항 a_n, a_{n+1} 사이의 관계식 $(n=1, 2, 3, \cdots)$

❷의 관계식에 $n=1, 2, 3, \cdots$을 대입하면 수열 $\{a_n\}$의 모든 항을 구할 수 있어.

| 정답과 해설 98쪽 |

개념 확인 1 다음과 같이 정의된 수열 $\{a_n\}$의 제5항을 구하시오. (단, $n=1, 2, 3, \cdots$)

(1) $a_1=1$, $a_{n+1}=a_n+2n$

(2) $a_1=2$, $a_{n+1}=2a_n-1$

개념 02 등차수열과 등비수열의 귀납적 정의

대표 유형 01 ~ 05

1 등차수열의 귀납적 정의

(1) 첫째항이 a, 공차가 d인 등차수열 $\{a_n\}$의 귀납적 정의

➡ $a_1=a,\ a_{n+1}=a_n+d\ (n=1, 2, 3, \cdots)$

(2) 등차수열 $\{a_n\}$을 나타내는 관계식

① $a_{n+1}=a_n+d \Longleftrightarrow a_{n+1}-a_n=d$ ← 수열 $\{a_n\}$은 공차가 d인 등차수열

② $2a_{n+1}=a_n+a_{n+2} \Longleftrightarrow a_{n+2}-a_{n+1}=a_{n+1}-a_n$ ← 등차중항 이용

2 등비수열의 귀납적 정의

(1) 첫째항이 a, 공비가 r인 등비수열 $\{a_n\}$의 귀납적 정의

➡ $a_1=a,\ a_{n+1}=ra_n\ (n=1, 2, 3, \cdots)$

(2) 등비수열 $\{a_n\}$을 나타내는 관계식

① $a_{n+1}=ra_n \Longleftrightarrow \dfrac{a_{n+1}}{a_n}=r$ ← 수열 $\{a_n\}$은 공비가 r인 등비수열

② ${a_{n+1}}^2=a_na_{n+2} \Longleftrightarrow \dfrac{a_{n+2}}{a_{n+1}}=\dfrac{a_{n+1}}{a_n}$ ← 등비중항 이용

예

1 첫째항이 2, 공차가 3인 등차수열 $\{a_n\}$을 귀납적으로 정의하면

$a_1=2,\ a_{n+1}=a_n+3\ (n=1, 2, 3, \cdots)$

2 첫째항이 3, 공비가 5인 등비수열 $\{a_n\}$을 귀납적으로 정의하면

$a_1=3,\ a_{n+1}=5a_n\ (n=1, 2, 3, \cdots)$

해결의 법칙

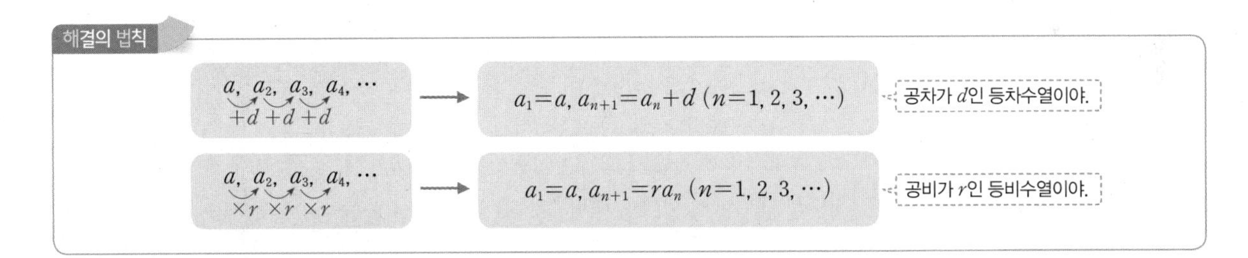

| 정답과 해설 98쪽 |

개념 확인 2 다음 등차수열 $\{a_n\}$을 귀납적으로 정의하시오.

(1) $2, 7, 12, 17, 22, \cdots$

(2) $1, -2, -5, -8, -11, \cdots$

개념 확인 3 다음 등비수열 $\{a_n\}$을 귀납적으로 정의하시오.

(1) $2, 4, 8, 16, 32, \cdots$

(2) $3, -1, \dfrac{1}{3}, -\dfrac{1}{9}, \dfrac{1}{27}, \cdots$

원리 알아보기 | 여러 가지 수열의 귀납적 정의

$a_{n+1}=a_n+f(n)$ 또는 $a_{n+1}=a_nf(n)$ 꼴로 정의된 수열 $\{a_n\}$의 일반항은 다음과 같은 방법으로 구한다.

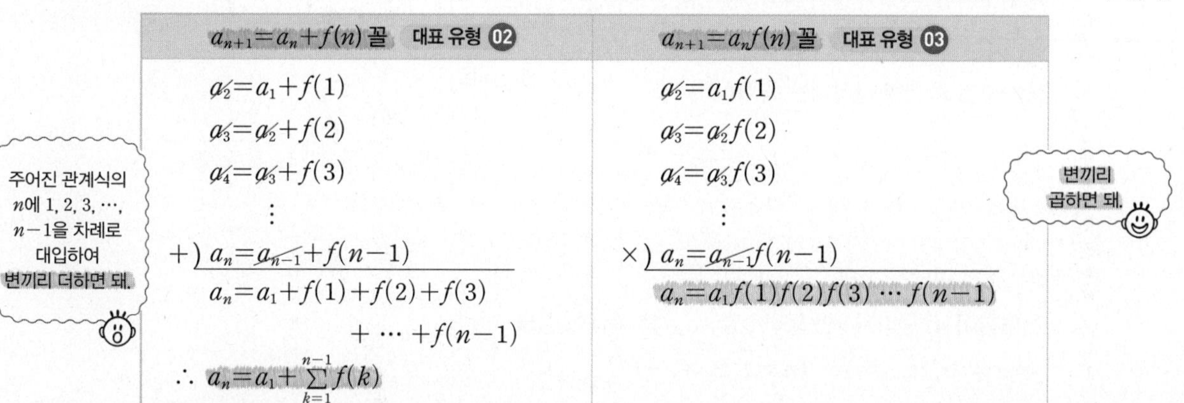

$a_{n+1}=a_n+f(n)$ 꼴 대표 유형 02	$a_{n+1}=a_nf(n)$ 꼴 대표 유형 03
$a_2=a_1+f(1)$ $a_3=a_2+f(2)$ $a_4=a_3+f(3)$ $\vdots$ $+)\ a_n=a_{n-1}+f(n-1)$ $a_n=a_1+f(1)+f(2)+f(3)+\cdots+f(n-1)$ $\therefore\ a_n=a_1+\sum_{k=1}^{n-1}f(k)$	$a_2=a_1f(1)$ $a_3=a_2f(2)$ $a_4=a_3f(3)$ $\vdots$ $\times)\ a_n=a_{n-1}f(n-1)$ $a_n=a_1f(1)f(2)f(3)\cdots f(n-1)$

주어진 관계식의 n에 1, 2, 3, $\cdots$, $n-1$을 차례로 대입하여 변끼리 더하면 돼.

변끼리 곱하면 돼.

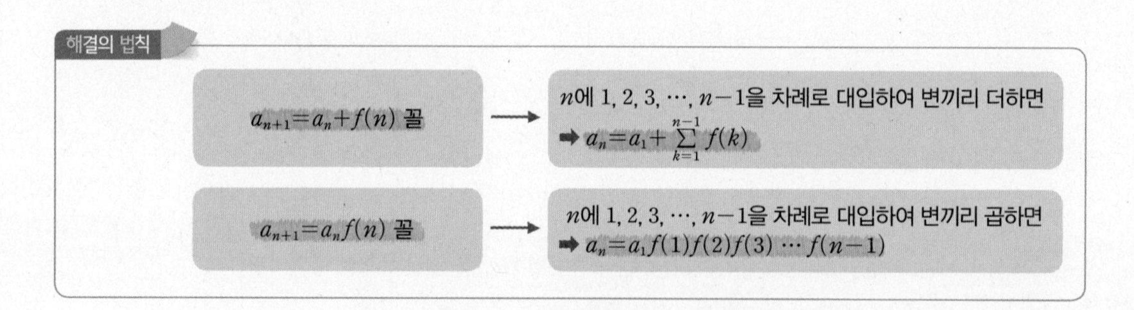

해결의 법칙

$a_{n+1}=a_n+f(n)$ 꼴 ⟶ n에 1, 2, 3, $\cdots$, $n-1$을 차례로 대입하여 변끼리 더하면
➡ $a_n=a_1+\sum_{k=1}^{n-1}f(k)$

$a_{n+1}=a_nf(n)$ 꼴 ⟶ n에 1, 2, 3, $\cdots$, $n-1$을 차례로 대입하여 변끼리 곱하면
➡ $a_n=a_1f(1)f(2)f(3)\cdots f(n-1)$

개념 확인 다음과 같이 정의된 수열 $\{a_n\}$의 일반항 a_n을 구하시오. (단, $n=1, 2, 3, \cdots$)

(1) $a_1=2,\ a_{n+1}=a_n+2n$ (2) $a_1=3,\ a_{n+1}=\dfrac{n}{n+1}a_n$

풀이 (1) $a_{n+1}=a_n+2n$의 n에 1, 2, 3, $\cdots$, $n-1$을 차례로 대입하여 변끼리 더하면

$$a_2=a_1+2\times1$$
$$a_3=a_2+2\times2$$
$$a_4=a_3+2\times3$$
$$\vdots$$
$$+)\ a_n=a_{n-1}+2\times(n-1)$$
$$a_n=a_1+2\{1+2+3+\cdots+(n-1)\}$$
$$=a_1+2\sum_{k=1}^{n-1}k$$
$$=2+2\times\frac{(n-1)n}{2}$$
$$=n^2-n+2$$

(2) $a_{n+1}=\dfrac{n}{n+1}a_n$의 n에 1, 2, 3, $\cdots$, $n-1$을 차례로 대입하여 변끼리 곱하면

$$a_2=\frac{1}{2}a_1$$
$$a_3=\frac{2}{3}a_2$$
$$a_4=\frac{3}{4}a_3$$
$$\vdots$$
$$\times)\ a_n=\frac{n-1}{n}a_{n-1}$$
$$a_n=a_1\times\left(\frac{1}{2}\times\frac{2}{3}\times\frac{3}{4}\times\cdots\times\frac{n-1}{n}\right)$$
$$=a_1\times\frac{1}{n}=\frac{3}{n}$$

답 (1) $a_n=n^2-n+2$ (2) $a_n=\dfrac{3}{n}$

개념 03 수학적 귀납법

대표 유형 06, 07

자연수 n에 대한 명제 $p(n)$이 모든 자연수 n에 대하여 성립함을 증명하려면 다음 두 가지를 보이면 된다.

(i) $n=1$일 때, 명제 $p(n)$이 성립한다.
(ii) $n=k$일 때, 명제 $p(n)$이 성립한다고 가정하면 $n=k+1$일 때도 명제 $p(n)$이 성립한다.

이와 같은 방법으로 자연수에 대한 어떤 명제가 참임을 증명하는 것을 **수학적 귀납법**이라 한다.

참고 수학적 귀납법의 원리

(i)에 의하여 $p(1)$이 성립
➡ (ii)에 의하여 $p(1+1)$, 즉 $p(2)$가 성립
➡ (ii)에 의하여 $p(2+1)$, 즉 $p(3)$이 성립
➡ …
이와 같은 과정을 계속하면 모든 자연수 n에 대하여 명제 $p(n)$이 성립한다.

예 모든 자연수 n에 대하여 등식

$$1+3+5+\cdots+(2n-1)=n^2$$

이 성립함을 증명해 보자.

(i) $n=1$일 때,

$$(\text{좌변})=1,\ (\text{우변})=1^2=1$$

이므로 주어진 등식이 성립한다.

(ii) $n=k$일 때, 주어진 등식이 성립한다고 가정하면

$$1+3+5+\cdots+(2k-1)=k^2$$

위 식의 양변에 $2k+1$을 더하면 ← $2n-1$에 n 대신 $k+1$을 대입하면 $2(k+1)-1=2k+1$이 돼.

$$1+3+5+\cdots+(2k-1)+(2k+1)=k^2+(2k+1)$$
$$=(k+1)^2$$

← n^2에 n 대신 $k+1$을 대입한 것과 같아.

따라서 $n=k+1$일 때도 주어진 등식이 성립한다.

(i), (ii)에 의하여 모든 자연수 n에 대하여 주어진 등식이 성립한다.

참고 자연수 n에 대한 명제 $p(n)$이 m($m\geq2$인 자연수) 이상의 모든 자연수 n에 대하여 성립함을 증명하려면 다음 두 가지를 보이면 된다.
(i) $n=m$일 때, 명제 $p(n)$이 성립한다.
(ii) $n=k\ (k\geq m)$일 때, 명제 $p(n)$이 성립한다고 가정하면 $n=k+1$일 때도 명제 $p(n)$이 성립한다.

해결의 법칙

모든 자연수 n에 대하여 주어진 명제가 참임을 보일 때 ⟶ 수학적 귀납법 이용하기

STEP 1 개념 드릴

정답과 해설 98쪽

1 다음과 같이 정의된 수열 $\{a_n\}$의 첫째항부터 제4항까지 차례로 나열하시오. (단, $n=1, 2, 3, \cdots$)

(1) $a_1=3,\ a_{n+1}=\dfrac{a_n}{a_n+1}$

(2) $a_1=2,\ a_2=3,\ a_{n+2}=2a_{n+1}-a_n$

2 다음과 같이 정의된 수열 $\{a_n\}$의 일반항 a_n을 구하시오. (단, $n=1, 2, 3 \cdots$)

(1) $a_1=5,\ a_{n+1}=a_n+3$

(2) $a_1=-2,\ a_2=-3,\ 2a_{n+1}=a_n+a_{n+2}$

(3) $a_1=2,\ a_{n+1}=\dfrac{1}{5}a_n$

(4) $a_1=-2,\ a_2=4,\ {a_{n+1}}^2=a_na_{n+2}$

3 다음은 모든 자연수 n에 대하여 등식

$$\frac{1}{1\times2}+\frac{1}{2\times3}+\frac{1}{3\times4}+\cdots+\frac{1}{n(n+1)}=\frac{n}{n+1}$$

이 성립함을 수학적 귀납법으로 증명한 것이다.

증명

(i) $n=1$일 때, (좌변)$=\dfrac{1}{2}$, (우변)$=\dfrac{1}{2}$이므로 주어진 등식이 성립한다.

(ii) $n=k$일 때, 주어진 등식이 성립한다고 가정하면

$$\frac{1}{1\times2}+\frac{1}{2\times3}+\frac{1}{3\times4}+\cdots+\frac{1}{k(k+1)}=\frac{k}{k+1}$$

위 식의 양변에 (가)을/를 더하면

$$\frac{1}{1\times2}+\frac{1}{2\times3}+\frac{1}{3\times4}+\cdots+\frac{1}{k(k+1)}+\text{(가)}$$

$$=\frac{k}{k+1}+\text{(가)}=\text{(나)}$$

따라서 $n=$(다)일 때도 주어진 등식이 성립한다.

(i), (ii)에 의하여 모든 자연수 n에 대하여 주어진 등식이 성립한다.

위 과정에서 (가), (나), (다)에 알맞은 것을 구하시오.

4 다음은 모든 자연수 n에 대하여 등식

$$1+4+7+\cdots+(3n-2)=\frac{n(3n-1)}{2}$$

이 성립함을 수학적 귀납법으로 증명한 것이다.

증명

(i) $n=1$일 때,

(좌변)$=$(가), (우변)$=\dfrac{1\times(3\times1-1)}{2}=$(가)

이므로 주어진 등식이 성립한다.

(ii) $n=k$일 때, 주어진 등식이 성립한다고 가정하면

$$1+4+7+\cdots+(\text{(나)})=\frac{k(3k-1)}{2}$$

위 식의 양변에 $3k+1$을 더하면

$$1+4+7+\cdots+(3k-2)+(3k+1)$$

$$=\frac{k(3k-1)}{2}+(3k+1)=\text{(다)}$$

따라서 $n=k+1$일 때도 주어진 등식이 성립한다.

(i), (ii)에 의하여 모든 자연수 n에 대하여 주어진 등식이 성립한다.

위 과정에서 (가), (나), (다)에 알맞은 것을 구하시오.

대표 유형 01 등차수열과 등비수열의 귀납적 정의

개념 02

다음과 같이 정의된 수열 $\{a_n\}$에서 a_{12}의 값을 구하시오. (단, $n=1, 2, 3, \cdots$)

(1) $a_1=1$, $a_2=-3$, $a_{n+2}-2a_{n+1}+a_n=0$

(2) $a_1=1$, $a_2=3$, ${a_{n+1}}^2=a_na_{n+2}$

풀이 (1) ❶ 수열 $\{a_n\}$의 일반항 구하기

$a_{n+2}-2a_{n+1}+a_n=0$에서 $2a_{n+1}=a_n+a_{n+2}$이므로 수열 $\{a_n\}$은 등차수열이다.
이때, 첫째항이 1, 공차가 $a_2-a_1=-3-1=-4$이므로
$a_n=1+(n-1)\times(-4)=-4n+5$

❷ a_{12}의 값 구하기

$\therefore a_{12}=(-4)\times12+5=-43$

(2) ❶ 수열 $\{a_n\}$의 일반항 구하기

${a_{n+1}}^2=a_na_{n+2}$이므로 수열 $\{a_n\}$은 등비수열이다.
이때, 첫째항이 1, 공비가 $\dfrac{a_2}{a_1}=3$이므로
$a_n=1\times3^{n-1}=3^{n-1}$

❷ a_{12}의 값 구하기

$\therefore a_{12}=3^{11}$

답 (1) -43 (2) 3^{11}

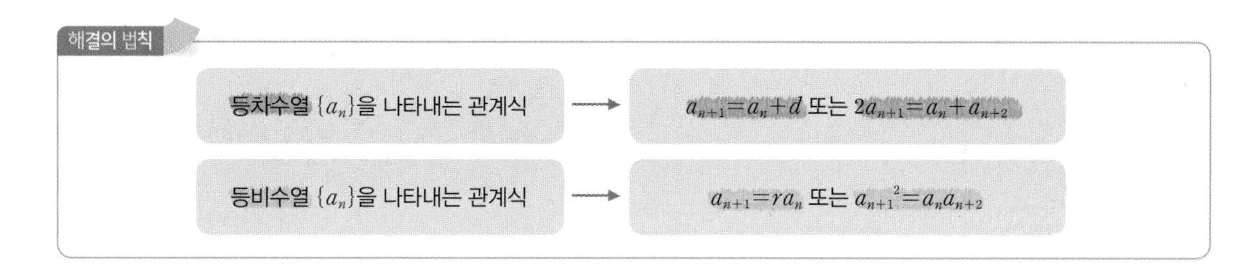
해결의 법칙

등차수열 $\{a_n\}$을 나타내는 관계식	→	$a_{n+1}=a_n+d$ 또는 $2a_{n+1}=a_n+a_{n+2}$
등비수열 $\{a_n\}$을 나타내는 관계식	→	$a_{n+1}=ra_n$ 또는 ${a_{n+1}}^2=a_na_{n+2}$

| 정답과 해설 99쪽 |

01-1 수열 $\{a_n\}$이 $a_{n+2}-2a_{n+1}+a_n=0$ $(n=1, 2, 3, \cdots)$으로 정의되고, $a_3=4$, $a_5=9$일 때, $a_k=29$를 만족시키는 자연수 k의 값을 구하시오.

01-2 수열 $\{a_n\}$이 $a_1=3$, $a_2=12$, ${a_{n+1}}^2=a_na_{n+2}$ $(n=1, 2, 3, \cdots)$로 정의될 때, $\sum_{k=1}^{5} a_k$의 값을 구하시오.

01-3 수열 $\{a_n\}$이 $a_1=8$, $a_2=24$, $2\log a_{n+1}=\log a_n+\log a_{n+2}$ $(n=1, 2, 3, \cdots)$로 정의될 때, $a_1+a_3+a_5+\cdots+a_{19}$의 값을 구하시오.

대표 유형 02 $a_{n+1}=a_n+f(n)$ 꼴로 정의된 수열

개념 01, 02

수열 $\{a_n\}$이 $a_1=1$, $a_{n+1}=a_n+n^2$ $(n=1, 2, 3, \cdots)$으로 정의될 때, a_{10}의 값을 구하시오.

풀이 $a_{n+1}=a_n+n^2$의 n에 $1, 2, 3, \cdots, 9$를 차례로 대입하여 변끼리 더하면

$$\begin{aligned}
a_2&=a_1+1^2\\
a_3&=a_2+2^2\\
a_4&=a_3+3^2\\
&\vdots\\
+)\ a_{10}&=a_9+9^2\\
\hline
a_{10}&=a_1+(1^2+2^2+3^2+\cdots+9^2)\\
&=a_1+\sum_{k=1}^{9}k^2\\
&=1+\frac{9\times10\times19}{6}=286
\end{aligned}$$

구하려는 항이 a_k이면 주어진 관계식의 n에 $1, 2, 3, \cdots, k-1$을 차례로 대입하여 변끼리 더하면 돼.

답 286

해결의 법칙

$a_{n+1}=a_n+f(n)$ 꼴 ⟶ n에 $1, 2, 3, \cdots, n-1$을 차례로 대입하여 변끼리 더하면
➡ $a_n=a_1+\sum_{k=1}^{n-1}f(k)$

| 정답과 해설 99쪽 |

02-1 수열 $\{a_n\}$이 $a_1=1$, $a_{n+1}=a_n+2n^2-n$ $(n=1, 2, 3, \cdots)$으로 정의될 때, a_{10}의 값을 구하시오.

02-2 수열 $\{a_n\}$이 $a_1=1$, $a_{n+1}=a_n+3n-1$ $(n=1, 2, 3, \cdots)$로 정의될 때, $a_k=127$을 만족시키는 자연수 k의 값을 구하시오.

대표 유형 03 $a_{n+1}=a_n f(n)$ 꼴로 정의된 수열

개념 01, 02

수열 $\{a_n\}$이 $a_1=2$, $a_{n+1}=\left(1+\frac{2}{n}\right)a_n$ $(n=1, 2, 3, \cdots)$으로 정의될 때, a_{20}의 값을 구하시오.

풀이 $a_{n+1}=\left(1+\frac{2}{n}\right)a_n$에서 $a_{n+1}=\frac{n+2}{n}a_n$

$a_{n+1}=\frac{n+2}{n}a_n$의 n에 1, 2, 3, ⋯, 19를 차례로 대입하여 변끼리 곱하면

$$a_2=\frac{3}{1}a_1$$
$$a_3=\frac{4}{2}a_2$$
$$a_4=\frac{5}{3}a_3$$
$$\vdots$$
$$a_{19}=\frac{20}{18}a_{18}$$
$$\times\big)\ a_{20}=\frac{21}{19}a_{19}$$

$$a_{20}=a_1\times\left(\frac{3}{1}\times\frac{4}{2}\times\frac{5}{3}\times\cdots\times\frac{20}{18}\times\frac{21}{19}\right)$$
$$=a_1\times\frac{20\times21}{1\times2}=2\times210=420$$

구하려는 항이 a_k이면 주어진 관계식의 n에 $1, 2, 3, \cdots, k-1$을 차례로 대입하여 변끼리 곱하면 돼.

답 420

해결의 법칙

$a_{n+1}=a_n f(n)$ 꼴 ⟶ n에 $1, 2, 3, \cdots, n-1$을 차례로 대입하여 변끼리 곱하면
➡ $a_n=a_1 f(1)f(2)f(3)\cdots f(n-1)$

| 정답과 해설 100쪽 |

03-1 수열 $\{a_n\}$이 $a_1=\frac{1}{9}$, $a_{n+1}=\frac{2n+1}{2n-1}a_n$ $(n=1, 2, 3, \cdots)$으로 정의될 때, a_{23}의 값을 구하시오.

03-2 수열 $\{a_n\}$이 $a_1=1$, $\sqrt{n+2}\,a_{n+1}=\sqrt{n}\,a_n$ $(n=1, 2, 3, \cdots)$으로 정의될 때, a_{80}의 값을 구하시오.

대표 유형 04 수열의 합 S_n이 포함된 귀납적 정의

개념 01, 02

수열 $\{a_n\}$의 첫째항부터 제n항까지의 합을 S_n이라 할 때,

$$a_1=-\frac{1}{2},\ S_n=3a_n+1\ (n=1, 2, 3, \cdots)$$

이 성립한다. 이때, a_{10}의 값을 구하시오.

풀이

❶ a_n과 a_{n+1} 사이의 관계식 구하기

$$a_{n+1}=S_{n+1}-S_n=(3a_{n+1}+1)-(3a_n+1)$$
$$=3(a_{n+1}-a_n)$$

이므로 $a_{n+1}=\frac{3}{2}a_n\ (n\geq 1)$

❷ 수열 $\{a_n\}$의 일반항 구하기

따라서 수열 $\{a_n\}$은 첫째항이 $-\frac{1}{2}$, 공비가 $\frac{3}{2}$인 등비수열이므로

$$a_n=-\frac{1}{2}\times\left(\frac{3}{2}\right)^{n-1}$$

❸ a_{10}의 값 구하기

$$\therefore\ a_{10}=-\frac{1}{2}\times\left(\frac{3}{2}\right)^{9}=-\frac{3^9}{2^{10}}$$

답 $-\frac{3^9}{2^{10}}$

해결의 법칙

수열의 합 S_n이 포함된 식이 주어진 경우 ⟶ $a_1=S_1$, $a_n=S_n-S_{n-1}\ (n\geq 2)$임을 이용하여 주어진 식을 a_n 또는 S_n에 대한 식으로 변형하기

| 정답과 해설 100쪽 |

04-1 수열 $\{a_n\}$의 첫째항부터 제n항까지의 합을 S_n이라 할 때,

$$a_1=\frac{1}{3},\ 3S_n=2a_{n+1}\ (n=1, 2, 3, \cdots)$$

이 성립한다. 이때, a_{10}의 값을 구하시오

04-2 수열 $\{a_n\}$의 첫째항부터 제n항까지의 합을 S_n이라 할 때,

$$a_1=1,\ S_{n+1}=3S_n-1\ (n=1, 2, 3, \cdots)$$

이 성립한다. 이때, S_{10}의 값을 구하시오.

대표 유형 05 수열의 귀납적 정의의 활용

개념 01, 02

어떤 그릇에 물 20 L가 들어 있다. 한 번의 시행에서 그릇에 들어 있는 물의 $\frac{1}{4}$을 버리고 3 L를 다시 넣는다고 할 때, n번째 시행 후 그릇에 남아 있는 물의 양을 a_n L라 하자. 이때, 다음 물음에 답하시오.

(1) a_1의 값을 구하고, a_n과 a_{n+1} 사이의 관계식을 구하시오.

(2) a_4의 값을 구하시오.

풀이 (1) 첫 번째 시행 후 그릇에 남아 있는 물의 양은 20 L의 $\frac{1}{4}$을 버리고 3 L를 다시 넣은 양이므로

$$a_1=20\times\left(1-\frac{1}{4}\right)+3=18$$

$(n+1)$번째 시행 후 그릇에 남아 있는 물의 양 a_{n+1} L는 a_n L의 $\frac{1}{4}$을 버리고 3 L를 다시 넣은 양이므로

$$a_{n+1}=a_n\times\left(1-\frac{1}{4}\right)+3=\frac{3}{4}a_n+3\ (n=1, 2, 3, \cdots)$$

(2) $a_{n+1}=\frac{3}{4}a_n+3$의 n에 1, 2, 3을 차례로 대입하면

$$a_2=\frac{3}{4}a_1+3=\frac{3}{4}\times18+3=\frac{33}{2},\ a_3=\frac{3}{4}a_2+3=\frac{3}{4}\times\frac{33}{2}+3=\frac{123}{8}$$

$$\therefore\ a_4=\frac{3}{4}a_3+3=\frac{3}{4}\times\frac{123}{8}+3=\frac{465}{32}$$

답 (1) $a_1=18,\ a_{n+1}=\frac{3}{4}a_n+3\ (n=1, 2, 3, \cdots)$ (2) $\frac{465}{32}$

해결의 법칙

수열 $\{a_n\}$의 귀납적 정의의 활용 → 주어진 과정의 규칙을 찾아 a_n과 a_{n+1} 사이의 관계식 구하기

| 정답과 해설 100쪽 |

05-1 어느 실험실의 용기에 박테리아가 15마리 들어 있다. 이 박테리아는 1시간이 지날 때마다 전 시간의 2배보다 1마리 많게 번식한다고 한다. n시간 후 박테리아 수를 a_n이라 할 때, 다음 물음에 답하시오.

(1) a_1의 값을 구하고, a_n과 a_{n+1} 사이의 관계식을 구하시오.

(2) a_4의 값을 구하시오.

05-2 현아는 계단을 오를 때 한 번에 한 계단 또는 두 계단씩 올라간다고 한다. 현아의 방법으로 n개의 계단을 올라가는 모든 경우의 수를 a_n이라 할 때, a_5의 값을 구하시오

대표 유형 06 수학적 귀납법을 이용한 등식의 증명

개념 03

모든 자연수 n에 대하여 등식

$$1^2+2^2+3^2+\cdots+n^2=\frac{n(n+1)(2n+1)}{6}$$

이 성립함을 수학적 귀납법으로 증명하시오.

증명

❶ $n=1$일 때, 주어진 등식이 성립함을 증명하기

(i) $n=1$일 때,

(좌변)$=1$, (우변)$=\frac{1\times2\times3}{6}=1$

이므로 주어진 등식이 성립한다.

❷ $n=k+1$일 때, 주어진 등식이 성립함을 증명하기

(ii) $n=k$일 때, 주어진 등식이 성립한다고 가정하면

$$1^2+2^2+3^2+\cdots+k^2=\frac{k(k+1)(2k+1)}{6}$$

위 식의 양변에 $(k+1)^2$을 더하면

$$\begin{aligned}1^2+2^2+3^2+\cdots+k^2+(k+1)^2&=\frac{k(k+1)(2k+1)}{6}+(k+1)^2\\&=\frac{(k+1)\{k(2k+1)+6(k+1)\}}{6}\\&=\frac{(k+1)(2k^2+7k+6)}{6}\\&=\frac{(k+1)(k+2)(2k+3)}{6}\end{aligned}$$

따라서 $n=k+1$일 때도 주어진 등식이 성립한다.

❸ 증명 마무리하기

(i), (ii)에 의하여 모든 자연수 n에 대하여 주어진 등식이 성립한다.

답 풀이 참조

해결의 법칙

모든 자연수 n에 대하여 명제 $p(n)$이 성립함을 증명하려면 → ❶ 명제 $p(1)$이 성립함을 보이기 ❷ 명제 $p(k)$가 성립한다고 가정하면 명제 $p(k+1)$이 성립함을 보이기

| 정답과 해설 100쪽 |

06-1 모든 자연수 n에 대하여 등식

$$1+2+2^2+\cdots+2^{n-1}=2^n-1$$

이 성립함을 수학적 귀납법으로 증명하시오.

대표 유형 07 수학적 귀납법을 이용한 부등식의 증명

개념 03

$n\geq 2$인 모든 자연수 n에 대하여 부등식

$$1+\frac{1}{2}+\frac{1}{3}+\cdots+\frac{1}{n}>\frac{2n}{n+1}$$

이 성립함을 수학적 귀납법으로 증명하시오.

증명

❶ $n=2$일 때, 주어진 부등식이 성립함을 증명하기

(i) $n=2$일 때,

(좌변)$=1+\frac{1}{2}=\frac{3}{2}$, (우변)$=\frac{2\times 2}{2+1}=\frac{4}{3}$

이므로 주어진 부등식이 성립한다.

❷ $n=k+1$일 때, 주어진 부등식이 성립함을 증명하기

(ii) $n=k\ (k\geq 2)$일 때, 주어진 부등식이 성립한다고 가정하면

$$1+\frac{1}{2}+\frac{1}{3}+\cdots+\frac{1}{k}>\frac{2k}{k+1}$$

위 식의 양변에 $\frac{1}{k+1}$을 더하면

$$1+\frac{1}{2}+\frac{1}{3}+\cdots+\frac{1}{k}+\frac{1}{k+1}>\frac{2k}{k+1}+\frac{1}{k+1}=\frac{2k+1}{k+1}$$

이때, $k\geq 2$인 모든 자연수 k에 대하여

$$\frac{2k+1}{k+1}-\frac{2(k+1)}{(k+1)+1}=\frac{(2k+1)(k+2)-2(k+1)^2}{(k+1)(k+2)}=\frac{k}{(k+1)(k+2)}>0$$

이므로

$$1+\frac{1}{2}+\frac{1}{3}+\cdots+\frac{1}{k}+\frac{1}{k+1}>\frac{2k+1}{k+1}>\frac{2(k+1)}{(k+1)+1}$$

따라서 $n=k+1$일 때도 주어진 부등식이 성립한다.

❸ 증명 마무리하기

(i), (ii)에 의하여 $n\geq 2$인 모든 자연수 n에 대하여 주어진 부등식이 성립한다.

답 풀이 참조

해결의 법칙

$n\geq m$ ($m\geq 2$인 자연수)인 모든 자연수 n에 대하여 명제 $p(n)$이 성립함을 증명하려면 → ❶ 명제 $p(m)$이 성립함을 보이기 ❷ $n=k\,(k\geq m)$일 때, 명제 $p(k)$가 성립한다고 가정하면 명제 $p(k+1)$이 성립함을 보이기

| 정답과 해설 101쪽 |

07-1 $n\geq 4$인 모든 자연수 n에 대하여 부등식

$$2^n\geq n^2$$

이 성립함을 수학적 귀납법으로 증명하시오

유형 확인

1-1 수열 $\{a_n\}$이

$a_1=1,\ a_2=3,$

$2a_{n+1}=a_n+a_{n+2}\ (n=1, 2, 3, \cdots)$

로 정의될 때, a_{50}의 값을 구하시오.

2-1 수열 $\{a_n\}$이

$a_{n+1}=2a_n\ (n=1, 2, 3, \cdots)$

으로 정의된다. $a_3=2$일 때, a_{10}의 값을 구하시오.

3-1 수열 $\{a_n\}$이

$a_1=1,$

$a_{n+1}=a_n+\dfrac{1}{n(n+1)}\ (n=1, 2, 3, \cdots)$

로 정의될 때, a_{100}의 값을 구하시오.

4-1 수열 $\{a_n\}$이

$a_1=11,$

$a_{n+1}=\dfrac{n}{n+2}a_n\ (n=1, 2, 3, \cdots)$

으로 정의될 때, a_{10}의 값을 구하시오.

한번 더 확인

1-2 수열 $\{a_n\}$이

$a_1=-22,\ a_{n+1}=a_n+3\ (n=1, 2, 3, \cdots)$

으로 정의될 때, $\sum_{k=1}^{n} a_k$의 최솟값을 구하시오.

2-2 수열 $\{a_n\}$이

$a_1=2,\ a_{n+1}=a_n+2\ (n=1, 2, 3, \cdots)$

로 정의되고, 수열 $\{b_n\}$이

$b_1=3,\ {b_{n+1}}^2=b_nb_{n+2}\ (n=1, 2, 3, \cdots)$

로 정의된다. $a_{12}=b_9$가 성립할 때, b_{17}의 값을 구하시오.

3-2 수열 $\{a_n\}$이

$a_1=1,$

$a_{n+1}=a_n+(-1)^n\ (n=1, 2, 3, \cdots)$

으로 정의될 때, $\sum_{k=1}^{100} a_k$의 값을 구하시오.

4-2 수열 $\{a_n\}$이

$a_1=1,$

$a_{n+1}=na_n\ (n=1, 2, 3, \cdots)$

으로 정의될 때, a_n이 16의 배수가 되도록 하는 자연수 n의 최솟값을 구하시오.

유형 확인

5-1 수열 $\{a_n\}$의 첫째항부터 제n항까지의 합을 S_n이라 할 때,

$$2S_{n+1}=a_{n+1}+n\ (n=1, 2, 3, \cdots)$$

이 성립한다. 이때, $\sum_{k=2}^{11} a_k$의 값을 구하시오.

한번 더 확인

5-2 수열 $\{a_n\}$의 첫째항부터 제n항까지의 합을 S_n이라 할 때,

$$a_1=2,\ S_n=2a_{n+1}\ (n=1, 2, 3, \cdots)$$

이 성립한다. 이때, $\sum_{k=1}^{5} a_k=\frac{q}{p}$를 만족시키는 서로소인 자연수 p, q의 합 $p+q$의 값을 구하시오.

6-1 다음은 모든 자연수 n에 대하여 등식

$$1^3+2^3+3^3+\cdots+n^3=\left\{\frac{n(n+1)}{2}\right\}^2$$

이 성립함을 수학적 귀납법으로 증명한 것이다.

| 증명 |

(i) $n=1$일 때,

$(\text{좌변})=1^3=1$, $(\text{우변})=\left(\frac{1\times2}{2}\right)^2=1$

이므로 주어진 등식이 성립한다.

(ii) $n=k$일 때, 주어진 등식이 성립한다고 가정하면

$$1^3+2^3+3^3+\cdots+k^3=\left\{\frac{k(k+1)}{2}\right\}^2$$

위 식의 양변에 (가) 을/를 더하면

$$1^3+2^3+3^3+\cdots+k^3+\boxed{(가)}$$
$$=\left\{\frac{k(k+1)}{2}\right\}^2+\boxed{(가)}$$
$$=\frac{(k+1)^2\times\boxed{(나)}}{4}$$
$$=\left\{\frac{(k+1)(\boxed{(다)})}{2}\right\}^2$$

따라서 $n=k+1$일 때도 주어진 등식이 성립한다.

(i), (ii)에 의하여 모든 자연수 n에 대하여 주어진 등식이 성립한다.

위 과정에서 (가), (나), (다)에 알맞은 것을 구하시오.

6-2 다음은 $h>0$일 때, $n\geq2$인 모든 자연수 n에 대하여 부등식

$$(1+h)^n>1+nh$$

가 성립함을 수학적 귀납법으로 증명한 것이다.

| 증명 |

(i) $n=2$일 때,

$(\text{좌변})=(1+h)^2=1+2h+h^2$,

$(\text{우변})=1+2h$

이므로 주어진 부등식이 성립한다.

(ii) $n=k\ (k\geq2)$일 때, 주어진 부등식이 성립한다고 가정하면

$$(1+h)^k>1+kh$$

위 식의 양변에 (가) 을/를 곱하면

$$(1+h)^{k+1}>(1+kh)(\boxed{(가)})$$
$$=1+(k+1)h+\boxed{(나)}$$

이때, $\boxed{(나)}>0$이므로

$$1+(k+1)h+\boxed{(나)}>1+(k+1)h$$

$$\therefore (1+h)^{k+1}>1+(k+1)h$$

따라서 $n=k+1$일 때도 주어진 부등식이 성립한다.

(i), (ii)에 의하여 $n\geq2$인 모든 자연수 n에 대하여 주어진 부등식이 성립한다.

위 과정에서 (가), (나)에 알맞은 것을 구하시오.

상용로그표

수	0	1	2	3	4	5	6	7	8	9
1.0	.0000	.0043	.0086	.0128	.0170	.0212	.0253	.0294	.0334	.0374
1.1	.0414	.0453	.0492	.0531	.0569	.0607	.0645	.0682	.0719	.0755
1.2	.0792	.0828	.0864	.0899	.0934	.0969	.1004	.1038	.1072	.1106
1.3	.1139	.1173	.1206	.1239	.1271	.1303	.1335	.1367	.1399	.1430
1.4	.1461	.1492	.1523	.1553	.1584	.1614	.1644	.1673	.1703	.1732
1.5	.1761	.1790	.1818	.1847	.1875	.1903	.1931	.1959	.1987	.2014
1.6	.2041	.2068	.2095	.2122	.2148	.2175	.2201	.2227	.2253	.2279
1.7	.2304	.2330	.2355	.2380	.2405	.2430	.2455	.2480	.2504	.2529
1.8	.2553	.2577	.2601	.2625	.2648	.2672	.2695	.2718	.2742	.2765
1.9	.2788	.2810	.2833	.2856	.2878	.2900	.2923	.2945	.2967	.2989
2.0	.3010	.3032	.3054	.3075	.3096	.3118	.3139	.3160	.3181	.3201
2.1	.3222	.3243	.3263	.3284	.3304	.3324	.3345	.3365	.3385	.3404
2.2	.3424	.3444	.3464	.3483	.3502	.3522	.3541	.3560	.3579	.3598
2.3	.3617	.3636	.3655	.3674	.3692	.3711	.3729	.3747	.3766	.3784
2.4	.3802	.3820	.3838	.3856	.3874	.3892	.3909	.3927	.3945	.3962
2.5	.3979	.3997	.4014	.4031	.4048	.4065	.4082	.4099	.4116	.4133
2.6	.4150	.4166	.4183	.4200	.4216	.4232	.4249	.4265	.4281	.4298
2.7	.4314	.4330	.4346	.4362	.4378	.4393	.4409	.4425	.4440	.4456
2.8	.4472	.4487	.4502	.4518	.4533	.4548	.4564	.4579	.4594	.4609
2.9	.4624	.4639	.4654	.4669	.4683	.4698	.4713	.4728	.4742	.4757
3.0	.4771	.4786	.4800	.4814	.4829	.4843	.4857	.4871	.4886	.4900
3.1	.4914	.4928	.4942	.4955	.4969	.4983	.4997	.5011	.5024	.5038
3.2	.5051	.5065	.5079	.5092	.5105	.5119	.5132	.5145	.5159	.5172
3.3	.5185	.5198	.5211	.5224	.5237	.5250	.5263	.5276	.5289	.5302
3.4	.5315	.5328	.5340	.5353	.5366	.5378	.5391	.5403	.5416	.5428
3.5	.5441	.5453	.5465	.5478	.5490	.5502	.5514	.5527	.5539	.5551
3.6	.5563	.5575	.5587	.5599	.5611	.5623	.5635	.5647	.5658	.5670
3.7	.5682	.5694	.5705	.5717	.5729	.5740	.5752	.5763	.5775	.5786
3.8	.5798	.5809	.5821	.5832	.5843	.5855	.5866	.5877	.5888	.5899
3.9	.5911	.5922	.5933	.5944	.5955	.5966	.5977	.5988	.5999	.6010
4.0	.6021	.6031	.6042	.6053	.6064	.6075	.6085	.6096	.6107	.6117
4.1	.6128	.6138	.6149	.6160	.6170	.6180	.6191	.6201	.6212	.6222
4.2	.6232	.6243	.6253	.6263	.6274	.6284	.6294	.6304	.6314	.6325
4.3	.6335	.6345	.6355	.6365	.6375	.6385	.6395	.6405	.6415	.6425
4.4	.6435	.6444	.6454	.6464	.6474	.6484	.6493	.6503	.6513	.6522
4.5	.6532	.6542	.6551	.6561	.6571	.6580	.6590	.6599	.6609	.6618
4.6	.6628	.6637	.6646	.6656	.6665	.6675	.6684	.6693	.6702	.6712
4.7	.6721	.6730	.6739	.6749	.6758	.6767	.6776	.6785	.6794	.6803
4.8	.6812	.6821	.6830	.6839	.6848	.6857	.6866	.6875	.6884	.6893
4.9	.6902	.6911	.6920	.6928	.6937	.6946	.6955	.6964	.6972	.6981
5.0	.6990	.6998	.7007	.7016	.7024	.7033	.7042	.7050	.7059	.7067
5.1	.7076	.7084	.7093	.7101	.7110	.7118	.7126	.7135	.7143	.7152
5.2	.7160	.7168	.7177	.7185	.7193	.7202	.7210	.7218	.7226	.7235
5.3	.7243	.7251	.7259	.7267	.7275	.7284	.7292	.7300	.7308	.7316
5.4	.7324	.7332	.7340	.7348	.7356	.7364	.7372	.7380	.7388	.7396

수	0	1	2	3	4	5	6	7	8	9
5.5	.7404	.7412	.7419	.7427	.7435	.7443	.7451	.7459	.7466	.7474
5.6	.7482	.7490	.7497	.7505	.7513	.7520	.7528	.7536	.7543	.7551
5.7	.7559	.7566	.7574	.7582	.7589	.7597	.7604	.7612	.7619	.7627
5.8	.7634	.7642	.7649	.7657	.7664	.7672	.7679	.7686	.7694	.7701
5.9	.7709	.7716	.7723	.7731	.7738	.7745	.7752	.7760	.7767	.7774
6.0	.7782	.7789	.7796	.7803	.7810	.7818	.7825	.7832	.7839	.7846
6.1	.7853	.7860	.7868	.7875	.7882	.7889	.7896	.7903	.7910	.7917
6.2	.7924	.7931	.7938	.7945	.7952	.7959	.7966	.7973	.7980	.7987
6.3	.7993	.8000	.8007	.8014	.8021	.8028	.8035	.8041	.8048	.8055
6.4	.8062	.8069	.8075	.8082	.8089	.8096	.8102	.8109	.8116	.8122
6.5	.8129	.8136	.8142	.8149	.8156	.8162	.8169	.8176	.8182	.8189
6.6	.8195	.8202	.8209	.8215	.8222	.8228	.8235	.8241	.8248	.8254
6.7	.8261	.8267	.8274	.8280	.8287	.8293	.8299	.8306	.8312	.8319
6.8	.8325	.8331	.8338	.8344	.8351	.8357	.8363	.8370	.8376	.8382
6.9	.8388	.8395	.8401	.8407	.8414	.8420	.8426	.8432	.8439	.8445
7.0	.8451	.8457	.8463	.8470	.8476	.8482	.8488	.8494	.8500	.8506
7.1	.8513	.8519	.8525	.8531	.8537	.8543	.8549	.8555	.8561	.8567
7.2	.8573	.8579	.8585	.8591	.8597	.8603	.8609	.8615	.8621	.8627
7.3	.8633	.8639	.8645	.8651	.8657	.8663	.8669	.8675	.8681	.8686
7.4	.8692	.8698	.8704	.8710	.8716	.8722	.8727	.8733	.8739	.8745
7.5	.8751	.8756	.8762	.8768	.8774	.8779	.8785	.8791	.8797	.8802
7.6	.8808	.8814	.8820	.8825	.8831	.8837	.8842	.8848	.8854	.8859
7.7	.8865	.8871	.8876	.8882	.8887	.8893	.8899	.8904	.8910	.8915
7.8	.8921	.8927	.8932	.8938	.8943	.8949	.8954	.8960	.8965	.8971
7.9	.8976	.8982	.8987	.8993	.8998	.9004	.9009	.9015	.9020	.9025
8.0	.9031	.9036	.9042	.9047	.9053	.9058	.9063	.9069	.9074	.9079
8.1	.9085	.9090	.9096	.9101	.9106	.9112	.9117	.9122	.9128	.9133
8.2	.9138	.9143	.9149	.9154	.9159	.9165	.9170	.9175	.9180	.9186
8.3	.9191	.9196	.9201	.9206	.9212	.9217	.9222	.9227	.9232	.9238
8.4	.9243	.9248	.9253	.9258	.9263	.9269	.9274	.9279	.9284	.9289
8.5	.9294	.9299	.9304	.9309	.9315	.9320	.9325	.9330	.9335	.9340
8.6	.9345	.9350	.9355	.9360	.9365	.9370	.9375	.9380	.9385	.9390
8.7	.9395	.9400	.9405	.9410	.9415	.9420	.9425	.9430	.9435	.9440
8.8	.9445	.9450	.9455	.9460	.9465	.9469	.9474	.9479	.9484	.9489
8.9	.9494	.9499	.9504	.9509	.9513	.9518	.9523	.9528	.9533	.9538
9.0	.9542	.9547	.9552	.9557	.9562	.9566	.9571	.9576	.9581	.9586
9.1	.9590	.9595	.9600	.9605	.9609	.9614	.9619	.9624	.9628	.9633
9.2	.9638	.9643	.9647	.9652	.9657	.9661	.9666	.9671	.9675	.9680
9.3	.9685	.9689	.9694	.9699	.9703	.9708	.9713	.9717	.9722	.9727
9.4	.9731	.9736	.9741	.9745	.9750	.9754	.9759	.9763	.9768	.9773
9.5	.9777	.9782	.9786	.9791	.9795	.9800	.9805	.9809	.9814	.9818
9.6	.9823	.9827	.9832	.9836	.9841	.9845	.9850	.9854	.9859	.9863
9.7	.9868	.9872	.9877	.9881	.9886	.9890	.9894	.9899	.9903	.9908
9.8	.9912	.9917	.9921	.9926	.9930	.9934	.9939	.9943	.9948	.9952
9.9	.9956	.9961	.9965	.9969	.9974	.9978	.9983	.9987	.9991	.9996

삼각함수표

각	라디안	sin	cos	tan
0°	0.0000	0.0000	1.0000	0.0000
1°	0.0175	0.0175	0.9998	0.0175
2°	0.0349	0.0349	0.9994	0.0349
3°	0.0524	0.0523	0.9986	0.0524
4°	0.0698	0.0698	0.9976	0.0699
5°	0.0873	0.0872	0.9962	0.0875
6°	0.1047	0.1045	0.9945	0.1051
7°	0.1222	0.1219	0.9925	0.1228
8°	0.1396	0.1392	0.9903	0.1405
9°	0.1571	0.1564	0.9877	0.1584
10°	0.1745	0.1736	0.9848	0.1763
11°	0.1920	0.1908	0.9816	0.1944
12°	0.2094	0.2079	0.9781	0.2126
13°	0.2269	0.2250	0.9744	0.2309
14°	0.2443	0.2419	0.9703	0.2493
15°	0.2618	0.2588	0.9659	0.2679
16°	0.2793	0.2756	0.9613	0.2867
17°	0.2967	0.2924	0.9563	0.3057
18°	0.3142	0.3090	0.9511	0.3249
19°	0.3316	0.3256	0.9455	0.3443
20°	0.3491	0.3420	0.9397	0.3640
21°	0.3665	0.3584	0.9336	0.3839
22°	0.3840	0.3746	0.9272	0.4040
23°	0.4014	0.3907	0.9205	0.4245
24°	0.4189	0.4067	0.9135	0.4452
25°	0.4363	0.4226	0.9063	0.4663
26°	0.4538	0.4384	0.8988	0.4877
27°	0.4712	0.4540	0.8910	0.5095
28°	0.4887	0.4695	0.8829	0.5317
29°	0.5061	0.4848	0.8746	0.5543
30°	0.5236	0.5000	0.8660	0.5774
31°	0.5411	0.5150	0.8572	0.6009
32°	0.5585	0.5299	0.8480	0.6249
33°	0.5760	0.5446	0.8387	0.6494
34°	0.5934	0.5592	0.8290	0.6745
35°	0.6109	0.5736	0.8192	0.7002
36°	0.6283	0.5878	0.8090	0.7265
37°	0.6458	0.6018	0.7986	0.7536
38°	0.6632	0.6157	0.7880	0.7813
39°	0.6807	0.6293	0.7771	0.8098
40°	0.6981	0.6428	0.7660	0.8391
41°	0.7156	0.6561	0.7547	0.8693
42°	0.7330	0.6691	0.7431	0.9004
43°	0.7505	0.6820	0.7314	0.9325
44°	0.7679	0.6947	0.7193	0.9657
45°	0.7854	0.7071	0.7071	1.0000

각	라디안	sin	cos	tan
45°	0.7854	0.7071	0.7071	1.0000
46°	0.8029	0.7193	0.6947	1.0355
47°	0.8203	0.7314	0.6820	1.0724
48°	0.8378	0.7431	0.6691	1.1106
49°	0.8552	0.7547	0.6561	1.1504
50°	0.8727	0.7660	0.6428	1.1918
51°	0.8901	0.7771	0.6293	1.2349
52°	0.9076	0.7880	0.6157	1.2799
53°	0.9250	0.7986	0.6018	1.3270
54°	0.9425	0.8090	0.5878	1.3764
55°	0.9599	0.8192	0.5736	1.4281
56°	0.9744	0.8290	0.5592	1.4826
57°	0.9948	0.8387	0.5446	1.5399
58°	1.0123	0.8480	0.5299	1.6003
59°	1.0297	0.8572	0.5150	1.6643
60°	1.0472	0.8660	0.5000	1.7321
61°	1.0647	0.8746	0.4848	1.8040
62°	1.0821	0.8829	0.4695	1.8807
63°	1.0996	0.8910	0.4540	1.9626
64°	1.1170	0.8988	0.4384	2.0503
65°	1.1345	0.9063	0.4226	2.1445
66°	1.1519	0.9135	0.4067	2.2460
67°	1.1694	0.9205	0.3907	2.3559
68°	1.1868	0.9272	0.3746	2.4751
69°	1.2043	0.9336	0.3584	2.6051
70°	1.2217	0.9397	0.3420	2.7475
71°	1.2392	0.9455	0.3256	2.9042
72°	1.2566	0.9511	0.3090	3.0777
73°	1.2741	0.9563	0.2924	3.2709
74°	1.2915	0.9613	0.2756	3.4874
75°	1.3090	0.9659	0.2588	3.7321
76°	1.3265	0.9703	0.2419	4.0108
77°	1.3439	0.9744	0.2250	4.3315
78°	1.3614	0.9781	0.2079	4.7046
79°	1.3788	0.9816	0.1908	5.1446
80°	1.3963	0.9848	0.1736	5.6713
81°	1.4137	0.9877	0.1564	6.3138
82°	1.4312	0.9903	0.1392	7.1154
83°	1.4486	0.9925	0.1219	8.1443
84°	1.4661	0.9945	0.1045	9.5144
85°	1.4835	0.9962	0.0872	11.4301
86°	1.5010	0.9976	0.0698	14.3007
87°	1.5184	0.9986	0.0523	19.0811
88°	1.5359	0.9994	0.0349	28.6363
89°	1.5533	0.9998	0.0175	57.2900
90°	1.5708	1.0000	0.0000	

Memo

Memo

쉽게 시작하는 기본 개념서

개념 해결의 법칙

수학 I

정답과 해설

수학 I

천재교육

자세하고 친절한 해설

전 략

문제를 접근할 수 있는 실마리를 제공

다른 풀이

다른 여러 가지 풀이 방법으로
수학적 사고력을 강화

Lecture

문제 풀이에 대한 보충 설명, 문제 해결의
노하우 소개

1 | 지수

개념 확인 8쪽~11쪽

1 (1) a^{20} (2) $27a^{15}b^{3}$ (3) $a^{4}b$ (4) $\frac{1}{a^{3}}$

2 (1) $3, -3, 3i, -3i$ (2) $-4, 2+2\sqrt{3}i, 2-2\sqrt{3}i$

3 (1) $4, -4$ (2) -5

4 (1) 2 (2) 3 (3) 5 (4) 2 (5) $\sqrt{3}$

STEP 1 개념 드릴 12쪽

1 (1) a^{14} (2) $\frac{1}{a^{2}}$ (3) $-27a^{11}$ (4) $a^{5}b^{6}$ (5) $-a^{4}b^{11}$

2 (1) $\sqrt{10}, -\sqrt{10}$ (2) 3 (3) -2 (4) $5, -5$

3 (1) 0.3 (2) -5 (3) 3 (4) 2

4 (1) 6 (2) 4 (3) 4 (4) $\sqrt{2}$ (5) $\sqrt{2}$

STEP 2 필수 유형 13쪽~14쪽

01-1 ④

02-1 (1) 7 (2) 2 (3) $\sqrt[24]{a}$ (4) b

02-2 8

개념 확인 15쪽~17쪽

1 (1) a^{3} (2) $\frac{1}{a^{9}}$ (3) $\frac{1}{8}$ (4) 1

2 (1) $\sqrt[3]{5}$ (2) $\sqrt{7}$ (3) $\sqrt[3]{16}$ (4) $\sqrt[5]{8}$

3 (1) 5 (2) 2 (3) $\frac{1}{4}$ (4) 12

4 (1) $5^{\sqrt{2}}$ (2) $6^{\sqrt{3}}$ (3) $\frac{1}{25}$ (4) $6^{\sqrt{3}}$

STEP 1 개념 드릴 18쪽

1 (1) 1 (2) 1 (3) $\frac{1}{5}$ (4) -27

2 (1) a^{3} (2) $a^{2}b^{-3}$ (3) $\frac{1}{3^{10}}$ (4) 3^{18}

3 (1) $2^{\frac{4}{3}}$ (2) $5^{-\frac{3}{4}}$ (3) $6^{\frac{3}{2}}$ (4) $3^{\frac{3}{4}}$

4 (1) $\frac{1}{3}$ (2) $2^{\frac{11}{2}}$ (3) 3 (4) $\frac{1}{32}$ (5) $a^{\frac{1}{12}}$ (6) $a^{\frac{3}{4}}$

5 (1) $5^{3\sqrt{3}}$ (2) $3^{3\sqrt{2}}$ (3) $\frac{1}{16}$ (4) $3^{3\sqrt{2}}$

STEP 2 필수 유형 19쪽~26쪽

01-1 (1) $2^{-\frac{9}{2}}$ (2) 1 (3) 2 (4) $\frac{9}{16}$

02-1 (1) $-\frac{2}{3}$ (2) $\frac{2}{3}$

02-2 13

03-1 (1) $x-y^{-1}$ (2) $x-y^{-1}$

03-2 $1-a^{4}$

04-1 (1) 14 (2) 52

04-2 21

05-1 (1) $3-2\sqrt{2}$ (2) $\frac{18-10\sqrt{2}}{31}$

05-2 $\frac{10}{3}$

06-1 1

06-2 6

07-1 $\sqrt[3]{2}<\sqrt[6]{10}<\sqrt[4]{5}$

07-2 12

08-1 3

STEP 3 유형 드릴 27쪽~29쪽

1-1 ③ **1-2** ㄱ, ㄷ **2-1** 7 **2-2** 5

3-1 a **3-2** $\frac{1}{2}$ **4-1** 6 **4-2** 1

5-1 2 **5-2** 11 **6-1** $\frac{11}{5}$ **6-2** 4

7-1 110 **7-2** $\sqrt{6}$ **8-1** $\frac{2+3\sqrt{2}}{2}$ **8-2** $-\frac{5}{4}$

9-1 -2 **9-2** 1 **10-1** 30 **10-2** $\frac{1}{2}$

11-1 $C<A<B$ **11-2** $C<B<A$ **12-1** 2 **12-2** 9배

2 | 로그

개념 확인 32쪽~33쪽

1 (1) $2=\log_5 25$ (2) $0=\log_{10} 1$ (3) $-2=\log_4 \frac{1}{16}$

2 (1) $5^0=1$ (2) $10^{-2}=0.01$ (3) $\left(\frac{1}{3}\right)^{-4}=81$

3 (1) $0<x<1$ 또는 $x>1$ (2) $x>1$

STEP 1 개념 드릴 34쪽

1 (1) $0=\log_7 1$ (2) $4=\log_3 81$ (3) $2=\log_{\frac{1}{5}} \frac{1}{25}$
(4) $-2=\log_{\frac{1}{2}} 4$ (5) $-\frac{2}{3}=\log_{27} \frac{1}{9}$

2 (1) $10^3=1000$ (2) $3^{-3}=\frac{1}{27}$ (3) $\left(\frac{1}{2}\right)^{-5}=32$
(4) $5^{\frac{1}{2}}=\sqrt{5}$ (5) $(\sqrt{3})^4=9$

3 (1) $2<x<3$ 또는 $x>3$ (2) $-3<x<-2$ 또는 $x>-2$
(3) $\frac{5}{2}<x<3$ 또는 $x>3$ (4) $-2<x<-\frac{5}{3}$ 또는 $x>-\frac{5}{3}$

4 (1) $x<2$ (2) $x<0$ 또는 $x>3$
(3) $x<-2$ 또는 $x>4$ (4) $1<x<2$

STEP 2 필수 유형 35쪽~36쪽

01-1 (1) 9 (2) 81 (3) 3
01-2 9
01-3 9
02-1 $4<x<5$ 또는 $5<x<7$
02-2 18

개념 확인 37쪽~39쪽

1 (1) 0 (2) $\log_2 30$ (3) 2 (4) 3

2 $\frac{\log_2 7}{\log_2 3}$

3 (1) 4 (2) 4

4 (1) 1 (2) $\frac{3}{4}$ (3) 5

STEP 1 개념 드릴 40쪽

1 (1) 0 (2) 3 (3) 2 (4) 3 (5) -1 (6) 1 (7) 2

2 (1) $\frac{1}{\log_{10} 2}$ (2) $\frac{2}{\log_{10} 3}$ (3) $\frac{\log_{10} 3}{2\log_{10} 2}$ (4) $\frac{3\log_{10} 2}{2\log_{10} 5}$

3 (1) 1 (2) 2 (3) $\frac{2}{3}$ (4) $-\frac{2}{3}$ (5) 9 (6) 15

STEP 2 필수 유형 41쪽~46쪽

01-1 (1) 2 (2) 3
01-2 5
02-1 (1) -2 (2) 3
02-2 3
03-1 (1) $-\frac{5}{18}$ (2) 4
03-2 5
03-3 2
04-1 $\frac{3a+2b}{1-a}$
04-2 $\frac{3a+2b}{6}$
05-1 1
05-2 1
06-1 2
06-2 -4

개념 확인 47쪽~49쪽

1 (1) 3 (2) -3 (3) $\frac{2}{3}$

2 (1) 0.6628 (2) 0.6739 (3) 0.6839

3 (1) 정수 부분: 1, 소수 부분: 0.8603
(2) 정수 부분: -1, 소수 부분: 0.8603

4 (1) 4 (2) -3

STEP 1 개념 드릴 50쪽

1 (1) -5 (2) $\frac{3}{4}$ (3) -1 (4) $\frac{5}{2}$

2 (1) 0.7868 (2) 0.7993 (3) 6.02 (4) 6.21

3 (1) 1.0253 (2) 3.0253 (3) -0.9747 (4) -1.9747

4 (1) 1.8572 (2) -0.5283 (3) -1.2219

5 (1) 3 (2) 4 (3) -2 (4) -4

STEP 2 필수 유형 51쪽~54쪽

01-1 (1) 56700 (2) 0.0567
02-1 9자리
02-2 소수점 아래 6째 자리
03-1 $\sqrt[3]{10^7}$, $\sqrt[3]{10^8}$
03-2 $\sqrt[4]{10^{15}}$
04-1 890만 원

STEP 3 유형 드릴 55쪽~57쪽

1-1 1
1-2 7
2-1 0
2-2 1
3-1 ㄴ, ㄷ, ㄹ
3-2 20
4-1 $\frac{2a+b}{2-a}$
4-2 $\frac{2+a+ab}{2+a}$
5-1 -2
5-2 $\frac{2}{3}$
6-1 -6
6-2 $-\frac{2}{3}$
7-1 48900
7-2 3.4549
8-1 14자리
8-2 소수점 아래 13째 자리
9-1 $\sqrt[3]{10^4}$ 또는 $\sqrt[3]{10^5}$
9-2 15
10-1 100
10-2 6.5

3 | 지수함수

개념 확인 60쪽~63쪽

1 ㄱ, ㄷ, ㄹ

2 (1) 1 (2) 125 (3) $\sqrt{5}$ (4) $\frac{1}{25}$

3 (1)

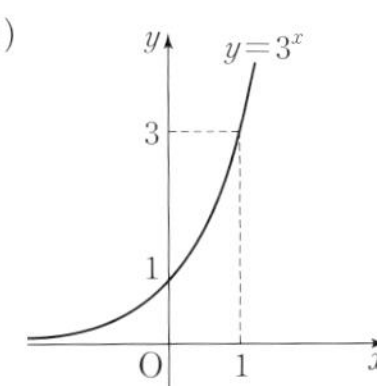

정의역: 실수 전체의 집합
치역: 양의 실수 전체의 집합
점근선의 방정식: $y=0$

(2)

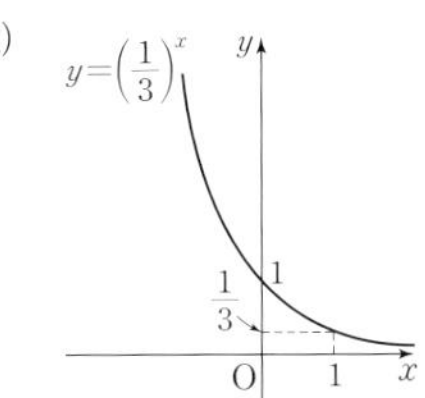

정의역: 실수 전체의 집합
치역: 양의 실수 전체의 집합
점근선의 방정식: $y=0$

4 (1) $y=5^{x+2}+1$ (2) $y=-5^x$ (3) $y=\left(\frac{1}{5}\right)^x$ (4) $y=-\left(\frac{1}{5}\right)^x$

5 (1)

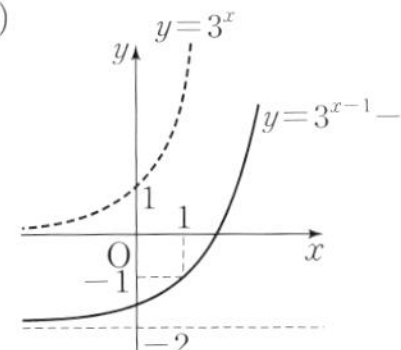

(2)

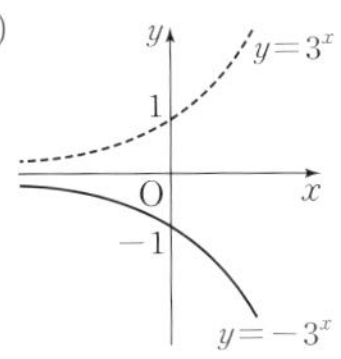

(3) $y=3^{-x}$ $y=3^x$ 1 O x

(4)

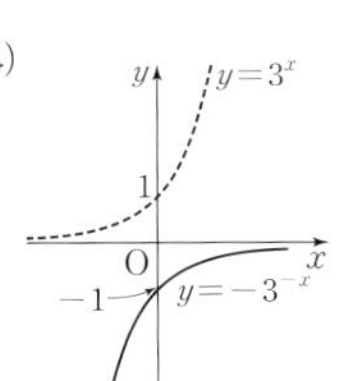

6 (1) 최댓값: 3, 최솟값: $\frac{1}{9}$ (2) 최댓값: 4, 최솟값: $\frac{1}{16}$

STEP 1 개념 드릴 64쪽

1 (1) $y=5^{x-1}-2$ (2) $y=2^{x+2}+3$

(3) $y=-3^x+2$ (4) $y=\left(\frac{1}{4}\right)^{x+1}-3$

2

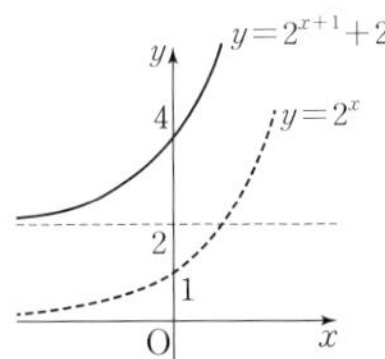

(1) 실수 전체의 집합 (2) $\{y\,|\,y>2\}$ (3) $y=2$

3

$y=\left(\frac{1}{5}\right)^x$ y 1 O x -1 $y=-\left(\frac{1}{5}\right)^x$

(1) 실수 전체의 집합 (2) $\{y\,|\,y<0\}$ (3) $y=0$

4 (1) 최댓값: 25, 최솟값: 1 (2) 최댓값: 9, 최솟값: $\frac{1}{3}$

(3) 최댓값: 64, 최솟값: 2 (4) 최댓값: 1, 최솟값: $\frac{1}{64}$

STEP 2 필수 유형 65쪽~69쪽

01-1

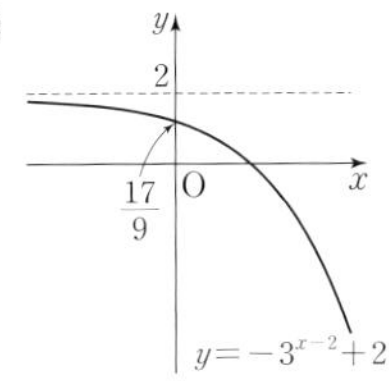

치역: $\{y\,|\,y<2\}$, 점근선의 방정식: $y=2$

01-2 ②

02-1 $m=-4$, $n=2$

02-2 $m=2$, $n=5$

02-3 -2

03-1 $3^{0.5}<\sqrt[3]{9}<\sqrt{27}$

03-2 $\sqrt[4]{0.2^7}<\sqrt{0.008}<0.2^{\frac{1}{3}}$

04-1 최댓값: 28, 최솟값: $\frac{28}{27}$

04-2 최댓값: 32, 최솟값: 2

05-1 (1) 최댓값: 39, 최솟값: 3 (2) 최댓값: 3, 최솟값: 2

05-2 -3

STEP 1 개념 드릴 71쪽

1 (1) $x=4$ (2) $x=3$ (3) $x=-\frac{3}{2}$ (4) $x=2$

(5) $x=-\frac{5}{2}$ (6) $x=-1$ (7) $x=2$

2 (1) $x=3$ (2) $x=0$ (3) $x=0$ 또는 $x=1$ (4) $x=1$ 또는 $x=2$

3 (1) $x=2$ (2) $x=3$ (3) $x=2$ 또는 $x=5$ (4) $x=\frac{4}{3}$ 또는 $x=5$

STEP 2 필수 유형 72쪽~74쪽

01-1 (1) $x=-3$ 또는 $x=1$ (2) $x=\frac{1}{2}$ 또는 $x=1$

01-2 4

02-1 (1) $x=2$ (2) $x=0$ 또는 $x=1$

02-2 2

03-1 (1) $x=1$ 또는 $x=4$ (2) $x=-2$ 또는 $x=1$

STEP 1 개념 드릴 76쪽

1 (1) $x<\frac{5}{4}$ (2) $x\geq 4$ (3) $x<\frac{5}{2}$ (4) $x>1$ (5) $x\geq 5$ (6) $x<1$

2 (1) $x<4$ (2) $x>2$ (3) $-2<x<-1$ (4) $x\geq 1$ (5) $x<2$

(6) $-2\leq x\leq -1$

STEP 2 필수 유형 77쪽~80쪽

01-1 (1) $x\geq -6$ (2) $-3\leq x\leq 1$ **01-2** 4

02-1 (1) $x\geq 1$ (2) $x\geq -1$

03-1 (1) $1<x<2$ (2) $0<x<1$ 또는 $2<x<3$

04-1 28500년 전

04-2 $40<\alpha<50$

STEP 3 유형 드릴 81쪽~83쪽

1-1 -1	**1-2** -1	**2-1** 2	**2-2** $a=2$, $b=3$
3-1 $A<B<C$	**3-2** $3^a<3^{a^a}<3$	**4-1** 3	**4-2** $\frac{1}{4}$
5-1 2	**5-2** 10	**6-1** 1	**6-2** -2
7-1 27	**7-2** 2	**8-1** 5	**8-2** 4
9-1 3	**9-2** 4	**10-1** -1	**10-2** 3
11-1 3	**11-2** 3	**12-1** 6	**12-2** 20

4 | 로그함수

개념 확인 86쪽~89쪽

1 ㄴ, ㄷ

2 (1) $y=\log_3 x$ (2) $y=\log_{\frac{1}{3}} x$

3 (1)

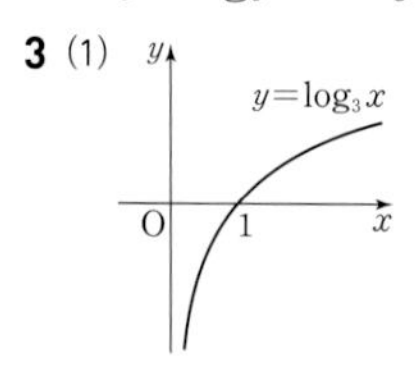

정의역: 양의 실수 전체의 집합
치역: 실수 전체의 집합
점근선의 방정식: $x=0$

(2)

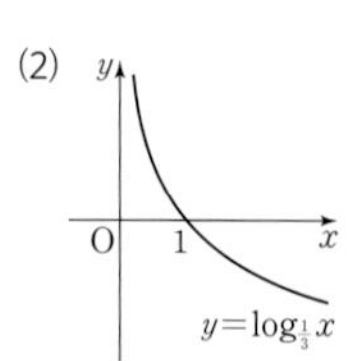

정의역: 양의 실수 전체의 집합
치역: 실수 전체의 집합
점근선의 방정식: $x=0$

4 (1) $y=\log_5(x+1)+2$ (2) $y=-\log_5 x$
(3) $y=\log_5(-x)$ (4) $y=-\log_5(-x)$ (5) $y=5^x$

5 (1)

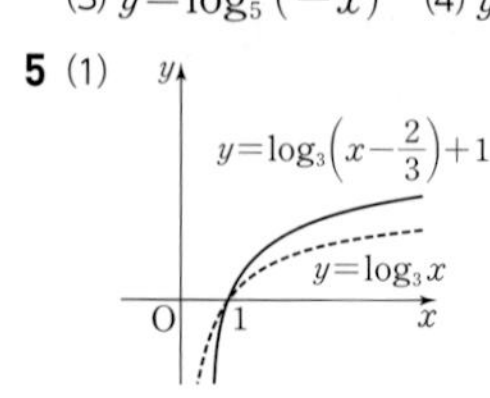

(2)

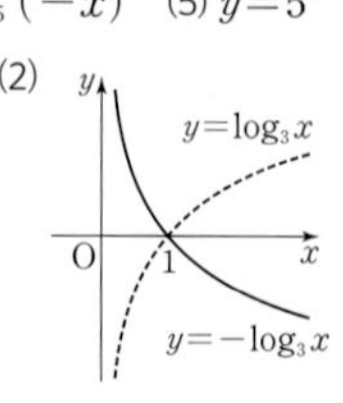

(3)

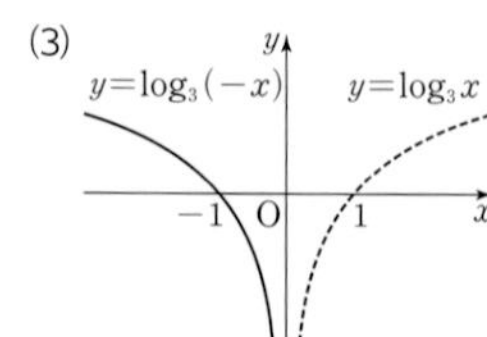

(4)

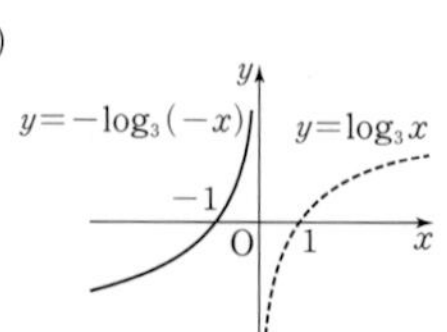

6 (1) 최댓값: 2, 최솟값: -1 (2) 최댓값: -1, 최솟값: -2

STEP 1 개념 드릴 90쪽

1 (1) $y=\log_2(x+1)+3$ (2) $y=\log_{\frac{1}{5}}(x-2)-3$
(3) $y=\log_3(-x)$ (4) $y=-\log_2 x+1$

2

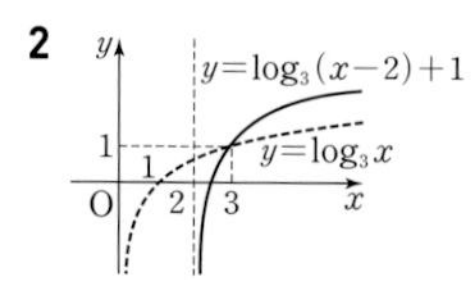

(1) $\{x|x>2\}$ (2) 실수 전체의 집합 (3) $x=2$

3

(1) $\{x|x>1\}$ (2) 실수 전체의 집합 (3) $x=1$

4 (1) 최댓값: 3, 최솟값: 1 (2) 최댓값: 2, 최솟값: 0
(3) 최댓값: -1, 최솟값: -2 (4) 최댓값: 1, 최솟값: -1

STEP 2 필수 유형 91쪽~97쪽

01-1 (1) $y=\log_2 x+\log_2\frac{2}{3}\ (x>0)$ (2) $y=4^x-1$

01-2 8

02-1

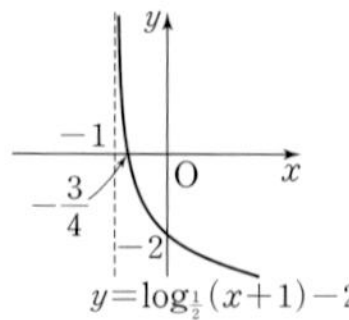

정의역: $\{x|x>-1\}$, 점근선의 방정식: $x=-1$

02-2 ④

03-1 -2

03-2 $1+3\log_3 2$

04-1 3

04-2 258

05-1 $\log_{25}16<2\log_5 3<2$

05-2 $-3<\log_{\frac{1}{2}}7<\log_{\frac{1}{4}}9$

06-1 (1) 최댓값: 0, 최솟값: -3 (2) 최댓값: -1, 최솟값: -2

06-2 최댓값: 0, 최솟값: -2

07-1 (1) 최댓값: 0, 최솟값: -1 (2) 최댓값: 17, 최솟값: 1

07-2 -12

STEP 1 개념 드릴 99쪽

1 (1) $x=17$ (2) $x=\frac{19}{9}$ (3) $x=4$

2 (1) $x=5$ (2) $x=10$ (3) $x=5$

3 (1) $x=\frac{1}{4}$ 또는 $x=4$ (2) $x=\frac{1}{3}$ 또는 $x=81$
(3) $x=\frac{1}{5}$ 또는 $x=25$

4 (1) $x=4$ 또는 $x=\frac{5}{2}$ (2) $x=2$ (3) $x=7$

STEP 2 필수 유형 100쪽~102쪽

01-1 $x=6$

01-2 $x=1$

02-1 (1) $x=\frac{1}{9}$ 또는 $x=27$ (2) $x=\frac{1}{5}$ 또는 $x=25$

02-2 3

03-1 (1) $x=\frac{1}{1000}$ 또는 $x=10$ (2) $x=10$

STEP 1 개념 드릴 104쪽

1 (1) $5<x\le 25$ (2) $x>8$ (3) $x\ge 3$ (4) $x>\frac{5}{9}$
(5) $3<x<4$ (6) $-1\le x<0$ 또는 $2<x\le 3$
(7) $-3<x<-1$ 또는 $0<x<2$

2 (1) $0<x<\frac{1}{3}$ 또는 $x>9$ (2) $0<x<\frac{1}{125}$ 또는 $x>\frac{1}{5}$
(3) $\frac{1}{2}<x<32$ (4) $x=\frac{1}{3}$ (5) $\frac{1}{4}<x<\frac{1}{2}$

STEP 2 필수 유형 105쪽~110쪽

01-1 (1) $3<x\le 4$ (2) $x\ge 2$
01-2 2
02-1 (1) $\frac{1}{27}<x<\sqrt{3}$ (2) $\frac{1}{64}\le x\le 2$
02-2 8
03-1 (1) $0<x<\frac{1}{3}$ 또는 $x>27$ (2) $1<x<1000$
04-1 $\frac{1}{16}<a<16$
05-1 $0<k\le\frac{1}{4}$
06-1 2.7×10^{-3}
06-2 17시간 후

STEP 3 유형 드릴 111쪽~113쪽

1-1 0　**1-2** 5　**2-1** ⑤　**2-2** ㄴ, ㄹ
3-1 4　**3-2** $(6, 2)$　**4-1** $m=-\frac{1}{3}$, $n=3$
4-2 3　**5-1** 1, $\log_3 7$, $\log_9 100$
5-2 -2, $\frac{1}{2}\log_{\frac{1}{3}}36$, $\log_{\frac{1}{3}}5$　**6-1** 1　**6-2** 5
7-1 $x=\frac{1}{16}$ 또는 $x=1$　**7-2** 243　**8-1** 2
8-2 3　**9-1** 5　**9-2** $\frac{33}{8}$　**10-1** $\frac{1}{8}$
10-2 10　**11-1** $0<a<\frac{1}{10}$ 또는 $100<a<1000$ 또는 $a>1000$
11-2 $\frac{1}{4}<k<4$　**12-1** 31.62　**12-2** 4초 후

5 | 삼각함수

개념 확인 116쪽~119쪽

1 (1)
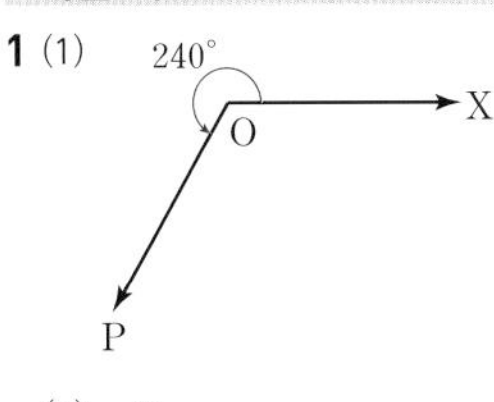

(2)
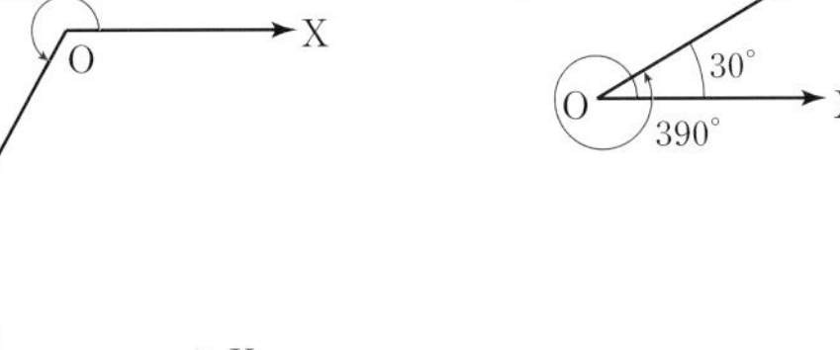

(3)
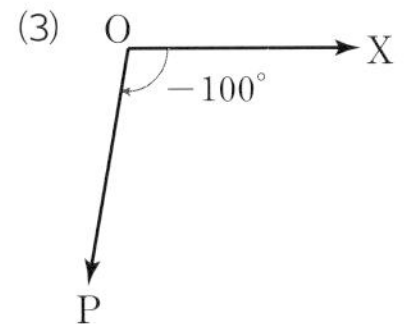

2 (1) $360°\times n+330°$ (2) $360°\times n+150°$
3 (1) 제2사분면 (2) 제4사분면
4 (1) 180 (2) 180 (3) 90

STEP 1 개념 드릴 120쪽

1 (1)
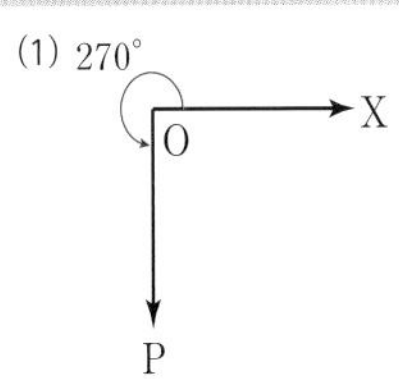

(2)
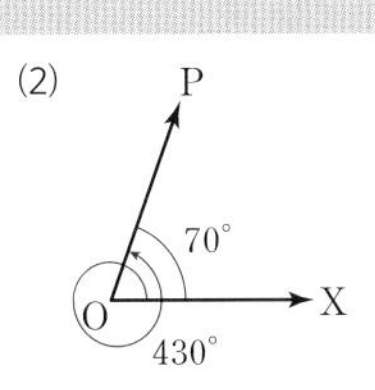

(3)
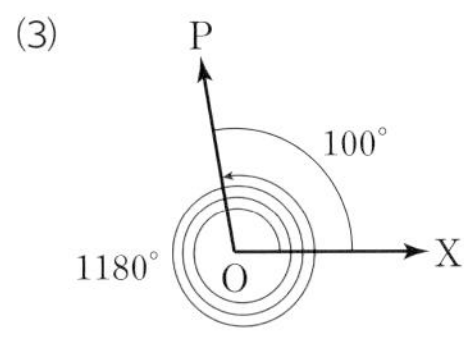

(4)
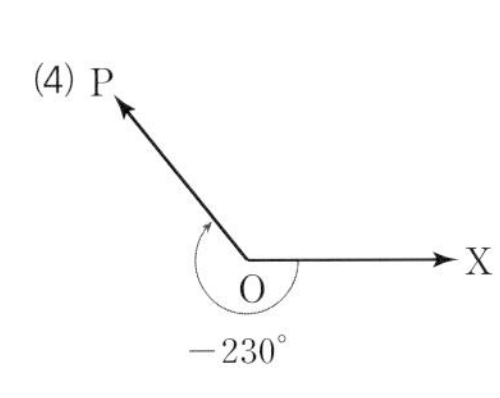

(5)
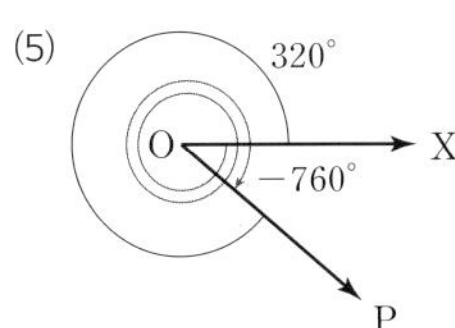

2 (1) $360°\times n+40°$ (2) $360°\times n+210°$
(3) $360°\times n+100°$ (4) $360°\times n+230°$
3 (1) 제2사분면 (2) 제4사분면
(3) 제2사분면 (4) 제3사분면

STEP 2 필수 유형 121쪽~122쪽

01-1 제2사분면 또는 제4사분면
01-2 제1사분면 또는 제2사분면 또는 제4사분면
02-1 225°
02-2 144°
02-3 75°

개념 확인 124쪽~125쪽

1 (1) $\frac{\pi}{4}$ (2) $\frac{2}{3}\pi$ (3) $150°$ (4) $270°$

2 (1) $2n\pi+\frac{\pi}{3}$ (2) $2n\pi+\frac{\pi}{6}$

3 (1) 2π (2) 8π

STEP 1 개념 드릴 126쪽

1 (1) $\frac{3}{5}\pi$ (2) $\frac{7}{6}\pi$ (3) $-\frac{\pi}{3}$ (4) $\frac{36}{5}\pi$

2 (1) $36°$ (2) $80°$ (3) $1260°$ (4) $-960°$

3 (1) $2n\pi+\frac{\pi}{6}$ (2) $2n\pi+\frac{2}{3}\pi$ (3) $2n\pi+\frac{3}{4}\pi$ (4) $2n\pi+\frac{\pi}{3}$

4 (1) 4π (2) 10π (3) $\frac{75}{2}\pi$ (4) $\frac{25}{4}\pi$

STEP 2 필수 유형 127쪽~128쪽

01-1 ⑤

01-2 ㄱ, ㄹ, ㅁ

02-1 $r=4, \theta=\frac{\pi}{2}$

02-2 부채꼴의 넓이의 최댓값: 400, 반지름의 길이: 20

개념 확인 129쪽~132쪽

1 $\sin C=\frac{12}{13}, \cos C=\frac{5}{13}, \tan C=\frac{12}{5}$

2 $\sqrt{3}$

3 (1) $\sin\theta=\frac{4\sqrt{17}}{17}, \cos\theta=\frac{\sqrt{17}}{17}, \tan\theta=4$

(2) $\sin\theta=-\frac{\sqrt{3}}{2}, \cos\theta=\frac{1}{2}, \tan\theta=-\sqrt{3}$

4 (1) $\sin\theta>0, \cos\theta>0, \tan\theta>0$

(2) $\sin\theta<0, \cos\theta>0, \tan\theta<0$

5 (1) 제2사분면 (2) 제4사분면

6 $\cos\theta=-\frac{2\sqrt{2}}{3}, \tan\theta=-\frac{\sqrt{2}}{4}$

7 $-\frac{3}{8}$

STEP 1 개념 드릴 133쪽

1 (1) $\sin\theta=-\frac{5\sqrt{41}}{41}, \cos\theta=-\frac{4\sqrt{41}}{41}, \tan\theta=\frac{5}{4}$

(2) $\sin\theta=-\frac{2\sqrt{5}}{5}, \cos\theta=\frac{\sqrt{5}}{5}, \tan\theta=-2$

(3) $\sin\theta=\frac{\sqrt{5}}{3}, \cos\theta=-\frac{2}{3}, \tan\theta=-\frac{\sqrt{5}}{2}$

2 (1) $\sin\theta<0, \cos\theta<0, \tan\theta>0$

(2) $\sin\theta>0, \cos\theta>0, \tan\theta>0$

(3) $\sin\theta<0, \cos\theta>0, \tan\theta<0$

(4) $\sin\theta>0, \cos\theta<0, \tan\theta<0$

3 (1) 제2사분면 (2) 제3사분면 (3) 제2사분면 또는 제4사분면

(4) 제1사분면 또는 제2사분면

4 (1) $\cos\theta=\frac{\sqrt{15}}{4}, \tan\theta=\frac{\sqrt{15}}{15}$ (2) $\cos\theta=\frac{3}{5}, \tan\theta=-\frac{4}{3}$

(3) $\sin\theta=-\frac{\sqrt{3}}{2}, \tan\theta=\sqrt{3}$

STEP 2 필수 유형 134쪽~139쪽

01-1 $\frac{3}{4}$

01-2 -7

02-1 제2사분면

02-2 $2\sin\theta$

03-1 $\frac{1}{\tan\theta}$

03-2 1

04-1 $-\frac{\sqrt{5}}{5}$

04-2 $-\frac{7}{5}$

05-1 (1) $\frac{13}{27}$ (2) $\frac{49}{81}$

05-2 $-\frac{3\sqrt{6}}{8}$

06-1 8

06-2 $-\frac{20}{3}$

STEP 3 유형 드릴 140쪽~141쪽

1-1 제2사분면 또는 제4사분면

1-2 제1사분면

2-1 π

2-2 25

3-1 100 m^2

3-2 2

4-1 -3

4-2 $\sin\theta$

5-1 1

5-2 2

6-1 $-\sqrt{3}$

6-2 1

7-1 $\frac{7}{8}$

7-2 $-4\sqrt{3}$

8-1 5

8-2 1

6 | 삼각함수의 그래프

개념 확인 144쪽~149쪽

1 2

2 2

3 (1) 치역: $\left\{y \middle| -\frac{1}{2} \le y \le \frac{1}{2}\right\}$, 주기: 2π

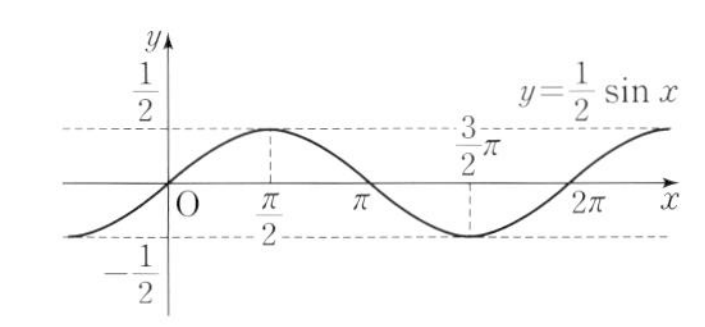

(2) 치역: $\{y \mid -3 \le y \le 3\}$, 주기: $\frac{2}{3}\pi$

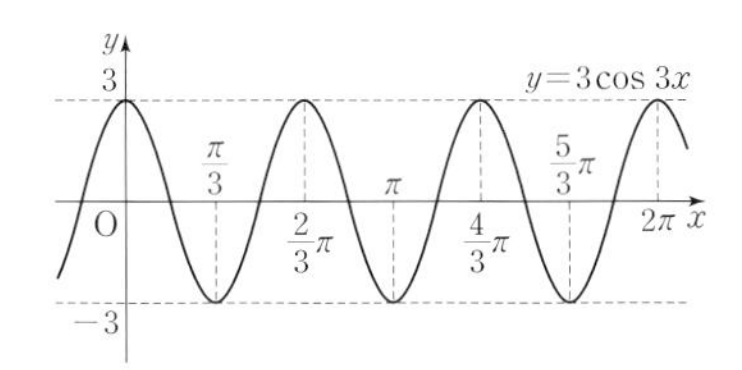

4 (1) 최댓값: 3, 최솟값: -1, 주기: π

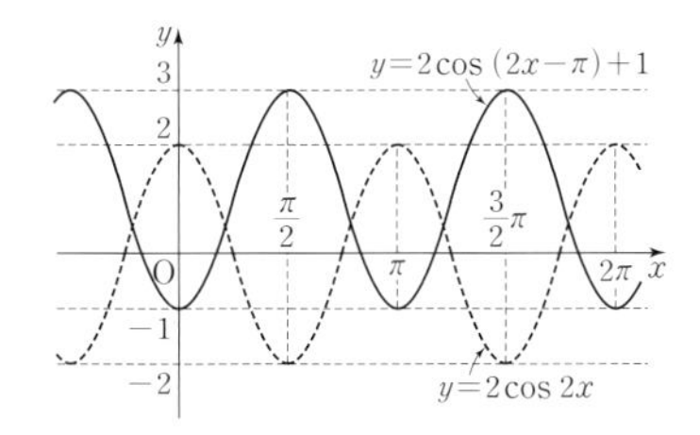

(2) 최댓값: 없다, 최솟값: 없다, 주기: $\frac{\pi}{2}$

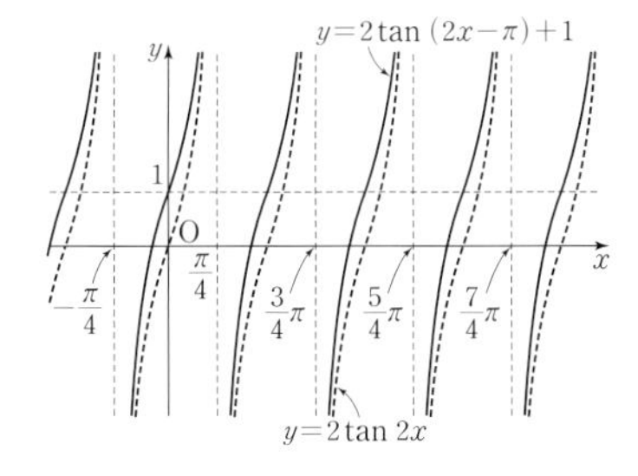

STEP 1 개념 드릴 151쪽

1

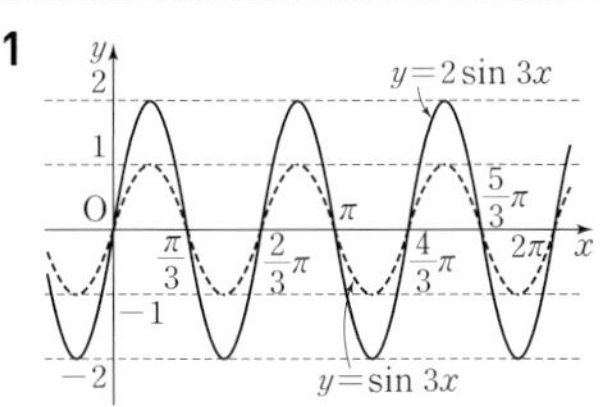

(1) 실수 전체의 집합 (2) $\{y \mid -2 \le y \le 2\}$ (3) $2, -2$ (4) $\frac{2\pi}{3}$

2

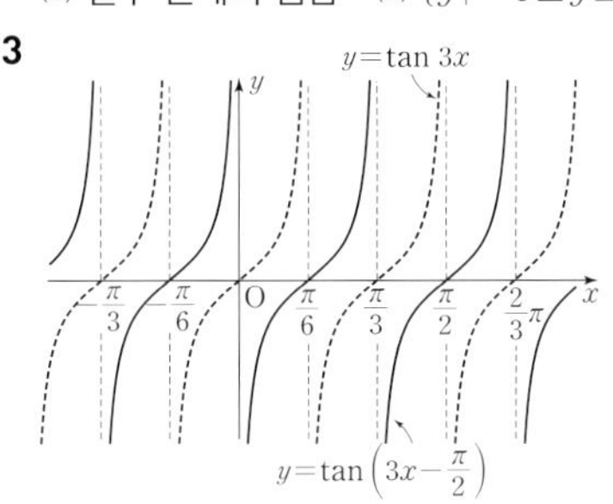

(1) 실수 전체의 집합 (2) $\{y \mid -3 \le y \le 3\}$ (3) $3, -3$ (4) π

3

(1) $x=\frac{n+1}{3}\pi$ (n은 정수)가 아닌 실수 전체의 집합

(2) $x=\frac{n+1}{3}\pi$ (단, n은 정수) (3) $\frac{\pi}{3}$

STEP 2 필수 유형 152쪽~155쪽

01-1 (1)

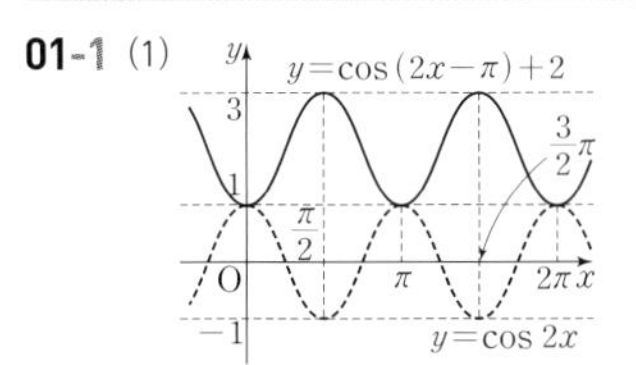

최댓값: 3, 최솟값: 1, 주기: π

(2)

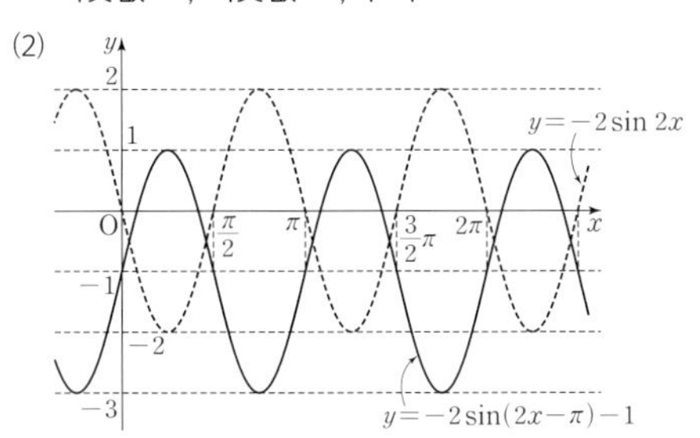

최댓값: 1, 최솟값: -3, 주기: π

01-2 $\frac{1}{4}$

02-1 7

02-2 -24

03-1 4

03-2 3

04-1 최댓값: 3, 최솟값: 0, 주기: 3π

04-2 3

개념 확인 158쪽

1 (1) $-\frac{\sqrt{2}}{2}$ (2) $-\frac{1}{2}$ (3) 1

STEP 1 개념 드릴 159쪽

1 (1) $\frac{\sqrt{2}}{2}$ (2) $\frac{1}{2}$ (3) $\sqrt{3}$ (4) $\frac{\sqrt{3}}{3}$

2 (1) $-\frac{\sqrt{3}}{2}$ (2) $-\frac{1}{2}$ (3) $\frac{1}{2}$ (4) -1

3 (1) $\sqrt{3}$ (2) $\frac{1}{2}$ (3) $-\frac{\sqrt{2}}{2}$ (4) $-\sqrt{3}$

4 (1) $\frac{1}{2}$ (2) $-\frac{\sqrt{3}}{3}$ (3) $\frac{\sqrt{2}}{2}$ (4) $-\frac{1}{2}$

STEP 2 필수 유형 160쪽~163쪽

01-1 0 **01-2** 0

02-1 $\frac{89}{2}$ **02-2** 1

03-1 (1) 최댓값: 9, 최솟값: 5 (2) 최댓값: $\frac{7}{3}$, 최솟값: 1

04-1 4 **04-2** 최댓값: 3, 최솟값: 2

개념 확인 164쪽~165쪽

1 (1) $x=\frac{2}{3}\pi$ 또는 $x=\frac{4}{3}\pi$ (2) $x=\frac{\pi}{3}$ 또는 $x=\frac{4}{3}\pi$

2 (1) $\frac{\pi}{3}\leq x\leq\frac{2}{3}\pi$

(2) $0\leq x<\frac{\pi}{4}$ 또는 $\frac{\pi}{2}<x<\frac{5}{4}\pi$ 또는 $\frac{3}{2}\pi<x<2\pi$

STEP 1 개념 드릴 166쪽

1 (1) $x=\frac{\pi}{3}$ 또는 $x=\frac{2}{3}\pi$ (2) $x=\frac{\pi}{3}$ 또는 $x=\frac{5}{3}\pi$

(3) $x=\frac{\pi}{6}$ 또는 $x=\frac{7}{6}\pi$

2 (1) $0\leq x\leq\frac{\pi}{6}$ 또는 $\frac{5}{6}\pi\leq x<2\pi$

(2) $0\leq x<\frac{2}{3}\pi$ 또는 $\frac{4}{3}\pi<x<2\pi$

(3) $0\leq x<\frac{\pi}{2}$ 또는 $\frac{3}{4}\pi<x<\frac{3}{2}\pi$ 또는 $\frac{7}{4}\pi<x<2\pi$

STEP 2 필수 유형 167쪽~170쪽

01-1 $x=\frac{\pi}{2}$ 또는 $x=\frac{3}{2}\pi$ **01-2** $\frac{14}{3}\pi$

02-1 $x=\frac{5}{3}\pi$ **02-2** $\frac{7}{2}\pi$

03-1 $\frac{2}{3}\pi<x\leq\pi$ **03-2** 1

04-1 $0\leq\theta<\frac{7}{6}\pi$ 또는 $\frac{11}{6}\pi<\theta<2\pi$

04-2 $\frac{\pi}{3}<\theta<\frac{2}{3}\pi$ 또는 $\frac{4}{3}\pi<\theta<\frac{5}{3}\pi$

STEP 3 유형 드릴 171쪽~173쪽

1-1 ⑤ **1-2** ⑤ **2-1** $-\frac{3}{5}$ **2-2** 0

3-1 8π **3-2** π **4-1** 10 **4-2** -1

5-1 -18π **5-2** $\frac{16}{3}$ **6-1** 1 **6-2** 1

7-1 5 **7-2** 1 **8-1** 3 **8-2** $-\frac{5}{4}$

9-1 3π **9-2** π **10-1** $\frac{2}{3}\pi$ **10-2** $\frac{5}{6}\pi$

11-1 $-\frac{1}{2}$ **11-2** 1

7 | 사인법칙과 코사인법칙

STEP 1 개념 드릴 177쪽

1 (1) $\sqrt{3}$ (2) 1 (3) $30°$

2 (1) $4\sqrt{3}$ (2) $\frac{5\sqrt{2}}{2}$ (3) $30°$ (4) $90°$

3 (1) 1 (2) $\sqrt{3}$ (3) $20\sqrt{3}$ (4) $45°$ 또는 $135°$

4 (1) $2:4:5$ (2) $3:4:5$ (3) $1:\sqrt{3}:2$ (4) $1:1:\sqrt{2}$

STEP 2 필수 유형 178쪽~181쪽

01-1 2 **01-2** 16π

02-1 $\sqrt{2}$ **02-2** 2

03-1 $B=90°$인 직각삼각형 **03-2** $C=90°$인 직각삼각형

04-1 40 cm **04-2** $\sqrt{3}\text{ km}$

STEP 1 개념 드릴 183쪽

1 (1) 5 (2) $\sqrt{21}$ (3) 6 (4) $\sqrt{2}$ (5) $2\sqrt{14}$ (6) $\sqrt{13}$

2 (1) $\frac{13}{14}$ (2) $\frac{11}{12}$ (3) $\frac{29}{36}$ (4) $-\frac{\sqrt{2}}{4}$ (5) $\frac{2}{3}$ (6) 0

STEP 2 필수 유형 184쪽~187쪽

01-1 $90°$ **01-2** 2 **02-1** $135°$ **02-2** $\frac{3}{5}$

03-1 $C=90°$인 직각삼각형

03-2 $a=b$인 이등변삼각형 또는 $C=90°$인 직각삼각형

04-1 43.6 m **04-2** $\sqrt{13}\text{ km}$

개념 확인 188쪽~190쪽

1 (1) $15\sqrt{2}$ (2) $6\sqrt{3}$

2 $5\sqrt{3}$

3 $12\sqrt{3}$

STEP 1 개념 드릴 191쪽

1 (1) $5\sqrt{3}$ (2) $2\sqrt{6}$ (3) $\sqrt{11}$ (4) $15\sqrt{3}$ (5) $9\sqrt{2}$

2 (1) $24\sqrt{3}$ (2) 12 (3) 10

3 (1) $\frac{15\sqrt{3}}{2}$ (2) $18\sqrt{3}$ (3) $9\sqrt{3}$

STEP 2 필수 유형 192쪽~193쪽

01-1 $3\sqrt{10}$ **01-2** $4\sqrt{3}$ **01-3** $12\sqrt{5}$

02-1 $\frac{21\sqrt{3}}{4}$ **02-2** $\frac{3}{13}$

STEP 3 유형 드릴 194쪽~195쪽

1-1 $2\sqrt{3}$ **1-2** 3 **2-1** 16 **2-2** 1

3-1 $10\sqrt{6}\text{ m}$ **3-2** $3\sqrt{2}\text{ km}$ **4-1** 8 **4-2** 7

5-1 6 **5-2** 5

6-1 $a=b$인 이등변삼각형 **6-2** $A=90°$인 직각삼각형

7-1 $\frac{3+\sqrt{3}}{2}$ **7-2** $4+2\sqrt{2}$

8-1 $40\sqrt{3}$ **8-2** $32\sqrt{3}$

8 | 등차수열

개념 확인 198쪽~200쪽

1 제3항: 8, 제7항: 28

2 (1) $3, 5, 7, 9$ (2) $2, 4, 8, 16$

3 (1) $a_n=3n-5$ (2) $a_n=-5n+13$

4 (1) $x=4, y=-2$ (2) $x=1, y=\frac{11}{5}$

STEP 1 개념 드릴 201쪽

1 (1) $4, 9, 14, 19$ (2) $3, 9, 19, 33$
(3) $-1, 1, -1, 1$ (4) $1, 2, 5, 12$

2 (1) $5, 19$ (2) $11, -5$ (3) $-\frac{2}{3}, 0$ (4) $\frac{1}{2}, 0$

3 (1) $a_n=3n-10$ (2) $a_n=-4n+9$ (3) $a_n=-\frac{1}{3}n-\frac{2}{3}$

4 (1) $a_n=6n-3$ (2) $a_n=2n-5$ (3) $a_n=\frac{1}{2}n-\frac{11}{2}$

5 (1) $x=-1, y=7$ (2) $x=3, y=0$

STEP 2 필수 유형 202쪽~207쪽

01-1 48 **01-2** 22

02-1 $a_n=3n-4$ **02-2** 38

03-1 제10항 **03-2** 제26항

03-3 -33 **04-1** 16

04-2 15 **05-1** 24

05-2 -8 **06-1** 28

06-2 5

개념 확인 208쪽~209쪽

1 1400

2 435

3 (1) $a_n=4n-2$ (2) $a_1=2$, $a_n=2n-1\,(n\ge 2)$

STEP 1 개념 드릴 210쪽

1 (1) 590 (2) 572 (3) 50 (4) 992

2 (1) 407 (2) 240 (3) -350 (4) -416

3 (1) 190 (2) -360 (3) -1520 (4) 299

4 (1) $a_n=2n+1$ (2) $a_1=0$, $a_n=2n-1\,(n\ge 2)$

STEP 2 필수 유형 211쪽~214쪽

01-1 -170	**01-2** 224
02-1 14	**02-2** -98
03-1 540	**03-2** 1617
04-1 74	**04-2** 45

STEP 3 유형 드릴 215쪽~217쪽

1-1 -11	**1-2** 3	**2-1** 12	**2-2** -31
3-1 56	**3-2** 8	**4-1** 제7항	**4-2** 32
5-1 2	**5-2** 17	**6-1** -3	**6-2** 12
7-1 $a=2$, $b=4$	**7-2** 27	**8-1** 10	**8-2** -268
9-1 -360	**9-2** 52	**10-1** 1650	**10-2** 4350
11-1 7	**11-2** 5	**12-1** 175장	**12-2** 185 cm

9 | 등비수열

개념 확인 220쪽~221쪽

1 $a_n=33\times\left(\frac{1}{3}\right)^{n-1}$

2 (1) $x=4$, $y=16$ 또는 $x=-4$, $y=-16$

(2) $x=3$, $y=\frac{1}{3}$ 또는 $x=-3$, $y=-\frac{1}{3}$

STEP 1 개념 드릴 222쪽

1 (1) 4 (2) 2 (3) -25, -125 (4) 10, 80 (5) 5, -5

2 (1) $a_n=2\times 4^{n-1}$ (2) $a_n=3\times\left(\frac{1}{3}\right)^{n-1}$

(3) $a_n=5\times(-4)^{n-1}$ (4) $a_n=2\times\left(-\frac{1}{2}\right)^{n-1}$

3 (1) $a_n=2^{n+1}$ (2) $a_n=-3\times\left(-\frac{1}{3}\right)^{n-1}$ (3) $a_n=3\times(-1)^{n-1}$

(4) $a_n=4\times\left(\frac{1}{2}\right)^{n-1}$ (5) $a_n=2\times(-\sqrt{3})^{n-1}$

4 (1) $x=5$, $y=\frac{1}{5}$ 또는 $x=-5$, $y=-\frac{1}{5}$

(2) $x=2$, $y=\frac{8}{25}$ 또는 $x=-2$, $y=-\frac{8}{25}$

STEP 2 필수 유형 223쪽~229쪽

01-1 $\frac{1}{16}$	**01-2** 99
02-1 $\frac{64}{5}$	**02-2** 16
02-3 $a_n=3^n$	**03-1** 제8항
03-2 제10항	**04-1** $\frac{19}{18}$
04-2 576	**04-3** 4
05-1 -27	**05-2** 14
06-1 9	**06-2** 3
06-3 -5	**07-1** $4\times\left(\frac{4}{3}\right)^6$

개념 확인 230쪽

1 (1) $4\left(1-\frac{1}{2^8}\right)$ (2) $\frac{1}{2}(3^8-1)$

STEP 1 개념 드릴 232쪽

1 (1) $2\left(1-\frac{1}{2^n}\right)$ (2) $-2(2^n-1)$ (3) $1-(-3)^n$
(4) $1-(-4)^n$ (5) 5^n-1 (6) $2n$

2 (1) $\frac{1}{4}(5^n-1)$ (2) $\frac{1}{3}\{1-(-2)^n\}$ (3) $\frac{16}{3}\left(1-\frac{1}{4^n}\right)$
(4) $\frac{4}{3}\left\{1-\left(-\frac{1}{2}\right)^n\right\}$ (5) $\frac{3}{4}\{1-(-3)^n\}$ (6) $-5n$

STEP 2 필수 유형 233쪽~236쪽

01-1 $\frac{1}{4}(2^8-1)$

01-2 $-\frac{1}{2}\{1-(-3)^5\}$ 또는 $3(2^5-1)$

01-3 $\frac{126}{5}$ **02-1** 504

02-2 744 **03-1** $a_n=4\times5^n$

03-2 -12 **03-3** 6

04-1 (1) 583000원 (2) 1133000원

STEP 3 유형 드릴 237쪽~239쪽

1-1 15	**1-2** 9	**2-1** 36	**2-2** 81
3-1 제8항	**3-2** 제15항	**4-1** 78	**4-2** 3
5-1 8	**5-2** $\frac{1}{8}$	**6-1** 2	**6-2** 81
7-1 30	**7-2** 9	**8-1** 1	**8-2** $\frac{24}{7}\times\left(\frac{4}{7}\right)^7$
9-1 9	**9-2** 21	**10-1** 244	**10-2** 130
11-1 1	**11-2** 6	**12-1** 251만 원	**12-2** 76000원

10 | 수열의 합

개념 확인 242쪽~243쪽

1 (1) $\sum_{k=1}^{14} 2k$ (2) $\sum_{k=1}^{25} 3\times2^k$

2 (1) $1+3+5+7+9$ (2) $3^3+3^4+3^5+\cdots+3^{10}$

3 (1) 1 (2) -22

STEP 1 개념 드릴 244쪽

1 (1) $\sum_{k=1}^{5} 2$ (2) $\sum_{k=1}^{15} 3^k$ (3) $\sum_{k=1}^{12}(3k-2)$ (4) $\sum_{k=1}^{6} 15\times\left(\frac{1}{3}\right)^{k-1}$

2 (1) $1^2+2^2+3^2+\cdots+12^2$ (2) $(-4)+(-3)+(-2)+\cdots+3$
(3) $2^3+2^4+2^5+\cdots+2^9$ (4) $2-3+4-5$

3 (1) 14 (2) 95 (3) 70

4 (1) -25 (2) -25 (3) 20

STEP 2 필수 유형 245쪽~246쪽

01-1 25 **01-2** ㄱ, ㄷ

02-1 706 **02-2** 5

02-3 45

개념 확인 247쪽~248쪽

1 (1) 28 (2) 385 (3) 225 (4) 595

2 (1) $\frac{10}{21}$ (2) 5

STEP 1 개념 드릴 250쪽

1 (1) 124 (2) 2620 (3) 199
(4) 1736 (5) 140 (6) 885

2 (1) $\frac{5}{24}$ (2) $\frac{175}{264}$ (3) $\frac{15}{46}$
(4) 4 (5) $2\sqrt{2}$ (6) 6

STEP 2 필수 유형 251쪽~257쪽

01-1 2680 **01-2** $\frac{n(n+1)(4n+5)}{6}$

02-1 975 **02-2** 270

03-1 $\frac{1023}{1024}$ **03-2** 1150

04-1 $\frac{n}{4(n+1)}$ **04-2** $\frac{2}{15}$

05-1 $3-\sqrt{2}+\sqrt{15}$ **05-2** 24

06-1 $\frac{19}{4}\times3^{11}+\frac{3}{4}$ **06-2** $\frac{3}{4}-\frac{19}{4\times3^{8}}$

07-1 6 **07-2** 27

STEP 3 유형 드릴 258쪽~259쪽

1-1 44 **1-2** 0 **2-1** 330 **2-2** 10
3-1 100 **3-2** 24 **4-1** 95 **4-2** -438
5-1 49 **5-2** $\frac{20}{11}$ **6-1** -2 **6-2** 3
7-1 $8\times3^{10}+3$ **7-2** $3-\frac{3}{2^{7}}$ **8-1** 11 **8-2** 137

11 | 수학적 귀납법

개념 확인 262쪽~263쪽

1 (1) 21 (2) 17

2 (1) $a_1=2,\ a_{n+1}=a_n+5\ (n=1, 2, 3, \cdots)$
(2) $a_1=1,\ a_{n+1}=a_n-3\ (n=1, 2, 3, \cdots)$

3 (1) $a_1=2,\ a_{n+1}=2a_n\ (n=1, 2, 3, \cdots)$
(2) $a_1=3,\ a_{n+1}=-\frac{1}{3}a_n\ (n=1, 2, 3, \cdots)$

STEP 1 개념 드릴 266쪽

1 (1) $3, \frac{3}{4}, \frac{3}{7}, \frac{3}{10}$ (2) 2, 3, 4, 5

2 (1) $a_n=3n+2$ (2) $a_n=-n-1$ (3) $a_n=2\times\left(\frac{1}{5}\right)^{n-1}$ (4) $a_n=(-2)^n$

3 (가) $\frac{1}{(k+1)(k+2)}$ (나) $\frac{k+1}{k+2}$ (다) $k+1$

4 (가) 1 (나) $3k-2$ (다) $\frac{(k+1)(3k+2)}{2}$

STEP 2 필수 유형 267쪽~273쪽

01-1 13 **01-2** 1023 **01-3** $9^{10}-1$ **02-1** 526
02-2 10 **03-1** 5 **03-2** $\frac{\sqrt{10}}{180}$ **04-1** $\frac{5^8}{2^9}$
04-2 $\frac{3^9+1}{2}$
05-1 (1) $a_1=31,\ a_{n+1}=2a_n+1\ (n=1, 2, 3, \cdots)$ (2) 255
05-2 8 **06-1** 풀이 참조 **07-1** 풀이 참조

STEP 3 유형 드릴 274쪽~275쪽

1-1 99 **1-2** -92 **2-1** 256 **2-2** 192
3-1 $\frac{199}{100}$ **3-2** 50 **4-1** $\frac{1}{5}$ **4-2** 7
5-1 5 **5-2** 89
6-1 (가) $(k+1)^3$ (나) $(k+2)^2$ (다) $k+2$
6-2 (가) $1+h$ (나) kh^2

정답과 해설

I 지수함수와 로그함수

1 | 지수 002
2 | 로그 010
3 | 지수함수 020
4 | 로그함수 031

II 삼각함수

5 | 삼각함수 044
6 | 삼각함수의 그래프 053
7 | 사인법칙과 코사인법칙 064

III 수열

8 | 등차수열 071
9 | 등비수열 080
10 | 수열의 합 090
11 | 수학적 귀납법 098

1 | 지수

1 거듭제곱과 거듭제곱근

개념 확인 8쪽~11쪽

1 (1) a^{20} (2) $27a^{15}b^3$ (3) a^4b (4) $\frac{1}{a^3}$

2 (1) $3, -3, 3i, -3i$ (2) $-4, 2+2\sqrt{3}i, 2-2\sqrt{3}i$

3 (1) $4, -4$ (2) -5

4 (1) 2 (2) 3 (3) 5 (4) 2 (5) $\sqrt{3}$

1 (1) $a^8\times(a^3)^4=a^8\times a^{12}=a^{8+12}=a^{20}$

(2) $(3a^5b)^3=3^3a^{15}b^3=27a^{15}b^3$

(3) $\left(\frac{a^2}{b}\right)^3\div\left(\frac{a}{b^2}\right)^2=\frac{a^6}{b^3}\div\frac{a^2}{b^4}=\frac{a^6}{b^3}\times\frac{b^4}{a^2}=a^4b$

(4) $a^{10}\div a^5\div a^8=a^{10-5}\div a^8=a^5\div a^8$

$=\frac{1}{a^{8-5}}=\frac{1}{a^3}$

2 (1) 81의 네제곱근을 x라 하면 $x^4=81$이므로

$x^4-81=0, (x^2-9)(x^2+9)=0$

$\therefore x=\pm3$ 또는 $x=\pm3i$

따라서 81의 네제곱근은 $3, -3, 3i, -3i$이다.

(2) -64의 세제곱근을 x라 하면 $x^3=-64$이므로

$x^3+64=0, (x+4)(x^2-4x+16)=0$

$\therefore x=-4$ 또는 $x=2\pm2\sqrt{3}i$

따라서 -64의 세제곱근은 $-4, 2+2\sqrt{3}i, 2-2\sqrt{3}i$이다.

3 (1) 256의 네제곱근을 x라 하면 $x^4=256$이므로

$x^4-256=0, (x^2-16)(x^2+16)=0$

$\therefore x=\pm4$ 또는 $x=\pm4i$

따라서 256의 네제곱근 중 실수인 것은 $4, -4$이다.

(2) -125의 세제곱근을 x라 하면 $x^3=-125$이므로

$x^3+125=0, (x+5)(x^2-5x+25)=0$

$\therefore x=-5$ 또는 $x=\frac{5\pm5\sqrt{3}i}{2}$

따라서 -125의 세제곱근 중 실수인 것은 -5이다.

4 (1) $\sqrt[4]{8}\sqrt[4]{2}=\sqrt[4]{8\times2}=\sqrt[4]{16}=\sqrt[4]{2^4}=2$

(2) $\frac{\sqrt[3]{81}}{\sqrt[3]{3}}=\sqrt[3]{\frac{81}{3}}=\sqrt[3]{27}=\sqrt[3]{3^3}=3$

(3) $(\sqrt[4]{25})^2=\sqrt[4]{25^2}=\sqrt[4]{(5^2)^2}=\sqrt[4]{5^4}=5$

(4) $\sqrt[3]{\sqrt{64}}=\sqrt[3\times2]{64}=\sqrt[6]{64}=\sqrt[6]{2^6}=2$

(5) $\sqrt[12]{3^6}=\sqrt[2\times6]{3^{1\times6}}=\sqrt[2]{3^1}=\sqrt{3}$

STEP 1 개념 드릴 | 12쪽 |

1 (1) a^{14} (2) $\frac{1}{a^2}$ (3) $-27a^{11}$ (4) a^5b^6 (5) $-a^4b^{11}$

2 (1) $\sqrt{10}, -\sqrt{10}$ (2) 3 (3) -2 (4) $5, -5$

3 (1) 0.3 (2) -5 (3) 3 (4) 2

4 (1) 6 (2) 4 (3) 4 (4) $\sqrt{2}$ (5) $\sqrt{2}$

1 (1) $(a^3)^2\times(a^2)^4=a^6\times a^8=a^{6+8}=a^{14}$

(2) $a^{11}\div a^8\div a^5=a^{11-8}\div a^5=a^3\div a^5=\frac{1}{a^{5-3}}=\frac{1}{a^2}$

(3) $(-3a^3b^2)^3\times\left(\frac{a}{b^3}\right)^2=-27a^9b^6\times\frac{a^2}{b^6}=-27a^{11}$

(4) $(a^2b^3)^4\div(ab^2)^3=a^8b^{12}\div a^3b^6=a^{8-3}b^{12-6}=a^5b^6$

(5) $(-a^2b)^3\div\left(\frac{a}{b^2}\right)^3\times ab^2=-a^6b^3\div\frac{a^3}{b^6}\times ab^2$

$=-a^6b^3\times\frac{b^6}{a^3}\times ab^2$

$=-a^{6-3+1}b^{3+6+2}$

$=-a^4b^{11}$

2 (1) 10의 제곱근을 x라 하면 $x^2=10$이므로

$x^2-10=0, (x+\sqrt{10})(x-\sqrt{10})=0$

$\therefore x=\pm\sqrt{10}$

따라서 10의 제곱근 중 실수인 것은 $\sqrt{10}, -\sqrt{10}$이다.

(2) 27의 세제곱근을 x라 하면 $x^3=27$이므로

$x^3-27=0, (x-3)(x^2+3x+9)=0$

$\therefore x=3$ 또는 $x=\frac{-3\pm3\sqrt{3}i}{2}$

따라서 27의 세제곱근 중 실수인 것은 3이다.

(3) -8의 세제곱근을 x라 하면 $x^3=-8$이므로

$x^3+8=0, (x+2)(x^2-2x+4)=0$

$\therefore x=-2$ 또는 $x=1\pm\sqrt{3}i$

따라서 -8의 세제곱근 중 실수인 것은 -2이다.

(4) 625의 네제곱근을 x라 하면 $x^4=625$이므로

$x^4-5^4=0, (x^2-5^2)(x^2+5^2)=0$

$\therefore x=\pm5$ 또는 $x=\pm5i$

따라서 625의 네제곱근 중 실수인 것은 $5, -5$이다.

3 (1) $\sqrt[3]{0.027}=\sqrt[3]{(0.3)^3}=0.3$

(2) $\sqrt[3]{-125}=\sqrt[3]{(-5)^3}=-5$

(3) $\sqrt[4]{81}=\sqrt[4]{3^4}=3$

(4) $-\sqrt[5]{-32}=-\sqrt[5]{(-2)^5}=-(-2)=2$

4 (1) $\sqrt[3]{4}\sqrt[3]{54}=\sqrt[3]{4\times54}=\sqrt[3]{216}=\sqrt[3]{6^3}=6$

(2) $\frac{\sqrt[4]{512}}{\sqrt[4]{2}}=\sqrt[4]{\frac{512}{2}}=\sqrt[4]{256}=\sqrt[4]{4^4}=4$

(3) $(\sqrt[3]{2})^6=\sqrt[3]{2^6}=\sqrt[3]{(2^2)^3}=\sqrt[3]{4^3}=4$

(4) $\sqrt[3]{\sqrt{8}}=\sqrt[3\times2]{8}=\sqrt[2\times3]{2^{1\times3}}=\sqrt[2]{2^1}=\sqrt{2}$

(5) $\sqrt[10]{2^5}=\sqrt[2\times5]{2^{1\times5}}=\sqrt[2]{2^1}=\sqrt{2}$

STEP 2 필수 유형 | 13쪽~14쪽 |

01-1 답 ④

|해결 전략| 실수 a의 n제곱근 중 실수인 것은 n이 홀수일 때는 1개이고, n이 짝수일 때는 a의 값에 따라 다르다.

① 64의 세제곱근을 x라 하면 $x^3=64$이므로

$x^3-64=0$, $(x-4)(x^2+4x+16)=0$

$\therefore x=4$ 또는 $x=-2\pm2\sqrt{3}i$

따라서 64의 세제곱근은 3개이다.

② -27의 세제곱근을 x라 하면 $x^3=-27$이므로

$x^3+27=0$, $(x+3)(x^2-3x+9)=0$

$\therefore x=-3$ 또는 $x=\frac{3\pm3\sqrt{3}i}{2}$

따라서 -27의 세제곱근 중 실수인 것은 -3의 1개이다.

③ 8의 네제곱근 중 실수인 것은 $\sqrt[4]{8}$, $-\sqrt[4]{8}$이다.

④ n이 홀수일 때, 3의 n제곱근 중 실수인 것은 $\sqrt[n]{3}$의 1개이다.

⑤ n이 짝수일 때, -4의 n제곱근 중 실수인 것은 없다.

이상에서 옳은 것은 ④이다.

참고

② -27의 세제곱근 중 실수인 것은 $\sqrt[3]{-27}=\sqrt[3]{(-3)^3}=-3$이다.

02-1 답 (1) 7 (2) 2 (3) $\sqrt[24]{a}$ (4) b

|해결 전략| 거듭제곱근의 성질을 이용하여 식을 간단히 한다.

(1) $\sqrt[3]{3}\sqrt[3]{9}+\sqrt[4]{4}\sqrt[4]{64}=\sqrt[3]{3\times9}+\sqrt[4]{4\times64}$

$=\sqrt[3]{3^3}+\sqrt[4]{4^4}=3+4=7$

(2) $\sqrt[5]{\sqrt[3]{32}}\times\sqrt{\sqrt[3]{16}}=\sqrt[15]{2^5}\times\sqrt[6]{2^4}=\sqrt[3]{2}\times\sqrt[3]{2^2}$

$=\sqrt[3]{2\times2^2}=\sqrt[3]{2^3}=2$

(3) $\sqrt[3]{\frac{\sqrt{a}}{\sqrt[4]{a}}}\times\sqrt{\frac{\sqrt[6]{a}}{\sqrt[4]{a}}}=\frac{\sqrt[3]{\sqrt{a}}}{\sqrt[3]{\sqrt[4]{a}}}\times\frac{\sqrt{\sqrt[6]{a}}}{\sqrt{\sqrt[4]{a}}}$

$=\frac{\sqrt[6]{a}}{\sqrt[12]{a}}\times\frac{\sqrt[12]{a}}{\sqrt[8]{a}}$

$=\frac{\sqrt[6]{a}}{\sqrt[8]{a}}=\frac{\sqrt[24]{a^4}}{\sqrt[24]{a^3}}$

$=\sqrt[24]{a}$

(4) $\sqrt[6]{ab^4}\times\sqrt{ab^4}\div\sqrt[3]{a^2b^5}=\sqrt[6]{ab^4}\times\sqrt[6]{a^3b^{12}}\div\sqrt[6]{a^4b^{10}}$

$=\sqrt[6]{\frac{ab^4\times a^3b^{12}}{a^4b^{10}}}$

$=\sqrt[6]{b^6}=b$

02-2 답 8

|해결 전략| 거듭제곱근의 성질을 이용하여 식을 간단히 한다.

$\sqrt[k]{9}\times\sqrt[4]{243}\div\sqrt[3]{81}=\sqrt[6]{3}$에서

$\sqrt[k]{3^2}=\sqrt[6]{3}\times\sqrt[3]{81}\div\sqrt[4]{243}$

$=\sqrt[6]{3}\times\sqrt[3]{3^4}\div\sqrt[4]{3^5}$

$=\sqrt[12]{3^2}\times\sqrt[12]{3^{16}}\div\sqrt[12]{3^{15}}$

$=\sqrt[12]{\frac{3^2\times3^{16}}{3^{15}}}$

$=\sqrt[12]{3^3}$

따라서 $\sqrt[k]{3^2}=\sqrt[12]{3^3}=\sqrt[8]{3^2}$이므로 $k=8$

2 지수의 확장

개념 확인 15쪽~17쪽

1 (1) a^3 (2) $\frac{1}{a^9}$ (3) $\frac{1}{8}$ (4) 1

2 (1) $\sqrt[3]{5}$ (2) $\sqrt{7}$ (3) $\sqrt[3]{16}$ (4) $\sqrt[5]{8}$

3 (1) 5 (2) 2 (3) $\frac{1}{4}$ (4) 12

4 (1) $5^{\sqrt{2}}$ (2) $6^{\sqrt{3}}$ (3) $\frac{1}{25}$ (4) $6^{\sqrt{3}}$

1 (1) $a^{-2}\times a^5=a^{-2+5}=a^3$

(2) $a^{-4}\div a^5=a^{-4-5}=a^{-9}=\frac{1}{a^9}$

(3) $(2^{-1})\times(4^{-1})=2^{-1}\times(2^2)^{-1}$

$=2^{-1}\times2^{-2}$

$=2^{-1-2}=2^{-3}=\frac{1}{8}$

(4) $3^8\times3^{-2}\div(3^2)^3=3^8\times3^{-2}\div3^6$

$=3^{8-2-6}=3^0=1$

2 (3) $4^{\frac{2}{3}}=\sqrt[3]{4^2}=\sqrt[3]{16}$

(4) $2^{\frac{3}{5}}=\sqrt[5]{2^3}=\sqrt[5]{8}$

3 (1) $5^{\frac{3}{8}}\times5^{\frac{5}{8}}=5^{\frac{3}{8}+\frac{5}{8}}=5^1=5$

(2) $2^3\div(2^{\frac{1}{2}})^4=2^3\div2^{\frac{1}{2}\times4}=2^3\div2^2=2^{3-2}$

$=2^1=2$

(3) $(\sqrt[3]{16})^{-\frac{3}{2}}=(16^{\frac{1}{3}})^{-\frac{3}{2}}=16^{\frac{1}{3}\times\left(-\frac{3}{2}\right)}=16^{-\frac{1}{2}}$

$=(4^2)^{-\frac{1}{2}}=4^{2\times\left(-\frac{1}{2}\right)}=4^{-1}=\frac{1}{4}$

(4) $(2^{\frac{1}{2}}\times3^{\frac{1}{4}})^4=(2^{\frac{1}{2}})^4\times(3^{\frac{1}{4}})^4=2^2\times3=12$

4 (1) $5^{3\sqrt{2}}\times5^{-2\sqrt{2}}=5^{3\sqrt{2}+(-2\sqrt{2})}=5^{\sqrt{2}}$

(2) $6^{2\sqrt{3}}\div6^{\sqrt{3}}=6^{2\sqrt{3}-\sqrt{3}}=6^{\sqrt{3}}$

(3) $(5^{\sqrt{2}})^{-\sqrt{2}}=5^{\sqrt{2}\times(-\sqrt{2})}=5^{-2}=\frac{1}{25}$

(4) $(8^{\frac{1}{\sqrt{6}}}\times3^{\sqrt{\frac{3}{2}}})^{\sqrt{2}}=(8^{\frac{1}{\sqrt{6}}})^{\sqrt{2}}\times(3^{\sqrt{\frac{3}{2}}})^{\sqrt{2}}$

$=8^{\frac{1}{\sqrt{6}}\times\sqrt{2}}\times3^{\sqrt{\frac{3}{2}}\times\sqrt{2}}$

$=8^{\frac{1}{\sqrt{3}}}\times3^{\sqrt{3}}$

$=(2^3)^{\frac{1}{\sqrt{3}}}\times3^{\sqrt{3}}$

$=2^{3\times\frac{1}{\sqrt{3}}}\times3^{\sqrt{3}}$

$=2^{\sqrt{3}}\times3^{\sqrt{3}}$

$=(2\times3)^{\sqrt{3}}$

$=6^{\sqrt{3}}$

STEP 1 개념 드릴 | 18쪽 |

1 (1) 1 (2) 1 (3) $\frac{1}{5}$ (4) -27

2 (1) a^3 (2) a^2b^{-3} (3) $\frac{1}{3^{10}}$ (4) 3^{18}

3 (1) $2^{\frac{4}{3}}$ (2) $5^{-\frac{3}{4}}$ (3) $6^{\frac{3}{2}}$ (4) $3^{\frac{3}{4}}$

4 (1) $\frac{1}{3}$ (2) $2^{\frac{11}{2}}$ (3) 3 (4) $\frac{1}{32}$ (5) $a^{\frac{1}{12}}$ (6) $a^{\frac{3}{4}}$

5 (1) $5^{3\sqrt{3}}$ (2) $3^{3\sqrt{2}}$ (3) $\frac{1}{16}$ (4) $3^{3\sqrt{2}}$

1 (3) $(\sqrt{5})^{-2}=\frac{1}{(\sqrt{5})^2}=\frac{1}{5}$

(4) $\left(-\frac{1}{3}\right)^{-3}=(-3^{-1})^{-3}=(-3)^3=-27$

2 (1) $a^{-3}\times a^4\div a^{-2}=a^{-3+4-(-2)}=a^3$

(2) $(a^{-2}b^3)^{-1}=(a^{-2})^{-1}(b^3)^{-1}=a^2b^{-3}$

(3) $(3^{-2})^2\times(3^3)^{-2}=3^{-4}\times3^{-6}=3^{-4+(-6)}$

$=3^{-10}=\frac{1}{3^{10}}$

(4) $(3^{-2})^{-3}\div(3^3)^{-4}=3^6\div3^{-12}=3^{6-(-12)}=3^{18}$

3 (4) $\sqrt[4]{27}=\sqrt[4]{3^3}=3^{\frac{3}{4}}$

4 (1) $27^{-\frac{4}{3}}\times9^{\frac{3}{2}}=(3^3)^{-\frac{4}{3}}\times(3^2)^{\frac{3}{2}}=3^{3\times\left(-\frac{4}{3}\right)}\times3^{2\times\frac{3}{2}}$

$=3^{-4}\times3^3=3^{-4+3}=3^{-1}=\frac{1}{3}$

(2) $64^{\frac{3}{4}}\div8^{-\frac{1}{3}}=(2^6)^{\frac{3}{4}}\div(2^3)^{-\frac{1}{3}}=2^{6\times\frac{3}{4}}\div2^{3\times\left(-\frac{1}{3}\right)}$

$=2^{\frac{9}{2}}\div2^{-1}=2^{\frac{9}{2}-(-1)}=2^{\frac{11}{2}}$

(3) $\sqrt{9^{-3}}\times\sqrt[3]{27^4}=\sqrt{(3^2)^{-3}}\times\sqrt[3]{(3^3)^4}$

$=\sqrt{3^{-6}}\times\sqrt[3]{3^{12}}=3^{-\frac{6}{2}}\times3^{\frac{12}{3}}$

$=3^{-3}\times3^4=3^{-3+4}$

$=3^1=3$

(4) $\sqrt{16^{-4}}\div\sqrt{8^{-2}}=\sqrt{(2^4)^{-4}}\div\sqrt{(2^3)^{-2}}$

$=\sqrt{2^{-16}}\div\sqrt{2^{-6}}=2^{-\frac{16}{2}}\div2^{-\frac{6}{2}}$

$=2^{-8}\div2^{-3}=2^{-8-(-3)}$

$=2^{-5}=\frac{1}{2^5}=\frac{1}{32}$

(5) $\sqrt{a}\times\sqrt[3]{a}\div\sqrt[4]{a^3}=a^{\frac{1}{2}}\times a^{\frac{1}{3}}\div a^{\frac{3}{4}}=a^{\frac{1}{2}+\frac{1}{3}-\frac{3}{4}}$

$=a^{\frac{6+4-9}{12}}=a^{\frac{1}{12}}$

(6) $\sqrt[3]{a^2}\div\sqrt[4]{a}\times\sqrt[3]{a}=a^{\frac{2}{3}}\div a^{\frac{1}{4}}\times a^{\frac{1}{3}}=a^{\frac{2}{3}-\frac{1}{4}+\frac{1}{3}}$

$=a^{\frac{8-3+4}{12}}=a^{\frac{3}{4}}$

5 (1) $5^{\sqrt{3}}\times5^{\sqrt{12}}=5^{\sqrt{3}}\times5^{2\sqrt{3}}=5^{\sqrt{3}+2\sqrt{3}}=5^{3\sqrt{3}}$

(2) $3^{\sqrt{8}}\div3^{-\sqrt{2}}=3^{2\sqrt{2}}\div3^{-\sqrt{2}}=3^{2\sqrt{2}-(-\sqrt{2})}=3^{3\sqrt{2}}$

(3) $(4^{\sqrt{2}})^{-\sqrt{2}}=4^{\sqrt{2}\times(-\sqrt{2})}=4^{-2}=\frac{1}{4^2}=\frac{1}{16}$

(4) $3^{5\sqrt{2}}\times3^{\sqrt{8}}\div3^{\sqrt{32}}=3^{5\sqrt{2}}\times3^{2\sqrt{2}}\div3^{4\sqrt{2}}$

$=3^{5\sqrt{2}+2\sqrt{2}-4\sqrt{2}}=3^{3\sqrt{2}}$

STEP 2 필수 유형 | 19쪽~26쪽 |

01-1 답 (1) $2^{-\frac{9}{2}}$ (2) 1 (3) 2 (4) $\frac{9}{16}$

| 해결 전략 | 밑을 통일시킨 후 지수법칙을 이용하여 식을 간단히 한다.

(1) $\{(-2)^4\}^{\frac{3}{8}}\times16^{-\frac{3}{2}}=16^{\frac{3}{8}}\times16^{-\frac{3}{2}}=16^{\frac{3}{8}+\left(-\frac{3}{2}\right)}$

$=16^{-\frac{9}{8}}=(2^4)^{-\frac{9}{8}}$

$=2^{-\frac{9}{2}}$

(2) $9^{\frac{3}{2}}\div27^{\frac{2}{3}}\times3^{-1}=(3^2)^{\frac{3}{2}}\div(3^3)^{\frac{2}{3}}\times3^{-1}$

$=3^3\div3^2\times3^{-1}=3^{3-2+(-1)}$

$=3^0=1$

(3) $4^{\frac{2}{3}}\div36^{\frac{1}{3}}\times18^{\frac{1}{3}}=(2^2)^{\frac{2}{3}}\div(2^2\times3^2)^{\frac{1}{3}}\times(2\times3^2)^{\frac{1}{3}}$

$=2^{\frac{4}{3}}\div2^{\frac{2}{3}}\div3^{\frac{2}{3}}\times2^{\frac{1}{3}}\times3^{\frac{2}{3}}$

$=2^{\frac{4}{3}-\frac{2}{3}+\frac{1}{3}}\times3^{\frac{2}{3}-\frac{2}{3}}$

$=2^1\times3^0=2$

(4) $\left\{\left(\frac{64}{27}\right)^{-\frac{1}{3}}\right\}^{\frac{3}{2}}\times\left(\frac{9}{16}\right)^{\frac{1}{4}}=\left[\left\{\left(\frac{4}{3}\right)^3\right\}^{-\frac{1}{3}}\right]^{\frac{3}{2}}\times\left\{\left(\frac{3}{4}\right)^2\right\}^{\frac{1}{4}}$

$=\left(\frac{4}{3}\right)^{-\frac{3}{2}}\times\left(\frac{3}{4}\right)^{\frac{1}{2}}=\left(\frac{3}{4}\right)^{\frac{3}{2}}\times\left(\frac{3}{4}\right)^{\frac{1}{2}}$

$=\left(\frac{3}{4}\right)^{\frac{3}{2}+\frac{1}{2}}=\left(\frac{3}{4}\right)^2$

$=\frac{9}{16}$

02-1 답 (1) $-\frac{2}{3}$ (2) $\frac{2}{3}$

| 해결 전략 | $a>0$일 때, $\sqrt[n]{a^m}=a^{\frac{m}{n}}$임을 이용하여 거듭제곱근을 유리수인 지수로 나타낸 후 지수법칙을 이용한다.

(1) $\sqrt{3}\times\sqrt[3]{3}\times(\sqrt[3]{3})^{-\frac{9}{2}}=3^{\frac{1}{2}}\times3^{\frac{1}{3}}\times(3^{\frac{1}{3}})^{-\frac{9}{2}}$

$=3^{\frac{1}{2}}\times3^{\frac{1}{3}}\times3^{-\frac{3}{2}}$

$=3^{\frac{1}{2}+\frac{1}{3}+\left(-\frac{3}{2}\right)}$

$=3^{-\frac{2}{3}}$

$\therefore k=-\frac{2}{3}$

(2) $\sqrt[3]{a^4}\div\sqrt[4]{a^3}\times\sqrt[12]{a}=a^{\frac{4}{3}}\div a^{\frac{3}{4}}\times a^{\frac{1}{12}}$

$=a^{\frac{4}{3}-\frac{3}{4}+\frac{1}{12}}=a^{\frac{16-9+1}{12}}$

$=a^{\frac{8}{12}}=a^{\frac{2}{3}}$

$\therefore k=\frac{2}{3}$

02-2 답 13

|해결 전략| $a>0$일 때, $\sqrt[n]{a^m}=a^{\frac{m}{n}}$임을 이용하여 거듭제곱근을 유리수인 지수로 나타낸 후 지수법칙을 이용한다.

$$\sqrt[4]{a^2\sqrt[3]{a\sqrt{a}}}=\{a^2\times(a\times a^{\frac{1}{2}})^{\frac{1}{3}}\}^{\frac{1}{4}}=\{a^2\times(a^{1+\frac{1}{2}})^{\frac{1}{3}}\}^{\frac{1}{4}}$$
$$=\{a^2\times(a^{\frac{3}{2}})^{\frac{1}{3}}\}^{\frac{1}{4}}=(a^2\times a^{\frac{1}{2}})^{\frac{1}{4}}=(a^{2+\frac{1}{2}})^{\frac{1}{4}}$$
$$=(a^{\frac{5}{2}})^{\frac{1}{4}}=a^{\frac{5}{8}}$$

따라서 $p=5$, $q=8$이므로 $p+q=5+8=13$

03-1 답 (1) $x-y^{-1}$ (2) $x-y^{-1}$

|해결 전략| 다음과 같은 곱셈 공식을 이용하여 식을 간단히 한다.

(1) $(a+b)(a-b)=a^2-b^2$

(2) $(a-b)(a^2+ab+b^2)=a^3-b^3$

(1) $(x^{\frac{1}{2}}+y^{-\frac{1}{2}})(x^{\frac{1}{2}}-y^{-\frac{1}{2}})=(x^{\frac{1}{2}})^2-(y^{-\frac{1}{2}})^2=x-y^{-1}$

(2) $(x^{\frac{1}{3}}-y^{-\frac{1}{3}})(x^{\frac{2}{3}}+x^{\frac{1}{3}}y^{-\frac{1}{3}}+y^{-\frac{2}{3}})$

$=(x^{\frac{1}{3}}-y^{-\frac{1}{3}})\{(x^{\frac{1}{3}})^2+x^{\frac{1}{3}}y^{-\frac{1}{3}}+(y^{-\frac{1}{3}})^2\}$

$=(x^{\frac{1}{3}})^3-(y^{-\frac{1}{3}})^3$

$=x-y^{-1}$

03-2 답 $1-a^4$

|해결 전략| 곱셈 공식 $(a-b)(a+b)=a^2-b^2$을 이용하여 식을 간단히 한다.

$(1-a^{\frac{1}{4}})(1+a^{\frac{1}{4}})(1+a^{\frac{1}{2}})(1+a)(1+a^2)$

$=\{1-(a^{\frac{1}{4}})^2\}(1+a^{\frac{1}{2}})(1+a)(1+a^2)$

$=(1-a^{\frac{1}{2}})(1+a^{\frac{1}{2}})(1+a)(1+a^2)$

$=\{1-(a^{\frac{1}{2}})^2\}(1+a)(1+a^2)$

$=(1-a)(1+a)(1+a^2)$

$=(1-a^2)(1+a^2)$

$=1-(a^2)^2=1-a^4$

04-1 답 (1) 14 (2) 52

|해결 전략| 주어진 식의 양변을 제곱 또는 세제곱한다.

(1) $a^{\frac{1}{2}}+a^{-\frac{1}{2}}=4$의 양변을 제곱하면

$(a^{\frac{1}{2}}+a^{-\frac{1}{2}})^2=4^2$, $a+2+a^{-1}=16$

$\therefore a+a^{-1}=14$

(2) $a^{\frac{1}{2}}+a^{-\frac{1}{2}}=4$의 양변을 세제곱하면

$(a^{\frac{1}{2}}+a^{-\frac{1}{2}})^3=4^3$, $a^{\frac{3}{2}}+3aa^{-\frac{1}{2}}+3a^{\frac{1}{2}}a^{-1}+a^{-\frac{3}{2}}=64$

$a^{\frac{3}{2}}+a^{-\frac{3}{2}}+3(a^{\frac{1}{2}}+a^{-\frac{1}{2}})=64$, $a^{\frac{3}{2}}+a^{-\frac{3}{2}}+3\times4=64$

$\therefore a^{\frac{3}{2}}+a^{-\frac{3}{2}}=52$

다른 풀이

(1) $a+a^{-1}=(a^{\frac{1}{2}}+a^{-\frac{1}{2}})^2-2a^{\frac{1}{2}}a^{-\frac{1}{2}}=4^2-2=14$

(2) $a^{\frac{3}{2}}+a^{-\frac{3}{2}}=(a^{\frac{1}{2}}+a^{-\frac{1}{2}})^3-3a^{\frac{1}{2}}a^{-\frac{1}{2}}(a^{\frac{1}{2}}+a^{-\frac{1}{2}})$

$=4^3-3\times4=52$

04-2 답 21

|해결 전략| 주어진 식의 양변을 제곱하여 정리한 식을 다시 세제곱한다.

$x^{\frac{1}{2}}-x^{-\frac{1}{2}}=1$의 양변을 제곱하면

$(x^{\frac{1}{2}}-x^{-\frac{1}{2}})^2=1$, $x-2+x^{-1}=1$

$\therefore x+x^{-1}=3$ ……㉠

㉠의 양변을 세제곱하면

$(x+x^{-1})^3=3^3$, $x^3+3x^2x^{-1}+3xx^{-2}+x^{-3}=27$

$x^3+x^{-3}+3(x+x^{-1})=27$

$x^3+x^{-3}+3\times3=27$ ($\because$ ㉠)

$\therefore x^3+x^{-3}=18$ ……㉡

㉠, ㉡에서 $x+x^{-1}+x^3+x^{-3}=3+18=21$

다른 풀이

$x+x^{-1}=(x^{\frac{1}{2}}-x^{-\frac{1}{2}})^2+2x^{\frac{1}{2}}x^{-\frac{1}{2}}=1^2+2=3$

$x^3+x^{-3}=(x+x^{-1})^3-3xx^{-1}(x+x^{-1})=3^3-3\times3=18$

$\therefore x+x^{-1}+x^3+x^{-3}=3+18=21$

05-1 답 (1) $3-2\sqrt{2}$ (2) $\frac{18-10\sqrt{2}}{31}$

|해결 전략| 분모, 분자에 각각 a^x을 곱하여 구하는 식을 a^{2x}이 포함된 식으로 변형한다.

(1) $\frac{a^x-a^{-x}}{a^x+a^{-x}}$의 분모, 분자에 각각 a^x을 곱하면

$$\frac{a^x-a^{-x}}{a^x+a^{-x}}=\frac{a^x(a^x-a^{-x})}{a^x(a^x+a^{-x})}=\frac{a^{2x}-1}{a^{2x}+1}$$
$$=\frac{\sqrt{2}-1}{\sqrt{2}+1}=\frac{(\sqrt{2}-1)^2}{(\sqrt{2}+1)(\sqrt{2}-1)}$$
$$=\frac{2-2\sqrt{2}+1}{2-1}=3-2\sqrt{2}$$

(2) $\frac{a^x-a^{-x}}{a^{5x}+a^{-5x}}$의 분모, 분자에 각각 a^x을 곱하면

$$\frac{a^x-a^{-x}}{a^{5x}+a^{-5x}}=\frac{a^x(a^x-a^{-x})}{a^x(a^{5x}+a^{-5x})}=\frac{a^{2x}-1}{a^{6x}+a^{-4x}}$$
$$=\frac{a^{2x}-1}{(a^{2x})^3+\frac{1}{(a^{2x})^2}}=\frac{\sqrt{2}-1}{(\sqrt{2})^3+\frac{1}{(\sqrt{2})^2}}$$
$$=\frac{\sqrt{2}-1}{2\sqrt{2}+\frac{1}{2}}=\frac{2(\sqrt{2}-1)}{4\sqrt{2}+1}$$
$$=\frac{2(\sqrt{2}-1)(4\sqrt{2}-1)}{(4\sqrt{2}+1)(4\sqrt{2}-1)}$$
$$=\frac{2(9-5\sqrt{2})}{32-1}=\frac{18-10\sqrt{2}}{31}$$

05-2 답 $\frac{10}{3}$

|해결 전략| 분모, 분자에 각각 2^a을 곱하여 4^a의 값을 구한다.

$\frac{2^a+2^{-a}}{2^a-2^{-a}}$의 분모, 분자에 각각 2^a을 곱하면

$$\frac{2^a+2^{-a}}{2^a-2^{-a}}=\frac{2^a(2^a+2^{-a})}{2^a(2^a-2^{-a})}=\frac{2^{2a}+1}{2^{2a}-1}$$
$$=\frac{(2^2)^a+1}{(2^2)^a-1}=\frac{4^a+1}{4^a-1}=2$$

이므로 $4^a+1=2(4^a-1)$

$4^a+1=2\times 4^a-2 \qquad \therefore 4^a=3$

$\therefore 4^a+4^{-a}=4^a+\frac{1}{4^a}=3+\frac{1}{3}=\frac{10}{3}$

다른 풀이

$\frac{2^a+2^{-a}}{2^a-2^{-a}}=2$에서 $2^a+2^{-a}=2(2^a-2^{-a})$이므로

$2^a+2^{-a}=2\times 2^a-2\times 2^{-a}$, $2^a=2^{-a}+2\times 2^{-a}$

$\therefore 2^a=3\times 2^{-a}$

이 식의 양변에 2^a을 곱하면 $4^a=3$이므로

$4^a+4^{-a}=4^a+\frac{1}{4^a}=3+\frac{1}{3}=\frac{10}{3}$

06-1 답 1

|해결 전략| $a>0$, $b>0$, $x\neq 0$일 때, $a^x=b \iff a=b^{\frac{1}{x}}$임을 이용하여 조건식의 밑을 통일한다.

$6^x=243$의 양변을 $\frac{1}{x}$제곱하면

$6=243^{\frac{1}{x}}=(3^5)^{\frac{1}{x}}=3^{\frac{5}{x}}$ ……㉠

$2^y=27$의 양변을 $\frac{1}{y}$제곱하면

$2=27^{\frac{1}{y}}=(3^3)^{\frac{1}{y}}=3^{\frac{3}{y}}$ ……㉡

㉠÷㉡을 하면

$6\div 2=3^{\frac{5}{x}}\div 3^{\frac{3}{y}} \qquad \therefore 3=3^{\frac{5}{x}-\frac{3}{y}}$

즉, $3^{\frac{5}{x}-\frac{3}{y}}=3^1$이므로 $\frac{5}{x}-\frac{3}{y}=1$

06-2 답 6

|해결 전략| $a>0$, $b>0$, $x\neq 0$일 때, $a^x=b \iff a=b^{\frac{1}{x}}$임을 이용하여 조건식의 밑을 통일한다.

$4^x=a$의 양변을 $\frac{1}{x}$제곱하면 $4=a^{\frac{1}{x}}$ ……㉠

$6^y=a$의 양변을 $\frac{1}{y}$제곱하면 $6=a^{\frac{1}{y}}$ ……㉡

$9^z=a$의 양변을 $\frac{1}{z}$제곱하면 $9=a^{\frac{1}{z}}$ ……㉢

㉠×㉡×㉢을 하면

$4\times 6\times 9=a^{\frac{1}{x}}\times a^{\frac{1}{y}}\times a^{\frac{1}{z}} \qquad \therefore 216=a^{\frac{1}{x}+\frac{1}{y}+\frac{1}{z}}$

이때, $\frac{1}{x}+\frac{1}{y}+\frac{1}{z}=3$이므로

$216=a^3$, $6^3=a^3 \qquad \therefore a=6$

07-1 답 $\sqrt[3]{2}<\sqrt[6]{10}<\sqrt[4]{5}$

|해결 전략| 거듭제곱근을 지수가 유리수인 꼴로 나타낸 후 지수들의 분모의 최소공배수를 구하여 지수를 통일한다.

세 수 $\sqrt[3]{2}$, $\sqrt[4]{5}$, $\sqrt[6]{10}$을 지수가 유리수인 꼴로 나타내면

$\sqrt[3]{2}=2^{\frac{1}{3}}$, $\sqrt[4]{5}=5^{\frac{1}{4}}$, $\sqrt[6]{10}=10^{\frac{1}{6}}$

3, 4, 6의 최소공배수가 12이므로

$2^{\frac{1}{3}}=2^{\frac{4}{12}}=(2^4)^{\frac{1}{12}}=16^{\frac{1}{12}}$

$5^{\frac{1}{4}}=5^{\frac{3}{12}}=(5^3)^{\frac{1}{12}}=125^{\frac{1}{12}}$

$10^{\frac{1}{6}}=10^{\frac{2}{12}}=(10^2)^{\frac{1}{12}}=100^{\frac{1}{12}}$

이때, $16<100<125$이므로

$16^{\frac{1}{12}}<100^{\frac{1}{12}}<125^{\frac{1}{12}}$

$\therefore \sqrt[3]{2}<\sqrt[6]{10}<\sqrt[4]{5}$

다른 풀이1

3, 4, 6의 최소공배수가 12이므로

$(\sqrt[3]{2})^{12}=(2^{\frac{1}{3}})^{12}=2^4=16$

$(\sqrt[4]{5})^{12}=(5^{\frac{1}{4}})^{12}=5^3=125$

$(\sqrt[6]{10})^{12}=(10^{\frac{1}{6}})^{12}=10^2=100$

이때, $16<100<125$이므로 $\sqrt[3]{2}<\sqrt[6]{10}<\sqrt[4]{5}$

다른 풀이2

3, 4, 6의 최소공배수가 12이므로

$\sqrt[3]{2}=\sqrt[12]{2^4}=\sqrt[12]{16}$

$\sqrt[4]{5}=\sqrt[12]{5^3}=\sqrt[12]{125}$

$\sqrt[6]{10}=\sqrt[12]{10^2}=\sqrt[12]{100}$

이때, $\sqrt[12]{16}<\sqrt[12]{100}<\sqrt[12]{125}$이므로 $\sqrt[3]{2}<\sqrt[6]{10}<\sqrt[4]{5}$

07-2 답 12

|해결 전략| 거듭제곱근을 지수가 유리수인 꼴로 나타낸 후 지수들의 분모의 최소공배수를 구하여 지수를 통일한다.

세 수 $\sqrt[6]{2\sqrt{2}}$, $\sqrt{\sqrt[4]{5}}$, $\sqrt{\sqrt[3]{\sqrt{12}}}$를 지수가 유리수인 꼴로 나타내면

$\sqrt[6]{2\sqrt{2}}=(2\times 2^{\frac{1}{2}})^{\frac{1}{6}}=(2^{1+\frac{1}{2}})^{\frac{1}{6}}=(2^{\frac{3}{2}})^{\frac{1}{6}}=2^{\frac{1}{4}}$

$\sqrt{\sqrt[4]{5}}=(5^{\frac{1}{4}})^{\frac{1}{2}}=5^{\frac{1}{8}}$

$\sqrt{\sqrt[3]{\sqrt{12}}}=((12^{\frac{1}{3}})^{\frac{1}{2}})^{\frac{1}{2}}=12^{\frac{1}{12}}$

4, 8, 12의 최소공배수가 24이므로

$2^{\frac{1}{4}}=2^{\frac{6}{24}}=(2^6)^{\frac{1}{24}}=64^{\frac{1}{24}}$

$5^{\frac{1}{8}}=5^{\frac{3}{24}}=(5^3)^{\frac{1}{24}}=125^{\frac{1}{24}}$

$12^{\frac{1}{12}}=12^{\frac{2}{24}}=(12^2)^{\frac{1}{24}}=144^{\frac{1}{24}}$

이때, $64<125<144$이므로

$64^{\frac{1}{24}}<125^{\frac{1}{24}}<144^{\frac{1}{24}}$

$\therefore \sqrt[6]{2\sqrt{2}}<\sqrt{\sqrt[4]{5}}<\sqrt{\sqrt[3]{\sqrt{12}}}$

따라서 $a=\sqrt{\sqrt[3]{\sqrt{12}}}=12^{\frac{1}{12}}$이므로 $a^{12}=12$

다른 풀이1

$\sqrt[6]{2\sqrt{2}}=\sqrt[6]{2^{\frac{3}{2}}}=\sqrt[4]{2}$, $\sqrt{\sqrt[4]{5}}=\sqrt[8]{5}$, $\sqrt{\sqrt[3]{\sqrt{12}}}=\sqrt[12]{12}$

4, 8, 12의 최소공배수가 24이므로

$(\sqrt[4]{2})^{24}=(2^{\frac{1}{4}})^{24}=2^6=64$

$(\sqrt[8]{5})^{24}=(5^{\frac{1}{8}})^{24}=5^3=125$

$(\sqrt[12]{12})^{24}=(12^{\frac{1}{12}})^{24}=12^2=144$

이때, $64<125<144$이므로 $\sqrt[4]{2}<\sqrt[8]{5}<\sqrt[12]{12}$

$\therefore \sqrt[6]{2\sqrt{2}}<\sqrt{\sqrt[4]{5}}<\sqrt{\sqrt[3]{\sqrt{12}}}$

따라서 $a=\sqrt{\sqrt[3]{\sqrt{12}}}=\sqrt[12]{12}$이므로 $a^{12}=12$

다른 풀이2

4, 8, 12의 최소공배수가 24이므로

$\sqrt[4]{2}=\sqrt[24]{2^6}=\sqrt[24]{64}$

$\sqrt[8]{5}=\sqrt[24]{5^3}=\sqrt[24]{125}$

$\sqrt[12]{12}=\sqrt[24]{12^2}=\sqrt[24]{144}$

이때, $64<125<144$이므로 $\sqrt[24]{64}<\sqrt[24]{125}<\sqrt[24]{144}$

$\therefore \sqrt[6]{2\sqrt{2}}<\sqrt{\sqrt[4]{5}}<\sqrt{\sqrt[3]{\sqrt{12}}}$

따라서 $a=\sqrt{\sqrt[3]{\sqrt{12}}}=\sqrt[12]{12}$이므로 $a^{12}=12$

08-1 답 3

|해결 전략| $t=1$일 때와 $t=8$일 때 각각 S_1과 S_2에 대한 식을 구한다.

햇볕에 노출되는 시간이 1시간일 때, 요구되는 자외선 차단 지수는 S_1이므로

$1=m\times 2^{S_1}$ ······㉠

햇볕에 노출되는 시간이 8시간일 때, 요구되는 자외선 차단 지수는 S_2이므로

$8=m\times 2^{S_2}$ ······㉡

㉡÷㉠을 하면

$\frac{8}{1}=\frac{m\times 2^{S_2}}{m\times 2^{S_1}}$ $\quad\therefore 8=2^{S_2-S_1}$

즉, $2^{S_2-S_1}=2^3$이므로

$S_2-S_1=3$

STEP 3 유형 드릴

| 27쪽~29쪽 |

1-1 답 ③

|해결 전략| 실수 a의 n제곱근은 복소수의 범위에서 n개가 있다.

① 네제곱근 81은 $\sqrt[4]{81}=\sqrt[4]{3^4}=3$이다.

② $3^3=27$이므로 3은 27의 세제곱근이다.

③ 4의 네제곱근을 x라 하면 $x^4=4$이므로

$x^4-4=0$, $(x^2-2)(x^2+2)=0$

$\therefore x=\pm\sqrt{2}$ 또는 $x=\pm\sqrt{2}i$

따라서 4의 네제곱근은 4개이다.

④ -1의 세제곱근 중 실수인 것은 $\sqrt[3]{-1}=\sqrt[3]{(-1)^3}=-1$이다.

⑤ n이 1이 아닌 홀수일 때, -7의 n제곱근 중 실수인 것은 $\sqrt[n]{-7}$이다.

이상에서 옳지 않은 것은 ③이다.

참고

실수 a의 n제곱근 중 실수인 것은 다음과 같다.

	$a>0$	$a=0$	$a<0$
n이 짝수	$\sqrt[n]{a}$, $-\sqrt[n]{a}$	0	없다.
n이 홀수	$\sqrt[n]{a}$	0	$\sqrt[n]{a}$

1-2 답 ㄱ, ㄷ

|해결 전략| 실수 a의 n제곱근 중 실수인 것은 n이 홀수일 때는 1개이고, n이 짝수일 때는 a의 값에 따라 다르다.

ㄱ. -8의 세제곱근 중 실수인 것은 $\sqrt[3]{-8}=\sqrt[3]{(-2)^3}=-2$이다.

ㄴ. 0의 제곱근은 $\sqrt{0}=0$이다.

ㄷ. n이 짝수일 때, 5의 n제곱근 중 실수인 것은 $\sqrt[n]{5}$, $-\sqrt[n]{5}$의 2개이다.

ㄹ. n이 1이 아닌 홀수일 때, -5의 n제곱근 중 실수인 것은 $\sqrt[n]{-5}$의 1개이다.

ㅁ. 실수 a에 대하여 $\sqrt[n]{a^n}=\begin{cases} a & (n\text{이 홀수}) \\ |a| & (n\text{이 짝수}) \end{cases}$이므로 n이 짝수이고 $a<0$일 때, $\sqrt[n]{a^n}=|a|=-a$이다.

이상에서 옳은 것은 ㄱ, ㄷ이다.

2-1 답 7

|해결 전략| n이 홀수일 때, $\sqrt[n]{a^n}=a$이다.

64의 세제곱근 중 실수인 것은

$\sqrt[3]{64}=\sqrt[3]{4^3}=4$ $\quad\therefore a=4$

$\sqrt[3]{27}$의 제곱근을 x라 하면 $x^2=\sqrt[3]{27}=\sqrt[3]{3^3}=3$이므로

$x=-\sqrt{3}$ 또는 $x=\sqrt{3}$ $\quad\therefore b=\sqrt{3}$ ($\because b>0$)

$\therefore a+b^2=4+3=7$

2-2 답 5

|해결 전략| 실수 a의 n제곱근 중 실수인 것은 n이 홀수일 때는 1개이고, n이 짝수일 때는 a의 값에 따라 다르다.

-27의 세제곱근 중 실수인 것은

$\sqrt[3]{-27}=\sqrt[3]{(-3)^3}=-3$

의 1개이다.

$\therefore a=1$

$\sqrt{(-4)^6}=\sqrt{4^6}=4^3=64$이므로 64의 네제곱근 중 실수인 것은

$\sqrt[4]{64}=\sqrt[4]{8^2}=2\sqrt{2}$, $-\sqrt[4]{64}=-\sqrt[4]{8^2}=-2\sqrt{2}$

의 2개이다.

$\therefore b=2$

$\therefore a+2b=1+2\times 2=5$

3-1 답 a

|해결 전략| 거듭제곱근의 성질을 이용하여 식을 간단히 한다.

$$\sqrt[3]{a^2b}\times\sqrt[6]{a^5b}\div\sqrt{ab}=\sqrt[6]{a^4b^2}\times\sqrt[6]{a^5b}\div\sqrt[6]{a^3b^3}=\sqrt[6]{\frac{a^4b^2\times a^5b}{a^3b^3}}=\sqrt[6]{a^6}=a$$

3-2 답 $\frac{1}{2}$

|해결 전략| 거듭제곱근의 성질을 이용하여 식을 간단히 한다.

$$\sqrt[6]{a^2b^3}\times\sqrt[3]{a^2b}\div\sqrt[12]{a^6b^{10}}=\sqrt[12]{a^4b^6}\times\sqrt[12]{a^8b^4}\div\sqrt[12]{a^6b^{10}}=\sqrt[12]{\frac{a^4b^6\times a^8b^4}{a^6b^{10}}}=\sqrt[12]{a^6}=\sqrt{a}=a^{\frac{1}{2}}$$

즉, $a^{\frac{1}{2}}=a^xb^y$이므로 $x=\frac{1}{2}$, $y=0$

$\therefore x+y=\frac{1}{2}$

4-1 답 6

|해결 전략| 지수법칙을 이용하여 식을 간단히 한다.

$$2^{-3}\times 2^5\times\left\{\left(\frac{8}{27}\right)^{0.5}\right\}^{-\frac{2}{3}}=2^{-3+5}\times\left[\left\{\left(\frac{2}{3}\right)^3\right\}^{\frac{1}{2}}\right]^{-\frac{2}{3}}$$
$$=2^2\times\left\{\left(\frac{2}{3}\right)^{\frac{3}{2}}\right\}^{-\frac{2}{3}}$$
$$=2^2\times\left(\frac{2}{3}\right)^{-1}$$
$$=2^2\times\frac{3}{2}=6$$

4-2 답 1

|해결 전략| 지수법칙을 이용하여 식을 간단히 한다.

$$(2^{\sqrt{\frac{4}{3}}})^{\sqrt{3}}\times 4^{-\frac{1}{2}}\div\{(-2)^4\}^{\frac{1}{4}}=2^{\frac{\sqrt{4}}{\sqrt{3}}\times\sqrt{3}}\times(2^2)^{-\frac{1}{2}}\div(2^4)^{\frac{1}{4}}$$
$$=2^2\times 2^{-1}\div 2^1$$
$$=2^{2+(-1)-1}$$
$$=2^0=1$$

참고

a^x에서 지수 x의 값의 범위에 따른 밑 a의 조건은 다음과 같다.

지수 x의 값의 범위	양의 정수	정수	유리수	실수
밑 a의 조건	$a\neq 0$	$a\neq 0$	$a>0$	$a>0$

5-1 답 2

|해결 전략| $a>0$일 때, $\sqrt[n]{a^m}=a^{\frac{m}{n}}$임을 이용하여 거듭제곱근을 유리수인 지수로 나타낸 후 지수법칙을 이용한다.

$$(\sqrt{a^3}\times\sqrt[5]{a}\div a^{-\frac{1}{2}})^{\frac{10}{11}}=(a^{\frac{3}{2}}\times a^{\frac{1}{5}}\div a^{-\frac{1}{2}})^{\frac{10}{11}}$$
$$=\{a^{\frac{3}{2}+\frac{1}{5}-(-\frac{1}{2})}\}^{\frac{10}{11}}$$
$$=(a^{\frac{11}{5}})^{\frac{10}{11}}$$
$$=a^2$$

$\therefore k=2$

5-2 답 11

|해결 전략| $a>0$일 때, $\sqrt[m]{a\sqrt[n]{a}}=(a\times a^{\frac{1}{n}})^{\frac{1}{m}}$임을 이용하여 거듭제곱근을 유리수인 지수로 나타낸 후 지수법칙을 이용한다.

$$\sqrt[4]{a\sqrt[3]{a\sqrt{a}}}=\{a\times(a\times a^{\frac{1}{2}})^{\frac{1}{3}}\}^{\frac{1}{4}}=\{a\times(a^{1+\frac{1}{2}})^{\frac{1}{3}}\}^{\frac{1}{4}}$$
$$=\{a\times(a^{\frac{3}{2}})^{\frac{1}{3}}\}^{\frac{1}{4}}=(a\times a^{\frac{1}{2}})^{\frac{1}{4}}$$
$$=(a^{1+\frac{1}{2}})^{\frac{1}{4}}=(a^{\frac{3}{2}})^{\frac{1}{4}}$$
$$=a^{\frac{3}{8}}$$

따라서 $m=8$, $n=3$이므로 $m+n=8+3=11$

6-1 답 $\frac{11}{5}$

|해결 전략| 곱셈 공식 $(a+b)(a^2-ab+b^2)=a^3+b^3$을 이용하여 식을 간단히 한다.

$$(2^{\frac{1}{3}}+5^{-\frac{1}{3}})(4^{\frac{1}{3}}-2^{\frac{1}{3}}5^{-\frac{1}{3}}+25^{-\frac{1}{3}})$$
$$=(2^{\frac{1}{3}}+5^{-\frac{1}{3}})\{(2^2)^{\frac{1}{3}}-2^{\frac{1}{3}}5^{-\frac{1}{3}}+(5^2)^{-\frac{1}{3}}\}$$
$$=(2^{\frac{1}{3}}+5^{-\frac{1}{3}})\{(2^{\frac{1}{3}})^2-2^{\frac{1}{3}}5^{-\frac{1}{3}}+(5^{-\frac{1}{3}})^2\}$$
$$=(2^{\frac{1}{3}})^3+(5^{-\frac{1}{3}})^3$$
$$=2+5^{-1}=2+\frac{1}{5}=\frac{11}{5}$$

6-2 답 4

|해결 전략| 곱셈 공식 $(a-b)(a+b)=a^2-b^2$을 이용하여 식을 간단히 한다.

$$(6^{\frac{1}{4}}-2^{\frac{1}{4}})(6^{\frac{1}{4}}+2^{\frac{1}{4}})(6^{\frac{1}{2}}+2^{\frac{1}{2}})=\{(6^{\frac{1}{4}})^2-(2^{\frac{1}{4}})^2\}(6^{\frac{1}{2}}+2^{\frac{1}{2}})$$
$$=(6^{\frac{1}{2}}-2^{\frac{1}{2}})(6^{\frac{1}{2}}+2^{\frac{1}{2}})$$
$$=(6^{\frac{1}{2}})^2-(2^{\frac{1}{2}})^2$$
$$=6-2=4$$

7-1 답 110

|해결 전략| 주어진 식의 양변을 세제곱한다.

$a+a^{-1}=5$의 양변을 세제곱하면 $(a+a^{-1})^3=5^3$

$a^3+3a^2a^{-1}+3aa^{-2}+a^{-3}=125$

$a^3+a^{-3}+3(a+a^{-1})=125$

$a^3+a^{-3}+3\times 5=125$

$\therefore a^3+a^{-3}=110$

7-2 답 $\sqrt{6}$

|해결 전략| 먼저 $a^{\frac{1}{2}}+a^{-\frac{1}{2}}$을 제곱한다.

$$(a^{\frac{1}{2}}+a^{-\frac{1}{2}})^2=a+2a^{\frac{1}{2}}a^{-\frac{1}{2}}+a^{-1}$$
$$=a+a^{-1}+2$$
$$=4+2=6$$

그런데 $a>0$이면 $a^{\frac{1}{2}}+a^{-\frac{1}{2}}>0$이므로

$a^{\frac{1}{2}}+a^{-\frac{1}{2}}=\sqrt{6}$

8-1 답 $\frac{2+3\sqrt{2}}{2}$

|해결 전략| 분모, 분자에 각각 a^x을 곱하여 구하는 식을 a^{2x}이 포함된 식으로 변형한다.

$\frac{a^{3x}-a^{-3x}}{a^x-a^{-x}}$의 분모, 분자에 각각 a^x을 곱하면

$$\frac{a^{3x}-a^{-3x}}{a^x-a^{-x}}=\frac{a^x(a^{3x}-a^{-3x})}{a^x(a^x-a^{-x})}=\frac{a^{4x}-a^{-2x}}{a^{2x}-1}$$
$$=\frac{(a^{2x})^2-\frac{1}{a^{2x}}}{a^{2x}-1}=\frac{(\sqrt{2})^2-\frac{1}{\sqrt{2}}}{\sqrt{2}-1}$$
$$=\frac{2-\frac{\sqrt{2}}{2}}{\sqrt{2}-1}=\frac{4-\sqrt{2}}{2(\sqrt{2}-1)}$$
$$=\frac{(4-\sqrt{2})(\sqrt{2}+1)}{2(\sqrt{2}-1)(\sqrt{2}+1)}$$
$$=\frac{2+3\sqrt{2}}{2}$$

8-2 답 $-\frac{5}{4}$

|해결 전략| 분모, 분자에 각각 2^a을 곱하여 4^a의 값을 구한다.

$\frac{2^a+2^{-a}}{2^a-2^{-a}}$의 분모, 분자에 각각 2^a을 곱하면

$$\frac{2^a+2^{-a}}{2^a-2^{-a}}=\frac{2^a(2^a+2^{-a})}{2^a(2^a-2^{-a})}=\frac{2^{2a}+1}{2^{2a}-1}=\frac{(2^2)^a+1}{(2^2)^a-1}=\frac{4^a+1}{4^a-1}=-2$$

이므로 $4^a+1=-2(4^a-1)$

$4^a+1=-2\times4^a+2$

$3\times4^a=1 \qquad \therefore 4^a=\frac{1}{3}$

$$\therefore \frac{4^a+4^{-a}}{4^a-4^{-a}}=\frac{4^a+\frac{1}{4^a}}{4^a-\frac{1}{4^a}}=\frac{\frac{1}{3}+3}{\frac{1}{3}-3}=\frac{\frac{10}{3}}{-\frac{8}{3}}=-\frac{5}{4}$$

다른 풀이

$\frac{2^a+2^{-a}}{2^a-2^{-a}}=-2$에서 $2^a+2^{-a}=-2(2^a-2^{-a})$

$2^a+2^{-a}=-2\times2^a+2\times2^{-a}$

$3\times2^a=2^{-a} \qquad \therefore 2^a=\frac{1}{3}\times2^{-a}$

이 식의 양변에 2^a을 곱하면 $4^a=\frac{1}{3}$이므로

$$\frac{4^a+4^{-a}}{4^a-4^{-a}}=\frac{4^a+\frac{1}{4^a}}{4^a-\frac{1}{4^a}}=\frac{\frac{1}{3}+3}{\frac{1}{3}-3}=\frac{\frac{10}{3}}{-\frac{8}{3}}=-\frac{5}{4}$$

9-1 답 -2

|해결 전략| $a>0$, $b>0$, $x\neq0$일 때, $a^x=b \Longleftrightarrow a=b^{\frac{1}{x}}$임을 이용하여 조건식의 밑을 통일한다.

$12^x=27$의 양변을 $\frac{1}{x}$제곱하면

$12=27^{\frac{1}{x}}=(3^3)^{\frac{1}{x}}=3^{\frac{3}{x}}$ ······㉠

$108^y=81$의 양변을 $\frac{1}{y}$제곱하면

$108=81^{\frac{1}{y}}=(3^4)^{\frac{1}{y}}=3^{\frac{4}{y}}$ ······㉡

㉠÷㉡을 하면

$12\div108=3^{\frac{3}{x}}\div3^{\frac{4}{y}} \qquad \therefore \frac{1}{9}=3^{\frac{3}{x}-\frac{4}{y}}$

즉, $3^{\frac{3}{x}-\frac{4}{y}}=3^{-2}$이므로 $\frac{3}{x}-\frac{4}{y}=-2$

9-2 답 1

|해결 전략| $a>0$, $b>0$, $x\neq0$일 때, $a^x=b \Longleftrightarrow a=b^{\frac{1}{x}}$임을 이용하여 조건식의 밑을 통일한다.

$2^a=10$의 양변을 $\frac{1}{a}$제곱하면

$2=10^{\frac{1}{a}}$ ······㉠

$5^b=10$의 양변을 $\frac{1}{b}$제곱하면

$5=10^{\frac{1}{b}}$ ······㉡

㉠×㉡을 하면

$2\times5=10^{\frac{1}{a}}\times10^{\frac{1}{b}} \qquad \therefore 10=10^{\frac{1}{a}+\frac{1}{b}}$

즉, $10^{\frac{1}{a}+\frac{1}{b}}=10^1$이므로 $\frac{1}{a}+\frac{1}{b}=1$

10-1 답 30

|해결 전략| $a>0$, $b>0$, $x\neq0$일 때, $a^x=b \Longleftrightarrow a=b^{\frac{1}{x}}$임을 이용하여 조건식의 밑을 통일한다.

$2^{\frac{x}{2}}=a$의 양변을 $\frac{2}{x}$제곱하면

$2=a^{\frac{2}{x}}$ ······㉠

$9^y=a$, 즉 $3^{2y}=a$의 양변을 $\frac{1}{2y}$제곱하면

$3=a^{\frac{1}{2y}}$ ······㉡

$25^z=a$, 즉 $5^{2z}=a$의 양변을 $\frac{1}{2z}$제곱하면

$5=a^{\frac{1}{2z}}$ ······㉢

㉠×㉡×㉢을 하면

$2\times3\times5=a^{\frac{2}{x}}\times a^{\frac{1}{2y}}\times a^{\frac{1}{2z}} \qquad \therefore 30=a^{\frac{2}{x}+\frac{1}{2y}+\frac{1}{2z}}$

이때, $\frac{2}{x}+\frac{1}{2y}+\frac{1}{2z}=1$이므로 $a=30$

10-2 답 $\frac{1}{2}$

|해결 전략| $a>0$, $b>0$, $x\neq0$일 때, $a^x=b \Longleftrightarrow a=b^{\frac{1}{x}}$임을 이용하여 조건식의 밑을 통일한다.

$a^x=81$의 양변을 $\frac{1}{x}$제곱하면

$a=81^{\frac{1}{x}}$ ······㉠

$b^y=81$의 양변을 $\frac{1}{y}$제곱하면

$b=81^{\frac{1}{y}}$ ······㉡

$c^z=81$의 양변을 $\frac{1}{z}$제곱하면

$c=81^{\frac{1}{z}}$ ······㉢

㉠×㉡×㉢을 하면

$abc=81^{\frac{1}{x}}\times81^{\frac{1}{y}}\times81^{\frac{1}{z}} \qquad \therefore abc=81^{\frac{1}{x}+\frac{1}{y}+\frac{1}{z}}$

이때, $abc=9$이므로 $9=81^{\frac{1}{x}+\frac{1}{y}+\frac{1}{z}}$

즉, $9^{2\left(\frac{1}{x}+\frac{1}{y}+\frac{1}{z}\right)}=9^1$이므로 $2\left(\frac{1}{x}+\frac{1}{y}+\frac{1}{z}\right)=1$

$\therefore \frac{1}{x}+\frac{1}{y}+\frac{1}{z}=\frac{1}{2}$

11-1 답 $C<A<B$

|해결 전략| 거듭제곱근을 지수가 유리수인 꼴로 나타낸 후 지수들의 분모의 최소공배수를 구하여 지수를 통일한다.

세 수 $A=\sqrt{\sqrt{2}}$, $B=\sqrt[3]{\sqrt{3}}$, $C=\sqrt[6]{\sqrt{6}}$을 지수가 유리수인 꼴로 나타내면

$A=\sqrt{\sqrt{2}}=(2^{\frac{1}{2}})^{\frac{1}{2}}=2^{\frac{1}{4}}$

$B=\sqrt[3]{\sqrt{3}}=(3^{\frac{1}{2}})^{\frac{1}{3}}=3^{\frac{1}{6}}$

$C=\sqrt[6]{\sqrt{6}}=(6^{\frac{1}{2}})^{\frac{1}{6}}=6^{\frac{1}{12}}$

4, 6, 12의 최소공배수가 12이므로

$A=2^{\frac{1}{4}}=2^{\frac{3}{12}}=(2^3)^{\frac{1}{12}}=8^{\frac{1}{12}}$

$B=3^{\frac{1}{6}}=3^{\frac{2}{12}}=(3^2)^{\frac{1}{12}}=9^{\frac{1}{12}}$

$C=6^{\frac{1}{12}}$

이때, $6<8<9$이므로 $6^{\frac{1}{12}}<8^{\frac{1}{12}}<9^{\frac{1}{12}}$

$\therefore C<A<B$

11-2 답 $C<B<A$

|해결 전략| 거듭제곱근을 지수가 유리수인 꼴로 나타낸 후 지수들의 분모의 최소공배수를 구하여 지수를 통일한다.

세 수 $A=\sqrt{2\sqrt{2}}$, $B=\sqrt{\sqrt[3]{7}}$, $C=\sqrt[3]{\sqrt[4]{12}}$를 지수가 유리수인 꼴로 나타내면

$A=\sqrt{2\sqrt{2}}=(2\times 2^{\frac{1}{2}})^{\frac{1}{2}}=(2^{\frac{3}{2}})^{\frac{1}{2}}=2^{\frac{3}{4}}$

$B=\sqrt{\sqrt[3]{7}}=(7^{\frac{1}{3}})^{\frac{1}{2}}=7^{\frac{1}{6}}$

$C=\sqrt[3]{\sqrt[4]{12}}=(12^{\frac{1}{4}})^{\frac{1}{3}}=12^{\frac{1}{12}}$

4, 6, 12의 최소공배수가 12이므로

$A=2^{\frac{3}{4}}=2^{\frac{9}{12}}=(2^9)^{\frac{1}{12}}=512^{\frac{1}{12}}$

$B=7^{\frac{1}{6}}=7^{\frac{2}{12}}=(7^2)^{\frac{1}{12}}=49^{\frac{1}{12}}$

$C=12^{\frac{1}{12}}$

이때, $12<49<512$이므로 $12^{\frac{1}{12}}<49^{\frac{1}{12}}<512^{\frac{1}{12}}$

$\therefore C<B<A$

12-1 답 2

|해결 전략| $n=8$일 때와 $n=2$일 때 각각 t_1과 t_2를 구한다.

전자레인지로 피자 8조각을 굽는 데 걸리는 시간 t_1분은

$t_1=1.2\times 8^{0.5}=1.2\times(2^3)^{0.5}=1.2\times 2^{1.5}$

전자레인지로 피자 2조각을 굽는 데 걸리는 시간 t_2분은

$t_2=1.2\times 2^{0.5}$

$\therefore \dfrac{t_1}{t_2}=\dfrac{1.2\times 2^{1.5}}{1.2\times 2^{0.5}}=2^{1.5-0.5}=2$

12-2 답 9배

|해결 전략| $f(8)$과 $f(4)$의 관계식을 구한다.

5시간 후의 박테리아의 수 $f(5)$가 3시간 후의 박테리아의 수 $f(3)$의 3배이므로 $f(5)=3f(3)$

$f(5)=3f(3)$에서 $ka^{5b}=3ka^{3b}$

양변을 ka^{3b}으로 나누면

$a^{5b-3b}=3 \qquad \therefore a^{2b}=3$

8시간 후의 박테리아의 수는 $f(8)=ka^{8b}$ ······㉠

4시간 후의 박테리아의 수는 $f(4)=ka^{4b}$ ······㉡

㉠÷㉡을 하면

$\dfrac{f(8)}{f(4)}=\dfrac{ka^{8b}}{ka^{4b}}=a^{8b-4b}=a^{4b}=(a^{2b})^2=3^2=9$

$\therefore f(8)=9f(4)$

따라서 8시간 후의 박테리아의 수는 4시간 후의 박테리아의 수의 9배이다.

2 | 로그

1 로그

개념 확인 | 32쪽~33쪽 |

1 (1) $2=\log_5 25$ (2) $0=\log_{10} 1$ (3) $-2=\log_4 \frac{1}{16}$

2 (1) $5^0=1$ (2) $10^{-2}=0.01$ (3) $\left(\frac{1}{3}\right)^{-4}=81$

3 (1) $0<x<1$ 또는 $x>1$ (2) $x>1$

3 (1) 밑의 조건에서 $x>0$, $x\neq 1$이므로

$0<x<1$ 또는 $x>1$

(2) 진수의 조건에서 $x-1>0$이므로

$x>1$

STEP 1 개념 드릴 | 34쪽 |

1 (1) $0=\log_7 1$ (2) $4=\log_3 81$ (3) $2=\log_{\frac{1}{5}} \frac{1}{25}$

(4) $-2=\log_{\frac{1}{2}} 4$ (5) $-\frac{2}{3}=\log_{27} \frac{1}{9}$

2 (1) $10^3=1000$ (2) $3^{-3}=\frac{1}{27}$ (3) $\left(\frac{1}{2}\right)^{-5}=32$

(4) $5^{\frac{1}{2}}=\sqrt{5}$ (5) $(\sqrt{3})^4=9$

3 (1) $2<x<3$ 또는 $x>3$ (2) $-3<x<-2$ 또는 $x>-2$

(3) $\frac{5}{2}<x<3$ 또는 $x>3$ (4) $-2<x<-\frac{5}{3}$ 또는 $x>-\frac{5}{3}$

4 (1) $x<2$ (2) $x<0$ 또는 $x>3$

(3) $x<-2$ 또는 $x>4$ (4) $1<x<2$

3 (1) 밑의 조건에서 $x-2>0$, $x-2\neq 1$이므로

$x>2$, $x\neq 3$

$\therefore 2<x<3$ 또는 $x>3$

(2) 밑의 조건에서 $x+3>0$, $x+3\neq 1$이므로

$x>-3$, $x\neq -2$

$\therefore -3<x<-2$ 또는 $x>-2$

(3) 밑의 조건에서 $2x-5>0$, $2x-5\neq 1$이므로

$x>\frac{5}{2}$, $x\neq 3$

$\therefore \frac{5}{2}<x<3$ 또는 $x>3$

(4) 밑의 조건에서 $3x+6>0$, $3x+6\neq1$이므로

$x>-2$, $x\neq-\frac{5}{3}$

$\therefore -2<x<-\frac{5}{3}$ 또는 $x>-\frac{5}{3}$

4 (1) 진수의 조건에서 $4-2x>0$이므로

$x<2$

(2) 진수의 조건에서 $x^2-3x>0$이므로

$x(x-3)>0$

$\therefore x<0$ 또는 $x>3$

(3) 진수의 조건에서 $x^2-2x-8>0$이므로

$(x+2)(x-4)>0$

$\therefore x<-2$ 또는 $x>4$

(4) 진수의 조건에서 $-x^2+3x-2>0$이므로

$x^2-3x+2<0$, $(x-1)(x-2)<0$

$\therefore 1<x<2$

STEP 2 필수 유형

| 35쪽~36쪽 |

01-1 답 (1) 9 (2) 81 (3) 3

|해결 전략| $a>0$, $a\neq1$, $N>0$일 때, $\log_a N=x \Longleftrightarrow a^x=N$임을 이용하여 계산한다.

(1) $\log_{\frac{1}{3}} x=-2$에서 $\left(\frac{1}{3}\right)^{-2}=x$

$\therefore x=(3^{-1})^{-2}=3^2=9$

(2) $\log_{\sqrt{3}} x=8$에서 $(\sqrt{3})^8=x$

$\therefore x=(3^{\frac{1}{2}})^8=3^4=81$

(3) $\log_3(\log_{27} x)=-1$에서 $3^{-1}=\log_{27} x$이므로

$\log_{27} x=\frac{1}{3}$, $27^{\frac{1}{3}}=x$

$\therefore x=(3^3)^{\frac{1}{3}}=3$

01-2 답 9

|해결 전략| 5^x의 값을 먼저 구한 후 5^{2x}의 값을 구한다.

$x=\log_5 3$에서 $5^x=3$

$\therefore 5^{2x}=(5^x)^2=3^2=9$

01-3 답 9

|해결 전략| $a>0$, $a\neq1$, $N>0$일 때, $\log_a N=x \Longleftrightarrow a^x=N$임을 이용하여 계산한다.

$\log_a 64=3$에서 $a^3=64$

$\therefore a=64^{\frac{1}{3}}=(2^6)^{\frac{1}{3}}=2^2=4$

$\log_2(\log_6 b)=1$에서 $2=\log_6 b$

$6^2=b$ $\therefore b=36$

$\therefore \frac{b}{a}=\frac{36}{4}=9$

02-1 답 $4<x<5$ 또는 $5<x<7$

|해결 전략| 밑의 조건 (밑)>0, (밑)$\neq1$과 진수의 조건 (진수)>0을 동시에 만족시키는 x의 값의 범위를 구한다.

밑의 조건에서 $x-4>0$, $x-4\neq1$이므로

$x>4$, $x\neq5$

$\therefore 4<x<5$ 또는 $x>5$ ······㉠

진수의 조건에서 $-x^2+8x-7>0$이므로

$x^2-8x+7<0$, $(x-1)(x-7)<0$

$\therefore 1<x<7$ ······㉡

㉠, ㉡의 공통 범위를 구하면

$4<x<5$ 또는 $5<x<7$

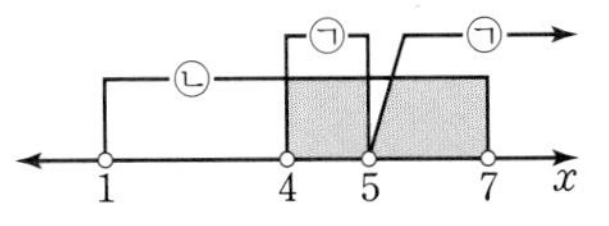

02-2 답 18

|해결 전략| 밑의 조건 (밑)>0, (밑)$\neq1$과 진수의 조건 (진수)>0을 동시에 만족시키는 x의 값의 범위를 구한다.

밑의 조건에서 $x-3>0$, $x-3\neq1$이므로

$x>3$, $x\neq4$

$\therefore 3<x<4$ 또는 $x>4$ ······㉠

진수의 조건에서 $-x^2+11x-24>0$이므로

$x^2-11x+24<0$, $(x-3)(x-8)<0$

$\therefore 3<x<8$ ······㉡

㉠, ㉡의 공통 범위를 구하면

$3<x<4$ 또는 $4<x<8$

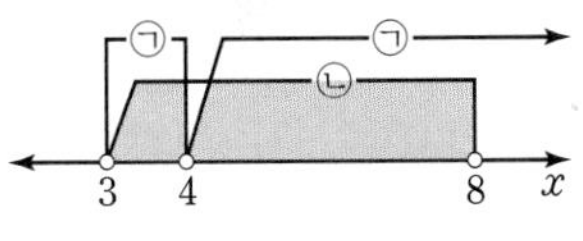

따라서 $\log_{x-3}(-x^2+11x-24)$가 정의되도록 하는 정수 x의 값은 5, 6, 7이므로 구하는 합은

$5+6+7=18$

2 로그의 성질

개념 확인 37쪽~39쪽

1 (1) 0 (2) $\log_2 30$ (3) 2 (4) 3

2 $\frac{\log_2 7}{\log_2 3}$

3 (1) 4 (2) 4

4 (1) 1 (2) $\frac{3}{4}$ (3) 5

1 (2) $\log_2 5+\log_2 6=\log_2(5\times6)=\log_2 30$

(3) $\log_3 18-\log_3 2=\log_3 \frac{18}{2}=\log_3 9$

$=\log_3 3^2=2\log_3 3=2$

(4) $\log_7 7^3=3\log_7 7=3$

3 (1) $\frac{\log_5 81}{\log_5 3}=\log_3 81=\log_3 3^4=4$

(2) $\frac{1}{\log_{16} 2}=\log_2 16=\log_2 2^4=4$

4 (1) $\log_4 3\times\log_3 4=\log_4 3\times\frac{1}{\log_4 3}=1$

(2) $\log_{16} 8=\log_{2^4} 2^3=\frac{3}{4}\log_2 2=\frac{3}{4}$

(3) $3^{\log_3 5}=5^{\log_3 3}=5$

(3) $\log_4 3=\frac{\log_{10} 3}{\log_{10} 4}=\frac{\log_{10} 3}{\log_{10} 2^2}=\frac{\log_{10} 3}{2\log_{10} 2}$

(4) $\log_{25} 8=\frac{\log_{10} 8}{\log_{10} 25}=\frac{\log_{10} 2^3}{\log_{10} 5^2}=\frac{3\log_{10} 2}{2\log_{10} 5}$

3 (1) $\log_{10} 5\times\log_5 10=\log_{10} 5\times\frac{1}{\log_{10} 5}=1$

(2) $\log_3 2\times\log_2 9=\log_3 2\times\log_2 3^2$

$=\log_3 2\times\frac{2}{\log_3 2}=2$

(3) $\log_{64} 16=\log_{2^6} 2^4=\frac{4}{6}\log_2 2=\frac{2}{3}$

(4) $\log_{27}\frac{1}{9}=\log_{3^3} 3^{-2}=-\frac{2}{3}\log_3 3=-\frac{2}{3}$

(5) $4^{\log_2 3}=3^{\log_2 4}=3^{\log_2 2^2}=3^2=9$

(6) $2^{\log_2 5+\log_2 3}=2^{\log_2 15}=15^{\log_2 2}=15$

STEP 1 개념 드릴

| 40쪽 |

1 (1) 0 (2) 3 (3) 2 (4) 3 (5) -1 (6) 1 (7) 2

2 (1) $\frac{1}{\log_{10} 2}$ (2) $\frac{2}{\log_{10} 3}$ (3) $\frac{\log_{10} 3}{2\log_{10} 2}$ (4) $\frac{3\log_{10} 2}{2\log_{10} 5}$

3 (1) 1 (2) 2 (3) $\frac{2}{3}$ (4) $-\frac{2}{3}$ (5) 9 (6) 15

1 (2) $\log_3 18+\log_3\frac{3}{2}=\log_3\left(18\times\frac{3}{2}\right)=\log_3 27$

$=\log_3 3^3=3$

(3) $\log_6 3+2\log_6\sqrt{12}=\log_6 3+\log_6 12=\log_6 36$

$=\log_6 6^2=2$

(4) $\log_4 48-\log_4\frac{3}{4}=\log_4\left(48\div\frac{3}{4}\right)=\log_4\left(48\times\frac{4}{3}\right)$

$=\log_4 64=\log_4 4^3=3$

(5) $\log_2 18-4\log_2\sqrt{6}=\log_2 18-\log_2 36=\log_2\frac{18}{36}$

$=\log_2\frac{1}{2}=\log_2 2^{-1}=-1$

(6) $\log_2 5+\log_2 6-\log_2 15=\log_2\frac{5\times6}{15}=\log_2 2=1$

(7) $\log_3\frac{3}{7}+2\log_3\sqrt{7}-\log_3\frac{1}{3}=\log_3\frac{3}{7}+\log_3 7-\log_3\frac{1}{3}$

$=\log_3\left(\frac{3}{7}\times7\div\frac{1}{3}\right)$

$=\log_3\left(\frac{3}{7}\times7\times3\right)$

$=\log_3 3^2=2$

2 (1) $\log_2 10=\frac{\log_{10} 10}{\log_{10} 2}=\frac{1}{\log_{10} 2}$

(2) $\log_3 100=\frac{\log_{10} 100}{\log_{10} 3}=\frac{\log_{10} 10^2}{\log_{10} 3}=\frac{2}{\log_{10} 3}$

STEP 2 필수 유형

| 41쪽~46쪽 |

01-1

답 (1) 2 (2) 3

| 해결 전략 | 로그의 성질을 이용하여 식을 간단히 한다.

(1) $5\log_3\sqrt{3}+\frac{1}{2}\log_3 2-\log_3\sqrt{6}$

$=\log_3(\sqrt{3})^5+\log_3 2^{\frac{1}{2}}-\log_3\sqrt{6}$

$=\log_3 9\sqrt{3}+\log_3\sqrt{2}-\log_3\sqrt{6}$

$=\log_3\frac{9\sqrt{3}\times\sqrt{2}}{\sqrt{6}}$

$=\log_3 9=\log_3 3^2=2$

(2) $2\log_2\sqrt{6}+\frac{1}{2}\log_2 16-\log_2 3$

$=\log_2(\sqrt{6})^2+\log_2(4^2)^{\frac{1}{2}}-\log_2 3$

$=\log_2 6+\log_2 4-\log_2 3$

$=\log_2\frac{6\times4}{3}$

$=\log_2 8=\log_2 2^3=3$

01-2

답 5

| 해결 전략 | 로그의 성질을 이용하여 식을 간단히 한다.

$2\log_2\sqrt{3}-\log_2 6+6\log_2\sqrt{2}$

$=\log_2(\sqrt{3})^2-\log_2 6+\log_2(\sqrt{2})^6$

$=\log_2 3-\log_2 6+\log_2 2^3$

$=\log_2\frac{3\times2^3}{6}$

$=\log_2 2^2=2$

따라서 $k=2$이므로

$\log_k 32=\log_2 32=\log_2 2^5=5$

02-1 답 (1) -2 (2) 3

|해결 전략| 로그의 밑의 변환 공식을 이용하여 식을 간단히 한다.

(1) $\frac{1}{\log_6 3}-\log_3 54=\log_3 6-\log_3 54$

$=\log_3 \frac{6}{54}=\log_3 \frac{1}{9}$

$=\log_3 3^{-2}=-2$

(2) $\frac{1}{\log_2 6}+\frac{1}{\log_9 6}+\frac{1}{\log_{12} 6}=\log_6 2+\log_6 9+\log_6 12$

$=\log_6 (2\times 9\times 12)$

$=\log_6 6^3=3$

02-2 답 3

|해결 전략| 로그의 밑의 변환 공식을 이용하여 a, b, c를 간단히 한다.

$\frac{\log_{10} 2}{a}=\log_{10} 6$에서 $a=\frac{\log_{10} 2}{\log_{10} 6}=\log_6 2$

$\frac{\log_{10} 4}{b}=\log_{10} 6$에서 $b=\frac{\log_{10} 4}{\log_{10} 6}=\log_6 4$

$\frac{\log_{10} 27}{c}=\log_{10} 6$에서 $c=\frac{\log_{10} 27}{\log_{10} 6}=\log_6 27$

$\therefore a+b+c=\log_6 2+\log_6 4+\log_6 27$

$=\log_6 (2\times 4\times 27)$

$=\log_6 6^3=3$

다른 풀이

$a+b+c=\frac{\log_{10} 2}{\log_{10} 6}+\frac{\log_{10} 4}{\log_{10} 6}+\frac{\log_{10} 27}{\log_{10} 6}$

$=\frac{\log_{10} 2+\log_{10} 4+\log_{10} 27}{\log_{10} 6}$

$=\frac{\log_{10} (2\times 4\times 27)}{\log_{10} 6}$

$=\frac{\log_{10} 6^3}{\log_{10} 6}=3$

03-1 답 (1) $-\frac{5}{18}$ (2) 4

|해결 전략| 로그의 성질 $\log_{a^m} b^n=\frac{n}{m}\log_a b$, $a^{\log_a b}=b$, $a^{\log_c b}=b^{\log_c a}$를 이용하여 식을 간단히 한다.

(1) $(\log_2 3+\log_8 9)(\log_9 2-\log_{27} 4)$

$=(\log_2 3+\log_{2^3} 3^2)(\log_{3^2} 2-\log_{3^3} 2^2)$

$=\left(\log_2 3+\frac{2}{3}\log_2 3\right)\left(\frac{1}{2}\log_3 2-\frac{2}{3}\log_3 2\right)$

$=\frac{5}{3}\log_2 3\times\left(-\frac{1}{6}\log_3 2\right)$

$=\frac{5}{3}\times\left(-\frac{1}{6}\right)\times\log_2 3\times\log_3 2=-\frac{5}{18}$

(2) 먼저 지수를 간단히 하면

$2\log_5 4-3\log_5 2+\frac{1}{4}\log_5 16$

$=\log_5 4^2-\log_5 2^3+\log_5 (2^4)^{\frac{1}{4}}$

$=\log_5 16-\log_5 8+\log_5 2$

$=\log_5 \frac{16\times 2}{8}=\log_5 4$

$\therefore 5^{2\log_5 4-3\log_5 2+\frac{1}{4}\log_5 16}=5^{\log_5 4}=4^{\log_5 5}=4$

03-2 답 5

|해결 전략| 로그의 성질 $\log_{a^m} b^n=\frac{n}{m}\log_a b$, $a^{\log_a b}=b$, $a^{\log_c b}=b^{\log_c a}$를 이용하여 식을 간단히 한다.

$\log_{\frac{1}{3}} 5+\log_9 125+\log_3 \sqrt{5}=\log_{3^{-1}} 5+\log_{3^2} 5^3+\log_3 5^{\frac{1}{2}}$

$=-\log_3 5+\frac{3}{2}\log_3 5+\frac{1}{2}\log_3 5$

$=\log_3 5$

따라서 $x=\log_3 5$이므로

$3^x=3^{\log_3 5}=5^{\log_3 3}=5$

03-3 답 2

|해결 전략| 로그의 성질 $\log_{a^m} b^n=\frac{n}{m}\log_a b$를 이용하여 식을 간단히 한다.

$(\log_4 27+\log_2 9)\log_{\sqrt{3}} k=(\log_{2^2} 3^3+\log_2 3^2)\log_{3^{\frac{1}{2}}} k$

$=\left(\frac{3}{2}\log_2 3+2\log_2 3\right)\times 2\log_3 k$

$=\frac{7}{2}\log_2 3\times 2\log_3 k$

$=7\log_2 3\times\frac{\log_2 k}{\log_2 3}$

$=7\log_2 k$

이므로 $7\log_2 k=7$

$\log_2 k=1$ $\therefore k=2$

04-1 답 $\frac{3a+2b}{1-a}$

|해결 전략| 주어진 식을 $\log_{10} 2$, $\log_{10} 3$이 포함된 꼴로 변형한다.

$\log_5 72=\frac{\log_{10} 72}{\log_{10} 5}=\frac{\log_{10} (2^3\times 3^2)}{\log_{10} \frac{10}{2}}$

$=\frac{\log_{10} 2^3+\log_{10} 3^2}{\log_{10} 10-\log_{10} 2}=\frac{3\log_{10} 2+2\log_{10} 3}{1-\log_{10} 2}$

$=\frac{3a+2b}{1-a}$

참고

두 로그 $\log_{10} 2$, $\log_{10} 3$의 밑이 모두 10이므로 주어진 식의 밑이 10이 되도록 밑의 변환 공식을 이용한다.

04-2 답 $\frac{3a+2b}{6}$

|해결 전략| 먼저 로그의 정의를 이용하여 a, b를 로그로 나타낸다.

$5^a=4$에서 $a=\log_5 4=\log_5 2^2=2\log_5 2$

$\therefore \log_5 2=\frac{a}{2}$

$5^b=27$에서 $b=\log_5 27=\log_5 3^3=3\log_5 3$

$\therefore \log_5 3=\frac{b}{3}$

$\therefore \log_5 6=\log_5(2\times3)=\log_5 2+\log_5 3$

$=\frac{a}{2}+\frac{b}{3}=\frac{3a+2b}{6}$

05-1 답 1

|해결 전략| 지수를 로그로 나타낸 후 식의 값을 구한다.

$2^x=14$에서 $x=\log_2 14$

$\therefore \frac{1}{x}=\frac{1}{\log_2 14}=\log_{14} 2$

$7^y=14$에서 $y=\log_7 14$

$\therefore \frac{1}{y}=\frac{1}{\log_7 14}=\log_{14} 7$

$\therefore \frac{1}{x}+\frac{1}{y}=\log_{14} 2+\log_{14} 7=\log_{14}(2\times7)$

$=\log_{14} 14=1$

다른 풀이

$2^x=14$에서 $2=14^{\frac{1}{x}}$ ······㉠

$7^y=14$에서 $7=14^{\frac{1}{y}}$ ······㉡

㉠×㉡을 하면 $14^{\frac{1}{x}}\times14^{\frac{1}{y}}=14$, $14^{\frac{1}{x}+\frac{1}{y}}=14^1$

$\therefore \frac{1}{x}+\frac{1}{y}=1$

05-2 답 1

|해결 전략| 지수를 로그로 나타낸 후 식의 값을 구한다.

$15^x=27$에서 $x=\log_{15} 27=\log_{15} 3^3=3\log_{15} 3$

$\therefore \frac{3}{x}=\frac{1}{\log_{15} 3}=\log_3 15$

$45^y=81$에서 $y=\log_{45} 81=\log_{45} 3^4=4\log_{45} 3$

$\therefore \frac{4}{y}=\frac{1}{\log_{45} 3}=\log_3 45$

$\therefore \frac{4}{y}-\frac{3}{x}=\log_3 45-\log_3 15=\log_3\frac{45}{15}=\log_3 3=1$

다른 풀이

$15^x=27$에서 $15=27^{\frac{1}{x}}=3^{\frac{3}{x}}$ ······㉠

$45^y=81$에서 $45=81^{\frac{1}{y}}=3^{\frac{4}{y}}$ ······㉡

㉡÷㉠을 하면 $3^{\frac{4}{y}}\div3^{\frac{3}{x}}=3$, $3^{\frac{4}{y}-\frac{3}{x}}=3^1$ $\therefore \frac{4}{y}-\frac{3}{x}=1$

06-1 답 2

|해결 전략| 이차방정식의 근과 계수의 관계를 이용한다.

이차방정식 $x^2-4x+2=0$의 근과 계수의 관계에 의하여

$\log_3\alpha+\log_3\beta=4$, $\log_3\alpha\times\log_3\beta=2$

$\therefore \log_\alpha 3+\log_\beta 3=\frac{1}{\log_3\alpha}+\frac{1}{\log_3\beta}$

$=\frac{\log_3\beta+\log_3\alpha}{\log_3\alpha\times\log_3\beta}$

$=\frac{4}{2}=2$

06-2 답 −4

|해결 전략| 이차방정식의 근과 계수의 관계를 이용한다.

이차방정식 $x^2-2x-2=0$의 근과 계수의 관계에 의하여

$\log_{10}\alpha+\log_{10}\beta=2$, $\log_{10}\alpha\times\log_{10}\beta=-2$

$\therefore \log_\alpha\beta+\log_\beta\alpha=\frac{\log_{10}\beta}{\log_{10}\alpha}+\frac{\log_{10}\alpha}{\log_{10}\beta}$

$=\frac{(\log_{10}\beta)^2+(\log_{10}\alpha)^2}{\log_{10}\alpha\times\log_{10}\beta}$

$=\frac{(\log_{10}\alpha+\log_{10}\beta)^2-2\log_{10}\alpha\times\log_{10}\beta}{\log_{10}\alpha\times\log_{10}\beta}$

$=\frac{2^2-2\times(-2)}{-2}=-4$

3 상용로그

개념 확인 47쪽~49쪽

1 (1) 3 (2) -3 (3) $\frac{2}{3}$

2 (1) 0.6628 (2) 0.6739 (3) 0.6839

3 (1) 정수 부분: 1, 소수 부분: 0.8603

(2) 정수 부분: -1, 소수 부분: 0.8603

4 (1) 4 (2) -3

1 (1) $\log 1000=\log 10^3=3$

(2) $\log\frac{1}{1000}=\log 10^{-3}=-3$

(3) $\log\sqrt[3]{100}=\log(10^2)^{\frac{1}{3}}=\log 10^{\frac{2}{3}}=\frac{2}{3}$

2 (1) 상용로그표에서 4.6의 가로줄과 0의 세로줄이 만나는 곳에 있는 수이므로 $\log 4.60=0.6628$

(2) 상용로그표에서 4.7의 가로줄과 2의 세로줄이 만나는 곳에 있는 수이므로 $\log 4.72=0.6739$

(3) 상용로그표에서 4.8의 가로줄과 3의 세로줄이 만나는 곳에 있는 수이므로 $\log 4.83=0.6839$

3 (1) $\log 72.5=\log(10\times7.25)$

$=\log 10+\log 7.25$

$=1+0.8603$

이므로 정수 부분은 1, 소수 부분은 0.8603

(2) $\log 0.725=\log(10^{-1}\times7.25)$

$=\log 10^{-1}+\log 7.25$

$=-1+0.8603$

이므로 정수 부분은 -1, 소수 부분은 0.8603

4 (1) 35400은 다섯 자리의 수이므로

$\log 35400 = \boxed{4} + 0.5490$

(2) 0.00354는 소수점 아래 셋째 자리에서 처음으로 0이 아닌 숫자가 나타나므로

$\log 0.00354 = \boxed{-3} + 0.5490$

STEP 1 개념 드릴

| 50쪽 |

1 (1) -5 (2) $\frac{3}{4}$ (3) -1 (4) $\frac{5}{2}$
2 (1) 0.7868 (2) 0.7993 (3) 6.02 (4) 6.21
3 (1) 1.0253 (2) 3.0253 (3) -0.9747 (4) -1.9747
4 (1) 1.8572 (2) -0.5283 (3) -1.2219
5 (1) 3 (2) 4 (3) -2 (4) -4

1 (1) $\log \frac{1}{100000} = \log 10^{-5} = -5$

(2) $\log \sqrt[4]{1000} = \log (10^3)^{\frac{1}{4}} = \log 10^{\frac{3}{4}} = \frac{3}{4}$

(3) $\log \frac{1}{\sqrt{100}} = \log \frac{1}{(10^2)^{\frac{1}{2}}} = \log \frac{1}{10} = \log 10^{-1} = -1$

(4) $\log 100\sqrt{10} = \log 10^{2+\frac{1}{2}} = \log 10^{\frac{5}{2}} = \frac{5}{2}$

2 (1) 상용로그표에서 6.1의 가로줄과 2의 세로줄이 만나는 곳에 있는 수이므로 $\log 6.12 = 0.7868$

$\therefore x = 0.7868$

(2) 상용로그표에서 6.3의 가로줄과 0의 세로줄이 만나는 곳에 있는 수이므로 $\log 6.30 = 0.7993$

$\therefore x = 0.7993$

(3) 상용로그표에서 0.7796은 6.0의 가로줄과 2의 세로줄이 만나는 곳에 있는 수이므로 $\log 6.02 = 0.7796$

$\therefore x = 6.02$

(4) 상용로그표에서 0.7931은 6.2의 가로줄과 1의 세로줄이 만나는 곳에 있는 수이므로 $\log 6.21 = 0.7931$

$\therefore x = 6.21$

3 (1) $\log 10.6 = \log (10 \times 1.06)$
$= \log 10 + \log 1.06$
$= 1 + 0.0253 = 1.0253$

(2) $\log 1060 = \log (10^3 \times 1.06)$
$= \log 10^3 + \log 1.06$
$= 3 + 0.0253 = 3.0253$

(3) $\log 0.106 = \log (10^{-1} \times 1.06)$
$= \log 10^{-1} + \log 1.06$
$= -1 + 0.0253 = -0.9747$

(4) $\log 0.0106 = \log (10^{-2} \times 1.06)$
$= \log 10^{-2} + \log 1.06$
$= -2 + 0.0253 = -1.9747$

4 (1) $\log 72 = \log (2^3 \times 3^2) = 3\log 2 + 2\log 3$
$= 3 \times 0.3010 + 2 \times 0.4771$
$= 1.8572$

(2) $\log \frac{8}{27} = \log \left(\frac{2}{3}\right)^3 = 3\log \frac{2}{3}$
$= 3(\log 2 - \log 3)$
$= 3 \times (0.3010 - 0.4771)$
$= 3 \times (-0.1761) = -0.5283$

(3) $\log 0.06 = \log (2 \times 3 \times 10^{-2})$
$= \log 2 + \log 3 - 2$
$= 0.3010 + 0.4771 - 2$
$= -1.2219$

5 (1) 4620은 네 자리의 수이므로

$\log 4620 = \boxed{3} + 0.6646$

(2) 46200은 다섯 자리의 수이므로

$\log 46200 = \boxed{4} + 0.6646$

(3) 0.0462는 소수점 아래 둘째 자리에서 처음으로 0이 아닌 숫자가 나타나므로

$\log 0.0462 = \boxed{-2} + 0.6646$

(4) 0.000462는 소수점 아래 넷째 자리에서 처음으로 0이 아닌 숫자가 나타나므로

$\log 0.000462 = \boxed{-4} + 0.6646$

STEP 2 필수 유형

| 51쪽~54쪽 |

01-1 답 (1) 56700 (2) 0.0567

|해결 전략| 두 상용로그의 소수 부분이 같으면 진수의 숫자의 배열이 같음을 이용한다.

(1) $\log x = 4.7536$에서 정수 부분이 4이므로 x는 5자리 수이다.

또, $\log x$의 소수 부분과 $\log 56.7$의 소수 부분이 0.7536으로 같으므로 x의 숫자의 배열은 56.7의 숫자 배열과 같다.

$\therefore x = 56700$

(2) $\log x = -1.2464 = -1 - 0.2464$
$= (-1-1) + (1 - 0.2464)$
$= -2 + 0.7536$

에서 정수 부분이 -2이므로 x는 소수점 아래 둘째 자리에서 처음으로 0이 아닌 숫자가 나타난다.

또, $\log x$의 소수 부분과 $\log 56.7$의 소수 부분이 0.7536으로 같으므로 x의 숫자의 배열은 56.7의 숫자 배열과 같다.

$\therefore x=0.0567$

다른 풀이

$\log 56.7=\log(10\times5.67)=1+\log 5.67=1.7536$이므로

$\log 5.67=0.7536$

(1) $\log x=4.7536=4+0.7536$

$=\log 10^4+\log 5.67=\log(10^4\times5.67)$

$=\log 56700$

$\therefore x=56700$

(2) $\log x=-1.2464=-1-0.2464=-2+0.7536$

$=\log 10^{-2}+\log 5.67=\log(10^{-2}\times5.67)$

$=\log 0.0567$

$\therefore x=0.0567$

02-1 답 9자리

|해결 전략| $\log N$의 정수 부분이 n이면 N은 정수 부분이 $(n+1)$자리인 수이다.

54^5에 상용로그를 취하면

$\log 54^5=5\log 54=5\log(2\times3^3)=5(\log 2+3\log 3)$

$=5(0.3010+3\times0.4771)=8.6615$

따라서 $\log 54^5$의 정수 부분이 8이므로 54^5은 9자리의 정수이다.

02-2 답 소수점 아래 6째 자리

|해결 전략| $\log N$의 정수 부분이 $-n$이면 N은 소수점 아래 n째 자리에서 처음으로 0이 아닌 숫자가 나타난다.

$\left(\frac{3}{10}\right)^{10}$에 상용로그를 취하면

$\log\left(\frac{3}{10}\right)^{10}=10\log\frac{3}{10}=10(\log 3-\log 10)$

$=10(0.4771-1)=-5.229=-5-0.229$

$=(-5-1)+(1-0.229)=-6+0.771$

따라서 $\log\left(\frac{3}{10}\right)^{10}$의 정수 부분이 -6이므로 $\left(\frac{3}{10}\right)^{10}$은 소수점 아래 6째 자리에서 처음으로 0이 아닌 숫자가 나타난다.

03-1 답 $\sqrt[3]{10^7}$, $\sqrt[3]{10^8}$

|해결 전략| 두 상용로그의 소수 부분이 같으면 두 상용로그의 차는 정수임을 이용한다.

$\log x$의 소수 부분과 $\log\frac{1}{x^2}$의 소수 부분이 같으므로

$\log x-\log\frac{1}{x^2}=\log x-\log x^{-2}=3\log x=(\text{정수})$

$\log x$의 정수 부분이 2이고 소수 부분이 0이 아니므로

$2<\log x<3$

즉, $6<3\log x<9$이므로 $3\log x=7$ 또는 $3\log x=8$에서

$\log x=\frac{7}{3}$ 또는 $\log x=\frac{8}{3}$

$\therefore x=10^{\frac{7}{3}}=\sqrt[3]{10^7}$ 또는 $x=10^{\frac{8}{3}}=\sqrt[3]{10^8}$

03-2 답 $\sqrt[4]{10^{15}}$

|해결 전략| 두 상용로그의 소수 부분의 합이 1이면 두 상용로그의 합은 정수임을 이용한다.

$\log x$의 소수 부분과 $\log\sqrt[3]{x}$의 소수 부분의 합이 1이므로

← $\log x\neq(\text{정수})$, $\log\sqrt[3]{x}\neq(\text{정수})$

$\log x+\log\sqrt[3]{x}=\log x+\frac{1}{3}\log x=\frac{4}{3}\log x=(\text{정수})$

$\log x$의 정수 부분이 3이므로

$3<\log x<4$ ($\because \log x\neq(\text{정수})$)

각 변에 $\frac{4}{3}$를 곱하면 $4<\frac{4}{3}\log x<\frac{16}{3}$

$\frac{4}{3}\log x$는 정수이므로 $\frac{4}{3}\log x=5$, $\log x=\frac{15}{4}$

$\therefore x=10^{\frac{15}{4}}=\sqrt[4]{10^{15}}$

다른 풀이

$\log x$의 소수 부분을 α라 하면

$\log x=3+\alpha$ (단, $0<\alpha<1$) ← $\log x\neq(\text{정수})$

$\therefore \log\sqrt[3]{x}=\frac{1}{3}\log x=\frac{1}{3}(3+\alpha)=1+\frac{\alpha}{3}$

따라서 $\log\sqrt[3]{x}$의 소수 부분은 $\frac{\alpha}{3}$이므로

$\alpha+\frac{\alpha}{3}=1$, $\frac{4\alpha}{3}=1$ $\quad\therefore \alpha=\frac{3}{4}$

$\therefore \log x=3+\frac{3}{4}=\frac{15}{4}$

$\therefore x=10^{\frac{15}{4}}=\sqrt[4]{10^{15}}$

04-1 답 890만 원

|해결 전략| $P=2\times10^7$, $t=5$, $r=0.15$를 대입하여 W의 값을 구한다.

새 차의 가격이 2000만 원, 즉 (2×10^7)원이고 연평균 감가상각비율이 0.15일 때, 5년 후의 중고차 가격을 구해야 하므로 주어진 관계식에 $P=2\times10^7$, $t=5$, $r=0.15$를 대입하면

$\log(1-0.15)=\frac{1}{5}\log\frac{W}{2\times10^7}$

$\log 0.85=\frac{1}{5}\{\log W-(\log 2+7)\}$

$\log(8.5\times10^{-1})=\frac{1}{5}(\log W-\log 2-7)$

$5(\log 8.5-1)=\log W-\log 2-7$

$\log W=5\log 8.5+\log 2+2$

$=5\times0.93+0.30+2$

$=6.95=6+0.95$

이때, 정수 부분이 6이므로 W는 7자리 수이다.

또, $\log W$의 소수 부분과 $\log 8.9$의 소수 부분이 0.95로 같으므로 W의 숫자의 배열은 8.9의 숫자 배열과 같다.

$\therefore W=8900000$

따라서 구하는 5년 후의 중고차의 가격은 890만 원이다.

STEP 3 유형 드릴 | 55쪽~57쪽 |

1-1 답 1

|해결 전략| 밑의 조건 (밑)>0, (밑)$\neq 1$과 진수의 조건 (진수)>0을 동시에 만족시키는 x의 값을 구한다.

밑의 조건에서 $x-3>0$, $x-3\neq 1$이므로

$x>3$, $x\neq 4$

$\therefore 3<x<4$ 또는 $x>4$ ······㉠

진수의 조건에서 $-x^2+8x-12>0$이므로

$x^2-8x+12<0$, $(x-2)(x-6)<0$

$\therefore 2<x<6$ ······㉡

㉠, ㉡의 공통 범위를 구하면 $3<x<4$ 또는 $4<x<6$

따라서 정수 x의 값은 5이므로 정수 x의 개수는 1이다.

1-2 답 7

|해결 전략| 모든 실수 x에 대하여 $x^2-2ax+5a>0$이 성립하려면 이차방정식 $x^2-2ax+5a=0$의 판별식이 0보다 작아야 한다.

밑의 조건에서 $a-1>0$, $a-1\neq 1$이므로

$a>1$, $a\neq 2$

$\therefore 1<a<2$ 또는 $a>2$ ······㉠

진수의 조건에서 $x^2-2ax+5a>0$

이때, 모든 실수 x에 대하여 $x^2-2ax+5a>0$이 성립하려면 이차방정식 $x^2-2ax+5a=0$의 판별식을 D라 할 때, $D<0$이어야 하므로

$\frac{D}{4}=a^2-5a<0$, $a(a-5)<0$

$\therefore 0<a<5$ ······㉡

㉠, ㉡의 공통 범위를 구하면 $1<a<2$ 또는 $2<a<5$

따라서 정수 a의 값은 3, 4이므로 구하는 합은

$3+4=7$

참고

이차부등식이 항상 성립할 조건 (단, $D=b^2-4ac$)

(1) $ax^2+bx+c>0 \Rightarrow a>0$, $D<0$

(2) $ax^2+bx+c\geq 0 \Rightarrow a>0$, $D\leq 0$

(3) $ax^2+bx+c<0 \Rightarrow a<0$, $D<0$

(4) $ax^2+bx+c\leq 0 \Rightarrow a<0$, $D\leq 0$

2-1 답 0

|해결 전략| 로그의 성질을 이용하여 식의 값을 구한다.

$4\log_2\sqrt{3}+\frac{1}{2}\log_2 25-\log_2 45$

$=\log_2(\sqrt{3})^4+\log_2 25^{\frac{1}{2}}-\log_2 45$

$=\log_2 9+\log_2 5-\log_2 45$

$=\log_2\frac{9\times 5}{45}=\log_2 1=0$

2-2 답 1

|해결 전략| 로그의 성질을 이용하여 식의 값을 구한다.

$\log_{11}2+\log_{11}\left(1+\frac{1}{2}\right)+\log_{11}\left(1+\frac{1}{3}\right)+\cdots+\log_{11}\left(1+\frac{1}{10}\right)$

$=\log_{11}2+\log_{11}\frac{3}{2}+\log_{11}\frac{4}{3}+\cdots+\log_{11}\frac{11}{10}$

$=\log_{11}\left(2\times\frac{3}{2}\times\frac{4}{3}\times\cdots\times\frac{11}{10}\right)$

$=\log_{11}11=1$

3-1 답 ㄴ, ㄷ, ㄹ

|해결 전략| 로그의 밑의 변환 공식과 로그의 성질 $a^{\log_c b}=b^{\log_c a}$를 이용하여 주어진 식을 간단히 한다.

ㄱ. $\log_3 2+\log_2 3=\log_3 2+\frac{1}{\log_3 2}\neq 1$

ㄴ. $\log_3 2-\log_3 5=\log_3\frac{2}{5}$

ㄷ. 분모, 분자의 로그를 모두 7을 밑으로 하는 로그로 변환하면

$\frac{\log_2 3}{\log_2 5}=\frac{\frac{\log_7 3}{\log_7 2}}{\frac{\log_7 5}{\log_7 2}}=\frac{\log_7 3}{\log_7 5}$

ㄹ. $25^{\log_5 3}=3^{\log_5 25}=3^{\log_5 5^2}=3^2=9$

따라서 옳은 것은 ㄴ, ㄷ, ㄹ이다.

3-2 답 20

|해결 전략| $\log_9 b$를 a를 밑으로 하는 로그로 변환하여 식을 간단히 한다.

$\log_a 3\times\log_9 b=\log_a 3\times\frac{\log_a b}{\log_a 9}=\log_a 3\times\frac{\log_a b}{\log_a 3^2}$

$=\log_a 3\times\frac{\log_a b}{2\log_a 3}=\frac{\log_a b}{2}=10$

$\therefore \log_a b=20$

4-1 답 $\frac{2a+b}{2-a}$

|해결 전략| 주어진 식을 $\log_{10}2$, $\log_{10}3$이 포함된 꼴로 변형한다.

$\log_{50}12=\frac{\log_{10}12}{\log_{10}50}=\frac{\log_{10}(2^2\times 3)}{\log_{10}\frac{100}{2}}$

$=\frac{\log_{10}2^2+\log_{10}3}{\log_{10}100-\log_{10}2}$

$=\frac{2\log_{10}2+\log_{10}3}{2-\log_{10}2}$

$=\frac{2a+b}{2-a}$

4-2 답 $\frac{2+a+ab}{2+a}$

|해결 전략| 주어진 식을 $\log_2 3$, $\log_2 5$가 포함된 꼴로 변형한 후 $\log_2 5=\log_2 3\times\log_3 5$임을 이용하여 간단히 한다.

$\log_{12}60=\frac{\log_2 60}{\log_2 12}=\frac{\log_2(2^2\times 3\times 5)}{\log_2(2^2\times 3)}$

$=\frac{\log_2 2^2+\log_2 3+\log_2 5}{\log_2 2^2+\log_2 3}$

$=\frac{2+\log_2 3+\log_2 5}{2+\log_2 3}$

이때, $\log_2 3\times\log_3 5=\log_2 3\times\frac{\log_2 5}{\log_2 3}=\log_2 5$이므로

$\log_2 5=ab$

$\therefore \log_{12} 60=\frac{2+a+ab}{2+a}$

참고

$a>0, a\neq1, b>0, b\neq1, c>0, c\neq1, d>0$일 때

(1) $\log_a b\times\log_b c=\log_a c$

(2) $\log_a b\times\log_b a=1$

(3) $\log_a b\times\log_b c\times\log_c d=\log_a d$

(4) $\log_a b\times\log_b c\times\log_c a=1$

5-1 답 -2

|해결 전략| 지수를 로그로 나타낸 후 식의 값을 구한다.

$10^a=2$에서 $a=\log_{10} 2$

$\therefore \frac{1}{a}=\frac{1}{\log_{10} 2}=\log_2 10$

$40^b=8$에서 $b=\log_{40} 8=\log_{40} 2^3=3\log_{40} 2$

$\therefore \frac{3}{b}=\frac{1}{\log_{40} 2}=\log_2 40$

$\therefore \frac{1}{a}-\frac{3}{b}=\log_2 10-\log_2 40=\log_2 \frac{10}{40}$

$=\log_2 \frac{1}{4}=-2$

다른 풀이

$10^a=2$에서 $10=2^{\frac{1}{a}}$ ······㉠

$40^b=8$에서 $40=8^{\frac{1}{b}}=2^{\frac{3}{b}}$ ······㉡

㉠÷㉡을 하면 $2^{\frac{1}{a}}\div2^{\frac{3}{b}}=\frac{1}{4}$, $2^{\frac{1}{a}-\frac{3}{b}}=2^{-2}$

$\therefore \frac{1}{a}-\frac{3}{b}=-2$

5-2 답 $\frac{2}{3}$

|해결 전략| 지수를 로그로 나타낸 후 식의 값을 구한다.

$a^x=27$에서 $x=\log_a 27$

$\therefore \frac{1}{x}=\frac{1}{\log_a 27}=\log_{27} a$

$b^y=27$에서 $y=\log_b 27$

$\therefore \frac{1}{y}=\frac{1}{\log_b 27}=\log_{27} b$

$c^z=27$에서 $z=\log_c 27$

$\therefore \frac{1}{z}=\frac{1}{\log_c 27}=\log_{27} c$

$\therefore \frac{1}{x}+\frac{1}{y}+\frac{1}{z}=\log_{27} a+\log_{27} b+\log_{27} c$

$=\log_{27} abc=\log_{27} 9=\log_{3^3} 3^2=\frac{2}{3}$

다른 풀이

$a^x=27$에서 $a=27^{\frac{1}{x}}$ ······㉠

$b^y=27$에서 $b=27^{\frac{1}{y}}$ ······㉡

$c^z=27$에서 $c=27^{\frac{1}{z}}$ ······㉢

㉠×㉡×㉢을 하면 $27^{\frac{1}{x}}\times27^{\frac{1}{y}}\times27^{\frac{1}{z}}=abc$

이때, $abc=9$이므로 $27^{\frac{1}{x}+\frac{1}{y}+\frac{1}{z}}=9$

$3^{3\left(\frac{1}{x}+\frac{1}{y}+\frac{1}{z}\right)}=3^2$, $3\left(\frac{1}{x}+\frac{1}{y}+\frac{1}{z}\right)=2$

$\therefore \frac{1}{x}+\frac{1}{y}+\frac{1}{z}=\frac{2}{3}$

6-1 답 -6

|해결 전략| 이차방정식의 근과 계수의 관계를 이용한다.

이차방정식 $x^2-2x-1=0$의 근과 계수의 관계에 의하여

$\log_2 \alpha+\log_2 \beta=2$, $\log_2 \alpha\times\log_2 \beta=-1$

$\therefore \log_\alpha \beta+\log_\beta \alpha=\frac{\log_2 \beta}{\log_2 \alpha}+\frac{\log_2 \alpha}{\log_2 \beta}$

$=\frac{(\log_2 \beta)^2+(\log_2 \alpha)^2}{\log_2 \alpha\times\log_2 \beta}$

$=\frac{(\log_2 \alpha+\log_2 \beta)^2-2\log_2 \alpha\times\log_2 \beta}{\log_2 \alpha\times\log_2 \beta}$

$=\frac{2^2-2\times(-1)}{-1}=-6$

6-2 답 $-\frac{2}{3}$

|해결 전략| 이차방정식의 근과 계수의 관계를 이용한다.

이차방정식 $x^2-4x-3=0$의 근과 계수의 관계에 의하여

$\log_2 a+\log_2 b=4$, $\log_2 a\times\log_2 b=-3$

$\therefore \log_a \sqrt{2}+\log_{b^2} 2=\frac{1}{2}\log_a 2+\frac{1}{2}\log_b 2$

$=\frac{1}{2}\left(\frac{1}{\log_2 a}+\frac{1}{\log_2 b}\right)$

$=\frac{1}{2}\times\frac{\log_2 b+\log_2 a}{\log_2 a\times\log_2 b}$

$=\frac{1}{2}\times\left(-\frac{4}{3}\right)=-\frac{2}{3}$

7-1 답 48900

|해결 전략| 두 상용로그의 소수 부분이 같으면 진수의 숫자의 배열이 같음을 이용한다.

$\log x$의 정수 부분이 4이므로 x는 5자리 수이다.

또, $\log x$의 소수 부분과 $\log 48.9$의 소수 부분이 0.6893으로 같으므로 x의 숫자의 배열은 48.9의 숫자 배열과 같다.

$\therefore x=48900$

다른 풀이

$\log 48.9=\log(10\times4.89)=1+\log 4.89=1.6893$이므로

$\log 4.89=0.6893$

$\log x=4.6893=4+0.6893$

$=\log 10^4+\log 4.89=\log(10^4\times4.89)$

$=\log 48900$

$\therefore x=48900$

7-2 답 3.4549

|해결 전략| 두 상용로그의 소수 부분이 같으면 진수의 숫자의 배열이 같음을 이용한다.

$\log 26.8=\log(10\times 2.68)=1+\log 2.68=1.4281$이므로
$\log 2.68=0.4281$
$\log 2680=\log(10^3\times 2.68)=3+\log 2.68$
$=3+0.4281=3.4281$
$\therefore a=3.4281$
$\log b=-1.5719=-1-0.5719$
$=(-1-1)+(1-0.5719)$
$=-2+0.4281$
$\log b$의 정수 부분이 -2이므로 b는 소수점 아래 둘째 자리에서 처음으로 0이 아닌 숫자가 나타난다.
또, $\log b$의 소수 부분과 $\log 2.68$의 소수 부분이 0.4281로 같으므로 b의 숫자의 배열은 2.68의 숫자 배열과 같다.
$\therefore b=0.0268$
$\therefore a+b=3.4281+0.0268=3.4549$

8-1 답 14자리

|해결 전략| $\log N$의 정수 부분이 n이면 N은 정수 부분이 $(n+1)$자리인 수이다.

5^{20}에 상용로그를 취하면
$\log 5^{20}=20\log 5=20\log\frac{10}{2}=20(1-\log 2)$
$=20(1-0.3010)=13.98$
따라서 $\log 5^{20}$의 정수 부분이 13이므로 5^{20}은 14자리의 정수이다.

8-2 답 소수점 아래 13째 자리

|해결 전략| $\log N$의 정수 부분이 $-n$이면 N은 소수점 아래 n째 자리에서 처음으로 0이 아닌 숫자가 나타난다.

$\left(\frac{3}{4}\right)^{100}$에 상용로그를 취하면
$\log\left(\frac{3}{4}\right)^{100}=100\log\frac{3}{4}=100(\log 3-\log 4)$
$=100(\log 3-\log 2^2)=100(\log 3-2\log 2)$
$=100(0.4771-2\times 0.3010)$
$=-12.49=-12-0.49$
$=(-12-1)+(1-0.49)$
$=-13+0.51$
따라서 $\log\left(\frac{3}{4}\right)^{100}$의 정수 부분이 -13이므로 $\left(\frac{3}{4}\right)^{100}$은 소수점 아래 13째 자리에서 처음으로 0이 아닌 숫자가 나타난다.

9-1 답 $\sqrt[3]{10^4}$ 또는 $\sqrt[3]{10^5}$

|해결 전략| 두 상용로그의 소수 부분의 합이 1이면 두 상용로그의 합은 정수임을 이용한다.

$\log x^4$의 소수 부분과 $\log\frac{1}{x}$의 소수 부분의 합이 1이므로
$\log x^4+\log\frac{1}{x}=\log x^4+\log x^{-1}=3\log x=$(정수)
$10<x<100$에서 $1<\log x<2$
즉, $3<3\log x<6$이므로
$3\log x=4$ 또는 $3\log x=5$에서
$\log x=\frac{4}{3}$ 또는 $\log x=\frac{5}{3}$
$\therefore x=10^{\frac{4}{3}}=\sqrt[3]{10^4}$ 또는 $x=10^{\frac{5}{3}}=\sqrt[3]{10^5}$

9-2 답 15

|해결 전략| 두 상용로그의 소수 부분이 같으면 두 상용로그의 차는 정수임을 이용한다.

조건 (나)에서 $\log x^2$의 소수 부분과 $\log x^4$의 소수 부분이 같으므로
$\log x^4-\log x^2=4\log x-2\log x=2\log x=$(정수)
조건 (가)에서 $\log x$의 정수 부분이 3이므로
$3\le\log x<4$, $6\le 2\log x<8$
$\therefore 2\log x=6$ 또는 $2\log x=7$
즉, $\log x=3$ 또는 $\log x=\frac{7}{2}$
따라서 $x=10^3$ 또는 $x=10^{\frac{7}{2}}$이므로
$10^{\frac{q}{p}}=10^3\times 10^{\frac{7}{2}}=10^{3+\frac{7}{2}}=10^{\frac{13}{2}}$
$\therefore p+q=2+13=15$

10-1 답 100

|해결 전략| $x=100$을 대입하여 I의 값을 구한다.

소리의 크기가 100 dB이므로 주어진 관계식에 $x=100$을 대입하면
$100=10\log\frac{I}{I_0}$, $10=\log\frac{I}{I_0}$
$10=\log I-\log I_0$
이때, $I_0=10^{-8}$이므로
$10=\log I-\log 10^{-8}$, $10=\log I+8$
$\log I=2\qquad\therefore I=100$

10-2 답 6.5

|해결 전략| 지구로부터 A별까지의 거리를 l이라 하면 지구로부터 B별까지의 거리는 $20l$임을 이용한다.

두 별 A, B의 절대등급이 같으므로 두 별의 절대등급을 M이라 하자.
지구로부터 A별까지의 거리를 l이라 하면 지구로부터 B별까지의 거리는 $20l$이므로
$M-a=5-5\log l$ ······ ㉠
$M-b=5-5\log 20l$ ······ ㉡
㉠－㉡을 하면
$b-a=5\log 20l-5\log l$
$=5\log\frac{20l}{l}=5\log 20$
$=5(\log 2+\log 10)=5(\log 2+1)$
$=5(0.3+1)=6.5$

3 | 지수함수

1 지수함수와 그 그래프

개념 확인 60쪽~63쪽

1 ㄱ, ㄷ, ㄹ

2 (1) 1 (2) 125 (3) $\sqrt{5}$ (4) $\frac{1}{25}$

3 풀이 참조

4 (1) $y=5^{x+2}+1$ (2) $y=-5^x$ (3) $y=\left(\frac{1}{5}\right)^x$ (4) $y=-\left(\frac{1}{5}\right)^x$

5 풀이 참조

6 (1) 최댓값: 3, 최솟값: $\frac{1}{9}$ (2) 최댓값: 4, 최솟값: $\frac{1}{16}$

1 ㄷ. $y=\frac{1}{2^x}$에서 $y=\left(\frac{1}{2}\right)^x$이므로 $\frac{1}{2}$을 밑으로 하는 지수함수이다.

2 (1) $f(0)=5^0=1$ (2) $f(3)=5^3=125$

(3) $f\left(\frac{1}{2}\right)=5^{\frac{1}{2}}=\sqrt{5}$ (4) $f(-2)=5^{-2}=\frac{1}{25}$

3  (1)

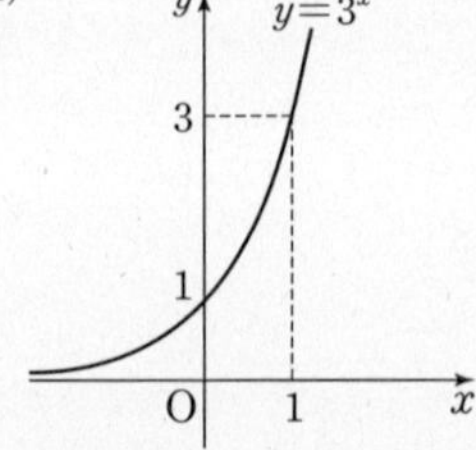

정의역: 실수 전체의 집합
치역: 양의 실수 전체의 집합
점근선의 방정식: $y=0$

(2)

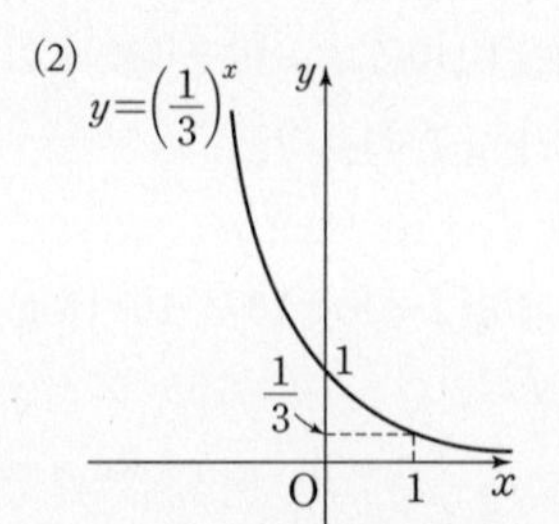

정의역: 실수 전체의 집합
치역: 양의 실수 전체의 집합
점근선의 방정식: $y=0$

4 (1) $y=5^x$에 x 대신 $x-(-2)$, y 대신 $y-1$을 대입하면

$y-1=5^{x-(-2)}$ $\therefore y=5^{x+2}+1$

(2) $y=5^x$에 y 대신 $-y$를 대입하면

$-y=5^x$ $\therefore y=-5^x$

(3) $y=5^x$에 x 대신 $-x$를 대입하면

$y=5^{-x}$ $\therefore y=\left(\frac{1}{5}\right)^x$

(4) $y=5^x$에 x 대신 $-x$, y 대신 $-y$를 대입하면

$-y=5^{-x}$ $\therefore y=-\left(\frac{1}{5}\right)^x$

5 (1)

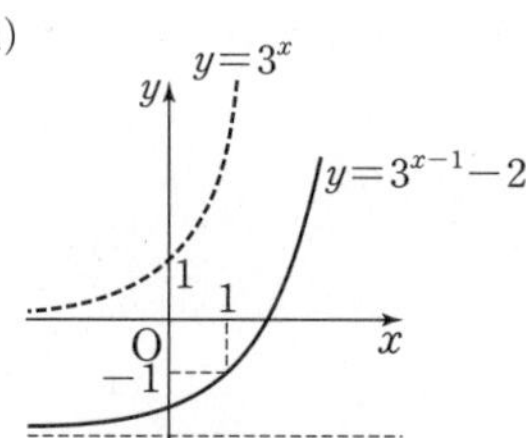

(2)

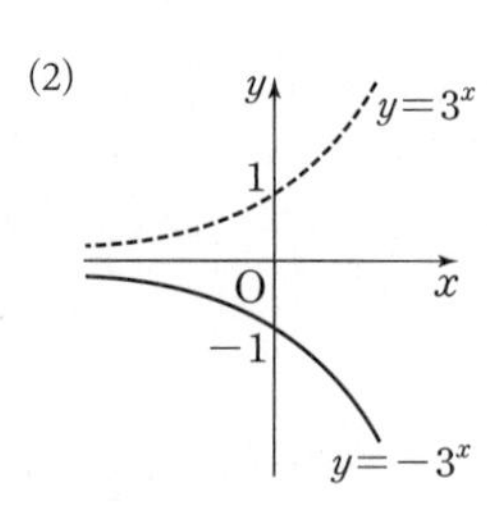

(3) $y=3^{-x}$, $y=3^x$

(4)

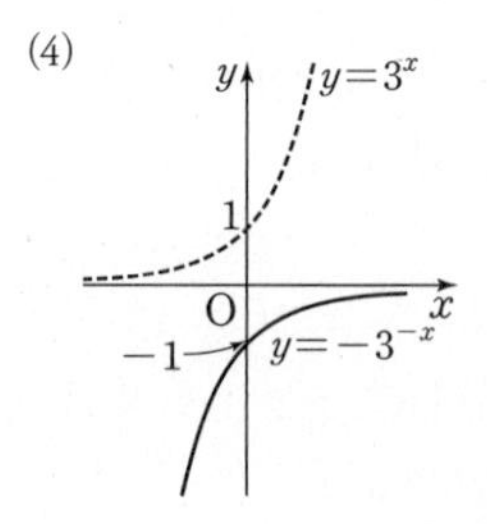

6 (1) 오른쪽 그림과 같이 함수 $y=3^x$의 그래프는 x의 값이 증가하면 y의 값도 증가하므로

최댓값은 $x=1$일 때, $y=3^1=3$

최솟값은 $x=-2$일 때, $y=3^{-2}=\frac{1}{9}$

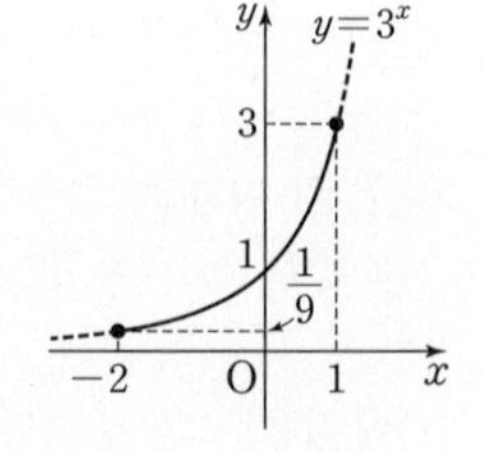

(2) 오른쪽 그림과 같이 함수 $y=\left(\frac{1}{4}\right)^x$의 그래프는 x의 값이 증가하면 y의 값은 감소하므로

최댓값은 $x=-1$일 때, $y=\left(\frac{1}{4}\right)^{-1}=4$

최솟값은 $x=2$일 때, $y=\left(\frac{1}{4}\right)^2=\frac{1}{16}$

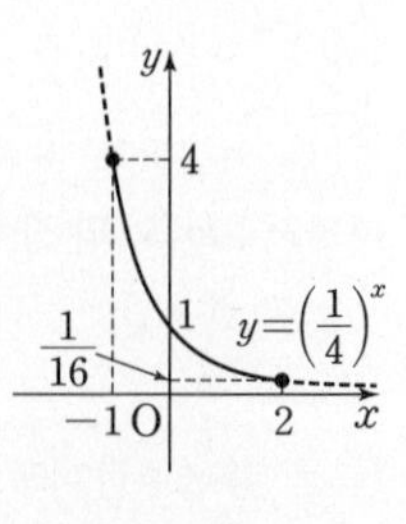

STEP 1 개념 드릴 64쪽

1 (1) $y=5^{x-1}-2$ (2) $y=2^{x+2}+3$

(3) $y=-3^x+2$ (4) $y=\left(\frac{1}{4}\right)^{x+1}-3$

2 그래프: 풀이 참조

(1) 실수 전체의 집합 (2) $\{y|y>2\}$ (3) $y=2$

3 그래프: 풀이 참조

(1) 실수 전체의 집합 (2) $\{y|y<0\}$ (3) $y=0$

4 (1) 최댓값: 25, 최솟값: 1 (2) 최댓값: 9, 최솟값: $\frac{1}{3}$

(3) 최댓값: 64, 최솟값: 2 (4) 최댓값: 1, 최솟값: $\frac{1}{64}$

1 (1) $y=5^x$에 x 대신 $x-1$, y 대신 $y+2$를 대입하면

$y+2=5^{x-1}$ $\therefore y=5^{x-1}-2$

(2) $y=2^x$에 x 대신 $x+2$, y 대신 $y-3$을 대입하면

$y-3=2^{x+2}$ $\therefore y=2^{x+2}+3$

(3) 함수 $y=3^x$의 그래프를 x축에 대하여 대칭이동한 그래프의 식은 $y=3^x$에 y 대신 $-y$를 대입하면

$-y=3^x$ $\therefore y=-3^x$

이 함수의 그래프를 y축의 방향으로 2만큼 평행이동한 그래프의 식은 $y=-3^x$에 y 대신 $y-2$를 대입하면

$y-2=-3^x \qquad \therefore y=-3^x+2$

(4) 함수 $y=4^x$의 그래프를 y축에 대하여 대칭이동한 그래프의 식은 $y=4^x$에 x 대신 $-x$를 대입하면

$y=4^{-x} \qquad \therefore y=\left(\frac{1}{4}\right)^x$

이 함수의 그래프를 x축의 방향으로 -1만큼, y축의 방향으로 -3만큼 평행이동한 그래프의 식은 $y=\left(\frac{1}{4}\right)^x$에 x 대신 $x+1$, y 대신 $y+3$을 대입하면

$y+3=\left(\frac{1}{4}\right)^{x+1} \qquad \therefore y=\left(\frac{1}{4}\right)^{x+1}-3$

2 함수 $y=2^{x+1}+2$의 그래프는 함수 $y=2^x$의 그래프를 x축의 방향으로 -1만큼, y축의 방향으로 2만큼 평행이동한 것이므로 오른쪽 그림과 같다.

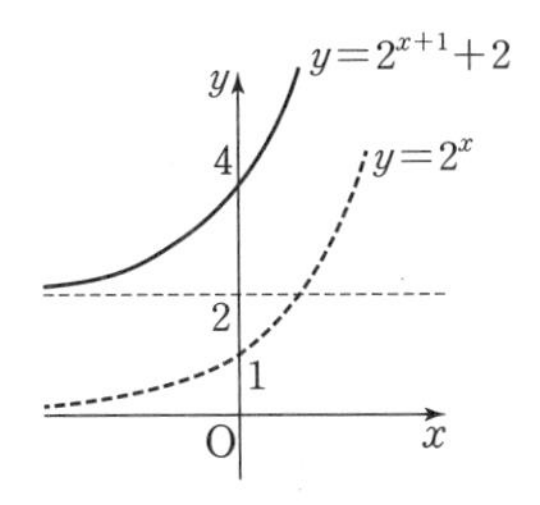

3 함수 $y=-\left(\frac{1}{5}\right)^x$의 그래프는 함수 $y=\left(\frac{1}{5}\right)^x$의 그래프를 x축에 대하여 대칭이동한 것이므로 오른쪽 그림과 같다.

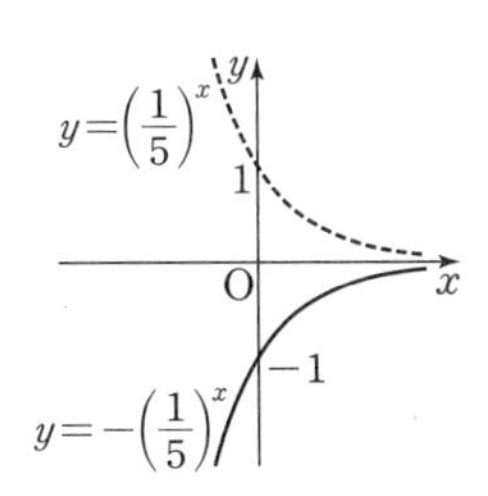

4 (1) 오른쪽 그림과 같이 함수 $y=5^x$의 그래프는 x의 값이 증가하면 y의 값도 증가하므로

최댓값은 $x=2$일 때, $y=5^2=25$

최솟값은 $x=0$일 때, $y=5^0=1$

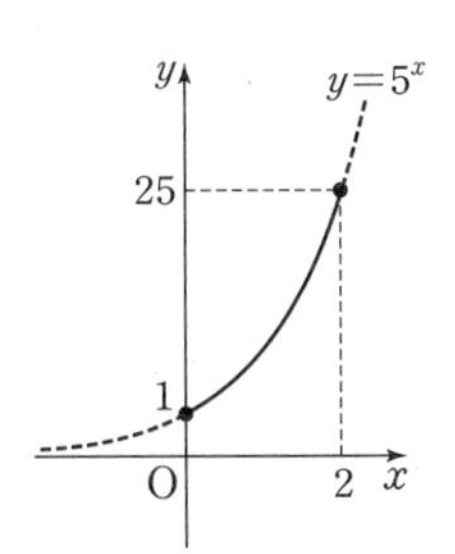

(2) 오른쪽 그림과 같이 함수 $y=\left(\frac{1}{3}\right)^x$의 그래프는 x의 값이 증가하면 y의 값은 감소하므로

최댓값은 $x=-2$일 때, $y=\left(\frac{1}{3}\right)^{-2}=9$

최솟값은 $x=1$일 때, $y=\left(\frac{1}{3}\right)^1=\frac{1}{3}$

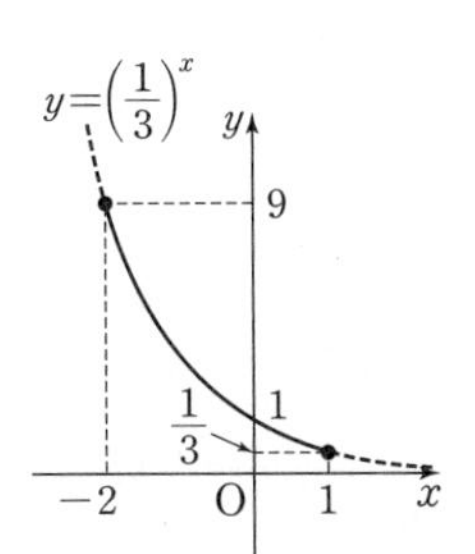

(3) 오른쪽 그림과 같이 함수 $y=2^{x+3}$의 그래프는 x의 값이 증가하면 y의 값도 증가하므로

최댓값은 $x=3$일 때, $y=2^6=64$

최솟값은 $x=-2$일 때, $y=2^1=2$

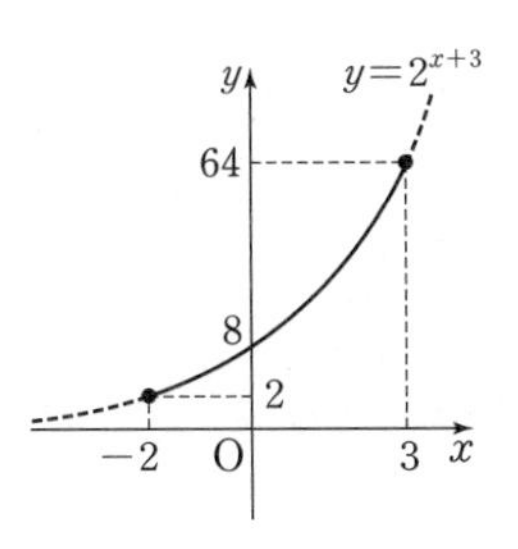

(4) $y=4^{-x}$을 변형하면 $y=\left(\frac{1}{4}\right)^x$

오른쪽 그림과 같이 함수 $y=\left(\frac{1}{4}\right)^x$의 그래프는 x의 값이 증가하면 y의 값은 감소하므로

최댓값은 $x=0$일 때, $y=4^0=1$

최솟값은 $x=3$일 때, $y=4^{-3}=\frac{1}{64}$

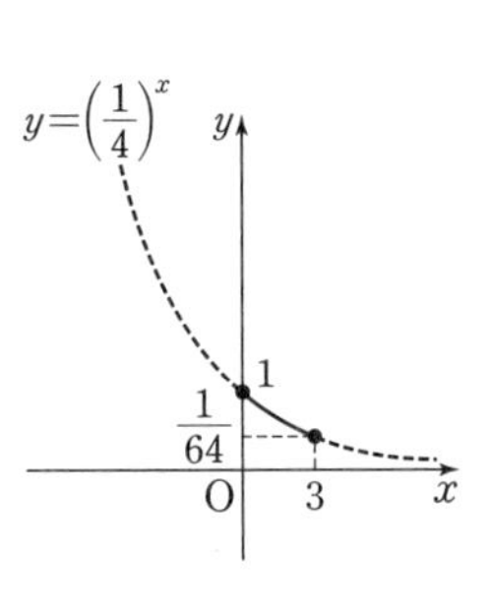

STEP 2 필수 유형

| 65쪽~69쪽 |

01-1 답 그래프: 풀이 참조, 치역: $\{y \mid y<2\}$, 점근선의 방정식: $y=2$

| 해결 전략 | 함수 $y=a^{x-m}+n$의 그래프는 함수 $y=a^x$의 그래프를 x축의 방향으로 m만큼, y축의 방향으로 n만큼 평행이동한 것이다.

함수 $y=-3^{x-2}+2$의 그래프는 함수 $y=3^x$의 그래프를 x축에 대하여 대칭이동한 후 x축의 방향으로 2만큼, y축의 방향으로 2만큼 평행이동한 것이다.

따라서 $y=-3^{x-2}+2$의 그래프는 오른쪽 그림과 같고,

치역은 $\{y \mid y<2\}$

점근선의 방정식은 $y=2$

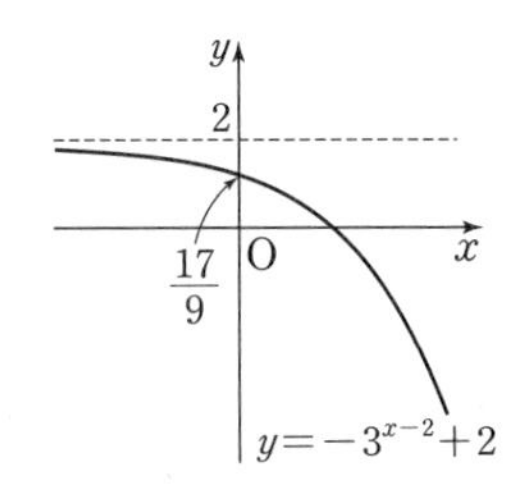

01-2 답 ②

| 해결 전략 | 주어진 함수의 그래프는 함수 $y=2^x$의 그래프를 평행이동한 것이다.

함수 $y=\frac{1}{2}\times 2^x-1=2^{x-1}-1$의 그래프는 함수 $y=2^x$의 그래프를 x축의 방향으로 1만큼, y축의 방향으로 -1만큼 평행이동한 것이다.

따라서 함수 $y=\frac{1}{2}\times 2^x-1$의 그래프는 오른쪽 그림과 같다.

① 치역은 $\{y \mid y>-1\}$이다.

② 그래프는 제1, 3, 4사분면을 지나고 제2사분면을 지나지 않는다.

③ x의 값이 증가하면 y의 값도 증가한다.

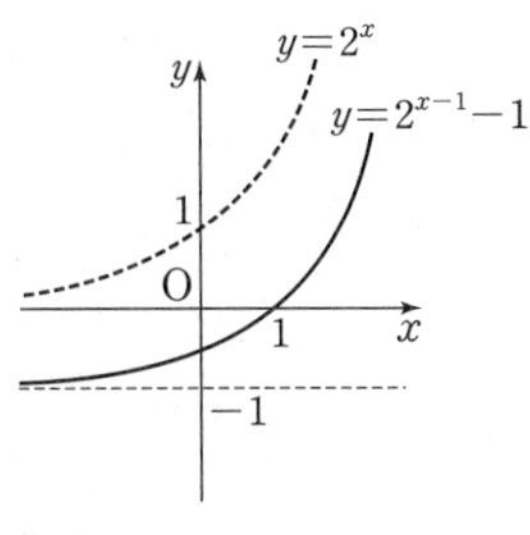

⑤ $\frac{1}{2}\times 2^1-1=0$이므로 그래프는 점 (1, 0)을 지난다.

또, 점근선의 방정식은 $y=-1$이다.

이상에서 옳지 않은 것은 ②이다.

02-1 답 $m=-4, n=2$

|해결 전략| 함수의 그래프에서 x축의 방향으로 m만큼, y축의 방향으로 n만큼 평행이동하면 x 대신 $x-m$, y 대신 $y-n$을 대입한다.

함수 $y=2^x$의 그래프를 x축의 방향으로 m만큼, y축의 방향으로 n만큼 평행이동한 그래프의 식은

$y=2^{x-m}+n$

따라서 $y=2^{x-m}+n$이 $y=16\times2^x+2=2^{x+4}+2$와 일치하므로

$-m=4, n=2$

$\therefore m=-4, n=2$

02-2 답 $m=2, n=5$

|해결 전략| 함수의 그래프에서 원점에 대하여 대칭이동하면 x 대신 $-x$, y 대신 $-y$를 대입한다.

함수 $y=5^x$의 그래프를 원점에 대하여 대칭이동한 그래프의 식은

$-y=5^{-x}$ $\quad\therefore y=-5^{-x}$ ……㉠

㉠의 그래프를 x축의 방향으로 m만큼, y축의 방향으로 n만큼 평행이동한 그래프의 식은

$y=-5^{-(x-m)}+n$

따라서 $y=-5^{-(x-m)}+n$이 $y=-25\times\left(\frac{1}{5}\right)^x+5=-5^{-(x-2)}+5$와 일치하므로

$m=2, n=5$

02-3 답 -2

|해결 전략| 주어진 그림에서 함수의 그래프가 원점을 지나고 점근선의 방정식이 $y=-2$임을 이용한다.

함수 $y=2^x$의 그래프를 y축에 대하여 대칭이동한 그래프의 식은

$y=2^{-x}$ ……㉠

㉠의 그래프를 x축의 방향으로 a만큼, y축의 방향으로 b만큼 평행이동한 그래프의 식은

$y=2^{-(x-a)}+b$

주어진 그림에서 함수 $y=2^{-(x-a)}+b$의 그래프는 원점을 지나므로

$0=2^{-(0-a)}+b$

$\therefore 2^a+b=0$ ……㉡

또, 점근선의 방정식은 $y=-2$이므로

$b=-2$

$b=-2$를 ㉡에 대입하면 $2^a-2=0$

$2^a=2$ $\quad\therefore a=1$

$\therefore ab=1\times(-2)=-2$

03-1 답 $3^{0.5}<\sqrt[3]{9}<\sqrt{27}$

|해결 전략| (밑)>1이면 지수가 큰 수가 크다.

주어진 세 수를 밑이 3인 거듭제곱 꼴로 나타내면

$3^{0.5}=3^{\frac{1}{2}}$, $\sqrt{27}=\sqrt{3^3}=3^{\frac{3}{2}}$, $\sqrt[3]{9}=\sqrt[3]{3^2}=3^{\frac{2}{3}}$

이때, 함수 $y=3^x$은 밑이 3이고 $3>1$이므로 x의 값이 증가하면 y의 값도 증가한다.

즉, 지수가 큰 수가 크다.

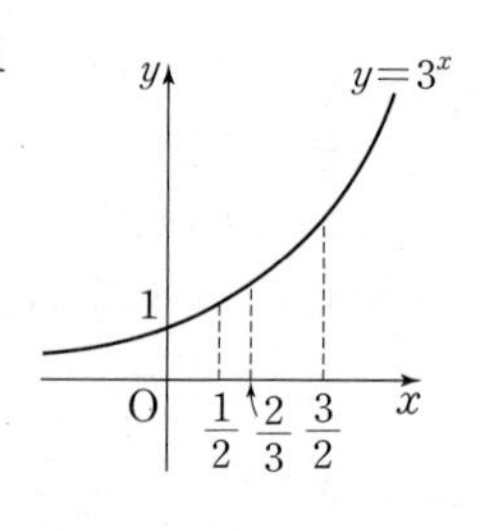

따라서 지수의 크기를 비교하면

$\frac{1}{2}<\frac{2}{3}<\frac{3}{2}$이므로 $3^{\frac{1}{2}}<3^{\frac{2}{3}}<3^{\frac{3}{2}}$

$\therefore 3^{0.5}<\sqrt[3]{9}<\sqrt{27}$

03-2 답 $\sqrt[4]{0.2^7}<\sqrt{0.008}<0.2^{\frac{1}{3}}$

|해결 전략| $0<$(밑)<1이면 지수가 작은 수가 크다.

주어진 세 수를 밑이 0.2인 거듭제곱 꼴로 나타내면

$0.2^{\frac{1}{3}}$, $\sqrt[4]{0.2^7}=0.2^{\frac{7}{4}}$, $\sqrt{0.008}=\sqrt{0.2^3}=0.2^{\frac{3}{2}}$

이때, 함수 $y=0.2^x$은 밑이 0.2이고 $0<0.2<1$이므로 x의 값이 증가하면 y의 값은 감소한다.

즉, 지수가 작은 수가 크다.

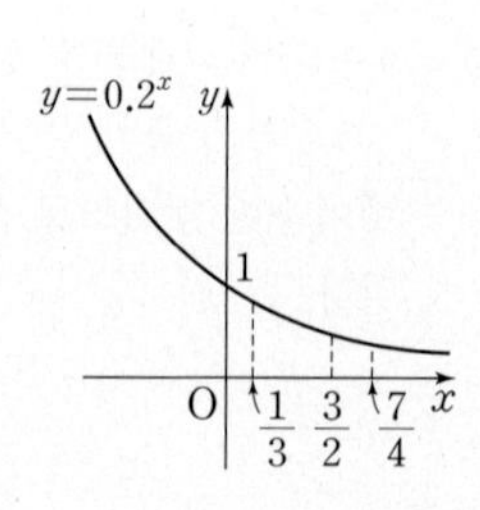

따라서 지수의 크기를 비교하면

$\frac{1}{3}<\frac{3}{2}<\frac{7}{4}$이므로 $0.2^{\frac{7}{4}}<0.2^{\frac{3}{2}}<0.2^{\frac{1}{3}}$

$\therefore \sqrt[4]{0.2^7}<\sqrt{0.008}<0.2^{\frac{1}{3}}$

04-1 답 최댓값: 28, 최솟값: $\frac{28}{27}$

|해결 전략| (밑)>1인지 $0<$(밑)<1인지 확인한다.

함수 $y=3^{2-x}+1=3^2\times3^{-x}+1=9\times\left(\frac{1}{3}\right)^x+1$은 밑이 $\frac{1}{3}$이고

$0<\frac{1}{3}<1$이므로 x의 값이 증가하면 y의 값은 감소한다.

따라서 $-1\le x\le5$에서

최댓값은 $x=-1$일 때,

$y=3^{2-(-1)}+1=27+1=28$

최솟값은 $x=5$일 때,

$y=3^{2-5}+1=\frac{1}{27}+1=\frac{28}{27}$

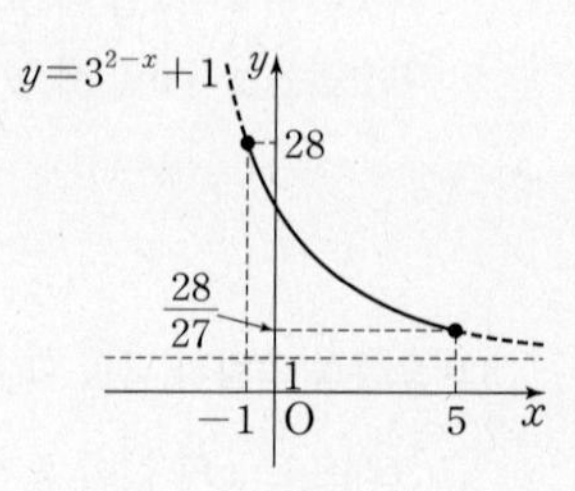

04-2 답 최댓값: 32, 최솟값: 2

|해결 전략| 지수가 이차식인 경우에는 지수를 $f(x)$로 놓고 최댓값과 최솟값을 구한다.

$y=2^{x^2-2x+2}$에서 $f(x)=x^2-2x+2$로 놓으면

$f(x)=(x-1)^2+1$

$0\le x\le3$에서 $f(0)=2$, $f(1)=1$, $f(3)=5$이므로

$1\le f(x)\le5$

이때, 함수 $y=2^{f(x)}$은 밑이 2이고 $2>1$이므로 $f(x)$가 최대일 때 최대가 되고, $f(x)$가 최소일 때 최소가 된다.

따라서 함수 $y=2^{f(x)}$의
최댓값은 $f(x)=5$일 때, $y=2^5=32$
최솟값은 $f(x)=1$일 때, $y=2^1=2$

LECTURE

$\alpha\le x\le\beta$인 이차함수 $f(x)=a(x-m)^2+n$의 최대 · 최소

(1) $\alpha\le m\le\beta$일 때
➡ $f(m)$, $f(\alpha)$, $f(\beta)$ 중에서 가장 큰 값이 최댓값, 가장 작은 값이 최솟값

(2) $m<\alpha$ 또는 $m>\beta$일 때
➡ $f(\alpha)$, $f(\beta)$ 중에서 큰 값이 최댓값, 작은 값이 최솟값

05-1 답 (1) 최댓값: 39, 최솟값: 3 (2) 최댓값: 3, 최솟값: 2

|해결 전략| (1) $3^x=t\ (t>0)$로 치환하여 이차함수의 최댓값과 최솟값을 구한다.
(2) $\left(\frac{1}{2}\right)^x=t\ (t>0)$로 치환하여 이차함수의 최댓값과 최솟값을 구한다.

(1) $y=9^x-2\times3^{x+1}+12$에서 $y=(3^x)^2-6\times3^x+12$

$3^x=t\ (t>0)$로 놓으면 $-1\le x\le2$에서 $3^{-1}\le3^x\le3^2$
밑이 3이고 $3>1$이므로 지수가 클수록 크다.

$\therefore \frac{1}{3}\le t\le9$

이때, 주어진 함수는
$y=t^2-6t+12=(t-3)^2+3$

따라서 $\frac{1}{3}\le t\le9$에서
함수 $y=(t-3)^2+3$의
최댓값은 $t=9$일 때,
$y=(9-3)^2+3=39$
최솟값은 $t=3$일 때,
$y=(3-3)^2+3=3$

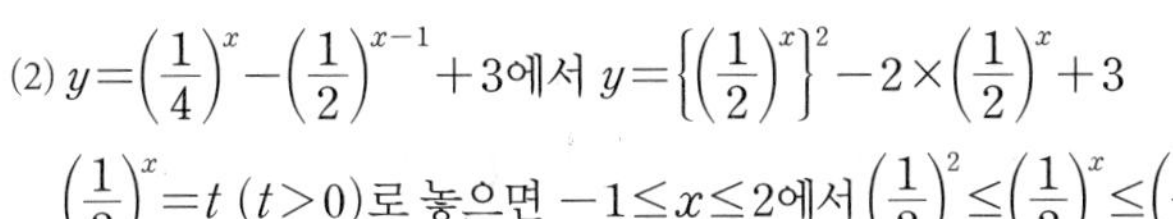

(2) $y=\left(\frac{1}{4}\right)^x-\left(\frac{1}{2}\right)^{x-1}+3$에서 $y=\left\{\left(\frac{1}{2}\right)^x\right\}^2-2\times\left(\frac{1}{2}\right)^x+3$

$\left(\frac{1}{2}\right)^x=t\ (t>0)$로 놓으면 $-1\le x\le2$에서 $\left(\frac{1}{2}\right)^2\le\left(\frac{1}{2}\right)^x\le\left(\frac{1}{2}\right)^{-1}$
밑이 $\frac{1}{2}$이고 $0<\frac{1}{2}<1$이므로 지수가 작을수록 크다.

$\therefore \frac{1}{4}\le t\le2$

이때, 주어진 함수는
$y=t^2-2t+3=(t-1)^2+2$

따라서 $\frac{1}{4}\le t\le2$에서
함수 $y=(t-1)^2+2$의
최댓값은 $t=2$일 때,
$y=(2-1)^2+2=3$
최솟값은 $t=1$일 때,
$y=(1-1)^2+2=2$

05-2 답 -3

|해결 전략| $2^x=t\ (t>0)$로 치환하여 이차함수의 최대 · 최소를 이용한다.

$y=4^x+k\times2^{x+1}-1$에서 $y=(2^x)^2+2k\times2^x-1$
$2^x=t\ (t>0)$로 놓으면 주어진 함수는
$y=t^2+2kt-1=(t+k)^2-k^2-1$

따라서 함수 $y=(t+k)^2-k^2-1$은 $t=-k$일 때 최솟값 $-k^2-1$을 가지므로

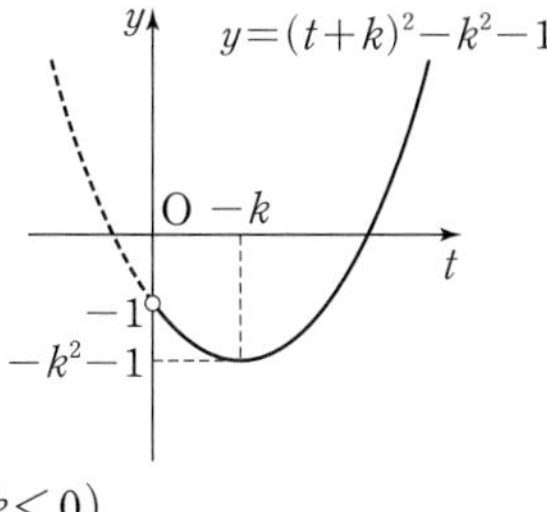

$-k^2-1=-10$ ……㉠
$k^2=9$
$\therefore k=-3$
($\because t=2^x>0$이므로 $-k>0$ $\therefore k<0$)

참고
㉠에서 $-k\le0$이면
함수 $y=(t+k)^2-k^2-1\ (t>0)$은 최솟값을 갖지 않는다.

2 지수방정식

STEP 1 개념 드릴 |71쪽|

1 (1) $x=4$ (2) $x=3$ (3) $x=-\frac{3}{2}$ (4) $x=2$
(5) $x=-\frac{5}{2}$ (6) $x=-1$ (7) $x=2$

2 (1) $x=3$ (2) $x=0$ (3) $x=0$ 또는 $x=1$ (4) $x=1$ 또는 $x=2$

3 (1) $x=2$ (2) $x=3$ (3) $x=2$ 또는 $x=5$ (4) $x=5$ 또는 $x=\frac{4}{3}$

1 (1) $3^x=81$에서 $3^x=3^4$
$\therefore x=4$

(2) $0.3^x=0.027$에서 $\left(\frac{3}{10}\right)^x=\left(\frac{3}{10}\right)^3$
$\therefore x=3$

(3) $9^x=\frac{1}{27}$에서 $(3^2)^x=\left(\frac{1}{3}\right)^3$
즉, $3^{2x}=3^{-3}$이므로 $2x=-3$
$\therefore x=-\frac{3}{2}$

(4) $\left(\frac{1}{2}\right)^{-x+1}=2$에서 $2^{-(-x+1)}=2^1$
즉, $2^{x-1}=2^1$이므로 $x-1=1$
$\therefore x=2$

(5) $9^{-x-1}=27$에서 $(3^2)^{-x-1}=3^3$
즉, $3^{-2x-2}=3^3$이므로 $-2x-2=3$
$\therefore x=-\frac{5}{2}$

(6) $5^{3x+1}=25^x$에서 $5^{3x+1}=(5^2)^x$
즉, $5^{3x+1}=5^{2x}$이므로
$3x+1=2x$ $\therefore x=-1$

(7) $\left(\frac{1}{7}\right)^{-2x}=7^{x+2}$에서 $(7^{-1})^{-2x}=7^{x+2}$

즉, $7^{2x}=7^{x+2}$이므로 $2x=x+2$

$\therefore x=2$

2 (1) $2^x=t\ (t>0)$로 놓으면

$t^2-8t=0,\ t(t-8)=0$

$\therefore t=8\ (\because t>0)$

$t=8$일 때, $2^x=8=2^3$에서 $x=3$

(2) $3^x=t\ (t>0)$로 놓으면

$t^2-t=0,\ t(t-1)=0$

$\therefore t=1\ (\because t>0)$

$t=1$일 때, $3^x=1=3^0$에서 $x=0$

(3) $(2^2)^x-3\times2^x+2=0$, 즉 $(2^x)^2-3\times2^x+2=0$

$2^x=t\ (t>0)$로 놓으면

$t^2-3t+2=0,\ (t-1)(t-2)=0$

$\therefore t=1$ 또는 $t=2$

$t=1$일 때, $2^x=1=2^0$에서 $x=0$

$t=2$일 때, $2^x=2=2^1$에서 $x=1$

$\therefore x=0$ 또는 $x=1$

(4) $(3^2)^x-12\times3^x+27=0$, 즉 $(3^x)^2-12\times3^x+27=0$

$3^x=t\ (t>0)$로 놓으면

$t^2-12t+27=0,\ (t-3)(t-9)=0$

$\therefore t=3$ 또는 $t=9$

$t=3$일 때, $3^x=3=3^1$에서 $x=1$

$t=9$일 때, $3^x=9=3^2$에서 $x=2$

$\therefore x=1$ 또는 $x=2$

3 (1) $3^{2x-4}=5^{2x-4}$에서 $2x-4=0$

$\therefore x=2$

(2) $\left(\frac{1}{2}\right)^{-x+3}=\left(\frac{1}{5}\right)^{-x+3}$에서 $-x+3=0$

$\therefore x=3$

(3) 지수가 같으므로 밑이 같거나 지수가 0이어야 한다.

(i) 밑이 같은 경우

$x=2$

(ii) 지수가 0인 경우

$5-x=0 \qquad \therefore x=5$

(i), (ii)에서 $x=2$ 또는 $x=5$

(4) 지수가 같으므로 밑이 같거나 지수가 0이어야 한다.

(i) 밑이 같은 경우

$x=5$

(ii) 지수가 0인 경우

$3x-4=0 \qquad \therefore x=\frac{4}{3}$

(i), (ii)에서 $x=\frac{4}{3}$ 또는 $x=5$

STEP 2 필수 유형 | 72쪽~74쪽 |

01-1 답 (1) $x=-3$ 또는 $x=1$ (2) $x=\frac{1}{2}$ 또는 $x=1$

|해결 전략| 양변의 밑을 같게 하여 $a^{f(x)}=a^{g(x)}\ (a>0,\ a\neq1)$ 꼴로 변형한 후 $f(x)=g(x)$의 해를 구한다.

(1) $4^x=\left(\frac{1}{2}\right)^{x^2-3}$에서 $(2^2)^x=(2^{-1})^{x^2-3} \qquad \therefore 2^{2x}=2^{-x^2+3}$

따라서 $2x=-x^2+3$이므로

$x^2+2x-3=0,\ (x+3)(x-1)=0$

$\therefore x=-3$ 또는 $x=1$

(2) $\left(\frac{4}{5}\right)^{2x^2}=\left(\frac{5}{4}\right)^{-3x+1}$에서

$\left(\frac{4}{5}\right)^{2x^2}=\left\{\left(\frac{4}{5}\right)^{-1}\right\}^{-3x+1} \qquad \therefore \left(\frac{4}{5}\right)^{2x^2}=\left(\frac{4}{5}\right)^{3x-1}$

따라서 $2x^2=3x-1$이므로

$2x^2-3x+1=0,\ (2x-1)(x-1)=0$

$\therefore x=\frac{1}{2}$ 또는 $x=1$

01-2 답 4

|해결 전략| 양변의 밑을 3으로 같게 한 후 지수가 같아야 함을 이용한다.

$3^{x^2+4x}=9^{x^2-2}$에서

$3^{x^2+4x}=(3^2)^{x^2-2} \qquad \therefore 3^{x^2+4x}=3^{2x^2-4}$

따라서 $x^2+4x=2x^2-4$이므로 $x^2-4x-4=0$

이차방정식 $x^2-4x-4=0$의 근과 계수의 관계에 의하여

$\alpha+\beta=4$

02-1 답 (1) $x=2$ (2) $x=0$ 또는 $x=1$

|해결 전략| (1) 식을 변형한 후 $3^x=t\ (t>0)$로 치환하여 푼다.
(2) 식을 변형한 후 $2^x=t\ (t>0)$로 치환하여 푼다.

(1) $3^{2x-1}-2\times3^x-9=0$에서 $3^{2x}\times3^{-1}-2\times3^x-9=0$

즉, $\frac{1}{3}\times(3^x)^2-2\times3^x-9=0$

$3^x=t\ (t>0)$로 놓으면

$\frac{1}{3}t^2-2t-9=0,\ \frac{1}{3}(t^2-6t-27)=0$

$\frac{1}{3}(t+3)(t-9)=0$

$\therefore t=9\ (\because t>0)$

$t=9$일 때, $3^x=9=3^2$에서 $x=2$

(2) $2^x+2^{1-x}=3$에서 $2^x+2\times2^{-x}-3=0$

즉, $2^x+\frac{2}{2^x}-3=0$

$2^x=t\ (t>0)$로 놓으면 $t+\frac{2}{t}-3=0$

양변에 t를 곱하여 정리하면

$t^2-3t+2=0,\ (t-1)(t-2)=0$

$\therefore t=1$ 또는 $t=2$

$t=1$일 때, $2^x=1=2^0$에서 $x=0$

$t=2$일 때, $2^x=2=2^1$에서 $x=1$

$\therefore x=0$ 또는 $x=1$

02-2 답 2

|해결 전략| 주어진 방정식의 두 근이 α, β이므로 $3^x=t\,(t>0)$로 치환하여 얻은 방정식의 두 근은 3^α, 3^β이다.

$9^x-7\times3^x+9=0$에서 $(3^x)^2-7\times3^x+9=0$

$3^x=t\,(t>0)$로 놓으면

$t^2-7t+9=0$

이때, 이 방정식의 두 근은 3^α, 3^β이므로 근과 계수의 관계에 의하여

$3^\alpha\times3^\beta=9$, 즉 $3^{\alpha+\beta}=3^2$

$\therefore \alpha+\beta=2$

LECTURE

$a>0$, $a\neq1$일 때

$pa^{2x}+qa^x+r=0$ (단, $p\neq0$) ······㉠

㉠에서 $a^x=t\,(t>0)$로 놓으면

$pt^2+qt+r=0$ ······㉡

이때, 방정식 ㉠의 해가 α, β이면 방정식 ㉡의 해는 a^α, a^β이다.

따라서 이차방정식 ㉡의 근과 계수의 관계에 의하여

$a^\alpha+a^\beta=-\frac{q}{p}$, $a^\alpha\times a^\beta=\frac{r}{p}$

03-1 답 (1) $x=1$ 또는 $x=4$ (2) $x=-2$ 또는 $x=1$

|해결 전략| (1) 양변의 지수가 같으므로 밑이 같거나 지수가 0일 때로 나누어 푼다.
(2) 양변의 밑이 같으므로 지수가 같거나 밑이 1일 때로 나누어 푼다.

(1) 지수가 같으므로 주어진 방정식이 성립하려면 밑이 같거나 밑이 달라도 지수가 0이면 등식이 성립한다.

(i) 밑이 같은 경우

$x+1=2 \quad \therefore x=1$

(ii) 지수가 0인 경우

$x-4=0 \quad \therefore x=4$

(i), (ii)에서 $x=1$ 또는 $x=4$

(2) 밑이 같으므로 주어진 방정식이 성립하려면 지수가 같거나 지수가 달라도 밑이 1이면 등식이 성립한다.

(i) 지수가 같은 경우

$5x-2=2x+1 \quad \therefore x=1$

(ii) 밑이 1인 경우

$x+3=1 \quad \therefore x=-2$

(i), (ii)에서 $x=-2$ 또는 $x=1$

3 지수부등식

STEP 1 개념 드릴 | 76쪽 |

1 (1) $x<\frac{5}{4}$ (2) $x\geq4$ (3) $x<\frac{5}{2}$ (4) $x>1$ (5) $x\geq5$ (6) $x<1$

2 (1) $x<4$ (2) $x>2$ (3) $-2<x<-1$ (4) $x\geq1$ (5) $x<2$ (6) $-2\leq x\leq-1$

1 (1) $4^{2x-1}<8$에서

$(2^2)^{2x-1}<2^3$, $2^{4x-2}<2^3$

밑이 2이고 $2>1$이므로

$4x-2<3 \quad \therefore x<\frac{5}{4}$

(2) $3^{x-2}\geq9$에서 $3^{x-2}\geq3^2$

밑이 3이고 $3>1$이므로

$x-2\geq2 \quad \therefore x\geq4$

(3) $2^{2x-1}<16$에서 $2^{2x-1}<2^4$

밑이 2이고 $2>1$이므로

$2x-1<4 \quad \therefore x<\frac{5}{2}$

(4) $5^x>\left(\frac{1}{5}\right)^{2x-3}$에서

$5^x>(5^{-1})^{2x-3}$, $5^x>5^{-2x+3}$

밑이 5이고 $5>1$이므로

$x>-2x+3 \quad \therefore x>1$

(5) $\left(\frac{1}{2}\right)^x\leq\frac{1}{32}$에서 $\left(\frac{1}{2}\right)^x\leq\left(\frac{1}{2}\right)^5$

밑이 $\frac{1}{2}$이고 $0<\frac{1}{2}<1$이므로

$x\geq5$

(6) $\left(\frac{1}{5}\right)^{2x+1}>\frac{1}{125}$에서 $\left(\frac{1}{5}\right)^{2x+1}>\left(\frac{1}{5}\right)^3$

밑이 $\frac{1}{5}$이고 $0<\frac{1}{5}<1$이므로

$2x+1<3 \quad \therefore x<1$

2 (1) $2^x=t\,(t>0)$로 놓으면

$t^2-16t<0$, $t(t-16)<0$

$\therefore 0<t<16$

따라서 $0<2^x<16$이므로 $2^x<2^4$

밑이 2이고 $2>1$이므로

$x<4$

(2) $(3^2)^x-9\times3^x>0$, 즉 $(3^x)^2-9\times3^x>0$

$3^x=t\,(t>0)$로 놓으면

$t^2-9t>0$, $t(t-9)>0$

$\therefore t<0$ 또는 $t>9$

그런데 $t>0$이므로 $t>9$

따라서 $3^x>9$이므로 $3^x>3^2$

밑이 3이고 $3>1$이므로

$x>2$

(3) $\left(\frac{1}{2}\right)^x=t\,(t>0)$로 놓으면

$t^2-6t+8<0$, $(t-2)(t-4)<0$

$\therefore 2<t<4$

따라서 $2<\left(\frac{1}{2}\right)^x<4$이므로 $\left(\frac{1}{2}\right)^{-1}<\left(\frac{1}{2}\right)^x<\left(\frac{1}{2}\right)^{-2}$

밑이 $\frac{1}{2}$이고 $0<\frac{1}{2}<1$이므로

$-2<x<-1$

(4) $5^x=t\ (t>0)$로 놓으면
$t^2-2t-15\geq 0,\ (t+3)(t-5)\geq 0$
$\therefore t\leq -3$ 또는 $t\geq 5$
그런데 $t>0$이므로 $t\geq 5$
따라서 $5^x\geq 5$이므로 $5^x\geq 5^1$
밑이 5이고 $5>1$이므로
$x\geq 1$

(5) $(2^2)^x-3\times 2^x-4<0$, 즉 $(2^x)^2-3\times 2^x-4<0$
$2^x=t\ (t>0)$로 놓으면
$t^2-3t-4<0,\ (t+1)(t-4)<0$
$\therefore -1<t<4$
그런데 $t>0$이므로 $0<t<4$
따라서 $0<2^x<4$이므로 $2^x<2^2$
밑이 2이고 $2>1$이므로
$x<2$

(6) $\left\{\left(\frac{1}{3}\right)^2\right\}^x-12\times\left(\frac{1}{3}\right)^x+27\leq 0$
즉, $\left\{\left(\frac{1}{3}\right)^x\right\}^2-12\times\left(\frac{1}{3}\right)^x+27\leq 0$
$\left(\frac{1}{3}\right)^x=t\ (t>0)$로 놓으면
$t^2-12t+27\leq 0,\ (t-3)(t-9)\leq 0$
$\therefore 3\leq t\leq 9$
따라서 $3\leq\left(\frac{1}{3}\right)^x\leq 9$이므로 $\left(\frac{1}{3}\right)^{-1}\leq\left(\frac{1}{3}\right)^x\leq\left(\frac{1}{3}\right)^{-2}$
밑이 $\frac{1}{3}$이고 $0<\frac{1}{3}<1$이므로
$-2\leq x\leq -1$

STEP 2 필수 유형

| 77쪽~80쪽 |

01-1 답 (1) $x\geq -6$ (2) $-3\leq x\leq 1$

|해결 전략| 밑을 같게 한 후 지수부등식을 푼다. 이때, (밑)>1이면 부등호의 방향은 그대로이고, $0<$(밑)<1이면 부등호의 방향은 반대가 된다.

(1) $27^{x+2}\geq 3^{2x}$에서
$(3^3)^{x+2}\geq 3^{2x},\ 3^{3x+6}\geq 3^{2x}$
밑이 3이고 $3>1$이므로
$3x+6\geq 2x \quad \therefore x\geq -6$

(2) $\left(\frac{2}{3}\right)^{x^2}\geq\left(\frac{3}{2}\right)^{2x-3}$에서
$\left(\frac{2}{3}\right)^{x^2}\geq\left\{\left(\frac{2}{3}\right)^{-1}\right\}^{2x-3},\ \left(\frac{2}{3}\right)^{x^2}\geq\left(\frac{2}{3}\right)^{-2x+3}$
밑이 $\frac{2}{3}$이고 $0<\frac{2}{3}<1$이므로
$x^2\leq -2x+3,\ x^2+2x-3\leq 0$
$(x+3)(x-1)\leq 0$
$\therefore -3\leq x\leq 1$

01-2 답 4

|해결 전략| 밑을 같게 한 후 지수부등식을 푼다. 이때, (밑)>1이면 부등호의 방향은 그대로이고, $0<$(밑)<1이면 부등호의 방향은 반대가 된다.

$2^{x^2-2x+2}\geq 4^{x^2-x}$에서
$2^{x^2-2x+2}\geq (2^2)^{x^2-x},\ 2^{x^2-2x+2}\geq 2^{2x^2-2x}$
밑이 2이고 $2>1$이므로
$x^2-2x+2\geq 2x^2-2x$
$x^2-2\leq 0,\ (x+\sqrt{2})(x-\sqrt{2})\leq 0$
$\therefore -\sqrt{2}\leq x\leq\sqrt{2}$
따라서 $\alpha=-\sqrt{2},\ \beta=\sqrt{2}$이므로
$\alpha^2+\beta^2=2+2=4$

02-1 답 (1) $x\geq 1$ (2) $x\geq -1$

|해결 전략| (1) 식을 변형한 후 $3^x=t\ (t>0)$로 치환하여 푼다.
(2) 식을 변형한 후 $\left(\frac{1}{5}\right)^x=t\ (t>0)$로 치환하여 푼다.

(1) $9^x+2\times 3^{x+1}-27\geq 0$에서 $(3^x)^2+6\times 3^x-27\geq 0$
$3^x=t\ (t>0)$로 놓으면
$t^2+6t-27\geq 0,\ (t+9)(t-3)\geq 0$
$\therefore t\leq -9$ 또는 $t\geq 3$
그런데 $t>0$이므로 $t\geq 3$
따라서 $3^x\geq 3$이므로 $3^x\geq 3^1$
밑이 3이고 $3>1$이므로 $x\geq 1$

(2) $\left(\frac{1}{25}\right)^x-2\times\left(\frac{1}{5}\right)^x-15\leq 0$에서
$\left\{\left(\frac{1}{5}\right)^x\right\}^2-2\times\left(\frac{1}{5}\right)^x-15\leq 0$
$\left(\frac{1}{5}\right)^x=t\ (t>0)$로 놓으면
$t^2-2t-15\leq 0,\ (t+3)(t-5)\leq 0$
$\therefore -3\leq t\leq 5$
그런데 $t>0$이므로 $0<t\leq 5$
따라서 $0<\left(\frac{1}{5}\right)^x\leq 5$이므로 $\left(\frac{1}{5}\right)^x\leq\left(\frac{1}{5}\right)^{-1}$
밑이 $\frac{1}{5}$이고 $0<\frac{1}{5}<1$이므로 $x\geq -1$

03-1 답 (1) $1<x<2$ (2) $0<x<1$ 또는 $2<x<3$

|해결 전략| 주어진 지수부등식의 밑이 x이므로 $0<x<1,\ x=1,\ x>1$의 세 가지 경우로 나누어 푼다.

(1) (i) $0<x<1$일 때
$2x+1>x+3 \quad \therefore x>2$
그런데 $0<x<1$이므로 해가 없다.
(ii) $x=1$일 때
(좌변)$=1$, (우변)$=1$이므로 (좌변)$=$(우변)
따라서 주어진 부등식이 성립하지 않는다.
(iii) $x>1$일 때
$2x+1<x+3 \quad \therefore x<2$
그런데 $x>1$이므로 $1<x<2$
(i), (ii), (iii)에서 주어진 부등식의 해는
$1<x<2$

(2) (i) $0<x<1$일 때

$x^2>5x-6$, $x^2-5x+6>0$

$(x-2)(x-3)>0$

$\therefore x<2$ 또는 $x>3$

그런데 $0<x<1$이므로 $0<x<1$

(ii) $x=1$일 때

(좌변)$=1$, (우변)$=1$이므로 (좌변)$=$(우변)

따라서 주어진 부등식이 성립하지 않는다.

(iii) $x>1$일 때

$x^2<5x-6$, $x^2-5x+6<0$

$(x-2)(x-3)<0$

$\therefore 2<x<3$

그런데 $x>1$이므로 $2<x<3$

(i), (ii), (iii)에서 주어진 부등식의 해는

$0<x<1$ 또는 $2<x<3$

04-1 답 28500년 전

|해결 전략| 주어진 식에 $f(t)=\frac{5}{16}$, $a=10$을 대입하여 t의 값을 구한다.

처음 이 도자기에 들어 있었던 ^{14}C의 양은 10 g이었고, t년이 지난 후 도자기에 남아 있는 ^{14}C의 양은 $\frac{5}{16}$ g이므로

$f(t)=a\times\left(\frac{1}{2}\right)^{\frac{t}{5700}}$에 $f(t)=\frac{5}{16}$, $a=10$을 대입하면

$\frac{5}{16}=10\times\left(\frac{1}{2}\right)^{\frac{t}{5700}}$

$\left(\frac{1}{2}\right)^{\frac{t}{5700}}=\frac{1}{32}$, $\left(\frac{1}{2}\right)^{\frac{t}{5700}}=\left(\frac{1}{2}\right)^5$

$\frac{t}{5700}=5 \qquad \therefore t=28500$

따라서 이 도자기는 28500년 전에 만들어진 것이라고 추측할 수 있다.

04-2 답 $40<\alpha<50$

|해결 전략| 10시간 후의 영양소가 초기 영양소의 $\frac{1}{3}$이 되므로 $\frac{1}{3}k_0=k_0a^{-10}$임을 이용한다.

10시간 후의 영양소가 초기 영양소의 $\frac{1}{3}$이 되므로

$\frac{1}{3}k_0=k_0a^{-10} \qquad \therefore a^{-10}=\frac{1}{3}$

한편, 이 채소의 영양소가 초기 영양소의 1 %가 되는 것은 α시간 후이므로

$\frac{1}{100}k_0=k_0a^{-\alpha} \qquad \therefore a^{-\alpha}=\frac{1}{100}$

그런데 $\left(\frac{1}{3}\right)^5<\frac{1}{100}<\left(\frac{1}{3}\right)^4$이므로

$(a^{-10})^5<a^{-\alpha}<(a^{-10})^4$

$\therefore a^{-50}<a^{-\alpha}<a^{-40}$

밑이 a이고 $a>1$이므로

$-50<-\alpha<-40$

$\therefore 40<\alpha<50$

STEP 3 유형 드릴

| 81쪽~83쪽 |

1-1 답 -1

|해결 전략| 점근선을 이용하여 b의 값을 구한 후 a의 값을 구한다.

함수 $y=2^{x+a}-b$의 그래프의 점근선은 직선 $y=-b$이므로

$-b=-4 \qquad \therefore b=4$

또, 함수 $y=2^{x+a}-4$의 그래프가 점 $(0, 4)$를 지나므로

$4=2^a-4$, $2^a=8$, $2^a=2^3$

$\therefore a=3$

$\therefore a-b=3-4=-1$

1-2 답 -1

|해결 전략| 함수 $y=3^{x-a}+b$의 그래프는 점 $(3, 0)$을 지나고, 점근선의 방정식은 $y=-3$이다.

주어진 그림에서 함수 $y=3^{x-a}+b$의 점근선의 방정식은 $y=-3$이므로

$b=-3$

또, 그래프가 점 $(3, 0)$을 지나므로

$0=3^{3-a}-3$, $3^{3-a}=3^1$, $3-a=1$

$\therefore a=2$

$\therefore a+b=2+(-3)=-1$

2-1 답 2

|해결 전략| 함수의 그래프에서 y축에 대하여 대칭이동하면 x 대신 $-x$를 대입하고, x축의 방향으로 m만큼, y축의 방향으로 n만큼 평행이동하면 x 대신 $x-m$, y 대신 $y-n$을 대입한다.

함수 $y=3^x$의 그래프를 y축에 대하여 대칭이동한 그래프의 식은

$y=3^{-x} \qquad \therefore y=\left(\frac{1}{3}\right)^x$ ······㉠

㉠의 그래프를 x축의 방향으로 m만큼, y축의 방향으로 n만큼 평행이동한 그래프의 식은

$y=\left(\frac{1}{3}\right)^{x-m}+n$

따라서 $y=\left(\frac{1}{3}\right)^{x-m}+n$이 $y=9\times\left(\frac{1}{3}\right)^x=\left(\frac{1}{3}\right)^{x-2}$과 일치하므로

$m=2$, $n=0 \qquad \therefore m+n=2+0=2$

2-2 답 $a=2$, $b=3$

|해결 전략| 함수의 그래프에서 x축에 대하여 대칭이동하면 y 대신 $-y$를 대입하고, x축의 방향으로 1만큼, y축의 방향으로 b만큼 평행이동하면 x 대신 $x-1$, y 대신 $y-b$를 대입한다.

함수 $y=a^x$의 그래프를 x축에 대하여 대칭이동한 그래프의 식은

$y=-a^x$ ······㉠

㉠의 그래프를 x축의 방향으로 1만큼, y축의 방향으로 b만큼 평행이동한 그래프의 식은

$y=-a^{x-1}+b$ ······㉡

㉡의 그래프가 점 $(2, 1)$을 지나므로

$1=-a^{2-1}+b \qquad \therefore -a+b=1$

또, 점근선의 방정식이 $y=3$이므로 $b=3$

$\therefore a=2$

3-1 답 $A<B<C$

|해결 전략| (밑)>1이면 지수가 큰 수가 크다.

주어진 세 수를 밑이 2인 거듭제곱 꼴로 나타내면

$A=\sqrt[3]{4}=\sqrt[3]{2^2}=2^{\frac{2}{3}}$, $B=\sqrt[4]{8}=\sqrt[4]{2^3}=2^{\frac{3}{4}}$, $C=\sqrt[5]{16}=\sqrt[5]{2^4}=2^{\frac{4}{5}}$

이때, 함수 $y=2^x$은 밑이 2이고 $2>1$이므로 x의 값이 증가하면 y의 값도 증가한다.

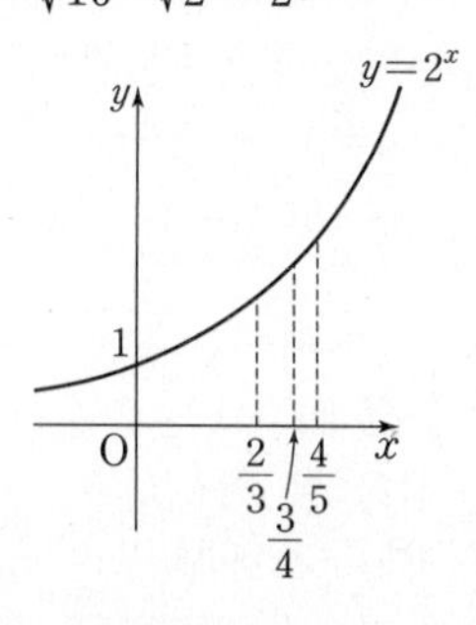

즉, 지수가 큰 수가 크다.

따라서 지수의 크기를 비교하면

$\frac{2}{3}<\frac{3}{4}<\frac{4}{5}$이므로 $2^{\frac{2}{3}}<2^{\frac{3}{4}}<2^{\frac{4}{5}}$

$\therefore A<B<C$

3-2 답 $3^a<3^{a^a}<3$

|해결 전략| (밑)>1이면 지수가 큰 수가 크고, $0<$(밑)<1이면 지수가 작은 수가 크다.

함수 $y=3^x$은 밑이 3이고 $3>1$이므로 x의 값이 증가하면 y의 값도 증가한다.

즉, 지수가 큰 수가 크다.

또, 함수 $y=a^x$은 밑이 a이고 $0<a<1$이므로 x의 값이 증가하면 y의 값은 감소한다.

즉, 지수가 작은 수가 크다.

따라서 $0<a<1$이므로 $a^0>a^a>a^1$, 즉 $a<a^a<1$

$\therefore 3^a<3^{a^a}<3$

4-1 답 3

|해결 전략| (밑)>1인지 $0<$(밑)<1인지 확인한다.

함수 $y=\left(\frac{1}{3}\right)^{x-1}+b$는 밑이 $\frac{1}{3}$이고 $0<\frac{1}{3}<1$이므로 x의 값이 증가하면 y의 값은 감소한다.

따라서 $-2\le x\le a$에서 함수 $y=\left(\frac{1}{3}\right)^{x-1}+b$의

최댓값은 $x=-2$일 때,

$y=\left(\frac{1}{3}\right)^{-2-1}+b=27+b=30$ $\quad\therefore b=3$

최솟값은 $x=a$일 때,

$y=\left(\frac{1}{3}\right)^{a-1}+b=3^{-a+1}+3=6$

$3^{-a+1}=3$, $-a+1=1$ $\quad\therefore a=0$

$\therefore a+b=0+3=3$

4-2 답 $\frac{1}{4}$

|해결 전략| 지수가 이차식인 경우에는 지수를 $f(x)$로 놓고 최댓값 또는 최솟값을 구한다.

$y=\left(\frac{1}{2}\right)^{x^2-2x+3}$에서 $f(x)=x^2-2x+3$으로 놓으면

$f(x)=(x-1)^2+2$이므로 $x=1$일 때, 최솟값 2를 갖는다.

이때, 함수 $y=\left(\frac{1}{2}\right)^{f(x)}$은 밑이 $\frac{1}{2}$이고 $0<\frac{1}{2}<1$이므로 $f(x)$가 최소일 때 최대가 된다.

따라서 $f(x)=2$, 즉 $x=1$일 때, 최댓값은 $y=\left(\frac{1}{2}\right)^2=\frac{1}{4}$이므로

$a=1$, $b=\frac{1}{4}$

$\therefore ab=\frac{1}{4}$

5-1 답 2

|해결 전략| $\left(\frac{1}{2}\right)^x=t\,(t>0)$로 치환하여 이차함수의 최댓값과 최솟값을 구한다.

$$y=\left(\frac{1}{4}\right)^x-2^{-x+3}+9=\left\{\left(\frac{1}{2}\right)^2\right\}^x-2^{-x}\times2^3+9$$
$$=\left\{\left(\frac{1}{2}\right)^x\right\}^2-8\times\left(\frac{1}{2}\right)^x+9$$

$\left(\frac{1}{2}\right)^x=t\,(t>0)$로 놓으면 $-3\le x\le0$에서

$\left(\frac{1}{2}\right)^0\le\left(\frac{1}{2}\right)^x\le\left(\frac{1}{2}\right)^{-3}$이므로 $1\le t\le8$

→ 밑이 $\frac{1}{2}$이고 $0<\frac{1}{2}<1$이므로 지수가 작을수록 크다.

$1\le t\le8$에서 함수

$y=t^2-8t+9=(t-4)^2-7$의

최댓값은 $t=8$일 때,

$y=(8-4)^2-7=9$

최솟값은 $t=4$일 때,

$y=(4-4)^2-7=-7$

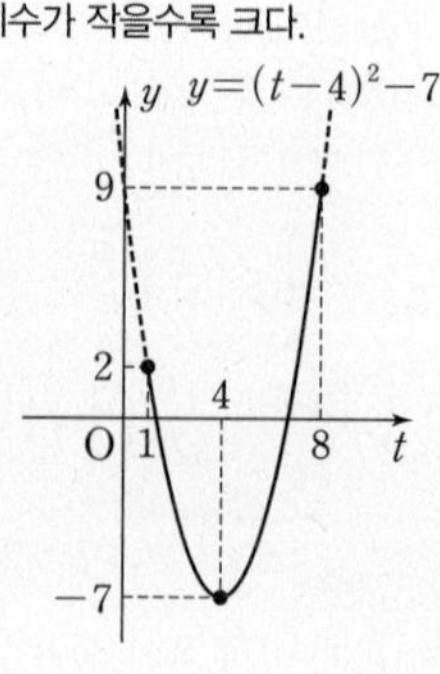

따라서 $M=9$, $m=-7$이므로

$M+m=2$

5-2 답 10

|해결 전략| $3^x=t\,(t>0)$로 치환하여 이차함수의 최대·최소를 이용한다.

$$y=9^x-2\times3^{x+1}+a=(3^2)^x-2\times3\times3^x+a$$
$$=(3^x)^2-6\times3^x+a$$

$3^x=t\,(t>0)$로 놓으면

$y=t^2-6t+a=(t-3)^2+a-9$

$t>0$에서 함수 $y=(t-3)^2+a-9$의

최솟값은 $t=3$일 때,

$y=(3-3)^2+a-9=a-9$

따라서 $t=3$에서 $3^x=3$이므로 $x=1$

$\therefore b=1$

또, $a-9=2$에서 $a=11$

$\therefore a-b=11-1=10$

6-1 답 1

|해결 전략| 양변의 밑을 2로 같게 한 후 지수방정식의 해를 구한다

$2^{x^2-5}=8\times 2^x$에서

$2^{x^2-5}=2^3\times 2^x \qquad \therefore 2^{x^2-5}=2^{3+x}$

이때, $x^2-5=3+x$이므로

$x^2-x-8=0$

따라서 이차방정식 $x^2-x-8=0$의 근과 계수의 관계에 의하여 모든 근의 합은 1이다.

6-2 답 -2

|해결 전략| 양변의 밑을 $\frac{1}{3}$로 같게 한 후 지수방정식의 해를 구한다.

$\left(\frac{1}{3}\right)^{x^2+1}=\frac{1}{27}\times 3^{-x}$에서

$\left(\frac{1}{3}\right)^{x^2+1}=\left(\frac{1}{3}\right)^3\times\left(\frac{1}{3}\right)^x \qquad \therefore \left(\frac{1}{3}\right)^{x^2+1}=\left(\frac{1}{3}\right)^{3+x}$

이때, $x^2+1=3+x$이므로

$x^2-x-2=0$

따라서 이차방정식 $x^2-x-2=0$의 근과 계수의 관계에 의하여 모든 근의 곱은 -2이다.

7-1 답 27

|해결 전략| 식을 변형한 후 $3^x=t\ (t>0)$로 치환하여 푼다.

$9^x+3^x-12=0$에서

$(3^2)^x+3^x-12=0$ 즉, $(3^x)^2+3^x-12=0$

$3^x=t\,(t>0)$로 놓으면

$t^2+t-12=0,\ (t+4)(t-3)=0$

그런데 $t>0$이므로 $t=3$

$t=3$일 때, $3^x=3$에서 $x=1 \qquad \therefore \alpha=1$

$\therefore 3^{2\alpha+1}=3^3=27$

7-2 답 2

|해결 전략| 식을 변형한 후 $2^x=t\ (t>0)$로 치환하여 푼다.

$4^x-3\times 2^{x+1}+8=0$에서

$(2^2)^x-3\times 2\times 2^x+8=0$

즉, $(2^x)^2-6\times 2^x+8=0$

$2^x=t\,(t>0)$로 놓으면

$t^2-6t+8=0,\ (t-2)(t-4)=0$

$\therefore t=2$ 또는 $t=4$

$t=2$일 때, $2^x=2=2^1$에서 $x=1$

$t=4$일 때, $2^x=4=2^2$에서 $x=2$

이때, $\alpha=1, \beta=2$ 또는 $\alpha=2, \beta=1$이므로

$\alpha\beta=2$

8-1 답 5

|해결 전략| 주어진 방정식의 두 근을 α, β라 하면 주어진 방정식을 $5^x=t\ (t>0)$로 치환하여 얻은 방정식의 두 근은 $5^\alpha, 5^\beta$이다.

$25^x-6\times 5^x+k=0$에서

$(5^2)^x-6\times 5^x+k=0$

즉, $(5^x)^2-6\times 5^x+k=0$

$5^x=t\,(t>0)$로 놓으면

$t^2-6t+k=0$ ……㉠

이때, 방정식 $25^x-6\times 5^x+k=0$의 두 근을 α, β라 하면 ㉠의 두 근은 $5^\alpha, 5^\beta$이다.

따라서 이차방정식 ㉠의 근과 계수의 관계에 의하여

$5^\alpha\times 5^\beta=k,\ 5^{\alpha+\beta}=k$

$5^1=k\,(\because \alpha+\beta=1)$

$\therefore k=5$

8-2 답 4

|해결 전략| 주어진 방정식을 $2^x=t\ (t>0)$로 치환하여 얻은 방정식의 두 근은 $2^\alpha, 2^\beta$이다.

$4^x-k\times 2^x+16=0$에서

$(2^2)^x-k\times 2^x+16=0$

즉, $(2^x)^2-k\times 2^x+16=0$

$2^x=t\,(t>0)$로 놓으면 $t^2-kt+16=0$ ……㉠

이때, α, β가 주어진 방정식의 두 근이므로 ㉠의 두 근은 $2^\alpha, 2^\beta$이다.

따라서 이차방정식 ㉠의 근과 계수의 관계에 의하여

$2^\alpha\times 2^\beta=16,\ 2^{\alpha+\beta}=2^4 \qquad \therefore \alpha+\beta=4$

9-1 답 3

|해결 전략| 양변의 밑이 같으므로 지수가 같거나 밑이 1일 때로 나누어 푼다.

밑이 같으므로 주어진 방정식이 성립하려면 지수가 같거나 지수가 달라도 밑이 1이면 등식이 성립한다.

(i) 지수가 같은 경우

$-x+6=x^2$에서 $x^2+x-6=0$이므로

$(x+3)(x-2)=0$

$\therefore x=2\ (\because x>0)$

(ii) 밑이 1인 경우

$x=1$

(i), (ii)에서 $x=1$ 또는 $x=2$이므로 구하는 모든 근의 합은

$1+2=3$

9-2 답 4

|해결 전략| 양변의 지수가 같으므로 밑이 같거나 지수가 0일 때로 나누어 푼다.

지수가 같으므로 주어진 방정식이 성립하려면 밑이 같거나 밑이 달라도 지수가 0이면 등식이 성립한다.

(i) 밑이 같은 경우

$x^2-2x+7=10$에서 $x^2-2x-3=0$이므로

$(x+1)(x-3)=0$

$\therefore x=-1$ 또는 $x=3$

(ⅱ) 지수가 0인 경우

$x=2$

(ⅰ), (ⅱ)에서 $x=-1$ 또는 $x=2$ 또는 $x=3$이므로 구하는 모든 근의 합은

$-1+2+3=4$

10-1 답 -1

|해결 전략| 식을 변형한 후 $\left(\frac{1}{3}\right)^x=t\ (t>0)$로 치환하여 푼다.

$\left(\frac{1}{9}\right)^x+\left(\frac{1}{3}\right)^x\leq 12$에서 $\left\{\left(\frac{1}{3}\right)^x\right\}^2+\left(\frac{1}{3}\right)^x-12\leq 0$

$\left(\frac{1}{3}\right)^x=t\ (t>0)$로 놓으면

$t^2+t-12\leq 0$, $(t+4)(t-3)\leq 0$

$\therefore -4\leq t\leq 3$

그런데 $t>0$이므로 $0<t\leq 3$

이때, $0<\left(\frac{1}{3}\right)^x\leq 3$, 즉 $\left(\frac{1}{3}\right)^x\leq\left(\frac{1}{3}\right)^{-1}$에서 밑이 $\frac{1}{3}$이고 $0<\frac{1}{3}<1$이므로 $x\geq -1$

따라서 구하는 x의 최솟값은 -1이다.

10-2 답 3

|해결 전략| 식을 변형한 후 $3^x=t\ (t>0)$로 치환하여 푼다.

$3^{2x}+1<9\times 3^x+3^{x-2}$에서 $3^{2x}-(9\times 3^x+3^{-2}\times 3^x)+1<0$

즉, $(3^x)^2-\frac{82}{9}\times 3^x+1<0$

$3^x=t\ (t>0)$로 놓으면

$t^2-\frac{82}{9}t+1<0$, $9t^2-82t+9<0$

$(9t-1)(t-9)<0 \qquad \therefore \frac{1}{9}<t<9$

이때, $\frac{1}{9}<3^x<9$, 즉 $3^{-2}<3^x<3^2$에서 밑이 3이고 $3>1$이므로

$-2<x<2$

따라서 구하는 정수 x의 개수는 $-1, 0, 1$의 3이다.

11-1 답 3

|해결 전략| 주어진 지수부등식의 밑이 x이므로 $0<x<1$, $x=1$, $x>1$의 세 가지 경우로 나누어 푼다.

(ⅰ) $0<x<1$일 때

$5x-8\geq 3x-2 \qquad \therefore x\geq 3$

그런데 $0<x<1$이므로 해가 없다.

(ⅱ) $x=1$일 때

(좌변)$=1$, (우변)$=1$이므로 (좌변)$=$(우변)

따라서 주어진 부등식은 성립한다.

(ⅲ) $x>1$일 때

$5x-8\leq 3x-2 \qquad \therefore x\leq 3$

그런데 $x>1$이므로 $1<x\leq 3$

(ⅰ), (ⅱ), (ⅲ)에서 $1\leq x\leq 3$이므로 구하는 정수 x의 개수는 1, 2, 3의 3이다.

11-2 답 3

|해결 전략| 주어진 지수부등식의 밑이 x이므로 $0<x<1$, $x=1$, $x>1$의 세 가지 경우로 나누어 푼다.

(ⅰ) $0<x<1$일 때

$1+x>x^2-1$, $x^2-x-2<0$

$(x+1)(x-2)<0$

$\therefore -1<x<2$

그런데 $0<x<1$이므로 $0<x<1$

(ⅱ) $x=1$일 때

(좌변)$=1$, (우변)$=1$이므로 (좌변)$=$(우변)

따라서 주어진 부등식이 성립하지 않는다.

(ⅲ) $x>1$일 때

$1+x<x^2-1$, $x^2-x-2>0$

$(x+1)(x-2)>0$

$\therefore x<-1$ 또는 $x>2$

그런데 $x>1$이므로 $x>2$

(ⅰ), (ⅱ), (ⅲ)에서 $0<x<1$ 또는 $x>2$이므로 구하는 정수 x의 최솟값은 3이다.

12-1 답 6

|해결 전략| 주어진 식에 $P=100$, $f(t)=121$을 대입하여 t의 값을 구한다.

처음 100만 원을 투자하면 t년 후에 121만 원이 되므로

$f(t)=P\times\left(\frac{11}{10}\right)^{\frac{t}{3}}$에 $P=100$, $f(t)=121$을 대입하면

$121=100\times\left(\frac{11}{10}\right)^{\frac{t}{3}}$

$\frac{121}{100}=\left(\frac{11}{10}\right)^{\frac{t}{3}}$, $\left(\frac{11}{10}\right)^2=\left(\frac{11}{10}\right)^{\frac{t}{3}}$

$\frac{t}{3}=2 \qquad \therefore t=6$

12-2 답 20

|해결 전략| $L(d)\leq\frac{1}{32}a$를 만족시키는 d의 최솟값을 구한다.

수면에서의 빛의 세기가 $a\ \mathrm{W/m^2}$이고, 수심이 $d\ \mathrm{m}$인 곳에서의 빛의 세기가 $L(d)$이므로 수심이 $d\ \mathrm{m}$인 곳에서의 빛의 세기가 수면에서의 빛의 세기의 $\frac{1}{32}$ 이하가 되려면 $L(d)\leq\frac{1}{32}a$를 만족시켜야 한다.

즉, $a\times\left(\frac{1}{2}\right)^{\frac{d}{4}}\leq\frac{1}{32}a$이므로

$\left(\frac{1}{2}\right)^{\frac{d}{4}}\leq\left(\frac{1}{2}\right)^5\ (\because a>0)$

밑이 $\frac{1}{2}$이고 $0<\frac{1}{2}<1$이므로 $\frac{d}{4}\geq 5$

$\therefore d\geq 20$

따라서 d의 최솟값은 20이다.

4 | 로그함수

1 로그함수와 그 그래프

개념 확인 86쪽~89쪽

1 ㄴ, ㄷ

2 (1) $y=\log_3 x$ (2) $y=\log_{\frac{1}{3}} x$

3 풀이 참조

4 (1) $y=\log_5(x+1)+2$ (2) $y=-\log_5 x$

(3) $y=\log_5(-x)$ (4) $y=-\log_5(-x)$ (5) $y=5^x$

5 풀이 참조

6 (1) 최댓값: 2, 최솟값: -1 (2) 최댓값: -1, 최솟값: -2

1 ㄹ. $y=\log_{10}5^x$에서 $y=x\log_{10}5$이므로 로그함수가 아니다.

3 (1)

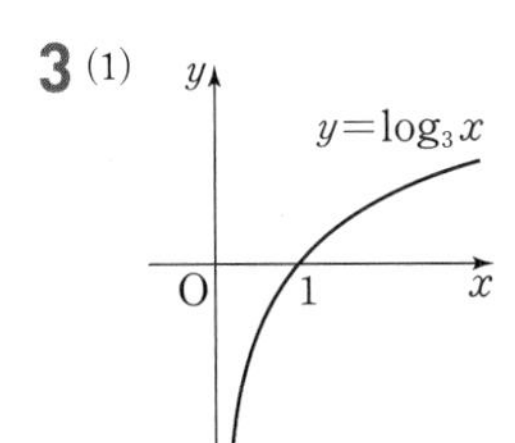

정의역: 양의 실수 전체의 집합

치역: 실수 전체의 집합

점근선의 방정식: $x=0$

(2)

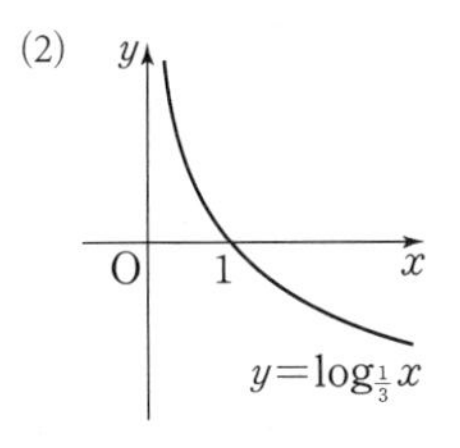

정의역: 양의 실수 전체의 집합

치역: 실수 전체의 집합

점근선의 방정식: $x=0$

4 (1) $y=\log_5 x$에 x 대신 $x-(-1)$, y 대신 $y-2$를 대입하면

$y-2=\log_5(x+1)$ $\therefore y=\log_5(x+1)+2$

(2) $y=\log_5 x$에 y 대신 $-y$를 대입하면

$-y=\log_5 x$ $\therefore y=-\log_5 x$

(3) $y=\log_5 x$에 x 대신 $-x$를 대입하면

$y=\log_5(-x)$

(4) $y=\log_5 x$에 x 대신 $-x$, y 대신 $-y$를 대입하면

$-y=\log_5(-x)$ $\therefore y=-\log_5(-x)$

(5) $y=\log_5 x$에 x 대신 y, y 대신 x를 대입하면

$x=\log_5 y$ $\therefore y=5^x$

5 (1)

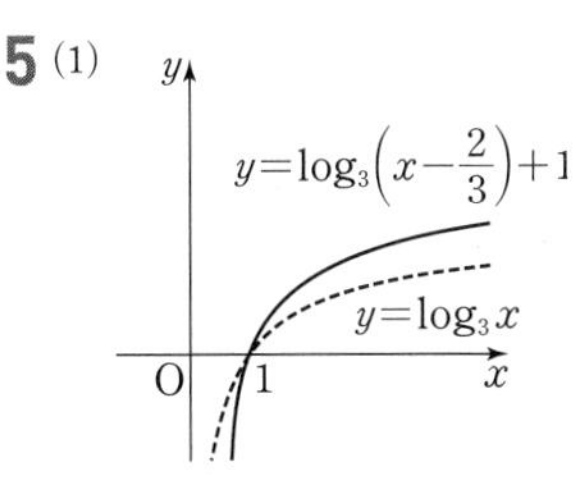

(2)

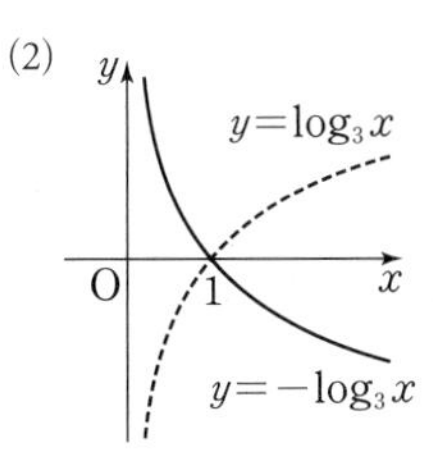

(3)

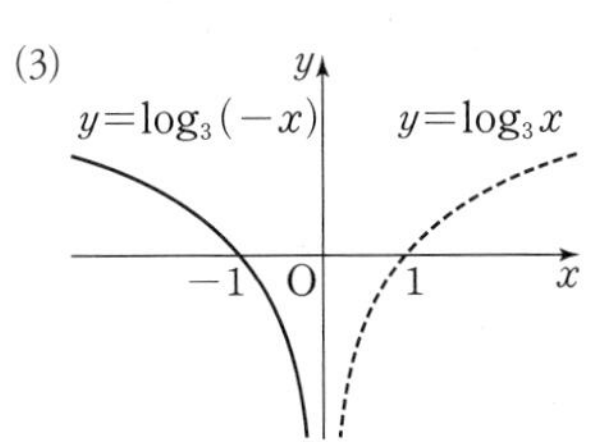

(4)

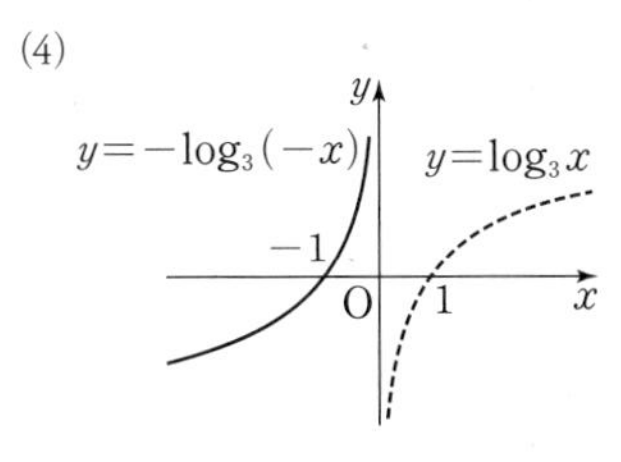

6 (1) 함수 $y=\log_3 x$는 밑이 3이고 $3>1$이므로 x의 값이 증가하면 y의 값도 증가한다.

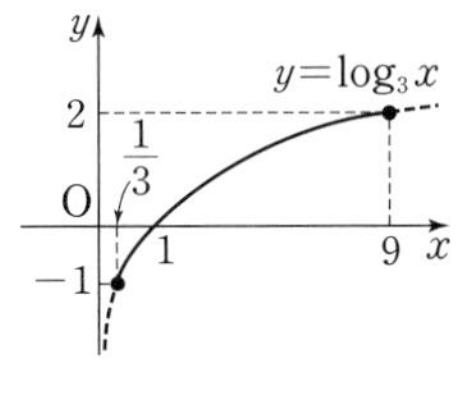

따라서 최댓값은 $x=9$일 때,

$y=\log_3 9=\log_3 3^2=2\log_3 3=2$

최솟값은 $x=\frac{1}{3}$일 때,

$y=\log_3\frac{1}{3}=\log_3 3^{-1}=-\log_3 3=-1$

(2) 함수 $y=\log_{\frac{1}{5}} x$는 밑이 $\frac{1}{5}$이고 $0<\frac{1}{5}<1$이므로 x의 값이 증가하면 y의 값은 감소한다.

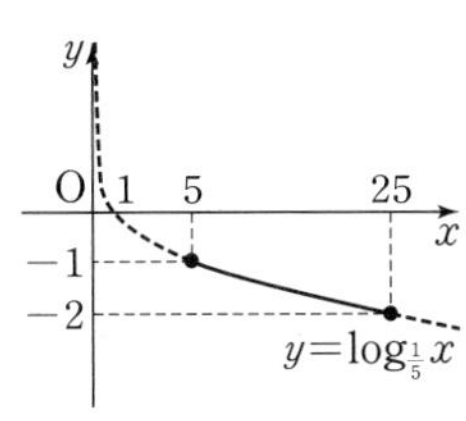

따라서

최댓값은 $x=5$일 때,

$y=\log_{\frac{1}{5}}5=\log_{5^{-1}}5$

$=-\log_5 5=-1$

최솟값은 $x=25$일 때,

$y=\log_{\frac{1}{5}}25=\log_{5^{-1}}5^2$

$=-2\log_5 5=-2$

STEP 1 개념 드릴 90쪽

1 (1) $y=\log_2(x+1)+3$ (2) $y=\log_{\frac{1}{5}}(x-2)-3$

(3) $y=\log_3(-x)$ (4) $y=-\log_2 x+1$

2 그래프: 풀이 참조 (1) $\{x|x>2\}$

(2) 실수 전체의 집합 (3) $x=2$

3 그래프: 풀이 참조 (1) $\{x|x>1\}$

(2) 실수 전체의 집합 (3) $x=1$

4 (1) 최댓값: 3, 최솟값: 1 (2) 최댓값: 2, 최솟값: 0

(3) 최댓값: -1, 최솟값: -2 (4) 최댓값: 1, 최솟값: -1

1 (1) $y=\log_2 x$에 x 대신 $x-(-1)$, y 대신 $y-3$을 대입하면
$y-3=\log_2(x+1)$ $\quad\therefore y=\log_2(x+1)+3$

(2) $y=\log_{\frac{1}{5}}x$에 x 대신 $x-2$, y 대신 $y-(-3)$을 대입하면
$y+3=\log_{\frac{1}{5}}(x-2)$ $\quad\therefore y=\log_{\frac{1}{5}}(x-2)-3$

(3) $y=\log_3 x$에 x 대신 $-x$를 대입하면
$y=\log_3(-x)$

(4) 함수 $y=\log_2 x$의 그래프를 x축에 대하여 대칭이동한 그래프의 식은 $y=\log_2 x$에 y 대신 $-y$를 대입하면
$-y=\log_2 x$ $\quad\therefore y=-\log_2 x$
이 함수의 그래프를 y축의 방향으로 1만큼 평행이동한 그래프의 식은 $y=-\log_2 x$에 y 대신 $y-1$을 대입하면
$y-1=-\log_2 x$ $\quad\therefore y=-\log_2 x+1$

2 함수 $y=\log_3(x-2)+1$의 그래프는 함수 $y=\log_3 x$의 그래프를 x축의 방향으로 2만큼, y축의 방향으로 1만큼 평행이동한 것이므로 오른쪽 그림과 같다.

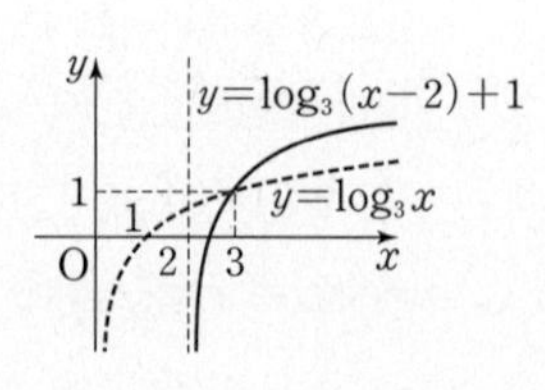

3 함수 $y=-\log_2(x-1)$의 그래프는 $y=\log_2 x$의 그래프를 x축에 대하여 대칭이동한 후 x축의 방향으로 1만큼 평행이동한 것이므로 오른쪽 그림과 같다.

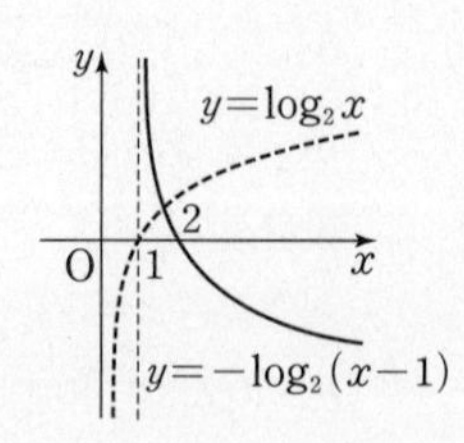

4 (1) 함수 $y=\log_2 x$는 밑이 2이고 $2>1$이므로 x의 값이 증가하면 y의 값도 증가한다.
따라서 최댓값은 $x=8$일 때, $y=\log_2 8=\log_2 2^3=3$
최솟값은 $x=2$일 때, $y=\log_2 2=1$

(2) 함수 $y=\log_3 x$는 밑이 3이고 $3>1$이므로 x의 값이 증가하면 y의 값도 증가한다.
따라서 최댓값은 $x=9$일 때, $y=\log_3 9=\log_3 3^2=2$
최솟값은 $x=1$일 때, $y=\log_3 1=0$

(3) 함수 $y=\log_{\frac{1}{2}}x$는 밑이 $\frac{1}{2}$이고 $0<\frac{1}{2}<1$이므로 x의 값이 증가하면 y의 값은 감소한다.
따라서 최댓값은 $x=2$일 때, $y=\log_{\frac{1}{2}}2=\log_{2^{-1}}2=-1$
최솟값은 $x=4$일 때, $y=\log_{\frac{1}{2}}4=\log_{2^{-1}}2^2=-2$

(4) 함수 $y=\log_{\frac{1}{3}}x$는 밑이 $\frac{1}{3}$이고 $0<\frac{1}{3}<1$이므로 x의 값이 증가하면 y의 값은 감소한다.
따라서 최댓값은 $x=\frac{1}{3}$일 때, $y=\log_{\frac{1}{3}}\frac{1}{3}=1$
최솟값은 $x=3$일 때, $y=\log_{\frac{1}{3}}3=\log_{3^{-1}}3=-1$

STEP 2 필수 유형 | 91쪽~97쪽 |

01-1
답 (1) $y=\log_2 x+\log_2\frac{2}{3}\ (x>0)$ (2) $y=4^x-1$

| 해결 전략 | 로그의 정의를 이용하여 x를 y로 나타낸 후 x와 y를 서로 바꾼다. 이때, 정의역에 유의한다.

(1) 함수 $y=3\times2^{x-1}$의 정의역은 실수 전체의 집합이고 치역은 $\{y|y>0\}$이다.
$y=3\times2^{x-1}$에서 $\frac{y}{3}=2^{x-1}$
로그의 정의에 의하여
$\log_2\frac{y}{3}=x-1$, $\log_2 y-\log_2 3=x-1$
$\therefore x=\log_2 y-\log_2 3+1=\log_2 y+\log_2\frac{2}{3}$
x와 y를 서로 바꾸면 역함수는
$y=\log_2 x+\log_2\frac{2}{3}\ (x>0)$

(2) 함수 $y=\log_2\sqrt{x+1}$은 진수의 조건에서 $x+1>0$이므로 정의역은 $\{x|x>-1\}$, 치역은 실수 전체의 집합이다.
$y=\log_2\sqrt{x+1}$에서 로그의 정의에 의하여 $2^y=\sqrt{x+1}$
양변을 제곱하면 $(2^y)^2=x+1$ $\quad\therefore x=4^y-1$
x와 y를 서로 바꾸면 역함수는
$y=4^x-1$

01-2
답 8

| 해결 전략 | 로그의 정의를 이용하여 역함수를 구한 후 주어진 식과 비교한다.

함수 $y=3^{2x-4}+3$의 정의역은 실수 전체의 집합이고 치역은 $\{y|y>3\}$이다.
$y=3^{2x-4}+3$에서 $y-3=3^{2x-4}$
로그의 정의에 의하여
$\log_3(y-3)=2x-4$, $\log_3(y-3)+4=2x$
$x=\frac{1}{2}\log_3(y-3)+2=\log_{3^2}(y-3)+2$
$\therefore x=\log_9(y-3)+2$
x와 y를 서로 바꾸면 역함수는
$y=\log_9(x-3)+2\ (x>3)$ ← 여기서 $x>3$은 생략할 수 있다.
따라서 $a=9$, $b=-3$, $c=2$이므로 $a+b+c=8$

02-1
답 그래프: 풀이 참조, 정의역: $\{x|x>-1\}$, 점근선의 방정식: $x=-1$

| 해결 전략 | 함수 $y=\log_a x$의 그래프를 x축의 방향으로 m만큼, y축의 방향으로 n만큼 평행이동하면 정의역은 $\{x|x>m\}$, 점근선의 방정식은 $x=m$이다.

함수 $y=\log_{\frac{1}{2}}(x+1)-2$의 그래프는 함수 $y=\log_{\frac{1}{2}}x$의 그래프를 x축의 방향으로 -1만큼, y축의 방향으로 -2만큼 평행이동한 것이므로 오른쪽 그림과 같다.

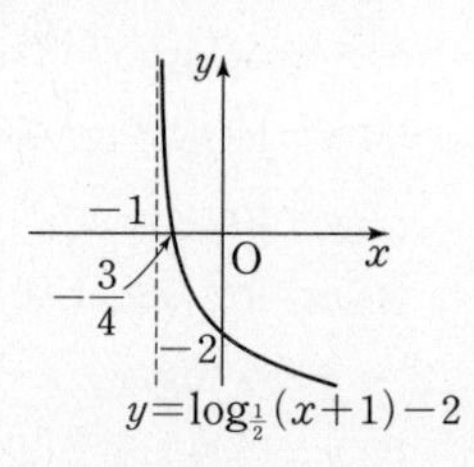

이때, 진수는 양수이어야 하므로
$x+1>0$ $\quad\therefore x>-1$
따라서 정의역은 $\{x|x>-1\}$, 점근선의 방정식은 $x=-1$이다.

02-2 답 ④

| 해결 전략 | 함수 $y=\log_2(-x+m)+n$의 그래프는 함수 $y=\log_2 x$의 그래프를 y축에 대하여 대칭이동한 후 x축의 방향으로 m만큼, y축의 방향으로 n만큼 평행이동한 것이다.

①, ⑤ 함수 $y=\log_2(-x+3)-1=\log_2\{-(x-3)\}-1$의 그래프는 함수 $y=\log_2 x$의 그래프를 y축에 대하여 대칭이동한 후 x축의 방향으로 3만큼, y축의 방향으로 -1만큼 평행이동한 것이므로 점근선의 방정식은 $x=3$이다.

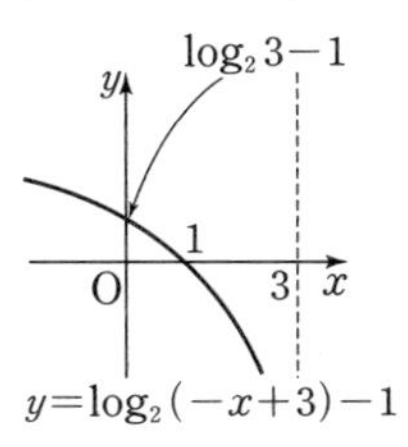

② 진수는 양수이어야 하므로

$-x+3>0 \quad \therefore x<3$

따라서 정의역은 $\{x|x<3\}$, 치역은 $\{y|y$는 실수$\}$이다.

③ $y=\log_2(-x+3)-1$에 $x=-1$을 대입하면 $y=1$이므로 그래프는 점 $(-1, 1)$을 지난다.

④ 밑이 2이고 $2>1$이므로 $-x+3$의 값이 증가하면 y의 값도 증가한다. 즉, x의 값이 증가하면 y의 값은 감소한다.

이상에서 옳지 않은 것은 ④이다.

03-1 답 -2

| 해결 전략 | $\log_3 a=0$이고 직선 $y=x$ 위의 점은 (x좌표)$=$(y좌표)임을 이용하여 a, b, c의 값을 차례로 구한다.

오른쪽 그림에서 $\log_3 a=0$이므로

$a=1$

또, $\log_3 b=1$에서 $b=3$

$\log_3 c=3$에서 $c=3^3=27$

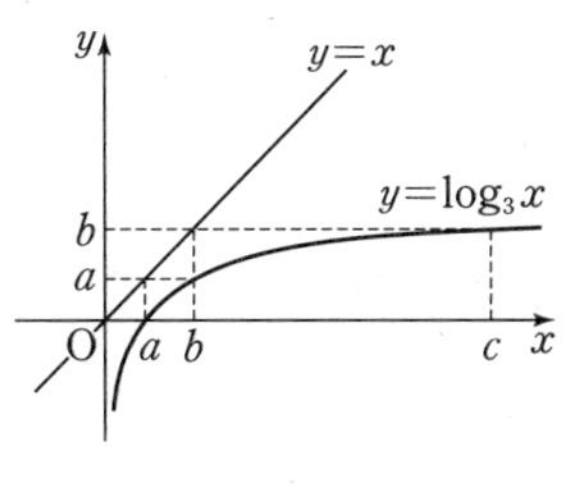

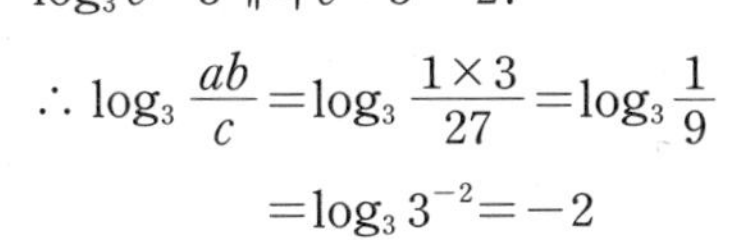

$\therefore \log_3 \dfrac{ab}{c}=\log_3 \dfrac{1\times3}{27}=\log_3 \dfrac{1}{9}$

$=\log_3 3^{-2}=-2$

03-2 답 $1+3\log_3 2$

| 해결 전략 | $\overline{CD}=3$이므로 점 D의 y좌표가 3임을 이용한다.

사각형 ABCD는 한 변의 길이가 3인 정사각형이므로

$\overline{CD}=3$이고, 점 C의 x좌표를 t라 하면

$\log_3 t=3 \quad \therefore t=3^3=27$

$\overline{BC}=3$이므로 점 B의 x좌표는 $27-3=24$

$\therefore \overline{BE}=\log_3 24=\log_3(3\times2^3)$

$=\log_3 3+\log_3 2^3$

$=1+3\log_3 2$

04-1 답 3

| 해결 전략 | 함수의 그래프에서 y축에 대하여 대칭이동하면 x 대신 $-x$를 대입하고, x축의 방향으로 m만큼, y축의 방향으로 n만큼 평행이동하면 x 대신 $x-m$, y 대신 $y-n$을 대입한다.

함수 $y=\log_2 x$의 그래프를 y축에 대하여 대칭이동한 그래프의 식은

$y=\log_2(-x)$ ……㉠

㉠의 그래프를 x축의 방향으로 m만큼, y축의 방향으로 n만큼 평행이동한 그래프의 식은

$y-n=\log_2\{-(x-m)\} \quad \therefore y=\log_2(-x+m)+n$

따라서 $y=\log_2(-x+m)+n$이

$y=-\log_{\frac{1}{2}} 4(1-x)=\log_2 4(1-x)$

$=\log_2(1-x)+2$

와 일치하므로

$m=1, n=2$

$\therefore m+n=3$

04-2 답 258

| 해결 전략 | 함수의 그래프에서 원점에 대하여 대칭이동하면 x 대신 $-x$, y 대신 $-y$를 대입하고, x축의 방향으로 a만큼, y축의 방향으로 2만큼 평행이동하면 x 대신 $x-a$, y 대신 $y-2$를 대입한다.

함수 $y=\log_4 x$의 그래프를 원점에 대하여 대칭이동한 그래프의 식은

$-y=\log_4(-x) \quad \therefore y=-\log_4(-x)$ ……㉠

㉠의 그래프를 x축의 방향으로 a만큼, y축의 방향으로 2만큼 평행이동한 그래프의 식은

$y-2=-\log_4\{-(x-a)\} \quad \therefore y=-\log_4(-x+a)+2$

이때, $y=-\log_4(-x+a)+2$의 그래프가 점 $(2, -2)$를 지나므로

$-2=-\log_4(-2+a)+2$, $\log_4(a-2)=4$

$a-2=4^4 \quad \therefore a=258$

05-1 답 $\log_{25} 16<2\log_5 3<2$

| 해결 전략 | 세 수의 밑을 5로 통일한 후 진수의 크기를 비교한다.

$\log_{25} 16$과 2를 밑이 5인 로그로 나타내면

$\log_{25} 16=\log_{5^2} 4^2=\log_5 4$

$2=\log_5 5^2=\log_5 25$

또, $2\log_5 3=\log_5 3^2=\log_5 9$

이때, 함수 $y=\log_5 x$는 밑이 5이고 $5>1$이므로 x의 값이 증가하면 y의 값도 증가한다.

즉, 진수가 큰 수가 크다.

따라서 진수의 크기를 비교하면 $4<9<25$이므로

$\log_5 4<\log_5 9<\log_5 25$

$\therefore \log_{25} 16<2\log_5 3<2$

05-2 답 $-3<\log_{\frac{1}{2}} 7<\log_{\frac{1}{4}} 9$

| 해결 전략 | 세 수의 밑을 $\frac{1}{2}$로 통일한 후 진수의 크기를 비교한다.

-3과 $\log_{\frac{1}{4}} 9$를 밑이 $\frac{1}{2}$인 로그로 나타내면

$-3=\log_{\frac{1}{2}}\left(\frac{1}{2}\right)^{-3}=\log_{\frac{1}{2}} 8$

$\log_{\frac{1}{4}} 9=\log_{(\frac{1}{2})^2} 3^2=\log_{\frac{1}{2}} 3$

이때, 함수 $y=\log_{\frac{1}{2}} x$는 밑이 $\frac{1}{2}$이고 $0<\frac{1}{2}<1$이므로 x의 값이 증가하면 y의 값은 감소한다.

즉, 진수가 작은 수가 크다.
따라서 진수의 크기를 비교하면 $3<7<8$이므로
$\log_{\frac{1}{2}} 8<\log_{\frac{1}{2}} 7<\log_{\frac{1}{2}} 3$
$\therefore\ -3<\log_{\frac{1}{2}} 7<\log_{\frac{1}{4}} 9$

06-1 답 (1) 최댓값: 0, 최솟값: -3 (2) 최댓값: -1, 최솟값: -2
| 해결 전략 | 로그함수 $y=\log_a f(x)$에서 $a>1$인지 $0<a<1$인지 확인한다.

(1) 함수 $y=\log_{\frac{1}{2}}(x-1)$에서 밑이 $\frac{1}{2}$이고 $0<\frac{1}{2}<1$이므로 $x-1$의 값이 증가하면 y의 값은 감소한다.
따라서 $2\le x\le 9$에서 함수 $y=\log_{\frac{1}{2}}(x-1)$의
최댓값은 $x=2$일 때, $y=\log_{\frac{1}{2}} 1=0$
최솟값은 $x=9$일 때, $y=\log_{\frac{1}{2}} 8=\log_{\frac{1}{2}}\left(\frac{1}{2}\right)^{-3}=-3$

(2) 함수 $y=\log_5(x+6)-3$에서 밑이 5이고 $5>1$이므로 $x+6$의 값이 증가하면 y의 값도 증가한다.
따라서 $-1\le x\le 19$에서 함수 $y=\log_5(x+6)-3$의
최댓값은 $x=19$일 때, $y=\log_5 25-3=-1$
최솟값은 $x=-1$일 때, $y=\log_5 5-3=-2$

06-2 답 최댓값: 0, 최솟값: -2
| 해결 전략 | 진수가 이차식인 경우 진수를 $f(x)$로 놓고 최댓값과 최솟값을 구한다.

함수 $y=\log_{\frac{1}{2}}(-x^2+6x-4)$에서 밑이 $\frac{1}{2}$이고 $0<\frac{1}{2}<1$이므로 $-x^2+6x-4$의 값이 증가하면 y의 값은 감소한다.
$f(x)=-x^2+6x-4$로 놓으면
$f(x)=-(x-3)^2+5$
이므로 $4\le x\le 5$에서 $1\le f(x)\le 4$
따라서 $4\le x\le 5$에서
함수 $y=\log_{\frac{1}{2}}(-x^2+6x-4)=\log_{\frac{1}{2}} f(x)$의
최댓값은 $f(x)=1$일 때, $y=\log_{\frac{1}{2}} 1=0$
최솟값은 $f(x)=4$일 때, $y=\log_{\frac{1}{2}} 4=\log_{\frac{1}{2}}\left(\frac{1}{2}\right)^{-2}=-2$

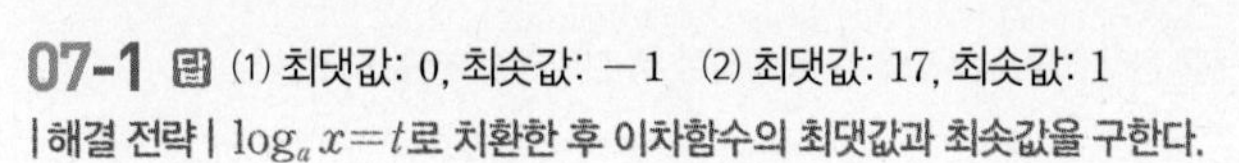

07-1 답 (1) 최댓값: 0, 최솟값: -1 (2) 최댓값: 17, 최솟값: 1
| 해결 전략 | $\log_a x=t$로 치환한 후 이차함수의 최댓값과 최솟값을 구한다.

(1) $y=(\log_2 x)^2-4\log_{\frac{1}{2}} x+3$에서
$y=(\log_2 x)^2+4\log_2 x+3$
$\log_2 x=t$로 놓으면 $\frac{1}{8}\le x\le\frac{1}{2}$에서
$\log_2\frac{1}{8}\le\log_2 x\le\log_2\frac{1}{2}$ ← 밑이 2이고 $2>1$이므로 진수가 클수록 크다.
$\therefore -3\le t\le -1$

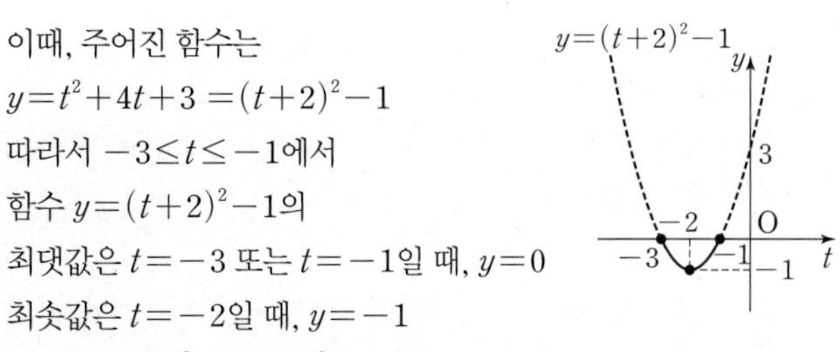

이때, 주어진 함수는
$y=t^2+4t+3=(t+2)^2-1$
따라서 $-3\le t\le -1$에서
함수 $y=(t+2)^2-1$의
최댓값은 $t=-3$ 또는 $t=-1$일 때, $y=0$
최솟값은 $t=-2$일 때, $y=-1$

(2) $y=(\log_{\frac{1}{3}} x)^2-\log_{\frac{1}{3}} x^2+2$에서
$y=(\log_{\frac{1}{3}} x)^2-2\log_{\frac{1}{3}} x+2$
$\log_{\frac{1}{3}} x=t$로 놓으면 $\frac{1}{9}\le x\le 27$에서
$\log_{\frac{1}{3}} 27\le\log_{\frac{1}{3}} x\le\log_{\frac{1}{3}}\frac{1}{9}$ ← 밑이 $\frac{1}{3}$이고 $0<\frac{1}{3}<1$이므로 진수가 작을수록 크다.
$\therefore -3\le t\le 2$

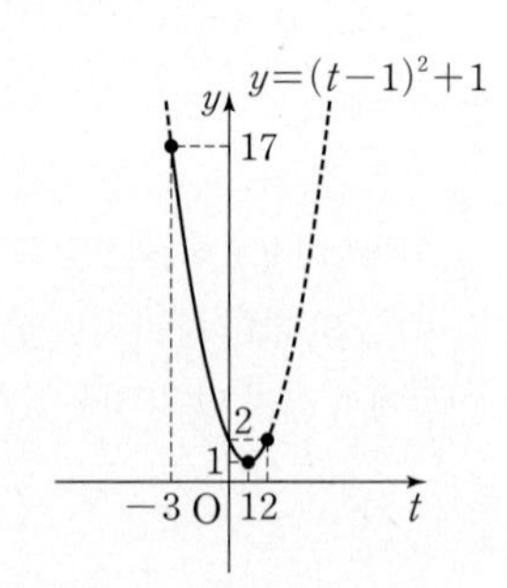

이때, 주어진 함수는
$y=t^2-2t+2=(t-1)^2+1$
따라서 $-3\le t\le 2$에서
함수 $y=(t-1)^2+1$의
최댓값은 $t=-3$일 때, $y=17$
최솟값은 $t=1$일 때, $y=1$

07-2 답 -12
| 해결 전략 | 주어진 식을 변형하여 $\log_3 x=t$로 치환한 후 이차함수의 최대·최소를 이용한다.

$y=(\log_3 x)^2+\log_3 x^a+b$에서
$y=(\log_3 x)^2+a\log_3 x+b$
$\log_3 x=t$로 놓으면
$y=t^2+at+b$ ······ ㉠
㉠이 $x=9$, 즉 $t=\log_3 9=2$에서 최솟값 -1을 가지므로 ㉠은
$y=(t-2)^2-1$ $\therefore y=t^2-4t+3$
따라서 $a=-4$, $b=3$이므로 $ab=-12$

2 로그방정식

STEP 1 개념 드릴

| 99쪽 |

1 (1) $x=17$ (2) $x=\frac{19}{9}$ (3) $x=4$
2 (1) $x=5$ (2) $x=10$ (3) $x=5$
3 (1) $x=\frac{1}{4}$ 또는 $x=4$ (2) $x=\frac{1}{3}$ 또는 $x=81$
(3) $x=\frac{1}{5}$ 또는 $x=25$
4 (1) $x=4$ 또는 $x=\frac{5}{2}$ (2) $x=2$ (3) $x=7$

1 (1) 진수의 조건에서 $x-1>0$
$\therefore x>1$ ······ ㉠

로그의 정의에 의하여 $x-1=2^4=16$

$\therefore x=17$

따라서 ㉠에 의하여 구하는 해는 $x=17$

(2) 진수의 조건에서 $x-2>0$

$\therefore x>2$ ...... ㉠

로그의 정의에 의하여 $x-2=3^{-2}=\frac{1}{9}$

$\therefore x=\frac{19}{9}$

따라서 ㉠에 의하여 구하는 해는 $x=\frac{19}{9}$

(3) 진수의 조건에서 $3x+4>0$

$\therefore x>-\frac{4}{3}$ ...... ㉠

로그의 정의에 의하여 $3x+4=\left(\frac{1}{4}\right)^{-2}=16$

$\therefore x=4$

따라서 ㉠에 의하여 구하는 해는 $x=4$

2 (1) 진수의 조건에서 $x+2>0$, $2x-3>0$이므로

$x>\frac{3}{2}$ ...... ㉠

밑이 같으므로 $x+2=2x-3$

$\therefore x=5$

따라서 ㉠에 의하여 구하는 해는 $x=5$

(2) 진수의 조건에서 $x+1>0$, $2x-9>0$이므로

$x>\frac{9}{2}$ ...... ㉠

밑이 같으므로 $x+1=2x-9$

$\therefore x=10$

따라서 ㉠에 의하여 구하는 해는 $x=10$

(3) 진수의 조건에서 $x-1>0$, $2(x-3)>0$이므로

$x>3$ ...... ㉠

밑이 같으므로 $x-1=2(x-3)$

$\therefore x=5$

따라서 ㉠에 의하여 구하는 해는 $x=5$

3 (1) 진수의 조건에서 $x>0$ ...... ㉠

$\log_2 x=t$로 놓으면

$t^2-4=0$, $(t+2)(t-2)=0$

$\therefore t=-2$ 또는 $t=2$

$t=-2$일 때, $\log_2 x=-2$에서 $x=\frac{1}{4}$

$t=2$일 때, $\log_2 x=2$에서 $x=4$

따라서 ㉠에 의하여 구하는 해는

$x=\frac{1}{4}$ 또는 $x=4$

(2) 진수의 조건에서 $x>0$ ...... ㉠

$\log_3 x=t$로 놓으면

$t^2-3t-4=0$, $(t+1)(t-4)=0$

$\therefore t=-1$ 또는 $t=4$

$t=-1$일 때, $\log_3 x=-1$에서 $x=\frac{1}{3}$

$t=4$일 때, $\log_3 x=4$에서 $x=81$

따라서 ㉠에 의하여 구하는 해는

$x=\frac{1}{3}$ 또는 $x=81$

(3) 진수의 조건에서 $x>0$ ...... ㉠

$\log_5 x=t$로 놓으면

$t^2-t-2=0$, $(t+1)(t-2)=0$

$\therefore t=-1$ 또는 $t=2$

$t=-1$일 때, $\log_5 x=-1$에서 $x=\frac{1}{5}$

$t=2$일 때, $\log_5 x=2$에서 $x=25$

따라서 ㉠에 의하여 구하는 해는

$x=\frac{1}{5}$ 또는 $x=25$

4 진수가 같은 경우에는 밑이 같거나 진수가 1임을 이용한다.

(1) 진수의 조건에서 $2x-4>0$

$\therefore x>2$ ...... ㉠

밑의 조건에서 $x-1>0$, $x-1\neq1$이므로

$1<x<2$ 또는 $x>2$ ...... ㉡

㉠, ㉡에서 $x>2$ ...... ㉢

$\log_{x-1}(2x-4)=\log_3(2x-4)$에서

$x-1=3$ 또는 $2x-4=1$

$\therefore x=4$ 또는 $x=\frac{5}{2}$

→ 이 값은 모두 ㉢을 만족시킨다.

(2) 진수의 조건에서 $x+5>0$

$\therefore x>-5$ ...... ㉠

밑의 조건에서 $x>0$, $x\neq1$이므로

$0<x<1$ 또는 $x>1$ ...... ㉡

㉠, ㉡에서 $0<x<1$ 또는 $x>1$ ...... ㉢

$\log_x(x+5)=\log_2(x+5)$에서

$x=2$ 또는 $x+5=1$

$\therefore x=2$ 또는 $x=-4$

따라서 ㉢에 의하여 구하는 해는

$x=2$

(3) 진수의 조건에서 $x^2-1>0$

$(x-1)(x+1)>0$

$\therefore x<-1$ 또는 $x>1$ ...... ㉠

밑의 조건에서 $x-2>0$, $x-2\neq1$이므로

$2<x<3$ 또는 $x>3$ ...... ㉡

㉠, ㉡에서 $2<x<3$ 또는 $x>3$ ...... ㉢

$\log_{x-2}(x^2-1)=\log_5(x^2-1)$에서

$x-2=5$ 또는 $x^2-1=1$

$\therefore x=7$ 또는 $x=-\sqrt{2}$ 또는 $x=\sqrt{2}$

따라서 ㉢에 의하여 구하는 해는

$x=7$

01-1 답 $x=6$

| 해결 전략 | $\log_a f(x)=\log_a g(x)\ (a>0, a\neq1)$ 꼴로 변형한 후 $f(x)=g(x)\ (f(x)>0,\ g(x)>0)$임을 이용한다.

진수의 조건에서 $x^2-2x-15>0$, $x-3>0$이므로

(i) $x^2-2x-15>0$에서 $(x+3)(x-5)>0$

$\therefore x<-3$ 또는 $x>5$

(ii) $x-3>0$에서 $x>3$

(i), (ii)에서 $x>5$ ······ ㉠

$\log_{\frac{1}{3}}(x^2-2x-15)+1=-\log_3(x-3)$에서

$\log_{\frac{1}{3}}(x^2-2x-15)+1=\log_{\frac{1}{3}}(x-3)$

$\log_{\frac{1}{3}}(x^2-2x-15)=\log_{\frac{1}{3}}(x-3)-1$

$\log_{\frac{1}{3}}(x^2-2x-15)=\log_{\frac{1}{3}}(x-3)-\log_{\frac{1}{3}}\frac{1}{3}$

$\log_{\frac{1}{3}}(x^2-2x-15)=\log_{\frac{1}{3}}3(x-3)$

밑이 같으므로 $x^2-2x-15=3(x-3)$

$x^2-5x-6=0$, $(x+1)(x-6)=0$

$\therefore x=-1$ 또는 $x=6$

따라서 ㉠에 의하여 구하는 해는 $x=6$

01-2 답 $x=1$

| 해결 전략 | $\log_a f(x)=\log_a g(x)\ (a>0, a\neq1)$ 꼴로 변형한 후 $f(x)=g(x)\ (f(x)>0,\ g(x)>0)$임을 이용한다.

진수의 조건에서 $x+3>0$이므로 $x>-3$ ······ ㉠

$\log_2(x+3)=\log_4(x+3)+1$에서

$\log_2(x+3)=\log_4(x+3)+\log_4 4$

$\log_2(x+3)=\log_{2^2}4(x+3)$

$\log_2(x+3)=\frac{1}{2}\log_2 4(x+3)$

$2\log_2(x+3)=\log_2 4(x+3)$

$\log_2(x+3)^2=\log_2 4(x+3)$

밑이 같으므로 $(x+3)^2=4(x+3)$

$x^2+2x-3=0$, $(x+3)(x-1)=0$

$\therefore x=-3$ 또는 $x=1$

따라서 ㉠에 의하여 구하는 해는 $x=1$

02-1 답 (1) $x=\frac{1}{9}$ 또는 $x=27$ (2) $x=\frac{1}{5}$ 또는 $x=25$

| 해결 전략 | $\log_a x=t$로 치환하여 t에 대한 방정식을 푼다.

(1) 진수의 조건에서 $x>0$ ······ ㉠

$(\log_3 x)^2=\log_3 x+6$에서 $(\log_3 x)^2-\log_3 x-6=0$

$\log_3 x=t$로 놓으면

$t^2-t-6=0$, $(t+2)(t-3)=0$

$\therefore t=-2$ 또는 $t=3$

$t=-2$일 때, $\log_3 x=-2$에서 $x=\frac{1}{9}$

$t=3$일 때, $\log_3 x=3$에서 $x=27$

따라서 ㉠에 의하여 구하는 해는

$x=\frac{1}{9}$ 또는 $x=27$

(2) 진수와 밑의 조건에서 $x>0$, $x\neq1$이므로

$0<x<1$ 또는 $x>1$ ······ ㉠

$\log_x 5=\frac{1}{\log_5 x}$이므로 $\log_5 x=t$로 놓으면

$t=\frac{2}{t}+1$, $t^2-t-2=0$

$(t+1)(t-2)=0$ $\therefore t=-1$ 또는 $t=2$

$t=-1$일 때, $\log_5 x=-1$에서 $x=\frac{1}{5}$

$t=2$일 때, $\log_5 x=2$에서 $x=25$

따라서 ㉠에 의하여 구하는 해는

$x=\frac{1}{5}$ 또는 $x=25$

02-2 답 3

| 해결 전략 | 주어진 방정식의 두 근이 α, β이므로 $\log_3 x=t$로 치환하여 얻은 방정식의 두 근은 $\log_3\alpha$, $\log_3\beta$이다.

$(\log_3 x)^2=\log_3 x+12$에서 $\log_3 x=t$로 놓으면

$t^2-t-12=0$ ······ ㉠

주어진 방정식의 두 근이 α, β이므로 방정식 ㉠의 두 근은 $\log_3\alpha$, $\log_3\beta$이다.

따라서 근과 계수의 관계에 의하여

$\log_3\alpha+\log_3\beta=1$

$\log_3\alpha\beta=1$ $\therefore \alpha\beta=3$

03-1 답 (1) $x=\frac{1}{1000}$ 또는 $x=10$ (2) $x=10$

| 해결 전략 | (1) 주어진 식의 양변에 상용로그를 취한다.
(2) 주어진 식을 변형하여 $3^{\log x}=t$로 치환한다.

(1) 진수의 조건에서 $x>0$ ······ ㉠

$x^{\log x}=\frac{1000}{x^2}$의 양변에 상용로그를 취하면

$\log x^{\log x}=\log\frac{1000}{x^2}$

$\log x\times\log x=\log1000-\log x^2$

$(\log x)^2+2\log x-3=0$

$\log x=t$로 놓으면

$t^2+2t-3=0$, $(t+3)(t-1)=0$

$\therefore t=-3$ 또는 $t=1$

$t=-3$일 때, $\log x=-3$에서 $x=\frac{1}{1000}$

$t=1$일 때, $\log x=1$에서 $x=10$

따라서 ㉠에 의하여 구하는 해는

$x=\frac{1}{1000}$ 또는 $x=10$

(2) 진수의 조건에서 $x>0$ ...... ㉠

로그의 성질에 의하여 $x^{\log 3}=3^{\log x}$이므로 주어진 방정식은

$3^{\log x}\times 3^{\log x}-3^{\log x}-6=0$

$(3^{\log x})^2-3^{\log x}-6=0$

$3^{\log x}=t\,(t>0)$로 놓으면

$t^2-t-6=0$, $(t+2)(t-3)=0$

$\therefore t=3\ (\because t>0)$

$t=3$일 때, $3^{\log x}=3$에서

$\log x=1$ $\quad\therefore x=10$

따라서 ㉠에 의하여 구하는 해는 $x=10$

3 로그부등식

STEP 1 개념 드릴 | 104쪽 |

1 (1) $5<x\le 25$ (2) $x>8$ (3) $x\ge 3$ (4) $x>\frac{5}{9}$

(5) $3<x<4$ (6) $-1\le x<0$ 또는 $2<x\le 3$

(7) $-3<x<-1$ 또는 $0<x<2$

2 (1) $0<x<\frac{1}{3}$ 또는 $x>9$ (2) $0<x<\frac{1}{125}$ 또는 $x>\frac{1}{5}$

(3) $\frac{1}{2}<x<32$ (4) $x=\frac{1}{3}$ (5) $\frac{1}{4}<x<\frac{1}{2}$

1 (1) 진수의 조건에서 $x>0$ ...... ㉠

$1<\log_5 x\le 2$에서 $\log_5 5<\log_5 x\le\log_5 25$

밑이 5이고 $5>1$이므로 $5<x\le 25$ ...... ㉡

㉠, ㉡의 공통 범위를 구하면 $5<x\le 25$

(2) 진수의 조건에서 $2x>0$ $\quad\therefore x>0$ ...... ㉠

$\log_2 2x>4$에서 $\log_2 2x>\log_2 16$

밑이 2이고 $2>1$이므로 $2x>16$ $\quad\therefore x>8$ ...... ㉡

㉠, ㉡의 공통 범위를 구하면 $x>8$

(3) 진수의 조건에서 $x+1>0$ $\quad\therefore x>-1$ ...... ㉠

$\log_2(x+1)\ge 2$에서 $\log_2(x+1)\ge\log_2 4$

밑이 2이고 $2>1$이므로 $x+1\ge 4$ $\quad\therefore x\ge 3$ ...... ㉡

㉠, ㉡의 공통 범위를 구하면 $x\ge 3$

(4) 진수의 조건에서 $2x-1>0$ $\quad\therefore x>\frac{1}{2}$ ...... ㉠

$\log_{\frac{1}{3}}(2x-1)<2$에서 $\log_{\frac{1}{3}}(2x-1)<\log_{\frac{1}{3}}\frac{1}{9}$

밑이 $\frac{1}{3}$이고 $0<\frac{1}{3}<1$이므로 $2x-1>\frac{1}{9}$, $2x>\frac{10}{9}$

$\therefore x>\frac{5}{9}$ ...... ㉡

㉠, ㉡의 공통 범위를 구하면 $x>\frac{5}{9}$

(5) 진수의 조건에서 $5-x>0$, $x-3>0$

$\therefore 3<x<5$ ...... ㉠

밑이 $\frac{1}{5}$이고 $0<\frac{1}{5}<1$이므로 $5-x>x-3$, $2x<8$

$\therefore x<4$ ...... ㉡

㉠, ㉡의 공통 범위를 구하면 $3<x<4$

(6) 진수의 조건에서 $x^2-2x>0$, $x(x-2)>0$

$\therefore x<0$ 또는 $x>2$ ...... ㉠

밑이 5이고 $5>1$이므로 $x^2-2x\le 3$, $x^2-2x-3\le 0$

$(x+1)(x-3)\le 0$ $\quad\therefore -1\le x\le 3$ ...... ㉡

㉠, ㉡의 공통 범위를 구하면

$-1\le x<0$ 또는 $2<x\le 3$

(7) 진수의 조건에서 $x^2+x>0$, $x(x+1)>0$

$\therefore x<-1$ 또는 $x>0$ ...... ㉠

밑이 $\frac{1}{3}$이고 $0<\frac{1}{3}<1$이므로 $x^2+x<6$, $x^2+x-6<0$

$(x+3)(x-2)<0$ $\quad\therefore -3<x<2$ ...... ㉡

㉠, ㉡의 공통 범위를 구하면

$-3<x<-1$ 또는 $0<x<2$

2 (1) 진수의 조건에서 $x>0$ ...... ㉠

$\log_3 x=t$로 놓으면 $t^2-t-2>0$

$(t-2)(t+1)>0$

$\therefore t<-1$ 또는 $t>2$

따라서 $\log_3 x<-1$ 또는 $\log_3 x>2$이므로

$\log_3 x<\log_3\frac{1}{3}$ 또는 $\log_3 x>\log_3 9$

밑이 3이고 $3>1$이므로 $x<\frac{1}{3}$ 또는 $x>9$ ...... ㉡

㉠, ㉡의 공통 범위를 구하면

$0<x<\frac{1}{3}$ 또는 $x>9$

(2) 진수의 조건에서 $x>0$ ...... ㉠

$\log_5 x=t$로 놓으면 $t^2+3>-4t$

$t^2+4t+3>0$, $(t+3)(t+1)>0$

$\therefore t<-3$ 또는 $t>-1$

따라서 $\log_5 x<-3$ 또는 $\log_5 x>-1$이므로

$\log_5 x<\log_5\frac{1}{125}$ 또는 $\log_5 x>\log_5\frac{1}{5}$

밑이 5이고 $5>1$이므로 $x<\frac{1}{125}$ 또는 $x>\frac{1}{5}$ ...... ㉡

㉠, ㉡의 공통 범위를 구하면

$0<x<\frac{1}{125}$ 또는 $x>\frac{1}{5}$

(3) 진수의 조건에서 $x>0$ ...... ㉠

$(\log_2 x)^2-5<\log_2 x^4$에서 $(\log_2 x)^2-5<4\log_2 x$

$\log_2 x=t$로 놓으면 $t^2-5<4t$

$t^2-4t-5<0$, $(t-5)(t+1)<0$

$\therefore -1<t<5$

따라서 $-1<\log_2 x<5$이므로

$\log_2 \frac{1}{2}<\log_2 x<\log_2 32$

밑이 2이고 $2>1$이므로 $\frac{1}{2}<x<32$ …… ㉡

㉠, ㉡의 공통 범위를 구하면

$\frac{1}{2}<x<32$

(4) 진수의 조건에서 $x>0$ …… ㉠

$\log_{\frac{1}{3}} x=t$로 놓으면 $t^2-2t+1\le 0$

$(t-1)^2\le 0$ $\therefore t=1$

따라서 $\log_{\frac{1}{3}} x=\log_{\frac{1}{3}}\frac{1}{3}$이므로 $x=\frac{1}{3}$

$x=\frac{1}{3}$은 ㉠을 만족시키므로 구하는 해이다.

(5) 진수의 조건에서 $x>0$ …… ㉠

$\log_{\frac{1}{2}} x=t$로 놓으면 $t^2+2<3t$

$t^2-3t+2<0$, $(t-1)(t-2)<0$

$\therefore 1<t<2$

따라서 $1<\log_{\frac{1}{2}} x<2$이므로 $\log_{\frac{1}{2}}\frac{1}{2}<\log_{\frac{1}{2}} x<\log_{\frac{1}{2}}\frac{1}{4}$

밑이 $\frac{1}{2}$이고 $0<\frac{1}{2}<1$이므로 $\frac{1}{4}<x<\frac{1}{2}$ …… ㉡

㉠, ㉡의 공통 범위를 구하면

$\frac{1}{4}<x<\frac{1}{2}$

STEP 2 필수 유형 | 105쪽~110쪽 |

01-1 답 (1) $3<x\le 4$ (2) $x\ge 2$

|해결 전략| $a>1$일 때 $\log_a f(x)<\log_a g(x)$이면 $0<f(x)<g(x)$이고, $0<a<1$일 때 $\log_a f(x)<\log_a g(x)$이면 $f(x)>g(x)>0$임을 이용한다.

(1) 진수의 조건에서 $x>0$, $x-3>0$

$\therefore x>3$ …… ㉠

$\log_{\frac{1}{2}} x+\log_{\frac{1}{2}}(x-3)\ge -2$에서

$\log_{\frac{1}{2}} x(x-3)\ge \log_{\frac{1}{2}} 4$

밑이 $\frac{1}{2}$이고 $0<\frac{1}{2}<1$이므로

$x(x-3)\le 4$, $x^2-3x-4\le 0$

$(x+1)(x-4)\le 0$ $\therefore -1\le x\le 4$ …… ㉡

㉠, ㉡의 공통 범위를 구하면 $3<x\le 4$

(2) 진수의 조건에서 $x+2>0$, $x>0$

$\therefore x>0$ …… ㉠

$\log_4 (x+2)\le \log_2 x$에서 $\frac{1}{2}\log_2 (x+2)\le \log_2 x$

$\log_2 (x+2)\le 2\log_2 x$, $\log_2 (x+2)\le \log_2 x^2$

밑이 2이고 $2>1$이므로

$x+2\le x^2$, $x^2-x-2\ge 0$

$(x+1)(x-2)\ge 0$ $\therefore x\le -1$ 또는 $x\ge 2$ …… ㉡

㉠, ㉡의 공통 범위를 구하면 $x\ge 2$

01-2 답 2

|해결 전략| 밑을 같게 한 후 진수에 대한 부등식을 세운다. 이때, (밑)>1이면 부등호의 방향은 그대로이고, $0<$(밑)<1이면 부등호의 방향은 반대가 된다.

진수의 조건에서 $\log_2 5x>0$ $\therefore \log_2 5x>\log_2 1$

밑이 2이고 $2>1$이므로 $5x>1$ $\therefore x>\frac{1}{5}$ …… ㉠

$\log_{\frac{1}{3}}(\log_2 5x)<-1$에서 $\log_{\frac{1}{3}}(\log_2 5x)<\log_{\frac{1}{3}}\left(\frac{1}{3}\right)^{-1}$

$\therefore \log_{\frac{1}{3}}(\log_2 5x)<\log_{\frac{1}{3}} 3$

밑이 $\frac{1}{3}$이고 $0<\frac{1}{3}<1$이므로 $\log_2 5x>3$

$\therefore \log_2 5x>\log_2 8$

밑이 2이고 $2>1$이므로 $5x>8$ $\therefore x>\frac{8}{5}$ …… ㉡

㉠, ㉡의 공통 범위를 구하면 $x>\frac{8}{5}$

따라서 정수 x의 최솟값은 2이다.

02-1 답 (1) $\frac{1}{27}<x<\sqrt{3}$ (2) $\frac{1}{64}\le x\le 2$

|해결 전략| $\log_a x$ 꼴이 반복되는 로그부등식은 $\log_a x=t$로 치환하여 푼다.

(1) 진수의 조건에서 $x>0$ …… ㉠

$2(\log_3 x)^2+5\log_3 x-3<0$에서

$\log_3 x=t$로 놓으면 $2t^2+5t-3<0$, $(t+3)(2t-1)<0$

$\therefore -3<t<\frac{1}{2}$

따라서 $-3<\log_3 x<\frac{1}{2}$이므로

$\log_3 \frac{1}{27}<\log_3 x<\log_3 \sqrt{3}$

밑이 3이고 $3>1$이므로 $\frac{1}{27}<x<\sqrt{3}$ …… ㉡

㉠, ㉡의 공통 범위를 구하면 $\frac{1}{27}<x<\sqrt{3}$

(2) 진수의 조건에서 $4x>0$, $8x>0$이므로 $x>0$ …… ㉠

$\log_{\frac{1}{2}} 4x\times\log_{\frac{1}{2}} 8x\le 12$에서

$(\log_{\frac{1}{2}} 4+\log_{\frac{1}{2}} x)(\log_{\frac{1}{2}} 8+\log_{\frac{1}{2}} x)\le 12$

$(\log_{\frac{1}{2}} x-2)(\log_{\frac{1}{2}} x-3)\le 12$

$(\log_{\frac{1}{2}} x)^2-5\log_{\frac{1}{2}} x-6\le 0$

$\log_{\frac{1}{2}} x=t$로 놓으면 $t^2-5t-6\le 0$, $(t+1)(t-6)\le 0$

$\therefore -1\le t\le 6$

따라서 $-1\le \log_{\frac{1}{2}} x\le 6$이므로

$\log_{\frac{1}{2}} 2\le \log_{\frac{1}{2}} x\le \log_{\frac{1}{2}}\frac{1}{64}$

밑이 $\frac{1}{2}$이고 $0<\frac{1}{2}<1$이므로 $\frac{1}{64}\le x\le 2$ …… ㉡

㉠, ㉡의 공통 범위를 구하면 $\frac{1}{64}\le x\le 2$

02-2 답 8

| 해결 전략 | 주어진 식을 $\log_2 x$ 꼴이 반복되는 형태로 변형하여 푼다.

진수의 조건에서 $x>0$ ...... ㉠

$(3+\log_{\frac{1}{2}} x)\times\log_2 x+4>0$에서

$(3-\log_2 x)\times\log_2 x+4>0$

$-(\log_2 x)^2+3\log_2 x+4>0$

$(\log_2 x)^2-3\log_2 x-4<0$

$\log_2 x=t$로 놓으면 $t^2-3t-4<0$

$(t+1)(t-4)<0$ $\quad\therefore -1<t<4$

따라서 $-1<\log_2 x<4$이므로

$\log_2\frac{1}{2}<\log_2 x<\log_2 16$

밑이 2이고 $2>1$이므로 $\frac{1}{2}<x<16$ ...... ㉡

㉠, ㉡의 공통 범위를 구하면 $\frac{1}{2}<x<16$

따라서 $\alpha=\frac{1}{2}$, $\beta=16$이므로

$\alpha\beta=\frac{1}{2}\times16=8$

03-1 답 (1) $0<x<\frac{1}{3}$ 또는 $x>27$ (2) $1<x<1000$

| 해결 전략 | 지수에 로그가 있을 때는 양변에 로그를 취하여 푼다.

(1) 진수의 조건에서 $x>0$ ...... ㉠

$x^{\log_3 x}>27x^2$의 양변에 밑이 3인 로그를 취하면

$\log_3 x^{\log_3 x}>\log_3 27x^2$, $\log_3 x\times\log_3 x>\log_3 27+\log_3 x^2$

$\log_3 x\times\log_3 x>3+2\log_3 x$

$(\log_3 x)^2-2\log_3 x-3>0$

$\log_3 x=t$로 놓으면

$t^2-2t-3>0$, $(t+1)(t-3)>0$

$\therefore t<-1$ 또는 $t>3$

따라서 $\log_3 x<-1$ 또는 $\log_3 x>3$이므로

$\log_3 x<\log_3\frac{1}{3}$ 또는 $\log_3 x>\log_3 27$

밑이 3이고 $3>1$이므로

$x<\frac{1}{3}$ 또는 $x>27$ ...... ㉡

㉠, ㉡의 공통 범위를 구하면

$0<x<\frac{1}{3}$ 또는 $x>27$

(2) 진수의 조건에서 $x>0$ ...... ㉠

$x^{\log x}<x^3$의 양변에 상용로그를 취하면

$\log x^{\log x}<\log x^3$, $\log x\times\log x<3\log x$

$(\log x)^2-3\log x<0$

$\log x=t$로 놓으면 $t^2-3t<0$

$t(t-3)<0$ $\quad\therefore 0<t<3$

따라서 $0<\log x<3$이므로

$\log 1<\log x<\log 1000$

밑이 10이고 $10>1$이므로 $1<x<1000$ ...... ㉡

㉠, ㉡의 공통 범위를 구하면 $1<x<1000$

04-1 답 $\frac{1}{16}<a<16$

| 해결 전략 | 이차방정식이 허근을 가지려면 판별식 $D<0$이어야 함을 이용한다.

$\log_2 a$에서 진수의 조건에 의하여 $a>0$ ...... ㉠

이차방정식 $x^2-(\log_2 a)x+4=0$이 허근을 가지려면 판별식 $D<0$이어야 하므로

$D=(\log_2 a)^2-16<0$

$\log_2 a=t$로 놓으면

$t^2-16<0$, $(t+4)(t-4)<0$

$\therefore -4<t<4$

따라서 $-4<\log_2 a<4$이므로

$\log_2\frac{1}{16}<\log_2 a<\log_2 16$

밑이 2이고 $2>1$이므로 $\frac{1}{16}<a<16$ ...... ㉡

㉠, ㉡의 공통 범위를 구하면 $\frac{1}{16}<a<16$

05-1 답 $0<k\le\frac{1}{4}$

| 해결 전략 | 주어진 조건에 맞게 부등식을 세운다.

진수의 조건에서 $x>0$, $k>0$ ...... ㉠

$\log_{\frac{1}{2}} x=t$로 놓으면 x는 모든 양수이므로 t는 모든 실수이고,

$(\log_{\frac{1}{2}} x)^2-4\log_{\frac{1}{2}} x+2\log_{\frac{1}{2}} k\ge0$에서

$t^2-4t+2\log_{\frac{1}{2}} k\ge0$ ...... ㉡

모든 실수 t에 대하여 ㉡이 성립해야 하므로 t에 대한 이차방정식 $t^2-4t+2\log_{\frac{1}{2}} k=0$의 판별식을 D라 하면 $D\le0$이어야 한다.

즉, $\frac{D}{4}=2^2-2\log_{\frac{1}{2}} k\le0$에서 $\log_{\frac{1}{2}} k\ge2$

$\log_{\frac{1}{2}} k\ge\log_{\frac{1}{2}}\frac{1}{4}$

밑이 $\frac{1}{2}$이고 $0<\frac{1}{2}<1$이므로 $k\le\frac{1}{4}$ ...... ㉢

㉠, ㉢의 공통 범위를 구하면 $0<k\le\frac{1}{4}$

06-1 답 2.7×10^{-3}

| 해결 전략 | 주어진 관계식에 알맞은 문자 또는 값을 대입한 후 지수와 로그의 성질을 이용한다.

$L=\frac{I\times10^{-kx}}{x^2}$에 $L=4\times10^{-7}$, $I=4\times10^5$, $x=2000$을 대입하면

$4\times10^{-7}=\frac{4\times10^5\times10^{-2000k}}{2000\times2000}$, $4\times10^{-7}=\frac{10^{-2000k}}{10}$

$\therefore 4\times10^{-6}=10^{-2000k}$

양변에 상용로그를 취하면

$\log(4\times10^{-6})=\log10^{-2000k}$

$2\log2-6=-2000k$

$0.6-6=-2000k$

$-5.4=-2000k$

$\therefore k=2.7\times10^{-3}$

06-2 답 17시간 후

| 해결 전략 | 주어진 조건에 맞게 부등식을 세운다.

미생물 10마리가 분열을 시작하여 n시간 후에 미생물의 수가 처음으로 100만 마리 이상이 된다고 하면

$10\times 2^n \geq 10^6$

양변에 상용로그를 취하면

$\log(10\times 2^n)\geq \log 10^6$

$1+n\log 2\geq 6$

$\therefore n\geq \frac{5}{\log 2}=\frac{5}{0.3}=16.666\cdots$

따라서 미생물 10마리가 분열을 시작하여 처음으로 100만 마리 이상이 되는 것은 17시간 후이다.

STEP 3 유형 드릴

| 111쪽~113쪽 |

1-1 답 0

| 해결 전략 | 주어진 두 함수는 서로 역함수 관계임을 이용한다.

함수 $y=a\log_3(x+b)+c$의 그래프가 함수 $y=3^{x-1}+2$의 그래프와 직선 $y=x$에 대하여 대칭이므로 함수 $y=a\log_3(x+b)+c$는 함수 $y=3^{x-1}+2$의 역함수이다.

$y=3^{x-1}+2$에서 $3^{x-1}=y-2$

$x-1=\log_3(y-2)$

$\therefore x=\log_3(y-2)+1$

x와 y를 서로 바꾸면 함수 $y=3^{x-1}+2$의 역함수는

$y=\log_3(x-2)+1$

따라서 $a=1$, $b=-2$, $c=1$이므로

$a+b+c=1+(-2)+1=0$

1-2 답 5

| 해결 전략 | 함수 $f(x)$의 역함수 $g(x)$에 대하여 $g(a)=b$이면 $f(b)=a$임을 이용한다.

함수 $f(x)=3\log_2(x+3)-1$의 역함수가 $g(x)$이므로

$g(8)=a$라 하면 $f(a)=8$

$f(a)=3\log_2(a+3)-1=8$

$\log_2(a+3)=3$

$a+3=2^3$이므로 $a=5$

$\therefore g(8)=5$

다른 풀이

함수 $f(x)=3\log_2(x+3)-1$의 정의역은 $\{x|x>-3\}$, 치역은 실수 전체의 집합이다.

$y=3\log_2(x+3)-1$에서 $\log_2(x+3)=\frac{y+1}{3}$

$x+3=2^{\frac{y+1}{3}}$ $\quad\therefore x=2^{\frac{y+1}{3}}-3$

x와 y를 서로 바꾸면 함수 $y=3\log_2(x+3)-1$의 역함수는 $y=2^{\frac{x+1}{3}}-3$

따라서 $g(x)=2^{\frac{x+1}{3}}-3$이므로 $g(8)=2^3-3=5$

2-1 답 ⑤

| 해결 전략 | 함수 $y=\log_2(x-m)+n$의 그래프는 함수 $y=\log_2 x$의 그래프를 x축의 방향으로 m만큼, y축의 방향으로 n만큼 평행이동한 것이다.

①, ⑤ 함수 $y=\log_2(x-5)-3$의 그래프는 함수 $y=\log_2 x$의 그래프를 x축의 방향으로 5만큼, y축의 방향으로 -3만큼 평행이동한 것이므로 점근선의 방정식은 $x=5$이다.

② 진수는 양수이어야 하므로

$x-5>0 \quad \therefore x>5$

따라서 정의역은 $\{x|x>5\}$, 치역은 $\{y|y$는 실수$\}$이다.

③ $y=\log_2(x-5)-3$에 $x=6$을 대입하면 $y=-3$이므로 그래프는 점 $(6, -3)$을 지난다.

④ 밑이 2이고 $2>1$이므로 $x-5$의 값이 증가하면 y의 값도 증가한다. 즉, x의 값이 증가하면 y의 값도 증가한다.

이상에서 옳지 않은 것은 ⑤이다.

2-2 답 ㄴ, ㄹ

| 해결 전략 | 함수 $y=\log_a(-x)$의 그래프는 함수 $y=\log_a x$의 그래프를 y축에 대하여 대칭이동한 것이다.

ㄱ. 진수는 양수이어야 하므로 $6-x>0 \quad \therefore x<6$

따라서 정의역은 $\{x|x<6\}$이다.

ㄴ, ㄹ. 함수 $y=\log_3(6-x)+2$의 그래프는 함수 $y=\log_3 x$의 그래프를 y축에 대하여 대칭이동한 후 x축의 방향으로 6만큼, y축의 방향으로 2만큼 평행이동한 것이므로 점근선의 방정식은 $x=6$이다.

ㄷ. $y=\log_3(6-x)+2$에 $x=3$을 대입하면 $y=3$이므로 그래프는 점 $(3, 3)$을 지난다.

이상에서 옳은 것은 ㄴ, ㄹ이다.

3-1 답 4

| 해결 전략 | $b=\log_2 16$, $a=\log_2 b$임을 이용하여 주어진 식의 값을 구한다.

$b=\log_2 16$이므로

$2^b=16 \quad \therefore b=4$

또, $a=\log_2 b$이므로

$a=\log_2 4=2$

$\therefore \left(\frac{1}{2}\right)^{a-b}=\left(\frac{1}{2}\right)^{2-4}=\left(\frac{1}{2}\right)^{-2}$

$=2^2=4$

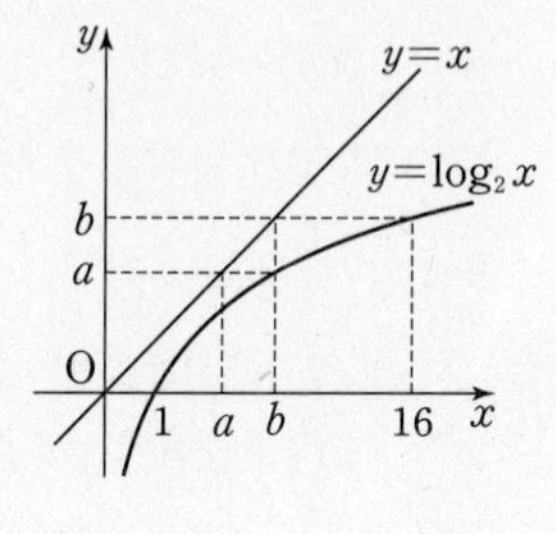

3-2 답 (6, 2)

| 해결 전략 | $\overline{AB}=2$이므로 점 A의 y좌표가 2임을 이용한다.

정사각형 ABCD의 한 변의 길이가 2이므로 점 A의 좌표를 $(t, \log_2 t)$라 하면

$\log_2 t=2 \quad \therefore t=2^2=4$

따라서 $A(4, 2)$이므로 점 D의 좌표는 $(6, 2)$이다.

4-1 답 $m=-\frac{1}{3}, n=3$

| 해결 전략 | 함수 $y=\log_a x$의 그래프를 x축의 방향으로 m만큼, y축의 방향으로 n만큼 평행이동하면 함수 $y=\log_a(x-m)+n$의 그래프를 얻을 수 있다.

$y=\log_3(27x+9)=\log_3 27\left(x+\frac{1}{3}\right)$

$=\log_3\left(x+\frac{1}{3}\right)+\log_3 27=\log_3\left(x+\frac{1}{3}\right)+3$

에서 함수 $y=\log_3(27x+9)$의 그래프는 함수 $y=\log_3 x$의 그래프를 x축의 방향으로 $-\frac{1}{3}$만큼, y축의 방향으로 3만큼 평행이동한 것이다.

$\therefore m=-\frac{1}{3}, n=3$

4-2 답 3

| 해결 전략 | 함수 $y=\log_a x$의 그래프를 x축에 대하여 대칭이동한 그래프의 식은 $-y=\log_a x$이다.

함수 $y=\log_{\frac{1}{3}}(x-1)+1$의 그래프를 x축에 대하여 대칭이동한 그래프의 식은

$-y=\log_{\frac{1}{3}}(x-1)+1$ …… ㉠

또, ㉠의 그래프를 직선 $y=x$에 대하여 대칭이동한 그래프의 식은

$-x=\log_{\frac{1}{3}}(y-1)+1$

$\log_3(y-1)=x+1, y-1=3^{x+1}$

$\therefore y=3\times 3^x+1$

따라서 $a=3, b=1$이므로 $ab=3$

5-1 답 $1, \log_3 7, \log_9 100$

| 해결 전략 | 밑을 같게 하여 진수의 대소를 비교한다.

$1=\log_3 3, \log_9 100=\log_3 10$

이때, 함수 $y=\log_3 x$는 밑이 3이고 $3>1$이므로 x의 값이 증가하면 y의 값도 증가한다.

즉, $3<7<10$이므로

$\log_3 3<\log_3 7<\log_3 10$

따라서 작은 것부터 차례로 나열하면

$1, \log_3 7, \log_9 100$

5-2 답 $-2, \frac{1}{2}\log_{\frac{1}{3}} 36, \log_{\frac{1}{3}} 5$

| 해결 전략 | 밑을 같게 하여 진수의 대소를 비교한다.

$-2=\log_{\frac{1}{3}} 9, \frac{1}{2}\log_{\frac{1}{3}} 36=\log_{\frac{1}{3}} 6$

이때, 함수 $y=\log_{\frac{1}{3}} x$는 밑이 $\frac{1}{3}$이고 $0<\frac{1}{3}<1$이므로 x의 값이 증가하면 y의 값은 감소한다.

즉, $5<6<9$이므로

$\log_{\frac{1}{3}} 9<\log_{\frac{1}{3}} 6<\log_{\frac{1}{3}} 5$

따라서 작은 것부터 차례로 나열하면

$-2, \frac{1}{2}\log_{\frac{1}{3}} 36, \log_{\frac{1}{3}} 5$

6-1 답 1

| 해결 전략 | 로그함수 $y=\log_a f(x)$에서 $a>1$인지 $0<a<1$인지 확인한다.

함수 $y=\log_5(x^2-4x+9)$에서 밑이 5이고 $5>1$이므로 x^2-4x+9의 값이 증가하면 y의 값도 증가한다.

$f(x)=x^2-4x+9$로 놓으면 함수 $y=\log_5 f(x)$는 $f(x)$가 최소일 때 최소가 된다.

$f(x)=x^2-4x+9=(x-2)^2+5$이므로 $f(x)$는 $x=2$에서 최솟값 5를 갖는다.

따라서 함수 $y=\log_5 f(x)$는 $x=2$에서 최솟값 $\log_5 5=1$을 갖는다.

$\therefore a=2, b=1 \qquad \therefore a-b=1$

6-2 답 5

| 해결 전략 | 로그함수 $y=\log_a f(x)$에서 $a>1$인지 $0<a<1$인지 확인한다.

함수 $y=\log_2(x^2-2x+5)$에서 밑이 2이고 $2>1$이므로 x^2-2x+5의 값이 증가하면 y의 값도 증가한다.

$f(x)=x^2-2x+5$로 놓으면

$f(x)=(x-1)^2+4$

이므로 $-1\le x\le 2$에서 $4\le f(x)\le 8$

따라서 $-1\le x\le 2$에서 함수 $y=\log_2 f(x)$의

최댓값은 $f(x)=8$일 때, $M=\log_2 8=3$

최솟값은 $f(x)=4$일 때, $m=\log_2 4=2$

$\therefore M+m=3+2=5$

7-1 답 $x=\frac{1}{16}$ 또는 $x=1$

| 해결 전략 | 주어진 식을 변형한 후 $\log_2 x=t$로 치환하여 푼다.

진수의 조건에서 $x>0$ …… ㉠

$\log_2 8x\times\log_2 2x=3$에서

$(\log_2 x+3)(\log_2 x+1)=3$

$\log_2 x=t$로 놓으면

$(t+3)(t+1)=3, t^2+4t=0$

$t(t+4)=0 \qquad \therefore t=-4$ 또는 $t=0$

$t=-4$일 때, $\log_2 x=-4$에서 $x=\frac{1}{16}$

$t=0$일 때, $\log_2 x=0$에서 $x=1$

따라서 ㉠에 의하여 구하는 해는

$x=\frac{1}{16}$ 또는 $x=1$

7-2 답 243

| 해결 전략 | $\log_3 x=t$로 치환하여 t에 대한 방정식을 푼다.

진수의 조건에서 $x>0$ …… ㉠

$(\log_3 x)^2-\log_3 x^5+4=0$에서

$(\log_3 x)^2-5\log_3 x+4=0$

$\log_3 x=t$로 놓으면

$t^2-5t+4=0, (t-1)(t-4)=0$

$\therefore t=1$ 또는 $t=4$

$t=1$일 때, $\log_3 x=1$에서 $x=3$

$t=4$일 때, $\log_3 x=4$에서 $x=81$

따라서 ㉠에 의하여 구하는 해는

$x=3$ 또는 $x=81$

$\therefore \alpha\beta=3\times81=243$

8-1 답 2

|해결 전략| 밑을 같게 한 후 진수에 대한 부등식을 세운다. 이때, (밑) >1이면 부등호의 방향은 그대로이다.

진수의 조건에서 $x-1>0$, $3-x>0$이므로

$1<x<3$ ······㉠

$\log_2(x-1)<\log_4(3-x)$에서

$\log_2(x-1)<\frac{1}{2}\log_2(3-x)$

$2\log_2(x-1)<\log_2(3-x)$

$\log_2(x-1)^2<\log_2(3-x)$

이때, 밑이 2이고 $2>1$이므로

$(x-1)^2<3-x$, $x^2-x-2<0$

$(x+1)(x-2)<0 \quad \therefore -1<x<2$ ······㉡

㉠, ㉡의 공통 범위를 구하면

$1<x<2$

따라서 $\alpha=1$, $\beta=2$이므로 $\alpha\beta=2$

8-2 답 3

|해결 전략| 밑을 같게 한 후 진수에 대한 부등식을 세운다. 이때, $0<$(밑)<1이면 부등호의 방향은 반대가 된다.

진수의 조건에서 $x-1>0$, $7-x>0$이므로

$1<x<7$ ······㉠

$\log_{\frac{1}{3}}(x-1)<\frac{1}{2}\log_{\frac{1}{3}}(7-x)$에서

$2\log_{\frac{1}{3}}(x-1)<\log_{\frac{1}{3}}(7-x)$

$\log_{\frac{1}{3}}(x-1)^2<\log_{\frac{1}{3}}(7-x)$

밑이 $\frac{1}{3}$이고 $0<\frac{1}{3}<1$이므로

$(x-1)^2>7-x$, $x^2-x-6>0$

$(x+2)(x-3)>0 \quad \therefore x<-2$ 또는 $x>3$ ······㉡

㉠, ㉡의 공통 범위를 구하면 $3<x<7$

따라서 정수 x는 4, 5, 6이므로 그 개수는 3이다.

9-1 답 5

|해결 전략| $\log_5 x=t$로 치환하여 t에 대한 부등식을 푼다.

진수의 조건에서 $x>0$ ······㉠

$\log_5 x=t$로 놓으면

$t^2+t-2\le0$, $(t+2)(t-1)\le0$

$\therefore -2\le t\le1$

따라서 $-2\le\log_5 x\le1$이므로

$\log_5\frac{1}{25}\le\log_5 x\le\log_5 5$

밑이 5이고 $5>1$이므로 $\frac{1}{25}\le x\le5$ ······㉡

㉠, ㉡의 공통 범위를 구하면 $\frac{1}{25}\le x\le5$

따라서 정수 x는 1, 2, 3, 4, 5이므로 그 개수는 5이다.

9-2 답 $\frac{33}{8}$

|해결 전략| 주어진 식을 변형한 후 $\log_2 x=t$로 치환하여 부등식을 푼다.

진수의 조건에서 $8x>0$, $\frac{x}{4}>0$이므로 $x>0$ ······㉠

$\log_{\frac{1}{2}}8x\times\log_2\frac{x}{4}>0$에서

$\log_2 8x\times\log_2\frac{x}{4}<0$

$(\log_2 8+\log_2 x)(\log_2 x-\log_2 4)<0$

$(\log_2 x+3)(\log_2 x-2)<0$

$\log_2 x=t$로 놓으면

$(t+3)(t-2)<0 \quad \therefore -3<t<2$

따라서 $-3<\log_2 x<2$이므로

$\log_2\frac{1}{8}<\log_2 x<\log_2 4$

밑이 2이고 $2>1$이므로

$\frac{1}{8}<x<4$ ······㉡

㉠, ㉡의 공통 범위를 구하면 $\frac{1}{8}<x<4$

따라서 $\alpha=\frac{1}{8}$, $\beta=4$이므로

$\alpha+\beta=\frac{1}{8}+4=\frac{33}{8}$

10-1 답 $\frac{1}{8}$

|해결 전략| 양변에 밑이 2인 로그를 취한다.

진수의 조건에서 $x>0$ ······㉠

$x^{\log_2 x}<\frac{16}{x^3}$의 양변에 밑이 2인 로그를 취하면

$\log_2 x^{\log_2 x}<\log_2\frac{16}{x^3}$

$\log_2 x\times\log_2 x<\log_2 16-\log_2 x^3$

$(\log_2 x)^2+3\log_2 x-4<0$

$\log_2 x=t$로 놓으면 $t^2+3t-4<0$

$(t+4)(t-1)<0 \quad \therefore -4<t<1$

따라서 $-4<\log_2 x<1$이므로

$\log_2\frac{1}{16}<\log_2 x<\log_2 2$

밑이 2이고 $2>1$이므로 $\frac{1}{16}<x<2$ ······㉡

㉠, ㉡의 공통 범위를 구하면 $\frac{1}{16}<x<2$

따라서 $\alpha=\frac{1}{16}$, $\beta=2$이므로

$\alpha\beta=\frac{1}{16}\times 2=\frac{1}{8}$

10-2 답 10

|해결 전략| 주어진 식을 변형하여 양변에 밑이 2인 로그를 취한다.

진수의 조건에서 $x>0$ ······ ㉠

$8x^{\log_2 x}<x^4$에서 $x^{\log_2 x}<\frac{x^4}{8}$

$x^{\log_2 x}<\frac{x^4}{8}$의 양변에 밑이 2인 로그를 취하면

$\log_2 x^{\log_2 x}<\log_2 \frac{x^4}{8}$

$\log_2 x\times\log_2 x<4\log_2 x-3$

$(\log_2 x)^2-4\log_2 x+3<0$

$\log_2 x=t$로 놓으면 $t^2-4t+3<0$

$(t-1)(t-3)<0$ $\quad\therefore 1<t<3$

따라서 $1<\log_2 x<3$이므로

$\log_2 2<\log_2 x<\log_2 8$

밑이 2이고 $2>1$이므로

$2<x<8$ ······ ㉡

㉠, ㉡의 공통 범위를 구하면 $2<x<8$

따라서 $\alpha=2$, $\beta=8$이므로

$\alpha+\beta=2+8=10$

11-1 답 $0<a<\frac{1}{10}$ 또는 $100<a<1000$ 또는 $a>1000$

|해결 전략| 이차방정식이 서로 다른 두 실근을 가지려면 판별식 $D>0$이어야 함을 이용한다.

$\log a$에서 진수의 조건에 의하여 $a>0$ ······ ㉠

또, 이차방정식이므로 $3-\log a\neq 0$

$\therefore a\neq 1000$ ······ ㉡

이차방정식 $(3-\log a)x^2+2(1-\log a)x+1=0$이 서로 다른 두 실근을 가지려면 판별식 $D>0$이어야 하므로

$\frac{D}{4}=(1-\log a)^2-(3-\log a)>0$

$\therefore (\log a)^2-\log a-2>0$

$\log a=t$로 놓으면

$t^2-t-2>0$, $(t+1)(t-2)>0$

$\therefore t<-1$ 또는 $t>2$

따라서 $\log a<-1$ 또는 $\log a>2$이므로

$\log a<\log\frac{1}{10}$ 또는 $\log a>\log 100$

밑이 10이고 $10>1$이므로

$a<\frac{1}{10}$ 또는 $a>100$ ······ ㉢

㉠, ㉡, ㉢의 공통 범위를 구하면

$0<a<\frac{1}{10}$ 또는 $100<a<1000$ 또는 $a>1000$

11-2 답 $\frac{1}{4}<k<4$

|해결 전략| 이차방정식이 허근을 가지려면 판별식 $D<0$이어야 한다.

$\log_2 k$에서 진수의 조건에 의하여 $k>0$ ······ ㉠

이차방정식 $x^2-(3\log_2 k)x+9=0$이 허근을 가지려면 판별식 $D<0$이어야 하므로

$D=(3\log_2 k)^2-4\times 9<0$

$\therefore 9(\log_2 k)^2-36<0$

$\log_2 k=t$로 놓으면

$9t^2-36<0$, $9(t+2)(t-2)<0$

$\therefore -2<t<2$

따라서 $-2<\log_2 k<2$이므로

$\log_2\frac{1}{4}<\log_2 k<\log_2 4$

밑이 2이고 $2>1$이므로

$\frac{1}{4}<k<4$ ······ ㉡

㉠, ㉡의 공통 범위를 구하면

$\frac{1}{4}<k<4$

12-1 답 31.62

|해결 전략| 동물 B의 몸무게가 W이면 동물 A의 몸무게는 $100W$임을 이용한다.

동물 A의 표준대사량을 E_A, 동물 B의 표준대사량을 E_B,

$E_B=kW^{\frac{3}{4}}$이라 하면

$E_A=k(100W)^{\frac{3}{4}}=100^{\frac{3}{4}}E_B$

따라서 $\alpha=100^{\frac{3}{4}}$이므로 양변에 상용로그를 취하면

$\log\alpha=\frac{3}{4}\log 100=1.5=1+0.5$

$\quad=\log 10+\log 3.162=\log 31.62$

$\therefore \alpha=31.62$

12-2 답 4초 후

|해결 전략| 주어진 조건에 맞게 부등식을 세운다.

자동차의 속력이 브레이크를 밟고 t초 후 80 km/h 이하가 된다고 하면

$120\times 0.9^t\le 80$, $0.9^t\le\frac{2}{3}$

양변에 상용로그를 취하면

$t\log 0.9\le\log\frac{2}{3}$

$t(2\log 3-1)\le\log 2-\log 3$

$\therefore t\ge\frac{\log 2-\log 3}{2\log 3-1}=\frac{0.3010-0.4771}{0.9542-1}=\frac{0.1761}{0.0458}=3.84\cdots$

따라서 이 자동차가 브레이크를 작동시킨 후 속력이 80 km/h 이하가 되는 것은 약 4초 후이다.

5 | 삼각함수

1 일반각

개념 확인 116쪽~119쪽

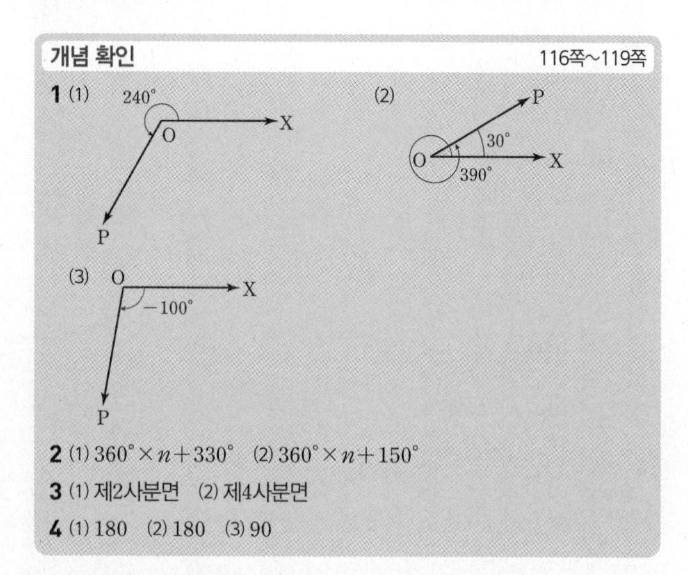

2 (1) $360°\times n+330°$ (2) $360°\times n+150°$

3 (1) 제2사분면 (2) 제4사분면

4 (1) 180 (2) 180 (3) 90

2 (1) $330°=360°\times 0+330°$이므로 일반각은 $360°\times n+330°$

(2) $-570°=360°\times(-2)+150°$이므로 일반각은 $360°\times n+150°$

3 (1) $500°=360°\times 1+140°$이므로 $500°$는 제2사분면의 각이다.

(2) $-420°=360°\times(-2)+300°$이므로 $-420°$는 제4사분면의 각이다.

STEP 1 개념 드릴 | 120쪽 |

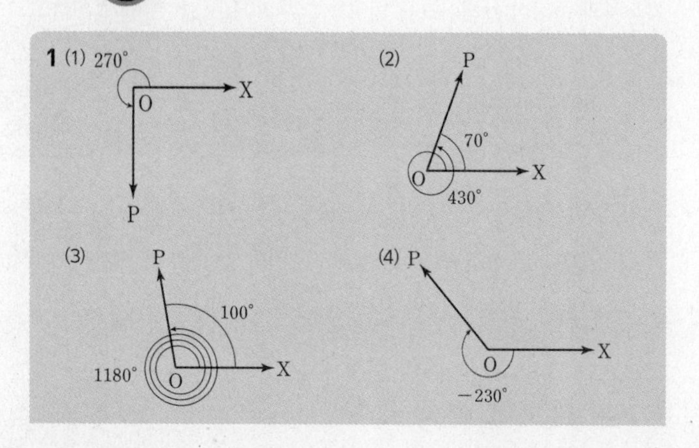

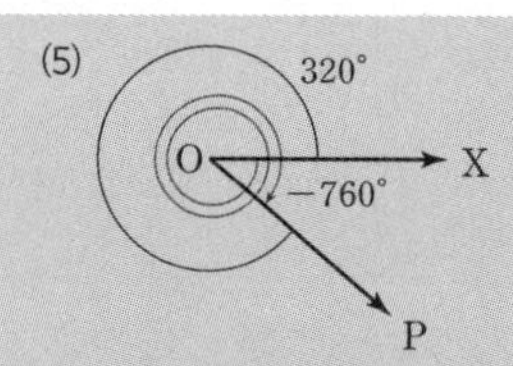

2 (1) $360°\times n+40°$ (2) $360°\times n+210°$

(3) $360°\times n+100°$ (4) $360°\times n+230°$

3 (1) 제2사분면 (2) 제4사분면

(3) 제2사분면 (4) 제3사분면

2 (1) $400°=360°\times 1+40°$이므로 일반각은 $360°\times n+40°$

(2) $570°=360°\times 1+210°$이므로 일반각은 $360°\times n+210°$

(3) $-260°=360°\times(-1)+100°$이므로 일반각은 $360°\times n+100°$

(4) $-850°=360°\times(-3)+230°$이므로 일반각은 $360°\times n+230°$

3 (1) $470°=360°\times 1+110°$이므로 $470°$는 제2사분면의 각이다.

(2) $1720°=360°\times 4+280°$이므로 $1720°$는 제4사분면의 각이다.

(3) $-225°=360°\times(-1)+135°$이므로 $-225°$는 제2사분면의 각이다.

(4) $-880°=360°\times(-3)+200°$이므로 $-880°$는 제3사분면의 각이다.

STEP 2 필수 유형 | 121쪽~122쪽 |

01-1 답 제2사분면 또는 제4사분면

| 해결 전략 | 2θ가 제4사분면의 각임을 이용하여 θ의 범위를 일반각으로 나타낸다.

2θ가 제4사분면의 각이므로

$360°\times n+270°<2\theta<360°\times n+360°$ (단, n은 정수)

$\therefore 360°\times\frac{n}{2}+135°<\theta<360°\times\frac{n}{2}+180°$

θ의 범위를 일반각으로 나타내려면 n을

$n=2k$, $n=2k+1$ (k는 정수)

인 경우로 나누어 생각한다.

(i) $n=2k$ (k는 정수)일 때

$360°\times k+135°<\theta<360°\times k+180°$

이므로 θ는 제2사분면의 각이다.

(ii) $n=2k+1$ (k는 정수)일 때

$360°\times\frac{2k+1}{2}+135°<\theta<360°\times\frac{2k+1}{2}+180°$

$360°\times k+315°<\theta<360°\times k+360°$

이므로 θ는 제4사분면의 각이다.

(i), (ii)에서 θ는 제2사분면 또는 제4사분면의 각이다.

01-2 답 제1사분면 또는 제2사분면 또는 제4사분면

|해결 전략| 3θ가 제2사분면의 각임을 이용하여 θ의 범위를 일반각으로 나타낸다.

3θ가 제2사분면의 각이므로

$360^\circ \times n + 90^\circ < 3\theta < 360^\circ \times n + 180^\circ$ (단, n은 정수)

$\therefore 360^\circ \times \frac{n}{3} + 30^\circ < \theta < 360^\circ \times \frac{n}{3} + 60^\circ$

θ의 범위를 일반각으로 나타내려면 n을

$n=3k$, $n=3k+1$, $n=3k+2$ (k는 정수)

인 경우로 나누어 생각한다.

(i) $n=3k$ (k는 정수)일 때

$360^\circ \times k + 30^\circ < \theta < 360^\circ \times k + 60^\circ$

이므로 θ는 제1사분면의 각이다.

(ii) $n=3k+1$ (k는 정수)일 때

$360^\circ \times \frac{3k+1}{3} + 30^\circ < \theta < 360^\circ \times \frac{3k+1}{3} + 60^\circ$

$360^\circ \times k + 150^\circ < \theta < 360^\circ \times k + 180^\circ$

이므로 θ는 제2사분면의 각이다.

(iii) $n=3k+2$ (k는 정수)일 때

$360^\circ \times \frac{3k+2}{3} + 30^\circ < \theta < 360^\circ \times \frac{3k+2}{3} + 60^\circ$

$360^\circ \times k + 270^\circ < \theta < 360^\circ \times k + 300^\circ$

이므로 θ는 제4사분면의 각이다.

(i), (ii), (iii)에서 θ는 제1사분면 또는 제2사분면 또는 제4사분면의 각이다.

02-1 답 225°

|해결 전략| 두 동경의 위치에 따른 두 각 사이의 관계식을 구한다.

각 θ를 나타내는 동경과 각 5θ를 나타내는 동경이 일직선 위에 있고 방향이 반대이므로
(→ 두 동경이 원점에 대하여 대칭)

$5\theta - \theta = 360^\circ \times n + 180^\circ$ (단, n은 정수)

$4\theta = 360^\circ \times n + 180^\circ$

$\therefore \theta = 90^\circ \times n + 45^\circ$

이때, $180^\circ < \theta < 270^\circ$이므로 $180^\circ < 90^\circ \times n + 45^\circ < 270^\circ$

$135^\circ < 90^\circ \times n < 225^\circ \qquad \therefore \frac{3}{2} < n < \frac{5}{2}$

n은 정수이므로 $n=2 \qquad \therefore \theta = 90^\circ \times 2 + 45^\circ = 225^\circ$

02-2 답 144°

|해결 전략| 두 동경의 위치에 따른 두 각 사이의 관계식을 구한다.

각 θ를 나타내는 동경과 각 4θ를 나타내는 동경이 x축에 대하여 대칭이므로

$\theta + 4\theta = 360^\circ \times n$ (단, n은 정수)

$5\theta = 360^\circ \times n$

$\therefore \theta = 72^\circ \times n$

이때, $90^\circ < \theta < 180^\circ$이므로

$90^\circ < 72^\circ \times n < 180^\circ \qquad \therefore \frac{5}{4} < n < \frac{5}{2}$

n은 정수이므로 $n=2 \qquad \therefore \theta = 72^\circ \times 2 = 144^\circ$

02-3 답 75°

|해결 전략| 두 동경의 위치에 따른 두 각 사이의 관계식을 구한다.

각 2θ를 나타내는 동경과 각 4θ를 나타내는 동경이 직선 $y=x$에 대하여 대칭이므로

$2\theta + 4\theta = 360^\circ \times n + 90^\circ$ (단, n은 정수)

$6\theta = 360^\circ \times n + 90^\circ$

$\therefore \theta = 60^\circ \times n + 15^\circ$

이때, $45^\circ < \theta < 135^\circ$이므로

$45^\circ < 60^\circ \times n + 15^\circ < 135^\circ$

$30^\circ < 60^\circ \times n < 120^\circ \qquad \therefore \frac{1}{2} < n < 2$

n은 정수이므로 $n=1 \qquad \therefore \theta = 60^\circ \times 1 + 15^\circ = 75^\circ$

2 호도법

개념 확인 124쪽~125쪽

1 (1) $\frac{\pi}{4}$ (2) $\frac{2}{3}\pi$ (3) 150° (4) 270°

2 (1) $2n\pi + \frac{\pi}{3}$ (2) $2n\pi + \frac{\pi}{6}$

3 (1) 2π (2) 8π

1 (1) $45^\circ = 45 \times 1^\circ = 45 \times \frac{\pi}{180} = \frac{\pi}{4}$

(2) $120^\circ = 120 \times 1^\circ = 120 \times \frac{\pi}{180} = \frac{2}{3}\pi$

(3) $\frac{5}{6}\pi = \frac{5}{6}\pi \times 1 = \frac{5}{6}\pi \times \frac{180^\circ}{\pi} = 150^\circ$

(4) $\frac{3}{2}\pi = \frac{3}{2}\pi \times 1 = \frac{3}{2}\pi \times \frac{180^\circ}{\pi} = 270^\circ$

2 (1) $\frac{7}{3}\pi = 2\pi \times 1 + \frac{\pi}{3}$이므로 일반각은 $2n\pi + \frac{\pi}{3}$

(2) $-\frac{11}{6}\pi = 2\pi \times (-1) + \frac{\pi}{6}$이므로 일반각은 $2n\pi + \frac{\pi}{6}$

3 (1) $l = 8 \times \frac{\pi}{4} = 2\pi$

(2) $S = \frac{1}{2} \times 8^2 \times \frac{\pi}{4} = 8\pi$

STEP 1 개념 드릴 | 126쪽 |

1 (1) $\frac{3}{5}\pi$ (2) $\frac{7}{6}\pi$ (3) $-\frac{\pi}{3}$ (4) $\frac{36}{5}\pi$

2 (1) 36° (2) 80° (3) 1260° (4) -960°

3 (1) $2n\pi + \frac{\pi}{6}$ (2) $2n\pi + \frac{2}{3}\pi$ (3) $2n\pi + \frac{3}{4}\pi$ (4) $2n\pi + \frac{\pi}{3}$

4 (1) 4π (2) 10π (3) $\frac{75}{2}\pi$ (4) $\frac{25}{4}\pi$

1 (1) $108° = 108 \times 1° = 108 \times \frac{\pi}{180} = \frac{3}{5}\pi$

(2) $210° = 210 \times 1° = 210 \times \frac{\pi}{180} = \frac{7}{6}\pi$

(3) $-60° = -60 \times 1° = -60 \times \frac{\pi}{180} = -\frac{\pi}{3}$

(4) $1296° = 1296 \times 1° = 1296 \times \frac{\pi}{180} = \frac{36}{5}\pi$

2 (1) $\frac{\pi}{5} = \frac{\pi}{5} \times 1 = \frac{\pi}{5} \times \frac{180°}{\pi} = 36°$

(2) $\frac{4}{9}\pi = \frac{4}{9}\pi \times 1 = \frac{4}{9}\pi \times \frac{180°}{\pi} = 80°$

(3) $7\pi = 7\pi \times 1 = 7\pi \times \frac{180°}{\pi} = 1260°$

(4) $-\frac{16}{3}\pi = -\frac{16}{3}\pi \times 1 = -\frac{16}{3}\pi \times \frac{180°}{\pi} = -960°$

3 (1) $\frac{13}{6}\pi = 2\pi \times 1 + \frac{\pi}{6}$이므로 일반각은 $2n\pi + \frac{\pi}{6}$

(2) $\frac{14}{3}\pi = 2\pi \times 2 + \frac{2}{3}\pi$이므로 일반각은 $2n\pi + \frac{2}{3}\pi$

(3) $-\frac{5}{4}\pi = 2\pi \times (-1) + \frac{3}{4}\pi$이므로 일반각은 $2n\pi + \frac{3}{4}\pi$

(4) $-\frac{11}{3}\pi = 2\pi \times (-2) + \frac{\pi}{3}$이므로 일반각은 $2n\pi + \frac{\pi}{3}$

4 (1) 부채꼴의 호의 길이는 $6 \times \frac{2}{3}\pi = 4\pi$

(2) $150° = 150 \times \frac{\pi}{180} = \frac{5}{6}\pi$이므로 부채꼴의 호의 길이는

$12 \times \frac{5}{6}\pi = 10\pi$

(3) 부채꼴의 넓이는 $\frac{1}{2} \times 10^2 \times \frac{3}{4}\pi = \frac{75}{2}\pi$

(4) $90° = 90 \times \frac{\pi}{180} = \frac{\pi}{2}$이므로 부채꼴의 넓이는

$\frac{1}{2} \times 5^2 \times \frac{\pi}{2} = \frac{25}{4}\pi$

STEP 2 필수 유형 | 127쪽~128쪽 |

01-1 답 ⑤

| 해결 전략 | $1° = \frac{\pi}{180}$ 라디안, 1라디안 $= \frac{180°}{\pi}$ 임을 이용한다.

① $75° = 75 \times 1° = 75 \times \frac{\pi}{180} = \frac{5}{12}\pi$

② $-315° = -315 \times 1° = -315 \times \frac{\pi}{180} = -\frac{7}{4}\pi$

③ $\frac{5}{18}\pi = \frac{5}{18}\pi \times 1 = \frac{5}{18}\pi \times \frac{180°}{\pi} = 50°$

④ $-\frac{9}{10}\pi = -\frac{9}{10}\pi \times 1 = -\frac{9}{10}\pi \times \frac{180°}{\pi} = -162°$

⑤ $\frac{11}{12}\pi = \frac{11}{12}\pi \times 1 = \frac{11}{12}\pi \times \frac{180°}{\pi} = 165°$

따라서 옳지 않은 것은 ⑤이다.

01-2 답 ㄱ, ㄹ, ㅁ

| 해결 전략 | θ가 제4사분면의 각이면 $360° \times n + 270° < \theta < 360° \times n + 360°$ 임을 이용한다.

ㄱ. $-30° = 360° \times (-1) + 330°$이므로 제4사분면의 각이다.

ㄴ. $900° = 360° \times 2 + 180°$

900°를 나타내는 동경이 x축 위에 있으므로 어느 사분면에도 속하지 않는다.

ㄷ. $\frac{13}{6}\pi = 2\pi \times 1 + \frac{\pi}{6}$이므로 제1사분면의 각이다.

→ $\frac{\pi}{6} \times \frac{180°}{\pi} = 30°$

ㄹ. $2n\pi + \frac{19}{5}\pi = 2\pi \times (n+1) + \frac{9}{5}\pi$이므로 제4사분면의 각이다.

→ $\frac{9}{5}\pi \times \frac{180°}{\pi} = 324°$

ㅁ. $2n\pi - \frac{\pi}{4} = 2\pi \times (n-1) + \frac{7}{4}\pi$이므로 제4사분면의 각이다.

→ $\frac{7}{4}\pi \times \frac{180°}{\pi} = 315°$

따라서 제4사분면의 각은 ㄱ, ㄹ, ㅁ이다.

02-1 답 $r=4,\ \theta=\frac{\pi}{2}$

| 해결 전략 | 부채꼴의 호의 길이와 넓이 사이의 관계를 이용한다.

부채꼴의 호의 길이를 l, 넓이를 S라 하면

$S = \frac{1}{2}rl$에서 $4\pi = \frac{1}{2} \times r \times 2\pi$ $\quad \therefore r = 4$

또, $l = r\theta$에서 $2\pi = 4\theta$ $\quad \therefore \theta = \frac{\pi}{2}$

02-2 답 부채꼴의 넓이의 최댓값: 400, 반지름의 길이: 20

| 해결 전략 | 부채꼴의 넓이를 반지름의 길이에 대한 이차함수로 나타낸다.

부채꼴의 반지름의 길이를 r, 호의 길이를 l이라 하면

$l = 80 - 2r$ (단, $0 < r < 40$)

부채꼴의 넓이를 S라 하면

$S = \frac{1}{2}rl = \frac{1}{2}r(80-2r) = -r^2 + 40r = -(r-20)^2 + 400$

따라서 $r=20$일 때, 부채꼴의 넓이 S의 최댓값은 400이다.

3 삼각함수

개념 확인 129쪽~132쪽

1 $\sin C = \frac{12}{13},\ \cos C = \frac{5}{13},\ \tan C = \frac{12}{5}$

2 $\sqrt{3}$

3 (1) $\sin\theta = \frac{4\sqrt{17}}{17},\ \cos\theta = \frac{\sqrt{17}}{17},\ \tan\theta = 4$

(2) $\sin\theta = -\frac{\sqrt{3}}{2},\ \cos\theta = \frac{1}{2},\ \tan\theta = -\sqrt{3}$

4 (1) $\sin\theta>0$, $\cos\theta>0$, $\tan\theta>0$

(2) $\sin\theta<0$, $\cos\theta>0$, $\tan\theta<0$

5 (1) 제2사분면 (2) 제4사분면

6 $\cos\theta=-\frac{2\sqrt{2}}{3}$, $\tan\theta=-\frac{\sqrt{2}}{4}$

7 $-\frac{3}{8}$

1 $\triangle$ABC에서 $\overline{AB}=\sqrt{13^2-5^2}=\sqrt{144}=12$

$\therefore \sin C=\frac{\overline{AB}}{\overline{AC}}=\frac{12}{13}$, $\cos C=\frac{\overline{BC}}{\overline{AC}}=\frac{5}{13}$

$\tan C=\frac{\overline{AB}}{\overline{BC}}=\frac{12}{5}$

2 $\sin 30^\circ-\cos 60^\circ+\tan 60^\circ=\frac{1}{2}-\frac{1}{2}+\sqrt{3}=\sqrt{3}$

3 (1) 오른쪽 그림에서

$\overline{OP}=\sqrt{1^2+4^2}=\sqrt{17}$이므로

$\sin\theta=\frac{4}{\sqrt{17}}=\frac{4\sqrt{17}}{17}$

$\cos\theta=\frac{1}{\sqrt{17}}=\frac{\sqrt{17}}{17}$

$\tan\theta=4$

(2) 오른쪽 그림에서

$\overline{OP}=\sqrt{1^2+(-\sqrt{3})^2}=2$이므로

$\sin\theta=-\frac{\sqrt{3}}{2}$, $\cos\theta=\frac{1}{2}$

$\tan\theta=-\sqrt{3}$

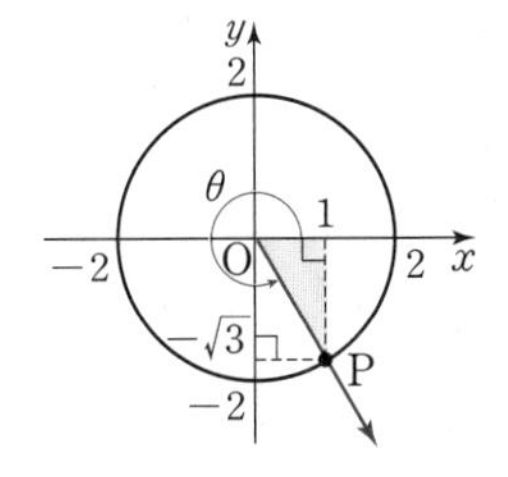

4 (1) $430^\circ=360^\circ\times1+70^\circ$는 제1사분면의 각이므로 모두 양수이다.

(2) $-\frac{9}{4}\pi=2\pi\times(-2)+\frac{7}{4}\pi$는 제4사분면의 각이므로 $\cos\theta$만 양수이다.

5 (1) $\sin\theta>0$에서 각 θ는 제1사분면 또는 제2사분면의 각이고, $\cos\theta<0$에서 각 θ는 제2사분면 또는 제3사분면의 각이다.
따라서 두 조건을 동시에 만족시키는 각 θ는 제2사분면의 각이다.

(2) $\cos\theta>0$에서 각 θ는 제1사분면 또는 제4사분면의 각이고, $\tan\theta<0$에서 각 θ는 제2사분면 또는 제4사분면의 각이다.
따라서 두 조건을 동시에 만족시키는 각 θ는 제4사분면의 각이다.

6 $\sin\theta=\frac{1}{3}$일 때, $\sin^2\theta+\cos^2\theta=1$이므로

$\cos^2\theta=1-\sin^2\theta=1-\left(\frac{1}{3}\right)^2=\frac{8}{9}$

이때, θ가 제2사분면의 각이므로

$\cos\theta<0$ $\quad\therefore \cos\theta=-\frac{2\sqrt{2}}{3}$

또, $\tan\theta=\frac{\sin\theta}{\cos\theta}$에서

$\tan\theta=\frac{1}{3}\div\left(-\frac{2\sqrt{2}}{3}\right)=-\frac{1}{2\sqrt{2}}=-\frac{\sqrt{2}}{4}$

7 $\sin\theta+\cos\theta=\frac{1}{2}$의 양변을 제곱하면

$\sin^2\theta+2\sin\theta\cos\theta+\cos^2\theta=\frac{1}{4}$

이때, $\sin^2\theta+\cos^2\theta=1$이므로

$1+2\sin\theta\cos\theta=\frac{1}{4}$

$\therefore \sin\theta\cos\theta=-\frac{3}{8}$

STEP 1 개념 드릴

| 133쪽 |

1 (1) $\sin\theta=-\frac{5\sqrt{41}}{41}$, $\cos\theta=-\frac{4\sqrt{41}}{41}$, $\tan\theta=\frac{5}{4}$

(2) $\sin\theta=-\frac{2\sqrt{5}}{5}$, $\cos\theta=\frac{\sqrt{5}}{5}$, $\tan\theta=-2$

(3) $\sin\theta=\frac{\sqrt{5}}{3}$, $\cos\theta=-\frac{2}{3}$, $\tan\theta=-\frac{\sqrt{5}}{2}$

2 (1) $\sin\theta<0$, $\cos\theta<0$, $\tan\theta>0$

(2) $\sin\theta>0$, $\cos\theta>0$, $\tan\theta>0$

(3) $\sin\theta<0$, $\cos\theta>0$, $\tan\theta<0$

(4) $\sin\theta>0$, $\cos\theta<0$, $\tan\theta<0$

3 (1) 제2사분면 (2) 제3사분면 (3) 제2사분면 또는 제4사분면

(4) 제1사분면 또는 제2사분면

4 (1) $\cos\theta=\frac{\sqrt{15}}{4}$, $\tan\theta=\frac{\sqrt{15}}{15}$ (2) $\cos\theta=\frac{3}{5}$, $\tan\theta=-\frac{4}{3}$

(3) $\sin\theta=-\frac{\sqrt{3}}{2}$, $\tan\theta=\sqrt{3}$

1 (1) 오른쪽 그림에서

$\overline{OP}=\sqrt{(-4)^2+(-5)^2}=\sqrt{41}$

이므로

$\sin\theta=-\frac{5}{\sqrt{41}}=-\frac{5\sqrt{41}}{41}$

$\cos\theta=-\frac{4}{\sqrt{41}}=-\frac{4\sqrt{41}}{41}$

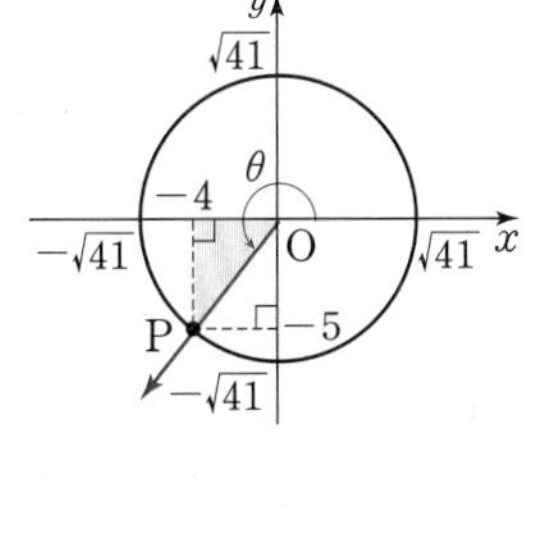

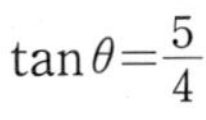

$\tan\theta=\frac{5}{4}$

(2) 오른쪽 그림에서

$\overline{OP}=\sqrt{1^2+(-2)^2}=\sqrt{5}$이므로

$\sin\theta=-\frac{2}{\sqrt{5}}=-\frac{2\sqrt{5}}{5}$

$\cos\theta=\frac{1}{\sqrt{5}}=\frac{\sqrt{5}}{5}$

$\tan\theta=-2$

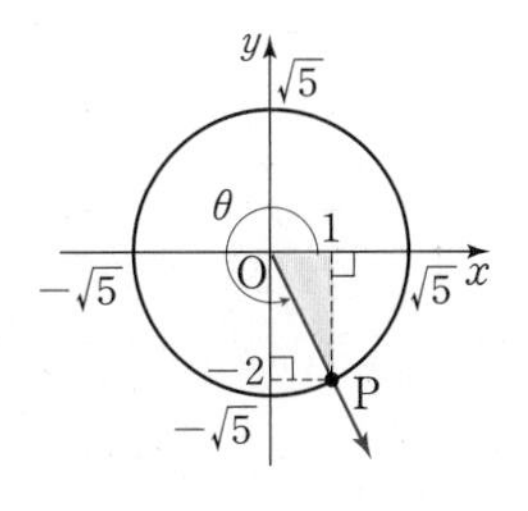

(3) 오른쪽 그림에서

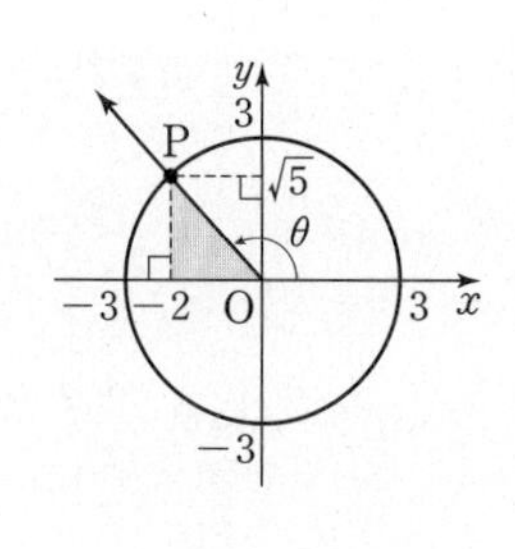

$\overline{\text{OP}}=\sqrt{(-2)^2+(\sqrt{5})^2}=3$

이므로

$\sin\theta=\frac{\sqrt{5}}{3}$

$\cos\theta=-\frac{2}{3}$

$\tan\theta=-\frac{\sqrt{5}}{2}$

2 (1) $560°=360°\times1+200°$는 제3사분면의 각이므로 $\tan\theta$만 양수이다.

(2) $\frac{7}{3}\pi=2\pi+\frac{\pi}{3}$는 제1사분면의 각이므로 모두 양수이다.

(3) $-25°=360°\times(-1)+335°$는 제4사분면의 각이므로 $\cos\theta$만 양수이다.

(4) $-\frac{7}{6}\pi=2\pi\times(-1)+\frac{5}{6}\pi$는 제2사분면의 각이므로 $\sin\theta$만 양수이다.

3 (1) $\sin\theta>0$에서 각 θ는 제1사분면 또는 제2사분면의 각이고, $\tan\theta<0$에서 각 θ는 제2사분면 또는 제4사분면의 각이다.
따라서 두 조건을 동시에 만족시키는 각 θ는 제2사분면의 각이다.

(2) $\cos\theta<0$에서 각 θ는 제2사분면 또는 제3사분면의 각이고, $\tan\theta>0$에서 각 θ는 제1사분면 또는 제3사분면의 각이다.
따라서 두 조건을 동시에 만족시키는 각 θ는 제3사분면의 각이다.

(3) $\sin\theta\cos\theta<0$에서
$\sin\theta>0,\ \cos\theta<0$ 또는 $\sin\theta<0,\ \cos\theta>0$
따라서 각 θ는 제2사분면 또는 제4사분면의 각이다.

(4) $\cos\theta\tan\theta>0$에서
$\cos\theta>0,\ \tan\theta>0$ 또는 $\cos\theta<0,\ \tan\theta<0$
따라서 각 θ는 제1사분면 또는 제2사분면의 각이다.

4 (1) $\sin^2\theta+\cos^2\theta=1$이므로

$\cos^2\theta=1-\sin^2\theta=1-\left(\frac{1}{4}\right)^2=\frac{15}{16}$

이때, θ가 제1사분면의 각이므로

$\cos\theta>0$

$\therefore \cos\theta=\frac{\sqrt{15}}{4}$

또, $\tan\theta=\frac{\sin\theta}{\cos\theta}$에서

$\tan\theta=\frac{1}{4}\div\frac{\sqrt{15}}{4}=\frac{\sqrt{15}}{15}$

(2) $\sin^2\theta+\cos^2\theta=1$이므로

$\cos^2\theta=1-\sin^2\theta=1-\left(-\frac{4}{5}\right)^2=\frac{9}{25}$

이때, θ가 제4사분면의 각이므로

$\cos\theta>0$

$\therefore \cos\theta=\frac{3}{5}$

또, $\tan\theta=\frac{\sin\theta}{\cos\theta}$에서

$\tan\theta=\left(-\frac{4}{5}\right)\div\frac{3}{5}=-\frac{4}{3}$

(3) $\sin^2\theta+\cos^2\theta=1$이므로

$\sin^2\theta=1-\cos^2\theta=1-\left(-\frac{1}{2}\right)^2=\frac{3}{4}$

이때, θ가 제3사분면의 각이므로

$\sin\theta<0$

$\therefore \sin\theta=-\frac{\sqrt{3}}{2}$

또, $\tan\theta=\frac{\sin\theta}{\cos\theta}$에서

$\tan\theta=\left(-\frac{\sqrt{3}}{2}\right)\div\left(-\frac{1}{2}\right)=\sqrt{3}$

STEP 2 필수 유형

| 134쪽~139쪽 |

01-1 답 $\frac{3}{4}$

| 해결 전략 | 각 θ를 나타내는 동경과 원점을 중심으로 하고 반지름의 길이가 1인 원의 교점의 좌표를 구한다.

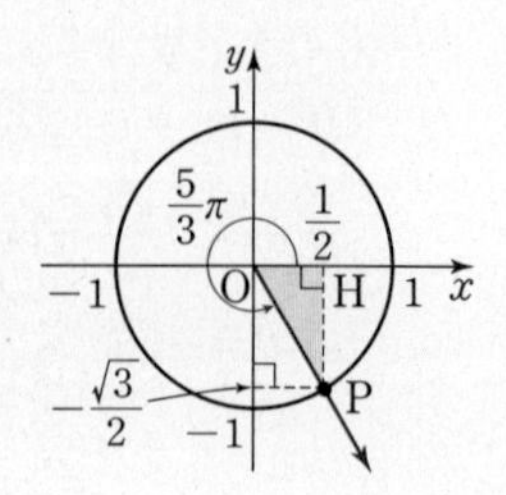

오른쪽 그림과 같이 $\frac{5}{3}\pi$를 나타내는 동경과 원점 O를 중심으로 하고 반지름의 길이가 1인 원의 교점을 P, 점 P에서 x축에 내린 수선의 발을 H라 하면 $\triangle$POH에서

$\overline{\text{OP}}=1$이고 $\angle\text{POH}=\frac{\pi}{3}$이므로

$\overline{\text{PH}}=\overline{\text{OP}}\sin\frac{\pi}{3}=\frac{\sqrt{3}}{2}$

$\overline{\text{OH}}=\overline{\text{OP}}\cos\frac{\pi}{3}=\frac{1}{2}$

$\therefore \text{P}\left(\frac{1}{2},\ -\frac{\sqrt{3}}{2}\right)$

따라서 $\sin\theta=-\frac{\sqrt{3}}{2}$, $\tan\theta=-\sqrt{3}$ 이므로

$(\sin\theta-\tan\theta)^2=\left(-\frac{\sqrt{3}}{2}+\sqrt{3}\right)^2$

$=\frac{3}{4}$

01-2 답 -7

| 해결 전략 | $\overline{\text{OP}}$의 길이를 구한 후 삼각함수의 값을 구한다.

오른쪽 그림에서

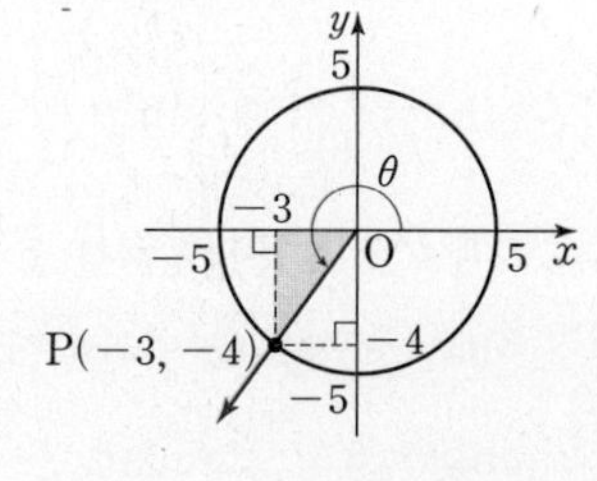

$\overline{\text{OP}}=\sqrt{(-3)^2+(-4)^2}=5$

이므로

$\cos\theta=-\frac{3}{5}$, $\tan\theta=\frac{4}{3}$

$\therefore 5\cos\theta-3\tan\theta$

$=5\times\left(-\frac{3}{5}\right)-3\times\frac{4}{3}=-7$

02-1 답 제2사분면

|해결 전략| 각각의 조건을 만족시키는 각 θ가 제몇 사분면의 각인지 조사한 후 두 조건을 동시에 만족시키는 경우를 찾는다.

$\cos\theta\tan\theta>0$에서

$\cos\theta>0,\ \tan\theta>0$ 또는 $\cos\theta<0,\ \tan\theta<0$

이므로 각 θ는 제1사분면 또는 제2사분면의 각이다.

또, $\sin\theta\tan\theta<0$에서

$\sin\theta>0,\ \tan\theta<0$ 또는 $\sin\theta<0,\ \tan\theta>0$

이므로 각 θ는 제2사분면 또는 제3사분면의 각이다.

따라서 두 조건을 동시에 만족시키는 각 θ는 제2사분면의 각이다.

02-2 답 $2\sin\theta$

|해결 전략| 주어진 조건을 만족시키는 각 θ가 제몇 사분면의 각인지 구한다.

$\dfrac{\sin\theta}{\tan\theta}<0,\ \sin\theta-\tan\theta>0$이므로

$\sin\theta>0,\ \tan\theta<0$

즉, 각 θ는 제2사분면의 각이므로 $\cos\theta<0$

$$\therefore \sqrt{(\sin\theta-\cos\theta)^2}-\sqrt{(\cos\theta+\tan\theta)^2}+\sqrt{(\tan\theta-\sin\theta)^2}$$
$$=|\sin\theta-\cos\theta|-|\cos\theta+\tan\theta|+|\tan\theta-\sin\theta|$$
$$=\sin\theta-\cos\theta+(\cos\theta+\tan\theta)-(\tan\theta-\sin\theta)$$
$$=2\sin\theta$$

03-1 답 $\dfrac{1}{\tan\theta}$

|해결 전략| 삼각함수 사이의 관계를 이용하여 주어진 식을 간단히 한다.

$$\frac{\tan\theta\sin\theta}{\tan\theta-\sin\theta}-\frac{1}{\sin\theta}=\frac{\frac{\sin\theta}{\cos\theta}\times\sin\theta}{\frac{\sin\theta}{\cos\theta}-\sin\theta}-\frac{1}{\sin\theta}$$
$$=\frac{\sin\theta}{1-\cos\theta}-\frac{1}{\sin\theta}$$
$$=\frac{\sin^2\theta-(1-\cos\theta)}{(1-\cos\theta)\sin\theta}$$
$$=\frac{(1-\cos^2\theta)-(1-\cos\theta)}{(1-\cos\theta)\sin\theta}$$
$$=\frac{(1-\cos\theta)\cos\theta}{(1-\cos\theta)\sin\theta}$$
$$=\frac{\cos\theta}{\sin\theta}=\frac{1}{\tan\theta}$$

03-2 답 1

|해결 전략| 삼각함수 사이의 관계를 이용하여 주어진 식을 간단히 한다.

$$\tan^2\theta+(1-\tan^4\theta)\cos^2\theta$$
$$=\frac{\sin^2\theta}{\cos^2\theta}+\left(1-\frac{\sin^4\theta}{\cos^4\theta}\right)\cos^2\theta$$
$$=\frac{\sin^2\theta}{\cos^2\theta}+\frac{\cos^4\theta-\sin^4\theta}{\cos^4\theta}\times\cos^2\theta$$
$$=\frac{\sin^2\theta}{\cos^2\theta}+\frac{(\cos^2\theta+\sin^2\theta)(\cos^2\theta-\sin^2\theta)}{\cos^2\theta}$$
$$=\frac{\sin^2\theta}{\cos^2\theta}+\frac{\cos^2\theta-\sin^2\theta}{\cos^2\theta}$$
$$=\frac{\cos^2\theta}{\cos^2\theta}=1$$

04-1 답 $-\dfrac{\sqrt{5}}{5}$

|해결 전략| 삼각함수 사이의 관계를 이용하여 $\cos\theta$의 값을 구한다.

$$\frac{1}{1+\sin\theta}+\frac{1}{1-\sin\theta}=\frac{1-\sin\theta+1+\sin\theta}{(1+\sin\theta)(1-\sin\theta)}$$
$$=\frac{2}{1-\sin^2\theta}=\frac{2}{\cos^2\theta}$$

즉, $\dfrac{2}{\cos^2\theta}=10$이므로 $\cos^2\theta=\dfrac{1}{5}$

이때, θ가 제2사분면의 각이므로 $\cos\theta<0$

$\therefore \cos\theta=-\dfrac{\sqrt{5}}{5}$

04-2 답 $-\dfrac{7}{5}$

|해결 전략| 삼각함수 사이의 관계를 이용하여 $\sin\theta+\cos\theta$의 값을 구한다.

$4\sin\theta=3\cos\theta$에서 $\dfrac{\sin\theta}{\cos\theta}=\dfrac{3}{4}$ $\qquad\therefore \tan\theta=\dfrac{3}{4}$

이때, $\sin^2\theta+\cos^2\theta=1$의 양변을 $\cos^2\theta$로 나누면

$\tan^2\theta+1=\dfrac{1}{\cos^2\theta}$

$$\therefore \cos^2\theta=\frac{1}{\tan^2\theta+1}=\frac{1}{\left(\frac{3}{4}\right)^2+1}=\frac{16}{25}$$

이때, $\pi<\theta<\dfrac{3}{2}\pi$이므로 $\cos\theta<0$ $\qquad\therefore \cos\theta=-\dfrac{4}{5}$

$\cos\theta=-\dfrac{4}{5}$를 $4\sin\theta=3\cos\theta$에 대입하면

$\sin\theta=-\dfrac{3}{5}$

$\therefore \sin\theta+\cos\theta=-\dfrac{3}{5}-\dfrac{4}{5}=-\dfrac{7}{5}$

다른 풀이

$4\sin\theta=3\cos\theta$에서 $\dfrac{\sin\theta}{\cos\theta}=\dfrac{3}{4}$ $\qquad\therefore \tan\theta=\dfrac{3}{4}$

이때, $\pi<\theta<\dfrac{3}{2}\pi$이므로

오른쪽 그림에서

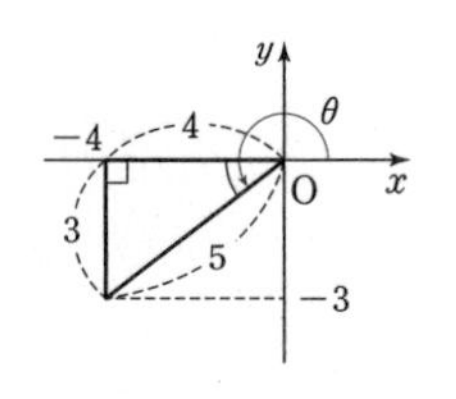

$\sin\theta=-\dfrac{3}{5},\ \cos\theta=-\dfrac{4}{5}$

$\therefore \sin\theta+\cos\theta=-\dfrac{7}{5}$

05-1 답 (1) $\frac{13}{27}$ (2) $\frac{49}{81}$

|해결 전략| 삼각함수 사이의 관계와 곱셈 공식의 변형을 이용하여 주어진 식의 값을 구한다.

(1) $\sin\theta-\cos\theta=\frac{1}{3}$의 양변을 제곱하면

$$\sin^2\theta-2\sin\theta\cos\theta+\cos^2\theta=\frac{1}{9}$$

$$1-2\sin\theta\cos\theta=\frac{1}{9}\qquad \therefore \sin\theta\cos\theta=\frac{4}{9}\qquad \cdots\cdots ㉠$$

$$\therefore \sin^3\theta-\cos^3\theta=(\sin\theta-\cos\theta)^3+3\sin\theta\cos\theta(\sin\theta-\cos\theta)$$
$$=\left(\frac{1}{3}\right)^3+3\times\frac{4}{9}\times\frac{1}{3}=\frac{1}{27}+\frac{4}{9}=\frac{13}{27}$$

(2) $\sin^4\theta+\cos^4\theta=(\sin^2\theta+\cos^2\theta)^2-2\sin^2\theta\cos^2\theta$
$$=1^2-2\times\left(\frac{4}{9}\right)^2\ (\because ㉠)$$
$$=\frac{49}{81}$$

참고

곱셈 공식의 변형

(1) $a^2+b^2=(a+b)^2-2ab,\ a^2+b^2=(a-b)^2+2ab$
$(a-b)^2=(a+b)^2-4ab$

(2) $a^3+b^3=(a+b)^3-3ab(a+b),\ a^3-b^3=(a-b)^3+3ab(a-b)$

05-2 답 $-\frac{3\sqrt{6}}{8}$

|해결 전략| 삼각함수 사이의 관계와 곱셈 공식의 변형을 이용하여 주어진 식의 값을 구한다.

$$(\sin\theta+\cos\theta)^2=\sin^2\theta+2\sin\theta\cos\theta+\cos^2\theta$$
$$=1+2\times\frac{1}{4}=\frac{3}{2}$$

이때, θ가 제3사분면의 각이므로 $\sin\theta<0,\ \cos\theta<0$

즉, $\sin\theta+\cos\theta<0$이므로 $\sin\theta+\cos\theta=-\frac{\sqrt{6}}{2}$

$$\therefore \sin^3\theta+\cos^3\theta=(\sin\theta+\cos\theta)^3-3\sin\theta\cos\theta(\sin\theta+\cos\theta)$$
$$=\left(-\frac{\sqrt{6}}{2}\right)^3-3\times\frac{1}{4}\times\left(-\frac{\sqrt{6}}{2}\right)$$
$$=-\frac{6\sqrt{6}}{8}+\frac{3\sqrt{6}}{8}=-\frac{3\sqrt{6}}{8}$$

06-1 답 8

|해결 전략| 이차방정식의 근과 계수의 관계를 이용한다.

이차방정식 $x^2-ax+2=0$의 근과 계수의 관계에 의하여

$$\frac{1}{\sin\theta}+\frac{1}{\cos\theta}=a,\ \frac{1}{\sin\theta\cos\theta}=2$$

$\frac{1}{\sin\theta}+\frac{1}{\cos\theta}=a$에서

$$a=\frac{\sin\theta+\cos\theta}{\sin\theta\cos\theta}=2(\sin\theta+\cos\theta)$$

$$\therefore a^2=4(\sin\theta+\cos\theta)^2=4(\sin^2\theta+2\sin\theta\cos\theta+\cos^2\theta)$$
$$=4(1+2\sin\theta\cos\theta)=4\left(1+2\times\frac{1}{2}\right)=8$$

06-2 답 $-\frac{20}{3}$

|해결 전략| 이차방정식의 근과 계수의 관계를 이용한다.

이차방정식 $5x^2-4x+a=0$의 근과 계수의 관계에 의하여

$$\sin\theta+\cos\theta=\frac{4}{5},\ \sin\theta\cos\theta=\frac{a}{5}$$

$(\sin\theta+\cos\theta)^2=1+2\sin\theta\cos\theta$에서

$$\frac{16}{25}=1+2\times\frac{a}{5},\ 16=25+10a$$

$$\therefore a=-\frac{9}{10}$$

$$\therefore \frac{1}{a}+\tan\theta+\frac{1}{\tan\theta}=\frac{1}{a}+\frac{\sin\theta}{\cos\theta}+\frac{\cos\theta}{\sin\theta}$$
$$=\frac{1}{a}+\frac{\sin^2\theta+\cos^2\theta}{\sin\theta\cos\theta}$$
$$=\frac{1}{a}+\frac{1}{\sin\theta\cos\theta}$$
$$=\frac{1}{a}+\frac{5}{a}=\frac{6}{a}$$
$$=6\times\left(-\frac{10}{9}\right)$$
$$=-\frac{20}{3}$$

STEP 3 유형 드릴

| 140쪽~141쪽 |

1-1 답 제2사분면 또는 제4사분면

|해결 전략| θ가 제3사분면의 각임을 이용하여 $\frac{\theta}{2}$의 범위를 일반각으로 나타낸다.

θ가 제3사분면의 각이므로

$$2n\pi+\pi<\theta<2n\pi+\frac{3}{2}\pi\ (\text{단, } n\text{은 정수})$$

$$\therefore n\pi+\frac{\pi}{2}<\frac{\theta}{2}<n\pi+\frac{3}{4}\pi$$

$\frac{\theta}{2}$의 범위를 일반각으로 나타내려면 n을

$n=2k,\ n=2k+1$ (k는 정수)

인 경우로 나누어 생각한다.

(i) $n=2k$ (k는 정수)일 때

$2k\pi+\frac{\pi}{2}<\frac{\theta}{2}<2k\pi+\frac{3}{4}\pi$이므로 $\frac{\theta}{2}$는 제2사분면의 각이다.

(ii) $n=2k+1$ (k는 정수)일 때

$2k\pi+\frac{3}{2}\pi<\frac{\theta}{2}<2k\pi+\frac{7}{4}\pi$이므로 $\frac{\theta}{2}$는 제4사분면의 각이다.

(i), (ii)에서 각 $\frac{\theta}{2}$를 나타내는 동경이 존재할 수 있는 사분면은 제2사분면 또는 제4사분면이다.

1-2 답 제1사분면

|해결 전략| θ가 제4사분면의 각임을 이용하여 $\frac{\theta}{3}$의 범위를 일반각으로 나타낸다.

θ가 제4사분면의 각이므로

$2n\pi+\frac{3}{2}\pi<\theta<2n\pi+2\pi$ (단, n은 정수)

$\therefore \frac{2n}{3}\pi+\frac{\pi}{2}<\frac{\theta}{3}<\frac{2n}{3}\pi+\frac{2}{3}\pi$

$\frac{\theta}{3}$의 범위를 일반각으로 나타내려면 n을

$n=3k$, $n=3k+1$, $n=3k+2$ (k는 정수)

인 경우로 나누어 생각한다.

(i) $n=3k$ (k는 정수)일 때

$2k\pi+\frac{\pi}{2}<\frac{\theta}{3}<2k\pi+\frac{2}{3}\pi$이므로 $\frac{\theta}{3}$는 제2사분면의 각이다.

(ii) $n=3k+1$ (k는 정수)일 때

$2k\pi+\frac{7}{6}\pi<\frac{\theta}{3}<2k\pi+\frac{4}{3}\pi$이므로 $\frac{\theta}{3}$는 제3사분면의 각이다.

(iii) $n=3k+2$ (k는 정수)일 때

$2k\pi+\frac{11}{6}\pi<\frac{\theta}{3}<2k\pi+2\pi$이므로 $\frac{\theta}{3}$는 제4사분면의 각이다.

(i), (ii), (iii)에서 각 $\frac{\theta}{3}$를 나타내는 동경이 존재하지 않는 사분면은 제1사분면이다.

2-1 답 π

|해결 전략| 두 동경의 위치에 따른 두 각 사이의 관계식을 구한다.

각 θ를 나타내는 동경과 각 11θ를 나타내는 동경이 일치하므로

$11\theta-\theta=2n\pi$ (단, n은 정수)

$10\theta=2n\pi \qquad \therefore \theta=\frac{n\pi}{5}$

이때, $0<\theta<\pi$이므로

$0<\frac{n\pi}{5}<\pi \qquad \therefore 0<n<5$

n은 정수이므로 $n=1, 2, 3, 4$

$\therefore \theta=\frac{\pi}{5}, \frac{2}{5}\pi, \frac{3}{5}\pi, \frac{4}{5}\pi$

따라서 $\alpha=\frac{\pi}{5}$, $\beta=\frac{4}{5}\pi$이므로

$\alpha+\beta=\frac{\pi}{5}+\frac{4}{5}\pi=\pi$

2-2 답 25

|해결 전략| 두 동경의 위치에 따른 두 각 사이의 관계식을 구한다.

각 θ를 나타내는 동경과 각 99θ가 나타내는 동경이 y축에 대하여 대칭이므로

$99\theta+\theta=2n\pi+\pi$ (단, n은 정수)

$100\theta=(2n+1)\pi \qquad \therefore \theta=\frac{2n+1}{100}\pi$

이때, $0<\theta<\frac{\pi}{2}$이므로 $0<\frac{2n+1}{100}\pi<\frac{\pi}{2}$

$0<2n+1<50 \qquad \therefore -\frac{1}{2}<n<\frac{49}{2}$

n은 정수이므로 $n=0, 1, 2, \cdots, 24$

$\therefore \theta=\frac{1}{100}\pi, \frac{3}{100}\pi, \cdots, \frac{49}{100}\pi$

따라서 조건을 만족시키는 각 θ의 개수는 25이다.

3-1 답 100 m^2

|해결 전략| 부채꼴의 넓이를 반지름의 길이에 대한 이차함수로 나타낸다.

부채꼴의 반지름의 길이를 r, 호의 길이를 l이라 하면

$l=40-2r$ (단, $0<r<20$)

부채꼴의 넓이를 S라 하면

$S=\frac{1}{2}rl=\frac{1}{2}r(40-2r)$

$=-r^2+20r=-(r-10)^2+100$

따라서 $r=10$일 때, S의 최댓값이 100이므로 만들 수 있는 화단의 최대 넓이는 100 m^2이다.

다른 풀이

부채꼴의 반지름의 길이를 r, 호의 길이를 l, 넓이를 S라 하면

$2r>0$, $l>0$이고 $2r+l=40$으로 일정하므로

$40=2r+l\geq 2\sqrt{2rl}=2\sqrt{4\times\frac{1}{2}rl}=2\sqrt{4S}=4\sqrt{S}$

즉, $4\sqrt{S}\leq 40$에서 $S\leq 100$

여기서 등호는 $2r=l$일 때 성립한다.

따라서 S의 최댓값이 100이므로 만들 수 있는 화단의 최대 넓이는 100 m^2이다.

3-2 답 2

|해결 전략| 부채꼴의 넓이를 반지름의 길이에 대한 이차함수로 나타낸다.

부채꼴의 반지름의 길이를 r, 호의 길이를 l이라 하면

$l=8-2r$ (단, $0<r<4$)

부채꼴의 넓이를 S라 하면

$S=\frac{1}{2}rl=\frac{1}{2}r(8-2r)$

$=-r^2+4r=-(r-2)^2+4$

따라서 $r=2$일 때, S는 최댓값을 갖는다.

즉, $l=8-2r$에서 $r=2$일 때, $l=4$

$l=r\theta$에서 $4=2\theta \qquad \therefore \theta=2$

LECTURE

둘레의 길이가 a로 일정한 부채꼴의 넓이는 중심각의 크기가 2일 때 항상 최댓값을 갖는다.

➡ 부채꼴의 반지름의 길이를 r, 호의 길이를 l이라 하면

$l+2r=a \qquad \therefore l=a-2r$

부채꼴의 넓이를 S라 하면

$S=\frac{1}{2}rl=\frac{1}{2}r(a-2r)$

$=-r^2+\frac{a}{2}r=-\left(r-\frac{a}{4}\right)^2+\frac{a^2}{16}$

따라서 $r=\frac{a}{4}$일 때 부채꼴의 넓이가 최대가 되고, 호의 길이는 $l=\frac{a}{2}$이므로 중심각의 크기 θ는 $l=r\theta$에서

$\frac{a}{2}=\frac{a}{4}\theta \qquad \therefore \theta=2$

4-1 답 -3

|해결 전략| 각각의 조건을 만족시키는 각 θ가 제몇 사분면의 각인지 조사한 후 두 조건을 동시에 만족시키는 경우를 찾는다.

$\sin\theta\cos\theta>0$에서

$\sin\theta>0,\ \cos\theta>0$ 또는 $\sin\theta<0,\ \cos\theta<0$

이므로 각 θ는 제1사분면 또는 제3사분면의 각이다.

또, $\tan\theta\sin\theta<0$에서

$\tan\theta<0,\ \sin\theta>0$ 또는 $\tan\theta>0,\ \sin\theta<0$

이므로 각 θ는 제2사분면 또는 제3사분면의 각이다.

따라서 두 조건을 동시에 만족시키는 각 θ는 제3사분면의 각이다.

즉, $\sin\theta<0,\ \cos\theta<0,\ \tan\theta>0$이므로

$$\frac{|\sin\theta|}{\sin\theta}+\frac{|\cos\theta|}{\cos\theta}-\frac{|\tan\theta|}{\tan\theta}$$
$$=\frac{-\sin\theta}{\sin\theta}+\frac{-\cos\theta}{\cos\theta}-\frac{\tan\theta}{\tan\theta}$$
$$=(-1)+(-1)-1=-3$$

4-2 답 $\sin\theta$

|해결 전략| 주어진 조건을 만족시키는 각 θ가 제몇 사분면의 각인지 조사한다.

$\sqrt{\sin\theta}\sqrt{\tan\theta}=-\sqrt{\sin\theta\tan\theta}$에서 $\sin\theta<0,\ \tan\theta<0$이므로 각 θ는 제4사분면의 각이다.

즉, $\cos\theta>0,\ \sin\theta-\cos\theta<0$이므로

$$\sqrt{\cos^2\theta}-\sqrt{(\sin\theta-\cos\theta)^2}=|\cos\theta|-|\sin\theta-\cos\theta|$$
$$=\cos\theta+\sin\theta-\cos\theta=\sin\theta$$

참고

음수의 제곱근의 성질

(1) $a<0,\ b<0$이면 $\sqrt{a}\sqrt{b}=-\sqrt{ab}$ ← $a<0,\ b<0$일 때를 제외하면 $\sqrt{a}\sqrt{b}=\sqrt{ab}$

(2) $a>0,\ b<0$이면 $\frac{\sqrt{a}}{\sqrt{b}}=-\sqrt{\frac{a}{b}}$ ← $a>0,\ b<0$일 때를 제외하면 $\frac{\sqrt{a}}{\sqrt{b}}=\sqrt{\frac{a}{b}}\ (b\neq0)$

5-1 답 1

|해결 전략| 삼각함수 사이의 관계를 이용하여 주어진 식을 간단히 한다.

$$\left(\frac{1}{\cos\theta}+\tan\theta\right)\left(\frac{1}{\cos\theta}-\tan\theta\right)$$
$$=\left(\frac{1}{\cos\theta}+\frac{\sin\theta}{\cos\theta}\right)\left(\frac{1}{\cos\theta}-\frac{\sin\theta}{\cos\theta}\right)$$
$$=\frac{1+\sin\theta}{\cos\theta}\times\frac{1-\sin\theta}{\cos\theta}$$
$$=\frac{1-\sin^2\theta}{\cos^2\theta}=\frac{\cos^2\theta}{\cos^2\theta}=1$$

5-2 답 2

|해결 전략| 삼각함수 사이의 관계를 이용하여 주어진 식을 간단히 한다.

$$\cos^2\theta(1-\tan\theta)^2+\cos^2\theta(1+\tan\theta)^2$$
$$=\cos^2\theta(1-2\tan\theta+\tan^2\theta)+\cos^2\theta(1+2\tan\theta+\tan^2\theta)$$
$$=2\cos^2\theta(1+\tan^2\theta)$$
$$=2\cos^2\theta\left(1+\frac{\sin^2\theta}{\cos^2\theta}\right)$$
$$=2(\cos^2\theta+\sin^2\theta)=2$$

6-1 답 $-\sqrt{3}$

|해결 전략| 삼각함수 사이의 관계를 이용하여 $\frac{1}{\cos\theta}+\tan\theta$의 값을 구한다.

$\sin^2\theta+\cos^2\theta=1$이므로

$$\cos^2\theta=1-\sin^2\theta=1-\left(\frac{1}{2}\right)^2=\frac{3}{4}$$

이때, θ가 제2사분면의 각이므로

$\cos\theta<0 \qquad \therefore \cos\theta=-\frac{\sqrt{3}}{2}$

또, $\tan\theta=\frac{\sin\theta}{\cos\theta}$에서

$$\tan\theta=\frac{1}{2}\div\left(-\frac{\sqrt{3}}{2}\right)=-\frac{1}{\sqrt{3}}$$
$$\therefore \frac{1}{\cos\theta}+\tan\theta=-\frac{2}{\sqrt{3}}-\frac{1}{\sqrt{3}}=-\sqrt{3}$$

6-2 답 1

|해결 전략| 삼각함수 사이의 관계를 이용하여 $\frac{26\sin\theta}{13\cos\theta+2}$의 값을 구한다.

$\sin^2\theta+\cos^2\theta=1$의 양변을 $\cos^2\theta$로 나누면

$$\tan^2\theta+1=\frac{1}{\cos^2\theta}$$
$$\therefore \cos^2\theta=\frac{1}{\tan^2\theta+1}=\frac{1}{\left(\frac{5}{12}\right)^2+1}=\frac{144}{169}$$

이때, θ가 제3사분면의 각이므로

$\cos\theta<0 \qquad \therefore \cos\theta=-\frac{12}{13}$

또, $\tan\theta=\frac{\sin\theta}{\cos\theta}$에서

$$\sin\theta=\tan\theta\cos\theta=\frac{5}{12}\times\left(-\frac{12}{13}\right)=-\frac{5}{13}$$
$$\therefore \frac{26\sin\theta}{13\cos\theta+2}=\frac{26\times\left(-\frac{5}{13}\right)}{13\times\left(-\frac{12}{13}\right)+2}=\frac{-10}{-10}=1$$

7-1 답 $\frac{7}{8}$

|해결 전략| 삼각함수 사이의 관계와 곱셈 공식의 변형을 이용하여 주어진 식의 값을 구한다.

$\sin\theta+\cos\theta=\frac{\sqrt{2}}{2}$의 양변을 제곱하면

$$\sin^2\theta+2\sin\theta\cos\theta+\cos^2\theta=\frac{1}{2}$$
$$1+2\sin\theta\cos\theta=\frac{1}{2}$$
$$\therefore \sin\theta\cos\theta=-\frac{1}{4}$$
$$\therefore \sin^4\theta+\cos^4\theta=(\sin^2\theta+\cos^2\theta)^2-2\sin^2\theta\cos^2\theta$$
$$=1-2(\sin\theta\cos\theta)^2$$
$$=1-2\times\left(-\frac{1}{4}\right)^2=\frac{7}{8}$$

7-2 답 $-4\sqrt{3}$

| 해결 전략 | 삼각함수 사이의 관계를 이용하여 주어진 식의 값을 구한다.

$$(\sin\theta+\cos\theta)^2=\sin^2\theta+2\sin\theta\cos\theta+\cos^2\theta$$
$$=1+2\times\frac{1}{6}=\frac{4}{3}$$

이때, $\pi<\theta<\frac{3}{2}\pi$이므로 $\sin\theta<0$, $\cos\theta<0$

즉, $\sin\theta+\cos\theta<0$이므로 $\sin\theta+\cos\theta=-\frac{2\sqrt{3}}{3}$

$$\therefore \frac{1}{\sin\theta}+\frac{1}{\cos\theta}=\frac{\sin\theta+\cos\theta}{\sin\theta\cos\theta}=\frac{-\frac{2\sqrt{3}}{3}}{\frac{1}{6}}=-4\sqrt{3}$$

8-1 답 5

| 해결 전략 | 이차방정식의 근과 계수의 관계와 삼각함수 사이의 관계를 이용하여 이차방정식의 계수를 구한다.

이차방정식 $x^2+ax+\frac{1}{4}=0$의 두 근이 $\sin^2\theta$, $\cos^2\theta$이므로

근과 계수의 관계에 의하여

$\sin^2\theta+\cos^2\theta=-a$ ······㉠

$\sin^2\theta\cos^2\theta=\frac{1}{4}$ ······㉡

㉠에서 $a=-1$

또, 이차방정식 $x^2+bx+1=0$의 두 근이 $\tan\theta$, $\frac{1}{\tan\theta}$이므로

근과 계수의 관계에 의하여

$\tan\theta+\frac{1}{\tan\theta}=-b$

이때, $\tan\theta+\frac{1}{\tan\theta}=\frac{\sin\theta}{\cos\theta}+\frac{\cos\theta}{\sin\theta}=\frac{1}{\sin\theta\cos\theta}$이므로

$b^2=\frac{1}{\sin^2\theta\cos^2\theta}=4$ ($\because$ ㉡)

$\therefore a^2+b^2=(-1)^2+4=5$

8-2 답 1

| 해결 전략 | 삼각함수 사이의 관계와 이차방정식의 근과 계수의 관계를 이용하여 이차방정식의 계수를 구한다.

$\sin\theta+\cos\theta=-\frac{1}{2}$의 양변을 제곱하면

$\sin^2\theta+2\sin\theta\cos\theta+\cos^2\theta=\frac{1}{4}$

$1+2\sin\theta\cos\theta=\frac{1}{4}$ $\quad\therefore \sin\theta\cos\theta=-\frac{3}{8}$

한편, 이차방정식 $8x^2+ax+b=0$의 두 근이 $\sin\theta$, $\cos\theta$이므로

근과 계수의 관계에 의하여

$\sin\theta+\cos\theta=-\frac{a}{8}$, $\sin\theta\cos\theta=\frac{b}{8}$

따라서 $-\frac{a}{8}=-\frac{1}{2}$에서 $a=4$, $\frac{b}{8}=-\frac{3}{8}$에서 $b=-3$

$\therefore a+b=4+(-3)=1$

6 | 삼각함수의 그래프

1 삼각함수의 그래프

개념 확인 144쪽~149쪽

1 2

2 2

3 (1) 치역: $\left\{y \middle| -\frac{1}{2}\le y\le\frac{1}{2}\right\}$, 주기: 2π, 그래프: 풀이 참조

(2) 치역: $\{y\mid -3\le y\le 3\}$, 주기: $\frac{2}{3}\pi$, 그래프: 풀이 참조

4 (1) 최댓값: 3, 최솟값: -1, 주기: π, 그래프: 풀이 참조

(2) 최댓값: 없다, 최솟값: 없다, 주기: $\frac{\pi}{2}$, 그래프: 풀이 참조

1 함수 $f(x)$의 주기가 $\frac{1}{2}$이면 $f\left(x+\frac{1}{2}\right)=f(x)$

$f(2)=2$일 때, $f(6)$의 값을 구하면

$f(2)=f\left(\frac{5}{2}\right)=f(3)=\cdots=f(6)=2$

2 함수 $f(x)$에 대하여 $f(x+2)=f(x-2)$일 때,

$x-2=t$라 하면 $x=t+2$이므로

$f(t+4)=f(t)$

따라서 함수 $f(x)$의 주기는 4이다.

$f(-1)=1$일 때, $f(19)$, $f(27)$의 값을 구하면

$f(19)=f(15)=f(11)=\cdots=f(-1)=1$

$f(27)=f(23)=f(19)=\cdots=f(-1)=1$

$\therefore f(19)+f(27)=1+1=2$

3 (1) $-\frac{1}{2}\le\frac{1}{2}\sin x\le\frac{1}{2}$이므로 치역은 $\left\{y \middle| -\frac{1}{2}\le y\le\frac{1}{2}\right\}$,

주기는 2π이다.

따라서 함수 $y=\frac{1}{2}\sin x$의 그래프는 다음 그림과 같다.

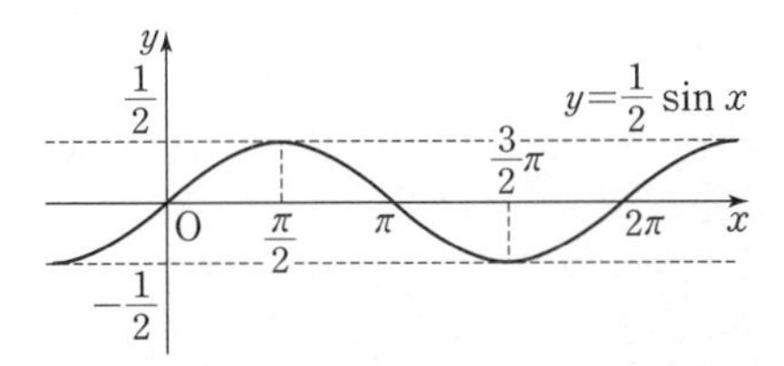

(2) $-3\le 3\cos 3x\le 3$이므로 치역은 $\{y\mid -3\le y\le 3\}$,

주기는 $\frac{2}{3}\pi$이다.

따라서 함수 $y=3\cos 3x$의 그래프는 다음 그림과 같다.

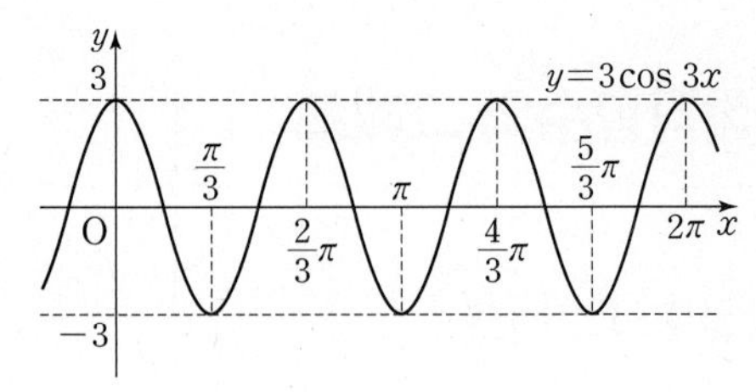

4 (1) 함수 $y=2\cos(2x-\pi)+1=2\cos 2\left(x-\frac{\pi}{2}\right)+1$의 그래프는 함수 $y=2\cos 2x$의 그래프를 x축의 방향으로 $\frac{\pi}{2}$만큼, y축의 방향으로 1만큼 평행이동한 것이다.

이때, 최댓값은 $2+1=3$, 최솟값은 $-2+1=-1$,

주기는 $\frac{2\pi}{|2|}=\pi$이다.

따라서 함수 $y=2\cos(2x-\pi)+1$의 그래프는 다음 그림과 같다.

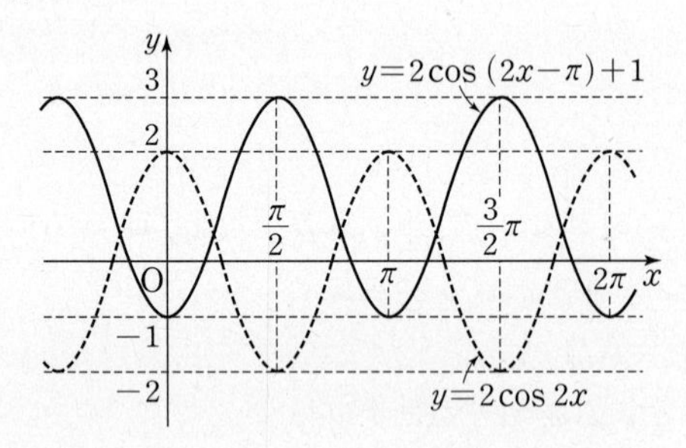

(2) 함수 $y=2\tan(2x-\pi)+1=2\tan 2\left(x-\frac{\pi}{2}\right)+1$의 그래프는 함수 $y=2\tan 2x$의 그래프를 x축의 방향으로 $\frac{\pi}{2}$만큼, y축의 방향으로 1만큼 평행이동한 것이다.

이때, 최댓값, 최솟값은 없고, 주기는 $\frac{\pi}{|2|}=\frac{\pi}{2}$이다.

또, 점근선의 방정식은 $2x-\pi=n\pi+\frac{\pi}{2}$ (n은 정수)에서

$x=\frac{2n+3}{4}\pi$ (단, n은 정수)

따라서 함수 $y=2\tan(2x-\pi)+1$의 그래프는 다음 그림과 같다.

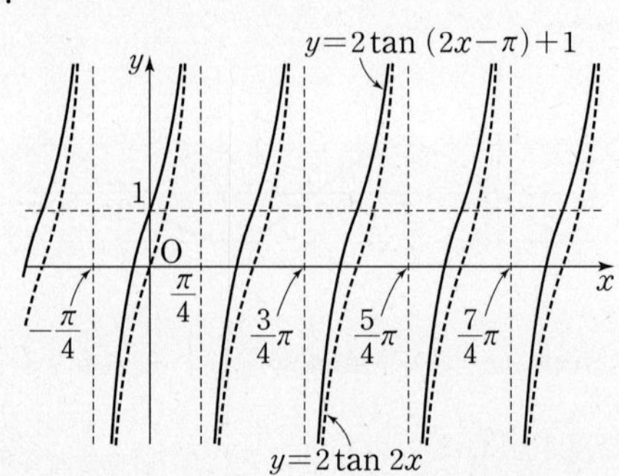

STEP 1 개념 드릴

| 151쪽 |

1 그래프: 풀이 참조
(1) 실수 전체의 집합 (2) $\{y\mid -2\le y\le 2\}$
(3) 2, -2 (4) $\frac{2\pi}{3}$

2 그래프: 풀이 참조
(1) 실수 전체의 집합 (2) $\{y\mid -3\le y\le 3\}$
(3) 3, -3 (4) π

3 그래프: 풀이 참조
(1) $x=\frac{n+1}{3}\pi$ (n은 정수)가 아닌 실수 전체의 집합
(2) $x=\frac{n+1}{3}\pi$ (단, n은 정수) (3) $\frac{\pi}{3}$

1 함수 $y=2\sin 3x$의 그래프는 다음 그림과 같다.

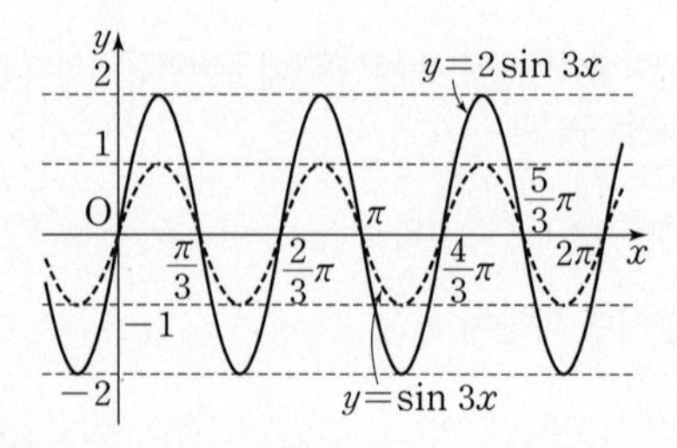

(1) 정의역은 실수 전체의 집합이다.
(2) 치역은 $\{y\mid -2\le y\le 2\}$이다.
(3) 함수의 치역이 $\{y\mid -2\le y\le 2\}$이므로 최댓값은 2, 최솟값은 -2이다.
(4) 주기는 $\frac{2\pi}{3}$이다.

2 함수 $y=3\cos 2x$의 그래프는 다음 그림과 같다.

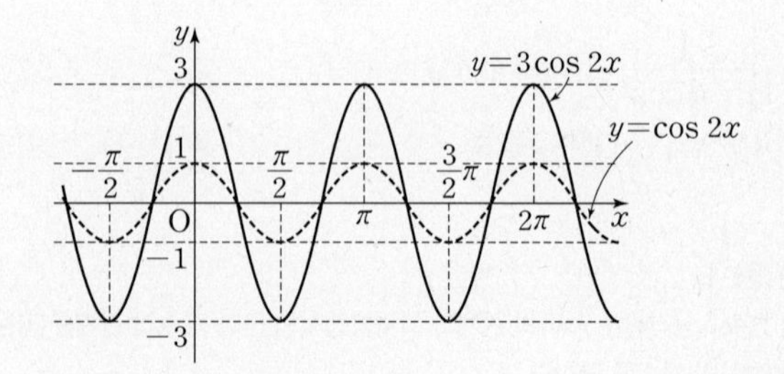

(1) 정의역은 실수 전체의 집합이다.
(2) 치역은 $\{y\mid -3\le y\le 3\}$이다.
(3) 함수의 치역이 $\{y\mid -3\le y\le 3\}$이므로 최댓값은 3, 최솟값은 -3이다.
(4) 주기는 $\frac{2\pi}{2}=\pi$이다.

3 함수 $y=\tan\left(3x-\frac{\pi}{2}\right)=\tan 3\left(x-\frac{\pi}{6}\right)$의 그래프는 함수 $y=\tan 3x$의 그래프를 x축의 방향으로 $\frac{\pi}{6}$만큼 평행이동한 것이므로 다음 그림과 같다.

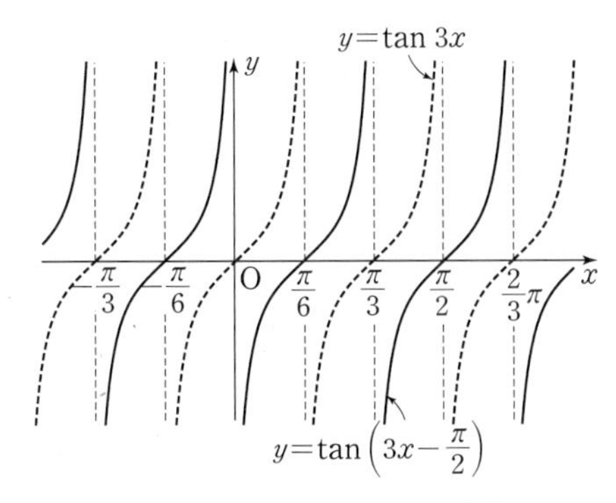

(1) 정의역은 $3x-\frac{\pi}{2}=n\pi+\frac{\pi}{2}$, 즉 $x=\frac{n+1}{3}\pi$ (n은 정수)가 아닌 실수 전체의 집합이다.

(2) 점근선의 방정식은 $3x-\frac{\pi}{2}=n\pi+\frac{\pi}{2}$ (n은 정수)에서

$x=\frac{n+1}{3}\pi$ (단, n은 정수)

(3) 주기는 $\frac{\pi}{3}$이다.

STEP 2 필수 유형 | 152쪽~155쪽 |

01-1 답 (1) 그래프: 풀이 참조, 최댓값: 3, 최솟값: 1, 주기: π

(2) 그래프: 풀이 참조, 최댓값: 1, 최솟값: -3, 주기: π

|해결 전략| (1) 함수 $y=a\cos(bx+c)+d$의 최댓값은 $|a|+d$, 최솟값은 $-|a|+d$, 주기는 $\frac{2\pi}{|b|}$임을 이용한다.

(2) 함수 $y=a\sin(bx+c)+d$의 최댓값은 $|a|+d$, 최솟값은 $-|a|+d$, 주기는 $\frac{2\pi}{|b|}$임을 이용한다.

(1) 함수 $y=\cos(2x-\pi)+2=\cos 2\left(x-\frac{\pi}{2}\right)+2$의 그래프는 함수 $y=\cos 2x$의 그래프를 x축의 방향으로 $\frac{\pi}{2}$만큼, y축의 방향으로 2만큼 평행이동한 것이므로 다음 그림과 같다.

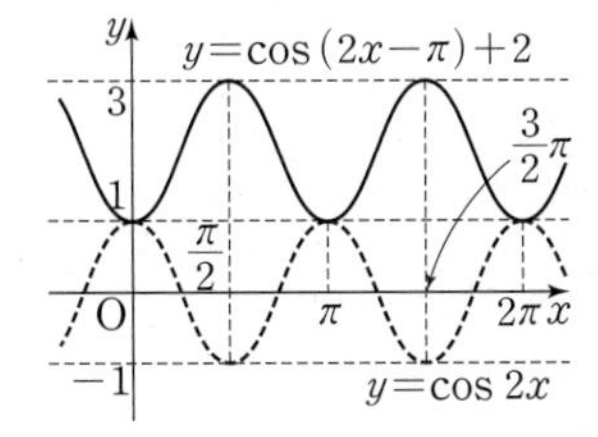

함수 $y=\cos(2x-\pi)+2$의 최댓값은 3, 최솟값은 1, 주기는 $\frac{2\pi}{2}=\pi$이다.

(2) 함수 $y=-2\sin(2x-\pi)-1=-2\sin 2\left(x-\frac{\pi}{2}\right)-1$의 그래프는 함수 $y=-2\sin 2x$의 그래프를 x축의 방향으로 $\frac{\pi}{2}$만큼, y축의 방향으로 -1만큼 평행이동한 것이므로 다음 그림과 같다.

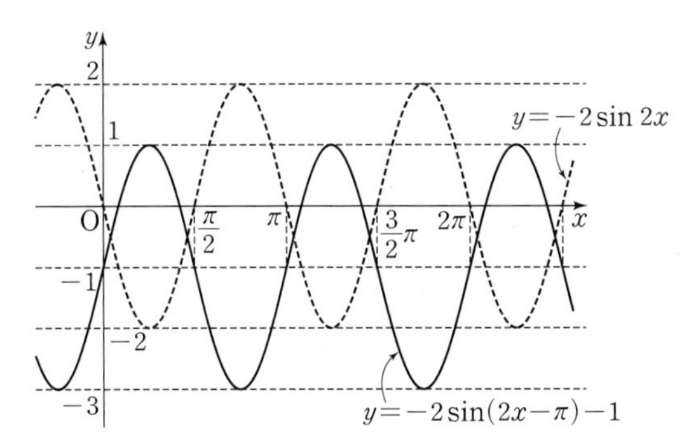

함수 $y=-2\sin(2x-\pi)-1$의 최댓값은 1, 최솟값은 -3, 주기는 $\frac{2\pi}{2}=\pi$이다.

01-2 답 $\frac{1}{4}$

|해결 전략| 함수 $y=a\tan(bx+c)+d$의 점근선의 방정식은 $bx+c=n\pi+\frac{\pi}{2}$ (n은 정수), 주기는 $\frac{\pi}{|b|}$임을 이용한다.

점근선의 방정식은 $2x-\frac{\pi}{2}=n\pi+\frac{\pi}{2}$ (n은 정수)에서

$x=\frac{1}{2}n\pi+\frac{\pi}{2}$ (단, n은 정수) $\quad \therefore k=\frac{1}{2}$

이 함수의 주기는 $\frac{\pi}{2}$이므로 $t=\frac{1}{2}$ $\quad \therefore kt=\frac{1}{2}\times\frac{1}{2}=\frac{1}{4}$

02-1 답 7

|해결 전략| 함수 $y=a\cos bx+c$의 그래프에서 a, c는 최댓값과 최솟값을, b는 주기를 결정한다.

함수 $y=a\cos bx+c$의 주기가 π이므로 $\frac{2\pi}{|b|}=\pi$ $\quad \therefore |b|=2$

이때, $b>0$이므로 $b=2$

또, $a>0$이고 최댓값이 5, 최솟값이 -1이므로

$a+c=5$, $-a+c=-1$

두 식을 연립하여 풀면 $a=3$, $c=2$ $\quad \therefore a+b+c=3+2+2=7$

02-2 답 -24

|해결 전략| 함수 $y=a\sin(bx+c)+d$의 그래프에서 a, d는 최댓값과 최솟값을, b는 주기를 결정한다.

주기가 $\frac{\pi}{2}$이므로 $\frac{2\pi}{|b|}=\frac{\pi}{2}$ $\quad \therefore |b|=4$

이때, $b>0$이므로 $b=4$

$a<0$이고 최댓값이 5이므로 $-a+c=5$ ······ ㉠

또, $f\left(\frac{\pi}{16}\right)=1$에서 $a\sin\frac{\pi}{2}+c=1$ $\quad \therefore a+c=1$ ······ ㉡

㉠, ㉡을 연립하여 풀면 $a=-2$, $c=3$

$\therefore abc=(-2)\times4\times3=-24$

03-1 답 4

|해결 전략| 그래프에서 일정하게 반복되는 구간을 찾아 주기를 구한다.

주어진 그래프에서 주기는 $\frac{\pi}{2}-\left(-\frac{\pi}{2}\right)=\pi$이므로

$\frac{2\pi}{|b|}=\pi$에서 $|b|=2$

이때, $b>0$이므로 $b=2$

또, $a>0$이고 최댓값이 3, 최솟값이 -1이므로

$a+c=3$, $-a+c=-1$

두 식을 연립하여 풀면 $a=2$, $c=1$

따라서 $a=2$, $b=2$, $c=1$이므로 $abc=2\times2\times1=4$

03-2 답 3

|해결 전략| 그래프에서 일정하게 반복되는 구간을 찾아 주기를 구한다.

주어진 그래프에서 주기는 $\frac{\pi}{6}-\left(-\frac{\pi}{6}\right)=\frac{\pi}{3}$이므로

$\frac{\pi}{|b|}=\frac{\pi}{3}$에서 $|b|=3$

이때, $b>0$이므로 $b=3$

따라서 주어진 함수의 식은 $y=a\tan\left(3x-\frac{\pi}{2}\right)+c$이고

그래프가 점 $\left(\frac{\pi}{6}, -1\right)$을 지나므로

$a\tan\left(\frac{\pi}{2}-\frac{\pi}{2}\right)+c=-1$ $\quad\therefore c=-1$

또, 점 $\left(\frac{\pi}{4}, 0\right)$을 지나므로 $a\tan\left(\frac{3}{4}\pi-\frac{\pi}{2}\right)-1=0$ $\quad\therefore a=1$

$\therefore a+b+c=1+3+(-1)=3$

04-1 답 최댓값: 3, 최솟값: 0, 주기: 3π

|해결 전략| 함수 $y=|f(x)|$의 그래프는 함수 $y=f(x)$의 그래프를 그린 후 $y\geq0$인 부분은 그대로 두고, $y<0$인 부분을 x축에 대하여 대칭이동한 것이다.

함수 $y=3\left|\sin\frac{x}{3}\right|$의 그래프는 함수 $y=3\sin\frac{x}{3}$의 그래프에서 $y\geq0$인 부분은 그대로 두고, $y<0$인 부분을 x축에 대하여 대칭이동한 것이므로 다음 그림과 같다.

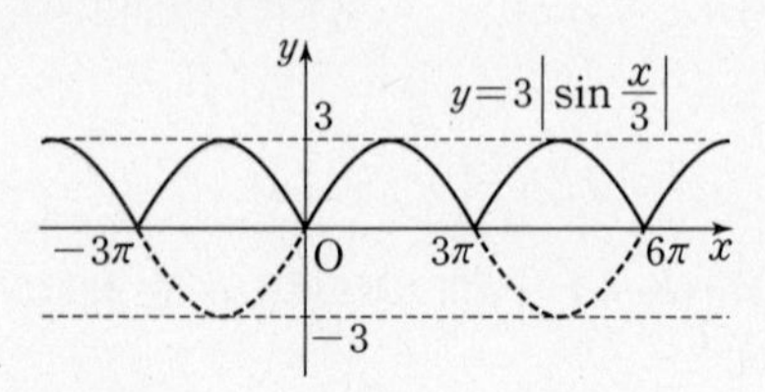

따라서 최댓값은 3, 최솟값은 0, 주기는 3π이다.

04-2 답 3

|해결 전략| $y=|\cos ax|$의 주기는 $y=\cos ax$의 주기의 $\frac{1}{2}$임을 이용한다.

함수 $f(x)=2|\cos ax|+b$의 그래프는 함수 $f(x)=2|\cos ax|$의 그래프를 y축의 방향으로 b만큼 평행이동한 것이다.

이때, $y=2|\cos ax|$의 주기는 $y=2\cos ax$의 주기의 $\frac{1}{2}$이므로

$\frac{1}{2}\times\frac{2\pi}{|a|}=\frac{\pi}{2}$에서 $|a|=2$

이때, $a>0$이므로 $a=2$

$0\leq|\cos 2x|\leq1$이고 최댓값은 3이므로 $2+b=3$ $\quad\therefore b=1$

$\therefore a+b=2+1=3$

참고

함수 $y=|\cos ax|$의 주기는 오른쪽 그림과 같이 함수 $y=\cos ax$의 주기의 $\frac{1}{2}$이므로 $\frac{\pi}{|a|}$이다.

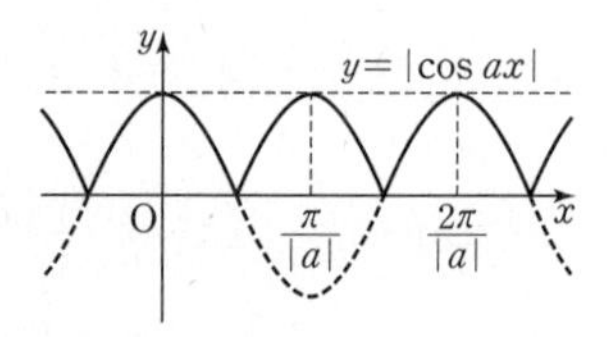

2 삼각함수의 성질

개념 확인 158쪽

1 (1) $-\frac{\sqrt{2}}{2}$ (2) $-\frac{1}{2}$ (3) 1

1 (1) $\sin 315°=\sin(90°\times3+45°)=-\cos 45°=-\frac{\sqrt{2}}{2}$

(2) $\cos\frac{10}{3}\pi=\cos\left(\frac{\pi}{2}\times6+\frac{\pi}{3}\right)=-\cos\frac{\pi}{3}=-\frac{1}{2}$

(3) $\tan\frac{13}{4}\pi=\tan\left(\frac{\pi}{2}\times6+\frac{\pi}{4}\right)=\tan\frac{\pi}{4}=1$

STEP 1 개념 드릴 | 159쪽 |

1 (1) $\frac{\sqrt{2}}{2}$ (2) $\frac{1}{2}$ (3) $\sqrt{3}$ (4) $\frac{\sqrt{3}}{3}$

2 (1) $-\frac{\sqrt{3}}{2}$ (2) $-\frac{1}{2}$ (3) $\frac{1}{2}$ (4) -1

3 (1) $\sqrt{3}$ (2) $\frac{1}{2}$ (3) $-\frac{\sqrt{2}}{2}$ (4) $-\sqrt{3}$

4 (1) $\frac{1}{2}$ (2) $-\frac{\sqrt{3}}{3}$ (3) $\frac{\sqrt{2}}{2}$ (4) $-\frac{1}{2}$

1 (1) $\sin\frac{9}{4}\pi=\sin\left(2\pi+\frac{\pi}{4}\right)=\sin\frac{\pi}{4}=\frac{\sqrt{2}}{2}$

(2) $\cos\frac{19}{3}\pi=\cos\left(6\pi+\frac{\pi}{3}\right)=\cos\frac{\pi}{3}=\frac{1}{2}$

(3) $\tan\frac{7}{3}\pi=\tan\left(2\pi+\frac{\pi}{3}\right)=\tan\frac{\pi}{3}=\sqrt{3}$

(4) $\tan\frac{13}{6}\pi=\tan\left(2\pi+\frac{\pi}{6}\right)=\tan\frac{\pi}{6}=\frac{\sqrt{3}}{3}$

2 (1) $\sin\left(-\frac{\pi}{3}\right)=-\sin\frac{\pi}{3}=-\frac{\sqrt{3}}{2}$

(2) $\sin\left(-\frac{\pi}{6}\right)=-\sin\frac{\pi}{6}=-\frac{1}{2}$

(3) $\cos\left(-\frac{13}{3}\pi\right)=\cos\frac{13}{3}\pi=\cos\left(4\pi+\frac{\pi}{3}\right)=\cos\frac{\pi}{3}=\frac{1}{2}$

(4) $\tan\left(-\frac{9}{4}\pi\right)=-\tan\frac{9}{4}\pi=-\tan\left(2\pi+\frac{\pi}{4}\right)$

$=-\tan\frac{\pi}{4}=-1$

3 (1) $\tan\frac{4}{3}\pi=\tan\left(\pi+\frac{\pi}{3}\right)=\tan\frac{\pi}{3}=\sqrt{3}$

(2) $\sin\frac{5}{6}\pi=\sin\left(\pi-\frac{\pi}{6}\right)=\sin\frac{\pi}{6}=\frac{1}{2}$

(3) $\cos\frac{5}{4}\pi=\cos\left(\pi+\frac{\pi}{4}\right)=-\cos\frac{\pi}{4}=-\frac{\sqrt{2}}{2}$

(4) $\tan\frac{2}{3}\pi=\tan\left(\pi-\frac{\pi}{3}\right)=-\tan\frac{\pi}{3}=-\sqrt{3}$

4 (1) $\cos\left(\frac{\pi}{2}-\frac{\pi}{6}\right)=\sin\frac{\pi}{6}=\frac{1}{2}$

(2) $\tan\left(\frac{\pi}{2}+\frac{\pi}{3}\right)=-\frac{1}{\tan\frac{\pi}{3}}=-\frac{\sqrt{3}}{3}$

(3) $\sin\left(\frac{\pi}{2}+\frac{\pi}{4}\right)=\cos\frac{\pi}{4}=\frac{\sqrt{2}}{2}$

(4) $\cos\left(\frac{\pi}{2}+\frac{\pi}{6}\right)=-\sin\frac{\pi}{6}=-\frac{1}{2}$

STEP 2 필수 유형 | 160쪽~163쪽 |

01-1 답 0

|**해결 전략**| 삼각함수의 성질을 이용한다.

$\sin\left(\frac{\pi}{2}+\theta\right)=\cos\theta$, $\cos(\pi+\theta)=-\cos\theta$

$\cos\left(\frac{3}{2}\pi-\theta\right)=-\sin\theta$, $\sin(-\theta)=-\sin\theta$

$\therefore$ (주어진 식)$=\cos\theta+(-\cos\theta)+(-\sin\theta)-(-\sin\theta)$
$=0$

01-2 답 0

|**해결 전략**| 삼각함수의 성질을 이용한다.

$\sin\left(\frac{\pi}{2}+\theta\right)=\cos\theta$, $\cos(3\pi-\theta)=\cos(\pi-\theta)=-\cos\theta$

$\cos(\pi+\theta)=-\cos\theta$, $\sin\left(\frac{5}{2}\pi+\theta\right)=\sin\left(\frac{\pi}{2}+\theta\right)=\cos\theta$

$\cos\left(\frac{\pi}{2}+\theta\right)=-\sin\theta$, $\sin(\pi-\theta)=\sin\theta$

$\therefore$ (주어진 식)$=\frac{\cos\theta(-\cos\theta)}{-\cos\theta}+\frac{\cos\theta(-\sin\theta)}{\sin\theta}$
$=\cos\theta-\cos\theta=0$

02-1 답 $\frac{89}{2}$

|**해결 전략**| 두 각의 크기의 합이 90°인 것끼리 묶고, $\cos(90°-\theta)=\sin\theta$, $\sin^2\theta+\cos^2\theta=1$임을 이용한다.

$\cos 89°=\cos(90°-1°)=\sin 1°$,

$\cos 88°=\cos(90°-2°)=\sin 2°$, …이므로

(주어진 식)

$=(\cos^2 1°+\cos^2 89°)+(\cos^2 2°+\cos^2 88°)$
$+\cdots+(\cos^2 44°+\cos^2 46°)+\cos^2 45°+\cos^2 90°$

$=(\cos^2 1°+\sin^2 1°)+(\cos^2 2°+\sin^2 2°)$
$+\cdots+(\cos^2 44°+\sin^2 44°)+\cos^2 45°+\cos^2 90°$

$=1\times 44+\left(\frac{\sqrt{2}}{2}\right)^2+0=\frac{89}{2}$

02-2 답 1

|**해결 전략**| 두 각의 크기의 합이 90°인 것끼리 묶고, $\tan(90°-\theta)=\frac{1}{\tan\theta}$임을 이용한다.

$\tan 89°=\tan(90°-1°)=\frac{1}{\tan 1°}$,

$\tan 88°=\tan(90°-2°)=\frac{1}{\tan 2°}$, …이므로

(주어진 식)

$=(\tan 1°\times\tan 89°)\times(\tan 2°\times\tan 88°)$
$\times\cdots\times(\tan 44°\times\tan 46°)\times\tan 45°$

$=\left(\tan 1°\times\frac{1}{\tan 1°}\right)\times\left(\tan 2°\times\frac{1}{\tan 2°}\right)$
$\times\cdots\times\left(\tan 44°\times\frac{1}{\tan 44°}\right)\times\tan 45°$

$=1$

03-1 답 (1) 최댓값: 9, 최솟값: 5 (2) 최댓값: $\frac{7}{3}$, 최솟값: 1

|**해결 전략**| (1) $\cos x=t$로 놓고, 절댓값 기호를 포함한 일차함수의 최댓값과 최솟값을 구한다.

(2) $\cos x=t$로 놓고, 유리함수의 최댓값과 최솟값을 구한다.

(1) $y=|-2\cos x-2|+5$에서 $\cos x=t$로 놓으면 $-1\le t\le 1$이고 $y=|-2t-2|+5=2|t+1|+5$

$t\ge-1$일 때,

$y=2(t+1)+5=2t+7$

$t<-1$일 때,

$y=-2(t+1)+5=-2t+3$

$-1\le t\le 1$에서 이 함수의 그래프는 오른쪽 그림과 같으므로

$t=1$일 때 최댓값은 9,

$t=-1$일 때 최솟값은 5이다.

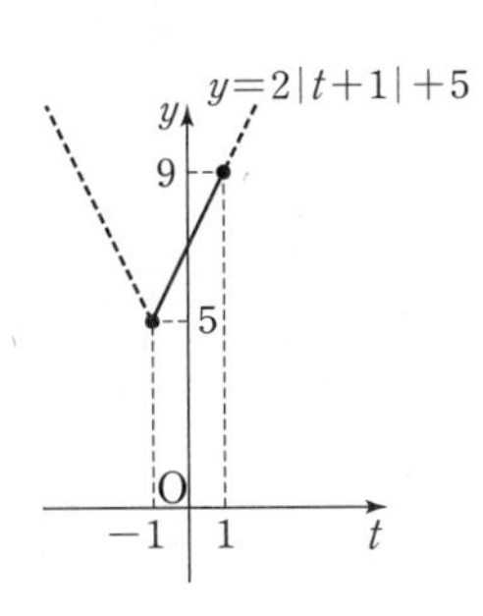

(2) $y=\frac{3\cos x-4}{\cos x-2}$에서 $\cos x=t$로 놓으면 $-1\le t\le 1$이고

$y=\frac{3t-4}{t-2}=\frac{3(t-2)+2}{t-2}$

$=\frac{2}{t-2}+3$

$-1\le t\le 1$에서 이 함수의 그래프는 오른쪽 그림과 같으므로

$t=-1$일 때 최댓값은 $\frac{7}{3}$,

$t=1$일 때 최솟값은 1이다.

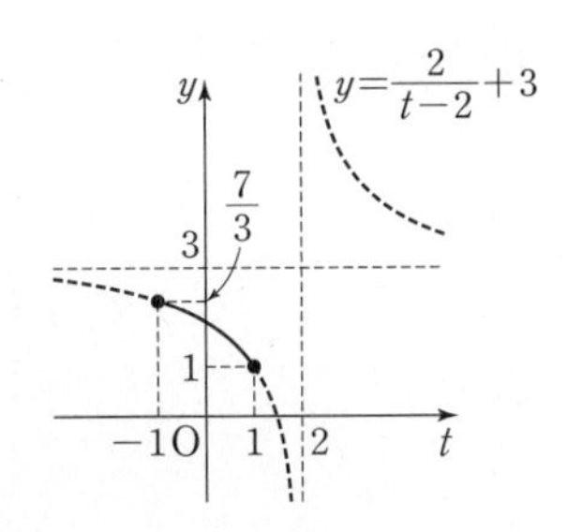

다른 풀이

(1) $-1\le\cos x\le 1$이므로 $-4\le-2\cos x-2\le 0$

$0 \le |-2\cos x-2| \le 4 \quad \therefore 5 \le |-2\cos x-2|+5 \le 9$

따라서 최댓값은 9, 최솟값은 5이다.

(2) $y=\dfrac{3\cos x-4}{\cos x-2}=\dfrac{2}{\cos x-2}+3$에서 $-3 \le \cos x-2 \le -1$이므로

$-1 \le \dfrac{1}{\cos x-2} \le -\dfrac{1}{3} \qquad \therefore 1 \le \dfrac{2}{\cos x-2}+3 \le \dfrac{7}{3}$

따라서 최댓값은 $\dfrac{7}{3}$, 최솟값은 1이다.

04-1 답 4

|해결 전략| $\sin^2 x=1-\cos^2 x$임을 이용하여 $\cos x$에 대한 이차식으로 나타낸다.

$\sin^2 x+\cos^2 x=1$이므로

$y=\sin^2 x-2\cos x=(1-\cos^2 x)-2\cos x$

$\quad =-\cos^2 x-2\cos x+1$

$\cos x=t$로 놓으면 $-1 \le t \le 1$이고

$y=-t^2-2t+1=-(t+1)^2+2$

$-1 \le t \le 1$에서 이 함수의 그래프는 오른쪽 그림과 같으므로

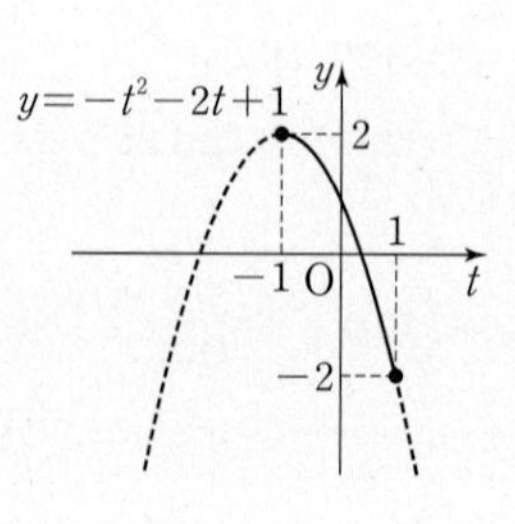

$t=-1$일 때 최댓값은 $M=2$,

$t=1$일 때 최솟값은 $m=-2$이다.

$\therefore M-m=2-(-2)=4$

04-2 답 최댓값: 3, 최솟값: 2

|해결 전략| $\tan(\pi+x)=\tan x$, $\tan(\pi-x)=-\tan x$임을 이용하여 $\tan x$에 대한 이차식으로 나타낸다.

$\tan(\pi+x)=\tan x$, $\tan(\pi-x)=-\tan x$이므로

$y=\tan^2(\pi+x)+2\tan(\pi-x)+3$

$\quad =\tan^2 x-2\tan x+3$

$\tan x=t$로 놓으면 $0 \le t \le 1$이고

$y=t^2-2t+3=(t-1)^2+2$

$0 \le t \le 1$에서 이 함수의 그래프는 오른쪽 그림과 같으므로

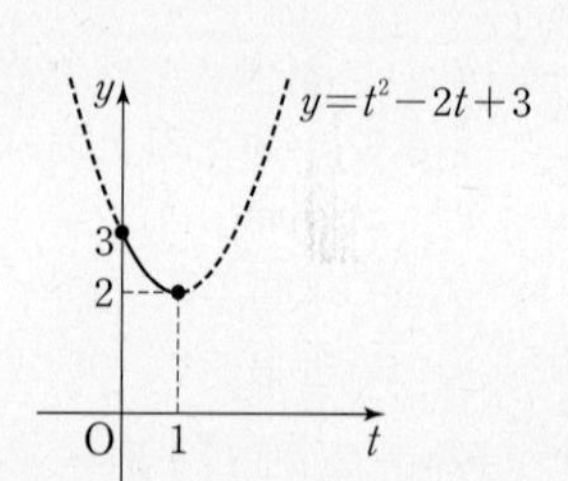

$t=0$일 때 최댓값은 3,

$t=1$일 때 최솟값은 2이다.

3 삼각방정식과 삼각부등식

개념 확인 164쪽~165쪽

1 (1) $x=\dfrac{2}{3}\pi$ 또는 $x=\dfrac{4}{3}\pi$ (2) $x=\dfrac{\pi}{3}$ 또는 $x=\dfrac{4}{3}\pi$

2 (1) $\dfrac{\pi}{3} \le x \le \dfrac{2}{3}\pi$

(2) $0 \le x < \dfrac{\pi}{4}$ 또는 $\dfrac{\pi}{2} < x < \dfrac{5}{4}\pi$ 또는 $\dfrac{3}{2}\pi < x < 2\pi$

1 (1) $0 \le x < 2\pi$일 때, 함수 $y=\cos x$의 그래프와 직선 $y=-\dfrac{1}{2}$은 다음 그림과 같으므로 교점의 x좌표는 $\dfrac{2}{3}\pi$, $\dfrac{4}{3}\pi$이다.

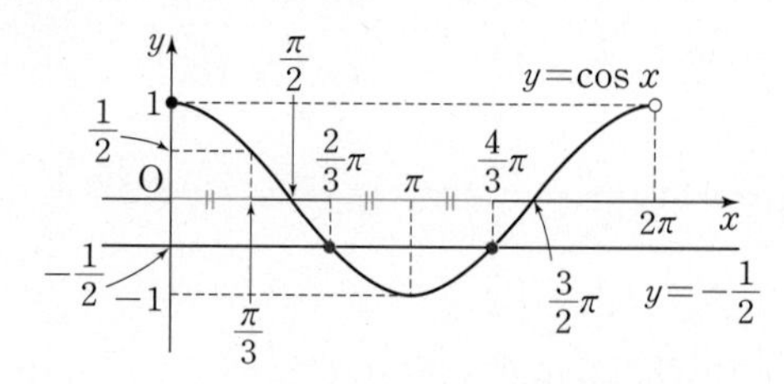

따라서 구하는 방정식의 해는 $x=\dfrac{2}{3}\pi$ 또는 $x=\dfrac{4}{3}\pi$

(2) $0 \le x < 2\pi$일 때, 함수 $y=\tan x$의 그래프와 직선 $y=\sqrt{3}$은 다음 그림과 같으므로 교점의 x좌표는 $\dfrac{\pi}{3}$, $\dfrac{4}{3}\pi$이다.

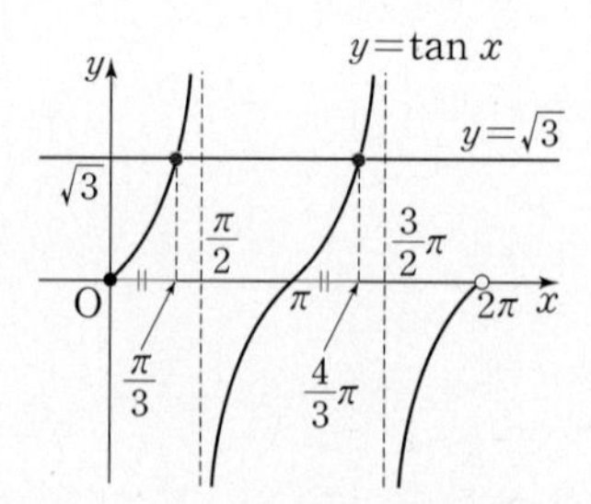

따라서 구하는 방정식의 해는 $x=\dfrac{\pi}{3}$ 또는 $x=\dfrac{4}{3}\pi$

2 (1) $0 \le x < 2\pi$일 때, 함수 $y=\sin x$의 그래프와 직선 $y=\dfrac{\sqrt{3}}{2}$은 다음 그림과 같으므로 교점의 x좌표는 $\dfrac{\pi}{3}$, $\dfrac{2}{3}\pi$이다.

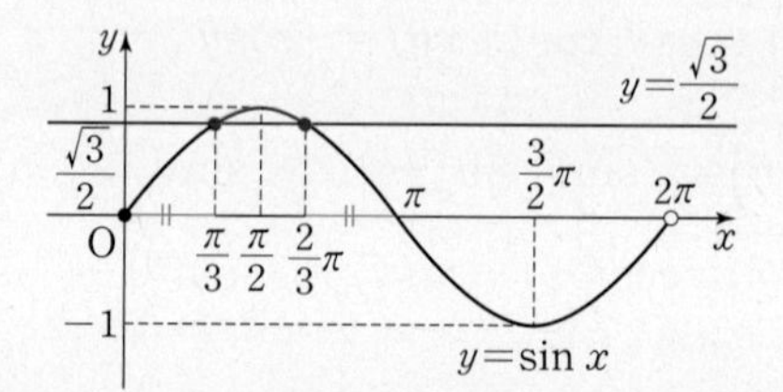

따라서 구하는 부등식의 해는 함수 $y=\sin x$의 그래프가 직선 $y=\dfrac{\sqrt{3}}{2}$보다 위쪽(경계선 포함)에 있는 x의 값의 범위이므로

$\dfrac{\pi}{3} \le x \le \dfrac{2}{3}\pi$

(2) $0 \le x < 2\pi$일 때, 함수 $y=\tan x$의 그래프와 직선 $y=1$은 다음 그림과 같으므로 교점의 x좌표는 $\dfrac{\pi}{4}$, $\dfrac{5}{4}\pi$이다.

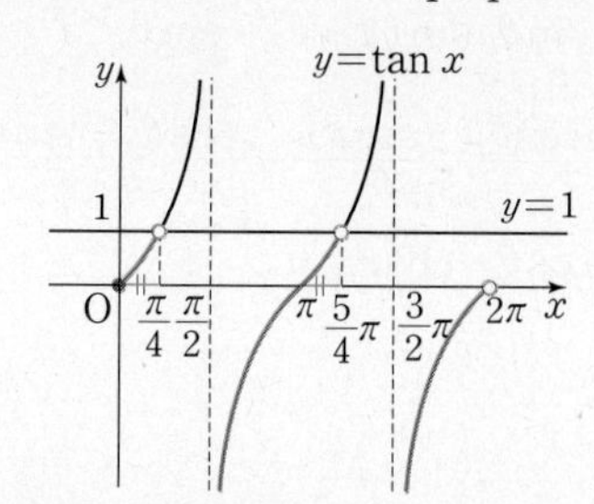

따라서 구하는 부등식의 해는 함수 $y=\tan x$의 그래프가 직선 $y=1$보다 아래쪽에 있는 x의 값의 범위이므로

$0 \le x < \dfrac{\pi}{4}$ 또는 $\dfrac{\pi}{2} < x < \dfrac{5}{4}\pi$ 또는 $\dfrac{3}{2}\pi < x < 2\pi$

STEP 1 개념 드릴 | 166쪽 |

1 (1) $x=\frac{\pi}{3}$ 또는 $x=\frac{2}{3}\pi$ (2) $x=\frac{\pi}{3}$ 또는 $x=\frac{5}{3}\pi$

(3) $x=\frac{\pi}{6}$ 또는 $x=\frac{7}{6}\pi$

2 (1) $0\le x\le\frac{\pi}{6}$ 또는 $\frac{5}{6}\pi\le x<2\pi$

(2) $0\le x<\frac{2}{3}\pi$ 또는 $\frac{4}{3}\pi<x<2\pi$

(3) $0\le x<\frac{\pi}{2}$ 또는 $\frac{3}{4}\pi<x<\frac{3}{2}\pi$ 또는 $\frac{7}{4}\pi<x<2\pi$

1 (1) $2\sin x-\sqrt{3}=0$에서 $\sin x=\frac{\sqrt{3}}{2}$

$0\le x<2\pi$일 때, 함수 $y=\sin x$의 그래프와 직선 $y=\frac{\sqrt{3}}{2}$은 다음 그림과 같으므로 교점의 x좌표는 $\frac{\pi}{3}$, $\frac{2}{3}\pi$이다.

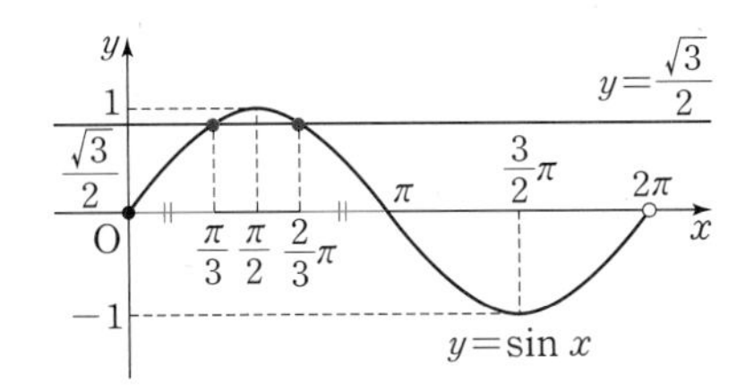

따라서 구하는 방정식의 해는 $x=\frac{\pi}{3}$ 또는 $x=\frac{2}{3}\pi$

(2) $2\cos x-1=0$에서 $\cos x=\frac{1}{2}$

$0\le x<2\pi$일 때, 함수 $y=\cos x$의 그래프와 직선 $y=\frac{1}{2}$은 다음 그림과 같으므로 교점의 x좌표는 $\frac{\pi}{3}$, $\frac{5}{3}\pi$이다.

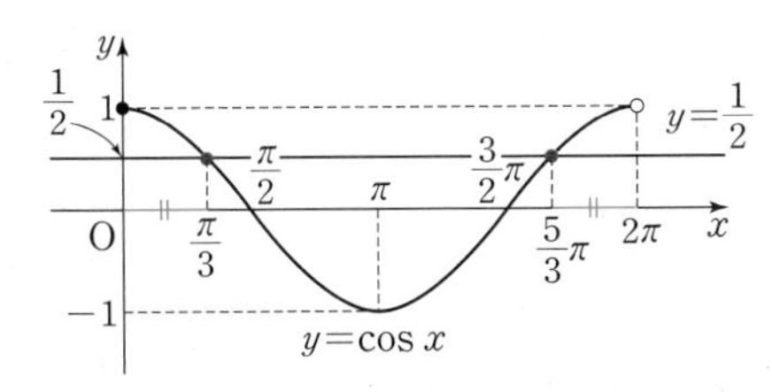

따라서 구하는 방정식의 해는 $x=\frac{\pi}{3}$ 또는 $x=\frac{5}{3}\pi$

(3) $3\tan x-\sqrt{3}=0$에서 $\tan x=\frac{1}{\sqrt{3}}$

$0\le x<2\pi$일 때, 함수 $y=\tan x$의 그래프와 직선 $y=\frac{1}{\sqrt{3}}$은 다음 그림과 같으므로 교점의 x좌표는 $\frac{\pi}{6}$, $\frac{7}{6}\pi$이다.

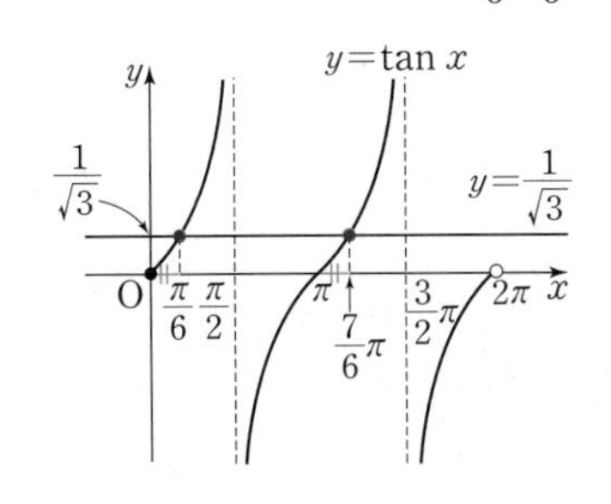

따라서 구하는 방정식의 해는

$x=\frac{\pi}{6}$ 또는 $x=\frac{7}{6}\pi$

2 (1) $0\le x<2\pi$일 때, 함수 $y=\sin x$의 그래프와 직선 $y=\frac{1}{2}$은 다음 그림과 같으므로 교점의 x좌표는 $\frac{\pi}{6}$, $\frac{5}{6}\pi$이다.

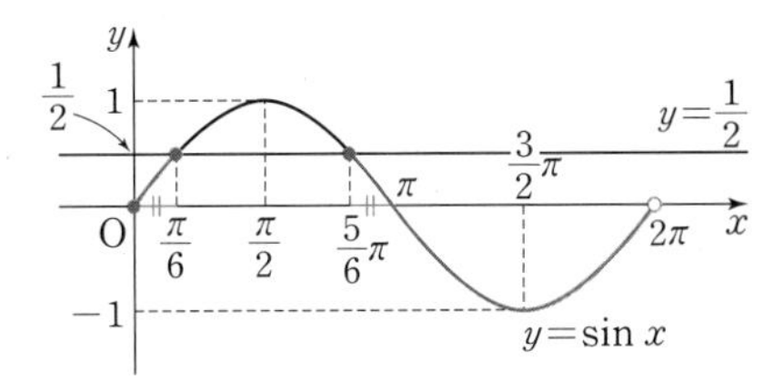

따라서 구하는 부등식의 해는 함수 $y=\sin x$의 그래프가 직선 $y=\frac{1}{2}$보다 아래쪽(경계선 포함)에 있는 x의 값의 범위이므로

$0\le x\le\frac{\pi}{6}$ 또는 $\frac{5}{6}\pi\le x<2\pi$

(2) $0\le x<2\pi$일 때, 함수 $y=\cos x$의 그래프와 직선 $y=-\frac{1}{2}$은 다음 그림과 같으므로 교점의 x좌표는 $\frac{2}{3}\pi$, $\frac{4}{3}\pi$이다.

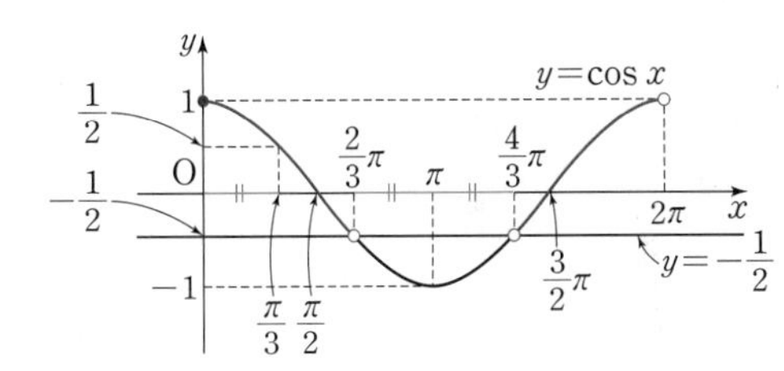

따라서 구하는 부등식의 해는 함수 $y=\cos x$의 그래프가 직선 $y=-\frac{1}{2}$보다 위쪽에 있는 x의 값의 범위이므로

$0\le x<\frac{2}{3}\pi$ 또는 $\frac{4}{3}\pi<x<2\pi$

(3) $0\le x<2\pi$일 때, 함수 $y=\tan x$의 그래프와 직선 $y=-1$은 다음 그림과 같으므로 교점의 x좌표는 $\frac{3}{4}\pi$, $\frac{7}{4}\pi$이다.

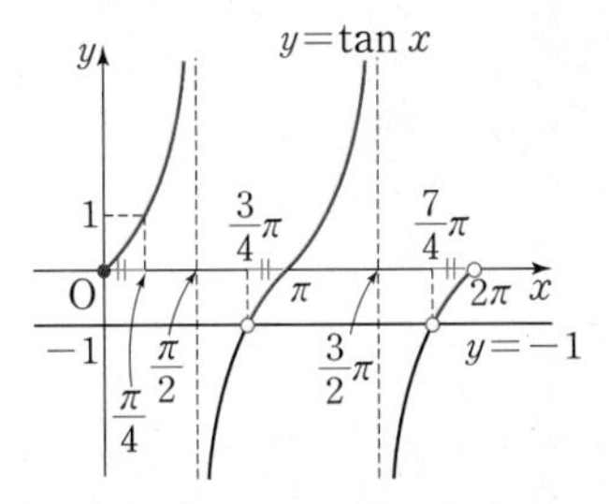

따라서 구하는 부등식의 해는 함수 $y=\tan x$의 그래프가 직선 $y=-1$보다 위쪽에 있는 x의 값의 범위이므로

$0\le x<\frac{\pi}{2}$ 또는 $\frac{3}{4}\pi<x<\frac{3}{2}\pi$ 또는 $\frac{7}{4}\pi<x<2\pi$

01-1 답 $x=\frac{\pi}{2}$ 또는 $x=\frac{3}{2}\pi$

|해결 전략| $x-\frac{\pi}{6}=t$로 놓고 t의 값의 범위에서 $\tan t=k$의 방정식을 푼다.

$x-\frac{\pi}{6}=t$라 하면 $0\le x<2\pi$에서 $-\frac{\pi}{6}\le x-\frac{\pi}{6}<\frac{11}{6}\pi$

$\therefore -\frac{\pi}{6}\le t<\frac{11}{6}\pi$

$\sqrt{3}\tan\left(x-\frac{\pi}{6}\right)=3$에서 $\sqrt{3}\tan t=3 \qquad \therefore \tan t=\sqrt{3}$

$-\frac{\pi}{6}\le t<\frac{11}{6}\pi$일 때, 함수 $y=\tan t$의 그래프와 직선 $y=\sqrt{3}$은 다음 그림과 같으므로 교점의 t좌표는 $\frac{\pi}{3}$, $\frac{4}{3}\pi$이다.

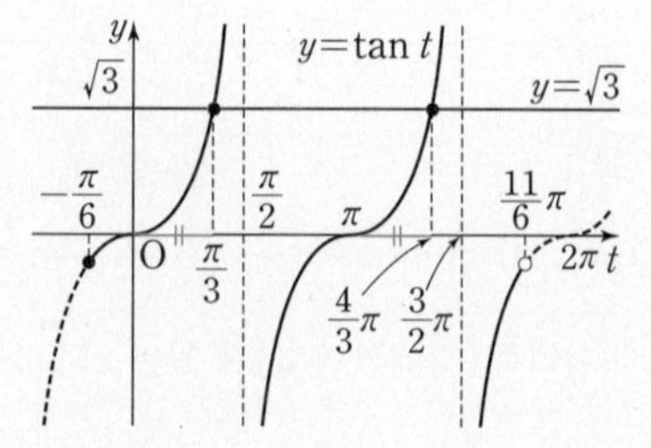

방정식 $\tan t=\sqrt{3}$의 해는 $t=\frac{\pi}{3}$ 또는 $t=\frac{4}{3}\pi$

즉, $x-\frac{\pi}{6}=\frac{\pi}{3}$ 또는 $x-\frac{\pi}{6}=\frac{4}{3}\pi$이므로 $x=\frac{\pi}{2}$ 또는 $x=\frac{3}{2}\pi$

01-2 답 $\frac{14}{3}\pi$

|해결 전략| $\frac{x}{2}+\frac{\pi}{3}=t$로 놓고 t의 값의 범위에서 $\sin t=k$의 방정식을 푼다.

$\frac{x}{2}+\frac{\pi}{3}=t$라 하면 $\pi<x<3\pi$에서 $\frac{\pi}{2}<\frac{x}{2}<\frac{3}{2}\pi$

$\frac{5}{6}\pi<\frac{x}{2}+\frac{\pi}{3}<\frac{11}{6}\pi \qquad \therefore \frac{5}{6}\pi<t<\frac{11}{6}\pi$

$2\sin\left(\frac{x}{2}+\frac{\pi}{3}\right)+\sqrt{3}=0$에서 $2\sin t+\sqrt{3}=0$

$\therefore \sin t=-\frac{\sqrt{3}}{2}$

$\frac{5}{6}\pi<t<\frac{11}{6}\pi$일 때, 함수 $y=\sin t$의 그래프와 직선 $y=-\frac{\sqrt{3}}{2}$은 다음 그림과 같으므로 교점의 t좌표는 $\frac{4}{3}\pi$, $\frac{5}{3}\pi$이다.

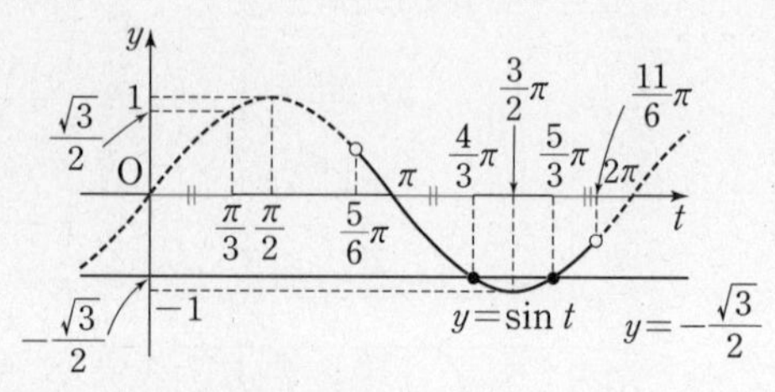

방정식 $\sin t=-\frac{\sqrt{3}}{2}$의 해는 $t=\frac{4}{3}\pi$ 또는 $t=\frac{5}{3}\pi$

즉, $\frac{x}{2}+\frac{\pi}{3}=\frac{4}{3}\pi$ 또는 $\frac{x}{2}+\frac{\pi}{3}=\frac{5}{3}\pi$이므로 $x=2\pi$ 또는 $x=\frac{8}{3}\pi$

따라서 모든 해의 합은 $2\pi+\frac{8}{3}\pi=\frac{14}{3}\pi$

02-1 답 $x=\frac{5}{3}\pi$

|해결 전략| $\sin^2 x+\cos^2 x=1$을 이용하여 $\cos x$에 대한 방정식을 푼다.

$\sin^2 x=1-\cos^2 x$이므로 $4(1-\cos^2 x)=4\cos x+1$

$4\cos^2 x+4\cos x-3=0$, $(2\cos x-1)(2\cos x+3)=0$

이때, $2\cos x+3>0$이므로 $2\cos x-1=0 \qquad \therefore \cos x=\frac{1}{2}$

따라서 $\pi<x<2\pi$일 때, $x=\frac{5}{3}\pi$

02-2 답 $\frac{7}{2}\pi$

|해결 전략| $\sin^2 x+\cos^2 x=1$을 이용하여 $\cos x$에 대한 방정식을 푼다.

$\sin^2 x=1-\cos^2 x$이므로 $(1-\cos^2 x)+\sin x\cos x-1=0$

$\cos x(\sin x-\cos x)=0 \qquad \therefore \cos x=0$ 또는 $\sin x=\cos x$

$0\le x<2\pi$에서 주어진 방정식의 해는

(i) $\cos x=0$이면 $x=\frac{\pi}{2}$ 또는 $x=\frac{3}{2}\pi$

(ii) $\sin x=\cos x$이면 $x=\frac{\pi}{4}$ 또는 $x=\frac{5}{4}\pi$

(i), (ii)에서 $x=\frac{\pi}{4}$ 또는 $x=\frac{\pi}{2}$ 또는 $x=\frac{5}{4}\pi$ 또는 $x=\frac{3}{2}\pi$

따라서 모든 x의 값의 합은

$\frac{\pi}{4}+\frac{\pi}{2}+\frac{5}{4}\pi+\frac{3}{2}\pi=\frac{7}{2}\pi$

03-1 답 $\frac{2}{3}\pi<x\le\pi$

|해결 전략| $x-\frac{\pi}{3}=t$로 놓고 t의 값의 범위에서 $\cos t<\frac{1}{2}$의 부등식을 푼다.

$x-\frac{\pi}{3}=t$로 놓으면 $0\le x\le\pi$에서 $-\frac{\pi}{3}\le t\le\frac{2}{3}\pi$

$\cos\left(x-\frac{\pi}{3}\right)<\frac{1}{2}$에서 $\cos t<\frac{1}{2}$

$-\frac{\pi}{3}\le t\le\frac{2}{3}\pi$일 때, 함수 $y=\cos t$의 그래프와 직선 $y=\frac{1}{2}$은 다음 그림과 같으므로 부등식 $\cos t<\frac{1}{2}$의 해는 $\frac{\pi}{3}<t\le\frac{2}{3}\pi$

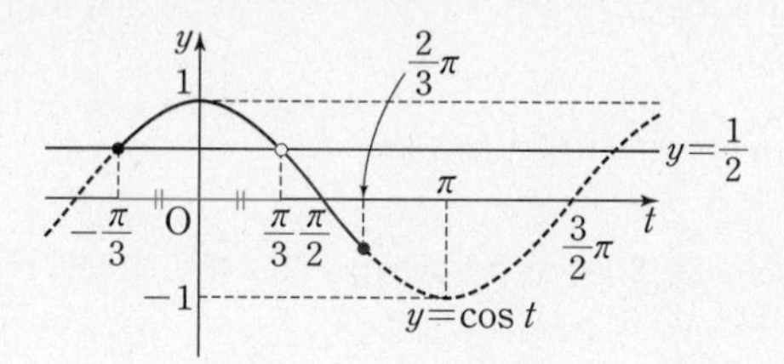

따라서 $t=x-\frac{\pi}{3}$이므로 $\frac{\pi}{3}<x-\frac{\pi}{3}\le\frac{2}{3}\pi \qquad \therefore \frac{2}{3}\pi<x\le\pi$

03-2 답 1

|해결 전략| $\sin^2 x+\cos^2 x=1$을 이용하여 $\sin x$에 대한 부등식을 푼다.

$\cos^2 x=1-\sin^2 x$이므로 $1-\sin^2 x+\sin x-1\ge 0$

$\sin x(\sin x-1)\le 0 \qquad \therefore 0\le\sin x\le 1$

$0\le x<2\pi$일 때, 함수 $y=\sin x$의 그래프와 직선 $y=0$, $y=1$은 다음 그림과 같다.

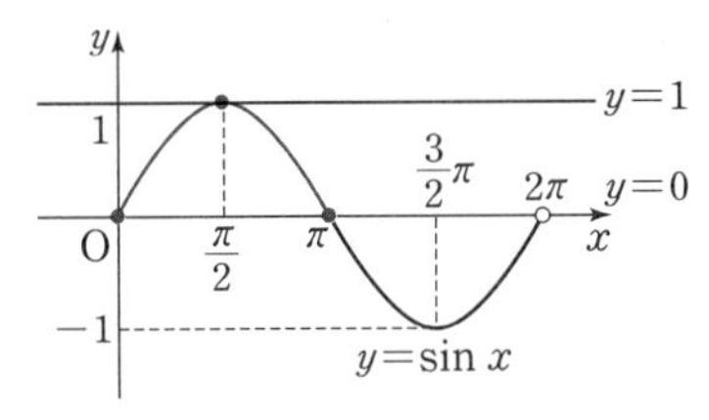

따라서 주어진 부등식의 해는 $0\le x\le \pi$이므로

$\alpha=0$, $\beta=\pi$

$\therefore \cos^2(\alpha+\beta)=\cos^2\pi=(\cos\pi)^2=(-1)^2=1$

04-1 답 $0\le\theta<\frac{7}{6}\pi$ 또는 $\frac{11}{6}\pi<\theta<2\pi$

|**해결 전략**| 이차방정식이 서로 다른 두 실근을 가지려면 판별식 $D>0$이어야 함을 이용한다.

주어진 이차방정식이 서로 다른 두 실근을 가지려면 판별식 $D>0$이어야 하므로

$\frac{D}{4}=(\sqrt{2}\cos\theta)^2-(-3\sin\theta)>0$

$2\cos^2\theta+3\sin\theta>0$

이때, $\cos^2\theta=1-\sin^2\theta$이므로 $2(1-\sin^2\theta)+3\sin\theta>0$

$2\sin^2\theta-3\sin\theta-2<0$, $(2\sin\theta+1)(\sin\theta-2)<0$

그런데 $\sin\theta-2<0$이므로 $2\sin\theta+1>0$

$\therefore \sin\theta>-\frac{1}{2}$

$0\le\theta<2\pi$일 때, 함수 $y=\sin\theta$의 그래프와 직선 $y=-\frac{1}{2}$은 다음 그림과 같으므로 구하는 θ의 값의 범위는

$0\le\theta<\frac{7}{6}\pi$ 또는 $\frac{11}{6}\pi<\theta<2\pi$

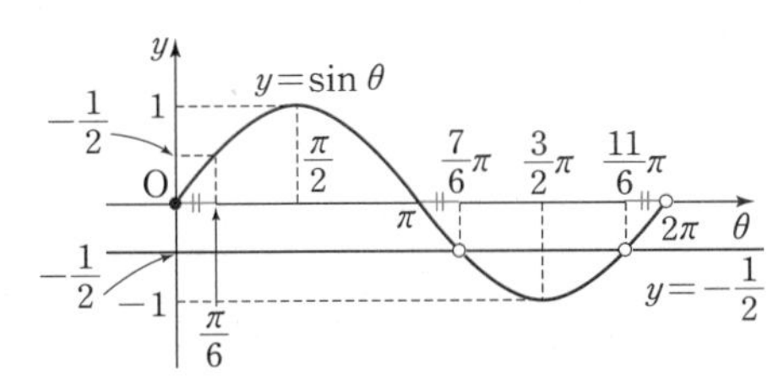

04-2 답 $\frac{\pi}{3}<\theta<\frac{2}{3}\pi$ 또는 $\frac{4}{3}\pi<\theta<\frac{5}{3}\pi$

|**해결 전략**| 모든 실수 x에 대하여 이차부등식 $ax^2+bx+c>0$이 항상 성립하려면 $a>0$, $b^2-4ac<0$이어야 함을 이용한다.

모든 실수 x에 대하여 부등식 $x^2+4x\cos\theta+1>0$이 항상 성립해야 하므로 이차방정식 $x^2+4x\cos\theta+1=0$이 허근을 가져야 한다.

즉, 이차방정식 $x^2+4x\cos\theta+1=0$에서 판별식 $D<0$이어야 하므로

$\frac{D}{4}=(2\cos\theta)^2-1<0$, $4\cos^2\theta-1<0$

$(2\cos\theta+1)(2\cos\theta-1)<0$

$\therefore -\frac{1}{2}<\cos\theta<\frac{1}{2}$

$0\le\theta<2\pi$일 때, 함수 $y=\cos\theta$의 그래프와 직선 $y=-\frac{1}{2}$, $y=\frac{1}{2}$은 다음 그림과 같으므로 구하는 θ의 값의 범위는

$\frac{\pi}{3}<\theta<\frac{2}{3}\pi$ 또는 $\frac{4}{3}\pi<\theta<\frac{5}{3}\pi$

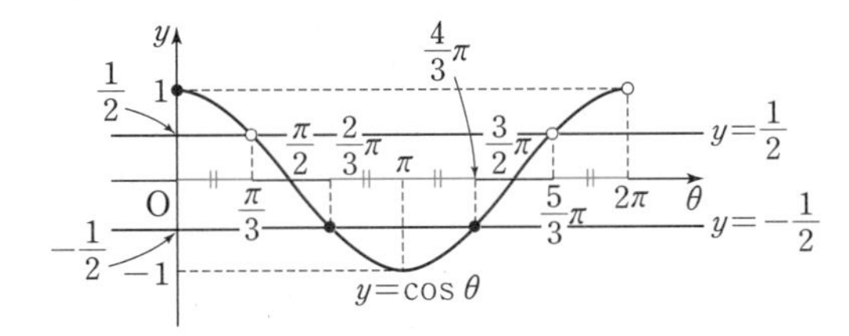

STEP 3 유형 드릴

| 171쪽~173쪽 |

1-1 답 ⑤

|**해결 전략**| 함수 $y=3\cos 2x-1$의 그래프의 성질을 안다.

① 주기는 $\frac{2\pi}{2}=\pi$이다.

② 최댓값은 $3-1=2$이다.

③ 최솟값은 $-3-1=-4$이다.

④ 함수 $y=3\cos 2x-1$의 그래프는 함수 $y=3\cos 2x$의 그래프를 y축의 방향으로 -1만큼 평행이동한 것이므로 y축에 대하여 대칭이다.

⑤ 함수 $y=3\cos x$의 그래프는 주기가 2π이고 함수 $y=3\cos 2x-1$의 그래프는 주기가 π이므로 두 그래프는 평행이동하여 겹칠 수 없다.

따라서 옳지 않은 것은 ⑤이다.

1-2 답 ⑤

|**해결 전략**| 함수 $y=2\tan\frac{x}{2}+1$의 그래프의 성질을 안다.

① 주기는 $\frac{\pi}{\frac{1}{2}}=2\pi$이다.

②, ③ 최댓값과 최솟값은 없다.

④ 점 $(0, 1)$에 대하여 대칭이다.

⑤ 직선 $x=2\left(n\pi+\frac{\pi}{2}\right)=2n\pi+\pi$ (n은 정수)를 점근선으로 가진다.

따라서 옳은 것은 ⑤이다.

2-1 답 $-\frac{3}{5}$

|**해결 전략**| 함수 $y=\sin x$의 그래프의 성질을 이용한다.

함수 $y=\sin x$의 그래프는 직선 $x=\frac{\pi}{2}$에 대하여 대칭이므로

$\frac{\alpha+\beta}{2}=\frac{\pi}{2}$ $\quad\therefore \alpha+\beta=\pi$

$\therefore f(\alpha+\beta+\gamma)=f(\pi+\gamma)=\sin(\pi+\gamma)$

$=-\sin\gamma=-\frac{3}{5}$

2-2 답 0

|해결 전략| 함수 $y=\sin 2x$의 그래프의 성질을 안다.

함수 $f(x)=\sin 2x$의 그래프는 직선 $x=\frac{\pi}{4}$ 및 $x=\frac{3}{4}\pi$에 대하여 대칭이므로 $\frac{\alpha+\beta}{2}=\frac{\pi}{4}$, $\frac{\gamma+\delta}{2}=\frac{3}{4}\pi$

즉, $\alpha+\beta=\frac{\pi}{2}$, $\gamma+\delta=\frac{3}{2}\pi$이므로

$f(\alpha+\beta+\gamma+\delta)=f(2\pi)=\sin 4\pi=0$

3-1 답 8π

|해결 전략| 함수 $y=-\sin 2x$의 그래프의 성질을 이용하여 주기, 최댓값, 최솟값을 구한다.

함수 $y=-\sin\left(2x+\frac{\pi}{2}\right)+3$의 그래프는 함수 $y=-\sin 2x$의 그래프를 x축의 방향으로 $-\frac{\pi}{4}$만큼, y축의 방향으로 3만큼 평행이동한 것이다.

주기는 $\frac{2\pi}{2}=\pi$이므로 $p=\pi$

최댓값은 $|-1|+3=4$이므로 $m=4$

최솟값은 $-|-1|+3=2$이므로 $n=2$

$\therefore mnp=4\times 2\times \pi=8\pi$

3-2 답 π

|해결 전략| 함수 $y=2\cos 3x$의 그래프의 성질을 이용하여 주기, 최댓값, 최솟값을 구한다.

함수 $y=2\cos(3x-6)+1$의 그래프는 함수 $y=2\cos 3x$의 그래프를 x축의 방향으로 2만큼, y축의 방향으로 1만큼 평행이동한 것이다.

주기는 $\frac{2\pi}{3}$이므로 $p=\frac{2}{3}\pi$

최댓값은 $2+1=3$이므로 $m=3$

최솟값은 $-2+1=-1$이므로 $n=-1$

$\therefore \frac{3p}{m+n}=\frac{3\times\frac{2}{3}\pi}{3+(-1)}=\pi$

4-1 답 10

|해결 전략| 삼각함수의 주기와 최대, 최소를 이용하여 상수 a, b, p의 값을 구한다.

$p>0$이고 주기가 2π이므로 $\frac{2\pi}{|-p|}=2\pi$에서 $p=1$

$a>0$이므로 최댓값은 $a+b=7$ ······ ㉠

또, $f\left(\frac{\pi}{2}\right)=-3$이므로

$f\left(\frac{\pi}{2}\right)=a\cos\pi+b=-a+b=-3$ ······ ㉡

㉠, ㉡을 연립하여 풀면 $a=5$, $b=2$

$\therefore a+2b+p=5+2\times 2+1=10$

4-2 답 -1

|해결 전략| 삼각함수의 주기와 최대, 최소를 이용하여 상수 a, b, c의 값을 구한다.

$b>0$이고 주기가 π이므로 $\frac{2\pi}{\left|\frac{1}{b}\right|}=\pi$에서 $b=\frac{1}{2}$

$a>0$이므로 최솟값은 $-a+c=-3$ ······ ㉠

또, $f(\pi)=0$이므로

$f(\pi)=a\sin\left(2\pi+\frac{\pi}{6}\right)+c=a\sin\frac{\pi}{6}+c=\frac{1}{2}a+c=0$ ······ ㉡

㉠, ㉡을 연립하여 풀면 $a=2$, $c=-1$

$\therefore abc=2\times\frac{1}{2}\times(-1)=-1$

5-1 답 -18π

|해결 전략| 그래프를 이용하여 삼각함수의 미정계수를 구한다.

$a>0$이고 주어진 그래프에서 최댓값이 2, 최솟값이 -4이므로

$a+d=2$, $-a+d=-4$

두 식을 연립하여 풀면 $a=3$, $d=-1$

주기가 $\frac{3}{8}\pi-\left(-\frac{\pi}{8}\right)=\frac{\pi}{2}$이므로 $\frac{2\pi}{|b|}=\frac{\pi}{2}$에서 $|b|=4$

이때, $b>0$이므로 $b=4$

또, $0<c<2\pi$에서 함수 $y=3\cos(4x-c)-1$의 그래프는 함수 $y=3\cos 4x-1$의 그래프를 x축의 방향으로 $\frac{3}{8}\pi$만큼 평행이동한 것이므로

$y=3\cos 4\left(x-\frac{3}{8}\pi\right)-1=3\cos\left(4x-\frac{3}{2}\pi\right)-1$ $\quad\therefore c=\frac{3}{2}\pi$

$\therefore abcd=3\times 4\times\frac{3}{2}\pi\times(-1)=-18\pi$

5-2 답 $\frac{16}{3}$

|해결 전략| 그래프를 이용하여 삼각함수의 미정계수를 구한다.

$a>0$이고 주어진 그래프에서 최댓값이 5, 최솟값이 -1이므로

$a+d=5$, $-a+d=-1$

두 식을 연립하여 풀면 $a=3$, $d=2$

주기가 $2\left(\frac{9}{2}\pi-\frac{3}{2}\pi\right)=6\pi$이므로 $\frac{2\pi}{|b|}=6\pi$에서 $|b|=\frac{1}{3}$

이때, $b>0$이므로 $b=\frac{1}{3}$

또, 함수 $y=3\sin\left(\frac{1}{3}x-c\right)+2$의 그래프는 점 $\left(\frac{3}{2}\pi, 5\right)$를 지나므로

$5=3\sin\left(\frac{\pi}{2}-c\right)+2$에서 $\sin\left(\frac{\pi}{2}-c\right)=1$, $\cos c=1$

$\therefore c=0\left(\because -\frac{\pi}{2}<c<\frac{\pi}{2}\right)$

$\therefore a+b+c+d=3+\frac{1}{3}+0+2=\frac{16}{3}$

6-1 답 1

|해결 전략| 삼각함수의 성질을 이용하여 식을 간단히 한다.

$\sin(\pi-\theta)\cos\left(\frac{3}{2}\pi+\theta\right)-\sin\left(\frac{\pi}{2}+\theta\right)\cos(\pi+\theta)$

$=\sin\theta\times\sin\theta-\cos\theta\times(-\cos\theta)=\sin^2\theta+\cos^2\theta=1$

6-2 답 1

|해결 전략| 삼각함수의 성질을 이용하여 식을 간단히 한다.

$$\frac{\cos(\pi+\theta)}{1+\cos\left(\frac{\pi}{2}+\theta\right)}\times\frac{\cos(\pi-\theta)}{1+\cos\left(\frac{\pi}{2}-\theta\right)}=\frac{-\cos\theta}{1-\sin\theta}\times\frac{-\cos\theta}{1+\sin\theta}$$

$$=\frac{\cos^2\theta}{1-\sin^2\theta}=\frac{\cos^2\theta}{\cos^2\theta}=1$$

7-1 답 5

|해결 전략| 두 각의 크기의 합이 90°인 것끼리 묶고, $\sin(90°-\theta)=\cos\theta$, $\sin^2\theta+\cos^2\theta=1$임을 이용한다.

$\sin(90°-\theta)=\cos\theta$이므로

(주어진 식)

$=(\sin^2 10°+\sin^2 80°)+(\sin^2 20°+\sin^2 70°)$

$\quad+(\sin^2 30°+\sin^2 60°)+(\sin^2 40°+\sin^2 50°)+\sin^2 90°$

$=(\sin^2 10°+\cos^2 10°)+(\sin^2 20°+\cos^2 20°)$

$\quad+(\sin^2 30°+\cos^2 30°)+(\sin^2 40°+\cos^2 40°)+\sin^2 90°$

$=1\times4+1=5$

7-2 답 1

|해결 전략| 두 각의 크기의 합이 90°인 것끼리 묶고, $\tan(90°-\theta)=\frac{1}{\tan\theta}$임을 이용한다.

$\tan(90°-\theta)=\frac{1}{\tan\theta}$이므로

(주어진 식)

$=(\tan^2 5°\times\tan^2 85°)\times(\tan^2 10°\times\tan^2 80°)$

$\quad\times\cdots\times(\tan^2 40°\times\tan^2 50°)\times\tan^2 45°$

$=\left(\tan^2 5°\times\frac{1}{\tan^2 5°}\right)\times\left(\tan^2 10°\times\frac{1}{\tan^2 10°}\right)$

$\quad\times\cdots\times\left(\tan^2 40°\times\frac{1}{\tan^2 40°}\right)\times\tan^2 45°$

$=1$

8-1 답 3

|해결 전략| $\sin^2 x+\cos^2 x=1$을 이용하여 $\sin x$에 대한 이차식으로 나타낸다.

$y=\sin^2\left(\frac{3}{2}\pi-x\right)+2\cos\left(\frac{\pi}{2}+x\right)+1=\cos^2 x-2\sin x+1$

$\quad=(1-\sin^2 x)-2\sin x+1=-\sin^2 x-2\sin x+2$

$\sin x=t$로 놓으면 $-1\le t\le1$이고

$y=-t^2-2t+2=-(t+1)^2+3$

$-1\le t\le1$에서 이 함수의 그래프는 오른쪽 그림과 같으므로 $t=-1$일 때, 최댓값은 3이다.

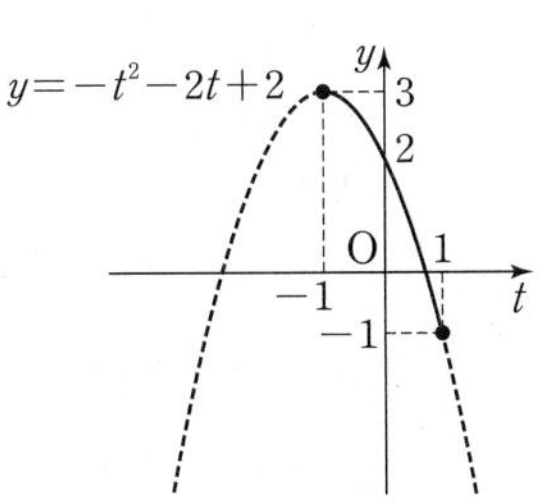

8-2 답 $-\frac{5}{4}$

|해결 전략| $\sin^2 x+\cos^2 x=1$을 이용하여 $\cos x$에 대한 이차식으로 나타낸다.

$y=\sin\left(x+\frac{\pi}{2}\right)-\sin^2(x+\pi)=\cos x-\sin^2 x$

$\quad=\cos x-(1-\cos^2 x)=\cos^2 x+\cos x-1$

$\cos x=t$로 놓으면 $-1\le t\le1$이고

$y=t^2+t-1=\left(t+\frac{1}{2}\right)^2-\frac{5}{4}$

$-1\le t\le1$에서 이 함수의 그래프는 오른쪽 그림과 같으므로 $t=-\frac{1}{2}$일 때, 최솟값은 $-\frac{5}{4}$이다.

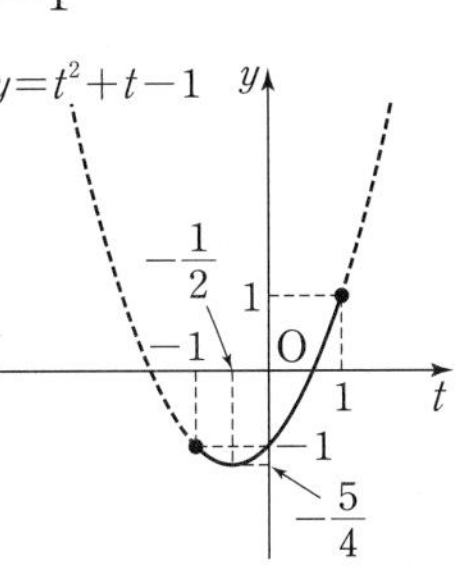

9-1 답 3π

|해결 전략| $\tan\theta=\frac{\sin\theta}{\cos\theta}$를 이용하여 $\sin\theta$, $\cos\theta$에 대한 방정식을 푼다.

$\tan\theta=2\sin\theta$에서 $\frac{\sin\theta}{\cos\theta}=2\sin\theta$

$\sin\theta=2\sin\theta\cos\theta$, $\sin\theta(2\cos\theta-1)=0$

$\therefore \sin\theta=0$ 또는 $\cos\theta=\frac{1}{2}$

(i) $\sin\theta=0$이면 $\theta=0$ 또는 $\theta=\pi$

(ii) $\cos\theta=\frac{1}{2}$이면 $\theta=\frac{\pi}{3}$ 또는 $\theta=\frac{5}{3}\pi$

따라서 모든 근의 합은

$0+\pi+\frac{\pi}{3}+\frac{5}{3}\pi=3\pi$

9-2 답 π

|해결 전략| $\tan x=\frac{\sin x}{\cos x}$, $\sin^2 x+\cos^2 x=1$을 이용하여 $\sin x$에 대한 방정식을 푼다.

$3\tan x=2\cos x$에서 $\frac{3\sin x}{\cos x}=2\cos x$

$3\sin x=2\cos^2 x$

이때, $\cos^2 x=1-\sin^2 x$이므로 $3\sin x=2(1-\sin^2 x)$

$2\sin^2 x+3\sin x-2=0$, $(2\sin x-1)(\sin x+2)=0$

그런데 $\sin x+2>0$이므로 $\sin x=\frac{1}{2}$

이때, $0\le x<\pi$이므로 $x=\frac{\pi}{6}$ 또는 $x=\frac{5}{6}\pi$

따라서 모든 근의 합은

$\frac{\pi}{6}+\frac{5}{6}\pi=\pi$

10-1 답 $\frac{2}{3}\pi$

|해결 전략| $\sin^2 x+\cos^2 x=1$을 이용하여 $\sin x$에 대한 부등식을 푼다.

$\cos^2 x=1-\sin^2 x$이므로
$2\cos^2 x+3\sin x<0$에서 $2(1-\sin^2 x)+3\sin x<0$
$2\sin^2 x-3\sin x-2>0$, $(2\sin x+1)(\sin x-2)>0$
이때, $\sin x-2<0$이므로 $2\sin x+1<0$
$\therefore \sin x<-\frac{1}{2}$
즉, $0\leq x<2\pi$에서 주어진 부등식의 해는 $\frac{7}{6}\pi<x<\frac{11}{6}\pi$이므로
$\alpha=\frac{7}{6}\pi$, $\beta=\frac{11}{6}\pi$ $\quad\therefore \beta-\alpha=\frac{2}{3}\pi$

10-2 답 $\frac{5}{6}\pi$

|해결 전략| $\sin^2 x+\cos^2 x=1$을 이용하여 $\cos x$에 대한 부등식을 푼다.
$\sin^2 x=1-\cos^2 x$이므로
$2\sin^2 x+\cos x>2$에서 $2(1-\cos^2 x)+\cos x>2$
$2\cos^2 x-\cos x<0$, $\cos x(2\cos x-1)<0$
$\therefore 0<\cos x<\frac{1}{2}$
즉, $0\leq x<\pi$에서 주어진 부등식의 해는 $\frac{\pi}{3}<x<\frac{\pi}{2}$이므로
$\alpha=\frac{\pi}{3}$, $\beta=\frac{\pi}{2}$ $\quad\therefore \alpha+\beta=\frac{5}{6}\pi$

11-1 답 $-\frac{1}{2}$

|해결 전략| 이차방정식이 실근을 가지려면 판별식 $D\geq 0$이어야 함을 이용한다.
이차방정식 $x^2-2x+2\cos\theta=0$이 실근을 가지려면 판별식 $D\geq 0$이어야 하므로
$\frac{D}{4}=(-1)^2-2\cos\theta=1-2\cos\theta\geq 0$
$\therefore \cos\theta\leq\frac{1}{2}$
즉, $0\leq\theta<2\pi$에서 이 부등식의 해는 $\frac{\pi}{3}\leq\theta\leq\frac{5}{3}\pi$이므로
$\alpha=\frac{\pi}{3}$, $\beta=\frac{5}{3}\pi$
$\therefore \cos(\beta-\alpha)=\cos\frac{4}{3}\pi=\cos\left(\pi+\frac{\pi}{3}\right)=-\cos\frac{\pi}{3}=-\frac{1}{2}$

11-2 답 1

|해결 전략| 이차방정식이 허근을 가지려면 판별식 $D<0$이어야 함을 이용한다.
이차방정식 $4x^2+4x-\sqrt{2}\sin\theta=0$이 허근을 가지려면 판별식 $D<0$이어야 하므로
$\frac{D}{4}=2^2-4\times(-\sqrt{2}\sin\theta)=4+4\sqrt{2}\sin\theta<0$
$\therefore \sin\theta<-\frac{\sqrt{2}}{2}$
즉, $0\leq\theta<2\pi$에서 이 부등식의 해는 $\frac{5}{4}\pi<\theta<\frac{7}{4}\pi$이므로
$\alpha=\frac{5}{4}\pi$, $\beta=\frac{7}{4}\pi$ $\quad\therefore \sin(\beta-\alpha)=\sin\frac{\pi}{2}=1$

7 | 사인법칙과 코사인법칙

1 사인법칙

STEP 1 개념 드릴

| 177쪽 |

1 (1) $\sqrt{3}$ (2) 1 (3) 30°
2 (1) $4\sqrt{3}$ (2) $\frac{5\sqrt{2}}{2}$ (3) 30° (4) 90°
3 (1) 1 (2) $\sqrt{3}$ (3) $20\sqrt{3}$ (4) 45° 또는 135°
4 (1) 2 : 4 : 5 (2) 3 : 4 : 5 (3) 1 : $\sqrt{3}$: 2 (4) 1 : 1 : $\sqrt{2}$

1 사인법칙을 이용하면
(1) $\frac{\sqrt{2}}{\sin 45°}=\frac{x}{\sin 60°}$에서
$x\sin 45°=\sqrt{2}\sin 60°$, $\frac{\sqrt{2}}{2}x=\sqrt{2}\times\frac{\sqrt{3}}{2}$
$\therefore x=\sqrt{3}$
(2) $\frac{x}{\sin 30°}=\frac{\sqrt{3}}{\sin 120°}$에서
$x\sin 120°=\sqrt{3}\sin 30°$, $\frac{\sqrt{3}}{2}x=\sqrt{3}\times\frac{1}{2}$
$\therefore x=1$
(3) $\frac{\sqrt{3}}{\sin x}=\frac{3}{\sin 60°}$에서
$3\sin x=\sqrt{3}\sin 60°$, $3\sin x=\sqrt{3}\times\frac{\sqrt{3}}{2}$
$\sin x=\frac{1}{2}$ $\quad\therefore x=30°\ (\because 0°<x<120°)$

2 사인법칙을 이용하면
(1) $\frac{a}{\sin 60°}=\frac{4}{\sin 30°}$에서 $a\sin 30°=4\sin 60°$
$\frac{1}{2}a=4\times\frac{\sqrt{3}}{2}$ $\quad\therefore a=4\sqrt{3}$
(2) $\frac{5}{\sin 45°}=\frac{c}{\sin 30°}$에서 $c\sin 45°=5\sin 30°$
$\frac{\sqrt{2}}{2}c=5\times\frac{1}{2}$ $\quad\therefore c=\frac{5}{\sqrt{2}}=\frac{5\sqrt{2}}{2}$
(3) $\frac{5}{\sin B}=\frac{5\sqrt{2}}{\sin 135°}$에서 $\sqrt{2}\sin B=\sin 135°$
$\sqrt{2}\sin B=\frac{\sqrt{2}}{2}$, $\sin B=\frac{1}{2}$
$\therefore B=30°\ (\because 0°<B<45°)$
(4) $\frac{4\sqrt{3}}{\sin 60°}=\frac{8}{\sin C}$에서 $\sqrt{3}\sin C=2\sin 60°$
$\sqrt{3}\sin C=2\times\frac{\sqrt{3}}{2}$, $\sin C=1$
$\therefore C=90°\ (\because 0°<C<120°)$

3 사인법칙을 이용하면

(1) $\dfrac{\sqrt{2}}{\sin 45^\circ}=2R$에서 $\dfrac{\sqrt{2}}{\frac{\sqrt{2}}{2}}=2R$ $\quad\therefore R=1$

(2) $A+B+C=180^\circ$이므로 $A=60^\circ$

$\dfrac{3}{\sin 60^\circ}=2R$에서 $\dfrac{3}{\frac{\sqrt{3}}{2}}=2R$ $\quad\therefore R=\sqrt{3}$

(3) $\dfrac{c}{\sin 120^\circ}=2\times 20$에서 $\dfrac{c}{\frac{\sqrt{3}}{2}}=40$ $\quad\therefore c=20\sqrt{3}$

(4) $\dfrac{6\sqrt{2}}{\sin B}=2\times 6$에서 $\sin B=\dfrac{\sqrt{2}}{2}$

이때, $0^\circ<B<180^\circ$이므로 $B=45^\circ$ 또는 $B=135^\circ$

4 (1) $\sin A:\sin B:\sin C=a:b:c=2:4:5$

(2) $a:b:c=\sin A:\sin B:\sin C=3:4:5$

(3) $C=180^\circ-(30^\circ+60^\circ)=90^\circ$

$\therefore a:b:c=\sin A:\sin B:\sin C$

$=\sin 30^\circ:\sin 60^\circ:\sin 90^\circ$

$=\dfrac{1}{2}:\dfrac{\sqrt{3}}{2}:1$

$=1:\sqrt{3}:2$

(4) $B=180^\circ-(45^\circ+90^\circ)=45^\circ$

$\therefore a:b:c=\sin A:\sin B:\sin C$

$=\sin 45^\circ:\sin 45^\circ:\sin 90^\circ$

$=\dfrac{\sqrt{2}}{2}:\dfrac{\sqrt{2}}{2}:1$

$=1:1:\sqrt{2}$

STEP 2 필수 유형

| 178쪽~181쪽 |

01-1 답 2

|**해결 전략**| 사인법칙을 이용하여 삼각형 ABC에서 b의 값을 구한다.

삼각형 ABC에서 $A=180^\circ-(45^\circ+75^\circ)=60^\circ$

사인법칙에 의하여 $\dfrac{\sqrt{6}}{\sin 60^\circ}=\dfrac{b}{\sin 45^\circ}$이므로

$b\sin 60^\circ=\sqrt{6}\sin 45^\circ$, $\dfrac{\sqrt{3}}{2}b=\sqrt{6}\times\dfrac{\sqrt{2}}{2}$

$\therefore b=2$

01-2 답 16π

|**해결 전략**| 사인법칙을 이용하여 외접원의 반지름의 길이를 구한다.

삼각형 ABC에서 $A=180^\circ-(30^\circ+30^\circ)=120^\circ$

이때, 삼각형 ABC의 외접원의 반지름의 길이를 R라 하면

사인법칙에 의하여 $\dfrac{4\sqrt{3}}{\sin 120^\circ}=2R$이므로 $R=\dfrac{1}{2}\times\dfrac{4\sqrt{3}}{\frac{\sqrt{3}}{2}}=4$

따라서 삼각형 ABC의 외접원의 넓이는 $\pi\times 4^2=16\pi$

02-1 답 $\sqrt{2}$

|**해결 전략**| 삼각형의 세 내각의 크기의 합은 180°임을 이용하여 세 내각의 크기를 구한다.

삼각형 ABC에서 $A+B+C=180^\circ$이므로

$A=180^\circ\times\dfrac{2}{12}=30^\circ$, $B=180^\circ\times\dfrac{3}{12}=45^\circ$

$C=180^\circ\times\dfrac{7}{12}=105^\circ$

이때, 삼각형 ABC의 외접원의 반지름의 길이를 R라 하면 사인법칙의 변형에 의하여

$$\frac{b}{a}=\frac{2R\sin 45^\circ}{2R\sin 30^\circ}=\frac{\sin 45^\circ}{\sin 30^\circ}=\frac{\frac{\sqrt{2}}{2}}{\frac{1}{2}}=\sqrt{2}$$

02-2 답 2

|**해결 전략**| 사인법칙의 변형에 의하여 $a:b:c=\sin A:\sin B:\sin C$임을 이용한다.

$\dfrac{a}{3}=\dfrac{b}{4}=\dfrac{c}{5}=l\,(l>0)$이라 하면 $a:b:c=3l:4l:5l=3:4:5$

사인법칙의 변형에 의하여 $\sin A:\sin B:\sin C=3:4:5$

이때, $\sin A=3k$, $\sin B=4k$, $\sin C=5k\,(k>0)$라 하면

$$\frac{\sin A+\sin C}{\sin(A+C)}=\frac{\sin A+\sin C}{\sin(180^\circ-B)}=\frac{\sin A+\sin C}{\sin B}$$
$$=\frac{3k+5k}{4k}=\frac{8k}{4k}=2$$

03-1 답 $B=90^\circ$인 직각삼각형

|**해결 전략**| 사인법칙의 변형을 이용하여 삼각형의 모양을 판단한다.

삼각형 ABC의 외접원의 반지름의 길이를 R라 하면 사인법칙의 변형에 의하여 $\sin A=\dfrac{a}{2R}$, $\sin B=\dfrac{b}{2R}$, $\sin C=\dfrac{c}{2R}$이므로

$\left(\dfrac{a}{2R}\right)^2+\left(\dfrac{c}{2R}\right)^2=\left(\dfrac{b}{2R}\right)^2$ $\quad\therefore a^2+c^2=b^2$

따라서 삼각형 ABC는 $B=90^\circ$인 직각삼각형이다.

03-2 답 $C=90^\circ$인 직각삼각형

|**해결 전략**| $\sin^2\theta+\cos^2\theta=1$과 사인법칙의 변형을 이용하여 삼각형의 모양을 판단한다.

$\sin^2\theta+\cos^2\theta=1$이므로 $\cos^2 A+\cos^2 B=\cos^2 C+1$에서

$(1-\sin^2 A)+(1-\sin^2 B)=(1-\sin^2 C)+1$

$\therefore \sin^2 A+\sin^2 B=\sin^2 C$

삼각형 ABC의 외접원의 반지름의 길이를 R라 하면 사인법칙의 변형에 의하여 $\sin A=\dfrac{a}{2R}$, $\sin B=\dfrac{b}{2R}$, $\sin C=\dfrac{c}{2R}$이므로

$\left(\dfrac{a}{2R}\right)^2+\left(\dfrac{b}{2R}\right)^2=\left(\dfrac{c}{2R}\right)^2$ $\quad\therefore a^2+b^2=c^2$

따라서 삼각형 ABC는 $C=90°$인 직각삼각형이다.

04-1 답 40 cm

|**해결 전략**| 사인법칙을 이용하여 외접원의 반지름의 길이를 구한다.

삼각형 ABC에서 $C=180°-(45°+105°)=30°$

이때, 삼각형 ABC의 외접원의 반지름의 길이를 R라 하면

사인법칙에 의하여 $\frac{20}{\sin C}=2R$이므로

$2R=\frac{20}{\sin 30°}=\frac{20}{\frac{1}{2}}=40$ (cm)

따라서 구하는 접시의 지름의 길이는 40 cm이다.

04-2 답 $\sqrt{3}$ km

|**해결 전략**| 세 점으로부터 같은 거리에 있는 점은 세 점을 지나는 삼각형의 외접원의 중심임을 이용한다.

상가에서 A, B, C 세 아파트 단지에 이르는 거리가 같으므로 상가는 세 점 A, B, C를 지나는 삼각형의 외접원의 중심이다.

즉, 상가와 A 단지 사이의 거리는 삼각형 ABC의 외접원의 반지름의 길이와 같다.

이때, 삼각형 ABC에서

$A=90°-30°=60°$이므로

외접원의 반지름의 길이를 R라 하면

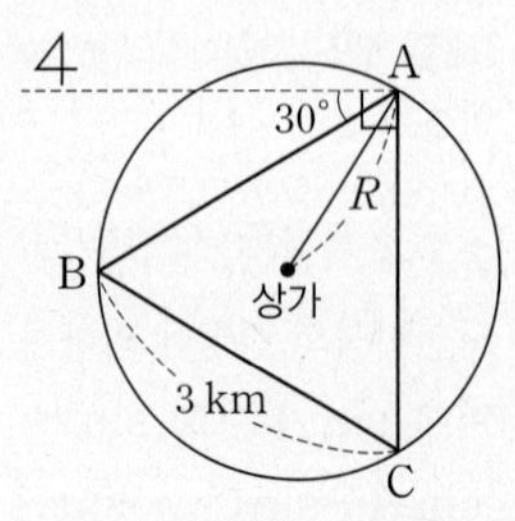

사인법칙에 의하여 $\frac{3}{\sin 60°}=2R$

$\therefore R=\frac{1}{2}\times\frac{3}{\frac{\sqrt{3}}{2}}=\sqrt{3}$ (km)

따라서 상가와 A 단지 사이의 거리는 $\sqrt{3}$ km이다.

2 코사인법칙

STEP 1 개념 드릴 | 183쪽 |

1 (1) 5 (2) $\sqrt{21}$ (3) 6 (4) $\sqrt{2}$ (5) $2\sqrt{14}$ (6) $\sqrt{13}$

2 (1) $\frac{13}{14}$ (2) $\frac{11}{12}$ (3) $\frac{29}{36}$ (4) $-\frac{\sqrt{2}}{4}$ (5) $\frac{2}{3}$ (6) 0

1 코사인법칙을 이용하면

(1) $a^2=4^2+7^2-2\times4\times7\times\frac{5}{7}=25$

$\therefore a=5$

(2) $a^2=3^2+(4\sqrt{3})^2-2\times3\times4\sqrt{3}\times\cos 30°$

$=3^2+(4\sqrt{3})^2-2\times3\times4\sqrt{3}\times\frac{\sqrt{3}}{2}=21$

$\therefore a=\sqrt{21}$

(3) $b^2=8^2+7^2-2\times8\times7\times\frac{11}{16}=36$

$\therefore b=6$

(4) $b^2=(\sqrt{2})^2+2^2-2\times\sqrt{2}\times2\times\cos 45°$

$=(\sqrt{2})^2+2^2-2\times\sqrt{2}\times2\times\frac{\sqrt{2}}{2}=2$

$\therefore b=\sqrt{2}$

(5) $c^2=8^2+6^2-2\times8\times6\times\frac{11}{24}=56$

$\therefore c=2\sqrt{14}$

(6) $c^2=3^2+4^2-2\times3\times4\times\cos 60°$

$=3^2+4^2-2\times3\times4\times\frac{1}{2}=13$

$\therefore c=\sqrt{13}$

2 코사인법칙의 변형을 이용하면

(1) $\cos A=\frac{5^2+7^2-3^2}{2\times5\times7}=\frac{65}{70}=\frac{13}{14}$

(2) $\cos A=\frac{4^2+3^2-(\sqrt{3})^2}{2\times4\times3}=\frac{22}{24}=\frac{11}{12}$

(3) $\cos B=\frac{6^2+3^2-4^2}{2\times6\times3}=\frac{29}{36}$

(4) $\cos B=\frac{(\sqrt{2})^2+1^2-2^2}{2\times\sqrt{2}\times1}=-\frac{1}{2\sqrt{2}}=-\frac{\sqrt{2}}{4}$

(5) $\cos C=\frac{4^2+3^2-3^2}{2\times4\times3}=\frac{16}{24}=\frac{2}{3}$

(6) $\cos C=\frac{(\sqrt{7})^2+3^2-4^2}{2\times\sqrt{7}\times3}=0$

STEP 2 필수 유형 | 184쪽~187쪽 |

01-1 답 90°

|**해결 전략**| 코사인법칙을 이용하여 C의 크기를 구한다.

코사인법칙에 의하여

$(\sqrt{3})^2=c^2+1^2-2\times c\times1\times\cos 60°$

$=c^2+1^2-2\times c\times1\times\frac{1}{2}$

위 식을 정리하면 $c^2-c-2=0$

$(c+1)(c-2)=0 \qquad \therefore c=2\ (\because c>0)$

또, 사인법칙에 의하여 $\frac{\sqrt{3}}{\sin 60°}=\frac{2}{\sin C}$이므로

$\sqrt{3}\sin C=2\sin 60°$, $\sqrt{3}\sin C=2\times\frac{\sqrt{3}}{2}$

$\sin C=1 \qquad \therefore C=90°\ (\because 0°<C<120°)$

다른 풀이

코사인법칙의 변형에 의하여

$\cos C=\frac{1^2+(\sqrt{3})^2-2^2}{2\times1\times\sqrt{3}}=0 \qquad \therefore C=90°\ (\because 0°<C<120°)$

01-2 답 2

|**해결 전략**| 코사인법칙을 이용하여 사각형 ABCD에서 선분 AD의 길이를 구한다.

삼각형 ABC에서 코사인법칙에 의하여

$\overline{AC}^2=2^2+3^2-2\times2\times3\times\cos60°=2^2+3^2-2\times2\times3\times\frac{1}{2}=7$

또, 삼각형 ACD에서 $\overline{AC}^2=7$이고, $\overline{AD}=x$라 하면 코사인법칙에 의하여

$7=1^2+x^2-2\times1\times x\times\cos120°=1^2+x^2-2\times1\times x\times\left(-\frac{1}{2}\right)$

위 식을 정리하면 $x^2+x-6=0$

$(x+3)(x-2)=0 \qquad \therefore x=2\ (\because x>0)$

따라서 선분 AD의 길이는 2이다.

02-1 답 135°

|**해결 전략**| 코사인법칙의 변형을 이용하여 최대각의 크기를 구한다.

삼각형의 가장 긴 변의 대각이 최대각이므로 최대각은 B이다.

코사인법칙의 변형에 의하여

$\cos B=\frac{(\sqrt{3}-1)^2+(\sqrt{2})^2-2^2}{2\times(\sqrt{3}-1)\times\sqrt{2}}=-\frac{\sqrt{2}}{2}$

$\therefore B=135°\ (\because 0°<B<180°)$

02-2 답 $\frac{3}{5}$

|**해결 전략**| $\sin A:\sin B:\sin C=a:b:c$와 코사인법칙의 변형을 이용한다.

삼각형 ABC의 외접원의 반지름의 길이를 R라 하면 사인법칙에 의하여

$\sin A=\frac{a}{2R}$, $\sin B=\frac{b}{2R}$, $\sin C=\frac{c}{2R}$이므로

$35\sin A=28\sqrt{2}\sin B=20\sqrt{2}\sin C$에서

$\frac{35a}{2R}=\frac{28b\sqrt{2}}{2R}=\frac{20c\sqrt{2}}{2R}$, $35a=28b\sqrt{2}=20c\sqrt{2}$

$\therefore a:b:c=\frac{1}{35}:\frac{1}{28\sqrt{2}}:\frac{1}{20\sqrt{2}}=4\sqrt{2}:5:7$

이때, $a=4\sqrt{2}k$, $b=5k$, $c=7k\ (k>0)$라 하면 코사인법칙의 변형에 의하여

$\cos A=\frac{(5k)^2+(7k)^2-(4\sqrt{2}k)^2}{2\times5k\times7k}=\frac{42}{70}=\frac{3}{5}$

다른 풀이

$35\sin A=28\sqrt{2}\sin B=20\sqrt{2}\sin C=l\ (l>0)$이라 하면

$\sin A=\frac{l}{35}$, $\sin B=\frac{l}{28\sqrt{2}}$, $\sin C=\frac{l}{20\sqrt{2}}$

$\therefore a:b:c=\frac{1}{35}:\frac{1}{28\sqrt{2}}:\frac{1}{20\sqrt{2}}=4\sqrt{2}:5:7$

이때, $a=4\sqrt{2}k$, $b=5k$, $c=7k\ (k>0)$라 하면 코사인법칙의 변형에 의하여

$\cos A=\frac{3}{5}$

03-1 답 $C=90°$인 직각삼각형

|**해결 전략**| 코사인법칙의 변형을 이용하여 세 변의 길이 a, b, c 사이의 관계식을 구한다.

코사인법칙의 변형에 의하여 $a+b\cos C=c\cos B$에서

$a+b\times\frac{a^2+b^2-c^2}{2ab}=c\times\frac{c^2+a^2-b^2}{2ca}$

$2a^2+a^2+b^2-c^2=c^2+a^2-b^2$

$\therefore a^2+b^2=c^2$

따라서 삼각형 ABC는 $C=90°$인 직각삼각형이다.

03-2 답 $a=b$인 이등변삼각형 또는 $C=90°$인 직각삼각형

|**해결 전략**| 코사인법칙의 변형을 이용하여 세 변의 길이 a, b, c 사이의 관계식을 구한다.

코사인법칙의 변형에 의하여 $a\cos A=b\cos B$에서

$a\times\frac{b^2+c^2-a^2}{2bc}=b\times\frac{c^2+a^2-b^2}{2ca}$

$a^2(b^2+c^2-a^2)=b^2(c^2+a^2-b^2)$

$c^2(a^2-b^2)-(a^4-b^4)=0$

$c^2(a^2-b^2)-(a^2+b^2)(a^2-b^2)=0$

$(a^2-b^2)(c^2-a^2-b^2)=0$

$\therefore a^2=b^2$ 또는 $c^2=a^2+b^2$

$\therefore a=b$ 또는 $c^2=a^2+b^2$

따라서 삼각형 ABC는 $a=b$인 이등변삼각형 또는 $C=90°$인 직각삼각형이다.

04-1 답 43.6 m

|**해결 전략**| 코사인법칙을 이용하여 두 나무 A, B 사이의 거리를 구한다.

삼각형 ABC에서 코사인법칙에 의하여

$\overline{AB}^2=30^2+50^2-2\times30\times50\times\cos60°$

$\qquad=30^2+50^2-2\times30\times50\times\frac{1}{2}=1900$

$\therefore \overline{AB}=\sqrt{1900}=10\sqrt{19}\ (\text{m})$

이때, $\sqrt{19}=4.36$이므로

$\overline{AB}=10\sqrt{19}=10\times4.36=43.6\ (\text{m})$

따라서 두 나무 A, B 사이의 거리는 43.6 m이다.

04-2 답 $\sqrt{13}$ km

|**해결 전략**| 코사인법칙을 이용하여 A 지점에서 도착점까지의 직선거리를 구한다.

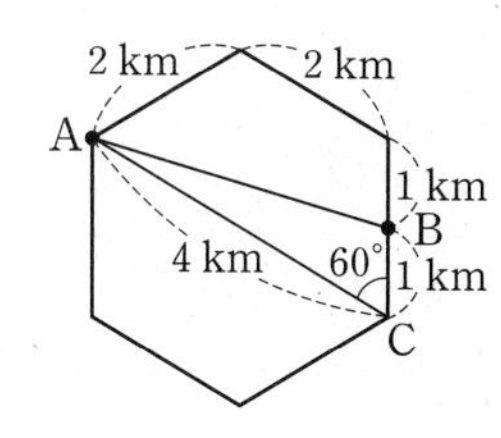

오른쪽 그림과 같이 A 지점에서 5 km를 갔을 때의 위치를 B, 6 km를 갔을 때의 위치를 C라 하면 삼각형 ACB에서

$\overline{AC}=4\text{ km}$, $\overline{BC}=1\text{ km}$,

$\angle ACB=60°$

이므로 코사인법칙에 의하여

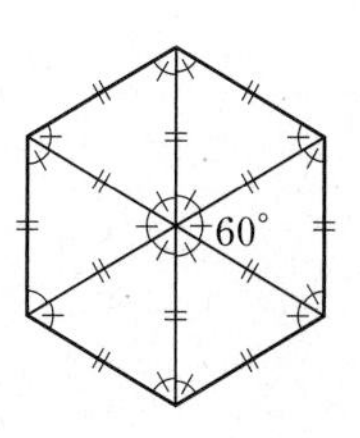

$\overline{AB}^2=4^2+1^2-2\times4\times1\times\cos60°$

$\qquad=4^2+1^2-2\times4\times1\times\frac{1}{2}=13$

$\therefore \overline{AB}=\sqrt{13}\ (\text{km})$

따라서 A 지점에서 도착점까지의 직선거리는 $\sqrt{13}$ km이다.

3 삼각형의 넓이

개념 확인 188쪽~190쪽

1 (1) $15\sqrt{2}$ (2) $6\sqrt{3}$
2 $5\sqrt{3}$
3 $12\sqrt{3}$

1 (1) $S=\frac{1}{2}\times 6\times 10\times \sin 45°=\frac{1}{2}\times 6\times 10\times \frac{\sqrt{2}}{2}=15\sqrt{2}$

(2) $S=\frac{1}{2}\times 4\times 6\times \sin 120°=\frac{1}{2}\times 4\times 6\times \frac{\sqrt{3}}{2}=6\sqrt{3}$

2 $S=2\times 5\times \sin 60°=2\times 5\times \frac{\sqrt{3}}{2}=5\sqrt{3}$

3 $S=\frac{1}{2}\times 6\times 8\times \sin 120°=\frac{1}{2}\times 6\times 8\times \frac{\sqrt{3}}{2}=12\sqrt{3}$

STEP 1 개념 드릴 | 191쪽 |

1 (1) $5\sqrt{3}$ (2) $2\sqrt{6}$ (3) $\sqrt{11}$ (4) $15\sqrt{3}$ (5) $9\sqrt{2}$
2 (1) $24\sqrt{3}$ (2) 12 (3) 10
3 (1) $\frac{15\sqrt{3}}{2}$ (2) $18\sqrt{3}$ (3) $9\sqrt{3}$

1 (1) $S=\frac{1}{2}\times 5\times 4\times \sin 60°=\frac{1}{2}\times 5\times 4\times \frac{\sqrt{3}}{2}=5\sqrt{3}$

(2) $S=\frac{1}{2}\times 2\sqrt{3}\times 4\times \sin 45°=\frac{1}{2}\times 2\sqrt{3}\times 4\times \frac{\sqrt{2}}{2}=2\sqrt{6}$

(3) $S=\frac{1}{2}\times 4\times \sqrt{11}\times \sin 30°=\frac{1}{2}\times 4\times \sqrt{11}\times \frac{1}{2}=\sqrt{11}$

(4) $S=\frac{1}{2}\times 10\times 6\times \sin 120°=\frac{1}{2}\times 10\times 6\times \frac{\sqrt{3}}{2}=15\sqrt{3}$

(5) $S=\frac{1}{2}\times 6\times 6\times \sin 135°=\frac{1}{2}\times 6\times 6\times \frac{\sqrt{2}}{2}=9\sqrt{2}$

2 (1) $S=6\times 8\times \sin 120°=6\times 8\times \frac{\sqrt{3}}{2}=24\sqrt{3}$

(2) $B=D$이므로

$S=4\times 2\sqrt{3}\times \sin 60°=4\times 2\sqrt{3}\times \frac{\sqrt{3}}{2}=12$

(3) $C=A$이므로

$S=4\times 5\times \sin 150°=4\times 5\times \frac{1}{2}=10$

3 (1) $S=\frac{1}{2}\times 5\times 6\times \sin 60°=\frac{1}{2}\times 5\times 6\times \frac{\sqrt{3}}{2}=\frac{15\sqrt{3}}{2}$

(2) $S=\frac{1}{2}\times 9\times 8\times \sin 120°=\frac{1}{2}\times 9\times 8\times \frac{\sqrt{3}}{2}=18\sqrt{3}$

(3) $S=\frac{1}{2}\times 6\times 6\times \sin 60°=\frac{1}{2}\times 6\times 6\times \frac{\sqrt{3}}{2}=9\sqrt{3}$

STEP 2 필수 유형 | 192쪽~193쪽 |

01-1 답 $3\sqrt{10}$

| **해결 전략** | 삼각형의 넓이를 구하는 공식과 코사인법칙을 이용한다.

삼각형 ABC의 넓이가 18이므로

$\frac{1}{2}\times 12\times b\times \sin 45°=18$, $\frac{1}{2}\times 12\times b\times \frac{\sqrt{2}}{2}=18$

$\therefore b=3\sqrt{2}$

따라서 코사인법칙에 의하여

$c^2=12^2+(3\sqrt{2})^2-2\times 12\times 3\sqrt{2}\times \cos 45°$

$=12^2+(3\sqrt{2})^2-2\times 12\times 3\sqrt{2}\times \frac{\sqrt{2}}{2}=90$

$\therefore c=3\sqrt{10}$ ($\because c>0$)

01-2 답 $4\sqrt{3}$

| **해결 전략** | 외접원의 반지름의 길이 R를 알고 세 내각의 크기를 알 수 있으므로 $S=2R^2\sin A\sin B\sin C$를 이용한다.

$A=30°$, $B=120°$라 하면

$C=180°-(30°+120°)=30°$

삼각형 ABC의 외접원의 반지름의 길이를 R, 삼각형 ABC의 넓이를 S라 하면 $S=2R^2\sin A\sin B\sin C$에서

$S=2\times 4^2\times \sin 30°\times \sin 120°\times \sin 30°$

$=2\times 4^2\times \frac{1}{2}\times \frac{\sqrt{3}}{2}\times \frac{1}{2}=4\sqrt{3}$

01-3 답 $12\sqrt{5}$

| **해결 전략** | 먼저 코사인법칙의 변형을 이용하여 한 각의 코사인 값을 구한다.

코사인법칙의 변형에 의하여

$\cos C=\frac{8^2+7^2-9^2}{2\times 8\times 7}=\frac{2}{7}$

그런데 $0°<C<180°$이므로 $\sin C>0$

$\therefore \sin C=\sqrt{1-\cos^2 C}=\sqrt{1-\left(\frac{2}{7}\right)^2}=\frac{3\sqrt{5}}{7}$

$\therefore \triangle ABC=\frac{1}{2}ab\sin C=\frac{1}{2}\times 8\times 7\times \frac{3\sqrt{5}}{7}=12\sqrt{5}$

다른 풀이

$s=\frac{8+7+9}{2}=12$이므로 헤론의 공식에 의하여

$\triangle ABC=\sqrt{12(12-8)(12-7)(12-9)}=12\sqrt{5}$

02-1 답 $\frac{21\sqrt{3}}{4}$

|해결 전략| 원에 내접하는 사각형의 대각의 크기의 합은 180°임을 이용한다.

사각형 ABCD가 원에 내접하므로

$\angle B=180°-\angle D=60°$

따라서 사각형 ABCD의 넓이를 S라 하면

$S=\triangle ABC+\triangle ACD$

$=\frac{1}{2}\times5\times3\times\sin60°+\frac{1}{2}\times3\times2\times\sin120°$

$=\frac{1}{2}\times5\times3\times\frac{\sqrt{3}}{2}+\frac{1}{2}\times3\times2\times\frac{\sqrt{3}}{2}$

$=\frac{15\sqrt{3}}{4}+\frac{3\sqrt{3}}{2}=\frac{21\sqrt{3}}{4}$

02-2 답 $\frac{3}{13}$

|해결 전략| 삼각함수 사이의 관계를 이용하여 $\tan^2\theta$의 값을 구한다.

사각형 ABCD의 넓이가 3이므로

$3=\frac{1}{2}\times2\times4\sqrt{3}\times\sin\theta \qquad \therefore \sin\theta=\frac{\sqrt{3}}{4}$

따라서 $\cos^2\theta=1-\sin^2\theta=1-\left(\frac{\sqrt{3}}{4}\right)^2=\frac{13}{16}$이므로

$\tan^2\theta=\frac{\sin^2\theta}{\cos^2\theta}=\frac{3}{13}$

STEP 3 유형 드릴

| 194쪽~195쪽 |

1-1 답 $2\sqrt{3}$

|해결 전략| 사인법칙을 이용하여 C의 크기를 구한 후 b의 값을 구한다.

사인법칙에 의하여 $\frac{2}{\sin30°}=\frac{4}{\sin C}$이므로

$2\sin C=4\sin30°,\ 2\sin C=4\times\frac{1}{2}$

$\sin C=1 \qquad \therefore C=90°\ (\because 0°<C<150°)$

삼각형 ABC에서

$B=180°-(90°+30°)=60°$

또, 사인법칙에 의하여 $\frac{2}{\sin30°}=\frac{b}{\sin60°}$이므로

$b\sin30°=2\sin60°,\ \frac{b}{2}=2\times\frac{\sqrt{3}}{2}$

$\therefore b=2\sqrt{3}$

1-2 답 3

|해결 전략| 사인법칙을 이용하여 C의 크기를 구한 후 a의 값을 구한다.

사인법칙에 의하여 $\frac{3\sqrt{3}}{\sin120°}=\frac{3}{\sin C}$이므로

$\sqrt{3}\sin C=\sin120°,\ \sqrt{3}\sin C=\frac{\sqrt{3}}{2}$

$\sin C=\frac{1}{2} \qquad \therefore C=30°\ (\because 0°<C<60°)$

따라서 $A=180°-(120°+30°)=30°$이므로 삼각형 ABC는 $a=c$인 이등변삼각형이다.

$\therefore a=3$

2-1 답 16

|해결 전략| 사인법칙의 변형을 이용하여 삼각형의 세 변의 길이의 합을 구한다.

삼각형 ABC의 외접원의 반지름의 길이를 R라 하면 사인법칙의 변형에 의하여

$\sin A+\sin B+\sin C=\frac{a}{2R}+\frac{b}{2R}+\frac{c}{2R}$

$=\frac{a+b+c}{2R}=\frac{8}{5}$

이때, $R=5$이므로

$a+b+c=\frac{8}{5}\times2R=\frac{8}{5}\times2\times5=16$

따라서 삼각형 ABC의 둘레의 길이는 16이다.

2-2 답 1

|해결 전략| 사인법칙의 변형을 이용하여 삼각형의 외접원의 반지름의 길이를 구한다.

삼각형 ABC의 외접원의 반지름의 길이를 R라 하면 사인법칙의 변형에 의하여

$\frac{a^3+b^3+c^3}{\sin^3A+\sin^3B+\sin^3C}$

$=\frac{(2R\sin A)^3+(2R\sin B)^3+(2R\sin C)^3}{\sin^3A+\sin^3B+\sin^3C}$

$=\frac{8R^3(\sin^3A+\sin^3B+\sin^3C)}{\sin^3A+\sin^3B+\sin^3C}$

$=8R^3=8$

$\therefore R=1$

다른 풀이

삼각형 ABC의 외접원의 반지름의 길이를 R라 하면

$\sin A=\frac{a}{2R},\ \sin B=\frac{b}{2R},\ \sin C=\frac{c}{2R}$

$\therefore \frac{a^3+b^3+c^3}{\sin^3A+\sin^3B+\sin^3C}=\frac{a^3+b^3+c^3}{\left(\frac{a}{2R}\right)^3+\left(\frac{b}{2R}\right)^3+\left(\frac{c}{2R}\right)^3}$

$=8R^3=8$

$\therefore R=1$

3-1 답 $10\sqrt{6}$ m

|해결 전략| 사인법칙을 이용하여 두 지점 A, B 사이의 거리를 구한다.

삼각형 ABC에서

$\angle A=180°-(75°+45°)=60°$

사인법칙에 의하여 $\frac{\overline{AB}}{\sin45°}=\frac{30}{\sin60°}$이므로

$\overline{AB}\times\sin 60°=30\sin 45°$, $\overline{AB}\times\frac{\sqrt{3}}{2}=30\times\frac{\sqrt{2}}{2}$

$\therefore \overline{AB}=\frac{30\sqrt{2}}{\sqrt{3}}=10\sqrt{6}$ (m)

따라서 두 지점 A, B 사이의 거리는 $10\sqrt{6}$ m이다.

3-2 답 $3\sqrt{2}$ km

|해결 전략| 사인법칙을 이용하여 두 지점 B, C 사이의 거리를 구한다.

삼각형 ABC에서

$45°+\angle C=75°$ $\quad\therefore \angle C=30°$

사인법칙에 의하여 $\frac{\overline{BC}}{\sin 45°}=\frac{3}{\sin 30°}$이므로

$\overline{BC}\times\sin 30°=3\sin 45°$, $\overline{BC}\times\frac{1}{2}=3\times\frac{\sqrt{2}}{2}$

$\therefore \overline{BC}=3\sqrt{2}$ (km)

따라서 두 지점 B, C 사이의 거리는 $3\sqrt{2}$ km이다.

4-1 답 8

|해결 전략| 코사인법칙을 이용하여 선분 AC의 길이를 구한다.

사각형 ABCD가 원에 내접하므로

$\angle B+\angle D=180°$

$\therefore \cos B=\cos(180°-D)=-\cos D=-\frac{1}{4}$

삼각형 ABC에서 코사인법칙에 의하여

$\overline{AC}^2=6^2+4^2-2\times6\times4\times\cos B$

$=6^2+4^2-2\times6\times4\times\left(-\frac{1}{4}\right)=64$

$\therefore \overline{AC}=8$ ($\because \overline{AC}>0$)

4-2 답 7

|해결 전략| 평행사변형에서 이웃하는 두 내각의 크기의 합은 180°임을 이용한다.

삼각형 ACD에서 $\angle D=180°-60°=120°$이므로 코사인법칙에 의하여

$\overline{AC}^2=5^2+3^2-2\times5\times3\times\cos 120°$

$=5^2+3^2-2\times5\times3\times\left(-\frac{1}{2}\right)=49$

$\therefore \overline{AC}=7$ ($\because \overline{AC}>0$)

5-1 답 6

|해결 전략| 삼각형 ABC에서 $\angle A$의 이등분선이 변 BC와 만나는 점을 D라 할 때, $\overline{AB}:\overline{AC}=\overline{BD}:\overline{CD}$가 성립함을 이용한다.

삼각형의 내각의 이등분선의 성질에 의하여

$\overline{AB}:\overline{AC}=\overline{BD}:\overline{CD}$이므로

$\overline{BD}=4$, $\overline{CD}=3$

이때, 삼각형 ABC에서 코사인법칙의 변형에 의하여

$\cos B=\frac{8^2+7^2-6^2}{2\times8\times7}=\frac{11}{16}$

또, 삼각형 ABD에서 코사인법칙에 의하여

$\overline{AD}^2=8^2+4^2-2\times8\times4\times\cos B$

$=8^2+4^2-2\times8\times4\times\frac{11}{16}=36$

$\therefore \overline{AD}=6$ ($\because \overline{AD}>0$)

5-2 답 5

|해결 전략| 코사인법칙의 변형을 이용하여 $\angle B$ 또는 $\angle C$의 코사인 값을 구한다.

삼각형 ABC에서 코사인법칙의 변형에 의하여

$\cos C=\frac{6^2+5^2-7^2}{2\times6\times5}=\frac{1}{5}$

또, 삼각형 ADC에서 코사인법칙에 의하여

$\overline{AD}^2=2^2+5^2-2\times2\times5\times\cos C$

$=2^2+5^2-2\times2\times5\times\frac{1}{5}=25$

$\therefore \overline{AD}=5$ ($\because \overline{AD}>0$)

6-1 답 $a=b$인 이등변삼각형

|해결 전략| 사인법칙의 변형과 코사인법칙의 변형을 이용하여 세 변의 길이 a, b, c 사이의 관계식을 구한다.

삼각형 ABC의 외접원의 반지름의 길이를 R라 하면 사인법칙의 변형과 코사인법칙의 변형에 의하여

$\sin A\cos B=\sin B\cos A$에서

$\frac{a}{2R}\times\frac{c^2+a^2-b^2}{2ca}=\frac{b}{2R}\times\frac{b^2+c^2-a^2}{2bc}$

$c^2+a^2-b^2=b^2+c^2-a^2$, $a^2=b^2$ $\quad\therefore a=b$

따라서 삼각형 ABC는 $a=b$인 이등변삼각형이다.

6-2 답 $A=90°$인 직각삼각형

|해결 전략| 코사인법칙의 변형을 이용하여 세 변의 길이 a, b, c 사이의 관계식을 구한다.

코사인법칙의 변형에 의하여 $a\cos B-b\cos A=c$에서

$a\times\frac{c^2+a^2-b^2}{2ca}-b\times\frac{b^2+c^2-a^2}{2bc}=c$

$(c^2+a^2-b^2)-(b^2+c^2-a^2)=2c^2$ $\quad\therefore a^2=b^2+c^2$

따라서 삼각형 ABC는 $A=90°$인 직각삼각형이다.

7-1 답 $\frac{3+\sqrt{3}}{2}$

|해결 전략| 변 BC의 길이를 먼저 구하고, 삼각형 ABC의 넓이를 구한다.

삼각형 ABC의 꼭짓점 A에서 변 BC에 내린 수선의 발을 H라 하면

$\overline{BC}=\overline{BH}+\overline{CH}$

$=2\cos 60°+\sqrt{6}\cos 45°$

$=2\times\frac{1}{2}+\sqrt{6}\times\frac{\sqrt{2}}{2}=1+\sqrt{3}$

$\therefore \triangle ABC=\frac{1}{2}\times\overline{AB}\times\overline{BC}\times\sin 60°$

$=\frac{1}{2}\times2\times(1+\sqrt{3})\times\frac{\sqrt{3}}{2}=\frac{3+\sqrt{3}}{2}$

7-2 답 $4+2\sqrt{2}$

|**해결 전략**| 삼각비의 성질을 이용하여 변 BC의 길이를 먼저 구하고, 삼각형 ABC의 넓이를 구한다.

삼각형 ABC의 꼭짓점 A에서 변 BC에 내린 수선의 발을 H라 하면

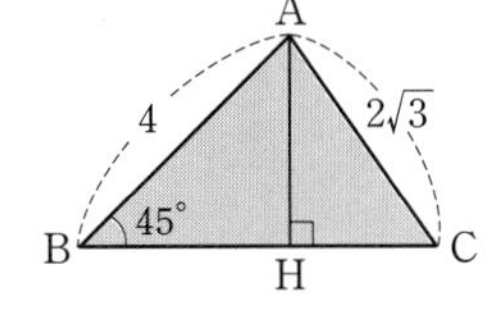

$\overline{BH}=4\cos 45^\circ=4\times\frac{\sqrt{2}}{2}=2\sqrt{2}$

$\overline{AH}=4\sin 45^\circ=4\times\frac{\sqrt{2}}{2}=2\sqrt{2}$

삼각형 ACH에서 피타고라스 정리에 의하여

$\overline{CH}=\sqrt{(2\sqrt{3})^2-(2\sqrt{2})^2}=2$이므로

$\overline{BC}=\overline{BH}+\overline{CH}=2\sqrt{2}+2$

$\therefore \triangle ABC=\frac{1}{2}\times\overline{AB}\times\overline{BC}\times\sin 45^\circ$

$=\frac{1}{2}\times 4\times(2\sqrt{2}+2)\times\frac{\sqrt{2}}{2}$

$=4+2\sqrt{2}$

8-1 답 $40\sqrt{3}$

|**해결 전략**| 코사인법칙을 이용하여 대각선 AC의 길이를 구한다.

삼각형 ACD에서 코사인법칙에 의하여

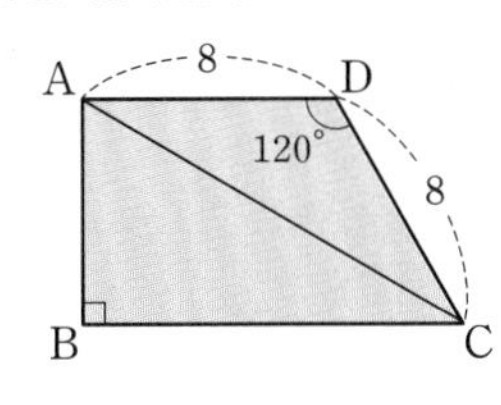

$\overline{AC}^2=8^2+8^2-2\times8\times8\times\cos 120^\circ$

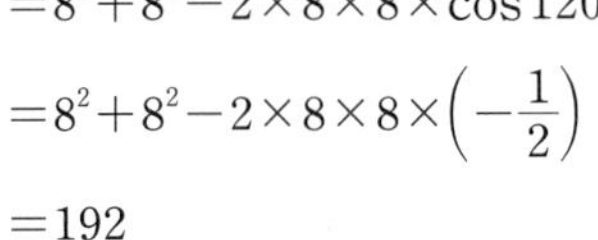

$=8^2+8^2-2\times8\times8\times\left(-\frac{1}{2}\right)$

$=192$

$\therefore \overline{AC}=8\sqrt{3}$ ($\because \overline{AC}>0$)

이때, $\overline{AB}:\overline{BC}=1:\sqrt{3}$이므로 피타고라스 정리에 의하여

$\overline{AB}:\overline{BC}:\overline{AC}=1:\sqrt{3}:2=4\sqrt{3}:12:8\sqrt{3}$

$\therefore \overline{AB}=4\sqrt{3},\ \overline{BC}=12$

$\therefore \square ABCD=\triangle ABC+\triangle ACD$

$=\frac{1}{2}\times12\times4\sqrt{3}+\frac{1}{2}\times8\times8\times\sin 120^\circ$

$=\frac{1}{2}\times12\times4\sqrt{3}+\frac{1}{2}\times8\times8\times\frac{\sqrt{3}}{2}$

$=24\sqrt{3}+16\sqrt{3}=40\sqrt{3}$

8-2 답 $32\sqrt{3}$

|**해결 전략**| 등변사다리꼴의 두 밑각의 크기가 같음을 이용하여 사각형 ABCD의 넓이를 구한다.

오른쪽 그림과 같이 점 A를 지나고 변 CD에 평행한 직선이 변 BC와 만나는 점을 E라 하면 삼각형 ABE는 한 변의 길이가 8인 정삼각형이다.

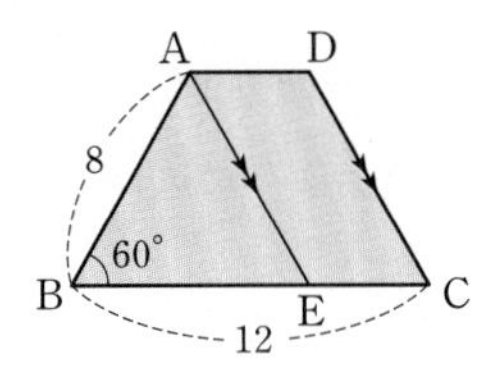

이때, $\overline{EC}=4$, $\angle C=60^\circ$이므로

$\square ABCD=\triangle ABE+\square AECD$

$=\frac{1}{2}\times8\times8\times\sin 60^\circ+8\times4\times\sin 60^\circ$

$=\frac{1}{2}\times8\times8\times\frac{\sqrt{3}}{2}+8\times4\times\frac{\sqrt{3}}{2}$

$=16\sqrt{3}+16\sqrt{3}=32\sqrt{3}$

8 | 등차수열

1 등차수열

개념 확인 198쪽~200쪽

1 제3항: 8, 제7항: 28
2 (1) 3, 5, 7, 9 (2) 2, 4, 8, 16
3 (1) $a_n=3n-5$ (2) $a_n=-5n+13$
4 (1) $x=4,\ y=-2$ (2) $x=1,\ y=\frac{11}{5}$

2 (1) $a_n=2n+1$에 $n=1,\ 2,\ 3,\ 4$를 차례로 대입하면

$a_1=2\times1+1=3,\ a_2=2\times2+1=5$

$a_3=2\times3+1=7,\ a_4=2\times4+1=9$

따라서 수열 $\{a_n\}$의 첫째항부터 제4항까지 차례로 나열하면

3, 5, 7, 9

(2) $a_n=2^n$에 $n=1,\ 2,\ 3,\ 4$를 차례로 대입하면

$a_1=2^1=2,\ a_2=2^2=4,\ a_3=2^3=8,\ a_4=2^4=16$

따라서 수열 $\{a_n\}$의 첫째항부터 제4항까지 차례로 나열하면

2, 4, 8, 16

3 (1) 첫째항이 -2, 공차가 3이므로

$a_n=-2+(n-1)\times3=3n-5$

(2) 첫째항이 8, 공차가 -5이므로

$a_n=8+(n-1)\times(-5)=-5n+13$

4 (1) x는 7과 1의 등차중항이므로 $x=\frac{7+1}{2}=4$

y는 1과 -5의 등차중항이므로 $y=\frac{1-5}{2}=-2$

(2) x는 $\frac{2}{5}$와 $\frac{8}{5}$의 등차중항이므로 $x=\frac{\frac{2}{5}+\frac{8}{5}}{2}=1$

y는 $\frac{8}{5}$과 $\frac{14}{5}$의 등차중항이므로 $y=\frac{\frac{8}{5}+\frac{14}{5}}{2}=\frac{11}{5}$

STEP 1 개념 드릴 | 201쪽 |

1 (1) 4, 9, 14, 19 (2) 3, 9, 19, 33 (3) $-1,\ 1,\ -1,\ 1$ (4) 1, 2, 5, 12
2 (1) 5, 19 (2) 11, -5 (3) $-\frac{2}{3}$, 0 (4) $\frac{1}{2}$, 0
3 (1) $a_n=3n-10$ (2) $a_n=-4n+9$ (3) $a_n=-\frac{1}{3}n-\frac{2}{3}$
4 (1) $a_n=6n-3$ (2) $a_n=2n-5$ (3) $a_n=\frac{1}{2}n-\frac{11}{2}$
5 (1) $x=-1,\ y=7$ (2) $x=3,\ y=0$

1 (1) $a_n=5n-1$에 $n=1, 2, 3, 4$를 차례로 대입하면
$a_1=5\times1-1=4$
$a_2=5\times2-1=9$
$a_3=5\times3-1=14$
$a_4=5\times4-1=19$
따라서 수열 $\{a_n\}$의 첫째항부터 제4항까지 차례로 나열하면
4, 9, 14, 19
(2) $a_n=2n^2+1$에 $n=1, 2, 3, 4$를 차례로 대입하면
$a_1=2\times1^2+1=3$
$a_2=2\times2^2+1=9$
$a_3=2\times3^2+1=19$
$a_4=2\times4^2+1=33$
따라서 수열 $\{a_n\}$의 첫째항부터 제4항까지 차례로 나열하면
3, 9, 19, 33
(3) $a_n=(-1)^n$에 $n=1, 2, 3, 4$를 차례로 대입하면
$a_1=(-1)^1=-1$
$a_2=(-1)^2=1$
$a_3=(-1)^3=-1$
$a_4=(-1)^4=1$
따라서 수열 $\{a_n\}$의 첫째항부터 제4항까지 차례로 나열하면
$-1, 1, -1, 1$
(4) $a_n=2^n-n$에 $n=1, 2, 3, 4$를 차례로 대입하면
$a_1=2^1-1=1$
$a_2=2^2-2=2$
$a_3=2^3-3=5$
$a_4=2^4-4=12$
따라서 수열 $\{a_n\}$의 첫째항부터 제4항까지 차례로 나열하면
1, 2, 5, 12

2 (1) $-2-(-9)=7$에서 공차가 7이므로
$-9, -2, \boxed{5}, 12, \boxed{19}, 26, \cdots$
(2) $3-7=-4$에서 공차가 -4이므로
$15, \boxed{11}, 7, 3, -1, \boxed{-5}, \cdots$
(3) $\frac{2}{3}-\frac{1}{3}=\frac{1}{3}$에서 공차가 $\frac{1}{3}$이므로
$-1, \boxed{-\frac{2}{3}}, -\frac{1}{3}, \boxed{0}, \frac{1}{3}, \frac{2}{3}, \cdots$
(4) $\frac{3}{2}-2=-\frac{1}{2}$에서 공차가 $-\frac{1}{2}$이므로
$2, \frac{3}{2}, 1, \boxed{\frac{1}{2}}, \boxed{0}, -\frac{1}{2}, \cdots$

3 (1) 첫째항이 -7, 공차가 3이므로
$a_n=-7+(n-1)\times3=3n-10$
(2) 첫째항이 5, 공차가 -4이므로
$a_n=5+(n-1)\times(-4)=-4n+9$
(3) 첫째항이 -1, 공차가 $-\frac{1}{3}$이므로
$a_n=-1+(n-1)\times\left(-\frac{1}{3}\right)=-\frac{1}{3}n-\frac{2}{3}$

4 (1) 첫째항이 3, 공차가 $9-3=6$이므로
$a_n=3+(n-1)\times6=6n-3$
(2) 첫째항이 -3, 공차가 $(-1)-(-3)=2$이므로
$a_n=-3+(n-1)\times2=2n-5$
(3) 첫째항이 -5, 공차가 $\left(-\frac{9}{2}\right)-(-5)=\frac{1}{2}$이므로
$a_n=-5+(n-1)\times\frac{1}{2}=\frac{1}{2}n-\frac{11}{2}$

5 (1) x는 -5와 3의 등차중항이므로 $x=\frac{-5+3}{2}=-1$
y는 3과 11의 등차중항이므로 $y=\frac{3+11}{2}=7$
(2) x는 $\frac{9}{2}$와 $\frac{3}{2}$의 등차중항이므로 $x=\frac{\frac{9}{2}+\frac{3}{2}}{2}=3$
y는 $\frac{3}{2}$과 $-\frac{3}{2}$의 등차중항이므로 $y=\frac{\frac{3}{2}-\frac{3}{2}}{2}=0$

STEP 2 필수 유형 | 202쪽~207쪽 |

01-1 답 48

|**해결 전략**| 첫째항이 a, 공차가 d인 등차수열 $\{a_n\}$의 일반항은 $a_n=a+(n-1)d$임을 이용한다.

등차수열 $\{a_n\}$의 공차를 d라 하면 첫째항은 6이므로
$a_5=6+(5-1)d=30$, $6+4d=30$
$\therefore d=6$
따라서 등차수열 $\{a_n\}$의 첫째항은 6, 공차는 6이므로
$a_n=6+(n-1)\times6=6n$
$\therefore a_8=6\times8=48$

01-2 답 22

|**해결 전략**| 첫째항이 a, 공차가 d인 등차수열 $\{a_n\}$의 일반항은 $a_n=a+(n-1)d$임을 이용한다.

등차수열 $\{a_n\}$의 첫째항을 a, 공차를 d라 하면
$a_2=a+(2-1)d=-11$에서 $a+d=-11$ …… ㉠
$a_{10}=a+(10-1)d=13$에서 $a+9d=13$ …… ㉡
㉠, ㉡을 연립하여 풀면 $a=-14$, $d=3$
따라서 등차수열 $\{a_n\}$의 첫째항은 -14, 공차는 3이므로
$a_n=-14+(n-1)\times3=3n-17$
$\therefore a_{13}=3\times13-17=22$

02-1 답 $a_n=3n-4$

|해결 전략| 주어진 조건을 등차수열 $\{a_n\}$의 첫째항 a, 공차 d에 대한 식으로 나타낸다.

등차수열 $\{a_n\}$의 첫째항을 a, 공차를 d라 하면

$a_4-a_2=6$에서 $(a+3d)-(a+d)=6$

$2d=6 \quad \therefore d=3$

$a_4+a_2=10$에서 $(a+3d)+(a+d)=10$

$2a+4d=10,\ 2a+12=10$

$\therefore a=-1$

따라서 등차수열 $\{a_n\}$의 첫째항은 -1, 공차는 3이므로

$a_n=-1+(n-1)\times3=3n-4$

다른 풀이

$a_4-a_2=6$ ······㉠

$a_4+a_2=10$ ······㉡

㉠, ㉡을 연립하여 풀면

$a_4=8,\ a_2=2$

등차수열 $\{a_n\}$의 첫째항을 a, 공차를 d라 하면

$a_4=a+3d=8,\ a_2=a+d=2$

두 식을 연립하여 풀면 $a=-1,\ d=3$

따라서 등차수열 $\{a_n\}$의 첫째항은 -1, 공차는 3이므로

$a_n=-1+(n-1)\times3=3n-4$

02-2 답 38

|해결 전략| 주어진 조건을 이용하여 일반항 a_n을 구한 후 $n=10$을 대입하여 a_{10}의 값을 구한다.

등차수열 $\{a_n\}$의 첫째항을 a, 공차를 d라 하면

$a_3-a_1=8$에서 $(a+2d)-a=8$

$2d=8 \quad \therefore d=4$

$a_3a_4=140$에서 $(a+2d)(a+3d)=140$

$(a+8)(a+12)=140,\ a^2+20a+96=140$

$a^2+20a-44=0,\ (a+22)(a-2)=0$

$\therefore a=2\ (\because a>0)$

따라서 등차수열 $\{a_n\}$의 첫째항은 2, 공차는 4이므로

$a_n=2+(n-1)\times4=4n-2$

$\therefore a_{10}=4\times10-2=38$

03-1 답 제10항

|해결 전략| 주어진 조건을 이용하여 일반항 a_n을 구한 후 $a_k=42$를 만족시키는 k의 값을 구한다.

등차수열 $\{a_n\}$의 첫째항을 a, 공차를 d라 하면

$a_2=a+(2-1)d=10$에서 $a+d=10$ ······㉠

$a_7=a+(7-1)d=30$에서 $a+6d=30$ ······㉡

㉠, ㉡을 연립하여 풀면 $a=6,\ d=4$

따라서 등차수열 $\{a_n\}$의 첫째항은 6, 공차는 4이므로

$a_n=6+(n-1)\times4=4n+2$

42를 제k항이라 하면

$4k+2=42 \quad \therefore k=10$

따라서 42는 제10항이다.

03-2 답 제26항

|해결 전략| 처음으로 양수가 되는 항은 $a_n>0$을 만족시키는 자연수 n의 최솟값을 구하면 된다.

등차수열 $\{a_n\}$의 첫째항이 -98, 공차가 4이므로

$a_n=-98+(n-1)\times4=4n-102$

이때, 처음으로 양수가 되는 항은 $a_n>0$을 만족시키는 최초의 항이므로 $4n-102>0$에서 $4n>102 \quad \therefore n>\frac{102}{4}=25.5$

따라서 이것을 만족시키는 자연수 n의 최솟값은 26이므로 처음으로 양수가 되는 항은 제26항이다.

03-3 답 -33

|해결 전략| 처음으로 -30보다 작아지는 항은 $a_n<-30$을 만족시키는 자연수 n의 최솟값을 구하면 된다.

등차수열 $\{a_n\}$의 첫째항을 a, 공차를 d라 하면

$a_1-a_4=9$에서 $a-(a+3d)=9$

$-3d=9 \quad \therefore d=-3$

$a_3+a_4=99$에서 $(a+2d)+(a+3d)=99$

$2a+5d=99,\ 2a-15=99 \quad \therefore a=57$

따라서 등차수열 $\{a_n\}$의 첫째항은 57, 공차는 -3이므로

$a_n=57+(n-1)\times(-3)=-3n+60$

이때, 처음으로 -30보다 작아지는 항은 $a_n<-30$을 만족시키는 최초의 항이므로 $-3n+60<-30$에서 $3n>90 \quad \therefore n>30$

따라서 이것을 만족시키는 자연수 n의 최솟값은 31이므로 처음으로 -30보다 작아지는 항은 제31항이다.

$\therefore k=31$

$\therefore a_{31}=-3\times31+60=-33$

04-1 답 16

|해결 전략| 등차수열의 첫째항이 -4, 제10항이 32임을 이용하여 공차를 구한다.

등차수열 $-4,\ x_1,\ x_2,\ x_3,\ \cdots,\ x_8,\ 32$의 공차를 d라 하면 첫째항이 -4, 제10항이 32이므로 $-4+9d=32$에서

$9d=36 \quad \therefore d=4$

이때, x_5는 제6항이므로

$x_5=-4+(6-1)\times4=16$

04-2 답 15

|해결 전략| 첫째항이 7, 공차가 $-\frac{3}{4}$인 등차수열의 제$(n+2)$항이 -5임을 이용하여 n의 값을 구한다.

첫째항이 7, 공차가 $-\frac{3}{4}$인 등차수열의 제$(n+2)$항이 -5이므로

$7+(n+1)\times\left(-\frac{3}{4}\right)=-5$

$-\frac{3}{4}(n+1)=-12,\ n+1=16$

$\therefore n=15$

05-1 답 24

|해결 전략| 삼차방정식의 근과 계수의 관계를 이용한다.

삼차방정식 $x^3-6x^2-4x+k=0$의 세 실근을 $a-d$, a, $a+d$로 놓으면 삼차방정식의 근과 계수의 관계에 의하여 실근의 합이 6이므로

$(a-d)+a+(a+d)=6$

$3a=6 \quad \therefore a=2$

삼차방정식 $x^3-6x^2-4x+k=0$의 한 근이 2이므로 방정식에 $x=2$를 대입하면

$2^3-6\times2^2-4\times2+k=0 \qquad \therefore k=24$

다른 풀이

삼차방정식의 세 실근을 $a-d$, a, $a+d$로 놓으면

세 수의 합이 6이므로 $(a-d)+a+(a+d)=6$ ······㉠

두 수의 곱의 합이 -4이므로

$a(a-d)+a(a+d)+(a+d)(a-d)=-4$ ······㉡

㉠에서 $3a=6 \quad \therefore a=2$

㉡에 $a=2$를 대입하면

$2(2-d)+2(2+d)+(2+d)(2-d)=-4$, $12-d^2=-4$

$d^2=16 \quad \therefore d=\pm4$

따라서 세 수는 -2, 2, 6이고 세 수의 곱이 $-k$이므로

$-k=-2\times2\times6=-24 \qquad \therefore k=24$

05-2 답 -8

|해결 전략| 등차수열을 이루는 네 수를 $a-3d$, $a-d$, $a+d$, $a+3d$로 놓고, 주어진 조건을 이용하여 식을 세운다.

등차수열을 이루는 네 수를 $a-3d$, $a-d$, $a+d$, $a+3d$로 놓으면

$(a-3d)+(a-d)+(a+d)+(a+3d)=-8$ ······㉠

$(a-3d)(a+3d)=-32$ ······㉡

㉠에서 $4a=-8 \qquad \therefore a=-2$

㉡에서 $a^2-9d^2=-32$이므로 $a=-2$를 대입하면

$4-9d^2=-32$, $d^2=4 \qquad \therefore d=\pm2$

따라서 네 수는 -8, -4, 0, 4이므로 이 중 가장 작은 수는 -8이다.

06-1 답 28

|해결 전략| 7은 b와 c의 등차중항일 뿐만 아니라 a와 d의 등차중항임을 이용한다.

7은 b와 c의 등차중항이므로

$7=\dfrac{b+c}{2} \qquad \therefore b+c=14$

또, 7은 a와 d의 등차중항이므로

$7=\dfrac{a+d}{2} \qquad \therefore a+d=14$

$\therefore a+b+c+d=(a+d)+(b+c)$

$=14+14=28$

다른 풀이

등차수열을 이루는 다섯 개의 수를 $7-2x$, $7-x$, 7, $7+x$, $7+2x$로 놓으면

$a+b+c+d=(7-2x)+(7-x)+(7+x)+(7+2x)=28$

6-2 답 5

|해결 전략| 나머지정리에 의하여 $f(x)$를 $x-1$, x, $x+2$로 나누었을 때의 나머지는 각각 $f(1)$, $f(0)$, $f(-2)$이다.

나머지정리에 의하여 $f(x)=x^2+ax+5$를 $x-1$, x, $x+2$로 나누었을 때의 나머지는 각각

$f(1)=1+a+5=a+6$, $f(0)=5$

$f(-2)=4-2a+5=-2a+9$

이때, $f(0)$은 $f(1)$과 $f(-2)$의 등차중항이므로

$f(0)=\dfrac{f(1)+f(-2)}{2}$, $5=\dfrac{(a+6)+(-2a+9)}{2}$

$-a+15=10 \qquad \therefore a=5$

2 등차수열의 합

개념 확인 208쪽~209쪽

1 1400

2 435

3 (1) $a_n=4n-2$ (2) $a_1=2$, $a_n=2n-1$ $(n\geq2)$

1 등차수열의 첫째항부터 제20항까지의 합 S_{20}은

$S_{20}=\dfrac{20(5+135)}{2}=1400$

2 등차수열의 첫째항부터 제15항까지의 합 S_{15}는

$S_{15}=\dfrac{15\{2\times8+(15-1)\times3\}}{2}=435$

3 (1) $a_1=S_1=2\times1^2=2$

$a_n=S_n-S_{n-1}$

$=2n^2-2(n-1)^2$

$=4n-2$ $(n\geq2)$ ······㉠

이때, $a_1=2$는 ㉠에 $n=1$을 대입한 것과 같다.

$\therefore a_n=4n-2$

(2) $a_1=S_1=1^2+1=2$

$a_n=S_n-S_{n-1}$

$=n^2+1-\{(n-1)^2+1\}$

$=2n-1$ $(n\geq2)$ ······㉠

이때, $a_1=2$는 ㉠에 $n=1$을 대입한 것과 다르다.

$\therefore a_1=2$, $a_n=2n-1$ $(n\geq2)$

STEP 1 개념 드릴 | 210쪽 |

1 (1) 590 (2) 572 (3) 50 (4) 992

2 (1) 407 (2) 240 (3) -350 (4) -416

3 (1) 190 (2) -360 (3) -1520 (4) 299

4 (1) $a_n=2n+1$ (2) $a_1=0$, $a_n=2n-1$ $(n\geq2)$

1 등차수열의 첫째항부터 제n항까지의 합을 S_n이라 하면

(1) $S_{20}=\frac{20(1+58)}{2}=590$

(2) $S_{11}=\frac{11(4+100)}{2}=572$

(3) $S_{10}=\frac{10\{12+(-2)\}}{2}=50$

(4) $S_{32}=\frac{32(-1+63)}{2}=992$

2 등차수열의 첫째항부터 제n항까지의 합을 S_n이라 하면

(1) $S_{11}=\frac{11\{2\times2+(11-1)\times7\}}{2}=407$

(2) $S_{15}=\frac{15\{2\times(-5)+(15-1)\times3\}}{2}=240$

(3) $S_{14}=\frac{14\{2\times1+(14-1)\times(-4)\}}{2}=-350$

(4) $S_{13}=\frac{13\{2\times(-2)+(13-1)\times(-5)\}}{2}=-416$

3 (1) 첫째항이 1, 공차가 $5-1=4$이므로 주어진 등차수열의 첫째항부터 제10항까지의 합은

$\frac{10\{2\times1+(10-1)\times4\}}{2}=190$

(2) 첫째항이 20, 공차가 $16-20=-4$이므로 주어진 등차수열의 첫째항부터 제20항까지의 합은

$\frac{20\{2\times20+(20-1)\times(-4)\}}{2}=-360$

(3) 첫째항이 1, 공차가 $(-1)-1=-2$이므로 주어진 등차수열의 첫째항부터 제40항까지의 합은

$\frac{40\{2\times1+(40-1)\times(-2)\}}{2}=-1520$

(4) 첫째항이 -7, 공차가 $(-2)-(-7)=5$이므로 주어진 등차수열의 첫째항부터 제13항까지의 합은

$\frac{13\{2\times(-7)+(13-1)\times5\}}{2}=299$

4 (1) $a_1=S_1=1^2+2\times1=3$

$a_n=S_n-S_{n-1}$

$=n^2+2n-\{(n-1)^2+2(n-1)\}$

$=2n+1\ (n\geq2)$ …… ㉠

이때, $a_1=3$은 ㉠에 $n=1$을 대입한 것과 같다.

$\therefore a_n=2n+1$

(2) $a_1=S_1=1^2-1=0$

$a_n=S_n-S_{n-1}$

$=n^2-1-\{(n-1)^2-1\}$

$=2n-1\ (n\geq2)$ …… ㉠

이때, $a_1=0$은 ㉠에 $n=1$을 대입한 것과 다르다.

$\therefore a_1=0,\ a_n=2n-1\ (n\geq2)$

STEP 2 필수 유형 | 211쪽~214쪽 |

01-1 답 -170

|**해결 전략**| 주어진 조건을 이용하여 등차수열 $\{a_n\}$의 첫째항과 공차를 구한 후 등차수열의 합을 구한다.

등차수열 $\{a_n\}$의 첫째항을 a, 공차를 d라 하면

$a_4=-28$에서 $a+3d=-28$ …… ㉠

$a_{11}=-7$에서 $a+10d=-7$ …… ㉡

㉠, ㉡을 연립하여 풀면 $a=-37,\ d=3$

따라서 등차수열 $\{a_n\}$의 첫째항부터 제20항까지의 합은

$\frac{20\{2\times(-37)+(20-1)\times3\}}{2}=-170$

01-2 답 224

|**해결 전략**| 첫째항이 a, 공차가 d인 등차수열의 첫째항부터 제n항까지의 합 S_n은 $S_n=\frac{n\{2a+(n-1)d\}}{2}$임을 이용한다.

첫째항을 a, 공차를 d라 하면

$S_6=\frac{6\{2a+(6-1)d\}}{2}=54$에서 $2a+5d=18$ …… ㉠

$S_{11}-S_6=\frac{11\{2a+(11-1)d\}}{2}-54=100$에서

$2a+10d=28$ …… ㉡

㉠, ㉡을 연립하여 풀면 $a=4,\ d=2$

따라서 등차수열 $\{a_n\}$의 제12항부터 제18항까지의 합은

$S_{18}-S_{11}=\frac{18\{2\times4+(18-1)\times2\}}{2}-(54+100)$

$=378-154=224$

02-1 답 14

|**해결 전략**| 첫째항이 양수이고 공차가 음수일 때, 처음으로 음수가 되는 항이 제k항이면 첫째항부터 제$(k-1)$항까지의 합이 최대가 된다.

등차수열 $\{a_n\}$의 첫째항이 40, 공차가 -3이므로

$a_n=40+(n-1)\times(-3)=-3n+43$

이때, 처음으로 음수가 되는 항은 $a_n<0$을 만족시키는 최초의 항이므로 $-3n+43<0$에서

$3n>43 \quad \therefore n>\frac{43}{3}=14.33\cdots$

따라서 등차수열 $\{a_n\}$은 첫째항부터 제14항까지가 양수이고 제15항부터 음수가 되므로 S_n이 최대가 되는 n의 값은 14이다.

02-2 답 -98

|**해결 전략**| 첫째항이 음수이고 공차가 양수일 때, 처음으로 양수가 되는 항이 제k항이면 첫째항부터 제$(k-1)$항까지의 합이 최소가 된다.

등차수열 $\{a_n\}$의 첫째항이 -26, 공차가 4이므로

$a_n=-26+(n-1)\times4=4n-30$

이때, 처음으로 양수가 되는 항은 $a_n>0$을 만족시키는 최초의 항이므로 $4n-30>0$에서

$4n>30 \quad \therefore n>\frac{30}{4}=7.5$

즉, 등차수열 $\{a_n\}$은 첫째항부터 제7항까지가 음수이고 제8항부터 양수가 되므로 첫째항부터 제7항까지의 합이 최소가 된다.
따라서 S_n의 최솟값은
$S_7=\frac{7\{2\times(-26)+(7-1)\times 4\}}{2}=-98$

03-1 답 540

|해결 전략| 자연수 d로 나누었을 때의 나머지가 $a(0<a<d)$인 자연수를 작은 수부터 순서대로 나열하면 첫째항이 a, 공차가 d인 등차수열이다.

20과 70 사이에 있는 자연수 중에서 4로 나누었을 때의 나머지가 3인 수를 작은 수부터 순서대로 나열하면
23, 27, 31, 35, ⋯, 67
이므로 첫째항이 23, 공차가 4인 등차수열이다.
이 수열의 일반항을 a_n이라 하면
$a_n=23+(n-1)\times 4=4n+19$
이때, $4n+19=67$에서 $n=12$이므로 67은 제12항이다.
따라서 구하는 합은 $\frac{12(23+67)}{2}=540$

03-2 답 1617

|해결 전략| 자연수 d로 나누었을 때 나누어떨어지는 자연수를 작은 수부터 순서대로 나열하면 첫째항과 공차가 모두 d인 등차수열이다.

150 이하의 자연수 중에서 7로 나누었을 때 나누어떨어지는 수를 작은 수부터 순서대로 나열하면
7, 14, 21, 28, ⋯, 147
이므로 첫째항과 공차가 모두 7인 등차수열이다.
이 수열의 일반항을 a_n이라 하면
$a_n=7+(n-1)\times 7=7n$
이때, $7n=147$에서 $n=21$이므로 147은 제21항이다.
따라서 구하는 합은 $\frac{21(7+147)}{2}=1617$

04-1 답 74

|해결 전략| $a_1=S_1$, $a_n=S_n-S_{n-1}\,(n\ge 2)$임을 이용하여 a_n을 구한다.

$a_1=S_1=4\times 1^2-3\times 1=1$
$a_n=S_n-S_{n-1}$
$=4n^2-3n-\{4(n-1)^2-3(n-1)\}$
$=8n-7\ (n\ge 2)$ ⋯⋯ ㉠
이때, $a_1=1$은 ㉠에 $n=1$을 대입한 것과 같으므로
$a_n=8n-7$
$\therefore a_1+a_{10}=1+(8\times 10-7)=74$

다른 풀이
$S_n=4n^2-3n$이므로
$a_1=S_1=4\times 1^2-3\times 1=1$
$a_{10}=S_{10}-S_9$
$=4\times 10^2-3\times 10-(4\times 9^2-3\times 9)$
$=400-30-(324-27)=73$
$\therefore a_1+a_{10}=1+73=74$

04-2 답 45

|해결 전략| $a_1=S_1$, $a_n=S_n-S_{n-1}\,(n\ge 2)$임을 이용하여 a_n을 구한다.

$a_1=S_1=1^2+2\times 1+1=4$
$a_n=S_n-S_{n-1}$
$=n^2+2n+1-\{(n-1)^2+2(n-1)+1\}$
$=2n+1\ (n\ge 2)$ ⋯⋯ ㉠
이때, $a_1=4$는 ㉠에 $n=1$을 대입한 것과 다르므로
$a_1=4$, $a_n=2n+1\ (n\ge 2)$
$\therefore a_1+a_{20}=4+(2\times 20+1)=45$

다른 풀이
$S_n=n^2+2n+1$이므로
$a_1=S_1=1^2+2\times 1+1=4$
$a_{20}=S_{20}-S_{19}$
$=20^2+2\times 20+1-(19^2+2\times 19+1)$
$=400+40+1-(361+38+1)=41$
$\therefore a_1+a_{20}=4+41=45$

STEP 3 유형 드릴

| 215쪽~217쪽 |

1-1 답 −11

|해결 전략| 두 수열의 일반항을 각각 구한 후 주어진 조건을 이용하여 a의 값을 구한다.

수열 $\{a_n\}$은 첫째항이 a, 공차가 4인 등차수열이므로
$a_n=a+(n-1)\times 4$
또, 수열 $\{b_n\}$은 첫째항이 7, 공차가 −3인 등차수열이므로
$b_n=7+(n-1)\times(-3)=-3n+10$
$a_4=b_3$에서 $a+12=-9+10$
$\therefore a=-11$

1-2 답 3

|해결 전략| 두 수열의 일반항을 각각 구한 후 주어진 조건을 이용하여 d의 값을 구한다.

수열 $\{a_n\}$은 첫째항이 2, 공차가 −1인 등차수열이므로
$a_n=2+(n-1)\times(-1)=-n+3$
또, 수열 $\{b_n\}$은 첫째항이 −5, 공차가 d인 등차수열이므로
$b_n=-5+(n-1)d$
$a_5=b_2$에서 $-5+3=-5+d$
$\therefore d=3$

2-1 답 12

|해결 전략| 첫째항이 a, 공차가 d인 등차수열 $\{a_n\}$의 일반항은 $a_n=a+(n-1)d$임을 이용한다.

등차수열 $\{a_n\}$의 첫째항을 a, 공차를 d라 하면
$a_3=-9$에서 $a+2d=-9$ ⋯⋯ ㉠
$a_7=3$에서 $a+6d=3$ ⋯⋯ ㉡

㉠, ㉡을 연립하여 풀면 $a=-15$, $d=3$
따라서 등차수열 $\{a_n\}$의 첫째항은 -15, 공차는 3이므로
$a_n=-15+(n-1)\times3=3n-18$
$\therefore a_{10}=3\times10-18=12$

2-2 답 -31

|**해결 전략**| 첫째항이 a, 공차가 d인 등차수열 $\{a_n\}$의 일반항은 $a_n=a+(n-1)d$임을 이용한다.
등차수열 $\{a_n\}$의 첫째항을 a, 공차를 d라 하면
$a_2=5$에서 $a+d=5$ ...... ㉠
$a_{10}=-11$에서 $a+9d=-11$ ...... ㉡
㉠, ㉡을 연립하여 풀면 $a=7$, $d=-2$
따라서 등차수열 $\{a_n\}$의 첫째항은 7, 공차는 -2이므로
$a_n=7+(n-1)\times(-2)=-2n+9$
$\therefore a_{20}=-2\times20+9=-31$

3-1 답 56

|**해결 전략**| 주어진 조건을 이용하여 일반항 a_n을 구한 후 $n=10$을 대입하여 a_{10}의 값을 구한다.
등차수열 $\{a_n\}$의 첫째항을 a, 공차를 d라 하면
$a_2=4a_1$에서 $a+d=4a$
$\therefore d=3a$ ...... ㉠
$a_4+a_5=46$에서 $(a+3d)+(a+4d)=46$
$\therefore 2a+7d=46$ ...... ㉡
㉠, ㉡을 연립하여 풀면 $a=2$, $d=6$
따라서 등차수열 $\{a_n\}$의 첫째항은 2, 공차는 6이므로
$a_n=2+(n-1)\times6=6n-4$
$\therefore a_{10}=6\times10-4=56$

3-2 답 8

|**해결 전략**| $|a_2|=|a_8|$이면 $a_2=a_8$ 또는 $a_2=-a_8$이다.
등차수열 $\{a_n\}$의 첫째항을 a, 공차를 d라 하면
$|a_2|=|a_8|$에서 $|a+d|=|a+7d|$
$\therefore a+d=a+7d$ 또는 $a+d=-(a+7d)$
이때, $a+d=a+7d$이면 $d=0$이므로
$a+d=-(a+7d)$
$\therefore a+4d=0$ ...... ㉠
$a_{15}=40$에서 $a+14d=40$ ...... ㉡
㉠, ㉡을 연립하여 풀면 $a=-16$, $d=4$
따라서 등차수열 $\{a_n\}$의 첫째항은 -16, 공차는 4이므로
$a_n=-16+(n-1)\times4=4n-20$
$\therefore a_{10}-a_8=4\times10-20-(4\times8-20)=8$

4-1 답 제7항

|**해결 전략**| 처음으로 음수가 되는 항은 $a_n<0$을 만족시키는 자연수 n의 최솟값을 구하면 된다.
등차수열 $\{a_n\}$의 첫째항을 a, 공차를 d라 하면
$a_3=6$에서 $a+2d=6$ ...... ㉠
$a_{10}=-8$에서 $a+9d=-8$ ...... ㉡
㉠, ㉡을 연립하여 풀면 $a=10$, $d=-2$
따라서 등차수열 $\{a_n\}$의 첫째항은 10, 공차는 -2이므로
$a_n=10+(n-1)\times(-2)=-2n+12$
이때, 처음으로 음수가 되는 항은 $a_n<0$을 만족시키는 최초의 항이므로 $-2n+12<0$에서
$2n>12$ $\quad\therefore n>6$
따라서 이것을 만족시키는 자연수 n의 최솟값은 7이므로 처음으로 음수가 되는 항은 제7항이다.

4-2 답 32

|**해결 전략**| 주어진 조건을 이용하여 일반항 a_n을 구한 후 $a_k>100$을 만족시키는 자연수 k의 최솟값을 구한다.
등차수열 $\{a_n\}$의 첫째항을 a, 공차를 d라 하면
$a_3=-12$에서 $a+2d=-12$ ...... ㉠
$a_4+a_6+a_8=0$에서 $(a+3d)+(a+5d)+(a+7d)=0$
$3a+15d=0$ $\quad\therefore a+5d=0$ ...... ㉡
㉠, ㉡을 연립하여 풀면 $a=-20$, $d=4$
따라서 등차수열 $\{a_n\}$의 첫째항은 -20, 공차는 4이므로
$a_n=-20+(n-1)\times4=4n-24$
이때, $a_k>100$에서 $4k-24>100$
$4k>124$ $\quad\therefore k>31$
따라서 이것을 만족시키는 자연수 k의 최솟값은 32이다.

5-1 답 2

|**해결 전략**| 등차수열의 첫째항이 8, 제7항이 -4임을 이용하여 공차를 구한다.
등차수열 8, x_1, x_2, $\cdots$, x_5, -4의 공차를 d라 하면 첫째항이 8, 제7항이 -4이므로 $8+6d=-4$에서
$6d=-12$ $\quad\therefore d=-2$
이때, x_3은 제4항이므로
$x_3=8+(4-1)\times(-2)=2$

5-2 답 17

|**해결 전략**| 첫째항이 10, 공차가 5인 등차수열의 제$(n+2)$항이 100임을 이용하여 n의 값을 구한다.
첫째항이 10, 공차가 5인 등차수열의 제$(n+2)$항이 100이므로
$10+(n+1)\times5=100$, $n+1=18$
$\therefore n=17$

6-1 답 -3

|**해결 전략**| 등차수열을 이루는 세 수를 $a-d$, a, $a+d$로 놓고 주어진 조건을 이용하여 식을 세운다.

등차수열을 이루는 세 수를 $a-d$, a, $a+d$로 놓으면

세 수의 합이 3이므로 $(a-d)+a+(a+d)=3$ ...... ㉠

세 수의 곱이 -15이므로 $(a-d)\times a\times(a+d)=-15$ ...... ㉡

㉠에서 $3a=3$ $\quad\therefore a=1$

㉡에 $a=1$을 대입하면

$(1-d)\times1\times(1+d)=-15$, $1-d^2=-15$

$d^2=16$ $\quad\therefore d=\pm4$

따라서 세 수는 -3, 1, 5이므로 이 중 가장 작은 수는 -3이다.

6-2 답 12

|해결 전략| 직사각형의 가로, 세로, 대각선의 길이를 각각 $a-d$, a, $a+d$로 놓고 주어진 조건을 이용하여 식을 세운다.

직사각형의 가로, 세로, 대각선의 길이를 각각 $a-d$, a, $a+d$라 하면 직사각형의 둘레의 길이가 14이므로

$2(a-d)+2a=14$

$\therefore 2a-d=7$ ...... ㉠

또, 오른쪽 그림에서 피타고라스 정리에 의하여

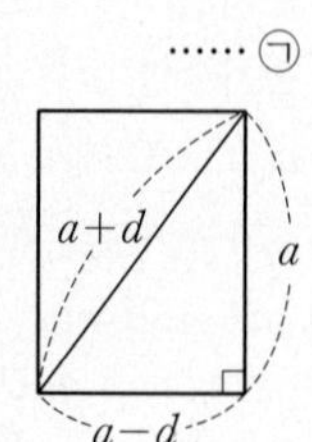

$(a+d)^2=(a-d)^2+a^2$

$a^2+2ad+d^2=a^2-2ad+d^2+a^2$

$a^2-4ad=0$, $a(a-4d)=0$

$\therefore a=4d$ ($\because a\neq0$)  ...... ㉡

㉠, ㉡을 연립하여 풀면 $a=4$, $d=1$

따라서 직사각형의 넓이는

$(a-d)\times a=(4-1)\times4=12$

7-1 답 $a=2$, $b=4$

|해결 전략| $a+3$은 $3a$와 b의 등차중항이고, b는 $a-b$와 $a+2b$의 등차중항이다.

$a+3$이 $3a$와 b의 등차중항이므로

$a+3=\dfrac{3a+b}{2}$, $2a+6=3a+b$

$\therefore a+b=6$ ...... ㉠

b가 $a-b$와 $a+2b$의 등차중항이므로

$b=\dfrac{(a-b)+(a+2b)}{2}$, $2b=2a+b$

$\therefore b=2a$ ...... ㉡

㉠, ㉡을 연립하여 풀면 $a=2$, $b=4$

7-2 답 27

|해결 전략| 등차수열을 이루는 세 수를 찾고 등차중항을 이용하여 a, b, c, d의 값을 각각 구한다.

세 수 3, a, 1에서 a는 3과 1의 등차중항이므로

$a=\dfrac{3+1}{2}$ $\quad\therefore a=2$

세 수 3, b, 13에서 b는 3과 13의 등차중항이므로

$b=\dfrac{3+13}{2}$ $\quad\therefore b=8$

세 수 1, 4, d에서 4는 1과 d의 등차중항이므로

$4=\dfrac{1+d}{2}$ $\quad\therefore d=7$

세 수 13, c, d에서 c는 13과 d의 등차중항이므로

$c=\dfrac{13+d}{2}=\dfrac{13+7}{2}$ $\quad\therefore c=10$

$\therefore a+b+c+d=2+8+10+7=27$

8-1 답 10

|해결 전략| 첫째항이 a, 제n항이 l인 등차수열의 첫째항부터 제n항까지의 합 S_n은 $S_n=\dfrac{n(a+l)}{2}$임을 이용한다.

첫째항이 1, 제n항이 -20이므로 등차수열 $\{a_n\}$의 첫째항부터 제n항까지의 합 S_n은

$S_n=\dfrac{n\{1+(-20)\}}{2}=-\dfrac{19}{2}n$

이때, $S_n=-95$이므로 $-\dfrac{19}{2}n=-95$

$\therefore n=10$

8-2 답 -268

|해결 전략| 첫째항이 a, 공차가 d인 등차수열의 첫째항부터 제n항까지의 합 S_n은 $S_n=\dfrac{n\{2a+(n-1)d\}}{2}$임을 이용한다.

등차수열 $\{a_n\}$의 첫째항을 a, 공차를 d라 하면

$S_5=\dfrac{5\{2a+(5-1)d\}}{2}=35$에서

$a+2d=7$ ...... ㉠

$S_{12}-S_5=\dfrac{12\{2a+(12-1)d\}}{2}-35=-77$에서

$2a+11d=-7$ ...... ㉡

㉠, ㉡을 연립하여 풀면 $a=13$, $d=-3$

따라서 등차수열 $\{a_n\}$의 제13항부터 제20항까지의 합은

$S_{20}-S_{12}=\dfrac{20\{2\times13+(20-1)\times(-3)\}}{2}-(35-77)$

$=-310+42=-268$

9-1 답 -360

|해결 전략| 첫째항이 음수이고 공차가 양수일 때, 처음으로 양수가 되는 항이 제k항이면 첫째항부터 제$(k-1)$항까지의 합이 최소가 된다.

등차수열 $\{a_n\}$의 첫째항이 -46, 공차가 3이므로

$a_n=-46+(n-1)\times3=3n-49$

이때, 처음으로 양수가 되는 항은 $a_n>0$을 만족시키는 최초의 항이므로 $3n-49>0$에서

$3n>49$ $\quad\therefore n>\dfrac{49}{3}=16.33\cdots$

즉, 등차수열 $\{a_n\}$은 첫째항부터 제16항까지가 음수이고 제17항부터 양수가 되므로 첫째항부터 제16항까지의 합이 최소가 된다.

$\therefore n=16$

따라서 등차수열 $\{a_n\}$의 첫째항부터 제n항까지의 합 S_n의 최솟값은

$$S_{16}=\frac{16\{2\times(-46)+(16-1)\times 3\}}{2}=-376$$

$\therefore k=-376$

$\therefore n+k=16+(-376)=-360$

9-2 답 52

|해결 전략| 먼저 등차수열 $\{a_n\}$이 처음으로 음수가 되는 항을 찾는다.

등차수열 $\{a_n\}$의 첫째항이 7, 공차가 -2이므로

$a_n=7+(n-1)\times(-2)=-2n+9$ ······ ㉠

이때, 처음으로 음수가 되는 항은 $a_n<0$을 만족시키는 최초의 항이므로

$-2n+9<0$에서 $2n>9$ $\quad\therefore n>\frac{9}{2}=4.5$

따라서 처음으로 음수가 되는 항은 제5항이므로

$|a_1|+|a_2|+|a_3|+\cdots+|a_{10}|$

$=a_1+a_2+a_3+a_4-a_5-a_6-a_7-a_8-a_9-a_{10}$

$=\underline{a_1+a_2+a_3+a_4}$ ← 항이 4개이고 첫째항이 a_1 끝항이 a_4인 등차수열이다.

$\quad-\underline{(a_5+a_6+a_7+a_8+a_9+a_{10})}$ ← 항이 6개이고 첫째항이 a_5, 끝항이 a_{10}인 등차수열이다.

$=\frac{4(a_1+a_4)}{2}-\frac{6(a_5+a_{10})}{2}$

$=\frac{4(7+1)}{2}-\frac{6\{(-1)+(-11)\}}{2}$ $(\because$ ㉠$)$

$=16+36=52$

10-1 답 1650

|해결 전략| 자연수 d로 나누었을 때의 나머지가 $a(0<a<d)$인 자연수를 작은 수부터 순서대로 나열하면 첫째항이 a이고 공차가 d인 등차수열이다.

100보다 작은 자연수 중에서 3으로 나누었을 때의 나머지가 2인 수를 작은 수부터 순서대로 나열하면

2, 5, 8, 11, ⋯, 98

이므로 첫째항이 2, 공차가 3인 등차수열이다.

이 수열의 일반항을 a_n이라 하면

$a_n=2+(n-1)\times 3=3n-1$

이때, $3n-1=98$에서 $n=33$이므로 98은 제33항이다.

따라서 구하는 합은 $\frac{33(2+98)}{2}=1650$

10-2 답 4350

|해결 전략| 자연수 d로 나누었을 때 나누어떨어지는 자연수를 작은 수부터 순서대로 나열하면 첫째항과 공차가 모두 d인 등차수열이다.

100과 250 사이에 있는 자연수 중에서 6으로 나누었을 때 나누어떨어지는 수를 작은 수부터 순서대로 나열하면

102, 108, 114, 120, ⋯, 246

이므로 첫째항이 102, 공차가 6인 등차수열이다.

이 수열의 일반항을 a_n이라 하면

$a_n=102+(n-1)\times 6=6n+96$

이때, $6n+96=246$에서 $n=25$이므로 246은 제25항이다.

따라서 구하는 합은 $\frac{25(102+246)}{2}=4350$

11-1 답 7

|해결 전략| $a_1=S_1$, $a_n=S_n-S_{n-1}$ $(n\geq 2)$임을 이용하여 일반항 a_n을 구한 후 $a_k=11$을 만족시키는 k의 값을 구한다.

$a_1=S_1=1^2-2\times 1+1=0$

$a_n=S_n-S_{n-1}$

$\quad=n^2-2n+1-\{(n-1)^2-2(n-1)+1\}$

$\quad=2n-3$ $(n\geq 2)$ ······ ㉠

이때, $a_1=0$은 ㉠에 $n=1$을 대입한 것과 다르므로

$a_1=0$, $a_n=2n-3$ $(n\geq 2)$

$a_k=11$에서 $2k-3=11$

$2k=14$ $\quad\therefore k=7$

11-2 답 5

|해결 전략| $a_1=S_1$, $a_n=S_n-S_{n-1}$ $(n\geq 2)$임을 이용하여 일반항 a_n을 구한 후 $a_n<0$을 만족시키는 자연수 n의 개수를 구한다.

$a_1=S_1=1^2-10\times 1=-9$

$a_n=S_n-S_{n-1}$

$\quad=n^2-10n-\{(n-1)^2-10(n-1)\}$

$\quad=2n-11$ $(n\geq 2)$ ······ ㉠

이때, $a_1=-9$는 ㉠에 $n=1$을 대입한 것과 같으므로

$a_n=2n-11$

$a_n<0$에서 $2n-11<0$

$2n<11$ $\quad\therefore n<\frac{11}{2}=5.5$

따라서 이것을 만족시키는 자연수 n은 1, 2, 3, 4, 5이므로 그 개수는 5이다.

12-1 답 175장

|해결 전략| n번째 날에 사용한 종이의 장수를 a_n이라 하고 수열 $\{a_n\}$이 어떤 수열인지 알아본다.

n번째 날에 사용한 종이의 장수를 a_n이라 하면 첫 번째 날에 사용한 종이가 10장이고, 그 다음날에는 그 전날보다 종이 5장을 더 사용하므로 수열 $\{a_n\}$은 첫째항이 10, 공차가 5인 등차수열이다.

따라서 학생이 일주일 동안 연습했을 때, 사용한 종이는

$$a_1+a_2+a_3+\cdots+a_7=\frac{7\{2\times 10+(7-1)\times 5\}}{2}=175(\text{장})$$

12-2 답 185 cm

|해결 전략| n번째 측정한 그림자의 길이를 a_n cm라 하고 수열 $\{a_n\}$이 어떤 수열인지 알아본다.

n번째 측정한 그림자의 길이를 a_n cm라 하면 처음 그림자의 길이가 5 cm이고, 다음 번부터는 바로 전에 측정한 것보다 그림자의 길이가 3 cm씩 길어졌으므로 수열 $\{a_n\}$은 첫째항이 5, 공차가 3인 등차수열이다.

따라서 그림자의 길이를 총 10번 측정했을 때, 측정한 모든 그림자의 길이의 합은

$$a_1+a_2+a_3+\cdots+a_{10}=\frac{10\{2\times 5+(10-1)\times 3\}}{2}=185\,(\text{cm})$$

9 | 등비수열

1 등비수열

개념 확인 220쪽~221쪽

1 $a_n=33\times\left(\frac{1}{3}\right)^{n-1}$

2 (1) $x=4, y=16$ 또는 $x=-4, y=-16$

(2) $x=3, y=\frac{1}{3}$ 또는 $x=-3, y=-\frac{1}{3}$

2 (1) x는 2와 8의 등비중항이므로

$x^2=2\times8=16$ $\quad\therefore x=4$ 또는 $x=-4$

$x=4$일 때, 세 수 2, 4, 8은 공비가 2인 등비수열이므로

$y=8\times2=16$

$x=-4$일 때, 세 수 2, -4, 8은 공비가 -2인 등비수열이므로

$y=8\times(-2)=-16$

따라서 x, y의 값은

$x=4, y=16$ 또는 $x=-4, y=-16$

(2) x는 9와 1의 등비중항이므로

$x^2=9\times1=9$ $\quad\therefore x=3$ 또는 $x=-3$

$x=3$일 때, 세 수 9, 3, 1은 공비가 $\frac{1}{3}$인 등비수열이므로

$y=1\times\frac{1}{3}=\frac{1}{3}$

$x=-3$일 때, 세 수 9, -3, 1은 공비가 $-\frac{1}{3}$인 등비수열이므로

$y=1\times\left(-\frac{1}{3}\right)=-\frac{1}{3}$

따라서 x, y의 값은

$x=3, y=\frac{1}{3}$ 또는 $x=-3, y=-\frac{1}{3}$

STEP 1 개념 드릴 222쪽

1 (1) 4 (2) 2 (3) -25, -125 (4) 10, 80 (5) 5, -5

2 (1) $a_n=2\times4^{n-1}$ (2) $a_n=3\times\left(\frac{1}{3}\right)^{n-1}$

(3) $a_n=5\times(-4)^{n-1}$ (4) $a_n=2\times\left(-\frac{1}{2}\right)^{n-1}$

3 (1) $a_n=2^{n+1}$ (2) $a_n=-3\times\left(-\frac{1}{3}\right)^{n-1}$ (3) $a_n=3\times(-1)^{n-1}$

(4) $a_n=4\times\left(\frac{1}{2}\right)^{n-1}$ (5) $a_n=2\times(-\sqrt{3})^{n-1}$

4 (1) $x=5, y=\frac{1}{5}$ 또는 $x=-5, y=-\frac{1}{5}$

(2) $x=2, y=\frac{8}{25}$ 또는 $x=-2, y=-\frac{8}{25}$

1 (1) 공비가 $\frac{-8}{16}=-\frac{1}{2}$이므로 16, -8, $\boxed{4}$, -2, 1, $\cdots$

(2) 공비가 $\frac{\sqrt{2}}{1}=\sqrt{2}$이므로 1, $\sqrt{2}$, $\boxed{2}$, $2\sqrt{2}$, 4, $\cdots$

(3) 공비가 $\frac{-5}{-1}=5$이므로

-1, -5, $\boxed{-25}$, $\boxed{-125}$, -625, $\cdots$

(4) 공비가 $\frac{40}{20}=2$이므로 5, $\boxed{10}$, 20, 40, $\boxed{80}$, $\cdots$

(5) 공비가 $\frac{5}{-5}=-1$이므로 $\boxed{5}$, -5, 5, $\boxed{-5}$, 5, $\cdots$

3 (1) 첫째항이 4, 공비가 $\frac{8}{4}=2$이므로 $a_n=4\times2^{n-1}=2^{n+1}$

(2) 첫째항이 -3, 공비가 $\frac{1}{-3}=-\frac{1}{3}$이므로

$a_n=-3\times\left(-\frac{1}{3}\right)^{n-1}$

(3) 첫째항이 3, 공비가 $\frac{-3}{3}=-1$이므로 $a_n=3\times(-1)^{n-1}$

(4) 첫째항이 4, 공비가 $\frac{2}{4}=\frac{1}{2}$이므로 $a_n=4\times\left(\frac{1}{2}\right)^{n-1}$

(5) 첫째항이 2, 공비가 $\frac{-2\sqrt{3}}{2}=-\sqrt{3}$이므로

$a_n=2\times(-\sqrt{3})^{n-1}$

4 (1) x는 25와 1의 등비중항이므로

$x^2=25\times1=25$ $\quad\therefore x=5$ 또는 $x=-5$

$x=5$일 때, 세 수 25, 5, 1은 공비가 $\frac{1}{5}$인 등비수열이므로

$y=1\times\frac{1}{5}=\frac{1}{5}$

$x=-5$일 때, 세 수 25, -5, 1은 공비가 $-\frac{1}{5}$인 등비수열이므로 $y=1\times\left(-\frac{1}{5}\right)=-\frac{1}{5}$

따라서 x, y의 값은

$x=5, y=\frac{1}{5}$ 또는 $x=-5, y=-\frac{1}{5}$

(2) x는 -5와 $-\frac{4}{5}$의 등비중항이므로

$x^2=(-5)\times\left(-\frac{4}{5}\right)=4$ $\quad\therefore x=2$ 또는 $x=-2$

$x=2$일 때, 세 수 -5, 2, $-\frac{4}{5}$는 공비가 $-\frac{2}{5}$인 등비수열이므로 $y=\left(-\frac{4}{5}\right)\times\left(-\frac{2}{5}\right)=\frac{8}{25}$

$x=-2$일 때, 세 수 -5, -2, $-\frac{4}{5}$는 공비가 $\frac{2}{5}$인 등비수열이므로 $y=\left(-\frac{4}{5}\right)\times\frac{2}{5}=-\frac{8}{25}$

따라서 x, y의 값은 $x=2, y=\frac{8}{25}$ 또는 $x=-2, y=-\frac{8}{25}$

STEP 2 필수 유형 | 223쪽~229쪽 |

01-1 답 $\frac{1}{16}$

|해결 전략| 첫째항이 a, 공비가 r인 등비수열 $\{a_n\}$의 일반항은 $a_n=ar^{n-1}$임을 이용한다.

등비수열 $\{a_n\}$의 첫째항을 a, 공비를 r라 하면

$a_2=16$에서 $ar=16$ ...... ㉠

$a_4=4$에서 $ar^3=4$ ...... ㉡

㉡÷㉠을 하면 $r^2=\frac{1}{4}$ $\quad\therefore r=\frac{1}{2}$ ($\because r>0$)

$r=\frac{1}{2}$을 ㉠에 대입하면 $\frac{1}{2}a=16$ $\quad\therefore a=32$

따라서 등비수열 $\{a_n\}$의 첫째항은 32, 공비는 $\frac{1}{2}$이므로

$a_n=32\times\left(\frac{1}{2}\right)^{n-1}$

$\therefore a_{10}=32\times\left(\frac{1}{2}\right)^{10-1}=2^5\times\left(\frac{1}{2}\right)^9=\frac{1}{2^4}=\frac{1}{16}$

01-2 답 99

|해결 전략| 첫째항이 a, 공비가 r인 등비수열 $\{a_n\}$의 일반항은 $a_n=ar^{n-1}$임을 이용한다.

등비수열 $\{a_n\}$의 첫째항을 a, 공비를 r라 하면

$a_4=24$에서 $ar^3=24$ ...... ㉠

$a_7=192$에서 $ar^6=192$ ...... ㉡

㉡÷㉠을 하면 $r^3=8$ $\quad\therefore r=2$ ($\because r$는 실수)

$r=2$를 ㉠에 대입하면 $8a=24$ $\quad\therefore a=3$

따라서 등비수열 $\{a_n\}$의 첫째항은 3, 공비는 2이므로

$a_n=3\times 2^{n-1}$

$\therefore a_1+a_6=3+3\times 2^5=3+96=99$

02-1 답 $\frac{64}{5}$

|해결 전략| 주어진 조건을 등비수열 $\{a_n\}$의 첫째항 a, 공비 r에 대한 식으로 나타낸 후 a_5의 값을 구한다.

등비수열 $\{a_n\}$의 첫째항을 a, 공비를 r라 하면

$a_1+a_3=4$에서

$a+ar^2=a(1+r^2)=4$ ...... ㉠

$a_2+a_4=8$에서

$ar+ar^3=ar(1+r^2)=8$ ...... ㉡

㉡÷㉠을 하면 $r=2$

$r=2$를 ㉠에 대입하면 $5a=4$ $\quad\therefore a=\frac{4}{5}$

따라서 $a_n=\frac{4}{5}\times 2^{n-1}$이므로

$a_5=\frac{4}{5}\times 2^4=\frac{64}{5}$

02-2 답 16

|해결 전략| 주어진 조건을 등비수열 $\{a_n\}$의 첫째항 a, 공비 r에 대한 식으로 나타낸 후 a_7의 값을 구한다.

등비수열 $\{a_n\}$의 첫째항을 a, 공비를 r라 하면

$a_2a_4=16$에서

$ar\times ar^3=a^2r^4=16$

$\therefore ar^2=4$ ($\because ar^2=a_3>0$) ...... ㉠

$a_3+a_5=12$에서

$ar^2+ar^4=ar^2(1+r^2)=12$ ...... ㉡

㉡÷㉠을 하면 $1+r^2=3$ $\quad\therefore r^2=2$

$r^2=2$를 ㉠에 대입하면 $2a=4$ $\quad\therefore a=2$

$\therefore a_7=ar^6=a\times(r^2)^3=2\times 2^3=16$

02-3 답 $a_n=3^n$

|해결 전략| 주어진 조건을 이용하여 공비 r를 구한 후 일반항 a_n을 구한다.

등비수열 $\{a_n\}$의 공비를 r라 하면 첫째항은 3이므로

$\frac{a_8+a_9}{a_5+a_6}=\frac{3r^7+3r^8}{3r^4+3r^5}=\frac{3r^7(1+r)}{3r^4(1+r)}=r^3=27$

$\therefore r=3$ ($\because r$는 실수)

등비수열 $\{a_n\}$의 첫째항은 3, 공비는 3이므로

$a_n=3\times 3^{n-1}=3^n$

03-1 답 제8항

|해결 전략| 주어진 조건을 이용하여 일반항 a_n을 구한 후 $a_k=\frac{9}{8}$를 만족시키는 k의 값을 구한다.

등비수열 $\{a_n\}$의 첫째항을 a, 공비를 r라 하면

$a_2=72$에서 $ar=72$ ...... ㉠

$a_5=9$에서 $ar^4=9$ ...... ㉡

㉡÷㉠을 하면

$r^3=\frac{1}{8}$ $\quad\therefore r=\frac{1}{2}$ ($\because r$는 실수)

$r=\frac{1}{2}$을 ㉠에 대입하면

$a\times\frac{1}{2}=72$ $\quad\therefore a=144$

$\therefore a_n=144\times\left(\frac{1}{2}\right)^{n-1}$

$\frac{9}{8}$를 제k항이라 하면

$144\times\left(\frac{1}{2}\right)^{k-1}=\frac{9}{8}$, $\left(\frac{1}{2}\right)^{k-1}=\left(\frac{1}{2}\right)^7$

$k-1=7$ $\quad\therefore k=8$

따라서 $\frac{9}{8}$는 제8항이다.

03-2 답 제10항

|해결 전략| $a_n=ar^{n-1}<\frac{1}{10000}$을 만족시키는 자연수 n의 최솟값을 구한다.

등비수열 $\{a_n\}$의 공비를 r라 하면 첫째항이 125, 제5항이 $\frac{1}{5}$이므로

$125\times r^4=\frac{1}{5},\ r^4=\frac{1}{625}\qquad \therefore r=\frac{1}{5}\ (\because r>0)$

등비수열 $\{a_n\}$의 첫째항이 125, 공비가 $\frac{1}{5}$이므로

$a_n=125\times\left(\frac{1}{5}\right)^{n-1}=\left(\frac{1}{5}\right)^{n-4}$

이때, 처음으로 $\frac{1}{10000}$보다 작게 되는 항은 $a_n<\frac{1}{10000}$을 만족시키는 최초의 항이므로

$a_n=\left(\frac{1}{5}\right)^{n-4}<\frac{1}{10000}$에서

$n-4>\log_{\frac{1}{5}}\frac{1}{10000}=\log_5 10000=\frac{\log 10000}{\log 5}$

$\therefore n>4+\frac{4}{\log 5}=4+\frac{4}{1-\log 2}$

$=4+\frac{4}{1-0.3010}=4+\frac{4}{0.6990}$

$=4+5.7224\cdots=9.7224\cdots$

따라서 이것을 만족시키는 자연수 n의 최솟값은 10이므로 처음으로 $\frac{1}{10000}$보다 작게 되는 항은 제10항이다.

04-1 답 $\frac{19}{18}$

|해결 전략| 등비수열의 첫째항이 $\frac{3}{4}$, 제5항이 $\frac{4}{27}$임을 이용하여 공비를 구한다.

등비수열 $\frac{3}{4}, a, b, c, \frac{4}{27}$의 공비를 $r\ (r>0)$라 하면 첫째항이 $\frac{3}{4}$, 제5항이 $\frac{4}{27}$이므로 $\frac{3}{4}\times r^4=\frac{4}{27}$에서

$r^4=\frac{16}{81}\qquad \therefore r=\frac{2}{3}\ (\because r>0)$

따라서

$a=\frac{3}{4}\times\frac{2}{3}=\frac{1}{2}$

$\times\frac{2}{3}$

$b=\frac{3}{4}\times\left(\frac{2}{3}\right)^2=\frac{1}{3}$

$\times\frac{2}{3}$

$c=\frac{3}{4}\times\left(\frac{2}{3}\right)^3=\frac{2}{9}$

이므로 $a+b+c=\frac{1}{2}+\frac{1}{3}+\frac{2}{9}=\frac{19}{18}$

04-2 답 576

|해결 전략| 등비수열의 첫째항이 3, 제7항이 192임을 이용한다.

등비수열 $3, x_1, x_2, \cdots, x_5, 192$의 공비를 r라 하면 첫째항이 3, 제7항이 192이므로 $3\times r^6=192$에서

$r^6=64$ ······ ㉠

$\therefore r=2$ 또는 $r=-2$

이때, x_1, x_5는 각각 제2항, 제6항이므로

(i) $r=2$인 경우

$x_1=3\times2=6,\ x_5=3\times2^5=96$

(ii) $r=-2$인 경우

$x_1=3\times(-2)=-6,\ x_5=3\times(-2)^5=-96$

(i), (ii)에서 $x_1x_5=6\times96=576$

다른 풀이

x_1, x_5는 각각 제2항, 제6항이므로

$x_1=3r,\ x_5=3r^5$

$\therefore x_1x_5=3r\times3r^5=9r^6=9\times64=576\ (\because ㉠)$

04-3 답 4

|해결 전략| 첫째항이 3, 공비가 3인 등비수열의 제$(m+2)$항이 729임을 이용하여 m의 값을 구한다.

첫째항이 3, 공비가 3인 등비수열의 제$(m+2)$항이 729이므로

$3\times3^{m+1}=729,\ 3^{m+2}=3^6$

따라서 $m+2=6$이므로 $m=4$

05-1 답 −27

|해결 전략| 등비수열을 이루는 세 실수를 a, ar, ar^2으로 놓고, 주어진 조건을 이용하여 식을 세운다.

등비수열을 이루는 세 실수를 a, ar, ar^2으로 놓으면

세 실수의 합이 −21이므로

$a+ar+ar^2=-21$

$\therefore a(1+r+r^2)=-21$ ······ ㉠

세 실수의 곱이 729이므로

$a\times ar\times ar^2=a^3r^3=729$

$\therefore ar=9$ ······ ㉡

㉠÷㉡을 하면

$\frac{a(1+r+r^2)}{ar}=\frac{1+r+r^2}{r}=-\frac{7}{3}$

$3r^2+10r+3=0,\ (3r+1)(r+3)=0$

$\therefore r=-\frac{1}{3}$ 또는 $r=-3$

(i) $r=-\frac{1}{3}$일 때, ㉡에 의하여 $a=-27$이므로 세 수는

$-27, 9, -3$

(ii) $r=-3$일 때, ㉡에 의하여 $a=-3$이므로 세 수는

$-3, 9, -27$

따라서 세 수는 $-27, 9, -3$이므로 가장 작은 수는 −27이다.

05-2 답 14

|해결 전략| 삼차방정식의 근과 계수의 관계를 이용한다.

삼차방정식 $x^3-7x^2+kx-8=0$의 세 실근을 a, ar, ar^2으로 놓으면 삼차방정식의 근과 계수의 관계에 의하여

$a+ar+ar^2=7$에서 $a(1+r+r^2)=7$ ...... ㉠

$a\times ar\times ar^2=8$에서 $a^3r^3=8$ $\quad\therefore ar=2$ ...... ㉡

$a\times ar+ar\times ar^2+ar^2\times a=k$에서

$a^2r(1+r+r^2)=k$, $ar\times a(1+r+r^2)=k$

$\therefore k=2\times 7=14$ ($\because$ ㉠, ㉡)

참고

삼차방정식의 근과 계수의 관계

삼차방정식 $ax^3+bx^2+cx+d=0$의 세 근을 α, β, γ라 하면

$\alpha+\beta+\gamma=-\frac{b}{a}$, $\alpha\beta+\beta\gamma+\gamma\alpha=\frac{c}{a}$, $\alpha\beta\gamma=-\frac{d}{a}$

06-1 답 9

|**해결 전략**| 세 수 a, b, c가 이 순서대로 등비수열을 이루면 $b^2=ac$이다.

$2a$가 $a-3$과 $6a$의 등비중항이므로

$(2a)^2=(a-3)\times 6a$, $4a^2=6a^2-18a$

$2a^2-18a=0$, $2a(a-9)=0$

$\therefore a=9$ ($\because a>0$)

06-2 답 3

|**해결 전략**| 세 수 a, b, c가 이 순서대로 등차수열을 이루면 $b=\frac{a+c}{2}$이고, 등비수열을 이루면 $b^2=ac$이다.

a가 12와 b의 등차중항이므로

$a=\frac{12+b}{2}$ ...... ㉠

b가 a와 4의 등비중항이므로

$b^2=4a$ ...... ㉡

㉠을 ㉡에 대입하면

$b^2=4\times\frac{12+b}{2}$

$b^2-2b-24=0$, $(b+4)(b-6)=0$

$\therefore b=6$ ($\because b>0$)

$b=6$을 ㉠에 대입하면 $a=\frac{12+6}{2}=9$

$\therefore a-b=9-6=3$

06-3 답 −5

|**해결 전략**| 세 수 a, b, c가 이 순서대로 등차수열을 이루면 $b=\frac{a+c}{2}$이고, 등비수열을 이루면 $b^2=ac$이다.

2가 a와 b의 등비중항이므로

$4=ab$ ...... ㉠

$b+1$이 a와 4의 등차중항이므로

$b+1=\frac{a+4}{2}$ $\quad\therefore a=2b-2$ ...... ㉡

㉡을 ㉠에 대입하면

$4=b(2b-2)$

$b^2-b-2=0$, $(b+1)(b-2)=0$

$\therefore b=-1$ 또는 $b=2$

(i) $b=-1$이면 $a=-4$ ($\because$ ㉡)

(ii) $b=2$이면 $a=2$ ($\because$ ㉡)

그런데 a, b는 서로 다른 두 실수이므로 모순이다.

(i), (ii)에서 $a=-4$, $b=-1$이므로

$a+b=(-4)+(-1)=-5$

07-1 답 $4\times\left(\frac{4}{3}\right)^6$

|**해결 전략**| 첫째항부터 차례로 나열하여 규칙을 찾아 일반항을 구한 후 구하고자 하는 항의 숫자를 대입한다.

주어진 정삼각형의 한 변의 길이가 1이므로 둘레의 길이는 3이다.

[1단계]에서는 세 변마다 길이가 $\frac{1}{3}$인 선분이 4개씩 생기므로

둘레의 길이는 $3\times\frac{4}{3}=4$ $\quad\therefore a_1=4$

한 번의 시행 후 도형의 둘레의 길이는 시행 전의 도형의 둘레의 길이의 $\frac{4}{3}$이므로

$a_1=4$

$a_2=4\times\left(\frac{4}{3}\right)^1$

$a_3=4\times\left(\frac{4}{3}\right)^2$

⋮

$a_n=4\times\left(\frac{4}{3}\right)^{n-1}$

$\therefore a_7=4\times\left(\frac{4}{3}\right)^6$

2 등비수열의 합

개념 확인 230쪽

1 (1) $4\left(1-\frac{1}{2^8}\right)$ (2) $\frac{1}{2}(3^8-1)$

1 등비수열의 첫째항부터 제n항까지의 합을 S_n이라 하면

(1) $S_8=\frac{2\left\{1-\left(\frac{1}{2}\right)^8\right\}}{1-\frac{1}{2}}=4\left(1-\frac{1}{2^8}\right)$

(2) $S_8=\frac{1\times(3^8-1)}{3-1}=\frac{1}{2}(3^8-1)$

STEP 1 개념 드릴 | 232쪽 |

1 (1) $2\left(1-\frac{1}{2^n}\right)$ (2) $-2(2^n-1)$ (3) $1-(-3)^n$
(4) $1-(-4)^n$ (5) 5^n-1 (6) $2n$

2 (1) $\frac{1}{4}(5^n-1)$ (2) $\frac{1}{3}\{1-(-2)^n\}$ (3) $\frac{16}{3}\left(1-\frac{1}{4^n}\right)$
(4) $\frac{4}{3}\left\{1-\left(-\frac{1}{2}\right)^n\right\}$ (5) $\frac{3}{4}\{1-(-3)^n\}$ (6) $-5n$

1 (1) $S_n=\dfrac{1\times\left\{1-\left(\frac{1}{2}\right)^n\right\}}{1-\frac{1}{2}}=2\left(1-\dfrac{1}{2^n}\right)$

(2) $S_n=\dfrac{-2(2^n-1)}{2-1}=-2(2^n-1)$

(3) $S_n=\dfrac{4\{1-(-3)^n\}}{1-(-3)}=1-(-3)^n$

(4) $S_n=\dfrac{5\{1-(-4)^n\}}{1-(-4)}=1-(-4)^n$

(5) $S_n=\dfrac{4(5^n-1)}{5-1}=5^n-1$

(6) $S_n=n\times2=2n$

2 (1) 첫째항이 1, 공비가 5인 등비수열이므로

$S_n=\dfrac{1\times(5^n-1)}{5-1}$

$=\dfrac{1}{4}(5^n-1)$

(2) 첫째항이 1, 공비가 -2인 등비수열이므로

$S_n=\dfrac{1\times\{1-(-2)^n\}}{1-(-2)}$

$=\dfrac{1}{3}\{1-(-2)^n\}$

(3) 첫째항이 4, 공비가 $\frac{1}{4}$인 등비수열이므로

$S_n=\dfrac{4\left\{1-\left(\frac{1}{4}\right)^n\right\}}{1-\frac{1}{4}}$

$=\dfrac{16}{3}\left(1-\dfrac{1}{4^n}\right)$

(4) 첫째항이 2, 공비가 $-\frac{1}{2}$인 등비수열이므로

$S_n=\dfrac{2\left\{1-\left(-\frac{1}{2}\right)^n\right\}}{1-\left(-\frac{1}{2}\right)}$

$=\dfrac{4}{3}\left\{1-\left(-\dfrac{1}{2}\right)^n\right\}$

(5) 첫째항이 3, 공비가 -3인 등비수열이므로

$S_n=\dfrac{3\{1-(-3)^n\}}{1-(-3)}$

$=\dfrac{3}{4}\{1-(-3)^n\}$

(6) 첫째항이 -5, 공비가 1인 등비수열이므로

$S_n=n\times(-5)=-5n$

STEP 2 필수 유형 | 233쪽~236쪽 |

01-1 답 $\frac{1}{4}(2^8-1)$

|해결 전략| 주어진 조건을 첫째항 a, 공비 r에 대한 식으로 나타내어 a, r의 값을 구한 후 첫째항부터 제8항까지의 합을 구한다.

등비수열 $\{a_n\}$의 첫째항을 a, 공비를 r라 하면

$a_2=\frac{1}{2}$에서 $ar=\frac{1}{2}$ ...... ㉠

$a_6=8$에서 $ar^5=8$ ...... ㉡

㉡÷㉠을 하면 $r^4=16$ $\therefore r=2\ (\because r>0)$

$r=2$를 ㉠에 대입하면 $2a=\frac{1}{2}$ $\therefore a=\frac{1}{4}$

따라서 등비수열 $\{a_n\}$의 첫째항부터 제8항까지의 합은

$\dfrac{\frac{1}{4}(2^8-1)}{2-1}=\dfrac{1}{4}(2^8-1)$

01-2 답 $-\frac{1}{2}\{1-(-3)^5\}$ 또는 $3(2^5-1)$

|해결 전략| 주어진 조건을 첫째항 a, 공비 r에 대한 식으로 나타내어 a, r의 값을 구한 후 첫째항부터 제5항까지의 합을 구한다.

등비수열 $\{a_n\}$의 첫째항을 a, 공비를 r라 하면

$a_2=6$에서 $ar=6$ ...... ㉠

$a_3+a_4=36$에서 $ar^2+ar^3=ar^2(1+r)=36$ ...... ㉡

㉡÷㉠을 하면 $r(1+r)=6$

$r^2+r-6=0$, $(r+3)(r-2)=0$

$\therefore r=-3$ 또는 $r=2$

(i) $r=-3$일 때,

$a=-2$이므로 등비수열 $\{a_n\}$의 첫째항부터 제5항까지의 합은

$\dfrac{-2\{1-(-3)^5\}}{1-(-3)}=-\dfrac{1}{2}\{1-(-3)^5\}$

(ii) $r=2$일 때,

$a=3$이므로 등비수열 $\{a_n\}$의 첫째항부터 제5항까지의 합은

$\dfrac{3(2^5-1)}{2-1}=3(2^5-1)$

(i), (ii)에서 등비수열 $\{a_n\}$의 첫째항부터 제5항까지의 합은

$-\frac{1}{2}\{1-(-3)^5\}$ 또는 $3(2^5-1)$

01-3 답 $\frac{126}{5}$

|해결 전략| 주어진 조건을 첫째항 a, 공비 r에 대한 식으로 나타내어 a, r의 값을 구한 후 첫째항부터 제6항까지의 합을 구한다.

등비수열 $\{a_n\}$의 첫째항을 a, 공비를 r라 하면

$a_2+a_4=4$에서

$ar+ar^3=ar(1+r^2)=4$ ······ ㉠

$a_4+a_6=16$에서

$ar^3+ar^5=ar^3(1+r^2)=16$ ······ ㉡

㉡÷㉠을 하면 $r^2=4$ $\therefore r=2\ (\because r>0)$

$r=2$를 ㉠에 대입하면 $10a=4$ $\therefore a=\frac{2}{5}$

따라서 등비수열 $\{a_n\}$의 첫째항부터 제6항까지의 합은

$$\frac{\frac{2}{5}(2^6-1)}{2-1}=\frac{2}{5}(2^6-1)=\frac{126}{5}$$

02-1 답 504

|해결 전략| 첫째항이 a, 공비가 $r\,(r\neq1)$인 등비수열의 첫째항부터 제n항까지의 합 S_n은 $S_n=\frac{a(r^n-1)}{r-1}$임을 이용한다.

등비수열 $\{a_n\}$의 첫째항을 a, 공비를 r, 첫째항부터 제n항까지의 합을 S_n이라 하면

$S_4=\frac{a(r^4-1)}{r-1}=24$ ······ ㉠

$S_8=\frac{a(r^8-1)}{r-1}=\frac{a(r^4-1)(r^4+1)}{r-1}=120$ ······ ㉡

㉡÷㉠을 하면 $r^4+1=5$ $\therefore r^4=4$

$$\therefore S_{12}=\frac{a(r^{12}-1)}{r-1}=\frac{a(r^4-1)(r^8+r^4+1)}{r-1}$$
$$=\frac{a(r^4-1)}{r-1}\times(r^8+r^4+1)$$
$$=24(4^2+4+1)=504$$

02-2 답 744

|해결 전략| 첫째항이 a, 공비가 $r\,(r\neq1)$인 등비수열의 첫째항부터 제n항까지의 합 S_n은 $S_n=\frac{a(r^n-1)}{r-1}$임을 이용한다.

등비수열 $\{a_n\}$의 첫째항을 a, 공비를 r, 첫째항부터 제n항까지의 합을 S_n이라 하면

$S_{10}=\frac{a(r^{10}-1)}{r-1}=24$ ······ ㉠

제11항부터 제20항까지의 합이 120이므로

$S_{20}-S_{10}=120$, $S_{20}=S_{10}+120=144$

$S_{20}=\frac{a(r^{20}-1)}{r-1}=\frac{a(r^{10}-1)(r^{10}+1)}{r-1}=144$ ······ ㉡

㉡÷㉠을 하면 $r^{10}+1=6$ $\therefore r^{10}=5$

$$\therefore S_{30}=\frac{a(r^{30}-1)}{r-1}=\frac{a(r^{10}-1)(r^{20}+r^{10}+1)}{r-1}$$
$$=\frac{a(r^{10}-1)}{r-1}\times(r^{20}+r^{10}+1)$$
$$=24(5^2+5+1)=744$$

03-1 답 $a_n=4\times5^n$

|해결 전략| $a_1=S_1$, $a_n=S_n-S_{n-1}\,(n\geq2)$임을 이용하여 일반항 a_n을 구한다.

$a_1=S_1=5^2-5=20$

$$a_n=S_n-S_{n-1}$$
$$=(5^{n+1}-5)-(5^n-5)$$
$$=5\times5^n-5^n=4\times5^n\ (n\geq2) \quad \cdots\cdots ㉠$$

이때, $a_1=20$은 ㉠에 $n=1$을 대입한 것과 같으므로

$a_n=4\times5^n$

03-2 답 -12

|해결 전략| 첫째항부터 등비수열을 이루려면 $a_n=S_n-S_{n-1}$에 $n=1$을 대입한 것과 S_1이 일치해야 한다.

$a_1=S_1=3\times2^3+k=24+k$

$$a_n=S_n-S_{n-1}$$
$$=(3\times2^{n+2}+k)-(3\times2^{n+1}+k)$$
$$=6\times2^{n+1}-3\times2^{n+1}$$
$$=3\times2^{n+1}\ (n\geq2) \quad \cdots\cdots ㉠$$

수열 $\{a_n\}$이 첫째항부터 등비수열을 이루려면 ㉠에 $n=1$을 대입한 것과 $a_1=24+k$가 같아야 하므로

$12=24+k$ $\therefore k=-12$

03-3 답 6

|해결 전략| $a_1=S_1$, $a_n=S_n-S_{n-1}\,(n\geq2)$임을 이용하여 $a_n<\frac{1}{200}$을 만족시키는 자연수 n의 최솟값을 구한다.

$a_1=S_1=1-\frac{1}{3}=\frac{2}{3}$

$$a_n=S_n-S_{n-1}=\left\{1-\left(\frac{1}{3}\right)^n\right\}-\left\{1-\left(\frac{1}{3}\right)^{n-1}\right\}$$
$$=-\frac{1}{3}\times\left(\frac{1}{3}\right)^{n-1}+\left(\frac{1}{3}\right)^{n-1}$$
$$=\frac{2}{3}\times\left(\frac{1}{3}\right)^{n-1}\ (n\geq2) \quad \cdots\cdots ㉠$$

이때, $a_1=\frac{2}{3}$는 ㉠에 $n=1$을 대입한 것과 같으므로

$a_n=\frac{2}{3}\times\left(\frac{1}{3}\right)^{n-1}$

$a_n<\frac{1}{200}$에서 $\frac{2}{3}\times\left(\frac{1}{3}\right)^{n-1}<\frac{1}{200}$, $\left(\frac{1}{3}\right)^n<\frac{1}{400}$

이때, $\left(\frac{1}{3}\right)^5=\frac{1}{243}$, $\left(\frac{1}{3}\right)^6=\frac{1}{729}$이므로

$n\geq6$

따라서 자연수 n의 최솟값은 6이다.

04-1 답 (1) 583000원 (2) 1133000원

|해결 전략| 매년 초에 적립하는 경우에는 $S=\frac{a(1+r)\{(1+r)^n-1\}}{r}$을, 매년 말에 적립하는 경우에는 $S=\frac{a\{(1+r)^n-1\}}{r}$을 이용한다.

(1) 연이율 3 %, 1년마다 복리로 매년 초에 5만 원씩 10년 동안 적립할 때, 10년 말까지 적립금의 원리합계를 S만 원이라 하면

$$S=5(1+0.03)+5(1+0.03)^2+\cdots+5(1+0.03)^{10}$$
$$=\frac{5(1+0.03)\{(1+0.03)^{10}-1\}}{(1+0.03)-1}$$
$$=\frac{5\times1.03\times0.34}{0.03}$$
$$=58.36\cdots(\text{만 원})$$

따라서 10년 말까지 적립금의 원리합계는 583000원이다.

(2) 연이율 3 %, 1년마다 복리로 매년 말에 10만 원씩 10년 동안 적립할 때, 10년 말까지 적립금의 원리합계를 S만 원이라 하면

$$S=10+10(1+0.03)+10(1+0.03)^2+\cdots+10(1+0.03)^9$$
$$=\frac{10\{(1+0.03)^{10}-1\}}{(1+0.03)-1}$$
$$=\frac{10\times0.34}{0.03}$$
$$=113.33\cdots(\text{만 원})$$

따라서 10년 말까지 적립금의 원리합계는 1133000원이다.

STEP 3 유형 드릴 | 237쪽~239쪽 |

1-1 답 15

|해결 전략| 첫째항이 a, 공비가 r인 등비수열 $\{a_n\}$의 일반항은 $a_n=ar^{n-1}$임을 이용한다.

등비수열 $\{a_n\}$의 첫째항을 a, 공비를 r라 하면

$a_2=160$에서 $ar=160$ ...... ㉠

$a_3=80$에서 $ar^2=80$ ...... ㉡

㉡÷㉠을 하면 $r=\frac{1}{2}$

$r=\frac{1}{2}$을 ㉠에 대입하면 $\frac{1}{2}a=160$ $\quad\therefore a=320$

따라서 등비수열 $\{a_n\}$의 첫째항은 320, 공비는 $\frac{1}{2}$이므로

$a_n=320\times\left(\frac{1}{2}\right)^{n-1}$

$\therefore a_6+a_7=320\times\left(\frac{1}{2}\right)^5+320\times\left(\frac{1}{2}\right)^6=10+5=15$

1-2 답 9

|해결 전략| 첫째항이 a, 공비가 r인 등비수열 $\{a_n\}$의 일반항은 $a_n=ar^{n-1}$임을 이용한다.

등비수열 $\{a_n\}$의 첫째항을 a, 공비를 r라 하면

$a_4=45$에서 $ar^3=45$ ...... ㉠

$a_7=135$에서 $ar^6=135$ ...... ㉡

㉡÷㉠을 하면 $r^3=3$

$\therefore \frac{a_8}{a_2}=\frac{ar^7}{ar}=r^6=3^2=9$

2-1 답 36

|해결 전략| 주어진 조건을 등비수열 $\{a_n\}$의 첫째항 a, 공비 r에 대한 식으로 나타낸 후 a_1의 값을 구한다.

등비수열 $\{a_n\}$의 첫째항을 a, 공비를 r라 하면

$a_3=9$에서 $ar^2=9$ ...... ㉠

$a_2:a_5=8:1$에서 $a_2=8a_5$, $ar=8ar^4$

$r^3=\frac{1}{8}$ $\quad\therefore r=\frac{1}{2}$ ($\because r$는 실수)

$r=\frac{1}{2}$을 ㉠에 대입하면 $\frac{1}{4}a=9$ $\quad\therefore a=a_1=36$

2-2 답 81

|해결 전략| 주어진 조건을 등비수열 $\{a_n\}$의 첫째항 a, 공비 r에 대한 식으로 나타낸 후 a_{13}의 값을 구한다.

등비수열 $\{a_n\}$의 첫째항을 a, 공비를 r라 하면

$\frac{a_5}{a_2}=3$에서 $\frac{ar^4}{ar}=r^3=3$

$a_4+a_7=12$에서 $ar^3+ar^6=ar^3(1+r^3)=12$ ...... ㉠

$r^3=3$을 ㉠에 대입하면 $3a(1+3)=12$ $\quad\therefore a=1$

$\therefore a_{13}=ar^{12}=1\times3^4=81$

3-1 답 제8항

|해결 전략| 첫째항이 1.5, 공비가 3인 등비수열 $\{a_n\}$에서 $a_n>3000$을 만족시키는 자연수 n의 최솟값을 구한다.

주어진 등비수열의 첫째항은 1.5, 공비는 $\frac{4.5}{1.5}=3$이므로 일반항 a_n은

$a_n=1.5\times3^{n-1}=\frac{1}{2}\times3^n$

$a_n=\frac{1}{2}\times3^n>3000$에서 $\log\frac{1}{2}+n\log3>\log(3\times1000)$

$n\log3>\log3+3+\log2$

$\therefore n>\frac{\log3+3+\log2}{\log3}=\frac{0.48+3+0.3}{0.48}=7.875$

따라서 이것을 만족시키는 자연수 n의 최솟값은 8이므로 처음으로 3000보다 크게 되는 항은 제8항이다.

3-2 답 제15항

|해결 전략| 첫째항이 243, 공비가 r인 등비수열 $\{a_n\}$에서 $a_n<\frac{1}{8000}$을 만족시키는 자연수 n의 최솟값을 구한다.

등비수열 $\{a_n\}$의 공비를 r라 하면 첫째항이 243, 제4항이 9이므로

$243r^3=9$, $r^3=\frac{1}{27}$ $\quad\therefore r=\frac{1}{3}$ ($\because r$는 실수)

따라서 등비수열 $\{a_n\}$의 첫째항은 243, 공비는 $\frac{1}{3}$이므로

$a_n=243\times\left(\frac{1}{3}\right)^{n-1}$

$a_n=243\times\left(\frac{1}{3}\right)^{n-1}<\frac{1}{8000}$에서

$5\log3-(n-1)\log3<-(3\log2+3)$

$n\log3>5\log3+\log3+3\log2+3$

$\therefore n>\frac{6\log3+3\log2+3}{\log3}=\frac{2.88+0.9+3}{0.48}=14.125$

따라서 이것을 만족시키는 자연수 n의 최솟값은 15이므로 처음으로 $\frac{1}{8000}$보다 작게 되는 항은 제15항이다.

4-1 답 78

|해결 전략| 주어진 조건을 이용하여 공비 r를 구한다.

등비수열 2, a, b, c, 162의 공비를 r $(r>0)$라 하면 첫째항이 2, 제5항이 162이므로 $2r^4=162$에서

$r^4=81$ $\quad\therefore r=3$ $(\because r>0)$

따라서

$a=2\times3=6$

$b=2\times3^2=18$ ($\times3$)

$c=2\times3^3=54$ ($\times3$)

이므로 $a+b+c=6+18+54=78$

4-2 답 3

|해결 전략| 첫째항이 $\frac{3}{8}$, 공비가 4인 등비수열의 제$(n+2)$항이 96임을 이용하여 n의 값을 구한다.

첫째항이 $\frac{3}{8}$, 공비가 4인 등비수열의 제$(n+2)$항이 96이므로

$\frac{3}{8}\times4^{n+1}=96$에서 $4^{n+1}=32\times8$

$4^{n+1}=4^4$, $n+1=4$ $\quad\therefore n=3$

5-1 답 8

|해결 전략| 등비수열을 이루는 세 실수를 a, ar, ar^2으로 놓고, 주어진 조건을 이용하여 식을 세운다.

등비수열을 이루는 세 실수를 a, ar, ar^2으로 놓으면

세 실수의 합이 14이므로 $a+ar+ar^2=14$

$\therefore a(1+r+r^2)=14$ ⋯⋯ ㉠

세 실수의 곱이 64이므로 $a\times ar\times ar^2=a^3r^3=64$

$\therefore ar=4$ ⋯⋯ ㉡

㉠÷㉡을 하면 $\frac{a(1+r+r^2)}{ar}=\frac{1+r+r^2}{r}=\frac{7}{2}$

$2r^2-5r+2=0$, $(2r-1)(r-2)=0$

$\therefore r=\frac{1}{2}$ 또는 $r=2$

(i) $r=\frac{1}{2}$일 때, ㉡에 의하여 $a=8$이므로 세 수는 8, 4, 2

(ii) $r=2$일 때, ㉡에 의하여 $a=2$이므로 세 수는 2, 4, 8

따라서 세 수는 2, 4, 8이므로 가장 큰 수는 8이다.

5-2 답 $\frac{1}{8}$

|해결 전략| 삼차방정식의 근과 계수의 관계를 이용한다.

삼차방정식 $x^3-2x^2+x-k=0$의 세 실근을 a, ar, ar^2으로 놓으면 삼차방정식의 근과 계수의 관계에 의하여

$a+ar+ar^2=2$에서 $a(1+r+r^2)=2$

$a\times ar+ar\times ar^2+ar^2\times a=1$에서

$a^2r(1+r+r^2)=ar\times a(1+r+r^2)=1$

$2ar=1$ $\quad\therefore ar=\frac{1}{2}$

$a\times ar\times ar^2=k$에서 $a^3r^3=k$

$\therefore k=(ar)^3=\left(\frac{1}{2}\right)^3=\frac{1}{8}$

6-1 답 2

|해결 전략| 첫째항이 a, 공비가 r인 등비수열 $\{a_n\}$의 일반항 a_n은 $a_n=ar^{n-1}$이고, 첫째항이 a, 공차가 d인 등차수열 $\{b_n\}$의 일반항은 $b_n=a+(n-1)d$임을 이용한다.

수열 $\{a_n\}$은 첫째항이 2, 공비가 r인 등비수열이므로

$a_n=2r^{n-1}$

수열 $\{b_n\}$은 첫째항이 1, 공차가 5인 등차수열이므로

$b_n=1+(n-1)\times5=5n-4$

$a_4=b_4$에서 $2r^3=5\times4-4$

$r^3=8$ $\quad\therefore r=2$ $(\because r$는 실수$)$

6-2 답 81

|해결 전략| 등비수열 $\{b_n\}$의 첫째항을 a, 공비를 r라 하고 주어진 조건을 이용하여 a, r의 값을 구한다.

첫째항이 3, 공차가 6인 등차수열 $\{a_n\}$의 일반항 a_n은

$a_n=3+(n-1)\times6=6n-3$

등비수열 $\{b_n\}$의 첫째항을 a, 공비를 r라 하면 일반항 b_n은

$b_n=ar^{n-1}$

$a_3=5b_3$에서

$6\times3-3=5ar^2$ $\quad\therefore ar^2=3$ ⋯⋯ ㉠

$a_5=b_5$에서

$6\times5-3=ar^4$ $\quad\therefore ar^4=27$ ⋯⋯ ㉡

㉡÷㉠을 하면 $r^2=9$ $\quad\therefore r=3$ $(\because r>0)$

$r=3$을 ㉠에 대입하면 $9a=3$ $\quad\therefore a=\frac{1}{3}$

따라서 등비수열 $\{b_n\}$의 첫째항은 $\frac{1}{3}$, 공비는 3이므로

$b_n=\frac{1}{3}\times3^{n-1}$

$\therefore b_6=\frac{1}{3}\times3^5=3^4=81$

7-1 답 30

|해결 전략| 세 수 a, b, c가 이 순서대로 등차수열을 이루면 $b=\frac{a+c}{2}$이고, 등비수열을 이루면 $b^2=ac$이다.

3은 a와 b의 등차중항이므로

$3=\dfrac{a+b}{2}$ $\quad\therefore a+b=6$ ······ ㉠

$a+b$는 1과 $2b$의 등비중항이므로

$(a+b)^2=2b$ ······ ㉡

㉠을 ㉡에 대입하면 $6^2=2b$ $\quad\therefore b=18$

$b=18$을 ㉠에 대입하면 $a+18=6$ $\quad\therefore a=-12$

$\therefore b-a=18-(-12)=30$

7-2 답 9

|해결 전략| 세 수 a, b, c가 이 순서대로 등차수열을 이루면 $b=\dfrac{a+c}{2}$이고, 등비수열을 이루면 $b^2=ac$이다.

$\log a$가 $\log 3$과 $\log b$의 등차중항이므로

$2\log a=\log 3+\log b$, $\log a^2=\log 3b$

$\therefore a^2=3b$ ······ ㉠

2^{2a}은 2와 2^{9b}의 등비중항이므로

$(2^{2a})^2=2\times 2^{9b}$, $2^{4a}=2^{9b+1}$

$\therefore 4a=9b+1$ ······ ㉡

㉠을 ㉡에 대입하면

$4a=3a^2+1$, $3a^2-4a+1=0$

$(3a-1)(a-1)=0$ $\quad\therefore a=\dfrac{1}{3}$ 또는 $a=1$

그런데 $a=1$이면 $\log a=\log 1=0$이므로 $a=\dfrac{1}{3}$

$a=\dfrac{1}{3}$을 ㉠에 대입하면 $b=\dfrac{1}{27}$ $\quad\therefore \dfrac{a}{b}=9$

LECTURE

두 양수 M, N에 대하여

❶ $\log M+\log N=\log MN$ ❷ $\log M-\log N=\log \dfrac{M}{N}$

8-1 답 1

|해결 전략| 정사각형 $A_nB_nC_nD_n$과 정사각형 $A_{n+1}B_{n+1}C_{n+1}D_{n+1}$의 변의 길이의 비를 생각한다.

정사각형 $A_nB_nC_nD_n$의 한 변의 길이를 a_n이라 하면 오른쪽 그림의 직각삼각형 $A_nA_{n+1}D_{n+1}$에서

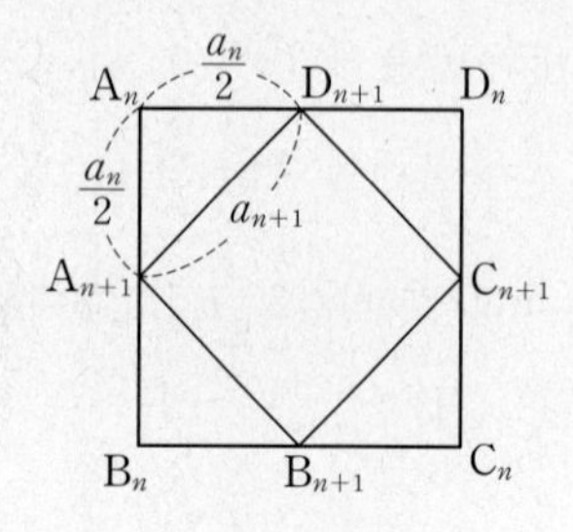

$a_{n+1}{}^2=\left(\dfrac{a_n}{2}\right)^2+\left(\dfrac{a_n}{2}\right)^2=\dfrac{1}{2}a_n{}^2$

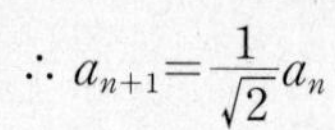

$\therefore a_{n+1}=\dfrac{1}{\sqrt{2}}a_n$

즉, 수열 $\{a_n\}$은 첫째항이 $2\sqrt{2}$, 공비가 $\dfrac{1}{\sqrt{2}}$인 등비수열이므로

→ 오른쪽 그림에서 $a_1=\sqrt{2^2+2^2}=2\sqrt{2}$

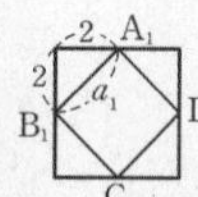

$a_n=2\sqrt{2}\times\left(\dfrac{1}{\sqrt{2}}\right)^{n-1}$

따라서 정사각형 $A_8B_8C_8D_8$의 둘레의 길이는

$4a_8=4\times 2\sqrt{2}\times\left(\dfrac{1}{\sqrt{2}}\right)^7=1$

8-2 답 $\dfrac{24}{7}\times\left(\dfrac{4}{7}\right)^7$

|해결 전략| 첫째항부터 차례로 나열하여 규칙을 찾아 a_8의 값을 구한다.

오른쪽 그림에서 삼각형 T_1과 삼각형 ABC는 닮음이므로

$(6-a_1):a_1=6:8=3:4$에서

$24-4a_1=3a_1$ $\quad\therefore a_1=\dfrac{24}{7}$

삼각형 T_2와 삼각형 ABC는 닮음이므로

$(a_1-a_2):a_2=3:4$에서

$4a_1-4a_2=3a_2$ $\quad\therefore a_2=\dfrac{4}{7}a_1=\dfrac{4}{7}\times\dfrac{24}{7}$

같은 방법으로 $a_3=\left(\dfrac{4}{7}\right)^2\times\dfrac{24}{7}, \cdots$

따라서 수열 $\{a_n\}$은 첫째항이 $\dfrac{24}{7}$, 공비가 $\dfrac{4}{7}$인 등비수열이므로

$a_n=\dfrac{24}{7}\times\left(\dfrac{4}{7}\right)^{n-1}$

$\therefore a_8=\dfrac{24}{7}\times\left(\dfrac{4}{7}\right)^7$

9-1 답 9

|해결 전략| 주어진 조건을 첫째항 a, 공비 r에 대한 식으로 나타내어 a, r의 값을 구한 후 $S_n=1533$일 때의 n의 값을 구한다.

등비수열 $\{a_n\}$의 첫째항을 a, 공비를 r라 하면

$a_3=12$에서 $ar^2=12$ ······ ㉠

$a_6=96$에서 $ar^5=96$ ······ ㉡

㉡÷㉠을 하면 $r^3=8$ $\quad\therefore r=2$ ($\because r$는 실수)

$r=2$를 ㉠에 대입하면 $4a=12$ $\quad\therefore a=3$

등비수열 $\{a_n\}$의 첫째항부터 제n항까지의 합이 1533이므로

$\dfrac{3(2^n-1)}{2-1}=1533$, $2^n-1=511$

$2^n=512$

$\therefore n=9$

9-2 답 21

|해결 전략| 주어진 조건을 첫째항 a, 공비 r에 대한 식으로 나타내어 a, r의 값을 구한 후 첫째항부터 제6항까지의 합을 구한다.

등비수열 $\{a_n\}$의 첫째항을 a, 공비를 r라 하면

$a_1+a_4=3$에서 $a+ar^3=a(1+r^3)=3$ ······ ㉠

$a_4+a_7=24$에서 $ar^3+ar^6=ar^3(1+r^3)=24$ ······ ㉡

㉡÷㉠을 하면 $r^3=8$ $\quad\therefore r=2$ ($\because r$는 실수)

$r=2$를 ㉠에 대입하면 $9a=3$ $\quad\therefore a=\dfrac{1}{3}$

따라서 등비수열 $\{a_n\}$의 첫째항부터 제6항까지의 합은

$\dfrac{\frac{1}{3}(2^6-1)}{2-1}=\dfrac{1}{3}\times 63=21$

10-1 답 244

|**해결 전략**| 첫째항이 a, 공비가 $r(r\neq1)$인 등비수열의 첫째항부터 제n항까지의 합 S_n은 $S_n=\frac{a(r^n-1)}{r-1}$임을 이용한다.

등비수열 $\{a_n\}$의 첫째항을 a라 하면 공비는 3이므로

$S_{10}=kS_5$에서 $\frac{a(3^{10}-1)}{3-1}=k\times\frac{a(3^5-1)}{3-1}$

$3^{10}-1=k(3^5-1)$, $(3^5+1)(3^5-1)=k(3^5-1)$

$\therefore k=3^5+1=243+1=244$

10-2 답 130

|**해결 전략**| 첫째항이 a, 공비가 $r(r\neq1)$인 등비수열의 첫째항부터 제n항까지의 합 S_n은 $S_n=\frac{a(r^n-1)}{r-1}$임을 이용한다.

등비수열 $\{a_n\}$의 첫째항을 a, 공비를 r, 첫째항부터 제n항까지의 합을 S_n이라 하면

$S_5=\frac{a(r^5-1)}{r-1}=10$ ...... ㉠

등비수열 $\{a_n\}$의 제6항부터 제10항까지의 합이 30이므로

$S_{10}-S_5=30$, $S_{10}=S_5+30=40$

$S_{10}=\frac{a(r^{10}-1)}{r-1}=\frac{a(r^5-1)(r^5+1)}{r-1}=40$ ...... ㉡

㉡÷㉠을 하면 $r^5+1=4$ $\quad\therefore r^5=3$

$\therefore S_{15}=\frac{a(r^{15}-1)}{r-1}=\frac{a(r^5-1)(r^{10}+r^5+1)}{r-1}$

$=\frac{a(r^{15}-1)}{r-1}\times(r^{10}+r^5+1)=10(3^2+3+1)=130$

11-1 답 1

|**해결 전략**| $a_1=S_1$, $a_n=S_n-S_{n-1}\ (n\geq2)$임을 이용하여 일반항 a_n을 구한다.

$a_1=S_1=2^2+4=8$

$a_n=S_n-S_{n-1}$

$=(2^{n+1}+4)-(2^n+4)$

$=2\times2^n-2^n=2^n\ (n\geq2)$ ...... ㉠

이때, $a_1=8$은 ㉠에 $n=1$을 대입한 것과 다르므로

$a_1=8$, $a_n=2^n\ (n\geq2)$

$\therefore \frac{a_3}{a_1}=\frac{2^3}{8}=1$

11-2 답 6

|**해결 전략**| 첫째항부터 등비수열을 이루려면 $a_n=S_n-S_{n-1}$에 $n=1$을 대입한 것과 S_1이 일치해야 한다.

$a_1=S_1=2\times3^3-k=54-k$

$a_n=S_n-S_{n-1}$

$=(2\times3^{2n+1}-k)-(2\times3^{2n-1}-k)$

$=6\times3^{2n}-\frac{2}{3}\times3^{2n}=\frac{16}{3}\times3^{2n}\ (n\geq2)$ ...... ㉠

수열 $\{a_n\}$이 첫째항부터 등비수열을 이루려면 ㉠에 $n=1$을 대입한 것과 $a_1=54-k$가 같아야 하므로

$\frac{16}{3}\times3^2=54-k$ $\quad\therefore k=6$

12-1 답 251만 원

|**해결 전략**| 월이율 0.4 %, 1개월마다 복리로 매월 초에 10만 원씩 적립했을 때, 24개월 후에 받는 금액을 구한다.

월이율 0.4 %, 1개월마다 복리로 매월 초에 10만 원씩 24개월 동안 적립한 적립금의 원리합계는 다음과 같다.

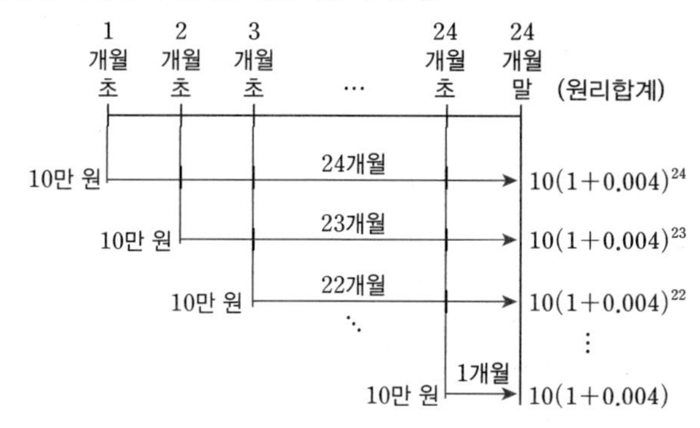

따라서 24개월 후에 적립된 총액은

$10(1+0.004)+10(1+0.004)^2+\cdots+10(1+0.004)^{24}$

$=\frac{10(1+0.004)\{(1+0.004)^{24}-1\}}{(1+0.004)-1}$

$=\frac{10\times1.004(1.004^{24}-1)}{0.004}$

$=\frac{10.04\times0.1}{0.004}$

$=251$(만 원)

12-2 답 76000원

|**해결 전략**| 월이율 1 %, 1개월마다 복리로 매월 말에 a원씩 적립했을 때, 12개월 후에 받는 금액이 100만 원이 되는 a의 값을 구한다.

월이율 1 %, 1개월마다 복리로 매월 말에 a원씩 12개월 동안 적립한 적립금의 원리합계는 다음과 같다.

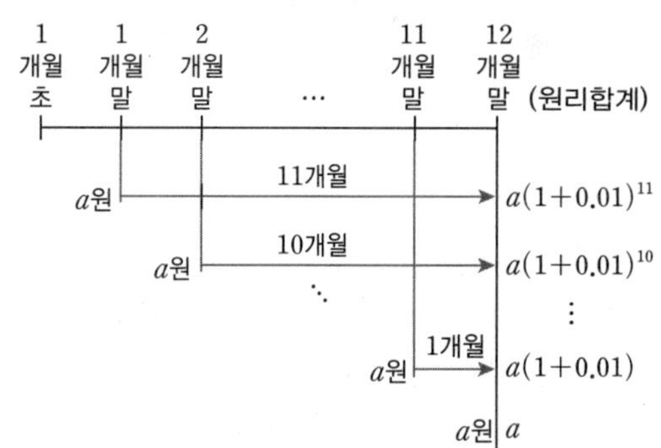

따라서 12개월 후 적립된 총액은

$a+a(1+0.01)+a(1+0.01)^2+\cdots+a(1+0.01)^{11}$

$=\frac{a\{(1+0.01)^{12}-1\}}{(1+0.01)-1}$

$=\frac{a(1.01^{12}-1)}{0.01}$

$=\frac{a\times0.13}{0.01}$

$=13a$(원)

이때, 적립된 금액이 100만 원이어야 하므로

$13a=1000000$, $a=76923.\cdots$(원)

따라서 매월 적립해야 하는 금액은 76000원이다.

10 수열의 합

1 합의 기호 $\sum$와 그 성질

개념 확인 242쪽~243쪽

1 (1) $\sum_{k=1}^{14} 2k$ (2) $\sum_{k=1}^{25} 3\times 2^k$

2 (1) $1+3+5+7+9$

(2) $3^3+3^4+3^5+\cdots+3^{10}$

3 (1) 1 (2) -22

1 (1) 수열 2, 4, 6, ⋯, 28은 첫째항이 2, 공차가 2인 등차수열이므로 일반항 a_n은

$a_n=2+(n-1)\times 2=2n$

이때, $2n=28$에서 $n=14$이므로

$2+4+6+\cdots+28=\sum_{k=1}^{14} 2k$

(2) 수열 3×2, 3×2^2, 3×2^3, ⋯, 3×2^{25}은 첫째항이 3×2, 공비가 2인 등비수열이므로 일반항 a_n은

$a_n=3\times 2\times 2^{n-1}=3\times 2^n$

이때, $3\times 2^n=3\times 2^{25}$에서 $n=25$이므로

$3\times 2+3\times 2^2+3\times 2^3+\cdots+3\times 2^{25}=\sum_{k=1}^{25} 3\times 2^k$

2 (1) 일반항 $2k-1$에 $k=1, 2, 3, 4, 5$를 차례로 대입하면

$$\begin{aligned}\sum_{k=1}^{5}(2k-1)&=(2\times 1-1)+(2\times 2-1)+(2\times 3-1)\\&\quad+(2\times 4-1)+(2\times 5-1)\\&=1+3+5+7+9\end{aligned}$$

(2) 일반항 3^i에 $i=3, 4, 5, \cdots, 10$을 차례로 대입하면

$\sum_{i=3}^{10} 3^i=3^3+3^4+3^5+\cdots+3^{10}$

3 (1)
$$\begin{aligned}\sum_{k=1}^{10}(2a_k+3b_k)&=2\sum_{k=1}^{10}a_k+3\sum_{k=1}^{10}b_k\\&=2\times 8+3\times(-5)\\&=1\end{aligned}$$

(2)
$$\begin{aligned}\sum_{k=1}^{10}(a_k-2b_k-4)&=\sum_{k=1}^{10}a_k-2\sum_{k=1}^{10}b_k-\sum_{k=1}^{10}4\\&=8-2\times(-5)-4\times 10\\&=-22\end{aligned}$$

STEP 1 개념 드릴 | 244쪽 |

1 (1) $\sum_{k=1}^{5} 2$ (2) $\sum_{k=1}^{15} 3^k$ (3) $\sum_{k=1}^{12}(3k-2)$ (4) $\sum_{k=1}^{6} 15\times\left(\frac{1}{3}\right)^{k-1}$

2 (1) $1^2+2^2+3^2+\cdots+12^2$ (2) $(-4)+(-3)+(-2)+\cdots+3$

(3) $2^3+2^4+2^5+\cdots+2^9$ (4) $2-3+4-5$

3 (1) 14 (2) 95 (3) 70

4 (1) -25 (2) -25 (3) 20

1 (1) $\underbrace{2+2+2+2+2}_{5개}=\sum_{k=1}^{5} 2$

(2) 수열 3, 3^2, 3^3, ⋯, 3^{15}은 첫째항이 3, 공비가 3인 등비수열이므로 일반항 a_n은

$a_n=3\times 3^{n-1}=3^n$

이때, $3^n=3^{15}$에서 $n=15$이므로

$3+3^2+3^3+\cdots+3^{15}=\sum_{k=1}^{15} 3^k$

(3) 수열 1, 4, 7, ⋯, 34는 첫째항이 1, 공차가 3인 등차수열이므로 일반항 a_n은

$a_n=1+(n-1)\times 3=3n-2$

이때, $3n-2=34$에서 $n=12$이므로

$1+4+7+\cdots+34=\sum_{k=1}^{12}(3k-2)$

(4) 수열 15, 5, $\frac{5}{3}$, ⋯, $\frac{5}{81}$는 첫째항이 15, 공비가 $\frac{1}{3}$인 등비수열이므로 일반항 a_n은

$a_n=15\times\left(\frac{1}{3}\right)^{n-1}$

이때, $15\times\left(\frac{1}{3}\right)^{n-1}=\frac{5}{81}$에서 $n-1=5$, 즉 $n=6$이므로

$15+5+\frac{5}{3}+\cdots+\frac{5}{81}=\sum_{k=1}^{6} 15\times\left(\frac{1}{3}\right)^{k-1}$

2 (1) 일반항 k^2에 $k=1, 2, 3, \cdots, 12$를 차례로 대입하면

$\sum_{k=1}^{12} k^2=1^2+2^2+3^2+\cdots+12^2$

(2) 일반항 $k-5$에 $k=1, 2, 3, \cdots, 8$을 차례로 대입하면

$$\begin{aligned}\sum_{k=1}^{8}(k-5)&=(1-5)+(2-5)+(3-5)+\cdots+(8-5)\\&=(-4)+(-3)+(-2)+\cdots+3\end{aligned}$$

(3) 일반항 2^i에 $i=3, 4, 5, \cdots, 9$를 차례로 대입하면

$\sum_{i=3}^{9} 2^i=2^3+2^4+2^5+\cdots+2^9$

(4) 일반항 $(-1)^j\times j$에 $j=2, 3, 4, 5$를 차례로 대입하면

$$\begin{aligned}&\sum_{j=2}^{5}(-1)^j\times j\\&=(-1)^2\times 2+(-1)^3\times 3+(-1)^4\times 4+(-1)^5\times 5\\&=2-3+4-5\end{aligned}$$

3 (1) $\sum_{k=1}^{7}(a_k+2b_k)=\sum_{k=1}^{7}a_k+2\sum_{k=1}^{7}b_k=20+2\times(-3)=14$

(2) $\sum_{k=1}^{7}(4a_k-5b_k)=4\sum_{k=1}^{7}a_k-5\sum_{k=1}^{7}b_k$
$=4\times20-5\times(-3)=95$

(3) $\sum_{k=1}^{7}(3a_k-b_k+1)=3\sum_{k=1}^{7}a_k-\sum_{k=1}^{7}b_k+\sum_{k=1}^{7}1$
$=3\times20-(-3)+1\times7=70$

4 (1) $\sum_{k=1}^{5}(a_k-2b_k)=\sum_{k=1}^{5}a_k-2\sum_{k=1}^{5}b_k=-15-2\times5=-25$

(2) $\sum_{k=1}^{5}(3a_k+4b_k)=3\sum_{k=1}^{5}a_k+4\sum_{k=1}^{5}b_k$
$=3\times(-15)+4\times5=-25$

(3) $\sum_{k=1}^{5}(a_k+5b_k+2)=\sum_{k=1}^{5}a_k+5\sum_{k=1}^{5}b_k+\sum_{k=1}^{5}2$
$=-15+5\times5+2\times5=20$

STEP 2 필수 유형 | 245쪽~246쪽 |

01-1 답 25

|**해결 전략**| $\sum_{k=2}^{11}ka_{k-1}$, $\sum_{k=1}^{10}ka_k$를 각각 $\sum$를 사용하지 않고 나타내어 본다.

$\sum_{k=2}^{11}ka_{k-1}=35$에서

$2a_1+3a_2+4a_3+\cdots+11a_{10}=35$ ...... ㉠

$\sum_{k=1}^{10}ka_k=10$에서

$a_1+2a_2+3a_3+\cdots+10a_{10}=10$ ...... ㉡

㉠－㉡을 하면 $a_1+a_2+a_3+\cdots+a_{10}=25$

$\therefore \sum_{k=1}^{10}a_k=25$

01-2 답 ㄱ, ㄷ

|**해결 전략**| 주어진 식을 $\sum$를 사용하지 않고 나타내어 본다.

ㄱ. $\sum_{k=1}^{15}a_k-\sum_{k=1}^{14}a_{k+1}$
$=(a_1+a_2+a_3+\cdots+a_{15})-(a_2+a_3+a_4+\cdots+a_{15})$
$=a_1$

ㄴ. $\sum_{k=1}^{20}a_k-\sum_{k=1}^{19}a_k$
$=(a_1+a_2+a_3+\cdots+a_{20})-(a_1+a_2+a_3+\cdots+a_{19})$
$=a_{20}$

ㄷ. $\sum_{k=1}^{20}a_{k+1}-\sum_{k=1}^{20}a_k$
$=(a_2+a_3+a_4+\cdots+a_{21})-(a_1+a_2+a_3+\cdots+a_{20})$
$=a_{21}-a_1$

ㄹ. $\sum_{k=1}^{20}a_{2k-1}+\sum_{k=1}^{20}a_{2k}$
$=(a_1+a_3+a_5+\cdots+a_{39})+(a_2+a_4+a_6+\cdots+a_{40})$
$=a_1+a_2+a_3+a_4+a_5+a_6+\cdots+a_{39}+a_{40}$
$=\sum_{k=1}^{40}a_k$

이상에서 옳은 것은 ㄱ, ㄷ이다.

02-1 답 706

|**해결 전략**| $\sum$의 성질과 등비수열의 합의 공식을 이용하여 식의 값을 구한다.

$\sum_{k=1}^{5}(2\times3^k-4)=2\sum_{k=1}^{5}3^k-\sum_{k=1}^{5}4$
$=2(3+3^2+3^3+3^4+3^5)-4\times5$
$=2\times\frac{3(3^5-1)}{3-1}-20$
$=3^6-3-20=706$

02-2 답 5

|**해결 전략**| $\sum_{k=1}^{n}(a_k+b_k)^2=9$에서 $(a_k+b_k)^2$을 전개하여 $\sum$의 성질을 이용한다.

$\sum_{k=1}^{n}(a_k+b_k)^2=\sum_{k=1}^{n}(a_k^2+2a_kb_k+b_k^2)$
$=\sum_{k=1}^{n}(a_k^2+b_k^2)+2\sum_{k=1}^{n}a_kb_k$

이때, $\sum_{k=1}^{n}(a_k+b_k)^2=9$, $\sum_{k=1}^{n}a_kb_k=2$이므로

$9=\sum_{k=1}^{n}(a_k^2+b_k^2)+2\times2$ $\quad\therefore \sum_{k=1}^{n}(a_k^2+b_k^2)=5$

02-3 답 45

|**해결 전략**| $\sum_{k=1}^{5}(2a_k-3)^2$에서 $(2a_k-3)^2$을 전개하여 $\sum$의 성질을 이용한다.

$\sum_{k=1}^{5}(2a_k-3)^2=\sum_{k=1}^{5}(4a_k^2-12a_k+9)=4\sum_{k=1}^{5}a_k^2-12\sum_{k=1}^{5}a_k+\sum_{k=1}^{5}9$
$=4\times15-12\times5+9\times5=45$

2 여러 가지 수열의 합

개념 확인 247쪽~248쪽

1 (1) 28 (2) 385 (3) 225 (4) 595
2 (1) $\frac{10}{21}$ (2) 5

1 (1) $1+2+3+\cdots+7=\sum_{k=1}^{7}k=\frac{7(7+1)}{2}=28$

(2) $1^2+2^2+3^2+\cdots+10^2=\sum_{k=1}^{10}k^2$
$=\frac{10(10+1)(2\times10+1)}{6}=385$

(3) $1^3+2^3+3^3+4^3+5^3=\sum_{k=1}^{5}k^3=\left\{\dfrac{5(5+1)}{2}\right\}^2=15^2=225$

(4) $6^2+7^2+8^2+\cdots+12^2$

$=\sum_{k=1}^{12}k^2-\sum_{k=1}^{5}k^2$

$=\dfrac{12(12+1)(2\times12+1)}{6}-\dfrac{5(5+1)(2\times5+1)}{6}$

$=650-55=595$

2 (1) $\sum_{k=1}^{10}\dfrac{1}{(2k-1)(2k+1)}$

$=\dfrac{1}{2k+1-(2k-1)}\sum_{k=1}^{10}\left(\dfrac{1}{2k-1}-\dfrac{1}{2k+1}\right)$

$=\dfrac{1}{2}\sum_{k=1}^{10}\left(\dfrac{1}{2k-1}-\dfrac{1}{2k+1}\right)$

$=\dfrac{1}{2}\left\{\left(1-\dfrac{1}{3}\right)+\left(\dfrac{1}{3}-\dfrac{1}{5}\right)+\left(\dfrac{1}{5}-\dfrac{1}{7}\right)+\cdots+\left(\dfrac{1}{19}-\dfrac{1}{21}\right)\right\}$

$=\dfrac{1}{2}\left(1-\dfrac{1}{21}\right)=\dfrac{10}{21}$

(2) $\sum_{k=1}^{35}\dfrac{1}{\sqrt{k}+\sqrt{k+1}}$

$=\sum_{k=1}^{35}\dfrac{\sqrt{k}-\sqrt{k+1}}{(\sqrt{k}+\sqrt{k+1})(\sqrt{k}-\sqrt{k+1})}=\sum_{k=1}^{35}(\sqrt{k+1}-\sqrt{k})$

$=(\sqrt{2}-1)+(\sqrt{3}-\sqrt{2})+(\sqrt{4}-\sqrt{3})+\cdots+(\sqrt{36}-\sqrt{35})$

$=\sqrt{36}-1=6-1=5$

STEP 1 개념 드릴

| 250쪽 |

1 (1) 124 (2) 2620 (3) 199 (4) 1736 (5) 140 (6) 885

2 (1) $\dfrac{5}{24}$ (2) $\dfrac{175}{264}$ (3) $\dfrac{15}{46}$ (4) 4 (5) $2\sqrt{2}$ (6) 6

1 (1) $\sum_{k=1}^{8}(3k+2)=3\sum_{k=1}^{8}k+\sum_{k=1}^{8}2=3\times\dfrac{8\times9}{2}+2\times8$

$=108+16=124$

(2) $\sum_{k=5}^{19}k(k+1)=\sum_{k=1}^{19}(k^2+k)-\sum_{k=1}^{4}(k^2+k)$

$=\left(\sum_{k=1}^{19}k^2+\sum_{k=1}^{19}k\right)-\left(\sum_{k=1}^{4}k^2+\sum_{k=1}^{4}k\right)$

$=\left(\dfrac{19\times20\times39}{6}+\dfrac{19\times20}{2}\right)$

$-\left(\dfrac{4\times5\times9}{6}+\dfrac{4\times5}{2}\right)$

$=(2470+190)-(30+10)=2620$

(3) $\sum_{k=1}^{6}(k+2)^2=\sum_{k=1}^{6}(k^2+4k+4)=\sum_{k=1}^{6}k^2+4\sum_{k=1}^{6}k+\sum_{k=1}^{6}4$

$=\dfrac{6\times7\times13}{6}+4\times\dfrac{6\times7}{2}+4\times6$

$=91+84+24=199$

(4) $\sum_{k=4}^{11}(2k-1)^2=\sum_{k=4}^{11}(4k^2-4k+1)$

$=\sum_{k=1}^{11}(4k^2-4k+1)-\sum_{k=1}^{3}(4k^2-4k+1)$

$=\left(4\sum_{k=1}^{11}k^2-4\sum_{k=1}^{11}k+\sum_{k=1}^{11}1\right)$

$-\left(4\sum_{k=1}^{3}k^2-4\sum_{k=1}^{3}k+\sum_{k=1}^{3}1\right)$

$=\left(4\times\dfrac{11\times12\times23}{6}-4\times\dfrac{11\times12}{2}+1\times11\right)$

$-\left(4\times\dfrac{3\times4\times7}{6}-4\times\dfrac{3\times4}{2}+1\times3\right)$

$=(2024-264+11)-(56-24+3)=1736$

(5) $\sum_{k=1}^{5}(k^3-2k^2+3k-4)$

$=\sum_{k=1}^{5}k^3-2\sum_{k=1}^{5}k^2+3\sum_{k=1}^{5}k-\sum_{k=1}^{5}4$

$=\left(\dfrac{5\times6}{2}\right)^2-2\times\dfrac{5\times6\times11}{6}+3\times\dfrac{5\times6}{2}-4\times5$

$=225-110+45-20=140$

(6) $\sum_{k=1}^{5}k(2k+1)(2k-1)=\sum_{k=1}^{5}(4k^3-k)=4\sum_{k=1}^{5}k^3-\sum_{k=1}^{5}k$

$=4\times\left(\dfrac{5\times6}{2}\right)^2-\dfrac{5\times6}{2}$

$=900-15=885$

2 (1) $\sum_{k=1}^{10}\dfrac{1}{2(k+1)(k+2)}$

$=\dfrac{1}{2}\sum_{k=1}^{10}\left(\dfrac{1}{k+1}-\dfrac{1}{k+2}\right)$

$=\dfrac{1}{2}\left\{\left(\dfrac{1}{2}-\dfrac{1}{3}\right)+\left(\dfrac{1}{3}-\dfrac{1}{4}\right)+\left(\dfrac{1}{4}-\dfrac{1}{5}\right)+\cdots+\left(\dfrac{1}{11}-\dfrac{1}{12}\right)\right\}$

$=\dfrac{1}{2}\left(\dfrac{1}{2}-\dfrac{1}{12}\right)=\dfrac{5}{24}$

(2) $\dfrac{1}{2^2-1}+\dfrac{1}{3^2-1}+\dfrac{1}{4^2-1}+\cdots+\dfrac{1}{11^2-1}$

$=\sum_{k=2}^{11}\dfrac{1}{k^2-1}=\sum_{k=2}^{11}\dfrac{1}{(k-1)(k+1)}$

$=\dfrac{1}{2}\sum_{k=2}^{11}\left(\dfrac{1}{k-1}-\dfrac{1}{k+1}\right)$

$=\dfrac{1}{2}\left\{\left(1-\dfrac{1}{3}\right)+\left(\dfrac{1}{2}-\dfrac{1}{4}\right)+\left(\dfrac{1}{3}-\dfrac{1}{5}\right)\right.$

$\left.+\cdots+\left(\dfrac{1}{9}-\dfrac{1}{11}\right)+\left(\dfrac{1}{10}-\dfrac{1}{12}\right)\right\}$

$=\dfrac{1}{2}\left(1+\dfrac{1}{2}-\dfrac{1}{11}-\dfrac{1}{12}\right)=\dfrac{175}{264}$

(3) $\sum_{k=1}^{15}\dfrac{1}{(3k-2)(3k+1)}$

$=\dfrac{1}{3}\sum_{k=1}^{15}\left(\dfrac{1}{3k-2}-\dfrac{1}{3k+1}\right)$

$=\dfrac{1}{3}\left\{\left(1-\dfrac{1}{4}\right)+\left(\dfrac{1}{4}-\dfrac{1}{7}\right)+\left(\dfrac{1}{7}-\dfrac{1}{10}\right)+\cdots+\left(\dfrac{1}{43}-\dfrac{1}{46}\right)\right\}$

$=\dfrac{1}{3}\left(1-\dfrac{1}{46}\right)=\dfrac{15}{46}$

(4) $\sum_{k=1}^{40} \frac{1}{\sqrt{2k-1}+\sqrt{2k+1}}$

$= \sum_{k=1}^{40} \frac{\sqrt{2k-1}-\sqrt{2k+1}}{(\sqrt{2k-1}+\sqrt{2k+1})(\sqrt{2k-1}-\sqrt{2k+1})}$

$= -\frac{1}{2}\sum_{k=1}^{40}(\sqrt{2k-1}-\sqrt{2k+1})$

$= -\frac{1}{2}\{(1-\sqrt{3})+(\sqrt{3}-\sqrt{5})+(\sqrt{5}-\sqrt{7}) + \cdots + (\sqrt{79}-\sqrt{81})\}$

$= -\frac{1}{2}(1-\sqrt{81})=4$

(5) $\sum_{k=1}^{24} \frac{1}{\sqrt{2k+2}+\sqrt{2k}}$

$= \sum_{k=1}^{24} \frac{\sqrt{2k+2}-\sqrt{2k}}{(\sqrt{2k+2}+\sqrt{2k})(\sqrt{2k+2}-\sqrt{2k})}$

$= \frac{1}{2}\sum_{k=1}^{24}(\sqrt{2k+2}-\sqrt{2k})$

$= \frac{1}{2}\{(\sqrt{4}-\sqrt{2})+(\sqrt{6}-\sqrt{4})+(\sqrt{8}-\sqrt{6})+ \cdots +(\sqrt{50}-\sqrt{48})\}$

$= \frac{1}{2}(\sqrt{50}-\sqrt{2})=2\sqrt{2}$

(6) $\frac{1}{\sqrt{2}+1}+\frac{1}{\sqrt{3}+\sqrt{2}}+\frac{1}{\sqrt{4}+\sqrt{3}}+ \cdots +\frac{1}{\sqrt{49}+\sqrt{48}}$

$= \sum_{k=1}^{48} \frac{1}{\sqrt{k+1}+\sqrt{k}}$

$= \sum_{k=1}^{48} \frac{\sqrt{k+1}-\sqrt{k}}{(\sqrt{k+1}+\sqrt{k})(\sqrt{k+1}-\sqrt{k})}$

$= \sum_{k=1}^{48}(\sqrt{k+1}-\sqrt{k})$

$= (\sqrt{2}-1)+(\sqrt{3}-\sqrt{2})+(\sqrt{4}-\sqrt{3})+ \cdots +(\sqrt{49}-\sqrt{48})$

$= \sqrt{49}-1=6$

STEP 2 필수 유형

| 251쪽~257쪽 |

01-1 답 2680

|해결 전략| 자연수의 거듭제곱의 합과 $\sum$의 성질을 이용하여 식의 값을 구한다.

$\sum_{k=1}^{20}\frac{k^3}{k+1}+\sum_{k=1}^{20}\frac{1}{k+1}=\sum_{k=1}^{20}\frac{k^3+1}{k+1}=\sum_{k=1}^{20}\frac{(k+1)(k^2-k+1)}{k+1}$

$=\sum_{k=1}^{20}(k^2-k+1)=\sum_{k=1}^{20}k^2-\sum_{k=1}^{20}k+\sum_{k=1}^{20}1$

$=\frac{20\times21\times41}{6}-\frac{20\times21}{2}+1\times20$

$=2870-210+20=2680$

01-2 답 $\frac{n(n+1)(4n+5)}{6}$

|해결 전략| 주어진 수열의 일반항 a_n을 구한 후 $\sum_{k=1}^{n}a_k$를 구한다.

주어진 수열의 일반항을 a_n이라 하면

$a_n=n\times\{3+(n-1)\times2\}=n(2n+1)$

수열 $\{a_n\}$의 첫째항부터 제n항까지의 합은

$\sum_{k=1}^{n}a_k=\sum_{k=1}^{n}k(2k+1)=\sum_{k=1}^{n}(2k^2+k)=2\sum_{k=1}^{n}k^2+\sum_{k=1}^{n}k$

$=2\times\frac{n(n+1)(2n+1)}{6}+\frac{n(n+1)}{2}$

$=\frac{n(n+1)}{2}\left\{\frac{2(2n+1)}{3}+1\right\}=\frac{n(n+1)(4n+5)}{6}$

02-1 답 975

|해결 전략| $\sum$를 여러 개 포함한 식의 계산에서는 괄호 안부터 차례로 계산한다.

$\sum_{m=1}^{25}\left(\sum_{l=1}^{m}3\right)=\sum_{m=1}^{25}3m=3\sum_{m=1}^{25}m=3\times\frac{25\times26}{2}=975$

02-2 답 270

|해결 전략| $\sum$를 여러 개 포함한 식의 계산에서는 괄호 안부터 차례로 계산한다.

$\sum_{j=1}^{n}\left(\sum_{i=1}^{m}ij\right)=\sum_{j=1}^{n}\left(j\sum_{i=1}^{m}i\right)=\sum_{j=1}^{n}\left\{j\times\frac{m(m+1)}{2}\right\}$

$=\frac{m(m+1)}{2}\sum_{j=1}^{n}j=\frac{m(m+1)}{2}\times\frac{n(n+1)}{2}$

$=\frac{mn(mn+m+n+1)}{4}$

이때, 이차방정식 $x^2-12x+27=0$의 두 근이 m, n이므로 근과 계수의 관계에 의하여 $m+n=12$, $mn=27$

$\therefore \sum_{j=1}^{n}\left(\sum_{i=1}^{m}ij\right)=\frac{27\times(27+12+1)}{4}=270$

03-1 답 $\frac{1023}{1024}$

|해결 전략| 수열의 합과 일반항 사이의 관계를 이용하여 주어진 수열의 일반항을 먼저 구한다.

수열 $\{a_n\}$의 첫째항부터 제n항까지의 합을 S_n이라 하면

$S_n=\sum_{k=1}^{n}a_k=2^{n+1}-2$에서

(i) $n=1$일 때

$a_1=S_1=2$

(ii) $n\geq2$일 때

$a_n=S_n-S_{n-1}$

$=(2^{n+1}-2)-(2^n-2)=(2-1)\times2^n=2^n$ …… ㉠

이때, $a_1=2$는 ㉠에 $n=1$을 대입한 것과 같으므로 $a_n=2^n$

$\therefore \sum_{k=1}^{10}\frac{a_k}{4^k}=\sum_{k=1}^{10}\left(\frac{1}{2}\right)^k=\frac{\frac{1}{2}\left\{1-\left(\frac{1}{2}\right)^{10}\right\}}{1-\frac{1}{2}}=1-\left(\frac{1}{2}\right)^{10}=\frac{1023}{1024}$

03-2 답 1150

|해결 전략| 수열의 합과 일반항 사이의 관계를 이용하여 주어진 수열의 일반항을 먼저 구한다.

수열 $\{a_n\}$의 첫째항부터 제n항까지의 합을 S_n이라 하면

$S_n=a_1+a_2+a_3+ \cdots +a_n=2n^3$에서

(i) $n=1$일 때

$a_1=S_1=2$

(ii) $n \geq 2$일 때

$$a_n = S_n - S_{n-1}$$
$$= 2n^3 - 2(n-1)^3 = 6n^2 - 6n + 2 \quad \cdots\cdots ㉠$$

이때, $a_1 = 2$는 ㉠에 $n=1$을 대입한 것과 같으므로

$a_n = 6n^2 - 6n + 2$

$$\therefore \sum_{k=1}^{5} a_{2k} = \sum_{k=1}^{5} (24k^2 - 12k + 2) = 24\sum_{k=1}^{5} k^2 - 12\sum_{k=1}^{5} k + \sum_{k=1}^{5} 2$$
$$= 24 \times \frac{5\times6\times11}{6} - 12 \times \frac{5\times6}{2} + 2\times5$$
$$= 1320 - 180 + 10 = 1150$$

04-1 답 $\frac{n}{4(n+1)}$

|해결 전략| 분수 꼴로 주어진 수열의 합은 일반항을 부분분수로 변형한 후 계산한다.

주어진 수열의 일반항을 a_n이라 하면

$$a_n = \frac{1}{2n(2n+2)} = \frac{1}{4n(n+1)}$$

수열 $\{a_n\}$의 첫째항부터 제n항까지의 합은

$$\sum_{k=1}^{n} a_k = \sum_{k=1}^{n} \frac{1}{4k(k+1)} = \frac{1}{4}\sum_{k=1}^{n}\left(\frac{1}{k} - \frac{1}{k+1}\right)$$
$$= \frac{1}{4}\left\{\left(1-\frac{1}{2}\right)+\left(\frac{1}{2}-\frac{1}{3}\right)+\left(\frac{1}{3}-\frac{1}{4}\right)+\cdots+\left(\frac{1}{n}-\frac{1}{n+1}\right)\right\}$$
$$= \frac{1}{4}\left(1-\frac{1}{n+1}\right) = \frac{n}{4(n+1)}$$

04-2 답 $\frac{2}{15}$

|해결 전략| 수열의 합과 일반항 사이의 관계를 이용하여 주어진 수열의 일반항을 먼저 구한다.

수열 $\{a_n\}$의 첫째항부터 제n항까지의 합을 S_n이라 하면

$S_n = \sum_{k=1}^{n} a_k = n^2 + 2n$에서

(i) $n=1$일 때

$a_1 = S_1 = 3$

(ii) $n \geq 2$일 때

$$a_n = S_n - S_{n-1}$$
$$= (n^2+2n) - \{(n-1)^2 + 2(n-1)\} = 2n+1 \quad \cdots\cdots ㉠$$

이때, $a_1 = 3$은 ㉠에 $n=1$을 대입한 것과 같으므로

$a_n = 2n+1$

$$\therefore \sum_{k=1}^{6} \frac{1}{a_k a_{k+1}}$$
$$= \sum_{k=1}^{6} \frac{1}{(2k+1)(2k+3)}$$
$$= \frac{1}{2}\sum_{k=1}^{6}\left(\frac{1}{2k+1} - \frac{1}{2k+3}\right)$$
$$= \frac{1}{2}\left\{\left(\frac{1}{3}-\frac{1}{5}\right)+\left(\frac{1}{5}-\frac{1}{7}\right)+\left(\frac{1}{7}-\frac{1}{9}\right)+\cdots+\left(\frac{1}{13}-\frac{1}{15}\right)\right\}$$
$$= \frac{1}{2}\left(\frac{1}{3}-\frac{1}{15}\right) = \frac{2}{15}$$

05-1 답 $3-\sqrt{2}+\sqrt{15}$

|해결 전략| 분모에 근호가 포함된 수열의 합은 일반항의 분모를 유리화한 후 계산한다.

수열 $\frac{2}{1+\sqrt{3}}, \frac{2}{\sqrt{2}+\sqrt{4}}, \frac{2}{\sqrt{3}+\sqrt{5}}, \cdots$의 일반항을 a_n이라 하면

$$a_n = \frac{2}{\sqrt{n}+\sqrt{n+2}}$$
$$= \frac{2(\sqrt{n}-\sqrt{n+2})}{(\sqrt{n}+\sqrt{n+2})(\sqrt{n}-\sqrt{n+2})}$$
$$= \sqrt{n+2} - \sqrt{n}$$

$$\therefore \sum_{k=1}^{14} a_k = \sum_{k=1}^{14} (\sqrt{k+2} - \sqrt{k})$$
$$= (\sqrt{3}-1) + (\sqrt{4}-\sqrt{2}) + (\sqrt{5}-\sqrt{3}) + \cdots + (\sqrt{15}-\sqrt{13}) + (\sqrt{16}-\sqrt{14})$$
$$= -1 - \sqrt{2} + \sqrt{15} + \sqrt{16}$$
$$= 3 - \sqrt{2} + \sqrt{15}$$

05-2 답 24

|해결 전략| 분모에 근호가 포함된 수열의 합은 일반항의 분모를 유리화한 후 계산한다.

주어진 수열 $\{a_n\}$의 일반항을 구하면

$a_n = 1 + (n-1) \times 2 = 2n-1$이므로

$$\frac{1}{\sqrt{a_{n+1}}+\sqrt{a_n}} = \frac{1}{\sqrt{2n+1}+\sqrt{2n-1}}$$
$$= \frac{\sqrt{2n+1}-\sqrt{2n-1}}{(\sqrt{2n+1}+\sqrt{2n-1})(\sqrt{2n+1}-\sqrt{2n-1})}$$
$$= \frac{1}{2}(\sqrt{2n+1}-\sqrt{2n-1})$$

$$\therefore \sum_{k=1}^{n} \frac{1}{\sqrt{a_{k+1}}+\sqrt{a_k}} = \frac{1}{2}\sum_{k=1}^{n}(\sqrt{2k+1}-\sqrt{2k-1})$$
$$= \frac{1}{2}\{(\sqrt{3}-1)+(\sqrt{5}-\sqrt{3})+(\sqrt{7}-\sqrt{5}) + \cdots + (\sqrt{2n+1}-\sqrt{2n-1})\}$$
$$= \frac{1}{2}(\sqrt{2n+1}-1)$$

이때, $\sum_{k=1}^{n} \frac{1}{\sqrt{a_{k+1}}+\sqrt{a_k}} = 3$이므로 $\frac{1}{2}(\sqrt{2n+1}-1) = 3$

$\sqrt{2n+1} = 7$, $2n+1 = 49$ $\quad \therefore n = 24$

06-1 답 $\frac{19}{4}\times3^{11}+\frac{3}{4}$

|해결 전략| 주어진 수열의 합 S에 대하여 $S-$(등비수열의 공비)$\times S$를 계산하여 S의 값을 구한다.

$$\begin{aligned} S &= 1\times3 + 2\times3^2 + 3\times3^3 + \cdots + 10\times3^{10} \\ -)\ 3S &= \quad\quad 1\times3^2 + 2\times3^3 + \cdots + 9\times3^{10} + 10\times3^{11} \\ \hline -2S &= 3 + 3^2 + 3^3 + \cdots + 3^{10} - 10\times3^{11} \end{aligned}$$

$$= \frac{3(3^{10}-1)}{3-1} - 10\times3^{11}$$
$$= -\frac{19}{2}\times3^{11} - \frac{3}{2}$$

$$\therefore S = \frac{19}{4}\times3^{11} + \frac{3}{4}$$

06-2 답 $\frac{3}{4}-\frac{19}{4\times3^8}$

|해결 전략| 주어진 수열의 합 S_n에 대하여 S_8-(등비수열의 공비)$\times S_8$을 계산하여 S_8의 값을 구한다.

$$S_8=1\times\frac{1}{3}+2\times\frac{1}{3^2}+3\times\frac{1}{3^3}+\cdots+8\times\frac{1}{3^8}$$

$$-\Big)\ \frac{1}{3}S_8=\qquad 1\times\frac{1}{3^2}+2\times\frac{1}{3^3}+\cdots+7\times\frac{1}{3^8}+8\times\frac{1}{3^9}$$

$$\frac{2}{3}S_8=\frac{1}{3}+\frac{1}{3^2}+\frac{1}{3^3}+\cdots+\frac{1}{3^8}-8\times\frac{1}{3^9}$$

$$=\frac{\frac{1}{3}\left(1-\frac{1}{3^8}\right)}{1-\frac{1}{3}}-8\times\frac{1}{3^9}$$

$$=\frac{1}{2}\left(1-\frac{1}{3^8}\right)-\frac{8}{3^9}$$

$$=\frac{1}{2}-\frac{19}{2\times3^9}$$

$$\therefore S_8=\frac{3}{4}-\frac{19}{4\times3^8}$$

07-1 답 6

|해결 전략| 수열의 각 항이 갖는 규칙을 파악하여 주어진 수열을 군으로 나눈다.

주어진 수열을 각 군의 마지막 항이 1이 되도록 묶으면

$\underbrace{(1)}_{제1군}, \underbrace{(2, 1)}_{제2군}, \underbrace{(3, 2, 1)}_{제3군}, \underbrace{(4, 3, 2, 1)}_{제4군}, \cdots$

각 군의 항의 개수는 1, 2, 3, …이므로 제1군부터 제n군까지의 항의 개수는

$$\sum_{k=1}^{n}k=\frac{n(n+1)}{2}$$

$n=9$일 때, $\frac{9\times10}{2}=45$이므로 제50항은 제10군의 5번째 항이다.

이때, 제n군은 첫째항이 n, 공차가 -1인 등차수열이므로 제10군의 5번째 항은

$10+(5-1)\times(-1)=6$

따라서 제50항은 6이다.

07-2 답 27

|해결 전략| 수열의 각 항이 갖는 규칙을 파악하여 주어진 수열을 군으로 나눈다.

주어진 수열을 분모와 분자의 합이 같은 것끼리 묶으면

$\underbrace{\left(\frac{1}{1}\right)}_{제1군}, \underbrace{\left(\frac{2}{1}, \frac{1}{2}\right)}_{제2군}, \underbrace{\left(\frac{3}{1}, \frac{2}{2}, \frac{1}{3}\right)}_{제3군}, \underbrace{\left(\frac{4}{1}, \frac{3}{2}, \frac{2}{3}, \frac{1}{4}\right)}_{제4군}, \cdots$

$\frac{2}{6}$는 분모와 분자의 합이 8인 제7군의 6번째 항이다.

각 군의 항의 개수는 1, 2, 3, … 이므로 제1군부터 제6군까지의 항의 개수는

$1+2+3+\cdots+6=\frac{6\times7}{2}=21$

따라서 $\frac{2}{6}$가 처음으로 나오는 항은 제$(21+6)$항, 즉 제27항이므로

$k=27$

STEP 3 유형 드릴

| 258쪽~259쪽 |

1-1 답 44

|해결 전략| $\sum_{k=1}^{7}(2a_k+2b_k)^2$에서 $(2a_k+2b_k)^2$을 전개하여 $\sum$의 성질을 이용한다.

$$\sum_{k=1}^{7}(2a_k+2b_k)^2=\sum_{k=1}^{7}(4a_k^2+8a_kb_k+4b_k^2)$$

$$=4\sum_{k=1}^{7}a_k^2+8\sum_{k=1}^{7}a_kb_k+4\sum_{k=1}^{7}b_k^2$$

$$=4\left(\sum_{k=1}^{7}a_k^2+\sum_{k=1}^{7}b_k^2\right)+8\sum_{k=1}^{7}a_kb_k$$

$$=4\sum_{k=1}^{7}(a_k^2+b_k^2)+8\sum_{k=1}^{7}a_kb_k$$

$$=4\times5+8\times3=44$$

1-2 답 0

|해결 전략| 먼저 $\sum_{k=1}^{15}10a_k$, $\sum_{k=1}^{15}10b_k$의 값을 구한다.

$\sum_{k=1}^{15}\{3(3a_k-b_k)+(a_k+3b_k)\}=\sum_{k=1}^{15}10a_k$이므로

$$\sum_{k=1}^{15}10a_k=3\sum_{k=1}^{15}(3a_k-b_k)+\sum_{k=1}^{15}(a_k+3b_k)$$
$$=3\times8+(-4)=20$$

$\sum_{k=1}^{15}\{3(a_k+3b_k)-(3a_k-b_k)\}=\sum_{k=1}^{15}10b_k$이므로

$$\sum_{k=1}^{15}10b_k=3\sum_{k=1}^{15}(a_k+3b_k)-\sum_{k=1}^{15}(3a_k-b_k)$$
$$=3\times(-4)-8=-20$$

$$\therefore \sum_{k=1}^{15}(10a_k+10b_k)=\sum_{k=1}^{15}10a_k+\sum_{k=1}^{15}10b_k=20+(-20)=0$$

2-1 답 330

|해결 전략| 자연수의 거듭제곱의 합과 $\sum$의 성질을 이용한다.

$1\times2+2\times3+3\times4+\cdots+9\times10$

$$=\sum_{k=1}^{9}k(k+1)=\sum_{k=1}^{9}(k^2+k)=\sum_{k=1}^{9}k^2+\sum_{k=1}^{9}k$$

$$=\frac{9\times10\times19}{6}+\frac{9\times10}{2}=285+45=330$$

2-2 답 10

|해결 전략| 자연수의 거듭제곱의 합과 $\sum$의 성질을 이용한다.

$$\sum_{k=1}^{n}k(3k-1)=\sum_{k=1}^{n}(3k^2-k)=3\sum_{k=1}^{n}k^2-\sum_{k=1}^{n}k$$

$$=3\times\frac{n(n+1)(2n+1)}{6}-\frac{n(n+1)}{2}$$

$$=\frac{n(n+1)}{2}\{(2n+1)-1\}=n^2(n+1)$$

즉, $n^2(n+1)=1100$이므로 $n=10$

3-1 답 100

|해결 전략| $\sum_{k=1}^{n}\square$ 꼴 ➡ k를 제외한 □ 안의 문자는 상수로 생각하여 계산한다.

$\sum_{k=1}^{l}5=5l$이므로

$$\sum_{l=1}^{m}\left(\sum_{k=1}^{l}5\right)=\sum_{l=1}^{m}5l=5\sum_{l=1}^{m}l=5\times\frac{m(m+1)}{2}=\frac{5}{2}m(m+1)$$

$$\begin{aligned}\therefore \sum_{m=1}^{4}\left\{\sum_{l=1}^{m}\left(\sum_{k=1}^{l}5\right)\right\}&=\sum_{m=1}^{4}\left\{\frac{5}{2}m(m+1)\right\}\\&=\frac{5}{2}\left(\sum_{m=1}^{4}m^2+\sum_{m=1}^{4}m\right)\\&=\frac{5}{2}\left(\frac{4\times5\times9}{6}+\frac{4\times5}{2}\right)\\&=\frac{5}{2}(30+10)=100\end{aligned}$$

3-2 답 24

|해결 전략| $\sum_{k=1}^{n}\square$ 꼴 ➡ k를 제외한 □ 안의 문자는 상수로 생각하여 계산한다.

$\sum_{m=1}^{4}l=4l$이므로

$$\begin{aligned}f(k)&=\sum_{l=1}^{k}\left(\sum_{m=1}^{4}l\right)=\sum_{l=1}^{k}4l=4\sum_{l=1}^{k}l\\&=4\times\frac{k(k+1)}{2}=2k(k+1)\end{aligned}$$

$f(6)=2\times6\times7=84$, $f(5)=2\times5\times6=60$이므로

$f(6)-f(5)=84-60=24$

4-1 답 95

|해결 전략| 수열의 합과 일반항 사이의 관계를 이용하여 주어진 수열의 일반항을 먼저 구한다.

수열 $\{a_n\}$의 첫째항부터 제n항까지의 합을 S_n이라 하면

$S_n=\sum_{k=1}^{n}a_k=n^2$에서

(i) $n=1$일 때

$a_1=S_1=1^2=1$

(ii) $n\ge2$일 때

$$\begin{aligned}a_n&=S_n-S_{n-1}\\&=n^2-(n-1)^2=2n-1 \qquad \cdots\cdots ㉠\end{aligned}$$

이때, $a_1=1$은 ㉠에 $n=1$을 대입한 것과 같으므로

$a_n=2n-1$

$$\begin{aligned}\therefore \sum_{k=1}^{5}ka_k&=\sum_{k=1}^{5}k(2k-1)=\sum_{k=1}^{5}(2k^2-k)\\&=2\sum_{k=1}^{5}k^2-\sum_{k=1}^{5}k\\&=2\times\frac{5\times6\times11}{6}-\frac{5\times6}{2}\\&=110-15=95\end{aligned}$$

4-2 답 −438

|해결 전략| 수열의 합과 일반항 사이의 관계를 이용하여 주어진 수열의 일반항을 먼저 구한다.

수열 $\{a_n\}$의 첫째항부터 제n항까지의 합을 S_n이라 하면

$S_n=\sum_{k=1}^{n}a_k=\frac{1}{n+1}$이므로

$$\begin{aligned}a_n&=S_n-S_{n-1}\\&=\frac{1}{n+1}-\frac{1}{n}=\frac{n-(n+1)}{n(n+1)}=-\frac{1}{n(n+1)}\ (n\ge2)\end{aligned}$$

$$\begin{aligned}\therefore \sum_{k=2}^{10}\frac{1}{a_k}&=-\sum_{k=2}^{10}k(k+1)=-\left\{\sum_{k=1}^{10}k(k+1)\right\}+2\\&=-\sum_{k=1}^{10}k^2-\sum_{k=1}^{10}k+2\\&=-\frac{10\times11\times21}{6}-\frac{10\times11}{2}+2\\&=-385-55+2=-438\end{aligned}$$

5-1 답 49

|해결 전략| 분수 꼴로 주어진 수열의 합은 일반항을 부분분수로 변형한 후 계산한다.

$$\begin{aligned}&\sum_{k=1}^{n}\frac{1}{k(k+1)}\\&=\sum_{k=1}^{n}\left(\frac{1}{k}-\frac{1}{k+1}\right)\\&=\left(1-\frac{1}{2}\right)+\left(\frac{1}{2}-\frac{1}{3}\right)+\left(\frac{1}{3}-\frac{1}{4}\right)+\cdots+\left(\frac{1}{n}-\frac{1}{n+1}\right)\\&=1-\frac{1}{n+1}\\&=\frac{n}{n+1}\end{aligned}$$

즉, $\frac{n}{n+1}=\frac{49}{50}$이므로 $n=49$

5-2 답 $\frac{20}{11}$

|해결 전략| 분수 꼴로 주어진 수열의 합은 일반항을 부분분수로 변형한 후 계산한다.

$$\begin{aligned}&1+\frac{1}{1+2}+\frac{1}{1+2+3}+\cdots+\frac{1}{1+2+3+\cdots+10}\\&=\sum_{k=1}^{10}\frac{1}{1+2+3+\cdots+k}=\sum_{k=1}^{10}\frac{1}{\frac{k(k+1)}{2}}\\&=\sum_{k=1}^{10}\frac{2}{k(k+1)}=2\sum_{k=1}^{10}\left(\frac{1}{k}-\frac{1}{k+1}\right)\\&=2\left\{\left(1-\frac{1}{2}\right)+\left(\frac{1}{2}-\frac{1}{3}\right)+\left(\frac{1}{3}-\frac{1}{4}\right)+\cdots+\left(\frac{1}{10}-\frac{1}{11}\right)\right\}\\&=2\left(1-\frac{1}{11}\right)=\frac{20}{11}\end{aligned}$$

6-1 답 −2

|해결 전략| 분모에 근호가 포함된 수열의 합은 일반항의 분모를 유리화한 후 계산한다.

$$\begin{aligned}\frac{1}{\sqrt{2k}+\sqrt{2k+2}}&=\frac{\sqrt{2k}-\sqrt{2k+2}}{(\sqrt{2k}+\sqrt{2k+2})(\sqrt{2k}-\sqrt{2k+2})}\\&=\frac{1}{2}(\sqrt{2k+2}-\sqrt{2k})\end{aligned}$$

$$\therefore \sum_{k=1}^{31} \frac{1}{\sqrt{2k}+\sqrt{2k+2}} = \frac{1}{2}\sum_{k=1}^{31}(\sqrt{2k+2}-\sqrt{2k})$$
$$= \frac{1}{2}\{(\sqrt{4}-\sqrt{2})+(\sqrt{6}-\sqrt{4})+(\sqrt{8}-\sqrt{6}) + \cdots + (\sqrt{64}-\sqrt{62})\}$$
$$= \frac{1}{2}(\sqrt{64}-\sqrt{2})$$
$$= 4-\frac{\sqrt{2}}{2}$$

따라서 $a=4,\ b=-\frac{1}{2}$이므로 $ab=4\times\left(-\frac{1}{2}\right)=-2$

6-2 답 3

|**해결 전략**| 분모에 근호가 포함된 수열의 합은 일반항의 분모를 유리화한 후 계산한다.

이차방정식 $x^2-(\sqrt{k}-\sqrt{k+1})x-\sqrt{k^2+k}=0$의 두 실근이 α_k, β_k이므로 근과 계수의 관계에 의하여

$\alpha_k+\beta_k=\sqrt{k}-\sqrt{k+1}$, $\alpha_k\beta_k=-\sqrt{k^2+k}=-\sqrt{k(k+1)}$

$$(\alpha_k-\beta_k)^2=(\alpha_k+\beta_k)^2-4\alpha_k\beta_k$$
$$=(\sqrt{k}-\sqrt{k+1})^2+4\sqrt{k(k+1)}$$
$$=(\sqrt{k}+\sqrt{k+1})^2$$

$|\alpha_k-\beta_k|=\sqrt{k}+\sqrt{k+1}$이므로

$$\frac{1}{|\alpha_k-\beta_k|}=\frac{1}{\sqrt{k}+\sqrt{k+1}}$$
$$=\frac{\sqrt{k}-\sqrt{k+1}}{(\sqrt{k}+\sqrt{k+1})(\sqrt{k}-\sqrt{k+1})}$$
$$=\sqrt{k+1}-\sqrt{k}$$

$$\therefore \sum_{k=1}^{15}\frac{1}{|\alpha_k-\beta_k|}=\sum_{k=1}^{15}(\sqrt{k+1}-\sqrt{k})$$
$$=(\sqrt{2}-1)+(\sqrt{3}-\sqrt{2})+(\sqrt{4}-\sqrt{3}) + \cdots + (\sqrt{16}-\sqrt{15})$$
$$=\sqrt{16}-1$$
$$=3$$

7-1 답 $8\times3^{10}+3$

|**해결 전략**| 주어진 수열의 합 S에 대하여 $S-$(등비수열의 공비)$\times S$를 계산하여 S의 값을 구한다.

$$S=1\times3+3\times9+5\times27+\cdots+17\times3^9$$
$$=1\times3+3\times3^2+5\times3^3+\cdots+17\times3^9$$

이라 하면

$$\begin{array}{rl} S= & 1\times3+3\times3^2+5\times3^3+\cdots+17\times3^9 \\ -)\ 3S= & \qquad 1\times3^2+3\times3^3+\cdots+15\times3^9+17\times3^{10} \\ \hline -2S= & 1\times3+2\times3^2+2\times3^3+\cdots+2\times3^9-17\times3^{10} \end{array}$$

$$=2(3+3^2+3^3+\cdots+3^9)-3-17\times3^{10}$$
$$=2\times\frac{3(3^9-1)}{3-1}-3-17\times3^{10}$$
$$=3^{10}-3-3-17\times3^{10}$$
$$=-16\times3^{10}-6$$

$\therefore S=8\times3^{10}+3$

7-2 답 $3-\frac{3}{2^7}$

|**해결 전략**| 주어진 수열의 합 S에 대하여 $S-$(등비수열의 공비)$\times S$를 계산하여 S의 값을 구한다.

$S=2\times\frac{1}{2}+3\times\left(\frac{1}{2}\right)^2+4\times\left(\frac{1}{2}\right)^3+\cdots+10\times\left(\frac{1}{2}\right)^9$이라 하면

$$\begin{array}{rl} S= & 2\times\frac{1}{2}+3\times\left(\frac{1}{2}\right)^2+4\times\left(\frac{1}{2}\right)^3+\cdots+10\times\left(\frac{1}{2}\right)^9 \\ -)\ \frac{1}{2}S= & \qquad +2\times\left(\frac{1}{2}\right)^2+3\times\left(\frac{1}{2}\right)^3+\cdots+9\times\left(\frac{1}{2}\right)^9+10\times\left(\frac{1}{2}\right)^{10} \\ \hline \frac{1}{2}S= & 1+\left(\frac{1}{2}\right)^2+\left(\frac{1}{2}\right)^3+\cdots+\left(\frac{1}{2}\right)^9-10\times\left(\frac{1}{2}\right)^{10} \end{array}$$

$$=1+\frac{\frac{1}{4}\left\{1-\left(\frac{1}{2}\right)^8\right\}}{1-\frac{1}{2}}-10\times\left(\frac{1}{2}\right)^{10}$$
$$=1+\frac{1}{2}-\left(\frac{1}{2}\right)^9-5\times\left(\frac{1}{2}\right)^9$$
$$=\frac{3}{2}-6\times\left(\frac{1}{2}\right)^9=\frac{3}{2}-\frac{3}{2^8}$$

$\therefore S=3-\frac{3}{2^7}$

8-1 답 11

|**해결 전략**| 수열의 각 항이 갖는 규칙을 파악하여 주어진 수열을 군으로 나눈다.

주어진 수열을 각 군의 첫째항이 1이 되도록 묶으면

$\underbrace{(1)}_{\text{제1군}}, \underbrace{(1, 3)}_{\text{제2군}}, \underbrace{(1, 3, 5)}_{\text{제3군}}, \underbrace{(1, 3, 5, 7)}_{\text{제4군}}, \underbrace{(1, 3, 5, 7, 9)}_{\text{제5군}}, \cdots$

각 군의 항의 개수는 1, 2, 3, $\cdots$이므로 제1군부터 제n군까지의 항의 개수는

$$\sum_{k=1}^{n}k=\frac{n(n+1)}{2}$$

$n=12$일 때, $\frac{12\times13}{2}=78$이므로 제84항은 제13군의 6번째 항이다.

이때, 각 군은 첫째항이 1, 공차가 2인 등차수열이므로 제13군의 6번째 항은

$1+(6-1)\times2=11$

따라서 제84항은 11이다.

8-2 답 137

|**해결 전략**| 수열의 각 항이 갖는 규칙을 파악하여 주어진 수열을 군으로 나눈다.

주어진 수열을 같은 수끼리 묶으면

$\underbrace{(1)}_{\text{제1군}}, \underbrace{\left(\frac{1}{2}, \frac{1}{2}\right)}_{\text{제2군}}, \underbrace{\left(\frac{1}{3}, \frac{1}{3}, \frac{1}{3}\right)}_{\text{제3군}}, \underbrace{\left(\frac{1}{4}, \frac{1}{4}, \frac{1}{4}, \frac{1}{4}\right)}_{\text{제4군}}, \cdots$

$\frac{1}{17}$은 분모가 17인 제17군의 수이다.

각 군의 항의 개수는 1, 2, 3, $\cdots$이므로 제1군부터 제16군까지의 항의 개수는

$$\sum_{k=1}^{16}k=\frac{16\times17}{2}=136$$

따라서 $\frac{1}{17}$이 처음으로 나오는 항은 제137항이므로 $k=137$

11 | 수학적 귀납법

1 수학적 귀납법

개념 확인 262쪽~263쪽

1 (1) 21 (2) 17

2 (1) $a_1=2,\ a_{n+1}=a_n+5\ (n=1,\ 2,\ 3,\ \cdots)$

(2) $a_1=1,\ a_{n+1}=a_n-3\ (n=1,\ 2,\ 3,\ \cdots)$

3 (1) $a_1=2,\ a_{n+1}=2a_n\ (n=1,\ 2,\ 3,\ \cdots)$

(2) $a_1=3,\ a_{n+1}=-\frac{1}{3}a_n\ (n=1,\ 2,\ 3,\ \cdots)$

1 (1) $a_{n+1}=a_n+2n$의 n에 1, 2, 3, 4를 차례로 대입하면

$a_2=a_1+2\times1=1+2=3$

$a_3=a_2+2\times2=3+4=7$

$a_4=a_3+2\times3=7+6=13$

$\therefore a_5=a_4+2\times4=13+8=21$

(2) $a_{n+1}=2a_n-1$의 n에 1, 2, 3, 4를 차례로 대입하면

$a_2=2a_1-1=2\times2-1=3$

$a_3=2a_2-1=2\times3-1=5$

$a_4=2a_3-1=2\times5-1=9$

$\therefore a_5=2a_4-1=2\times9-1=17$

2 (1) 주어진 수열은 첫째항이 2, 공차가 $7-2=5$인 등차수열이므로

$a_1=2,\ a_{n+1}=a_n+5\ (n=1,\ 2,\ 3,\ \cdots)$

(2) 주어진 수열은 첫째항이 1, 공차가 $-2-1=-3$인 등차수열이므로 $a_1=1,\ a_{n+1}=a_n-3\ (n=1,\ 2,\ 3,\ \cdots)$

3 (1) 주어진 수열은 첫째항이 2, 공비가 $\frac{4}{2}=2$인 등비수열이므로

$a_1=2,\ a_{n+1}=2a_n\ (n=1,\ 2,\ 3,\ \cdots)$

(2) 주어진 수열은 첫째항이 3, 공비가 $\frac{-1}{3}=-\frac{1}{3}$인 등비수열이므로 $a_1=3,\ a_{n+1}=-\frac{1}{3}a_n\ (n=1,\ 2,\ 3,\ \cdots)$

STEP 1 개념 드릴 | 266쪽 |

1 (1) $3,\ \frac{3}{4},\ \frac{3}{7},\ \frac{3}{10}$ (2) 2, 3, 4, 5

2 (1) $a_n=3n+2$ (2) $a_n=-n-1$

(3) $a_n=2\times\left(\frac{1}{5}\right)^{n-1}$ (4) $a_n=(-2)^n$

3 (가) $\frac{1}{(k+1)(k+2)}$ (나) $\frac{k+1}{k+2}$ (다) $k+1$

4 (가) 1 (나) $3k-2$ (다) $\frac{(k+1)(3k+2)}{2}$

1 (1) $a_{n+1}=\frac{a_n}{a_n+1}$의 n에 1, 2, 3을 차례로 대입하면

$$a_2=\frac{a_1}{a_1+1}=\frac{3}{3+1}=\frac{3}{4}$$

$$a_3=\frac{a_2}{a_2+1}=\frac{\frac{3}{4}}{\frac{3}{4}+1}=\frac{3}{7}$$

$$a_4=\frac{a_3}{a_3+1}=\frac{\frac{3}{7}}{\frac{3}{7}+1}=\frac{3}{10}$$

따라서 수열 $\{a_n\}$의 첫째항부터 제4항까지 차례로 나열하면

$3,\ \frac{3}{4},\ \frac{3}{7},\ \frac{3}{10}$

(2) $a_{n+2}=2a_{n+1}-a_n$의 n에 1, 2를 차례로 대입하면

$a_3=2a_2-a_1=2\times3-2=4,\ a_4=2a_3-a_2=2\times4-3=5$

따라서 수열 $\{a_n\}$의 첫째항부터 제4항까지 차례로 나열하면

2, 3, 4, 5

2 (1) 주어진 수열은 첫째항이 5, 공차가 3인 등차수열이므로

$a_n=5+(n-1)\times3=3n+2$

(2) 주어진 수열은 첫째항이 -2,

공차가 $a_2-a_1=(-3)-(-2)=-1$인 등차수열이므로

$a_n=-2+(n-1)\times(-1)=-n-1$

(3) 주어진 수열은 첫째항이 2, 공비가 $\frac{1}{5}$인 등비수열이므로

$a_n=2\times\left(\frac{1}{5}\right)^{n-1}$

(4) 주어진 수열은 첫째항이 -2, 공비가 $\frac{a_2}{a_1}=\frac{4}{-2}=-2$인 등비수열이므로

$a_n=(-2)\times(-2)^{n-1}=(-2)^n$

3 (i) $n=1$일 때, (좌변)$=\frac{1}{2}$, (우변)$=\frac{1}{2}$이므로 주어진 등식이 성립한다.

(ii) $n=k$일 때, 주어진 등식이 성립한다고 가정하면

$$\frac{1}{1\times2}+\frac{1}{2\times3}+\frac{1}{3\times4}+\cdots+\frac{1}{k(k+1)}=\frac{k}{k+1}$$

위 식의 양변에 $\boxed{\frac{1}{(k+1)(k+2)}}$을 더하면

$$\frac{1}{1\times2}+\frac{1}{2\times3}+\frac{1}{3\times4}$$

$$+\cdots+\frac{1}{k(k+1)}+\boxed{\frac{1}{(k+1)(k+2)}}$$

$$=\frac{k}{k+1}+\boxed{\frac{1}{(k+1)(k+2)}}$$

$$=\frac{k^2+2k+1}{(k+1)(k+2)}=\boxed{\frac{k+1}{k+2}}$$

따라서 $n=\boxed{k+1}$일 때도 주어진 등식이 성립한다.

(i), (ii)에 의하여 모든 자연수 n에 대하여 주어진 등식이 성립한다.

4 (i) $n=1$일 때,

(좌변)$=\boxed{1}$, (우변)$=\frac{1\times(3\times1-1)}{2}=\boxed{1}$

이므로 주어진 등식이 성립한다.

(ii) $n=k$일 때, 주어진 등식이 성립한다고 가정하면

$1+4+7+\cdots+(\boxed{3k-2})=\frac{k(3k-1)}{2}$

위 식의 양변에 $3k+1$을 더하면

$1+4+7+\cdots+(3k-2)+(3k+1)$

$=\frac{k(3k-1)}{2}+(3k+1)=\frac{3k^2+5k+2}{2}$

$=\boxed{\frac{(k+1)(3k+2)}{2}}$

따라서 $n=k+1$일 때도 주어진 등식이 성립한다.

(i), (ii)에 의하여 모든 자연수 n에 대하여 주어진 등식이 성립한다.

STEP 2 필수 유형

| 267쪽~273쪽 |

01-1 답 13

| 해결 전략 | 주어진 수열이 등차수열임을 이용하여 일반항을 구한 후 조건을 만족시키는 k의 값을 구한다.

$a_{n+2}-2a_{n+1}+a_n=0$에서 $2a_{n+1}=a_n+a_{n+2}$이므로 수열 $\{a_n\}$은 등차수열이다.

수열 $\{a_n\}$의 첫째항을 a, 공차를 d라 하면

$a_3=4$에서 $a+2d=4$ …… ㉠

$a_5=9$에서 $a+4d=9$ …… ㉡

㉠, ㉡을 연립하여 풀면 $a=-1,\ d=\frac{5}{2}$

$\therefore\ a_n=-1+(n-1)\times\frac{5}{2}=\frac{5}{2}n-\frac{7}{2}$

이때, $a_k=29$이므로

$a_k=\frac{5}{2}k-\frac{7}{2}=29$ $\quad\therefore\ k=13$

01-2 답 1023

| 해결 전략 | 주어진 수열이 등비수열이므로 등비수열의 합의 공식을 이용한다.

${a_{n+1}}^2=a_na_{n+2}$이므로 수열 $\{a_n\}$은 등비수열이다.

이때, 첫째항이 3, 공비가 $\frac{a_2}{a_1}=\frac{12}{3}=4$이므로

$\sum_{k=1}^{5}a_k=\frac{3(4^5-1)}{4-1}=4^5-1=2^{10}-1=1023$

01-3 답 $9^{10}-1$

| 해결 전략 | 로그의 성질을 이용하여 주어진 수열이 등비수열임을 안다.

$2\log a_{n+1}=\log a_n+\log a_{n+2}$에서 ${a_{n+1}}^2=a_na_{n+2}$이므로 수열 $\{a_n\}$은 등비수열이다.

이때, 수열 $\{a_n\}$은 첫째항이 8, 공비가 $\frac{a_2}{a_1}=\frac{24}{8}=3$이므로 수열 a_1, a_3, a_5, $\cdots$, a_{19}는 첫째항이 8, 공비가 9인 등비수열이고 항의 개수는 10이다.

$\therefore\ a_1+a_3+a_5+\cdots+a_{19}=\frac{8(9^{10}-1)}{9-1}=9^{10}-1$

02-1 답 526

| 해결 전략 | 주어진 식의 n에 1, 2, 3, $\cdots$, 9를 차례로 대입하여 변끼리 더한다.

$a_{n+1}=a_n+2n^2-n$의 n에 1, 2, 3, $\cdots$, 9를 차례로 대입하여 변끼리 더하면

$$\begin{aligned}
\cancel{a_2}&=a_1+2\times1^2-1\\
\cancel{a_3}&=\cancel{a_2}+2\times2^2-2\\
\cancel{a_4}&=\cancel{a_3}+2\times3^2-3\\
&\ \ \vdots\\
+\big)\ a_{10}&=\cancel{a_9}+2\times9^2-9\\
\hline
a_{10}&=a_1+2(1^2+2^2+3^2+\cdots+9^2)-(1+2+3+\cdots+9)\\
&=a_1+2\sum_{k=1}^{9}k^2-\sum_{k=1}^{9}k=1+2\times\frac{9\times10\times19}{6}-\frac{9\times10}{2}\\
&=1+570-45=526
\end{aligned}$$

참고

자연수의 거듭제곱의 합

(1) $1+2+3+\cdots+n=\sum_{k=1}^{n}k=\frac{n(n+1)}{2}$

(2) $1^2+2^2+3^2+\cdots+n^2=\sum_{k=1}^{n}k^2=\frac{n(n+1)(2n+1)}{6}$

02-2 답 10

| 해결 전략 | 주어진 식의 n에 1, 2, 3, $\cdots$, $n-1$을 차례로 대입하여 변끼리 더한다.

$a_{n+1}=a_n+3n-1$의 n에 1, 2, 3, $\cdots$, $n-1$을 차례로 대입하여 변끼리 더하면

$$\begin{aligned}
\cancel{a_2}&=a_1+3\times1-1\\
\cancel{a_3}&=\cancel{a_2}+3\times2-1\\
\cancel{a_4}&=\cancel{a_3}+3\times3-1\\
&\ \ \vdots\\
+\big)\ a_n&=\cancel{a_{n-1}}+3(n-1)-1\\
\hline
a_n&=a_1+3\{1+2+3+\cdots+(n-1)\}+(-1)\times(n-1)\\
&=a_1+3\sum_{k=1}^{n-1}k+(-1)\times(n-1)\\
&=1+3\times\frac{(n-1)n}{2}-(n-1)\\
&=\frac{3n^2-5n+4}{2}
\end{aligned}$$

$a_k=127$이므로

$\frac{3k^2-5k+4}{2}=127,\ 3k^2-5k-250=0$

$(3k+25)(k-10)=0$ $\quad\therefore\ k=-\frac{25}{3}$ 또는 $k=10$

이때, k는 자연수이므로 $k=10$

03-1 답 5

|해결 전략| 주어진 식의 n에 1, 2, 3, ⋯, 22를 차례로 대입하여 변끼리 곱한다.

$a_{n+1}=\frac{2n+1}{2n-1}a_n$의 n에 1, 2, 3, ⋯, 22를 차례로 대입하여 변끼리 곱하면

$$\begin{aligned} \cancel{a_2}&=\frac{3}{1}a_1 \\ \cancel{a_3}&=\frac{5}{3}\cancel{a_2} \\ \cancel{a_4}&=\frac{7}{5}\cancel{a_3} \\ &\vdots \\ \times)\ a_{23}&=\frac{45}{43}\cancel{a_{22}} \end{aligned}$$

$$a_{23}=a_1\times\left(\frac{3}{1}\times\frac{5}{3}\times\frac{7}{5}\times\cdots\times\frac{45}{43}\right)$$
$$=\frac{1}{9}\times45=5$$

03-2 답 $\frac{\sqrt{10}}{180}$

|해결 전략| 주어진 식의 n에 1, 2, 3, ⋯, 79를 차례로 대입하여 변끼리 곱한다.

$\sqrt{n+2}\,a_{n+1}=\sqrt{n}\,a_n$에서 $a_{n+1}=\frac{\sqrt{n}}{\sqrt{n+2}}a_n$

$a_{n+1}=\frac{\sqrt{n}}{\sqrt{n+2}}a_n$의 n에 1, 2, 3, ⋯, 79를 차례로 대입하여 변끼리 곱하면

$$\begin{aligned} \cancel{a_2}&=\frac{\sqrt{1}}{\sqrt{3}}a_1 \\ \cancel{a_3}&=\frac{\sqrt{2}}{\sqrt{4}}\cancel{a_2} \\ \cancel{a_4}&=\frac{\sqrt{3}}{\sqrt{5}}\cancel{a_3} \\ &\vdots \\ \cancel{a_{79}}&=\frac{\sqrt{78}}{\sqrt{80}}\cancel{a_{78}} \\ \times)\ a_{80}&=\frac{\sqrt{79}}{\sqrt{81}}\cancel{a_{79}} \end{aligned}$$

$$a_{80}=a_1\times\left(\frac{\sqrt{1}}{\sqrt{3}}\times\frac{\sqrt{2}}{\sqrt{4}}\times\frac{\sqrt{3}}{\sqrt{5}}\times\cdots\times\frac{\sqrt{78}}{\sqrt{80}}\times\frac{\sqrt{79}}{\sqrt{81}}\right)$$
$$=\frac{\sqrt{1}\times\sqrt{2}}{\sqrt{80}\times\sqrt{81}}=\frac{\sqrt{2}}{36\sqrt{5}}=\frac{\sqrt{10}}{180}$$

04-1 답 $\frac{5^8}{2^9}$

|해결 전략| $a_1=S_1$, $a_n=S_n-S_{n-1}\ (n\ge2)$임을 이용하여 주어진 식을 a_n에 대한 식으로 변형한다.

$3S_n=2a_{n+1}$ ⋯⋯ ㉠

$3S_{n-1}=2a_n\ (n\ge2)$ ⋯⋯ ㉡

㉠－㉡을 하면 $3a_n=2(a_{n+1}-a_n)$ $\quad\therefore a_{n+1}=\frac{5}{2}a_n\ (n\ge2)$

이때, $a_1=S_1=\frac{1}{3}$이므로 $3S_1=2a_2$에서 $a_2=\frac{1}{2}$

따라서 수열 $\{a_n\}$의 일반항 a_n은

$a_1=\frac{1}{3},\ a_n=\frac{1}{2}\times\left(\frac{5}{2}\right)^{n-2}\ (n\ge2)$

$\therefore a_{10}=\frac{1}{2}\times\left(\frac{5}{2}\right)^8=\frac{5^8}{2^9}$

04-2 답 $\frac{3^9+1}{2}$

|해결 전략| $a_1=S_1$, $a_n=S_n-S_{n-1}\ (n\ge2)$임을 이용하여 주어진 식을 a_n에 대한 식으로 변형한다.

$S_{n+1}=3S_n-1$ ⋯⋯ ㉠

$S_n=3S_{n-1}-1\ (n\ge2)$ ⋯⋯ ㉡

㉠－㉡을 하면 $a_{n+1}=3a_n\ (n\ge2)$

이때, $a_1=S_1=1$이므로 $S_2=3S_1-1=3-1=2$

$S_2=a_1+a_2=2$이므로 $a_2=1$

따라서 수열 $\{a_n\}$의 일반항 a_n은

$a_1=1,\ a_n=3^{n-2}\ (n\ge2)$

$\therefore S_{10}=a_1+\sum_{k=2}^{10}a_k=1+\frac{3^9-1}{3-1}=\frac{3^9+1}{2}$

05-1 답 (1) $a_1=31,\ a_{n+1}=2a_n+1\ (n=1, 2, 3, \cdots)$ (2) 255

|해결 전략| 주어진 조건을 이용하여 a_1의 값을 구하고, a_n과 a_{n+1} 사이의 관계식을 구한다.

(1) 1시간이 지날 때마다 전 시간의 2배보다 1마리 많게 번식하므로

$a_1=15\times2+1=31$

$(n+1)$시간 후 박테리아 수 a_{n+1}은 a_n의 2배보다 1마리 많으므로

$a_{n+1}=2a_n+1\ (n=1, 2, 3, \cdots)$

(2) $a_{n+1}=2a_n+1$의 n에 1, 2, 3을 차례로 대입하면

$a_2=2a_1+1=2\times31+1=63$

$a_3=2a_2+1=2\times63+1=127$

$\therefore a_4=2a_3+1=2\times127+1=255$

05-2 답 8

|해결 전략| $(n+2)$번째 계단을 오르는 방법은 n번째 계단에서 두 계단을 올라가는 방법과 $(n+1)$번째 계단에서 한 계단을 올라가는 방법이 있음을 이용한다.

첫 번째 계단을 오르는 방법은 1가지이고, 두 번째 계단을 오르는 방법은 2가지이므로 $a_1=1,\ a_2=2$

오른쪽 그림과 같이 $(n+2)$번째 계단을 오르는 방법은 n번째 계단에서 두 계단을 올라가는 방법과 $(n+1)$번째 계단에서 한 계단을 올라가는 방법이 있다.

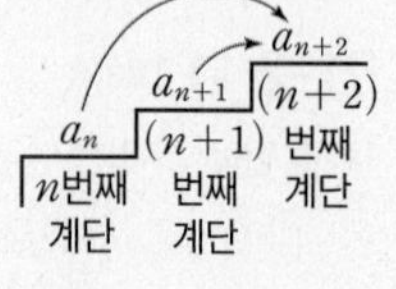

$\therefore a_{n+2}=a_{n+1}+a_n$

$a_{n+2}=a_{n+1}+a_n$의 n에 1, 2, 3을 차례로 대입하면

$a_3=a_2+a_1=2+1=3$

$a_4=a_3+a_2=3+2=5$

$\therefore a_5=a_4+a_3=5+3=8$

06-1 답 풀이 참조

|해결 전략| 주어진 등식이 $n=1$일 때 성립함을 보인 후 $n=k$일 때 성립한다고 가정하면 $n=k+1$일 때도 성립함을 보인다.

(i) $n=1$일 때,

(좌변)$=1$, (우변)$=2^1-1=1$

이므로 주어진 등식이 성립한다.

(ii) $n=k$일 때, 주어진 등식이 성립한다고 가정하면

$1+2+2^2+\cdots+2^{k-1}=2^k-1$

위 식의 양변에 2^k을 더하면

$1+2+2^2+\cdots+2^{k-1}+2^k=2^k-1+2^k=2^{k+1}-1$

따라서 $n=k+1$일 때도 주어진 등식이 성립한다.

(i), (ii)에 의하여 모든 자연수 n에 대하여 주어진 등식이 성립한다.

07-1 답 풀이 참조

|해결 전략| 주어진 부등식이 $n=4$일 때 성립함을 보인 후 $n=k\,(k\geq4)$일 때 성립한다고 가정하면 $n=k+1$일 때도 성립함을 보인다.

(i) $n=4$일 때,

(좌변)$=2^4=16$, (우변)$=4^2=16$

이므로 주어진 부등식이 성립한다.

(ii) $n=k\,(k\geq4)$일 때, 주어진 부등식이 성립한다고 가정하면

$2^k\geq k^2$이므로 $2^k\times2\geq k^2\times2=2k^2$

이때, $k\geq4$인 모든 자연수 k에 대하여

$2k^2-(k+1)^2=(k-1)^2-2>0$

이므로

$2^{k+1}\geq2k^2>(k+1)^2$

따라서 $n=k+1$일 때도 주어진 부등식이 성립한다.

(i), (ii)에 의하여 $n\geq4$인 모든 자연수 n에 대하여 주어진 부등식이 성립한다.

STEP 3 유형 드릴

| 274쪽~275쪽 |

1-1 답 99

|해결 전략| 주어진 수열이 등차수열임을 이용하여 일반항을 구한 후 a_{50}의 값을 구한다.

주어진 수열은 첫째항이 1, 공차가 2인 등차수열이므로

$a_n=1+(n-1)\times2=2n-1\qquad\therefore a_{50}=99$

1-2 답 -92

|해결 전략| 주어진 수열이 등차수열임을 이용하여 일반항을 구한다.

주어진 수열은 첫째항이 -22, 공차가 3인 등차수열이므로

$a_n=-22+(n-1)\times3=3n-25<0\qquad\therefore n<\frac{25}{3}=8.3\cdots$

따라서 $\sum_{k=1}^{n}a_k$의 최솟값은

$\sum_{k=1}^{8}a_k=\frac{8(-44+7\times3)}{2}=-92$

2-1 답 256

|해결 전략| 주어진 수열이 등비수열임을 이용하여 a_{10}의 값을 구한다.

주어진 수열은 공비가 2인 등비수열이므로 첫째항을 a라 하면

$a_3=2$에서 $a\times2^2=2$이므로 $a=\frac{1}{2}\qquad\therefore a_{10}=\frac{1}{2}\times2^9=2^8=256$

2-2 답 192

|해결 전략| 수열 $\{a_n\}$은 등차수열이고, 수열 $\{b_n\}$은 등비수열임을 이용한다.

수열 $\{a_n\}$은 첫째항이 2, 공차가 2인 등차수열이므로

$a_n=2+(n-1)\times2=2n$

수열 $\{b_n\}$은 첫째항이 3인 등비수열이므로 공비를 r라 하면

$b_n=3r^{n-1}$

이때, $a_{12}=24$, $b_9=3r^8$이므로 $24=3r^8\qquad\therefore r^8=8$

$\therefore b_{17}=3r^{16}=3(r^8)^2=3\times8^2=192$

3-1 답 $\frac{199}{100}$

|해결 전략| 주어진 식의 n에 1, 2, 3, …, 99를 차례로 대입하여 변끼리 더한다.

$a_{n+1}=a_n+\frac{1}{n(n+1)}$의 n에 1, 2, 3, …, 99를 차례로 대입하여 변끼리 더하면

$$\begin{aligned}\cancel{a_2}&=a_1+\frac{1}{1\times2}\\ \cancel{a_3}&=\cancel{a_2}+\frac{1}{2\times3}\\ \cancel{a_4}&=\cancel{a_3}+\frac{1}{3\times4}\\ &\ \vdots\\ +\big)\ a_{100}&=\cancel{a_{99}}+\frac{1}{99\times100}\end{aligned}$$

$$\begin{aligned}a_{100}&=a_1+\left(\frac{1}{1\times2}+\frac{1}{2\times3}+\frac{1}{3\times4}+\cdots+\frac{1}{99\times100}\right)\\&=1+\left(1-\frac{1}{2}\right)+\left(\frac{1}{2}-\frac{1}{3}\right)+\left(\frac{1}{3}-\frac{1}{4}\right)+\cdots+\left(\frac{1}{99}-\frac{1}{100}\right)\\&=1+\left(1-\frac{1}{100}\right)=\frac{199}{100}\end{aligned}$$

3-2 답 50

|해결 전략| 주어진 식의 n에 1, 2, 3, …, 99를 차례로 대입한다.

$a_{n+1}=a_n+(-1)^n$의 n에 1, 2, 3, …, 99를 차례로 대입하면

$a_2=a_1+(-1)=1+(-1)=0$

$a_3=a_2+(-1)^2=0+1=1$

$a_4=a_3+(-1)^3=1+(-1)=0$

$\vdots$

$a_{100}=a_{99}+(-1)^{99}=1+(-1)=0$

$\therefore \sum_{k=1}^{100}a_k=50$ ← $\{a_n\}$: 1, 0, 1, 0, …

4-1 답 $\frac{1}{5}$

|해결 전략| 주어진 식의 n에 1, 2, 3, …, 9를 차례로 대입하여 변끼리 곱한다.

$a_{n+1}=\frac{n}{n+2}a_n$의 n에 1, 2, 3, ⋯, 9를 차례로 대입하여 변끼리 곱하면

$$a_2=\frac{1}{3}a_1$$
$$a_3=\frac{2}{4}a_2$$
$$a_4=\frac{3}{5}a_3$$
$$\vdots$$
$$a_9=\frac{8}{10}a_8$$
$$\times)\ a_{10}=\frac{9}{11}a_9$$

$$a_{10}=a_1\times\frac{1}{3}\times\frac{2}{4}\times\frac{3}{5}\times\cdots\times\frac{8}{10}\times\frac{9}{11}$$
$$=11\times\frac{1\times2}{10\times11}=\frac{1}{5}$$

4-2 답 7

|**해결 전략**| 주어진 식의 n에 1, 2, 3, ⋯을 차례로 대입한다.

$a_{n+1}=na_n$의 n에 1, 2, 3, ⋯을 차례로 대입하면

$a_2=a_1=1$

$a_3=2a_2=2\times1$

$a_4=3a_3=3\times2\times1$

$a_5=4a_4=4\times3\times2\times1=3\times2^3$

$a_6=5a_5=5\times4\times3\times2\times1=5\times3\times2^3$

$a_7=6a_6=6\times5\times4\times3\times2\times1=5\times3^2\times2^4$

$\vdots$

따라서 a_n이 16의 배수가 되도록 하는 자연수 n의 최솟값은 7이다.

참고

$a_{n+1}=na_n$의 n에 1, 2, 3, ⋯, $n-1$을 차례로 대입하여 변끼리 곱하면

$$a_2=a_1$$
$$a_3=2a_2$$
$$a_4=3a_3$$
$$\vdots$$
$$\times)\ a_n=(n-1)a_{n-1}$$

$$a_n=a_1\times2\times3\times\cdots\times(n-1)$$
$$=1\times2\times3\times\cdots\times(n-1)$$

5-1 답 5

|**해결 전략**| $a_{n+1}=S_{n+1}-S_n$임을 이용하여 주어진 식을 a_n에 대한 식으로 변형한다.

$S_{n+1}=\frac{1}{2}(a_{n+1}+n)$ ⋯⋯ ㉠

$S_n=\frac{1}{2}(a_n+n-1)\ (n\ge2)$ ⋯⋯ ㉡

㉠－㉡을 하면 $\frac{1}{2}(a_{n+1}+n)-\frac{1}{2}(a_n+n-1)=a_{n+1}$이므로

$a_n+a_{n+1}=1\ (n\ge2)$

$\therefore \sum_{k=2}^{11}a_k=(a_2+a_3)+(a_4+a_5)+\cdots+(a_{10}+a_{11})=5$

5-2 답 89

|**해결 전략**| $a_n=S_n-S_{n-1}\ (n\ge2)$임을 이용하여 주어진 식을 a_n에 대한 식으로 변형한다.

$S_n=2a_{n+1}$ ⋯⋯ ㉠

$S_{n-1}=2a_n\ (n\ge2)$ ⋯⋯ ㉡

㉠－㉡을 하면

$a_n=2a_{n+1}-2a_n$ $\quad\therefore a_{n+1}=\frac{3}{2}a_n\ (n\ge2)$

이때, $a_1=S_1=2$이므로 $S_1=2a_2=2$에서 $a_2=1$

$$\therefore \sum_{k=1}^{5}a_k=a_1+\sum_{k=2}^{5}a_k=2+\frac{\left(\frac{3}{2}\right)^4-1}{\frac{3}{2}-1}=2+2\left(\frac{81}{16}-1\right)=\frac{81}{8}$$

따라서 $p=8$, $q=81$이므로 $p+q=89$

6-1 답 (가) $(k+1)^3$ (나) $(k+2)^2$ (다) $k+2$

|**해결 전략**| 주어진 등식이 $n=1$일 때 성립함을 보인 후 $n=k$일 때 성립한다고 가정하면 $n=k+1$일 때도 성립함을 보인다.

(i) $n=1$일 때,

$(\text{좌변})=1^3=1$, $(\text{우변})=\left(\frac{1\times2}{2}\right)^2=1$

이므로 주어진 등식이 성립한다.

(ii) $n=k$일 때, 주어진 등식이 성립한다고 가정하면

$1^3+2^3+3^3+\cdots+k^3=\left\{\frac{k(k+1)}{2}\right\}^2$

위 식의 양변에 $\boxed{(k+1)^3}$을 더하면

$1^3+2^3+3^3+\cdots+k^3+\boxed{(k+1)^3}$

$=\left\{\frac{k(k+1)}{2}\right\}^2+\boxed{(k+1)^3}$

$=\frac{(k+1)^2\times\boxed{(k+2)^2}}{4}=\left\{\frac{(k+1)(\boxed{k+2})}{2}\right\}^2$

따라서 $n=k+1$일 때도 주어진 등식이 성립한다.

(i), (ii)에 의하여 모든 자연수 n에 대하여 주어진 등식이 성립한다.

6-2 답 (가) $1+h$ (나) kh^2

|**해결 전략**| 주어진 부등식이 $n=2$일 때 성립함을 보인 후 $n=k\ (k\ge2)$일 때 성립한다고 가정하면 $n=k+1$일 때도 성립함을 보인다.

(i) $n=2$일 때,

$(\text{좌변})=(1+h)^2=1+2h+h^2$, $(\text{우변})=1+2h$

이므로 주어진 부등식이 성립한다.

(ii) $n=k\ (k\ge2)$일 때, 주어진 부등식이 성립한다고 가정하면

$(1+h)^k>1+kh$

위 식의 양변에 $\boxed{1+h}$를 곱하면

$(1+h)^{k+1}>(1+kh)(\boxed{1+h})=1+(k+1)h+\boxed{kh^2}$

이때, $\boxed{kh^2}>0$이므로

$1+(k+1)h+\boxed{kh^2}>1+(k+1)h$

$\therefore (1+h)^{k+1}>1+(k+1)h$

따라서 $n=k+1$일 때도 주어진 부등식이 성립한다.

(i), (ii)에 의하여 $n\ge2$인 모든 자연수 n에 대하여 주어진 부등식이 성립한다.

Memo

Memo